S0-BQZ-989

Le NUMÉRO 1 depuis 46 ANS

LE GUIDE 2012 DE L'AUTO[MC]

Rédacteur en chef
Denis Duquet
Coordination éditoriale
Alain Morin
Coordination de production
Kim Malczewski, Marie-France Rock
Journalistes et photographes
Nadine Filion, Gabriel Gélinas, Jim Kenzie, Marc Lachapelle, Jean Léon, Gilles Olivier, Maxime Ouellet, Sylvain Raymond
Révision, correction et traduction
Marie-Hélène Leboeuf, Pierre René de Cotret
Fiches techniques
Jean-Charles Lajeunesse, Alain Morin
Liste de prix
Guy Desjardins
Conception et production
LC Média inc., Lexis Média inc., Groupe Librex
Graphistes
Vanessa Geoffroy, Véronique Messier, Kimberly Pimentel, Katrine Rivest, Paulo Salgueiro
Page couverture
Photo : BMW Canada
Graphiste : François Ménard
Administration
Jean Lemieux
Ventes
Simon Fortin
Coordonnatrice aux ventes
Karine Phaneuf
Fondateur du Guide de l'auto
Jacques Duval

1895 boul de l'industrie, suite 200
St-Mathieu-de-Belœil QC J3G 4S5
Tél. : 450-464-1479
Fax : 450-464-8271

Site Internet : www.guideautoweb.com

Catalogage avant publication de Bibliothèque et Archives nationales du Québec et Bibliothèque et Archives Canada

Vedette principale au titre :

Le guide de l'auto
ISSN 0315-9205
ISBN 978-2-89568-451-0

1. Automobiles - Achat - Guides, manuels, etc.
2. Automobiles - Spécifications - Guides, manuels, etc.

HD9710.A2D8 629.222029 C2010-300224-3

Remerciements
Nous reconnaissons l'aide financière du gouvernement du Canada par l'entremise du Fonds du livre du Canada pour nos activités d'édition.
Nous remercions la Société de développement des entreprises culturelles du Québec (SODEC) du soutien accordé à notre programme de publication.
Gouvernement du Québec – Programme de crédit d'impôt pour l'édition de livres – gestion SODEC.

Les Éditions du Trécarré
Groupe Librex inc.
Une compagnie de Quebecor Media
La Tourelle
1055, boul. René-Lévesque Est
Bureau 800
Montréal (Québec) H2L 4S5
Tél. : 514 849-5259
Téléc. : 514 849-1388
www.edtrecarre.com

Dépôt légal – Bibliothèque et Archives nationales du Québec et Bibliothèque et Archives Canada, 2011

ISBN : 978-2-89568-451-0

Imprimé au Canada

Distribution au Canada
Messageries ADP
2315, rue de la Province
Longueuil (Québec) J4G 1G4
Téléphone : 450 640-1234
Sans frais : 1 800 771-3022
www.messageries-adp.com

Diffusion hors Canada
Interforum
Immeuble Paryseine
3, allée de la Seine
F-94854 Ivry-sur-Seine Cedex
Tél. : 33 (0)1 49 59 10 10
www.interforum.fr

Denis **DUQUET**

Nadine **FILION**

Gabriel **GÉLINAS**

Marc **LACHAPELLE**

Alain **MORIN**

Gilles **OLIVIER**

Sylvain **RAYMOND**

LE GUIDE 2012 DE L'AUTO[MC]

TRÉCARRÉ
Une compagnie de Quebecor Media

Le Guide de l'auto tient à remercier les personnes et les organisations dont les noms suivent et qui ont apporté leur précieuse collaboration à la réalisation de l'édition 2012.

PARTICIPANTS AU MATCH DES SPORTIVES:
Carole Dugré, Théo DeGuire-Lachapelle, Yvan Fournier, Alexandre Langlois, Bertrand Plouffe, Daniel Saint-Georges, Philippe Roy-Richard

PARTICIPANTS AU MATCH VOITURES ÉCOLOS:
Michel Brosseau, André Lalanne, Gilles Olivier

PARTICIPANTS AU MATCH DES VOITURES BUDGET:
Denise Robert, Daniel Duquet, David Duquet, Alain Morin, Gilles Olivier

Pour leur collaboration, merci à:
Adams Jacquie (Mitsubishi), Alexandre Carol (Hyundai), Allard Roger (Allard Motor Works), Austin Bob (Rolls-Royce), Bachand Amyot (Subaru), Barrett Barbara (Jaquar \ Land Rover), Bastien Caroline (Kia), Beaucage André (Suzuki), Beaulieu Manon (Hyundai Seray), Bellemare Denis (Mercedes-Benz), Bon Joanne (BMW), Bonfa Umberto (Ferrari Québec), Brown Lara (Mitsubishi), Bye Rick (Porsche), Callaghan Lyne (Mazda), Caza JoAnne (Mercedes-Benz), Chambers Nicole (Subaru), Chaumont Josée (Audi Lauzon), Cheng Eva (Mercedes-Benz), Clark Doug (Audi), Crevier Marie-Michèle (Cohn & Wolfe) , Damico Sabrina (Ferrari Québec), Descôteaux Carl (Plethore), Desrochers Alain (Mazda), Dexter Rob (BMW), DiFelice Sandy (Toyota / Lexus / Scion), Durand Bernard (Lotus John Scotti), Dustin Woods (Volvo), Flynn Christine (Volvo Laval), Forsythe Ian (Nissan / Infiniti), Fournier Mathieu (Mazda), Frey Jochen (BMW), Godin Gérald (Hyundai), Grant Terry (BMW Laval), Grant Nicole (Toyota / Lexus / Scion), Gravel François (Volkswagen Arbour), Griffin Elaine (Subaru), Guertin Jacques (Sanair), Guindon Carole (Mazda), Guirguis Rania (Mazda), Guizzardi Cristina (Lamborghini), Hasham Rose (Toyota / Lexus / Scion), Heard Chad (Hyundai), Hollander Christine (Ford), Jacobs Richard (Honda), Kirchhoff Frank (Mécaglisse), Labre Daniel (Chrysler / Dodge / Jeep), Laforêt Alain (BMW), Lapalme Annick (Des Sources Chrysler), LaRocca Tony (General Motors), Laroche Cathy (Kia), Lavallée Ghyslain (Roch Lavallée et fils), Leinss Maiti (Pneus Continental), Lupien Robert (Cohn & Wolfe), Marchesseault Patrice (L.A. Detail), Marin Josée (Hyundai), Marsan Richard (Subaru), Marsaud Didier (Nissan / Infiniti), Meehan Heather Nissan / Infiniti), Mereb Nadia (Honda / Acura), Minielli Michael (Mercedes-Benz), Murphy Leeja (Agence Pink), Nerling Arden (Mercedes-Benz), Nielsen Cort (Audi), Oruna Roberto (Audi), Pagé Robert (General Motors), Paquette Luc (Hyundai), Paulozza Anthony (Pneus Pirelli), Pitblado Barbara (BMW), Renaud Louis (Mitsubishi Gabriel), Rioux Jacynthe (Volkswagen Arbour), Saratlic George (General Motors), Scotti John (John Scotti Auto), Senay Frédéric (ICAR), Siegal Joel (Décarie Motors), Spence Steve Services Spenco), St-Germain Sophie (Plaza Chevrolet), St-Pierre Patrick (Kia), Tabacs Rob (Mercedes-Benz), Tan Derrick (Toyota / Lexus / Scion), Testani Mélanie (Toyota / Lexus / Scion), Tetzlaff Thomas (Volkswagen), Vaillancourt Paul (Torchia Communications), Vernile John (Hyundai), Villaverde Eduardo (BMW), Viney Peter (Volkswagen), Yap Laurance (Porsche), Young Greg (Mazda), Zlatin Karen (Mercedes-Benz)

DEUX GRANDES PREMIÈRES!

Voilà, maintenant c'est vrai! Pour la première fois dans l'histoire du Guide de l'auto, nous retrouvons, parmi les voitures de production, des automobiles à propulsion 100 % électrique et une autre à propulsion électrique assistée. Depuis des années, on nous dit que l'ère de la voiture électrique est sur le point d'arriver... Eh bien, nous en sommes enfin à ses premiers balbutiements pour ce qui est de production en série. De plus, de nombreuses compagnies ont promis de commercialiser, dans les mois à venir, plusieurs modèles de type « zéro pollution ». Chez Ford par exemple, il sera possible de commander une Focus électrique. Elle viendra s'ajouter aux Mitsubishi i-MiEV et Nissan Leaf. Sans oublier la Chevrolet Volt, dont on entend parler depuis plusieurs mois, qui sera également mise en marché au Canada en 2012.

Il est difficile de prédire si ces voitures jouiront d'une popularité à long terme. Mais si on tient compte de la publicité qui est faite autour de l'arrivée de ces modèles, il est certain que plusieurs autres constructeurs emboîteront le pas à court et moyen terme. Il faut s'attendre également à la prolifération des véhicules à propulsion hybride. Les constructeurs allemands n'ont pas été aux avant-postes en ce qui concerne cette technologie, mais plusieurs vont annoncer l'arrivée imminente de voitures hybrides dans diverses catégories. Et les Coréens lancent cette année leurs modèles hybrides dont la technologie est intéressante et innovatrice.

C'est justement la prescription qu'il faut. Dans le secteur de l'automobile, il n'est pas bon de laisser un concurrent seul dans une catégorie, surtout s'il connaît du succès. C'est pourquoi au cours des mois et des années à venir, les constructeurs se tourneront davantage vers des solutions plus écologiques, notamment vers les voitures hybrides « branchables » ou 100 % électrique. Mais tant que les piles ne pourront pas être fabriquées à bas coût et qu'elles n'offriront pas une autonomie de plus de 300 km, les hybrides demeureront une solution intermédiaire. Malgré tout, la plupart des spécialistes prédisent que d'ici 2020, les véhicules à vocation hybride ne représenteront pas plus de 15 % du marché. Il est donc exagéré de croire en la mort à court terme des véhicules à moteur thermique.

La présente édition du Guide de l'auto vous offre une grande première. Dans une section spéciale, vous découvrirez quatre voitures exotiques hors série que nos auteurs et collaborateurs ont essayées au cours des derniers mois. Jamais dans l'histoire du Guide a-t-on analysé côte à côte une Ferrari, une Lamborghini, une McLaren ainsi qu'une exotique 100 % Québécoise comme la Pléthore. En raison de leur prix, de leur puissant moteur et de leurs performances extraordinaires, ces voitures semblent être à contre-courant des grandes tendances de l'industrie. C'est vrai en partie, mais toutes font appel à des matériaux ultralégers comme la fibre de carbone, la fibre de kevlar et l'aluminium dans la composition de leur châssis. Ajoutez à cela des moteurs plus propres qu'auparavant et vous avez de bonnes raisons de lire ces articles qui présentent ce que la technologie de demain nous réserve.

Parmi les autres grandes tendances du marché, il faut souligner la présence de nouvelles technologies qui permettent aux moteurs de conserver toute leur puissance, mais de réduire leur cylindrée et par le fait même, leur consommation d'essence. Le constructeur Ford continue de développer sa technologie EcoBoost qui utilise la turbocompression sur un moteur de petite cylindrée afin d'obtenir plus de puissance et une économie de carburant. Fait à souligner, depuis le lancement par Ford de la camionnette F-150 EcoBoost, ce V6 est devenu rapidement plus populaire que le moteur V8. Une autre raison de se montrer optimiste pour l'avenir.

Et puisqu'il est question d'avenir, nous avons choisi de présenter en page couverture, la BMW Vision EfficientDynamics qui incorpore la quasi-totalité des technologies qui seront utilisées dans les années à venir tant en matière d'aérodynamique, d'ergonomie que de propulsion écologique.

Une fois de plus, le monde de l'automobile sait nous étonner, nous surprendre et nous ébahir. Bonne lecture et à l'an prochain.

Denis Duquet

sommaire

657

95 104

629

essais long terme

les premiers de classe

technologies

tous les modèles à l'essai

statistiques

dernière heure

INDEX

Plus de puissance. Plus de liberté.
Moteur Twin Cam 103MC offert de série sur TOUS les modèles Touring, SoftailMD et certains modèles DynaMD.*
103
103 CUBIC INCHES
SIX SPEED
103
MOTOR HARLEY-DAVIDSON CYCLES
www.harleycanada.com
*Les motocyclettes Street BobMD et Super GlideMD ne sont pas équipées du moteur Twin Cam 103MC de série.
À l'achat de toute nouvelle motocyclette Harley-DavidsonMD chez un détaillant Harley-DavidsonMD canadien autorisé, vous devenez membre, gratuitement et pour un an, du regroupement H.O.G.MD Quand vous conduisez, portez toujours un casque protecteur. Conduisez prudemment. Distribué exclusivement au Canada par Deeley Harley-DavidsonMD Canada, Richmond et Concord. Deeley Harley-DavidsonMD Canada est fière de commanditer Dystrophie musculaire Canada. ©2011 H-D. Le logo Bar & Shield, Harley, Harley-Davidson font partie des marques de commerce d'H-D Michigan, LLC. ©2011 H-D

BMW VISION EFFICIENTDYNAMICS

Vision du futur rapproché

De temps en temps, la compagnie BMW met au point un véhicule concept qui incorpore les technologies qu'elle entend utiliser dans ses futurs modèles de production. C'est le cas de cette voiture nommée Vision EfficientDynamics. Malgré son allure très avant-gardiste, elle présente des éléments que le constructeur compte offrir sur les véhicules qu'il commercialisera dans moins de cinq ans.

Si nous avons choisi ce modèle pour orner notre page couverture, c'est qu'à notre avis, il illustre parfaitement les technologies futures qui permettront non seulement de réduire l'émission des gaz à effet de serre, mais rehausseront également la sécurité, le confort et l'agrément de conduite.

L'AVENIR AUX « PLUG-IN » ?

À voir sa silhouette, cette voiture donne l'impression d'être propulsée par un réacteur atomique, une turbine, une pile à combustible et quoi encore ! Pourtant, il s'agit d'une voiture hybride de type « plug-in » — une automobile qu'on doit brancher afin de recharger ses batteries — également équipée d'un moteur thermique. Ce modèle 2+2 est propulsé par un moteur trois cylindres turbo diesel de 1,5 litre peu gourmand, associé à un moteur électrique sur l'essieu avant et un deuxième sur l'essieu arrière. La puissance totale du système atteint 356 chevaux et le couple moteur culmine à 592 lb-pi. La voiture est même équipée d'une transmission intégrale, disponible également en mode tout électrique. Ce trio mécanique permet une vitesse maximale de 250 km/h bridée par l'électronique et un 0-100 km/h en 4,8 secondes. La consommation moyenne selon le cycle de conduite européen est de 3,7 l/100 km.

Ce moteur dispose d'une injection directe à rampe commune ainsi que d'un turbocompresseur à géométrie variable. Sa puissance est de 163 chevaux et son couple maximal est de 226 lb-pi. La puissance délivrée par le turbo diesel est transmise à l'essieu arrière par une boîte à double embrayage (DKG) à six rapports. Le moteur est monté en position centrale. Quant aux moteurs électriques, ils sont alimentés par une pile lithium-polymère, supérieure aux piles ion-lithium. Puisque le véhicule est « branchable », les ingénieurs de BMW ont pris soin de s'assurer que cette batterie pouvait être rechargée à l'aide de prises de courant régulières.

PLUS QU'UNE ALLURE SPECTACULAIRE

Si l'allure spectaculaire de la Vision impressionne, il ne faut pas se leurrer : c'est la fonction qui prime. La ligne de toit affiche la silhouette élégante d'une voiture grand tourisme classique, mais parce que le moteur thermique est placé en avant de l'essieu arrière, les stylistes ont été en mesure de réaliser une partie avant très basse. En fait, toute la voiture est très basse. Et dans le but d'obtenir un aérodynamisme encore plus efficace, l'écoulement de l'air est facilité par les lames de radiateur actives qui se ferment complètement lorsque le besoin de refroidissement est faible. Et n'oublions pas que le constructeur y a incorporé des éléments visuels propres à sa marque, comme la grille de calandre avec ses naseaux.

De nombreux détails de la carrosserie sont nés des connaissances que BMW a acquis en Formule 1. Ainsi, plusieurs éléments font office de déflecteurs d'air et les montants avant ont pour mission de canaliser l'air vers l'arrière. Il en va de même des feux arrière en forme de béquet. Enfin, le dessous de la voiture est entièrement caréné.

La BMW Vision EfficientDynamics est dotée de pneus et de jantes de dimensions peu habituelles pour une voiture de sport : des P195/55R21. Ce pneu étroit permet une moindre résistance à l'air tandis que son diamètre de 21 pouces assure une surface de contact au sol comparable à celle d'un pneu nettement plus large. Enfin, les carénages des jantes qui recouvrent une partie des flancs des pneus confèrent un look original à la BMW Vision EfficientDynamics. Tout ce raffinement aérodynamique permet d'obtenir un coefficient de pénétration dans l'air de 0,22 Cx.

Le châssis et les éléments de suspension sont entièrement en aluminium. Par ailleurs, le toit ainsi que les panneaux extérieurs des grandes portes, qui s'ouvrent en élytre, sont réalisés presque entièrement en un polycarbonate spécial qui s'obscurcit et s'éclaircit selon la luminosité. Parce qu'on a supprimé les montants centraux, les grandes ouvertures assurent un accès facilité aux places arrière. Les charnières servent de point d'ancrage pour les rétroviseurs extérieurs.

L'utilisation d'éléments allégés pour la construction a permis de limiter le poids à 1 395 kilogrammes et d'abaisser le centre de gravité. La charge utile maximale de cette voiture qui peut accueillir quatre passagers est de 445 kilogrammes tandis que le coffre à bagages est d'une

capacité de 150 litres. On s'est même assuré qu'il pouvait contenir deux sacs de golf. En plus, les dossiers des deux sièges arrière se rabattent séparément afin d'agrandir le volume de chargement.

La volonté de conjuguer légèreté et confort explique le choix des sièges constitués d'une coque en kevlar, d'une structure dorsale et de garnitures pouvant être réglés individuellement.

Le combiné d'instruments est orienté vers le conducteur et l'affichage tête haute permet de projeter des informations essentielles sur le pare-brise. Une technique plus sophistiquée de ce système d'affichage permet de superposer plusieurs vues en trois dimensions. Par exemple, l'indication de la vitesse reste visible au second plan, alors que des indications de navigation actuelles ou des avertissements émis par le système de vision nocturne Night Vision apparaissent au premier plan. La hiérarchie des indications dépend aussi du mode de conduite sélectionné par le conducteur.

Plusieurs de ces éléments pourraient se retrouver sous peu sur des voitures commercialisées. Pour en savoir davantage sur l'utilisation imminente de ces technologies, nous avons interrogé Jergen Greil, l'ingénieur concept derrière la Vision EfficientDynamics.

GA **Selon les informations disponibles, plusieurs éléments de cette voiture seront utilisés dans des modèles de production dans un avenir rapproché ?**

JG Oui, certainement. Par exemple, vous avez un système d'écoulement de l'air qui réduit la turbulence autour des roues et qui est utilisé présentement sur le Coupé M de la Série 1. De plus, le moteur électrique utilisé sur l'essieu avant ainsi que les batteries lithium-polymère équiperont plusieurs modèles de voitures électriques BMW qui seront commercialisées d'ici peu. Ils se retrouveront aussi sur le véhicule MegaCity.

GA **Sur le plan aérodynamique, votre expérience en Formule 1 a-t-elle été un atout ?**

JG Oui et non. En Formule 1, l'aérodynamique est utilisée pour plaquer la voiture au sol et ainsi mieux tenir en virages. Sur une voiture conventionnelle, ce n'est pas nécessairement une bonne solution. En fait, nous avons inversé les solutions apprises en Formule 1.

GA **La Vision EfficientDynamics fait appel à une motorisation hybride dotée d'un moteur diesel. Cette combinaison a-t-elle des chances de se retrouver sur des véhicules de tourisme ?**

JG Sur le plan technique, il n'est pas plus compliqué de produire un véhicule hybride avec un moteur diesel. Par contre, ce moteur est beaucoup plus coûteux à produire. Cette combinaison rend ce type de motorisation hors de portée financière pour bien des gens. De plus, tant en Asie et en Amérique, les moteurs diesel ne sont pas tellement populaires. Peut-être que d'ici quelques années, la situation changera.

GA **La voiture utilise une instrumentation trois dimensions en plus d'un affichage tête haute. Le second est déjà utilisé sur plusieurs de vos modèles. Est-ce ce que la présentation à trois dimensions a un avenir ?**

JG Un des problèmes rencontrés de nos jours, c'est le fait que plusieurs des accessoires à affichage visuel installés dans les autos peuvent servir d'éléments de distinction. Il faut donc y aller avec prudence. Déjà, dans plusieurs pays, BMW a mis sur pied des campagnes d'information visant à sensibiliser les gens aux dangers de « texter » en conduisant. Par contre, l'affichage tête haute est un élément sécuritaire que nous utiliserons de plus en plus.

GA **Ce véhicule est une vision du futur quant aux prochains modèles BMW. Il s'agit d'un véhicule « plug in ». Qu'en est-il de la voiture électrique ?**

JG Le problème avec le 100 % électrique est la capacité de stockage d'électricité. À moins d'avoir des batteries énormes, il est difficile de rouler rapidement et longtemps avec une voiture électrique. Il faut faire des compromis, faute de quoi vous risquez de vider les piles électriques en moins de trois minutes si vous roulez à 150 km/h. Pour l'instant, le 100 % électrique est une solution de compromis qui ne cadre pas tellement avec les besoins des gens et leur style de conduite. Un véhicule hybride « plug in » permet de rouler quand même sur une distance intéressante en mode électrique seulement. La présence d'un moteur thermique assure un rayon d'action rassurant.

Voilà ce que nous réserve BMW dans un avenir rapproché tant en matière de design, de mécanique et d'aménagement de l'habitacle. Ça s'annonce prometteur !

Denis Duquet

concepts

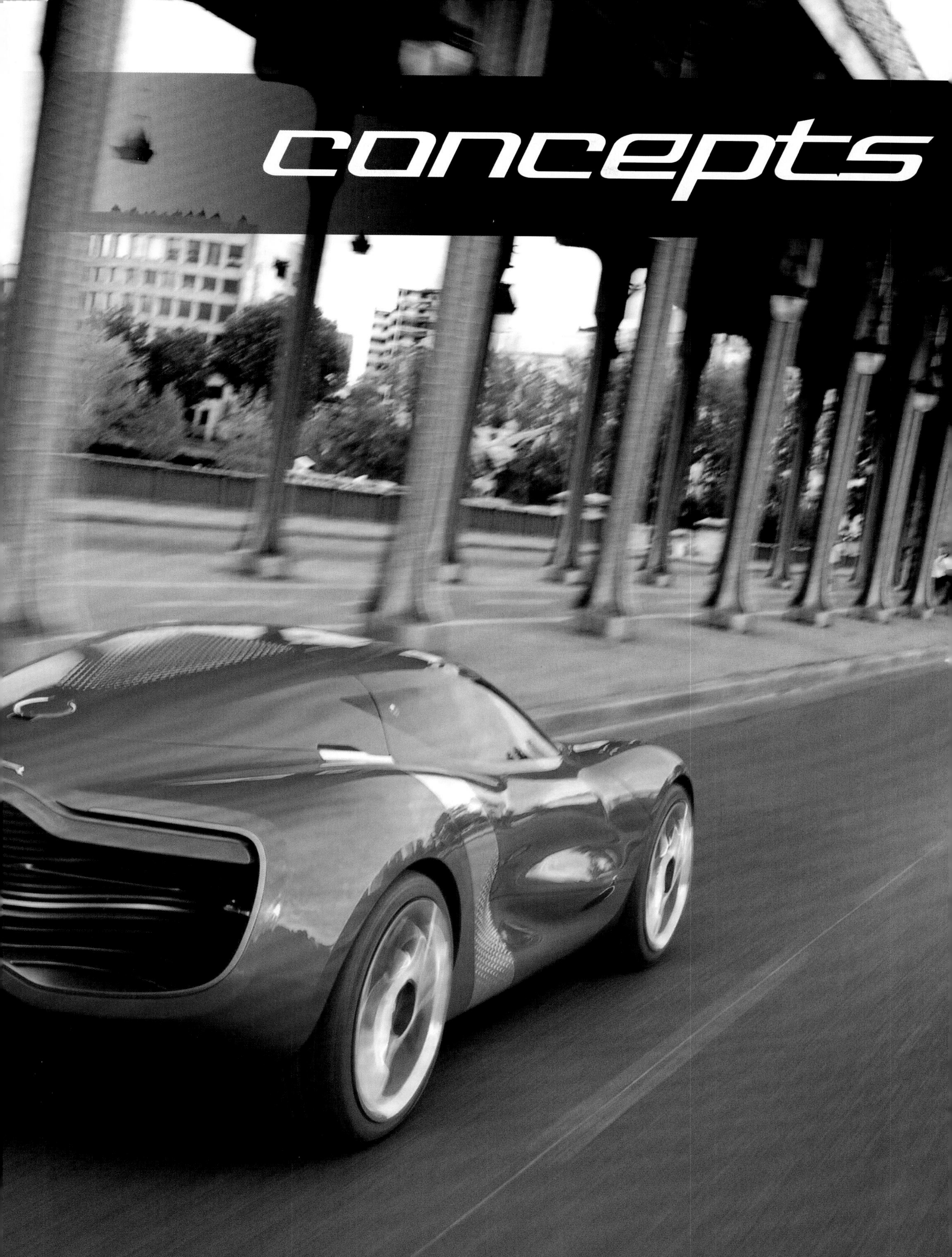

4C CONCEPT (GENÈVE 2011)

Ce joli petit coupé, qui utilise généreusement les fibres de carbone pour son châssis et l'aluminium pour sa carrosserie, annonce un poids de seulement 850 kilos. Le petit frère du séduisant coupé Alfa Romeo 8C Competizione bénéficie d'un groupe motopropulseur placé en position centrale. Il hérite du moteur 1750TBi de la Giulietta qui, pour la circonstance, propose une puissance de 200 chevaux. Ce concept très attrayant s'est offert une boîte automatique à double embrayage.

E-TRON SPYDER CONCEPT (PARIS 2010)

Chez Audi, l'expression «e-tron» signifie «voiture à motorisation alternative». Dans ce cas-ci, on retrouve une technologie hybride innovatrice: la voiture est activée par le biais de trois moteurs électriques qui complètent le moteur V6 TDI biturbo. Ensemble, ils produisent une puissance de 388 chevaux. Fidèle au principe de la traction intégrale et ne pesant que 1450 kilos, il passe de 0 à 100 km/h en seulement 4,4 secondes.

AUDI

QUATTRO CONCEPT (PARIS 2010)

Afin de célébrer le 30e anniversaire de son système de rouage intégral, Audi nous présente son concept Quattro. Si sa silhouette n'est pas sans rappeler celle du premier coupé Quattro de 1980, son faciès des plus agressifs est bel et bien celui d'une Audi des temps modernes. Ici, le coupé Audi RS5 a vu sa longueur amputée afin de faire place à un coupé deux places. Son moteur est un cinq cylindres de 2,5 litres turbocompressé qui développe une puissance de 408 chevaux et un couple de 354 lb-pi. Avec sa boîte manuelle, il passe de 0 à 100 km/h en seulement 3,9 secondes.

VISION CONNECTEDDRIVE CONCEPT (GENÈVE 2011)

Après les téléphones intelligents, voici que s'annoncent les voitures intelligentes. Les applications de ces bolides du futur leur permettront de communiquer entre elles par le biais de capteurs installés tout autour de leur carrosserie, et ce, avec ou sans l'aide de l'homme! Au-delà de cet exploit technologique, ce roadster conceptuel de BMW évoque le modèle Z1 des années 80. Déjà à l'époque, ce dernier utilisait des portières rétractables. Aujourd'hui, elles ont été remplacées par de courtes portes coulissantes.

M5 CONCEPT

La dernière mouture de la foudroyante BMW M5 disposait d'un moteur V10 de 5,0 litres produisant 500 chevaux. Aujourd'hui, c'est sous les traits d'une berline conceptuelle qu'on a présenté la prochaine M5 de BMW. Elle troque son moteur V10 pour un V8 turbocompressé de 4,4 litres, dont la puissance passerait de 500 à 550 chevaux, tout en offrant une consommation de carburant réduite de 25 %. Le moteur V8 sera couplé à une boîte robotisée M Drive à double embrayage à sept rapports.

CADILLAC

URBAN LUXURY CONCEPT (LOS ANGELES 2010)

Une sous-compacte de luxe, ça n'existe pas encore, mais chez Cadillac, on songe très sérieusement à commercialiser une telle voiture. Avec une longueur de 3 835 mm, ce petit concept a des dimensions équivalentes à celles de la populaire Toyota Yaris. Elle peut accueillir avec beaucoup de générosité quatre passagers, qui profiteront également d'un très grand confort. Sa motorisation hybride comprend un moteur trois cylindres de 1,0 litre associé à un moteur électrique.

CHEVROLET

MI-RAY CONCEPT (SEOUL 2011)

Chevrolet célèbre cette année ses 100 ans d'existence et toutes les marques reliées au géant américain y participent à leur façon. Ainsi, la division sud-coréenne nous présente le concept Mi-Ray (« miray » signifie « futur » en coréen). Ce petit roadster extrêmement bas aux allures d'un élégant Speedster est propulsé par un moteur quatre cylindres de 1,5 litre logé en position centrale, lequel est jumelé à deux moteurs électriques placés sur l'essieu avant.

FORD

VERTREK CONCEPT (DÉTROIT 2011)

Dans le créneau des VUS compacts, on retrouve le Ford Escape, le plus vendu en Amérique, et le Ford Kuga, très populaire en Europe. Or, ces deux véhicules pourraient être remplacés simultanément dès 2013 par un modèle semblable à ce concept dont les dimensions sont légèrement plus généreuses que celles des modèles existants. Après les Ford Fiesta et Focus, ce sera au tour du Vertrek de devenir un modèle à diffusion mondiale.

TOYO TIRES
Conçus pour la vie d'aujourd'hui!
PROXES T1 Sport
PROXES T1 Sport SUV
Pour les conducteurs qui exigent le maximum de leurs pneus. Le T1 Sport pour véhicules de tourisme performants et le Proxes T1 Sport SUV pour VUS et VUM allient la performance exceptionnelle et la technologie évoluée auxquelles vous vous attendez des pneus Proxes, associées aux caractéristiques de confort et de sécurité d'un produit Toyo de luxe.
TOYO TIRES – conçus pour la vie d'aujourd'hui.
toyotires.ca
TOYO TIRES
au-delà de la performance

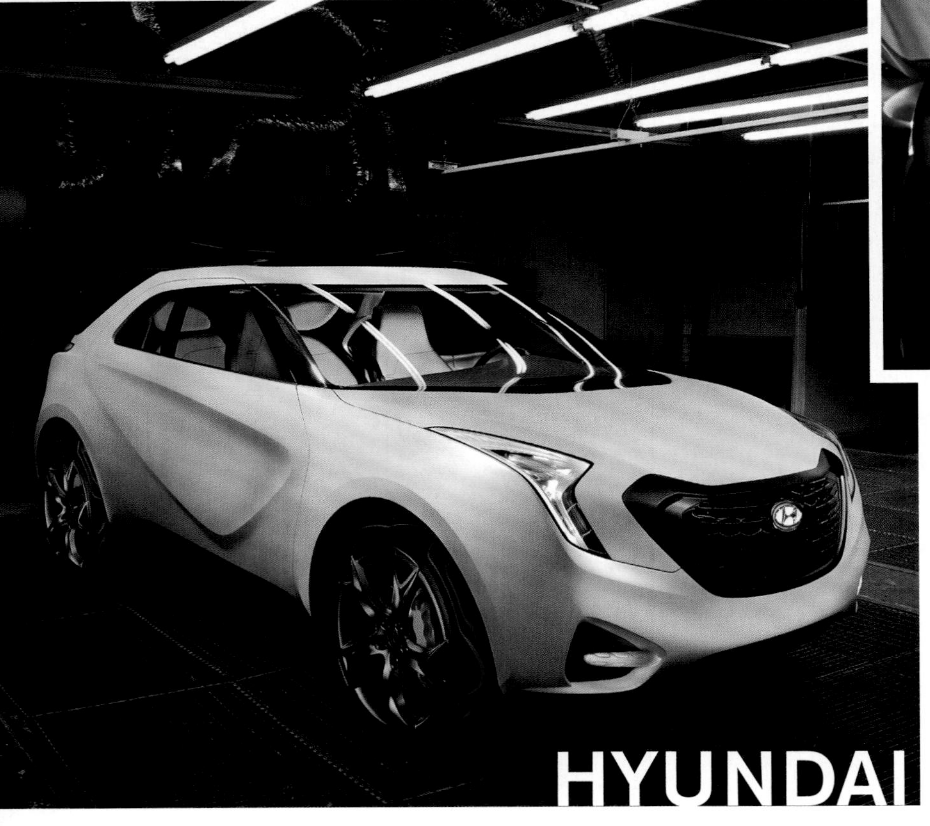

CURB CONCEPT (DÉTROIT 2011)

Même si on dit que les goûts ne se discutent pas, on peut tout de même affirmer que la silhouette du Nissan Juke ne fait pas l'unanimité. Voici que Hyundai s'apprête à imiter le constructeur japonais avec son concept Curb. Malgré ses lignes plutôt torturées, il semble que son style soit, aux yeux de plusieurs, plus réussi que celui du Juke. Il hérite d'un nouveau moteur GDI de 1,6 litre qui produit 175 chevaux. La transmission choisie est une automatique à double embrayage à six rapports.

ETHEREA CONCEPT (GENÈVE 2011)

Infiniti veut rejoindre une clientèle plus jeune. À preuve, le concept Etherea annonce la venue éventuelle d'une voiture compacte grand luxe au sein de la marque. Tout en rondeurs, le concept se donne des airs de coupé à cinq portières plutôt sculptural. Sa motorisation hybride d'origine Mercedes-Benz a été conçue sur la base d'un moteur quatre cylindres de 2,5 litres turbocompressé de 245 chevaux, associé à un moteur électrique et couplé à une boîte CVT.

POP CONCEPT (PARIS 2010)

Après les citadines smart fortwo et Toyota iQ, voici que le constructeur sud-coréen Kia semble vouloir s'attaquer à ce créneau en développement par le biais de son concept POP. Selon Peter Schreyer, designer en chef, sa silhouette illustre à la fois la liberté et le plaisir de rouler en ville. Son moteur électrique, alimenté de batteries au lithium-ion, délivre une puissance de 60 chevaux. On le dit capable d'atteindre une vitesse de pointe de 130 km/h.

KIA

KV7 CONCEPT (DÉTROIT 2011)

La minifourgonnette Kia Sedona a besoin d'une refonte en profondeur et le temps est venu de la remplacer par un véhicule multisegment dont les lignes pourraient ressembler à celles du concept KV7. Ses sièges pivotants feront place à une configuration plus traditionnelle sur un éventuel modèle de série. Sous son capot, nous retrouvons un moteur turbo de 2,0 litres GDI qui développe 285 chevaux. Il est couplé à une boîte automatique à six rapports.

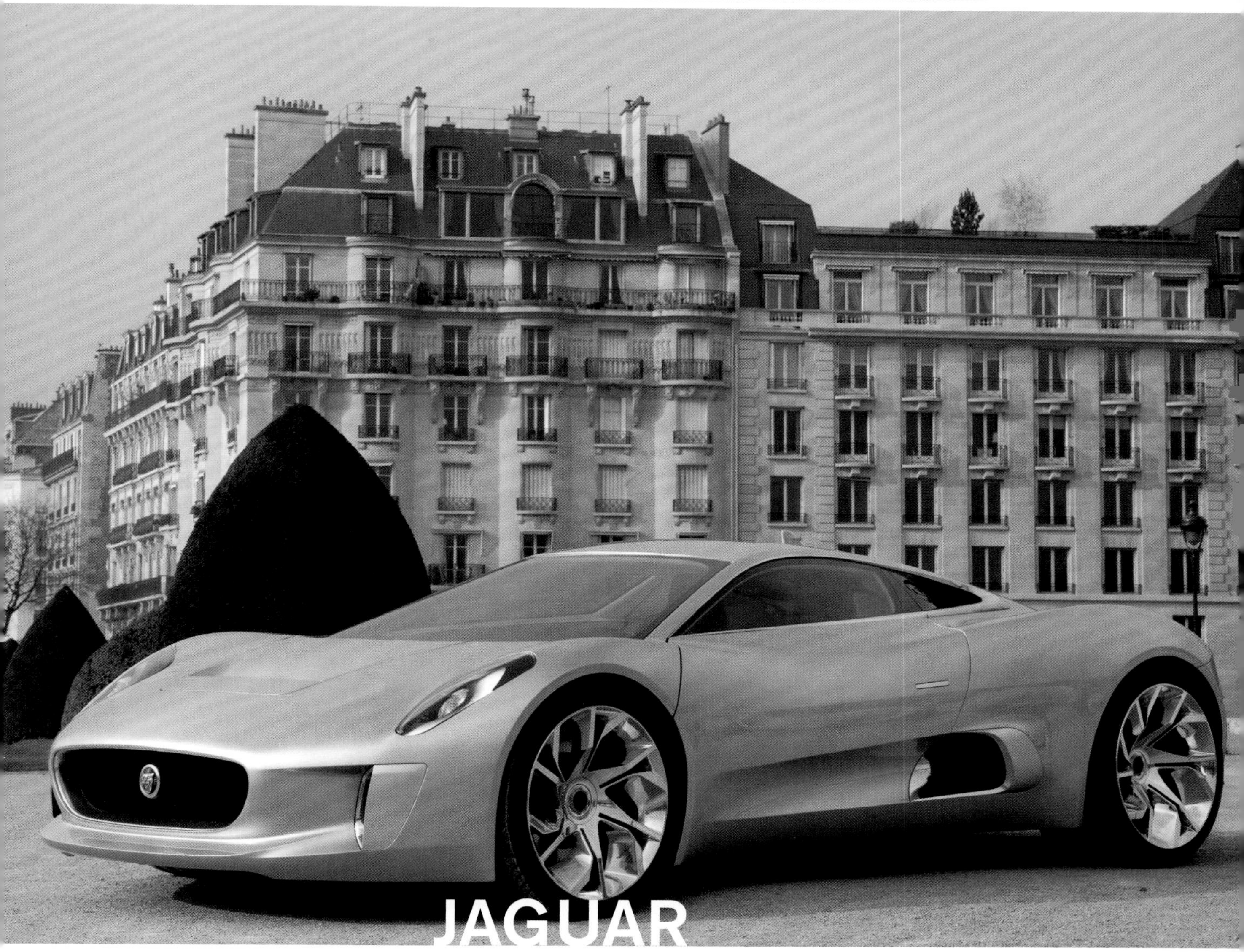

JAGUAR

C-X75 CONCEPT (PARIS 2010)

D'abord dévoilée sous forme de concept, la Jaguar C-X75 connaîtra finalement les plaisirs de rouler sur le bitume. Jaguar va s'associer à l'écurie Williams F1 qui fera la conception du châssis ultra léger en fibres de carbone et qui produira également le moteur atmosphérique. Celui-ci sera de petite cylindrée, fort probablement biturbo et sa puissance devrait avoisiner les 500 chevaux. Il sera associé à quatre moteurs électriques répartis sur les essieux avant et arrière. Au total, la puissance pourrait avoisiner les 1000 chevaux. Seulement 250 unités seraient produites, et elles coûteraient plus d'un million d'euros chacune.

LF-GH HYBRID CONCEPT (NEW YORK 2011)

Ce concept extrêmement important pour Lexus nous indique très clairement l'approche esthétique nettement plus agressive qui sera appliquée dans la conception et le développement des futures berlines de la marque. La première d'entre elles serait la prochaine Lexus GS qui n'a jamais pu profiter d'une silhouette digne d'une berline qui a des prétentions sportives. On apprend également que Toyota compte toujours offrir des berlines propulsées soit par un moteur atmosphérique ou une motorisation hybride.

ETERNE CONCEPT (PARIS 2010)

Le petit constructeur anglais Lotus a présenté cinq concepts au Salon de Paris, dont une grande berline hybride nommée Eterne. Si elle devait être produite, elle deviendrait une sérieuse rivale à la Porsche Panamera. Sous son très long capot se cache un moteur V8 de 5,0 litres et de 620 chevaux fourni par Toyota. Moyennant quelques dollars de plus, on peut opter pour une version hybride qui reçoit l'aide d'un moteur électrique et de batteries au lithium-ion.

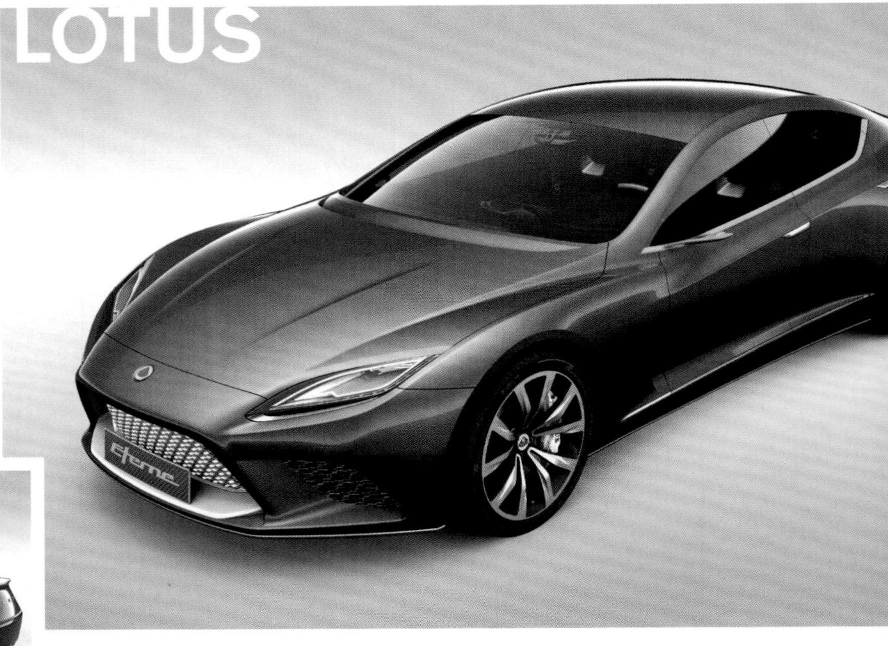

SHINARI CONCEPT (PARIS 2010)

Tout est dans le design pour ce concept inédit de Mazda qui fait place à une toute nouvelle approche stylistique signée Ikuo Maeda et non « Mazda ». Appelée Kodo, c'est-à-dire « mouvement » en japonais, cette nouvelle vision du design du constructeur d'Hiroshima fait partie d'un programme global dont la prétention est de développer et d'offrir, au cours des prochaines années, une série de nouveaux modèles plus accrocheurs et plus respectueux de l'environnement. Le VUS compact CX-5 pourrait en être le premier exemple.

MINAGI CONCEPT (GENÈVE 2011)

Si vous n'aimez pas la calandre « souriante » des modèles actuels de Mazda, sachez que le museau du concept Minagi deviendra le nouveau faciès des modèles Mazda répondant au style « Kodo ». Ce concept, c'est aussi le premier VUS compact du constructeur nippon, appelé CX-5, qui viendra se joindre aux modèles CX-7 et CX-9 déjà offerts. À l'instar des nouvelles Mazda3, il offrira lui aussi une motorisation SkyActiv à la fois plus puissante et plus frugale.

MERCEDES-BENZ

CONCEPT A-CLASS (SHANGHAI 2011)

En Europe, la Mercedes-Benz de Classe A est le modèle d'entrée de gamme de la marque. Ici, nous ne découvrons qu'une seule facette de la future voiture qui se déclinera en plusieurs modèles. Le moteur quatre cylindres de 2,0 litres à injection directe de 210 chevaux est ici associé à une boîte robotisée à double embrayage munie de palettes montées autour du volant. Les hausses successives des coûts de l'or noir pourraient amener le constructeur allemand à proposer cette nouvelle gamme de voitures à configuration 2+2 en Amérique.

MINI

ROCKETMAN CONCEPT (GENÈVE 2011)

Il ne mesure que 3419 mm, soit seulement 50 mm de plus que la mythique Mini des années 60. Il se distingue par ses portières coulissantes vers l'avant, son hayon en deux sections et son plancher que l'on peut glisser vers l'arrière. De configuration 3+1, il peut accueillir trois passagers, voire quatre sur une très courte distance, sinon on profite d'espaces de chargement supplémentaires. Un modèle de série à venir est actuellement en développement.

MITSUBISHI

GLOBAL SMALL CAR CONCEPT (GENÈVE 2011)

Chez Mitsubishi, on est parfaitement conscient qu'il manque une petite voiture économique, notamment pour le marché américain. Voilà pourquoi le constructeur nippon a dévoilé ce concept dont la mission est de servir de base au développement d'une petite voiture qui sera distribuée à travers le monde. Des nouveaux moteurs trois cylindres de 1,0 et 1,2 cylindre, voire à quatre cylindres plus économes sont actuellement à l'étude.

NISSAN

ELLURE CONCEPT (LOS ANGELES 2010)

Une berline pas comme les autres qui met en lumière une toute nouvelle approche esthétique de ce constructeur dont les idées sortent indéniablement des sentiers battus. On a même dit qu'il s'agissait d'un des plus beaux concepts au monde à avoir été dévoilé au cours des dernières années. Esthétiquement, cette voiture au style très audacieux se distingue par l'utilisation de portes antagonistes. Sa motorisation hybride supporte un moteur quatre cylindres suralimenté de 2,5 litres et de 240 chevaux associé à un moteur électrique de 34 chevaux alimenté par une batterie au lithium-ion. Le tout est jumelé à une boîte Xtronic CVT^MD^.

NISSAN

ESFLOW CONCEPT (GENÈVE 2011)

Oui, on peut avoir du plaisir à conduire une voiture à moteur électrique. C'est ce que veut prouver le concept Esflow qui exhibe des lignes du coupé « Z », mais dans un format nettement plus compact. Son moteur électrique à zéro-émission est celui de la Leaf. Selon les données du constructeur, la voiture passe de 0 à 100 km/h en seulement 5,0 secondes, tandis que son autonomie est évaluée à 240 kilomètres.

PEUGEOT

EX1 CONCEPT (PARIS 2010)

Il bat tous les records sur son passage. L'an passé, autour du circuit de Montlhéry, ce puissant bolide à motorisation entièrement électrique a battu trois records mondiaux et trois nouveaux records du circuit. Cette année, on récidive, mais cette fois, c'est autour du mythique circuit Nürburgring que ça se passe. Le Peugeot EX1 a dévoré les 20,832 kilomètres du circuit en seulement 9:01.338 minutes à une vitesse moyenne de 138,324 km/h. Ce petit roadster ultra léger est propulsé par deux moteurs électriques qui développent globalement 340 chevaux et 335 lb-pi de couple. Selon les données du constructeur, ce bolide tout électrique passe de 0 à 100 km/h en seulement 3,5 secondes.

RENAULT

DEZIR CONCEPT (PARIS 2010)

Oui, on peut affirmer que ce concept s'avère très désirable, même s'il ne peut accueillir que deux passagers. Cette beauté sculpturale se distingue par ses portes en élytre et ses panneaux latéraux en aluminium, qui ne sont pas sans rappeler ceux de la séduisante Audi R8. Son moteur électrique placé à l'arrière des sièges développe 150 chevaux. Il est secondé d'une batterie au lithium-ion qui vient en ajouter 33 de plus, pour une autonomie évaluée à 160 kilomètres.

ROLLS ROYCE

102EX CONCEPT (GENÈVE 2011)

La Rolls Royce 102EX, c'est en fait un prototype qui est en tournée mondiale afin de montrer aux associés de la marque et à la clientèle ciblée, les avantages de posséder une voiture entièrement électrique. Ses deux moteurs électriques placés à l'arrière et sa batterie au lithium-ion produisent 394 chevaux et surtout, un imposant couple de 590 lb-pi. Elle passe de 0 à 100 km/h en moins de 8 secondes et son autonomie est de 200 kilomètres.

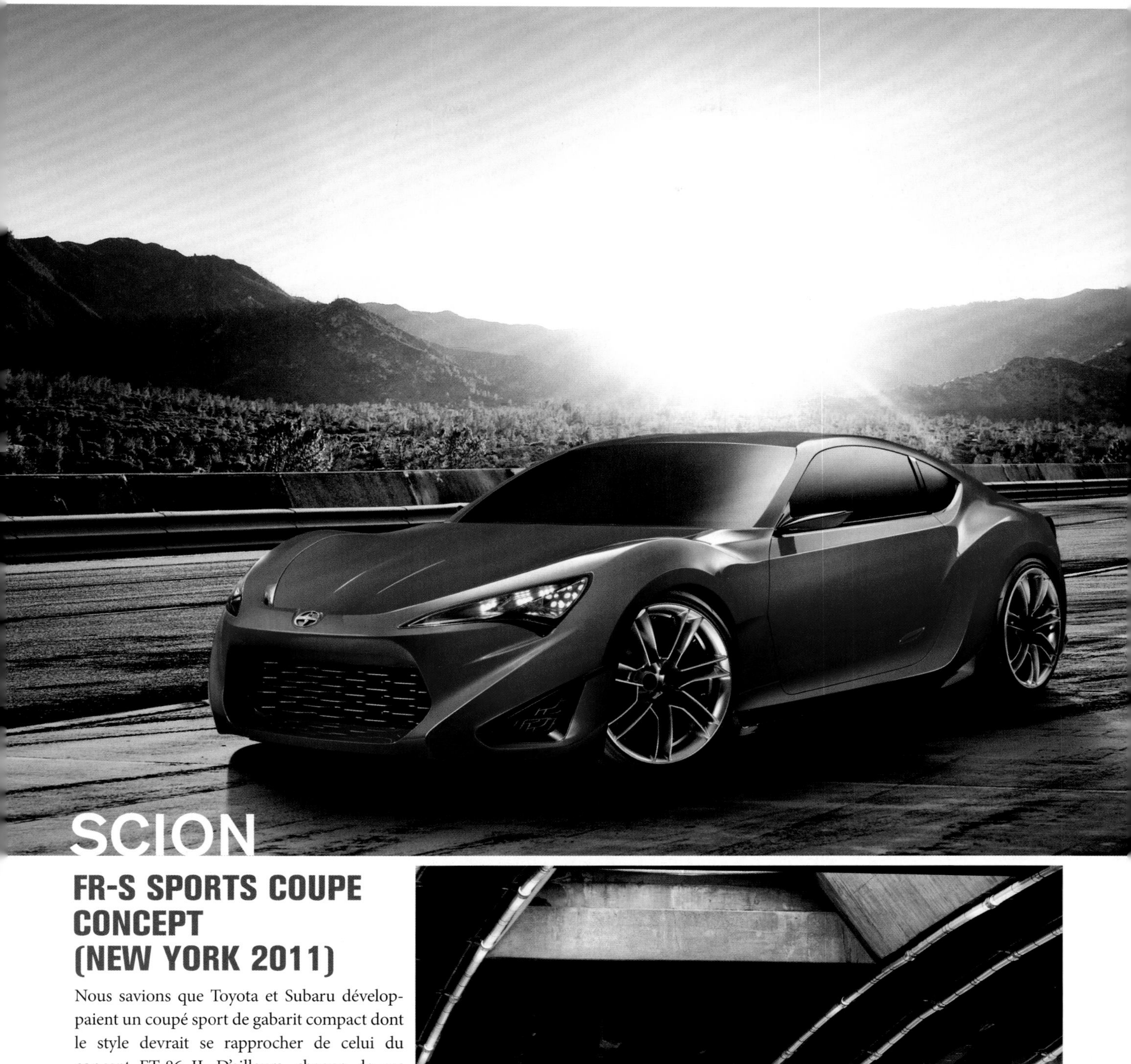

SCION

FR-S SPORTS COUPE CONCEPT (NEW YORK 2011)

Nous savions que Toyota et Subaru développaient un coupé sport de gabarit compact dont le style devrait se rapprocher de celui du concept FT-86 II. D'ailleurs, chacun de ces deux constructeurs offrira éventuellement une version de série de cet élégant coupé sport. On dit *jamais deux sans trois*, et voici que s'annonce la version griffée de la marque Scion de ce coupé sport. Tous ces coupés à propulsion bénéficieront d'une motorisation Boxer à plat de 2,0 litres conçue et développée par les ingénieurs de Subaru. Ce moteur sera couplé à des boîtes manuelle et automatique à six vitesses.

PRIUS C CONCEPT (DÉTROIT 2011)

C'est maintenant officiel : Toyota offrira au moins trois voitures de marque Prius. Parmi ces versions, on comptera un nouveau modèle d'entrée de gamme qui portera certains attributs du concept Prius C. On s'attend donc à ce que le modèle de série qui nous sera éventuellement offert soit une sous-compacte à traction avant, hatchback à cinq portières. Évidemment, elle disposera du système « Hybrid Synergy Drive » si cher aux ingénieurs de Toyota.

FT-86 II CONCEPT (GENÈVE 2011)

Voici une seconde déclinaison de ce concept dont les attraits semblent se rapprocher davantage de ceux du coupé de série à venir. Le développement de ce coupé est réalisé de concert avec les ingénieurs des constructeurs Toyota et Subaru. Ainsi, le numéro un mondial s'est accordé le design et la production du coupé, tandis que Subaru en assure ses principaux éléments mécaniques. Le moteur sera un Boxer à plat de 2,0 litres.

VOLKSWAGEN

BULLI (GENÈVE 2011)

Volkswagen pourrait faire revivre son mythique modèle Microbus, si l'on se fie au dévoilement du concept Bulli. Ce petit véhicule compact, dont la silhouette n'est pas sans rappeler celle de la légendaire « Combi » des années 60, présente un intérieur très chic, très bien éclairé et plutôt original avec sa configuration 3+3. Le Bulli s'offre une motorisation entièrement électrique de 113 chevaux et surtout 192 lb-pi de couple. Une batterie au lithium-ion vient en ajouter 54. Selon les données du constructeur, le concept passe de 0 à 100 km/h en 11,5 secondes et revendique une autonomie de 300 kilomètres.

VOLVO

CONCEPT UNIVERSE (SHANGHAI 2011)

Les Chinois voient grand, très grand, et le concept Universe de Volvo compte répondre à leurs besoins de grandeur, d'autant plus que la marque suédoise est aujourd'hui propriété du constructeur chinois Geely. D'ailleurs, il s'agit d'un concept conçu et développé par et pour eux. À l'intérieur, on retrouve une planche de bord à multiples touches digitales, secondée par une console centrale mobile et des sièges individuels des plus ergonomiques.

Super sportives

McLaren MP4-12C

RÉÉCRIRE LES RÈGLES

Il y a un nouveau joueur dans le créneau des voitures exotiques. Ce joueur, c'est McLaren Automotive, qui trouve ses origines chez l'équipe de course du même nom. Cette écurie a une riche histoire en compétition puisqu'elle a gagné plus de 160 Grands Prix, dont celui du Canada en 2011 où Jenson Button a remporté la victoire sur le Circuit Gilles-Villeneuve avec panache après une remontée spectaculaire et un dépassement sur Sebastian Vettel dans le tout dernier tour de la course. McLaren a également remporté le Championnat du monde de Formule Un à 12 reprises et demeure la seule équipe qui a remporté à la fois le Championnat du Monde de F1, les 500 milles d'Indianapolis et les 24 Heures du Mans.

McLaren a également développé et construit ce qui était alors la voiture la plus rapide du monde, il y a dix-sept ans déjà, soit la mythique McLaren F1, avec poste de pilotage central. Cette voiture a relégué toutes les rivales de l'époque à l'arrière-plan avec ses performances spectaculaires. Maintenant McLaren lance la MP4-12C qui s'attaque à la Ferrari 458 Italia. Mais que signifie ce nom particulier? «Un jour, j'ai eu cette idée en prenant ma douche. Puisque toutes les voitures McLaren sont des MP4 — en référence à la fusion de McLaren et de ma compagnie de l'époque dont le nom était Project Four — ce nouveau bolide devait également être une MP4», explique Ron Dennis, grand patron de McLaren. «La question était de savoir quel numéro lui donner. Notre voiture de Formule Un de la saison 2011 étant la MP4-26, devions-nous appeler notre nouvelle routière MP4-27 et fusionner ainsi nos voitures de course et nos voitures de série?» Il poursuit: «Comme McLaren est un compagnie d'ingénierie, j'ai demandé à mes ingénieurs de concocter une formule mathématique en prenant les spécifications techniques de la voiture comme éléments de départ, soit son coefficient aérodynamique, sa puissance, sa consommation et ses émissions de gaz carbonique pour en arriver à un chiffre et, dans le cas de cette voiture, se chiffre était 12. Je ne vous révélerai pas la formule mathématique utilisée — c'est un peu comme si je vous donnais la recette du Coca-Cola — mais toutes les routières de la marque seront désignées par cette même formule. La lettre C représente le mot carbone, car je ne peux pas voir le jour où nous construirons une voiture avec un autre matériau.»

Construite à partir d'une structure monocoque réalisée en fibre de carbone, la MP4-12C est équipée d'une suspension hydraulique ajustable et est animée par un moteur V8 biturbo de 3,8 litres. Cet engin a été conçu par McLaren et produit par le motoriste britannique Ricardo. Le moteur est localisé en position centrale et développe 592 chevaux, qui sont livrés aux roues arrière par l'entremise d'une boîte à double embrayage à sept vitesses assemblée par Graziano, en Italie. Avec son poids de 1 434 kilos, la McLaren MP4-12C est à la fois plus légère et plus puissante que la Ferrari 458 Italia. J'ai eu l'occasion de la piloter sur le circuit de Dunsfold Park, aujourd'hui bien connu puisque c'est là que sont tournés les épisodes de la célèbre série télévisée Top Gear de la BBC.

CONCEPTION HIGH-TECH

L'accès à bord demande une certaine gymnastique, non pas en raison de l'ouverture particulière des portes, mais bien parce que le seuil est très large, puisqu'il fait partie de la structure monocoque en fibre de carbone. Une fois installé dans le siège à la fois très mince, très moulant et complètement ajustable, on ne peut qu'être impressionné par l'excellente visibilité vers l'avant. Le tachymètre est localisé en plein centre du bloc d'instruments et la console flottante regroupe l'écran multimédia de sept pouces ainsi que deux commandes rotatives. La première permet d'ajuster la suspension hydraulique et la deuxième gère la livrée de la puissance et la rapidité du changement de vitesses sur trois modes — soit Normal, Sport et Track (circuit). Un autre bouton permet de démarrer le V8 biturbo.

Au cours des premiers tours, j'ai expérimenté tous les réglages de la suspension hydraulique et de la livrée de la puissance pour me rendre compte que la MP4-12C a presque deux personnalités, à la manière de Docteur Jekyll ou Monsieur Hyde. Elle est toujours extrêmement rapide lorsque le mode Normal

est sélectionné, mais elle demeure très civilisée avec des changements de rapports à peine perceptibles alors que la voiture fait preuve d'un léger roulis en virages, tout en absorbant les bosses et les ondulations de la piste.

DES PERFORMANCES À COUPER LE SOUFFLE

Avec la sélection du mode Track, la voiture se transforme en une authentique voiture de course avec des changements de vitesse ultrarapides que l'on sent bien. Le tout s'accompagne d'une trame sonore fantastique produite par le V8 qui tourne jusqu'à sa limite de révolutions de 8 500 tours/minute. Il n'y a pas de délai de réponse des turbos et le roulis est presque entièrement neutralisé en virages. Le niveau d'adhérence mécanique est tout simplement phénoménal, tout comme l'équilibre du châssis et la puissance de freinage, surtout avec les disques de freins en composite de céramique disponibles en option. La MP4-12C demeure très stable, même lors de freinages intenses, grâce à un ingénieux système aérofrein qui fait en sorte que l'aileron arrière se déploie en position presque verticale, bloquant alors totalement la visibilité vers l'arrière. Tournez le volant pour inscrire la voiture en virage et elle répond instantanément, avec une extrême précision. Et si vous roulez un peu trop vite en entrée de virage, l'ingénieux système Brake Steer interviendra en freinant sélectivement la roue arrière intérieure afin de faire pivoter la voiture dans la courbe tout en éliminant presque toute trace de sous-virage. En accélérant fortement dès le point de corde du virage, il est possible de provoquer la glissade du train arrière, ce qui entraînera alors l'intervention très subtile du système de contrôle électronique de la stabilité.

Cette voiture est tellement performante et tellement facile à apprivoiser que même les pilotes inexpérimentés en conduite sur circuit seront en mesure d'améliorer leur technique, alors que la voiture deviendra en quelque sorte leur « professeur ». Quant aux pilotes expérimentés, ils seront en mesure d'apprécier au plus haut point le niveau de performance dont la voiture est capable sur circuit. La McLaren MP4-12C, c'est l'équivalent automobile de la chirurgie par laser : directe, précise et sans faille. Elle n'a peut-être pas un look aussi évocateur qu'une Lamborghini taillée au couteau, mais je peux vous certifier qu'elle est beaucoup plus frappante lorsqu'on la voit en personne que lorsqu'elle est capturée par la lentille d'un appareil photo. La McLaren MP4-12C est disponible chez Pfaff Automotive Partners de Toronto, qui est le seul concessionnaire autorisé de la marque au Canada. Même si son prix est de 247 500 $, elle figure maintenant sur ma très courte liste de voitures de rêve.

Gabriel Gélinas

Photos : McLaren

LAMBORGHINI Aventador LP 700-4

LA MEILLEURE DES LAMBORGHINI JAMAIS CONSTRUITES !

La légende veut que l'industriel italien Ferrucio Lamborghini ait été si frustré par sa Ferrari qu'il a déclaré : « Je peux construire une meilleure voiture que ça ! » Naturellement, il a probablement fait cette déclaration en italien… Et c'est ainsi qu'il s'est mis à concevoir des voitures misant sur la puissance, la vitesse et l'accélération, la tenue de route arrivant bonne dernière dans ses priorités. Bien entendu, ces voitures exhibaient un look du tonnerre.

Les temps ont changé, tout comme la compagnie, et l'ordre de ces critères a été inversé. Certes, la vitesse est toujours importante, mais il est de plus en plus difficile pour les conducteurs de trouver des endroits où y goûter pleinement. Et si tous les conducteurs peuvent apprécier les capacités d'accélération d'une voiture, il reste qu'au quotidien, la maniabilité, la fonctionnalité et la technologie avancée sont aujourd'hui des critères essentiels, même quand il est question de voitures exotiques. Et évidemment, le style renversant demeure un préalable.

Ce sont ces idées qui sont à la base de la conception de la Aventador LP 700-4, qui remplace la Murciélago au sommet de la pyramide Lamborghini. (Pour la petite histoire, sachez que comme toutes les Lamborghini haut de gamme, la Aventador tire son nom d'un célèbre taureau qui, malgré son courage, est tombé au combat…).

Bien que le qualificatif « écologique » ne s'applique pas à une exotique de 700 chevaux, la cote de consommation d'essence de la Aventador et son niveau d'émission de CO_2 sont environ 20 % meilleurs que ceux de la Murciélago, même si ses 17,2 l/100 km ne rivaliseront jamais avec la Toyota Prius.

Le poids est l'ennemi de tout ce qui a trait à la performance d'une voiture : la vitesse, la tenue de route, le freinage et le rendement énergétique. La Aventador attaque le problème avec une construction monocoque en fibre de carbone, une première pour une voiture de route.

Mais qu'en est-il de la McLaren MP4-12C ? Selon Maurizio Reggiani, directeur recherche et développement chez Lamborghini, la McLaren a un châssis de fibre de carbone avec un toit attaché séparément, alors que la Aventador est composée d'une seule pièce, fabriquée à l'interne à partir de trois différents types de fibres de carbone. On obtient ainsi une voiture de course de l'ère spatiale à la coque incroyablement résistante et sécuritaire, 30 % plus légère qu'auparavant.

Évidemment, avec ses 1 575 kilos (3 472 livres), la Aventador est encore loin des 1 000 kilos de la Sesto Elemento, la voiture concept de Lamborghini.

Les Lamborghini haut de gamme ont toujours eu des moteurs V12, et la Aventador ne fait pas exception. Mais contrairement au moteur V10 de la Gallardo, Lamborghini est l'unique responsable de son design, Audi, sa compagnie parente, n'ayant pas contribué à sa conception.

Sous le capot, on trouve un bloc-moteur d'aluminium à quatre soupapes par cylindres et quatre arbres à cames montés à 60 degrés. Il produit 700 chevaux et un couple de 509 livres à 5 500 tours/minute. À 6 498 centimètres cubes, elle n'a que 2 centimètres cubes plus que la Murciélago, mais son alésage plus large et sa course de piston plus courte facilitent l'accès au haut régime du moteur.

Reggiani est particulièrement fier de la courbe de couple relativement plate. Bien que la conduite à haut régime reste une priorité – le régime maximal est de 8 500 tours/minute – un couple plus musclé rend la conduite de la voiture plus agréable dans la vie de tous les jours.

Pourquoi ne pas avoir opté pour l'injection directe, comme chez plusieurs autres constructeurs haut de gamme ? Selon Reggiani, il faudrait alors installer une bague dans le système d'échappement afin de respecter la réglementation à venir au niveau des émissions. Cela aurait pour effet d'augmenter la contre-pression et de nuire à la performance.

Mais les autres manufacturiers de voitures haut de gamme, qui doivent pourtant respecter les mêmes règlements, ont connu de grandes améliorations au niveau de la performance, de la consommation et des émissions avec l'injection directe. En fait, Reggiani n'élimine pas la possibilité d'utiliser un jour l'injection directe. J'imagine que le projet est en branle et qu'ils ont manqué de temps ou préféré s'attaquer à d'autres priorités.

La transmission à sept rapports est à embrayage simple. Elle passe les vitesses grâce à un système électrohydraulique que Lamborghini appelle « tringle de commande de vitesse indépendante ». Plutôt que de passer par le neutre lors d'un changement de vitesse, les rapports sont contrôlés indépendamment. Il est donc possible de passer, par exemple, en troisième vitesse avant même que le passage de la deuxième soit complété. On a donc droit aux mêmes

avantages qu'avec une transmission à double embrayage (aussi peu que 50 millisecondes), mais sans la surcharge de poids. C'est pourquoi Reggiani a opté pour cette technologie.

Mais un double embrayage ne rendrait-il pas le changement de vitesse plus doux? Bien sûr que oui. Reggiani ajoute toutefois que pour une supersportive, ce n'est pas tant la douceur du changement de vitesse qui compte comme ce qu'il qualifie de changement de vitesse « émotif », c'est-à-dire qui fait sentir au conducteur que la voiture n'est pas construite pour le confort, mais bien pour la vitesse.

Mais revenons à cette histoire d'utilisation quotidienne... Cinq modes d'entraînement, trois en manuel — Strada (route), Sport et Corsa (course) — et deux en automatique — Strada et Sport — permettent au conducteur de choisir à quel point il souhaite que la transmission soit « émotive ». Le mode choisi influence également la réponse de la direction, du différentiel électronique, de l'obturateur et des systèmes de contrôle de stabilité. Le système quatre roues motrices permanent comprend un différentiel central Haldex qui peut prédire quel essieu aura besoin de plus de couple en se basant sur la vitesse, la position du papillon et l'angle du volant. Pour optimiser l'adhérence, il est combiné à des différentiels arrière autobloquants et à viscocoupleur à l'avant. Toutes ces caractéristiques peuvent catapulter la voiture de 0 à 100 km/h en 2,9 secondes, jusqu'à une vitesse maximale de 350 km/h.

Le problème de la tenue de route a été réglé avec une suspension à tige et poussoir inspirée des voitures de course. Plutôt que de rebondir comme elle le ferait avec une suspension à double triangulation, la voiture est équipée de ressorts et d'amortisseurs fermement attachés aux châssis auxiliaires en aluminium, qui sont à leur tour liés à la monocoque en fibre de carbone. De cette manière, les pièces peuvent être plus légères, les forces qui agissent sur les amortisseurs sont moindres et mieux contrôlées, et la géométrie ainsi que l'assemblage s'en trouvent améliorés.

Pas d'électronique ici : les réglages de l'amortisseur demeurent fixes. Le train avant possède un système de relevage hydraulique qui facilite l'accès aux postes d'essence et aux autres endroits du genre. D'énormes freins en céramique de carbone gardent toute cette puissance sous contrôle.

Et son style à faire tourner les têtes? Il est l'œuvre de Filippo Perini, chef du département de design *Centro Stile* chez Lamborghini. Beaucoup plus audacieux, rigide et anguleux que les Lamborghini des dernières années, il fait presque passer la Gallardo pour une gentille fille. La seule composante structurelle visible est le toit. Cette partie de la monocoque en fibre de carbone est fabriquée à partir de pièces préimprégnées, qui offrent une surface idéale pour la peinture.

Le couvercle du moteur, l'aileron arrière escamotable et les prises d'air sont également en fibre de carbone. Le capot avant et les revêtements de portes sont en aluminium tandis que les ailes arrière et les cache-culbuteurs sont en composite moulé. Les portes-papillon, caractéristiques à Lamborghini, facilitent l'accès à bord. En fait, je ne me suis heurté la tête qu'une seule fois, en sortant.

L'intérieur fait montre des compétences inégalées d'Audi, la compagnie parente de Lamborghini. Le tableau de bord demande une acclimatation, mais il est très bien conçu et tout fonctionne avec précision. La principale innovation est l'écran TFT à cristaux liquides qui offre un choix de deux affichages à cadran : un indicateur de vitesse ou un tachymètre (une option digitale pour les autres données est fournie dans chacun des cas). L'affichage est fantastique : lumineux, coloré et lisible. Sur la console centrale, un deuxième écran affiche la température, le système audio, la navigation par satellite et les autres fonctionnalités contrôlées par le système MMT d'Audi.

Une piste de course demeure le seul endroit où l'on puisse — sans alarmer inutilement la population... ou les policiers ! — explorer véritablement tout le potentiel de performance d'une voiture de ce genre. Dans ce cas-ci, nous avons roulé sur le « Circuito di Vallelunga », au nord de Rome. Avec toute cette puissance et cette technologie, personne ne sera surpris des performances que la Aventador peut atteindre. Le V12 gronde avec enthousiasme tandis que la voiture s'élance sur la route.

J'ai commencé mon premier tour de piste avec la transmission en mode Manual Strada. Ce mode permet un changement de vitesse assez confortable. Pour le deuxième tour, j'ai opté pour le mode Sport. Encore satisfaisant. Puis, le mode Corsa pour le troisième tour. C'est émouvant : la sensation dans le bas du dos nous laisse savoir que la voiture a changé de vitesse et que nous sommes en route pour une autre dimension.

La seule voiture de Formule 1 que j'ai conduite offrait une sensation similaire, et c'est l'objectif visé par Lamborghini. Et vous savez, ces freins en céramique de carbone dont je parlais plus tôt ? On se blesse pratiquement les côtes contre la ceinture de sécurité en appuyant sur la pédale. À la fin de journée, quelques-unes des voitures d'essai laissaient entendre quelques cliquetis, mais je n'ai décelé aucune baisse de puissance. Et j'ai été surpris par la sensation de légèreté de la voiture. Il est vrai qu'elle est plus légère, mais elle donne l'impression de peser 1 000 kilos de moins, avec une souplesse qu'on ne connaissait pas chez les grosses Lamborgini précédentes. La suspension à tige de poussoir a permis à la Aventador d'entrer dans un univers de maniabilité qui n'avait jamais été exploré auparavant par Lamborghini. Il me faudrait conduire — et j'en serais très heureux ! — une Aventador et une Ferrari 458 une à la suite de l'autre pour affirmer ceci avec assurance, mais je crois que le moteur V8 de la Ferrari procurerait des sensations encore plus sublimes à la vitesse limite.

Il reste qu'on peut affirmer avec certitude que la Aventador est la Lamborghini avec la meilleure maniabilité jamais fabriquée, une énorme amélioration depuis la Murciélago. Et une chose est certaine : elle a gagné sa place dans les hautes sphères des supervoitures de performance.

Jim Kenzie

Photos : Jim Kenzie

Ferrari FF

UNE FERRARI FAMILIALE ?

Luca di Montezemolo, chef de la direction chez Ferrari, dit que son entreprise doit fabriquer des véhicules qu'on n'a pas besoin de remiser en hiver. Il dit aussi que si on roule en Ferrari avec sa douce moitié, il doit rester assez d'espace pour transporter autre chose qu'une brosse à dents dans ses bagages. D'où la conception de la FF, une Ferrari hatchback à quatre roues motrices.

La FF remplace la 612 Scaglietti. Elle s'inscrit dans une longue lignée de Ferrari de grand tourisme avec moteur avant 12 cylindres, deux sièges pour le comte et la comtesse, deux sièges pour les enfants, et un peu de place pour les valises. Mais quatre roues motrices sur une Ferrari ? Vraiment ?

Pour la pure conduite sportive, la propulsion arrière demeure le système de prédilection. Cela dit, dans une GT, un rouage à quatre roues motrices est tout indiqué pour augmenter la sécurité quand le climat fait des siennes. C'est d'ailleurs pourquoi la plupart des marques de luxe offrent maintenant des « quatre pattes » dans leur gamme.

Mais la FF a cela de particulier : c'est une Ferrari. Et Ferrari devait absolument inventer un système à quatre roues motrices qui donne les mêmes sensations de conduite qu'une propulsion classique. Pour ce faire, la marque au cheval cabré a ajouté une boîte de vitesse à trains planétaires directement sur l'arbre de sortie avant du moteur. Cette boite transmet le couple aux roues avant par l'intermédiaire de deux embrayages en bain d'huile, contrôlés par l'ordinateur de bord. Une idée ingénieuse, notamment parce qu'elle évite d'avoir à installer un arbre de transmission à la sortie de la boîte de vitesse et un différentiel pour entraîner les roues avant.

Mais une question se pose. La boîte de vitesse principale, celle qui entraîne les roues arrière, compte sept rapports. Celle des roues avant n'en a que deux. Alors, comment ça marche ? La clé du mystère, ce sont les embrayages, Grâce à leur fonctionnement à glissement variable, ils permettent d'appliquer le maximum de couple possible à chaque roue avant, de façon indépendante, peu importe la surface de la route.

Pour contrôler la bête, Ferrari a installé un *manettino* sur le volant qui permet de choisir parmi cinq modes : glace, pluie, confort, sport et « off ». La molette gère aussi les autres systèmes de contrôle : stabilité, ABS, antipatinage, différentiel électronique.

Le système d'entraînement des roues avant — que Ferrari appelle Power Transfer Unit (PTU) — ne pèse que 50 kg et il ajoute seulement 170 mm à la longueur du moteur. Le châssis est en aluminium et Ferrari a coupé quelques kilos ici et là. De cette façon, la FF n'est pas plus lourde que l'ancien modèle.

Soulignons par ailleurs que les nouveaux systèmes (comme la boîte de vitesse avant et les embrayages à glissement variable) proviennent de fournisseurs avec qui Ferrari fait déjà affaires pour d'autres composantes. La fiabilité devrait donc être au rendez-vous.

Le système à quatre roues motrices de la FF est si ingénieux — et si nouveau pour Ferrari — qu'il vole presque la vedette au moteur. Ce qui serait tout de même dommage puisqu'il s'agit d'un tout nouveau V12 de 6,3 litres qui produit 651 chevaux. Avec son système d'injection directe, il gagne 20 % en puissance tout en réduisant la consommation d'essence (et les émissions de CO_2) de 25 %. La puissance est transmise aux roues arrière par une boîte à sept rapports avec double embrayage.

Comment s'y prendre pour évaluer une Ferrari à quatre roues motrices ? On pourrait, par exemple, l'emmener en hélicoptère à la station de ski de Kronplatz, dans les Alpes italiennes, à 2 000 m d'altitude, et aménager une petite piste d'essai dans la neige spécialement pour l'occasion. C'est l'idée qu'ont eue les gens de Ferrari.

Nous sommes 15 journalistes et je suis le premier à l'essayer. Mon objectif numéro un : ne pas emboutir la FF dans un banc de neige… Pour les premiers tours de piste, c'est Rafaello, un pilote d'essai de Ferrari, qui conduit. Puis il me passe le volant.

Je commence en mode «glace», puis je monte jusqu'à «confort» (Rafaello ne veut pas que j'aille plus loin...). Par prudence, je ne veux pas trop pousser, mais je suis tout de même en mesure de constater que le système est très rassurant. Il est beaucoup plus sensible en première et deuxième vitesse parce que le couple disponible aux roues est extrêmement élevé. C'est surtout en troisième que j'ai pu apprécier les choses: un petit coup de volant (à la réponse directe et rapide) et la FF entame la courbe avec un léger sous-virage, puis en appuyant un peu sur l'accélérateur, le devant réagit et ramène la Ferrari à l'intérieur de la courbe — sans doute grâce au PTU.

Si on appuie sur l'accélérateur plus énergiquement, l'arrière commence à décrocher, mais à moins d'avoir ajusté le *manettino* à «off», le système vous ramènera sur le droit chemin.

Ferrari voulait que le fonctionnement du système soit complètement transparent. Et, effectivement, même si on sait qu'il fonctionne, on ne sent pas d'à-coups dans le volant, ni d'autres effets indésirables comme sur certains véhicules à quatre roues motrices. En fait, c'est seulement en freinant à l'entrée du premier virage à gauche que j'ai réalisé à quel point la surface était glissante (parce que l'ABS s'est mis à travailler fort). Impressionnant.

Pour mettre à l'épreuve le système de contrôle de la traction, je me suis arrêté au milieu d'une pente montante assez prononcée, puis je suis reparti. Résultat: la FF a repris sa route, lentement, mais sans problème et surtout, sans aucun patinage. Essayez ça avec une Scaglietti, même avec des pneus d'hiver...

Le système d'entraînement de la FF est l'aspect technique le plus frappant de la nouvelle FF. Côté design, c'est la carrosserie qui frappe. Avec cette configuration hatchback, on a réussi à augmenter l'espace utile à l'intérieur, tout en conservant la même longueur que la Scaglietti. Mais le moins que l'on puisse dire, c'est que ce nouveau look demande une période d'adaptation. Cela dit, je dois admettre que partout où j'ai roulé avec la FF (dans les Dolomites aux environs de Cortina), des passants et des passantes de tous âges s'arrêtaient, admiratifs, pour la regarder. Mais bon, il s'agissait d'Italiens et pour eux, toute nouvelle Ferrari est nécessairement une *bella macchina*...

Il faut tout de même reconnaître que Pininfarina a fait un bon travail pour que les surfaces coulent naturellement les unes vers les autres, et qu'on retrouve en même temps des détails tirés d'anciens modèles célèbres de Ferrari. Si on tient aussi compte de la capacité accrue de la FF, tout cela commence à prendre sens. Et, vue de certains angles, on remarque à peine l'arrière surdimensionné.

Question de goût, tout cela, et je vous laisse le soin de forger votre propre opinion sur l'apparence extérieure de la FF. Par contre, en ce qui concerne l'intérieur, je crois que les avis seront plus unanimes : il est superbe et somptueusement équipé. Même le passager a droit à un petit tableau de bord pour savoir de combien vous exagérez...

Pour divertir les passagers des sièges arrière, on peut opter pour des écrans DVD dans les appuie-têtes avant. Ferrari dit que ces sièges conviennent à 90 % de la population. Personnellement, je ne ferais peut-être pas le voyage Montréal-Vancouver à l'arrière, mais pour rentrer à la maison, c'est beaucoup mieux que le jogging sous la pluie.

La Ferrari FF est plus grosse que l'Aston Martin Rapide (sans doute son compétiteur le plus direct), mais elle offre un peu moins d'espace que la Porsche Panamera ou la Bentley Continental GT. Le dossier des sièges arrière est rabattable, ce qui permet d'augmenter encore la charge utile.

Avec sa suspension avant à double triangulation et son système multibras avec amortisseurs MagnaRide à l'arrière, la FF offre une conduite ferme mais confortable, avec un minimum de roulis en virage.

Le poids est réparti presque également (47 % à l'avant, 53 % à l'arrière). Ce qui fait qu'en combinaison avec la puissance prodigieuse du 12 cylindres, les accélérations en sortie de courbe serrée sont enivrantes et dignes d'une vraie Ferrari. Reste que la FF n'est pas tout à fait comme une 458 Italia, l'automobile qui offre la meilleure tenue de route au monde selon la plupart des experts. Mais c'est tout juste si on peut transporter un mouchoir de poche dans une 458...

Le moteur de la FF est calibré en fonction de la motricité à bas régime : plus de 70 % du couple maximal (de 500 lb-pi) est déjà disponible à 1 000 tr/min. Mais on a quand même envie de pousser le moulin jusqu'à la zone rouge à chaque changement de vitesse, ne serait-ce que pour le plaisir d'entendre la mélodie des échappements. On peut même aller jusqu'à rechercher les routes qui longent des murets de pierre, pour entendre encore mieux le magnifique concerto pour V12. Ferrari affirme que la FF est une révolution dans l'univers des GT.

Pour cette première année de production, les 800 modèles prévus ont déjà trouvé preneur. Les critiques les plus importants – les clients – semblent donner raison à Ferrari.

Jim Kenzie

Photos : Jim Kenzie

Pléthore LC-750

TRAVAIL ACHARNÉ, AMBITION SANS LIMITE

La première supersportive québécoise et canadienne occupait une place de choix dans notre édition précédente. La meilleure en fait, puisque la Pléthore LC-750 de HTT Technologies brillait sur les couvertures avant et arrière de cette 45e édition du Guide. Dans sa robe orange, elle était également la pièce maîtresse du dossier « Québec » consacré aux créations mécaniques les plus marquantes qu'on ait connues chez nous. La Pléthore était la plus spectaculaire du groupe et elle l'est encore. Le prototype a revêtu une couleur plus vive, mais l'objectif principal reste le même : la mise en production prochaine de la version de série.

Le Guide de l'auto a été le premier à conduire l'unique prototype de la Pléthore LC-750 et allait être le premier à le conduire plus vite et plus fort, conformément aux promesses de sa silhouette et de ses créateurs. C'était du moins le plan et l'intention, de part et d'autre. Entre-temps, il restait beaucoup à faire pour amener la Pléthore à l'étape de la production en petite série à laquelle on la destine tout en assurant la viabilité du projet et en recherchant les appuis qui permettent de faire avancer les choses.

PIÈCES MULTIPLES

Le concepteur Luc Chartrand et son adjoint John Dorrington ont d'abord démonté entièrement le prototype à l'automne. Pour peindre la carrosserie d'une autre couleur, entre autres. La Pléthore s'est donc présentée au Salon de Montréal en janvier dans une nouvelle robe jaune encore plus vive. Les deux comparses collaboraient en parallèle au développement de la version de série avec des spécialistes d'autres disciplines.

Ils ont ainsi travaillé avec les gens de la firme Creaform de Lévis sur la modélisation en 3D et la création des moules qui serviront à produire les pièces du puzzle qui formera la carrosserie. Les matrices, produites par une autre firme, se succédaient à l'atelier de St-Eustache pour les dernières retouches lors de nos plus récentes visites.

Pour ce qui est du moteur, le travail de développement est essentiellement effectué chez le spécialiste américain Pratt & Miller, connu pour ses succès en course avec l'équipe Corvette d'usine. La Pléthore LC-750 sera propulsée par une version du V8 LS9 compressé de la Corvette ZR1 dont la puissance est évoquée dans son nom. Le principal défi consistait à inverser le bloc d'admission pour une voiture à moteur central.

Le choix de la boîte de vitesses n'est pas encore arrêté. HTT a des discussions avec trois fournisseurs possibles. Quel que soit l'élu, la Pléthore devrait disposer d'une boîte séquentielle à 6 ou 7 rapports. Le jeune constructeur favorise l'embrayage traditionnel au pied qu'offrent deux des fournisseurs en lice. Espérons que le troisième produit une boîte à double embrayage robotisé qui semblerait idéale pour la LC-750.

SOUFFLE VITAL

HTT travaille aussi étroitement avec l'équipe de Lx inc. qui se charge des simulations d'ingénierie pour le châssis, la suspension et l'aérodynamique, particulièrement importante pour une voiture de ce type et de cette puissance. Installés à Bromont, ces spécialistes s'attaqueront au défi de l'intégration du moteur et surtout, de son refroidissement. Cette fonction vitale, à plus forte raison sur une voiture dont le moteur central est implanté dans une nacelle complètement fermée derrière la cabine, a causé des maux de tête sur le précieux prototype de la Pléthore. Notamment lors de notre deuxième essai sur le circuit routier de St-Eustache. C'était d'ailleurs une deuxième tentative, la première s'étant soldée par le bris du moyeu auquel est fixé le volant avant même que la bête ne sorte de sa tanière, une semaine plus tôt.

Nous avons quand même pu y aller franchement lors de ce deuxième essai. Pendant quelques minutes, à tout le moins, ce qui nous a tout de même permis de récolter des impressions plus poussées. Première observation : l'accès à une place de conduite centrale exige un minimum de souplesse. Luc Chartrand nous a également souligné que les sièges des passagers sont implantés plus loin vers l'arrière sur le modèle de série. Cela permettra de dégager les épaules et de permettre aux passagers d'allonger les jambes, ce qui est impossible pour l'adulte de taille moyenne dans le prototype. Par ailleurs, l'ajout de moteurs électriques pour ouvrir et refermer les portières en élytre est une touche appréciée.

TROIS PETITS TOURS...

Installé aux commandes, on remarque que la pédale de frein est beaucoup plus haute que l'accélérateur. Le pointe-talon est impossible avec le prototype. Pédale d'embrayage enfoncée, le mince sélecteur électronique se déplace à deux doigts pour enclencher la première et c'est parti. La puissance et le grognement du gros V8 compressé de 6,2 litres est toujours aussi présent, et emballant. Il suffit d'une légère pression sur le mince levier du sélecteur pour passer en deuxième, mais il met une grosse seconde avant de l'enclencher vraiment. Même chose pour la troisième et ainsi de suite. Sans possibilité de faire le pointe-talon, il faut s'y prendre plus tôt pour rétrograder devant les virages les plus lents, sinon les roues arrière se bloquent et décrochent.

Photos : Marc Lachapelle

Déjà que le train avant glisse en amorce de virage quand on hausse le rythme le moindrement et que les roues arrière font de même quand on remet les gaz pour équilibrer la voiture. Luc Chartrand a lui-même exécuté une pirouette sur 360 degrés à l'entrée d'un enchaînement rapide plus tôt ce jour-là. L'explication viendra plus tard, lorsqu'il réalisera que les nouveaux pneus Pirelli étaient nettement trop gonflés. Pour nous il est trop tard. Au troisième tour, une odeur de brûlé filtre dans l'habitacle et le moteur se met à gargouiller. Des symptômes qui nous portent à ralentir immédiatement et nous arrêter. Le diagnostic : surchauffe du moteur.

Le bilan sera le même lorsque nous ferons une troisième tentative de rouler plus vite avec la LC-750 alors que nous sommes à St-Eustache pour notre match comparatif des sportives. Cette fois, la voiture a surchauffé après deux tours en piste aux mains de Luc Chartrand. Ce contretemps nous rappelle, de manière très claire, qu'il ne s'agit toujours que d'un prototype et que notre premier essai véritable de la Pléthore se fera au volant de la voiture de série.

UN RENDEZ-VOUS CRUCIAL

Cet essai ne se fera toutefois pas avant plusieurs mois. Pour l'instant, tous les efforts de HTT Technologies et de ses partenaires et fournisseurs visent à produire une première voiture à temps pour le prochain Salon de Genève en mars 2012. C'est là que devrait apparaître une Pléthore prête à être produite, avec un habitacle tout neuf, entièrement redessiné en collaboration avec la firme montréalaise Alto Design.

HTT vise toujours la production en très petite série d'au plus 50 voitures par année dans le créneau hyper exclusif où évoluent présentement le constructeur suédois Koenigsegg et l'Italien Pagani, qui ont d'ailleurs dévoilé leurs toutes nouvelles Agera et Huayra au dernier Salon de Genève. Le prix demandé pour une Pléthore est maintenant fixé à 800 000 $ et passera à un million aussitôt qu'une dizaine de voitures auront été produites. Vous trouvez HTT Technologies trop ambitieux? Vous n'avez rien vu. Selon son jeune président Sébastien Forest, l'objectif est de produire un jour les voitures les plus chères au monde sans quitter le Québec et en choisissant toujours, de préférence, des partenaires et fournisseurs d'ici.

Ce qui n'empêche aucunement HTT de chercher du financement et des clients partout ailleurs. L'équipe a par exemple convaincu deux des riches panélistes de la populaire émission Dragons'Den du réseau anglais de Radio-Canada d'investir dans son projet. HTT en a surtout tiré une entente ferme avec un nouvel investisseur albertain qui assure le roulement de l'entreprise pour l'avenir prévisible.

Chose certaine, le projet Pléthore ressemble toujours à un rêve parfaitement fou qui progresse pourtant peu à peu vers sa réalisation. Rendez-vous pris pour Genève, au printemps prochain.

Marc Lachapelle

matchs comparatifs

Texte et photos : Marc Lachapelle

UNE GUERRE DE CLANS

À une époque où l'électron promet de remplacer la molécule d'hydrocarbure comme source première d'énergie pour l'automobile, il existe heureusement encore des ingénieurs qui ont de l'huile dans les veines, des pistons dans la tête et le goût d'aller toujours plus vite. Mieux encore, des constructeurs qui leur accordent la liberté et les moyens de créer les machines qui les allument et qui, surtout, les produisent ensuite pour les rendre accessibles à tous. L'année 2012 nous amène son lot d'éblouissantes exotiques, mais nous avons pris à nouveau grand plaisir à réunir quelques sportives exceptionnelles que plusieurs peuvent envisager de s'offrir sans se ruiner. Malgré leurs prouesses et performances d'exception, ce sont des voitures dans lesquelles on peut rouler à quatre et même à cinq, tout en transportant son lot de jouets et de bagages.

DEUX CRANS AU DESSUS

Notre quatuor est composé de voitures nettement plus puissantes que les compactes sportives de l'an dernier. Trois d'entre elles sont d'ailleurs des versions plus poussées de coupés qui étaient du match des sportives de l'édition 2010 du Guide. C'est le cas du coupé BMW M de Série 1, version musclée du coupé 135i qui s'était grandement démarqué dans ce match. Le « M » est pour Motorsport, la griffe sportive du constructeur bavarois. Et si on ne peut dire M1 comme on dit M3, c'est parce que BMW a déjà utilisé cette appellation pour une sportive à moteur central produite à la fin des années 70. Ce nouveau coupé mérite néanmoins pleinement sa place aux côtés de la M3 dans la gamme de BMW. D'autant plus qu'il a emprunté ses freins, son différentiel autobloquant, ses essieux et amortisseurs arrière, ses jantes et ses pneus à cette dernière. Le Coupé M a certainement aussi le physique de l'emploi avec ses ailes gonflées, son museau plus découpé et une partie arrière plus sculptée. Sans compter toute la puissance et la tenue de route qu'il faut pour inquiéter sa sœur et une meute de rivales.

Notre deuxième aspirante fait revivre un nom légendaire au panthéon des sportives américaines des années 60. La Mustang Boss 302 est la version ultime de la Mustang GT actuelle et peut même chauffer la Shelby GT500 même si elle dotée d'un moteur atmosphérique au lieu du groupe suralimenté de sa frangine. Parce que son V8 de 5,0 litres raffole autant des régimes élevés que celui qui a permis à son ancêtre de collectionner les victoires durant l'âge d'or de la série Trans Am, il y a quatre décennies. Il produit 444 chevaux à 7 500 tr/min tout en profitant de la souplesse et de la civilité que procurent l'injection électronique et le calage variable de ses 32 soupapes, actionnées par deux paires d'arbres à cames en tête. La bête n'est jamais loin avec un échappement à quatre sorties dont on peut facilement décapsuler les embouts latéraux pour goûter plus directement le rugissement du V8.

La gestion électronique a aussi permis aux ingénieurs de créer un programme spécial baptisé TracKey qui modifie quelque 400 paramètres pour maximiser la performance sur circuit. Il s'enclenche par une clé spéciale, comme son nom le suggère. Une clé rouge, pour souligner la différence. Nous n'avions hélas pas cette clé magique pour nos essais sur piste. De plus, la Boss 302 s'est présentée au match avec un cinquième rapport privé de synchronisation et des pneus Pirelli P Zero de type Rosso à l'arrière au lieu des Corsa plus adhérents dont on la chausse à l'usine. Elle y a sans doute perdu quelques dixièmes de seconde çà et là. Nous aurions voulu lui opposer une version moderne de la Camaro Z28, son ennemie jurée en série Trans Am, mais ce modèle n'existe pas. Du moins pas encore. Et les gens de SLP Performance n'ont pu nous fournir à temps une de leurs Camaro ZL465 à moteur atmosphérique, malgré leurs efforts.

SANS PEUR ET SANS REPROCHE

Nous avons eu plus de chance avec Dodge qui n'a pas hésité à inscrire sa nouvelle Challenger SRT8 392 à notre match, même si c'est une voiture plus costaude et nettement plus lourde que les autres. Elle s'est même présentée au match avec sa boîte automatique optionnelle à cinq rapports au lieu de la boîte manuelle. Qu'à cela ne tienne; avec son nouveau V8 HEMI de 6,4 litres et 470 chevaux, le moteur le plus puissant du groupe, la Challenger s'est fort bien défendue, sur les circuits et sur la route, grâce aux retouches apportées à sa suspension et sa direction. Elle s'est montrée la digne héritière de la Challenger qui s'est illustrée elle aussi en série Trans Am à la grande époque. Et sur piste rectiligne, elle a confirmé les qualités qui en font une des favorites des fervents de courses d'accélération en inscrivant les meilleurs chronos.

Notre quatrième aspirante s'est lancée bravement dans l'arène même si sa vocation première est celle d'un coupé de luxe. Or, Infiniti croit suffisamment aux qualités sportives de son Coupé G IPL, le premier de la nouvelle série Infiniti Performance Line, pour en confier le volant à Sebastian Vettel. Quelques semaines avant notre match, le jeune champion du monde de F1 avait enchaîné les tours au circuit ICAR en dérive presque continue, pour le plus grand plaisir (ou effroi) de ses passagers. Avec son V6 atmosphérique de 3,7 litres et 348 chevaux, sa suspension plus ferme, sa direction plus vive et ses freins plus grands, le coupé G IPL a défendu les couleurs du clan japonais comme l'ont si souvent fait ses ancêtres indirects, les Datsun 240Z et 510. Il s'est présenté lui aussi avec la boîte automatique à 7 rapports au lieu de la manuelle, ce qui nous permit au moins d'apprécier les superbes sièges de cuir rouge qui sont réservés à ce modèle.

DEUX CIRCUITS, UNE ÉQUIPE

Pour évaluer nos sportives, en plus des boucles d'essai sur la route, nous avons d'abord visité l'Autodrome St-Eustache, dont le circuit routier a été entièrement repavé au printemps dernier. Sur la version « ouverte » de ce tracé, qui permet des vitesses de pointe plus élevées, nous avons bouclé deux tours chronométrés au volant de chacune des concurrentes. Avec ses enchaînements variés et ses changements de surface, ce circuit met toutes les qualités sportives d'une voiture de série à rude épreuve. Et pour mesurer ensuite correctement les accélérations et le freinage, nous nous sommes rendus au circuit ICAR à Mirabel pour profiter de sa piste d'accélération d'un quart de mille.

Cette année, notre équipe d'essai rassemblait à nouveau les vétérans Yvan Fournier et Bertrand Plouffe flanqués d'Alexandre Langlois et Théo De Guire-Lachapelle, les deux amis dans la jeune vingtaine qui ont affiché autant de sérieux que d'enthousiasme à leur deuxième match de sportives. Ce groupe s'est enrichi cette année de Carole Dugré, la complice d'Yvan, et de Daniel St-Georges, virtuose en électronique, informatique et acoustique, mais surtout grand passionné de mécanique et ex-coureur automobile, qui était accompagné de son beau-fils, Philippe Roy-Richard.

Au long d'une journée d'essais bien remplie, l'équipe a examiné nos quatre sportives sous toutes leurs coutures et soudures, s'échangeant notes et impressions au fil des heures et des kilomètres. Il ne restait plus qu'à compiler les pointages, récolter les commentaires et distiller les jugements de l'équipe. Nos conclusions et les résultats détaillés du match sont dans les pages qui suivent.

1

BMW COUPÉ M SÉRIE 1

Mutante surdouée

Le coupé M est l'héritier spirituel des BMW 2002 tii qui ont jadis foulé les mêmes circuits que les Mustang Boss 302 en série Trans Am. Il ne souffre évidemment pas de la cylindrée plus modeste de son moteur puisque le six cylindres en ligne de 3,0 litres est suralimenté par une paire de turbos et produit 335 chevaux, mais surtout 332 lb-pi de couple à seulement 1 500 tr/min, avec des pointes à 369 lb-pi en pleine accélération. Cette puissance et cette souplesse lui ont valu le meilleur sprint vers 100 km/h, ex-æquo avec la Challenger, mais aussi le meilleur chrono sur circuit grâce à un équilibre, une adhérence et une agilité hors pair. Les essayeurs ont également loué le couple et la docilité de son moteur pour l'agrément qu'ils procurent en conduite normale, avec une boîte manuelle superbement douce et précise. Ils ont par contre jugé la BMW la plus bruyante du groupe, lui reprochant la fermeté de sa suspension et ses réactions parfois sèches sur nos routes souvent cabossées. À l'intérieur, le cuir des sièges, leur maintien impeccable et leurs réglages électriques ont ravi. Les surfaces de suède noir avec surpiqûres rouges au tableau de bord ont de la classe, mais Théo n'a pas apprécié les cadrans à fond gris pâle « qu'on croirait sortis des années 70 » tout en reconnaissant que leur éclairage est « intéressant la nuit ». Alexandre a souligné « la grande facilité d'utilisation » de l'écran multimédia, mais Bertrand s'est désolé du réglage « rudimentaire » du volant. Ce qui ne l'empêche nullement de voir dans ce coupé M de Série 1 « la voiture sportive idéale », jugement repris par Daniel qui le voit comme le « presque parfait mariage entre la voiture de piste du weekend et la voiture que l'on peut utiliser chaque jour » en soulignant que cette fois-ci, elle est déjà modifiée à son goût.

2

FORD MUSTANG BOSS 302

Nouveau patron des étalons

Ford a puisé dans son histoire et misé sur le talent et la passion de ses ingénieurs pour nous offrir cette Mustang pure, dure, puissante et pourtant confortable, maniable et civilisée. Merci aux mêmes ingénieurs qui l'ont dotée entre autres d'une suspension dont on peut modifier les réglages sur cinq niveaux avec un simple tournevis, mais également à l'électronique qui permet de transformer à volonté le caractère de son moteur. Le V8 de 5,0 litres et 444 chevaux est remarquablement souple et docile en conduite normale, grâce au calage variable des soupapes et à l'injection d'essence contrôlés par ordinateur. Ford promet une transformation radicale pour la conduite sur circuit grâce à la clé rouge de l'option TracKey qui modifie 400 paramètres pour aiguiser les réactions du moteur et libérer toute sa puissance. Même sans elle, la Boss 302 se démarque de la Shelby GT500 par sa stabilité, son adhérence et sa précision en virage, mais surtout par les montées en régime vives et linéaires du V8 atmosphérique et sa sonorité furieuse, même sans les échappements latéraux. Alexandre juge le son du moteur « envoûtant », Yvan apprécie son levier de vitesses « agréable et précis » et Daniel, amateur d'Européennes avoué, se dit « impressionné par l'équilibre général de cette grosse voiture en piste ». Bertrand n'est pas le seul à souligner le maintien irréprochable des sièges Recaro et l'excellente position de conduite, mais nos plus jeunes essayeurs trouvent qu'il y a « beaucoup trop de plastique » dans un habitacle « très dégarni ». C'est pourtant un « un vrai char de gars » selon Carole. Théo souligne par ailleurs la « très belle présentation visuelle du moteur » qui dénote « qu'une attention a été portée à bien montrer ce qui fait vivre l'auto ». Bertrand en conclut que pour des amateurs de sportives américaines « c'est LA voiture à posséder ».

3

DODGE CHALLENGER SRT8 392

Colosse aux pieds agiles

Il faut un certain culot pour lancer un grand coupé comme le Challenger SRT8 contre des rivales dont la deuxième plus costaude est plus courte de 24,5 centimètres et plus légère de 240 kilos. Or, cette version 392 n'a pas le moindre complexe. Précisons d'abord que son appellation lui vient des 392 pouces cubes, ou 6,4 litres de cylindrée de son nouveau V8 HEMI, un clin d'œil à celui qui a permis à Chrysler de briller en course d'accélération à la fin des années 50. Les 470 chevaux et 470 lb-pi de couple ont d'ailleurs permis au Challenger d'inscrire le meilleur chrono pour le 0-100 km/h (à égalité avec la svelte BMW) et le meilleur chrono sur le traditionnel ¼ de mille, grâce à sa motricité et aux démarrages faciles avec sa boîte automatique. Les essayeurs ont trouvé sa suspension trop molle et le maintien de son siège insuffisant à St-Eustache, Daniel se disant carrément « pas à l'aise sur circuit avec cette voiture ». Le pilote désigné pour les tours chronométrés a néanmoins pris plaisir à conduire la « 392 » en piste pour la solidité de sa carrosserie, ses réactions toujours prévisibles et le grondement réjouissant de son V8, à défaut d'inscrire des temps records. Pour tous, le Challenger est le plus confortable, le plus spacieux et le plus silencieux de ce quatuor de sportives sur la route. Y compris aux places arrière pour nos jeunes essayeurs qui font tous deux plus de 1m90. Alexandre a remarqué son grand coffre, dont l'ouverture est toutefois serrée, alors que Théo apprécie « l'écran tactile pour les contrôles (qui) fait en sorte que la console n'est pas aussi surencombrée ». Yvan juge encore que le Challenger SRT8 est « le plus beau modèle rétro des Muscle Cars » et Bertrand conclut qu'il s'agit d'une « grosse voiture pour les nostalgiques et (les) amateurs de balade du dimanche ou d'accélération ». Et sans le moindre complexe face aux jeunes louves, ajouterons-nous.

4

INFINITI COUPÉ G IPL

Expert en sensations douces

Confortable, luxueux et raffiné, le coupé G IPL (pour Infiniti Performance Line) est le plus gentleman de nos quatre coupés. Malgré le programme de musculation qu'on lui a fait suivre, il s'éloigne très peu de sa mission première de coupé de luxe. Le contraste avec ses trois rivales est frappant et on pourrait difficilement trouver plus différent que ce coupé et son proche cousin, le coupé 370Z Nismo de Nissan qui partage la même structure de base et le même moteur. Ce dernier aurait sans doute chauffé la BMW et la Boss 302 sur le circuit avec ses pneus plus larges, sa suspension plus ferme, une boîte manuelle, un empattement plus court de 30 cm et 156 kilos en moins. La 370Z avait d'ailleurs inscrit le meilleur chrono de notre match des sportives il y a deux ans, mais nous voulions un coupé à quatre places cette fois-ci. Le G IPL s'est donc retrouvé avec le chrono le plus lent du groupe sur le circuit. L'écart aurait pu être moindre si on nous l'avait fourni avec la boîte manuelle à 6 rapports, surtout que nos essayeurs et le pilote ont noté la lenteur de la boîte automatique, même en mode manuel. Or, là où la « Z » fut critiquée pour son bruit et sa brusquerie, le coupé G IPL ne s'est mérité que des éloges pour sa douceur, son raffinement et la qualité inégalée de son habitacle. Carole s'est dite « émerveillée et comblée par le design et la finition », se réjouissant d'avoir trouvé « un véhicule chic avec du moteur ». Excellent pour un coupé de luxe. Moins bon pour les ambitions sportives. Et Daniel de conclure : « Si (la griffe) IPL est censée être un équivalent des divisions M (chez BMW) et AMG (pour Mercedes), Infiniti est encore loin de ces références ». Si la division luxe de Nissan peut accéder au savoir-faire qui a permis de créer une voiture comme la GT-R, les prochains modèles IPL pourraient nous surprendre agréablement.

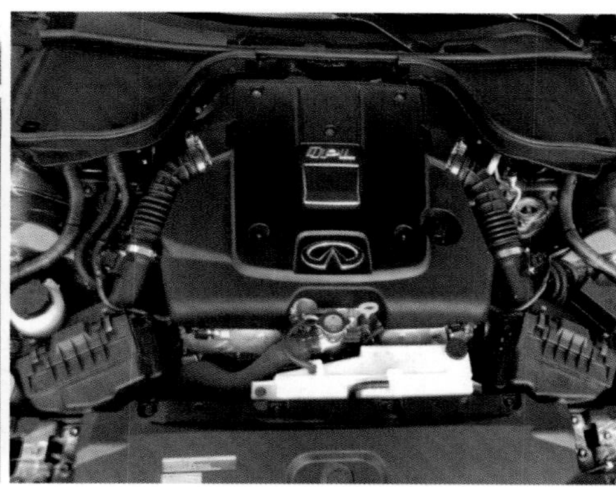

* 369 lb-pi avec pic de suralimentation
** essence super conseillée
*** essence super exigée, octane 94 (98 ROZ) conseillée

FICHES TECHNIQUES	1 BMW Coupé M Série 1	2 Ford Mustang Boss 302
Poids (kg)	1,525	1,647
Répartition poids avant / arrière (%)	51,7 / 48,3	55 / 45
Coefficient de traînée	0.37	0.36
Places	4	4
Boîte de vitesses / rapports	manuelle / 6	manuelle / 6
Rouage	propulsion	propulsion
Moteur	6L / DACT double turbo	V8 / DACT
Cylindrée	3,0 litres	5,0 litres
Cylindrée	2 979 cm3	4 951 cm3
Puissance maximale	335 ch à 5 900 tr/min	444 ch à 7 500 tr/min
Couple maximal	332 lb-pi à 1 500 tr/min*	380 lb-pi à 4 500 tr/min
Essence exigée ou conseillée	super ***	régulière **
Suspension avant	jambes de force	jambes de force
Suspension arrière	ind. / bras multiples	essieu rigide
Freins avant / diamètre (mm)	disques / 360	disques / 295
Freins arrière / diamètre (mm)	disques / 350	disques / 302
Pneus avant	245/35ZR19	255/40ZR19
Pneus arrière	265/35ZR19	285/35ZR19
Direction	crémaillère assistée	crémaillère assistée
Diamètre de braquage (m)	11.50	12.01
Réservoir de carburant (litres)	50	55
Capacité coffre (litres)	327	390 à 1 492
Accélération 0-100 km/h (sec) ICAR	5.0	5.1
Accélération 1/4 de mille (sec / km/h) ICAR	13,4 / 171,3	13,3 / 178,7
Freinage de 100 km/h (mètres) ICAR	35.91	35.07
Chrono circuit St-Eustache (minute / secondes)	54.90	55.09
Consommation RNC (ville/route L/100 km)	11,1 / 8,3	13,8 / 9,05
Prix de base	53 600$	38 699$
Prix essai	61 600$	50 399$
Lieu de fabrication	Regensburg, Allemagne	Flat Rock, Michigan

Coupés en quatre

Avec la fiche technique et le bagage génétique de chacune, il était pratiquement assuré que le Coupé M de Série de BMW et la Ford Mustang Boss 302 allaient être les plus féroces rivales de ce match des sportives. Issues de traditions techniques et sportives très différentes, elles ont néanmoins été conçues dans le même esprit. Dans les deux cas, les ingénieurs ont fouillé dans les armoires et les réserves de leurs constructeurs respectifs pour trouver les composantes qui allaient permettre de rehausser considérablement les performances et la tenue de route de modèles existants sans en gonfler démesurément le prix. Le Coupé M et la Boss 302 n'ont pas déçu, ramenant même des chronos à seulement 19 centièmes de seconde l'un de l'autre au circuit St-Eustache, malgré un gabarit et des mécaniques très distinctes. Et leurs qualités s'expriment tout aussi clairement en conduite normale, aussi bien en ville que sur une route en lacet. Il faut en

Dodge Challenger SRT8 392	Infiniti Coupé G IPL
1,887	1,559
54,4 / 45,6	54 / 46
0.36	0.32
5	4
automatique / 5	automatique / 7
propulsion	propulsion
V8 / culbuteurs	V6 / DACT
6,4 litres	3,7 litres
6 424 cm3	3 696 cm3
470 ch à 6 000 tr/min	348 ch à 7 400 tr/min
470 lb-pi à 4 200 tr/min	276 lb-pi à 5 200 tr/min
super ***	super **
ind. / bras multiples	double triangle
ind. / bras multiples	ind. / bras multiples
disques / 320	disques / 355
disques / 280	disques / 350
P245/45ZR20	225/45R19
P255/45ZR20	245/40R19
crémaillère assistée	crémaillère assistée
11.48	11.00
60	55
481 à 1 213	340
5.0	6.1
13,2 / 176,4	14,2 / 161,7
36.65	37.13
57.02	58.03
15,6 / 9,2	11,0 / 7,4
47 995 $	57 200 $
52 465 $	57 200 $
Brampton, Ontario	Tochigi, Japon

MERCI À NOS ESSAYEURS
Théo De Guire-Lachapelle,
Yvan Fournier,
Alexandre Langlois,
Bertrand Plouffe
Daniel St-Georges
Carole Dugré
Philippe Roy-Richard.

REMERCIEMENTS SPÉCIAUX À
L'Autodrome Saint-Eustache et au Circuit ICAR pour l'accès généreux à leurs installations.

AUTODROME ST-EUSTACHE
1 016, boulevard Arthur-Sauvé
Saint-Eustache, Québec, J7R 4K3
Téléphone : 450-472-6222 ou 514-591-4388
Web : www.autodrome.ca
Courriel : ibreton@autodrome.ca

CIRCUIT ICAR
12 800, Henri-Fabre
Mirabel, Québec, J7N 0A6
Téléphone : 514-955-ICAR (4227)
Web : www.circuiticar.com
Courriel : info@circuiticar.com

Texte et photos : Marc Lachapelle

remercier les mêmes ingénieurs qui n'ont pas oublié que ces pur-sang sont conduits ailleurs que sur un circuit les autres jours de la semaine.

Nous tenions par ailleurs à ce que ce match soit plus qu'un duel en règle. Dans cet esprit, la Challenger SRT8 392 et le coupé Infiniti G IPL ont élargi le débat au-delà de ce que nous avions imaginé. Le caractère du Challenger ne changera pas radicalement aussi longtemps qu'il conservera ce gabarit et les plus récentes modifications ont amélioré nettement ses performances et son comportement. Quant au coupé Infiniti, puisqu'il maîtrise déjà les variables luxe et qualité de l'équation, il lui faut maintenant plus de puissance, de performance et de mordant en tenue de route. Imaginez une version à double turbo avec des mises à niveau correspondantes à la suspension, la monte pneumatique et les freins. Après tout, c'est une recette qui réussit plutôt bien à BMW.

POINTAGE DÉTAILLÉ

		BMW Coupé M Série 1	Dodge Challenger SRT8 392	Ford Mustang Boss 302	Infiniti Coupé IPL
Design / Style / 40 pts					
Extérieur (silhouette, proportions, originalité, style, attrait visuel pur)	/30	26.3	22.3	24.1	24.1
Intérieur (design, couleurs, style, originalité, agencement des matériaux)	/10	8.4	6.8	6.7	8.8
Carrosserie / 80 pts					
Finition intérieure + extérieure (qualité de peinture, écarts, assemblage)	/20	18.0	15.5	15.6	18.0
Qualité des matériaux (texture, couleur, surface, odeur?)	/20	17.8	14.4	13.0	17.9
Tableau de bord (clarté, lisibilité des cadrans, graphisme, disposition)	/10	7.0	7.7	7.6	8.5
Équipement (accessoires, innovations, gadgets, système audio, etc.)	/10	8.5	7.5	6.4	8.3
Coffre (accès, volume, commodité, modularité, polyvalence : passage?)	/10	7.4	8.6	7.3	6.4
Rangements (accès, nombre, taille, commodité, efficacité)	/10	7.8	7.5	7.4	7.7
Confort / Ergonomie / 50 pts					
Position de conduite (volant, sièges avant,repose-pied, réglages)	/20	16.9	15.0	17.3	17.2
Ergonomie (facilité d'atteindre les commandes, douceur, précision)	/10	8.7	7.6	7.7	8.0
Places arrière (accès, confort, espace, appuie-tête ?)	/10	6.2	7.8	7.0	5.9
Silence de roulement (sur chaussée lisse ou raboteuse, bruit de vent)	/10	7.8	8.1	7.7	8.3
Conduite/ 150 pts					
Tenue de route (équilibre, agilité, adhérence, facilité, marge de sécurité)	/50	45.8	30.8	39.5	40.3
Moteur (rendement, puissance, couple à bas régime, réponse, agrément)	/40	35.9	34.5	35.7	29.7
Direction (précision, « *feedback* », résistance aux secousses, braquage)	/20	17.9	14.7	16.8	12.0
Freins (sensations, modulation, constance, performances, résistance)	/20	17.8	12.9	15.9	13.1
Transmission (précision, rapidité, étagement, douceur, embrayage)	/10	8.9	7.9	7.9	8.0
Qualité de roulement (suspension, solidité structurelle)	/10	7.4	8.3	8.0	8.1
Sécurité/ 20 pts					
Visibilité (surface vitrée, largeur des montants, angles morts)	/10	7.9	6.8	6.9	7.2
Rétroviseurs (taille, forme, emplacement, clarté - bloque points de corde?)	/5	3.7	3.7	4.3	4.1
Systèmes d'aide à la conduite (efficacité, ajustabilité, rapidité)	/5	4.1	4.0	3.8	3.7
Performances mesurées /100 pts					
Chrono tour de piste - circuit St-Eustache	/60	49.80	37.80	47.40	33.60
Accélération 0-100 km/h - circuit ICAR	/10	9.00	9.00	8.70	8.30
Accélération 1/4 de mille - circuit ICAR	/10	9.00	9.00	9.00	8.30
Freinage de 100 km/h - circuit ICAR	/20	19.00	18.40	19.00	17.60
Autres classements /60					
Choix des essayeurs	/60	56.0	36.0	48.0	30.0
TOTAL	/500	432.9	362.5	398.7	363.2
POINTAGE FINAL**	/500	368.2	312.8	345.2	310.8
RANG FINAL		1	3	2	4

* Selon courbes de pointage objectif de l'AJAC

** Avec pondération pour le prix selon la courbe de valeur de l'AJAC

Branchée, semi-branchée, débranchée

LES ÉCOLOS À LA LOUPE

De nos jours, les aliments bios et les véhicules verts ont la cote. À tel point que certaines personnes se sentent pratiquement coupables de manger de la salade ordinaire et de posséder une voiture qui n'est pas hybride tout au plus. Mais entre le rêve que nous font miroiter les médias et la réalité de tous les jours, il y a un monde. Il est vrai que les véhicules verts sont attrayants et il faut souhaiter qu'il y en ait de plus en plus. Mais qu'en est-il de la réalité quotidienne?

Que la voiture soit hybride ou électrique, ce n'est absolument pas le gage d'une conduite agréable, d'une bonne tenue de route ou encore d'un caractère pratique. C'est pourquoi nous avons regroupé trois types de voitures écologiques afin d'en savoir davantage.

On a d'abord opté pour la Mitsubishi i-MiEV, une sous-compacte 100 % électrique qui sera disponible sur le marché canadien au cours de l'année. Avec un rayon d'action d'environ 130 kilomètres, elle se veut la solution pour les citadins ou les banlieusards qui cherchent un moyen de transport plus écologique pour aller travailler ou vaquer à leurs occupations. C'est aussi une alternative à la voiture traditionnelle pour les régions mal desservies par les transports en commun.

Notre seconde candidate est la désormais célèbre Chevrolet Volt dont on entend parler depuis longtemps. Commercialisée aux États-Unis depuis l'an dernier, elle fait ses débuts dans notre contrée en 2012. Il s'agit d'un véhicule électrique à rayon d'action étendu. Ses piles, une fois rechargées à l'aide d'une borne 240 V ou d'une prise de 120 Volts, assurent un rayon d'action de 60 à 65 km. Puis, une fois la pile épuisée, un moteur thermique de 1.4 litre démarre et actionne une génératrice qui permet de maintenir la pile au niveau minimum et ainsi alimenter les moteurs électriques.

Enfin, il y a la Toyota Prius, une voiture hybride dont les piles n'ont pas besoin

d'être rechargées à une prise de courant ou une borne. Elles le sont lorsque la voiture roule. L'énergie produite au freinage est également dirigée vers les piles. Il est possible de rouler en mode électrique sur une très petite distance pour ensuite utiliser le moteur thermique. Selon les conditions, le système fait appel au moteur électrique, au moteur thermique ou une combinaison des deux. Il s'agit d'une voiture propulsée la majorité du temps en mode thermique.

Il est important de souligner qu'il ne s'agit pas d'un match comparatif comme tel, mais plutôt d'une comparaison et d'une évaluation des trois technologies distinctes qui sont utilisées dans ces trois voitures afin d'établir leurs points forts et leurs points faibles. Chaque participant a circulé sur un circuit mixte comprenant un parcours urbain, une route secondaire et finalement l'autoroute.

Nous n'avons pas fait d'évaluation chiffrée comme telle, mais plutôt déterminé les qualités et les défauts de chacune des voitures, en plus de lui attribuer une cote de désirabilité.

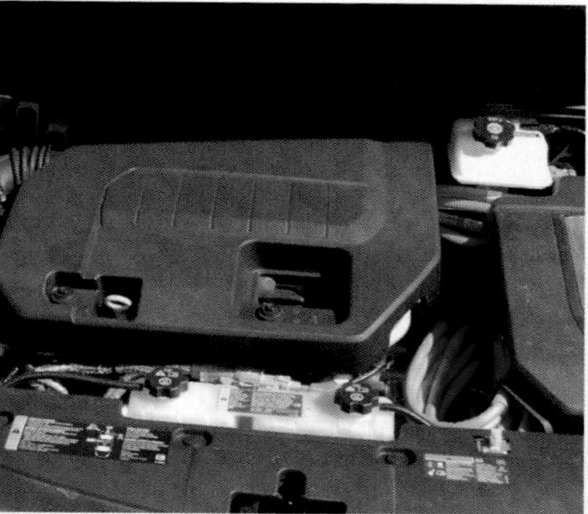

POINTS POSITIFS

- Silhouette élégante
- Agrément de conduite
- Places arrière
- Pas de stress de tomber en panne de pile électrique
- Conception sophistiquée

POINTS NÉGATIFS

- Faible garde au sol
- Quatre places seulement
- Visibilité arrière
- Rayon d'action électrique un peu faible
- Suspension ferme

1

CHEVROLET VOLT

Du nouveau sous le capot

C'est sans doute l'une des voitures les plus controversées des cinq dernières années. Certains la qualifient de solution idéale à moyen terme, le temps de trouver des piles offrant un rayon d'action similaire aux voitures à essence et capables de se recharger plus rapidement.

D'autres accusent GM de tricher et de prétendre qu'il s'agit d'une voiture électrique alors qu'en réalité, la Volt est une hybride « branchable ». Peu importe, une chose est certaine : les roues avant sont propulsées par un moteur électrique et non pas par le moteur à essence. Ce dernier actionne en fait un moteur électrique qui agit en tant que génératrice.

Il faut également ajouter que dès le départ, la Volt a été dessinée pour accueillir la pile en forme de T qui sert de structure à la voiture. Le poids de celle-ci aide par le fait même à la stabilité de la Volt en virage. De plus, la plate-forme de cette Chevrolet est très rigide, ce qui explique son bon comportement routier. Soulignons au passage que la silhouette a été spécialement étudiée afin d'obtenir un très petit coefficient de pénétration de l'air.

Pour réduire la friction causée par les pneus, ceux-ci sont à faible résistance de roulement, ce qui explique en partie la fermeté de la suspension. Nos essayeurs ont par ailleurs apprécié la direction : l'assistance électrique n'a pas cette imprécision souvent présente sur d'autres voitures qui possèdent une direction similaire.

Un autre élément positif a été la progressivité des freins, quasiment une exception pour un système de récupération d'énergie au freinage. Toujours au chapitre des performances, nos essayeurs ont roulé sur une distance de 55 km avant que la pile ne soit épuisée. Par la suite, le moteur à essence est entré en action. Sur la route, cette Chevrolet se comporte comme une voiture ordinaire. Et si ce n'était des cadrans qui nous informent des transferts d'énergie, on croirait piloter une voiture traditionnelle. Lors de notre essai, la consommation combinée moteur électrique/moteur à essence a été de 3,5 l/100 km.

La console centrale, blanche sur notre voiture d'essai, et ses touches qui fonctionnent par effleurement ont, pour leur part, été plus ou moins appréciés. Par contre, les tableaux numériques d'affichage ont quant à eux reçu un accueil favorable, autant pour la pertinence des informations affichées que pour leur simplicité. Somme toute, une voiture qui a crée bien des surprises !

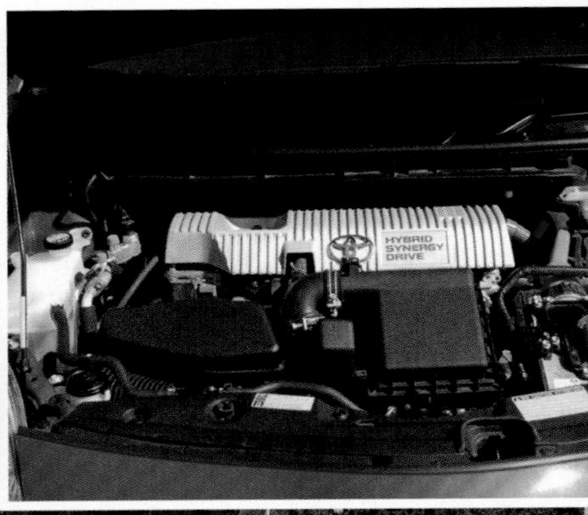

POINTS POSITIFS

- Mécanique éprouvée
- Excellente visibilité
- Bonne habitabilité
- Consommation plus que raisonnable
- Réputation enviable

POINTS NÉGATIFS

- Tenue de route
- Insonorisation
- Pneumatiques
- Commandes complexes
- Tableau de bord à revoir

2

TOYOTA PRIUS
La doyenne

Elle a été la première automobile hybride à être commercialisée et à ce jour, c'est le seul modèle qui a connu du succès au chapitre des ventes avec plus de deux millions d'exemplaires vendus. Son moteur hybride est l'un des plus sophistiqués sur le marché, tout comme sa transmission à rapports continuellement variable.

En théorie, il est possible de rouler en mode électrique seulement, mais dans la pratique, c'est très difficile à faire. C'est que selon le message affiché, la batterie n'est jamais suffisamment chargée pour y arriver, ou encore on nous mentionne que les accélérations sont trop rapides. Par contre, en conduite urbaine, le moteur thermique ou le moteur électrique coupent dès que la voiture est immobilisée. Ils sont activés de nouveau dès qu'on relâche la pédale de frein. L'intérêt d'une telle voiture, c'est sans contredit l'économie de carburant qu'il est possible de réaliser, sans compter les plus faibles émissions de gaz à effet de serre. Le moteur ne fonctionne pas tout le temps et l'intervention du moteur électrique en appoint permet d'installer un moteur de plus faible cylindrée sous le capot. Et ici, pas de branchement, pas de temps de recharge, on tourne la clé et on part!

La plupart des personnes qui ont conduit cette Toyota lors de notre essai ont assez peu apprécié les matériaux et le design de la planche de bord, sans oublier que l'insonorisation a été jugée déficiente. Heureusement, nos participants n'ont pas conduit la première génération de la Prius: si sa mécanique de l'époque était innovatrice et sophistiquée, la tenue de route était décevante, tout comme le freinage et l'agrément de conduite. Au fil des années, la plus populaire des hybrides sur le marché a gagné en raffinement sur tous ces aspects.

Malgré plusieurs points positifs, la Prius n'a pas semblé intéresser outre mesure nos participants pour qui la propulsion hybride est quelque chose qui, curieusement, appartient déjà au passé. Il se peut que le caractère novateur de la Volt et de la i-MiEV ait porté ombrage à cette Toyota qui, pourtant, demeure toujours bien cotée de la part du grand public. Quant à la consommation de carburant, elle a été d'environ 6,8 l/100 km lors de notre essai.

Son rayon d'action 100% électrique est fort limité, sa conduite en mode hybride est correcte, mais le faible agrément de conduite de la Prius est un spectre qui se manifeste trop souvent lorsque vient le temps de l'évaluer.

Bien entendu, cette évaluation n'est pas comparative, mais force est d'admettre que la Volt a un petit quelque chose de plus.

POINTS POSITIFS

- Accélérations nerveuses
- 100 % électrique
- Freins progressifs
- Accès à bord facile
- Bonne tenue de route

POINTS NÉGATIFS

- Pneumatiques moyens
- Sensible aux vents latéraux
- Planification obligatoire pour les trajets de plus de 45 km
- Angoisse de la panne d'énergie

MITSUBISHI I-MIEV

Électrique Nippone

La voici enfin, cette Nipponne 100 % électrique. En fait, elle roule depuis plusieurs mois maintenant sur les routes du Québec puisque Mitsubishi et Hydro Québec ont mis sur pied un programme d'essai prolongé, pas nécessairement pour éprouver la mécanique et vérifier la résistance de la pile, mais afin d'acquérir des informations quant à l'utilisation de cette voiture par ses usagers.

Quant à la voiture elle-même, les ingénieurs de Mitsubishi ont visé juste quant au cahier de charges. Puisque les technologies actuelles reliées au fonctionnement des piles en sont encore à leurs premiers balbutiements, il n'aurait pas été logique de développer une grosse berline de luxe propulsée par une batterie d'une tonne. On a donc décidé de produire une petite citadine. Pour être plus efficace, la voiture est très légère et fait appel à un maximum de batteries. Elle offre ainsi un rayon d'action estimé de 130 km. Cela semble être, à ce moment, la limite réelle d'une voiture électrique dont le prix se situe entre 30 000$ et 40 000$ (avant les ristournes gouvernementales).

Compte tenu de la vocation urbaine et banlieusarde de cette voiture, il faut acclamer les quatre places, l'excellent dégagement pour la tête et un espace correct pour les bagages. À ce niveau, on considère que c'est raisonnable, car avec un rayon d'action de 130 km, les voyages restent relativement courts. Au fil des kilomètres, la i-MiEV s'est révélée agréable à conduire et elle est en mesure de rouler sur la grand-route sans crainte de ralentir les autres.

Mais il faut avoir le pied droit relativement léger en accélération pour ne pas décharger la batterie trop rapidement, car une fois celle-ci épuisée, on fait du stop. Cependant, nous avons réessayé cette voiture dans la semaine qui a suivi cet essai, et la limite des 135 km ne nous est pas apparue si dictatoriale. Mais il reste qu'il faut planifier ses allées et venues. La recharge est la simplicité même et il faut environ une nuit pour régénérer une pile complètement épuisée à l'aide d'une prise 120 Volts. Point négatif, par contre : Mitsubishi aurait dû donner au moins deux mètres de plus à la corde rallonge. De plus, même si on compte la remise gouvernementale, les plastiques de l'habitacle et la finition plutôt légère ne sont pas en harmonie avec la facture.

FICHES TECHNIQUES

Modèles	Chevrolet Volt	Toyota Prius
DIMENSIONS ET VOLUMES		
Empattement	2 685 mm	2 700 mm
Longueur	4 498 mm	4 460 mm
Largeur	1 787 mm	1 745 mm
Hauteur	1 439 mm	1 480 mm
Poids	n.d.	1 380 kg
Réservoir	35 litres	45 litres
Coffre	300 litres	445 litres
MOTEUR THERMIQUE		
Moteur	4L 1,4 litre	4L 1,8 litre
Puissance	83 chevaux	134 chevaux (avec moteur éle
Couple	n.d.	n.d.
Transmission	n.d.	CVT
Rouage	Traction	Traction
MOTEUR ÉLECTRIQUE		
Volts	n.d.	n.d.
Puissance	149 chevaux	n.d.
Couple	273 lb-pi	n.d.
Transmission	Aucune	n.d.
Batterie	Li-ion, 16 kW/h	Ni-MH
Autonomie	Environ 60 km (élect seul.) 610 km (total)	n.d.
Moteur générateur	55 kW	n.d.
Prix	41 545 $	27 800 $ à 37 395 $

Sept mois au volant d'une voiture électrique

Jean Martel, maire de Boucherville, se distingue de ses homologues par le fait qu'il conduit une i-MiEV. En effet, la ville de Boucherville a été sélectionnée par Mitsubishi et Hydro Québec pour réaliser un essai long terme de deux de ces véhicules électriques. Boucherville est une municipalité qui accueille sur son territoire plusieurs entreprises dont l'expertise est reliée à la fabrication de composantes de voitures électriques, sans oublier que le centre de recherche d'Hydro Québec se trouve tout près.

Après plus de sept mois au volant de sa voiture 100 % électrique, monsieur Martel se déclare très satisfait de son expérience. « Non seulement la voiture est entièrement électrique, mais elle est également agréable à conduire », explique le maire de Boucherville. « J'apprécie beaucoup les accélérations linéaires et... silencieuses. De plus, cette voiture est très à l'aise sans la circulation urbaine. Il faut bien entendu modifier sa façon de piloter, mais c'est une adaptation intelligente, puisque nous devons toujours songer à économiser la batterie tout en optimisant sa conduite. J'ai accès à une borne de recharge à l'hôtel de ville et à une autre, à ma résidence. Il me faut également tenir compte du rayon d'action et mes déplacements sont gérés en fonction de cette réalité. Mais on

Mitsubishi i-MiEV
n.d.
3 675 mm
1 585 mm
1 615 mm
1 180 kg
n.d.
n.d.
n.d.
n.d.
n.d.
n.d.
Propulsion
n.d.
66 chevaux
140 lb-pi
n.d.
Li-ion, 16 kW/h, 330 volts
Environ 130 km
n.d.
32 998 $

EN CONCLUSION

Comme cet essai est une évaluation en parallèle, il n'y a ni gagnant, ni perdant. Par contre, à la lumière de cette expérience et des commentaires des participants, la vocation de chacune de ces voitures est assez bien caractérisée. La i-MiEV est en quelque sorte la plus écologique du lot et la plus spécialisée également. Son rayon d'action de 130 km devrait suffire pour répondre aux besoins de beaucoup de personnes, notamment les citadins et les banlieusards.

Mais il ne faut pas s'imaginer qu'il n'y a que Québec et Montréal dans la province. Les résidents de villes de moyenne envergure, où les distances à parcourir sont moindres, apprécieront cette petite électrique, car son rayon d'action est moins important que dans une mégalopole comme Montréal où il faut parfois rouler plusieurs dizaines de kilomètres pour se rendre à son travail en raison de l'étalement urbain.

La Toyota Prius impressionnait il y a de cela quelques années en raison de sa technologie hybride. Celle-ci demeure intéressante, mais il existe dorénavant des solutions plus sophistiquées. De plus, sur le plan automobile, on pourrait faire beaucoup mieux : l'insonorisation reste perfectible et l'agrément de conduite est apprécié des gens qui n'aiment pas conduire.

Reste la Volt. Elle est la plus chère de notre trio et son rayon d'action en mode 100 % électrique est assez limité. Par contre, c'est la plus sophistiquée du lot aussi bien en fait de mécanique que d'esthétique. De plus, sur la route, elle s'avère performante et agréable à conduire. Pour plusieurs, c'est le meilleur compromis des trois. Mais encore une fois, cela dépend de vos besoins, de votre budget et de vos attentes. Mais si nos participants avaient eu à choisir, la Volt aurait devancé la i-MiEV de peu tandis que la Prius est celle qui les intéressait le moins.

trouve des trucs. Par exemple, il y a des bornes de recharge dans le stationnement du Sheraton sur le boulevard René-Levesque à Montréal. » Visiblement enchanté de son expérience, il termine notre entretien sur ces paroles : « Et il y a toujours cette satisfaction que l'on ressent lorsque l'on croise une station d'essence et qu'on n'a plus besoin d'y aller. En un mot, j'adore ma voiture électrique. »

LA QUESTION À 20 000 $

Un budget limité, trois choix différents

Selon les statistiques, le prix moyen d'une voiture est, de nos jours, d'un peu plus de 25 000 $. Bien entendu, il s'agit d'une moyenne calculée à partir des automobiles de grand luxe jusqu'aux sous-compactes économiques. Pour les besoins de l'exercice, nous avons choisi trois voitures différentes, mais dont le prix de détail ne dépasserait pas les 20 000 $. Notre choix s'est arrêté sur la Fiat 500, la Ford Focus et la Volkswagen Jetta, trois véhicules arrivés récemment sur le marché et ayant tous un profil différent.

La Fiat est une mini voiture qu'il est possible de commander dans sa version de base pour 15 995 $. Mais il est facile de faire gonfler la facture à plus de 20 000 $ puisque la version la plus huppée, le Lounge se vend pour 22 999$! Tout dépend donc de ce que l'on chercher : une petite voiture « loadée » ou encore une berline à vocation familiale offrant une bonne habitabilité à un prix compétitif ? C'est le cas de la Jetta. Dans sa version la plus économique, celle-ci est propulsée par un moteur quatre cylindres 2,0 litres de 115 chevaux associé à une boîte automatique à six rapports. On a beaucoup d'espace, la tenue de route est bonne, mais l'habitacle est plus sobre.

Notre troisième candidate est la nouvelle Ford Focus. Un peu comme dans le cas de la Passat qui propose des modèles vendus à plus de 20 000 $, la Focus peut faire sauter la banque avec un modèle Titanium dont le prix de détail suggéré est de 26 649 $. Mais encore là, en se limitant à une version de base et en y ajoutant la boîte automatique, on arrive juste sous la barre des 20 000 $. Mais la Focus berline essayée dans ce match était une version Titane vendue plus de 25 000 $. Il s'agissait en fait de déterminer si se payer une compacte de luxe en valait la chandelle. Son moteur 2,0 litres, le seul disponible, produit 160 chevaux et était associé à une transmission automatique à double embrayage.

Nos essayeurs ont eu la tâche complexe de départager ce trio. Laquelle de ces voitures représente la meilleure affaire ? Il faut toujours garder en mémoire que peu importe le prix demandé, la mécanique est généralement la même d'une version à l'autre bien qu'on paie pour les accessoires, les éléments de luxe et du confort. Pourquoi une telle comparaison ? Pour émuler le dilemme auquel sont souvent confrontés les acheteurs. En fait, notre démarche est double. Pour 20 000 $, on a le choix entre une mini tout équipée ou une berline spacieuse, mais dont la mécanique est moins puissante. À cela, on ajouter la possibilité d'acheter une compacte plus luxueuse, comme la Focus Titanium de notre essai, mais dépasser allègrement la limite des 20 000 $.

Comme c'est la coutume, nous avons effectué une randonnée sur les diverses routes et chacun a pris le volant des trois modèles évalués. Voici le résultat de leurs cogitations et compilations.

1

POINTS POSITIFS

- Style exclusif
- Petit agrément de conduite
- Design du tableau de bord
- Performances correctes en ville
- Système audio

POINTS NÉGATIFS

- Transmission sèche
- Habitacle étroit
- Insonorisation à améliorer
- Coffre petit
- Performances un peu justes sur l'autoroute

FIAT 500
La petite Italienne

Cette petite Italienne n'offre qu'un seul moteur, soit un quatre cylindres de 1,4 litre d'une puissance de 101 chevaux. Notre voiture d'essai était équipée d'une boîte automatique à six rapports. Cette transmission possède en quelque sorte deux plages d'opération puisque la 500 propose un mode « Sport » qui modifie l'assistance de la direction et qui gère des passages de rapports plus longs. Ce mode permet d'offrir plus de punch en matière de performances. Mais s'il faut prendre le terme « Sport » avec un grain de sel, cette petite Fiat, malgré tout, ne se fait pas pousser dans le dos sur la route. De plus, son faible rayon de braquage et son moteur relativement nerveux ajoutent à l'agrément de conduite.

Et puisque le modèle utilisé lors de notre essai était bien équipé, on n'avait pas cette impression de conduire une « econobox ». Le volant, avec son gros boudin se prend bien en main et contribue à la sensation de conduire une voiture beaucoup plus grosse qu'elle ne l'est en réalité. Cela n'a pas empêché nos essayeurs de mentionner que les coudes des occupants des places avant se sont touchés à quelques reprises, signe qui ne ment pas quant aux dimensions réelles de cette voiture.

Les essayeurs ont apprécié la finition, les sièges confortables et la présentation très design de la planche de bord ainsi que le confort des sièges. Quant à savoir si c'était une bonne affaire de choisir une version plus équipée, la plupart des essayeurs ont souligné que la majorité des acheteurs potentiels seraient tous guidés par le même motif d'achat : se procurer une petite citadine ludique qui se démarque des autres voitures. Sans quoi, ces personnes pourraient se tourner vers la nouvelle berline Nissan Versa vendue à moins de 13 000 $.

Contrairement à la génération précédente de la Fiat 500, la nouvelle mouture se veut davantage une voiture « boutique » comme le soulignent les Américains. Le seul fait qu'elle soit disponible en de multiples couleurs est un indice qui ne trompe pas.

La Fiat 500 est une citadine au même niveau que la Smart et la Mini. Cependant, elle offre un agrément de conduite et des performances supérieures à la Smart. Elle est moins performante que la Mini, mais cette dernière, à équipement égal, est beaucoup plus onéreuse. On peut facilement conclure qu'une Fiat 500 de luxe n'est pas, en soi, une mauvaise idée.

POINTS POSITIFS

- Tableau de bord
- Moteur puissant
- Agrément de conduite
- Silence de roulement
- Bonne tenue de route

POINTS NÉGATIFS

- Présentation du moteur
- Coffre relativement petit
- Sièges plus ou moins confortables
- Caisson de graves empiète dans le coffre

FORD FOCUS

Quel progrès !

La Focus berline inscrite à notre comparaison se vend pour plus de 25 000 $. Par contre, elle est dotée du seul et unique moteur disponible, un quatre cylindres de 2,0 litres d'une puissance de 160 chevaux. Ainsi, peu importe qu'on opte pour la version « toute garnie » ou « régulière », la motorisation sera la même. Notre voiture d'essai était équipée de la transmission automatique à six rapports à double embrayage. La seule autre voiture dans la catégorie à offrir une telle transmission est la version à moteur diésel de la Volkswagen Jetta.

Mais pour arriver à un montant de plus de 25 000 $, en surplus de la boîte automatique, il faut commander le toit ouvrant, le système de navigation, les roues en alliage, le radar de recul et la liste s'allonge. En fait, en ajoutant une foule d'autres options on peut facilement frôler les 30 000 $. Si on veut se payer un peu de luxe par le biais des options, il faut se garder une petite gêne et ne pas commander le catalogue des options au complet. La voiture en elle-même ne change pas en matière de performances et de qualités dynamiques, par contre le niveau de confort et de luxe est à la hausse.

Ce n'est pas le luxe de la version Titanium de la Focus qui a impressionné nos essayeurs, mais bien le comportement routier de la voiture, la qualité des matériaux et de la finition et l'impression d'avoir une voiture fort solide entre les mains. L'un de nos participants a été propriétaire de deux Focus par le passé et il n'en revenait tout simplement pas de la transformation de cette voiture. D'ennuyante à mourir, elle est devenue une voiture sophistiquée, élégante et fort agréable à conduire. Notre groupe d'essayeurs a par ailleurs souligné que si on devait s'acheter une version de base pour moins de 20 000 $, la berline serait un modèle de choix. Pour les gens à la recherche de plus d'exclusivité et de luxe, le modèle Titanium hatchback serait toutefois préférable, car sa silhouette est plus typée.

Si on peut acquérir une Focus fort bien équipée pour moins de 20 000 $ – la climatisation est toutefois de série –, les qualités intrinsèques de cette nouvelle Focus justifient le fait d'aller au-delà du budget établi. Il n'est pas recommandé de trop habiller une voiture peu agréable à conduire et dont la tenue de route est couci-couça, mais comme la Focus est une excellente voiture à la base, on peut délier les cordons de sa bourse sans trop se tromper.

POINTS POSITIFS
- Équipement complet
- Excellente habitabilité
- Bonne insonorisation
- Sièges confortables
- Bonne tenue de route

POINTS NÉGATIFS
- Silhouette « ordinaire »
- Moteur un peu juste
- Direction légèrement engourdie
- Moteur pourrait avoir 25 chevaux de plus
- Plastiques durs dans l'habitacle

3

VOLKSWAGEN JETTA

Tout pour plaire

Dans le cas de cette voiture, la problématique est différente, car cette Jetta a été conçue à l'origine pour être vendue à des prix fort compétitifs. Notre voiture d'essai illustre fort bien cette vocation. Ce modèle avec moteur 2,0 litres, boîte automatique à six rapports, climatisation et quelques autres accessoires, se vend 18 995 $. Elle ne possède pas de roues en alliage, ses freins arrière sont à tambours et la suspension arrière est à poutre déformante. Mais il faut ajouter que la transmission à six rapports est un modèle Tiptronic permettant le passage manuel des vitesses. L'équipement de base du modèle le moins cher est impressionnant et comprend la climatisation. Somme toute, on nous offre une voiture substantielle dotée d'une grande habitabilité. La Jetta est une compacte qui se prend pour une intermédiaire avec une habitabilité de beaucoup supérieure à la catégorie, mais vendue au prix d'une compacte.

En fait, la seule interrogation quant à notre version plus économique est le moteur. En effet, la Jetta à prix réduit est propulsée par un moteur 2,0 litres d'une puissance de 115 chevaux, ce qui peut sembler un peu juste compte tenu des dimensions de la voiture. Celle-ci n'est pas une bombe sur la route, mais contrairement à ce que nous croyions, ses performances sont vraiment impressionnantes compte tenu de la puissance annoncée. À l'usage, on a l'impression de conduire une voiture qui possèdent au moins 40 chevaux de plus. Et si en certaines circonstances vous désirez un peu plus de zeste de la part de ce moteur, il suffit de placer la boîte automatique en mode « Sport » et les accélérations et reprises ont plus de vigueur.

Pour obtenir plus de puissance dans une Jetta, vous devrez payer plus cher et choisir un modèle propulsé par le moteur cinq cylindres 2,5 litres d'une puissance de 175 chevaux. Et si vous voulez retrouver toutes les caractéristiques des Jetta antérieures avec freins arrière à disque et suspension arrière indépendante, il y a la nouvelle version GLI avec son moteur 2,0 litres TFSI de 200 chevaux. Il est certain qu'une Jetta vendue à plus de 20 000 $ sera plus puissante et plus agréable à conduire, mais elle ne sera pas nécessairement plus confortable. Du lot, elle est sans doute le seul modèle qui serait une véritable aubaine en se réservant le modèle le plus économique. Cette voiture « bonne mère et bon père de famille » a été appréciée par nos essayeurs qui ne se sont pas plaints des performances du moteur pour autant qu'on sache utiliser la boîte automatique à bon escient.

FICHES TECHNIQUES

Modèles	1 Fiat 500	2 Ford Focus Berline	3 Volks Jetta
DIMENSIONS ET VOLUMES			
Empattement (mm)	2300	2649	2651
Longueur (mm)	3547	4534	4628
Largeur (mm)	1627	1824	1778
Hauteur (mm)	1520	1466	1453
Poids (kg)	1106	1337	1325
Réservoir (litres)	40	47	55
Coffre (litres)	269 à 854	374	440
MOTORISATION			
Moteur	4L 1,4 litre	4L 2,0 litres	4L 2,0 litres
Puissance	101 ch à 6500 tr/min	160 ch à 6 500 tr/min	115 ch à 5 200 tr/min
Couple	98 lb-pi à 4 000 tr/min	146 lb-pi à 4 450 tr/min	125 lb-pi à 4 000 tr/min
Transmission	Auto, 6 rapports	Auto, 6 rapports	Auto, 6 rapports
Rouage	Traction	Traction	Traction
Consomm. Ville (l/100 km)	8,7	7,8	9,6
Consomm, route (l/100 km)	6,9	5,5	6,9
Échelle de prix	15995$ à 19500$	17549$ à 21449$	15875$ à 23980$

Les temps ont changé

Cette évaluation parallèle de ces trois modèles est la preuve que d'importants progrès ont été réalisés au cours des cinq dernières années. À une époque pas si lointaine, il était bête de trop équiper un modèle à vocation économique, car la plate-forme, le comportement routier et même la qualité de l'habitacle ne valaient pas la peine d'être emballés dans un écrin de luxe. Des trois modèles essayés, tous pourraient être équipés de plusieurs options pour rendre la conduite et la vie plus facile sans qu'il s'agisse d'un investissement frivole. Par exemple, la Focus Titanium essayée peut facilement remplacer une intermédiaire de même prix et il en est de même pour la Jetta. Par ailleurs, l'homogénéité de cette dernière, sa silhouette classique et sa capacité à transporter la famille sont autant d'éléments qui pourraient inciter une personne à se procurer la version de base. C'est une voiture idéale pour un représentant commercial. Ses dimensions en imposent, son confort est apprécié et sa consommation correcte. Et elle se bonifie encore avec le choix du moteur TDI.

Il existe sur le marché des voitures dont la vocation est d'être offerte à prix bradé. Dans le cas de notre trio, ce sont des automobiles très intéressantes en version de base, mais leurs qualités intrinsèques nous permettraient de les équiper davantage sans que cela soit inutile. Mais une fois de plus, c'est l'acheteur qui a le dernier mot et qui doit faire des choix en fonction de son budget.

Denis Duquet

INDICE DE DÉSIRABILITÉ SUR UNE ÉCHELLE DE 10:

Ford Focus :	**8.5**
Volkswagen Jetta :	**8.0**
Fiat 500 :	**8.0**

essais long terme

Acura MDX

Un rapport équipement/prix très favorable

Au cours des derniers mois, le Guide de l'auto a effectué un essai prolongé de l'Acura MDX. Et si l'odomètre affichait 24 430 kilomètres au moment de remettre la voiture, la fiabilité du véhicule ne posait aucun problème majeur. En fait, le choix du MDX s'est imposé presque de lui-même pour cet essai, principalement en raison de son rapport équipement/prix très favorable. Par exemple, malgré le fait qu'il regorge d'équipements, même le modèle haut de gamme Elite demeure relativement abordable avec un prix de 62 690 $. En effet, une analyse détaillée des équipements et accessoires offerts dans ce modèle confère au MDX un avantage certain par rapport au X5 de BMW ou au Q7 de Audi, des concurrents pourtant beaucoup plus chers lorsqu'ils sont équipés de façon comparable.

En ce qui concerne la dynamique, le MDX s'est montré extrêmement maniable et toujours très stable grâce à son excellent rouage intégral Super Handling All-Wheel-Drive. De ce côté, le MDX n'est devancé que par le X5 de BMW ou le Cayenne de Porsche, des références dans la catégorie en matière de tenue de route et de conduite dynamique. La direction s'est avérée précise avec une assistance bien calibrée, et l'agrément de conduite a toujours été satisfaisant, surtout lorsque le mode Confort était sélectionné au moyen du bouton de commande localisé sur la console centrale. Il faut savoir que le MDX fonctionne par défaut en mode Sport, contrairement à plusieurs concurrents directs chez qui cette relation est inversée. Le MDX est également très silencieux, même à vitesse d'autoroute.

En matière de sécurité active, notons que le système de freinage à réduction d'impact fait partie de l'équipement de série du modèle Elite. Ce système intervient d'abord en prévenant le conducteur du risque d'accident au moyen d'un témoin lumineux très visible sur le tableau de bord, puis en commandant automatiquement le freinage d'urgence lorsqu'une collision est inévitable afin d'en réduire la sévérité. Lorsqu'un autre conducteur nous a littéralement coupé la route en tentant de rejoindre une sortie d'autoroute à la toute dernière seconde, ce système s'est révélé efficace. Toutefois, il nous a laissés perplexes à une occasion : à l'approche d'un panneau métallique qui avait été déposé sur la chaussée pour recouvrir un gigantesque nid-de-poule. En effet, sa seule présence a provoqué l'entrée en action du dispositif même si aucun danger de collision n'existait. Le MDX a alors été « ralenti » rapidement par ce système avant de simplement rouler sur ce panneau…

Parmi les bémols, on peut noter que la consommation moyenne de carburant s'est maintenue à 14,2 l/100 km et que le MDX préfère carburer au super. Autres points faibles : la multitude de boutons de commande localisés au panneau de contrôle demande un certain apprentissage avant d'atteindre une parfaite maîtrise et l'espace accordé aux passagers de la troisième rangée de sièges est sérieusement limité. Mais ces inconvénients sont largement compensés par le fait que la vie à bord du MDX est très agréable.

Gabriel Gélinas

Chevrolet Cruze

Une épopée de 8 000 km

L'essai s'est déroulé de façon très simple : nous avons confié la voiture à plusieurs personnes qui l'ont toutes essayée pendant une ou deux semaines. Comme cette expérience se déroulait en hiver, la voiture était chaussée en conséquence. Mine de rien, ce détail peut faire en sorte que la voiture consomme davantage de carburant que si elle avait été chaussée de pneus d'été. Quoi qu'il en soit, la différence s'est avérée peu importante.

La plupart des « pilotes d'essai » ont mentionné avoir été peu impressionnés lors des premiers kilomètres. C'est que les accélérations sont correctes, sans plus, et que la voiture, malgré le fait qu'elle s'avère bien équilibrée à plusieurs les points de vue, n'offre rien de particulier ou de merveilleux, comme une tenue de route spectaculaire ou des gadgets impressionnants. Cela dit, la majorité des personnes qui ont participé à cet essai ont bien apprécié sa maniabilité, son comportement sur la grand-route et sa bonne habitabilité pour la catégorie. Il ne faut pas perdre de vue qu'il s'agit d'une voiture compacte, même si on peut la confondre avec une intermédiaire.

Nous avions souligné, lors d'essais initiaux, que le dossier des banquettes avant ne convenait pas à toutes les anatomies. Le cahier des annotations des essayeurs mentionne exactement la même chose. Par contre, après quelques minutes passées au volant de la voiture, cette impression initiale s'est estompée pour une grande partie d'entre eux. Les gens ont également trouvé les commandes simples et faciles à utiliser, tout en étant surpris de constater que la qualité de la finition était de loin supérieure aux anciens modèles produit par General Motors.

L'élément qui a été mentionné le plus souvent dans les notes, c'est la frugalité de ce modèle qui était doté d'une boîte automatique à six rapports à commande manuelle. Cette transmission permet de compenser assez souvent pour la puissance du moteur qui peut se révéler un peu juste en certaines circonstances. Toutefois, en jouant du levier, le petit moteur est à la hauteur de la tâche. Quant à la consommation de carburant enregistrée, elle a été de 8,2 l/100 km, des chiffres tout à fait raisonnables compte tenu du fait que la voiture était pratiquement neuve et que la température était relativement froide.

Par ailleurs, aucun bris mécanique n'est survenu et aucun bruit, aucun claquement ou aucune vibration ne se sont fait sentir. Ces 8 000 km nous ont permis de découvrir une voiture solide, bien conçue et bien fabriquée. Même si elle est parmi les meilleures de sa catégorie, il se peut que certains acheteurs aient besoin de plus qu'un bref essai routier pour se convaincre de ses qualités.

Denis Duquet

Mazda5

Ludique, mais pratique

En trois mois, nous avons roulé plus de 6 000 km au volant d'une Mazda5. Ce modèle a été remanié au début de l'année, et nous avons jugé intéressant de voir si les améliorations apportées se reflétaient dans la conduite de tous les jours. Il s'agit en fait d'une version évolutive, qui conserve les qualités qui ont fait sa popularité, tout en bénéficiant d'une foule d'améliorations et de raffinements. On a gardé cet habitacle où les sièges arrière peuvent s'agencer de différentes façons et bien entendu, les portes coulissantes de chaque côté du véhicule sont de retour. Selon moi, c'est là une des meilleures caractéristiques de cette Mazda et c'est lorsqu'on gare la voiture dans le stationnement d'un centre commercial qu'on apprécie le plus ces portes coulissantes. Sans compter qu'elles permettent un accès facilité à l'intérieur en raison de la grandeur de l'ouverture.

Un autre avantage de ce véhicule est la polyvalence des sièges arrière. Il est possible de le transformer, en un rien de temps, en un véhicule quatre places ou six places en abattant ou déployant la troisième rangée. Les sièges capitaines de la rangée médiane sont confortables. En outre, un espace de rangement placé sous chaque siège de la seconde rangée permet de loger de petits objets et de les cacher à la vue des voleurs. Par contre, la banquette arrière est réservée à des personnes de petite taille et elle réduit la capacité de chargement de la soute à bagages.

La partie avant a été redessinée pour mieux l'harmoniser avec les autres modèles de la marque. On retrouve donc cette fameuse grille de calandre en forme de sourire. À l'arrière, les feux sont placés de façon horizontale et sous la ceinture de caisse. Ceci permet d'harmoniser ces feux avec les volutes des parois latérales.

Dans l'habitacle, les sièges se sont avérés confortables, même lors de longs trajets. Le tableau de bord bénéficie par ailleurs d'une refonte complète et, point positif, il ressemble de près à celui de la Mazda3. Le coffre à gant possède maintenant deux espaces de rangement, l'un par-dessus l'autre. Toutefois, les commandes de la radio s'attirent toujours le même commentaire : le gros bouton central qui sert à passer les postes est souvent confondu avec celui du volume… On devine le résultat.

Notre véhicule d'essai est doté de la boîte automatique à cinq rapports et même si la boîte de vitesse manuelle est excellente, l'automatisation des passages de rapports est un élément qui se fait apprécier lorsqu'on est coincé dans les multiples bouchons de la circulation. De plus, les passages des rapports peuvent s'effectuer manuellement. Les 157 chevaux et 168 lb-pi de couple du moteur quatre cylindres de 2,5 litres ont été à la hauteur. Mais avec quatre personnes à bord et la soute à bagages pleine, on a senti que le véhicule était moins nerveux. En toutes circonstances, nous avons apprécié sa tenue de route et sa maniabilité, des caractéristiques plutôt rares chez les fourgonnettes. Finalement, aucun pépin mécanique n'est survenu et la consommation de carburant enregistrée a été de 9,2 l/100 km obtenus sans nécessairement utiliser un style de conduite économique.

Denis Duquet

premiers de classe

SOUS-COMPACTE

1 HONDA FIT

EN LICE - Chevrolet Sonic, Fiat 500, FordFiesta, Honda Fit, Hyundai Accent Kia Rio/Rio5, Mazda2, Mitsubishi i-MiEV, Nissan Versa, Smart Fortwo, Toyota Yaris

2 HYUNDAI ACCENT

3 NISSAN VERSA

COMPACTE

1 FORD FOCUS

EN LICE - Chevrolet Volt, Ford Focus, Honda Civic / Insight, Hyundai Elantra, Kia Forte / Soul, Mazda3, MiniCooper, Mitsubishi Lancer, Nissan LEAF / cube / Sentra, Scion xB / xD, Subaru Impreza, Toyota Corolla / Prius, Volkswagen Beetle / Jetta / Golf

2 MAZDA 3

3 HONDA CIVIC

BERLINE INTERMÉDIAIRE

1 EX AEQUO KIA OPTIMA / HYUNDAI SONATA

KIA OPTIMA HYUNDAI SONATA

EN LICE - Buick LaCrosse / Regal, Chevrolet Malibu, Chrysler 200, Dodge Avenger, Ford Fusion, Honda Accord, Hyundai Sonata, Kia Optima, Mazda6, Nissan Altima, Subaru Legacy, Suzuki Kizashi, Toyota Camry, Volkswagen CC / Passat

2 FORD FUSION

3 BUICK REGAL

BERLINE À MOINS DE 50 000 $

1 BMW SÉRIE 3

EN LICE - Acura TL, Audi A4, BMW Série 3, Hyundai Genesis, Infiniti G, Lexus ES, Lexus IS, Lexus HS, Lincoln MKZ, Lincoln MKS, Mercedes-Benz Classe C

2 MERCEDES-BENZ CLASSE C

3 ACURA TL

GRANDE BERLINE

1 CHRYSLER 300

EN LICE - Chevrolet Impala, Chrysler 300, Dodge Charger, Ford Taurus, Hyundai Equus, Infiniti M, Nissan Maxima, Toyota Avalon

2 FORD TAURUS

3 DODGE CHARGER

COUPÉ SPORT À MOINS DE 50 000 $

1 BMW SÉRIE 1

EN LICE - BMW Série 1, Chevrolet Camaro, Dodge Challenger, Ford Mustang, Honda Accord / Civic / CR-Z, Hyundai Genesis Coupe / Veloster, Infiniti G, Mercedes-Benz Coupé C, Nissan 370Z, Scion tC, Volkswagen GTI

2 VW GTI

3 FORD MUSTANG

BERLINE ET COUPÉ SPORT 50 000$ À 100 000$

1 BMW SÉRIE 5

2 EX AEQUO AUDI A6 / A7

3 EX AEQUO MERCEDES-BENZ CLASSE E / CLS

AUDI A7

MERCEDES-BENZ CLS

EN LICE - Acura RL, Audi A5, Audi A6, Audi A7, BMW Série 1, BMW Série 3, BMW Série 5, Infiniti M, Jaguar XF, Lexus GS, Lincoln MKS, Mercedes-Benz Classe E, Mercedes-Benz Classe CLS, Volvo S60, Volvo S80

PRESTIGE

1 PORSCHE PANAMERA

2 BMW SÉRIE 7

3 MERCEDES-BENZ CLASSE S

EN LICE - Aston Martin Rapide, Audi A8, Bentley Continental / Mulsanne, BMW Série 7, Jaguar XJ, Lexus LS, Maserati Quattroporte, Maybach, Mercedes-Benz Classe CL / Classe S, Porsche Panamera, Rolls-Royce Ghost

CABRIOLET ET ROADSTER À MOINS DE 50 000$

1 MAZDA MX-5

2 BMW SERIE 1

3 FORD MUSTANG

EN LICE - BMW Série 1, Chevrolet Camaro, Chrysler 200, Ford Mustang, Mazda MX-5, Mini Cooper, Volkswagen Eos

CABRIOLET ET ROADSTER À PLUS DE 50 000$

1 PORSCHE BOXSTER

EN LICE - Audi A4 / A5 / TT / R8, BMW Série 3 / Z4, Chevrolet Corvette, Infiniti G, Jaguar XK, Lexus IS, Mercedes-Benz Classe C / Classe E / Classe SL / Classe SLK / SLS AMG, Nissan 370Z, Porsche Boxster, Volvo C70

2 BMW Z4

3 MERCEDES-BENZ SLK

GT / SPORT PERFORMANCE

1 AUDI R8

EN LICE - Audi R8, Aston MartinDB9, BMW Série 6, Chevrolet Corvette, Ferrari 458 Italia, Jaguar XK, Lamborghini Gallardo / Aventador, Lexus LFA, Mercedes-Benz SLS AMG, Nissan GT-R, Porsche Cayman, Porsche 911

2 PORSCHE 911

3 MERCEDES-BENZ SLS AMG

MULTISEGMENT À MOINS DE 50 000$

1 SUBARU OUTBACK

EN LICE - Chevrolet Traverse, Dodge Journey, Ford Edge / Flex, GMC Acadia, Honda Accord Crosstour, Hyundai Veracruz, Mazda CX-7 / CX-9, Mercedes-Benz Classe R, Nissan Murano, Subaru Outback, Toyota Highlander / Venza

2 FORD FLEX

3 DODGE JOURNEY

MULTISEGMENT À PLUS DE 50 000 $

1 CADILLAC SRX

2 LINCOLN MKT

3 VOLVO XC70

EN LICE - Acura ZDX, BMW X6, Buick Enclave, Cadillac SRX, Infiniti FX, Land Rover Range Rover Evoque, Lexus RX, Lincoln MKX, Lincoln MKT, Mercedes-Benz Classe R, Volvo XC70, Volvo XC90

VUS COMPACT À MOINS DE 40 000 $

1 EX AEQUO KIA SPORTAGE / HYUNDAI TUCSON

KIA SPORTAGE

HYUNDAI TUSCON

2 BMW X1

3 TOYOTA RAV4

EN LICE - BMW X1, Chevrolet Equinox, Ford Escape, GMC Terrain, Honda CR-V, Hyundai Tucson, Jeep Compass / Wrangler / Liberty / Patriot, Kia Sportage, Mitsubishi Outlander / RVR, Nissan Rogue, Subaru Forester, Toyota RAV4, Volkswagen Tiguan

VUS COMPACT À PLUS DE 40 000 $

1 AUDI Q5

2 BMW X3

3 MERCEDES-BENZ GLK

EN LICE - Acura RDX, Audi Q5, BMW X3, Infiniti EX, Land Rover LR2, Mercedes-Benz Classe GLK, Volvo XC60

VUS INTERMÉDIAIRE À MOINS DE 50 000 $

1 FORD EXPLORER

2 JEEP GRAND CHEROKEE

3 HONDA PILOT

EN LICE - Ford Explorer, Honda Pilot, Jeep Grand Cherokee, Kia Sorento, Nissan Pathfinder, Nissan Xterra, Toyota 4Runner, Toyota FJ Cruiser

VUS INTERMÉDIAIRE À PLUS DE 50 000 $

1 EX AEQUO PORSCHE CAYENNE / VW TOUAREG

PORSCHE CAYENNE

VOLKSWAGEN TOUAREG

2 MERCEDES-BENZ CLASSE M

3 AUDI Q7

EN LICE - Acura MDX, Audi Q7, BMW X5, Land Rover LR4, LexusGX, Mercedes-Benz Classe M, Porsche Cayenn, Volkswagen Touareg

GRAND VUS

1 CHEVROLET SUBURBAN

2 FORD EXPEDITION

3 MERCEDES-BENZ GL

EN LICE - Infiniti QX, Cadillac Escalade, Chevrolet Tahoe / Suburban, Dodge Durango, Ford Expedition, GMC Yukon, Land Rover Range Rover, Lexus LX, Lincoln Navigator, Mercedes-Benz Classe GL, Nissan Armada, Toyota Sequoia

FOURGONNETTE

1 HONDA ODYSSEY

2 CHRYSLER TOWN & COUNTRY

3 MAZDA5

EN LICE - Chrysler Town & Country, Dodge Grand Caravan, Ford Transit Connect, Honda Odyssey, Kia Sedona, Mazda, Mazda5, Nissan Quest, Toyota Sienna, Volkswagen Routan

CAMIONNETTE COMPACTE / INTERMÉDIAIRE

1 HONDA RIDGELINE

2 TOYOTA TACOMA

3 NISSAN FRONTIER

EN LICE - Chevrolet Colorado, GMC Canyon, Honda Ridgeline, Nissan Frontier, Suzuki Equator, Toyota Tacoma

GRANDE CAMIONNETTE

1 FORD F-150

2 RAM 1500

3 CHEVROLET SILVERADO

EN LICE - Cadillac Escalade EXT, Chevrolet Silverado, Chevrolet Avalanche, Ford F-150, GMC Sierra, Nissan Titan, RAMRAM 1500, Toyota Tundra

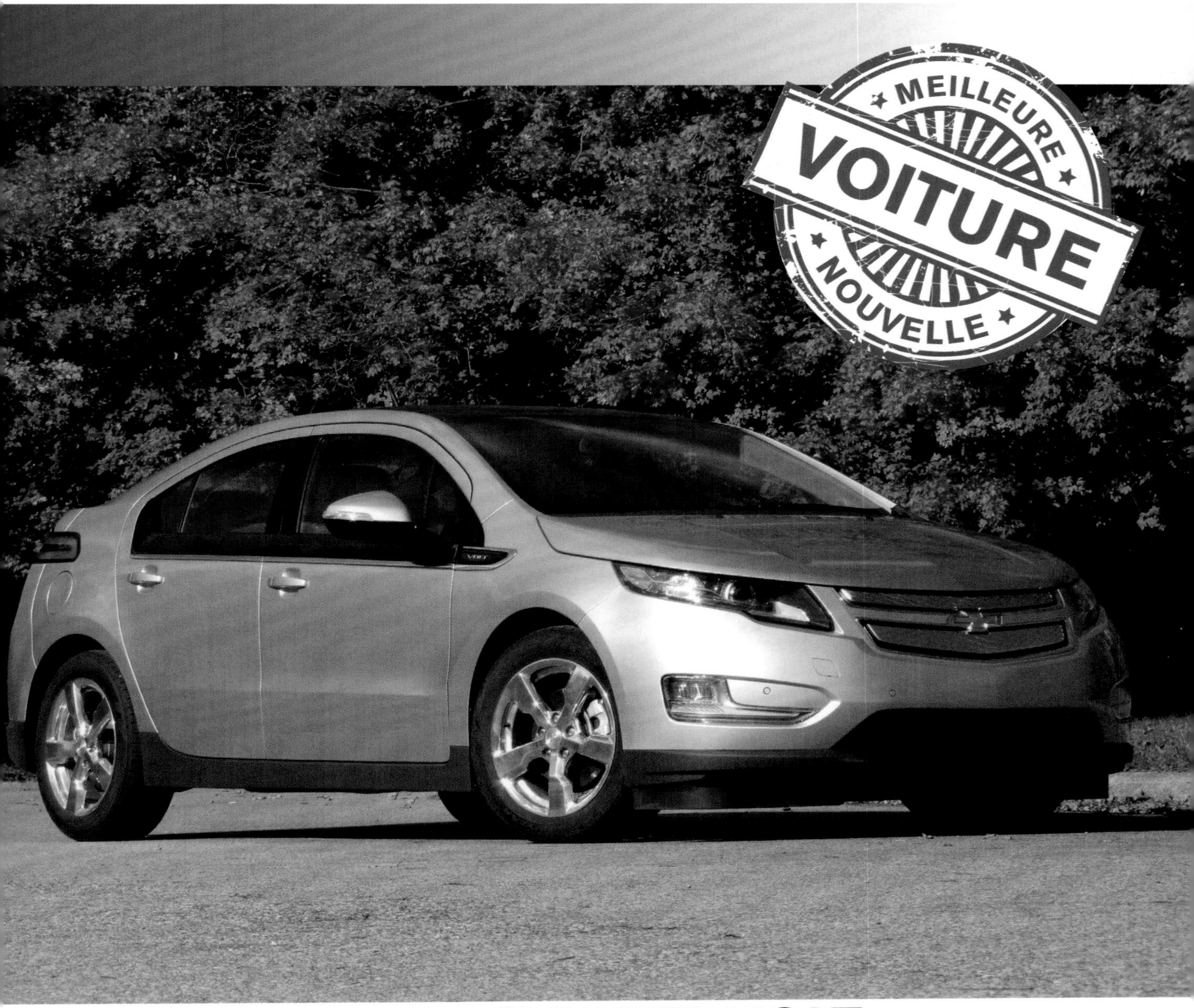
MEILLEURE
VOITURE
NOUVELLE

CHEVROLET VOLT

VOLT
LE GUIDE DE L'AUTO

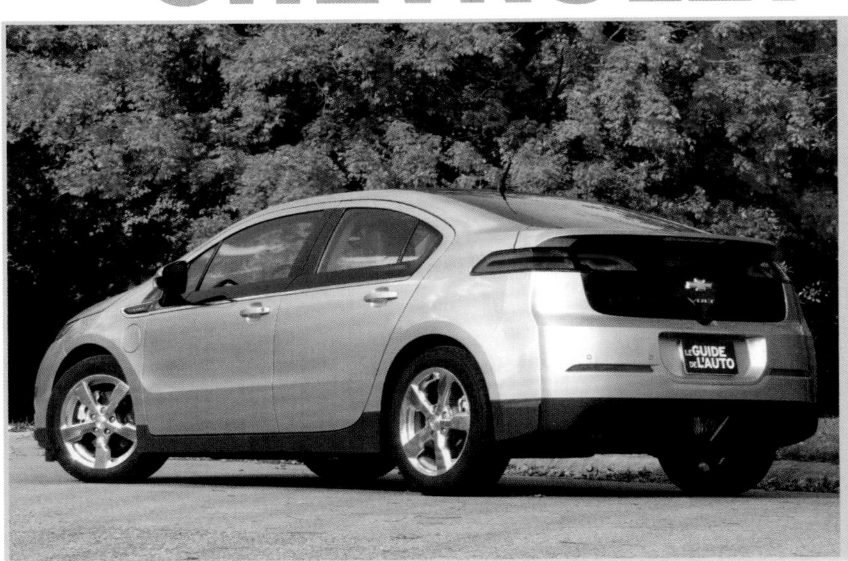

EN LICE

Aston Martin Rapide
Audi A7
Bentley Mulsanne
Buick LaCrosse
Chevrolet Sonic
Chevrolet Volt
Chrysler 200
Chrysler 300
Ferrari FF
Fiat 500
Ford Focus
Honda Civic
Hyundai Accent
Hyundai Elantra
Hyundai Veloster
Kia Optima
Kia Rio
Lamborghini Aventador
Lexus CT200h
Mazda3
Mercedes-Benz Classe C coupé
Mercedes-Benz Classe SLK
Mitsubishi i-MiEV
Nissan Leaf
Nissan Versa
Scion iQ
Subaru Impreza
Toyota Camry
Volkswagen Beetle
Volkswagen Passat

MEILLEUR
UTILITAIRE
NOUVEL

FORD EXPLORER

EN LICE

BMW X1
BMW X3
Chevrolet Orlando
Dodge Durango
Dodge Journey
Ford Explorer
Land Rover Range
Rover Evoque
Lincoln MKX
Mercedes-Benz
Classe M

MEILLEURE TECHNOLOGIE NOUVELLE

MAZDA3 SKYACTIV

La palme de la technologie de l'année est décernée au système SkyActiv de Mazda qui permet de réduire la consommation de plus de 20 % de son moteur 2,0 litres à essence. Un nouveau moteur diesel utilisera également cette technologie. Ces résultats assez spectaculaires sont obtenus sans devoir faire appel à un système de motorisation hybride. En fait, les ingénieurs d'Hiroshima ont concentré leurs efforts à améliorer l'efficacité de toutes les composantes du moteur et des transmissions. C'est la somme de ces améliorations qui permet de réduire la consommation d'essence sans nuire aux performances. De plus, ces résultats ne font appel à aucune technologie complexe, ni à des matériaux exotiques. La première utilisation de cette technologie se fait sur la Mazda3 avant de s'appliquer à plusieurs autres modèles dans les mois et années à venir. Le système SkyActiv intègre également une nouvelle plate-forme qui sera utilisée sur la prochaine génération de la Mazda6 qui sera présentée au cours de l'année 2012.

MEILLEUR DESIGN NOUVEAU

JAGUAR C-X75

Le titre de meilleur design de l'année est décerné à la Jaguar C-X75 Concept qui a été dévoilée au Salon de l'auto de Paris. Sa silhouette fort spectaculaire a fait l'unanimité et cette élégante Britannique s'est vue remettre le titre de « Meilleure voiture du Salon » par plusieurs publications. Elle a été dessinée pour célébrer les 75 ans de Jaguar. Pour peu que l'on ait suivi l'évolution de ce constructeur, les lignes sont inspirées par les modèles de prestige de la marque, notamment la XJ220 qui, entre 1992 et 1994, est entrée dans la légende. Il s'agissait alors de la voiture de production la plus rapide au monde. La C-X75 Concept est une voiture hybride capable de performances hors normes. Mais c'est la beauté de sa carrosserie qui lui a permis d'être notre lauréate en matière de design. Selon la direction de Jaguar, cette voiture concept a pour but d'illustrer les tendances futures de la compagnie à ce niveau.

technologies

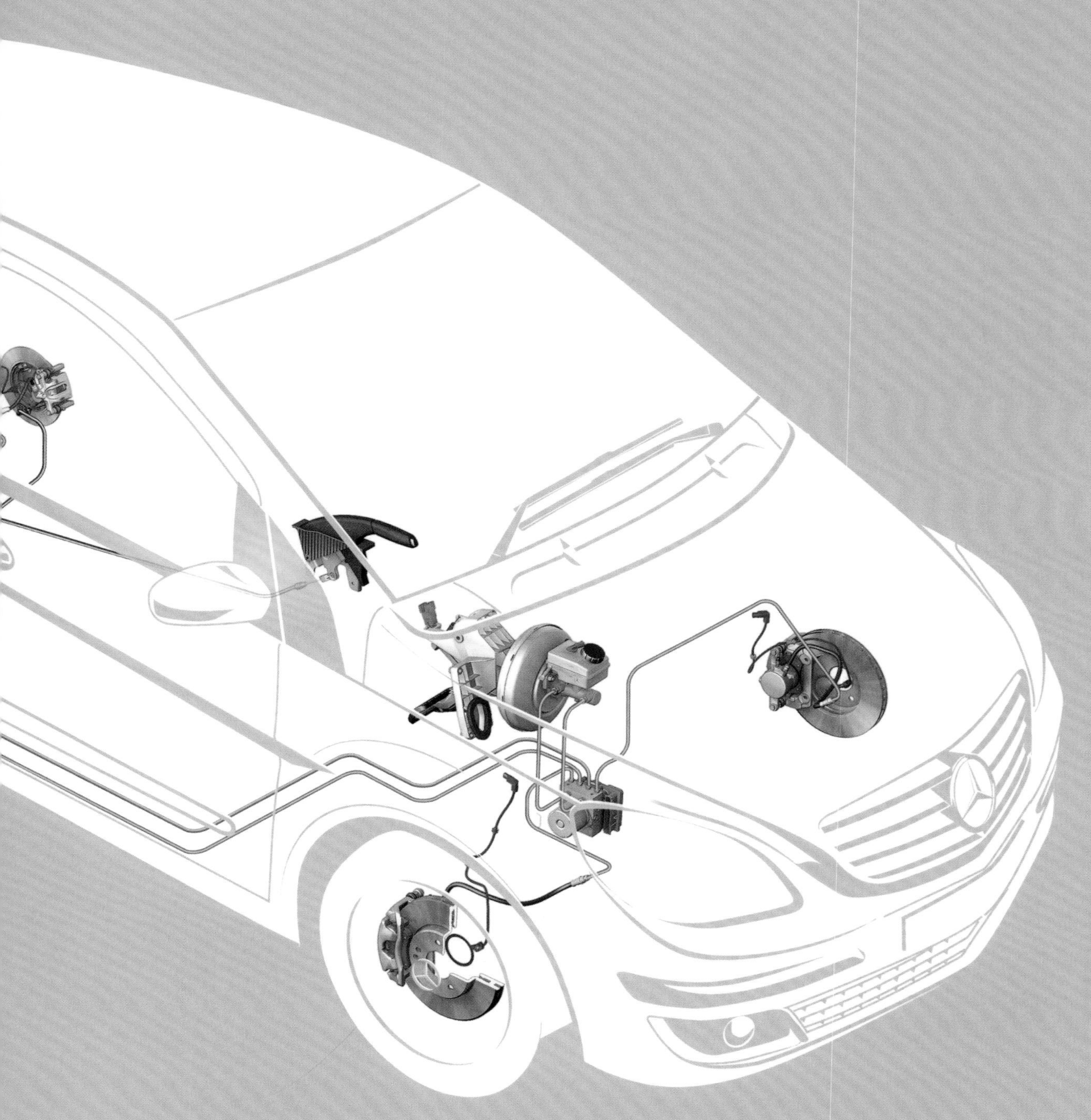

Contrôle électronique de stabilité

GARDER LE CAP, C'EST DÉSORMAIS OBLIGATOIRE

Dans les brochures automobiles, on les nomme *Stabilitrack* (GM), *Advance Trac* (Ford), *PSM* (Porsche), *VSA* (Honda/Acura), *VSC* (Lexus/Toyota) et *DSC* (BMW). Pourtant, il s'agit dans tous les cas de dispositifs semblables : des systèmes électroniques de stabilité dont l'objectif est de nous garder bien en route. Ces mécanismes sont tellement efficaces qu'ils deviennent obligatoires dès cet automne sur tous les véhicules neufs vendus au Canada et aux États-Unis. Le saviez-vous ?

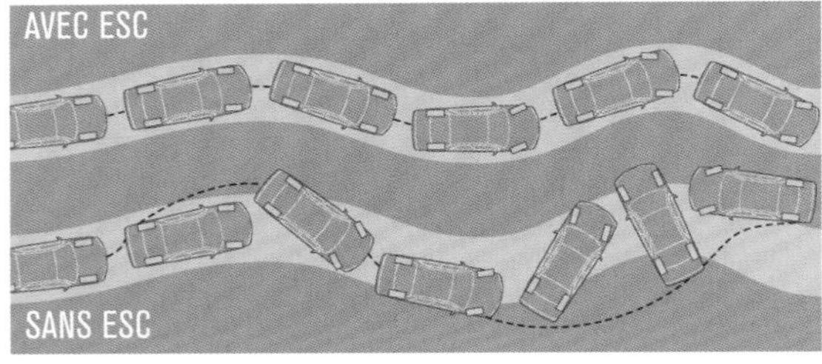

Le contrôle électronique de stabilité (ou ESC pour *electronic stability control*), c'est un peu comme des freins ABS que l'on a hautement sophistiqués au fil des ans. En gros, l'ESC utilise les capteurs de roues déjà en place pour déterminer si la trajectoire du véhicule correspond à la direction qu'on donne au volant. Si ce n'est pas le cas, l'ESC applique automatiquement les freins aux roues qui en ont besoin, tout en réduisant la puissance du moteur, si nécessaire. Le dérapage est ainsi réfréné, voire carrément évité.

La beauté de la chose, c'est que tout ça se passe sans que le conducteur n'ait à réagir. Bien souvent d'ailleurs, le conducteur ne se rend même pas compte que l'ESC rétablit la stabilité directionnelle de son véhicule. Ce qui est moins beau cependant, et on le verra quelques lignes plus bas, c'est que bon nombre de gens ne savent même pas que leur automobile est équipée dudit système de sécurité…

DES STATISTIQUES ÉTONNANTES

Évidemment, les premiers ESC ont d'abord été proposés sur des véhicules de luxe. La technologie s'est toutefois rapidement démocratisée, et pour cause : aux dires des experts, depuis la venue de la ceinture de sécurité et des freins ABS, aucun dispositif n'a été aussi efficace dans la réduction des accidents et des décès sur la route. Impressionnant, n'est-ce pas ?

C'est la *National Highway Traffic Safety Administration* (NHTSA), une organisation américaine dont l'objectif est de prévenir les accidents sur les routes et de diminuer les pertes humaines et financières qui leur sont reliées, qui a d'abord émis les premiers constats en ce sens, au tournant du nouveau millénaire. Selon une étude de la NHTSA, avec un système ESC, le nombre d'accidents n'impliquant qu'un seul véhicule était considérablement réduit : 35 % de moins en ce qui concerne les voitures et une impressionnante diminution de 67 % pour les VUS[1].

Plus près de nous, Transport Canada en a récemment remis. Le ministère a en effet soutenu que si tous les véhicules sur nos routes avaient été équipés de l'ESC en 2006, 225 vies auraient été sauvées et

[1]ÉTATS-UNIS. U.S. DEPARTMENT OF TRANSPORTATION. NATIONAL HIGHWAY TRAFFIC SAFETY ADMINISTRATION (2004), *Preliminary Results Analyzing the Effectiveness of Electronic Stability Control (ESC) Systems*, Jennifer N. Dang, 4 p.

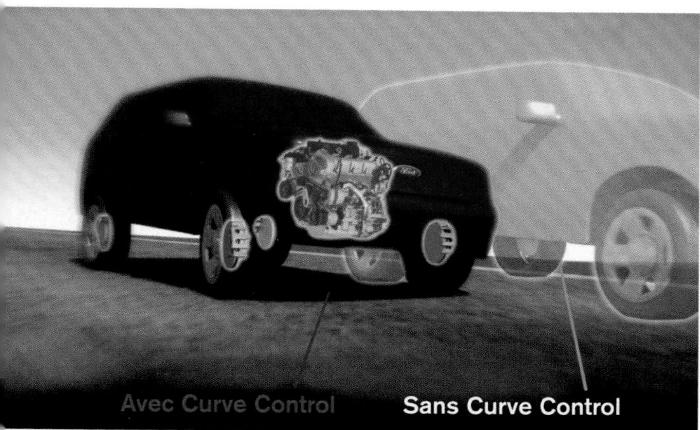

755 personnes n'auraient pas été blessées — soit une réduction de 30 % sur le bilan avéré.

Selon Denis Boucher, ingénieur principal pour la recherche sur les préventions des accidents à Transports Canada, ces chiffres en disent long: « Des dispositifs qui permettent une telle diminution des victimes de la route, c'est très rare. »

TROMPEUSE TRANSPARENCE

Pourtant, tout se fait sans tambour ni trompette. Autant le fonctionnement du dispositif que son intronisation au temple de la… sécurité. C'est qu'on est à mille lieues de l'obligation du port de la ceinture de sécurité, qui a tant fait hurler les automobilistes. Les vieux de la veille se rappelleront les protestations de l'époque: « Et si on tombe à l'eau, comment fait-on pour se détacher ? » On est également loin de ces freins ABS qui, dans les années 1990, ont fait couler beaucoup d'encre: « Ma pédale vibre, à l'aide ! Quelque chose ne freine pas rond! »

Dans le cas qui nous occupe, l'implantation de latechnologie s'est faite très discrètement, mais inexorablement. Et vous ne le savez peut-être pas, mais l'ESC devient obligatoire sur tous les véhicules fabriqués après le 1er septembre 2011, vendus au Canada et aux États-Unis, les deux pays ayant harmonisé leur réglementation. Et chez nous, cette nouvelle réglementation fera partie des *Normes de sécurité des véhicules automobiles du Canada*, qui s'appliquent à tous les véhicules de tourisme de 4 536 kg et moins).

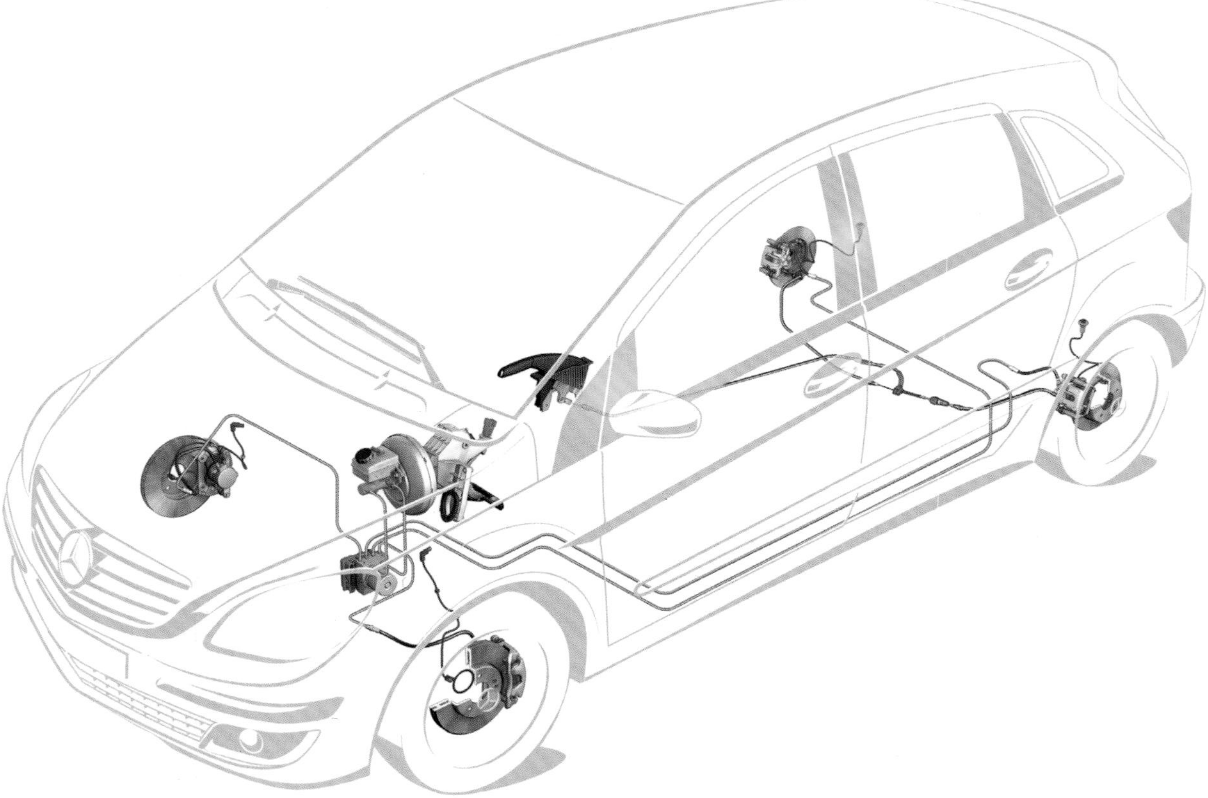

Gros changement dans le paysage automobile ? Pas vraiment. Depuis plusieurs années déjà, la majorité des véhicules — mis à part quelques irréductibles — offrent déjà ce système, parfois en option, souvent de série. Mais avant de vanter les largesses des constructeurs automobiles, sachez que le « cadeau » en question est bien peu coûteux : selon la NHTSA, le contrôle électronique de stabilité représente une dépense additionnelle d'à peine une centaine de dollars pour un véhicule déjà équipé de freins ABS.

VOUS AVEZ DIT ESC ?

Dispositif de sécurité transparent qui sauve réellement des vies — beaucoup de vies — à petit coût d'implantation… Mais alors, où est le problème ? Le problème, c'est que les automobilistes n'ont pas conscience du rôle de l'ESC, ni même de sa présence, la plupart du temps. Ça en est presque triste : un sondage mené en 2008 par Transport Canada (aucun autre sondage n'a été réalisé depuis) a révélé que le quart des automobilistes qui conduisaient un véhicule muni de l'ESC ne savaient même pas que ce dispositif de sécurité équipait leur automobile.

Heureusement pour tout le monde, l'ESC travaille automatiquement et sans demander son reste. Mais ne vous y trompez pas : avant de vous lancer tout guilleret sur une route en zigzag, en comptant uniquement sur l'ESC pour vous garder sur la bonne voie, sachez que le meilleur des ESC n'est pas miraculeux. Il ne prévient pas tous les dérapages et on ne peut échapper aux lois de la physique. Les conducteurs doivent donc continuer à jouer de prudence dans leurs manœuvres.

Nadine Filion

Le contrôle électronique de la stabilité permet à cette voiture de parcourir un slalom à bonne vitesse en toute sécurité.

VERS LE PILOTE AUTOMATIQUE

Si à peu près tous les contrôles de stabilité fonctionnent de la même façon, tous ne sont pas égaux. Les réglages mis au point par chaque constructeur font en sorte que certains sont plus interventionnistes que d'autres — et que d'autres devraient l'être davantage.

Sur certains — et encore trop nombreux — véhicules, l'ESC ne peut malheureusement pas être désactivé. Les automobilistes pris dans un amas de neige pesteront alors contre une puissance de moteur réduite alors qu'ils ont pourtant bien besoin de toute la vigueur disponible pour se sortir du pétrin. Avec les détecteurs d'accélération latérale (et de capotage pour les utilitaires) en place, l'ESC sert actuellement à préserver la trajectoire d'un véhicule lorsque la situation s'embrouille. De récentes avancées technologiques lui font cependant faire un pas de plus dans la sécurité automobile en lui permettant de devenir proactif.

Ainsi, certains ESC travaillent de concert avec la direction (lorsqu'électrique) pour guider le volant avec juste assez de résistance pour éviter au conducteur de fausses manœuvres. Aussi, on entend de plus en plus parler de « vectorisation de couple ». Cette appellation désigne, en virage, le freinage des roues intérieures, ce qui vient accorder plus de couple aux roues extérieures. Le but visé : rehausser non seulement la sécurité, mais aussi la performance.

Enfin, à surveiller dans un avenir pas si lointain : les capteurs d'ESC communiqueront entre eux d'un véhicule à l'autre et, advenant l'imminence d'une collision, ils s'occuperont de freiner ceux sur le point de s'emboutir.

On n'est pas loin du pilote automatique, quoi !

Audi

Différentiel Sport Quattro

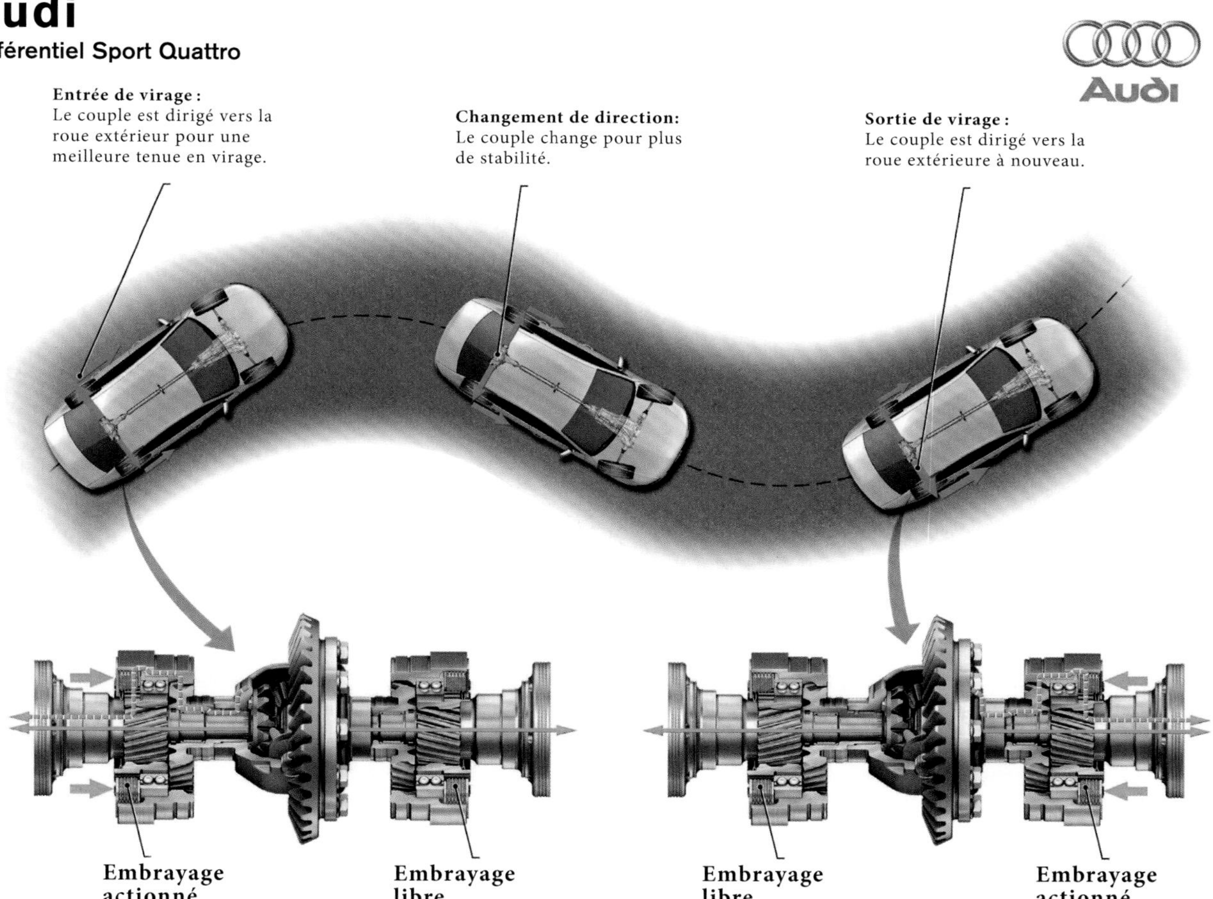

Les batteries des véhicules électriques et hybrides
SOURCES D'ÉNERGIE

L'avènement des voitures hybrides rechargeables et électriques rend parfois la lecture et la compréhension des fiches techniques plus ardues. On y parle de kilowatt-heure (kWh), de lithium et de nickel, d'autonomie en mode électrique, et il devient difficile de s'y retrouver. Les constructeurs annoncent des chiffres d'autonomie parfois intéressants, mais sont-ils réalistes? Comment doit-on les interpréter? Pour faire la lumière sur ce nouveau concept, nous allons introduire le fonctionnement d'une batterie, présenter les diverses chimies, démystifier la fiche technique et expliquer les facteurs permettant de comprendre les valeurs d'autonomie annoncées.

LA CELLULE

L'électricité n'est pas, à proprement dit, stockée dans une batterie. Le principe d'une batterie est la conversion de l'énergie électrique en énergie chimique et vice-versa. Ce qu'on appelle batterie, c'est en fait un ensemble de cellules. La cellule est composée d'une anode, la borne négative, et d'une cathode, la borne positive, constituées de matériaux avec une forte différence d'électronégativité (aptitude d'un atome à attirer des électrons), afin de permettre un potentiel électrique. Un électrolyte entre les deux bornes permet l'échange d'ions et donc, le transfert d'énergie chimique. Un séparateur est aussi présent pour éviter que les électrodes se touchent et qu'il y ait court-circuit.

Comme le montre le graphique A, les batteries au lithium peuvent être plus petites et moins lourdes pour la même quantité d'énergie. Par ailleurs, certaines chimies de lithium offrent aussi une durabilité accrue. Cette durabilité se mesure en nombre de cycle, un cycle correspondant à une recharge et une décharge complète.

Graphique A

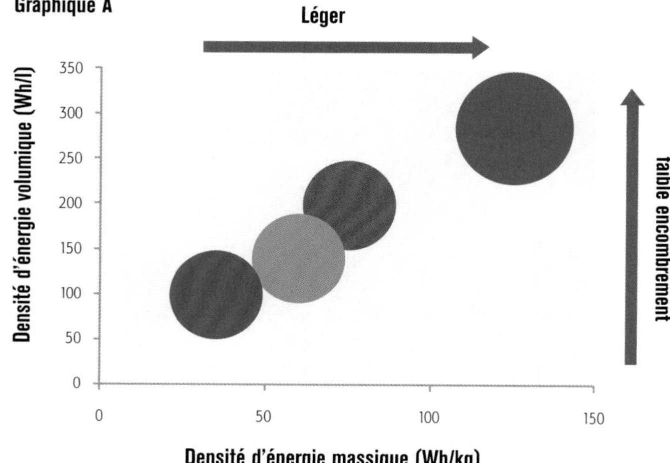

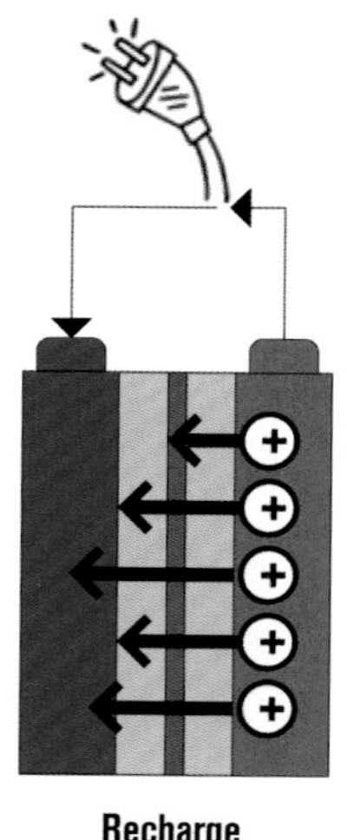

Recharge

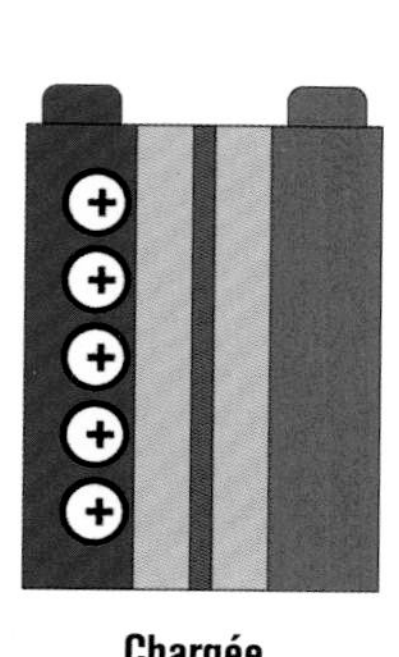

Chargée

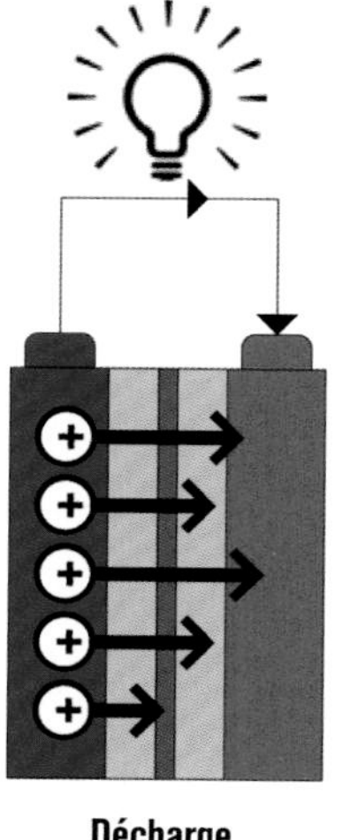

Décharge

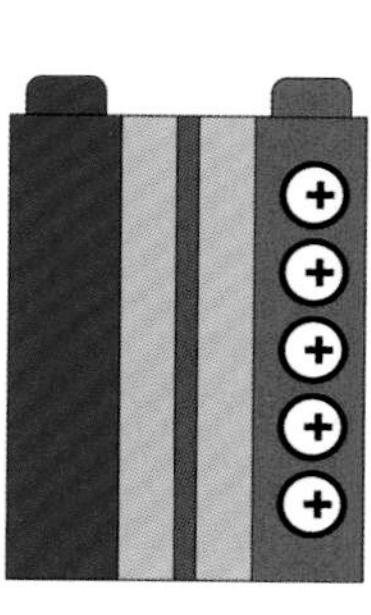

Déchargée

Les ions de lithium voyagent entre la cathode (borne positive en rouge) et anode (borne négative en bleu); l'électrolyte et le séparateur sont représentés en gris.

PRINCIPALES CHIMIES EMPLOYÉES DANS LE TRANSPORT

Type	Caractéristiques	Tension nominale	Utilisation
Acide plomb	Anode et cathode au plomb plongées dans une solution d'acide sulfurique.	2.1V	Se retrouve dans toutes les voitures comme batteries de démarrage (12V), dans certaines voitures modifiées de façon artisanale et dans les voiturettes de golf. La première GM EV1 était équipée de ces batteries.
Ni-Cd (nickel-cadmium)	Anode : cadmium Cathode : oxyhydroxyde de nickel	1.2V	Anciennes voitures électriques françaises. Elles ne sont plus utilisées.
Ni-MH (nickel-hydrure métallique)	Anode : hydrure métallique (composé permettant un stockage de l'hydrogène) Cathode : oxyhydroxyde de nickel	1.2V	Dans la plupart des voitures hybrides actuelles comme dans les Hondas et Toyotas
Li-ion (lithium ion)	Aucun lithium à l'état métallique n'est présent, le lithium s'y trouvant sous forme ionique seulement. Des ions de lithium voyagent entre les deux bornes lors de la recharge et la décharge et viennent s'intercaler dans les électrodes. À noter que plusieurs types de cathode et d'anode existent. Anode : normalement en carbone ou en graphite. Parfois en nanotitanate. Cathode : cobalt, manganèse, fer-phosphate, ou divers mélange de nickel, de cobalt et de manganèse peuvent être employés. Chaque combinaison d'anode et cathode offre des caractéristiques de puissance, sécurité, d'énergie, de durabilité et de stabilité différentes.	1.8V à 3.8V selon les matériaux utilisés	Nissan Leaf, Tesla Roadster, Mitsubishi i-MiEV et certains véhicules hybrides comme la Mercedes S400 hybride
Li-polymer (lithium polymère)	Similaire à la batterie de lithium-ion, la principale différence se situant dans l'électrolyte qui est solide (polymère) au lieu de liquide. La batterie doit donc fonctionner à plus haute température pour permettre à l'électrolyte de s'activer et de devenir conducteur.	3.8V	Se retrouve actuellement dans la Chevrolet Volt et certains véhicules hybrides comme la Hyundai Sonata hybride

CONSTRUCTION D'UN PACK BATTERIE

La cellule se présente sous divers formats. Les plus répandues sont de petits cylindres nommés 18 650, semblables à des piles AA et sont très utilisées dans les ordinateurs portables. Elles ne sont toutefois pas adaptées aux systèmes de très grande énergie, qui nécessitent un trop grand nombre d'entre elles pour arriver à une énergie considérable. Récemment, la tendance dans le milieu des transports est l'utilisation de cellules de plus grande dimension. Dans ce cas, l'anode, la cathode et le séparateur, au lieu d'être enroulés comme sur la cellule cylindrique, se retrouvent en couches superposées. Elles sont appelées « prismatiques » lorsqu'elles sont contenues dans une structure rigide ou « pochettes » lorsqu'elles sont flexibles.

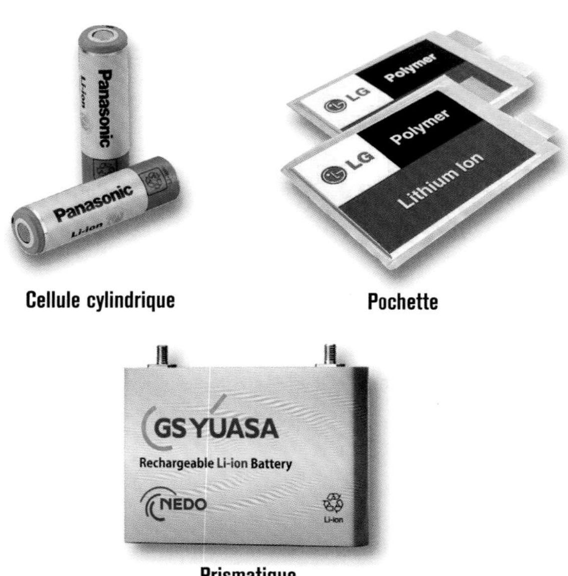

Cellule cylindrique

Pochette

Prismatique

Un pack est constitué de plusieurs cellules branchées en série pour obtenir la tension désirée, et en parallèle pour obtenir la capacité désirée. Toutes ces cellules sont gérées par un système électronique appelé système de gestion de la batterie (BMS) qui évalue la température, la tension et plusieurs autres paramètres permettant de maximiser la durabilité de la batterie, de veiller à la sécurité de cette dernière, de contrôler les puissances de recharge et de décharge et d'informer le véhicule de son état. Par ailleurs, les cellules, l'électronique et le filage doivent être assemblés dans un boîtier afin d'offrir une protection contre les éléments ainsi qu'une structure. Afin de contrôler la température de fonctionnement des cellules, certains manufacturiers optent pour un système de refroidissement liquide.

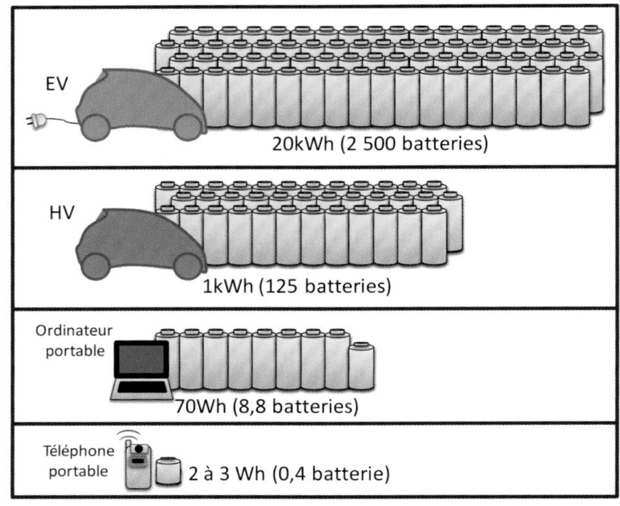

Comparatif de la quantité de cellules cylindriques pour diverses applications — voitures hybrides (HV) et électriques (EV)

SPÉCIFICATIONS TECHNIQUES

Afin de mieux comprendre la fiche technique des batteries, voici un aperçu des paramètres les plus fréquemment mentionnés dans une spécification technique:

Paramètre	Unité	Explication
Énergie	Le watt-heure (Wh) ou le kilowatt-heure (kWh)	Équivaut à la quantité maximale d'énergie emmagasinée dans la batterie. Il se compare au nombre de litre dans un réservoir de carburant. Ce paramètre est fixé lors de la conception du véhicule.
Puissance	Le watt (W) ou kilowatt (kW)	Capacité à recevoir ou à libérer du courant rapidement. Équivaut au courant maximal que la batterie peut libérer, multiplié par la tension. Il pourrait être assimilé au débit maximal du système de pompe et d'injection d'un véhicule thermique, c'est-à-dire la vitesse à laquelle le moteur peut consommer du carburant.
Tension	Le volt (V)	Mesure de la tension nominale du pack batterie. La tension peut varier quelque peut selon plusieurs facteurs dont le niveau de charge. Une plus haute tension permet de réduire le courant pour une même puissance demandée.
Niveau de charge	%	Souvent appelé «state of charge» (SOC), il indique le niveau de charge de la batterie. Ce paramètre varie dans le temps selon l'utilisation et se compare au niveau d'essence dans le réservoir.

[1] État de la R&D dans le domaine des batteries pour véhicules électriques au Japon – Ambassade de France au Japon.

L'AUTONOMIE ET LE TEMPS DE RECHARGE

Dans un véhicule à essence, l'autonomie dépend de la consommation et de la quantité de carburant dans le réservoir. Pour un véhicule électrique, le même principe s'applique. L'énergie pour déplacer le véhicule et actionner les divers systèmes véhiculaires comme la climatisation, la radio, les phares ou les essuie-glaces provient essentiellement du réservoir de carburant, soit la batterie dont la taille est mesurée en kWh. À noter que la plupart des batteries n'utilisent pas 100 % de leur réserve d'énergie. En effet, une décharge complète à 0 % d'énergie restante serait dommageable pour plusieurs types de chimie et réduirait leur durabilité. Les constructeurs devant garantir leur batterie limitent l'utilisation de celle-ci à environ 80 % de l'énergie disponible. Dans un véhicule hybride, on parle même de 30 % : comme leur batterie est très petite et que les cycles de recharges et décharges sont très fréquents et demandent beaucoup de puissance. On doit souvent sous-utiliser une batterie de plus grande capacité afin de conserver sa durée de vie.

Par ailleurs, la batterie étant basée sur des réactions chimiques, son comportement n'est pas toujours linéaire. En effet, sa durabilité et sa performance dépendent de plusieurs facteurs comme la température extérieure, le niveau de charge, la vitesse de décharge et de recharge, et la chimie employée. Plus une batterie est chargée ou déchargée rapidement, plus elle a de la difficulté à gérer ce flot d'ions dû à sa résistance interne et plus elle chauffe et s'use. Et si la température extérieure est très basse ou très haute, la batterie aura moins de capacité et donc l'autonomie en sera affectée. En plus, comme tout système, il y a des pertes inhérentes dans les divers éléments du système de batterie.

Enfin, lorsque l'on dit que l'on peut charger la batterie en 8 ou 4 heures, ou même 30 minutes, cette affirmation dépend de trois facteurs, soit l'aptitude de la batterie à prendre la charge, l'énergie à recouvrer (kWh), et l'infrastructure disponible pour la charger. On ne peut penser recharger une batterie de 20 kWh en 30 minutes chez soi, avec une prise de 120V standard, car cette recharge nécessite une infrastructure de 40 kW, soit environ 160 ampères à 240V. Si une telle recharge est difficilement envisageable à la maison, des stations de recharge rapide dans des postes de service pourraient l'offrir dans un avenir rapproché.

Véhicule	Chimie	Manufacturier	Énergie	Format de cellule	Nombre de cellules	Autonomie électrique annoncée (cycle combiné EPA)
Toyota Prius	Ni-MH	Panasonic	1.3 kWh	Prismatique	168	Moins de 1 km
Chevrolet Volt	Li-polymère	LG Chem	16 kWh	Pochette	288	56 km
Mitsubishi i-MiEV	Li-ion	GS Yuasa	16 kWh	Prismatique	88	100 km
Nissan Leaf	Li-ion	NEC	24 kWh	Pochette	192	117 km
Tesla Roadster	Li-ion	Panasonic	53 kWh	Cylindrique	6 831	393 km

Tout n'est donc pas si simple, l'autonomie et la recharge d'un véhicule électrique dépendent fortement des conditions de son utilisation ainsi que des limites imposées à la batterie. Ainsi, chaque système et accessoire doit être le plus efficace possible dans un véhicule électrique et le freinage régénératif doit être maximisé.

La technologie dans ce domaine se développant rapidement, nous ne sommes présentement qu'aux premiers balbutiements d'un renouveau dans l'ère du transport qui s'annoncent fort prometteur. Les véhicules électriques et hybrides actuels offrent des performances très intéressantes grâce à un niveau d'ingénierie supérieure. Quand il est question de transformer les façons de faire du monde automobile, les défis ne se situent pas seulement au niveau technique : les changements de perception et de mentalité sont souvent bien plus difficiles à opérer !

Maxime Ouellet, ing., M.Eng.
Directeur technique
Centre National du Transport Avancé
www.CNTA.ca

essais
ectric
zero Emission

TOUJOURS DANS LE COUP

Au cours des derniers mois, Le Guide de l'auto a effectué un essai prolongé du Acura MDX. C'est en raison de son rapport équipement/prix très favorable que le choix du MDX s'est imposé presque de lui-même pour cet essai. Avec son prix inférieur à soixante-cinq mille dollars, même le modèle haut de gamme Elite demeure relativement abordable, et ce, tout en affichant complet en ce qui a trait à la dotation d'équipements. Retour sur une épopée de 24 430 kilomètres.

Qu'est-ce qui distingue le MDX Elite par rapport à ses plus proches concurrents comme le X5 de BMW ou le Q7 de Audi ? C'est que ces derniers sont souvent beaucoup plus dispendieux lorsqu'ils sont équipés de façon comparable. En d'autres mots, le MDX Elite livre tout ce que l'on peut souhaiter en guise d'équipements de pointe pour un prix nettement inférieur à celui des autres véhicules utilitaires sport de luxe. À titre d'exemple, le MDX Elite est doté de sièges chauffants et climatisés, d'une chaîne audio ambiophonique de 410 watts à 10 haut-parleurs incluant un caisson de graves et d'un système de divertissement DVD à écran de 9 pouces avec télécommande intégrée et casques d'écoute sans fil. On y trouve également un système de navigation avec reconnaissance de la voix, une caméra de recul ainsi qu'un système de climatisation automatique à trois zones.

TENUE DE ROUTE PERFORMANTE

Sur le plan de la dynamique, le MDX s'est avéré extrêmement maniable et toujours très stable grâce à son excellent rouage intégral Super Handling All-Wheel-Drive. De ce côté, le MDX n'est devancé que par le X5 de BMW ou le Cayenne de Porsche, qui sont les références de la catégorie en matière de tenue de route et de conduite dynamique.

CONCURRENTS

Audi Q7, BMW X5, Buick Enclave, Cadillac SRX, Infiniti FX, Lexus RX, Lincoln MKX, Mercedes-Benz Classe M, Porsche Cayenne, Volkswagen Touareg, Volvo XC90

IMPRESSIONS DE L'AUTEUR

Agrément de conduite :	■■■■	4 / 5
Fiabilité :	■■■■	4 / 5
Sécurité :	■■■■	4 / 5
Qualités hivernales :	■■■■■	5 / 5
Espace intérieur :	■■■■	4 / 5
Confort :	■■■■	4 / 5

Le système SH-AWD permet non seulement de varier la répartition du couple entre les trains avant et arrière, mais également d'optimiser cette répartition d'un côté à l'autre afin d'assurer une meilleure stabilité latérale. Ce dispositif s'est montré redoutablement efficace pour assurer un degré de puissance et de vigueur insoupçonné pour ce VUS qui mérite pleinement le qualificatif « sport ». De plus, la conduite s'est révélée très agréable, surtout lorsque le mode « confort » était sélectionné au moyen du bouton de commande localisé sur la console centrale. C'est que le MDX, contrairement à plusieurs concurrents directs chez qui cette relation est inversée, fonctionne par défaut en mode

Catégorie	VUS
Échelle de prix	52 690 $ à 62 690 $ (2011)
Garanties	4 ans/80 000 km, 5 ans/100 000 km
Assemblage	Alliston, Ontario, Canada
Cote d'assurance	moyenne

«sport». Avec le MDX, il est possible d'interchanger les modes de conduite et de s'adapter à la route sur laquelle on circule : par exemple, on choisit le mode «confort» sur l'autoroute, puis on appuie sur le bouton de commande pour passer au mode «sport», tout en freinant avant d'attaquer l'enfilade de virages composant la bretelle de sortie de l'autoroute. Bref, lorsqu'on le désire, il est possible de s'amuser un peu avec le MDX pour revenir instantanément au mode «confort» pour la suite du trajet. C'est simple, direct et surtout très efficace. Le MDX s'est également avéré très silencieux, même à vitesse d'autoroute, grâce à l'inclinaison du pare-brise qui donne un peu plus d'efficacité au véhicule sur le plan de l'aérodynamique.

SÉCURITÉ AU RENDEZ-VOUS

Au chapitre de la sécurité active, notons la présence du système de freinage à réduction d'impact, qui fait partie de l'équipement de série du modèle Elite. Ce système intervient d'abord en prévenant le conducteur du risque d'accident au moyen d'un témoin lumineux très visible au tableau de bord. Il commande ensuite automatiquement le freinage d'urgence lorsqu'une collision est inévitable, afin d'en réduire la sévérité. Ce système s'est avéré efficace la plupart du temps, comme lorsqu'un autre conducteur nous a littéralement coupé le chemin en tentant de rejoindre une sortie d'autoroute à la toute dernière seconde. À une seule occasion, ce système de freinage nous a laissés perplexes, soit à l'approche d'un panneau métallique qui avait été déposé sur la chaussée pour recouvrir un gigantesque nid-de-poule. La seule présence de ce panneau a provoqué l'entrée en action du dispositif même si aucun danger de collision n'existait, et le MDX a alors été «ralenti» rapidement par ce système avant de rouler sur le panneau.

Parmi les bémols, on peut noter que la consommation moyenne d'essence s'est maintenue à 14,2 litres aux 100 kilomètres et que le MDX préfère carburer au super. De ce côté, les concurrents européens que sont les Audi Q7, BMW X5 et Mercedes-Benz ML détiennent un avantage certain, puisqu'ils sont disponibles avec un moteur diésel dont la consommation est nettement meilleure. Parmi les autres points faibles, notons que la multitude de boutons de commande localisés au panneau de contrôle demande un certain temps d'apprentissage avant d'atteindre une parfaite maîtrise. Enfin, l'espace accordé aux passagers qui occupent la troisième rangée de sièges est sérieusement limité.

Tous ces inconvénients sont largement compensés par le fait que la vie à bord du MDX est très agréable. Son équipement complet, son niveau de confort général et sa tenue de route performante, le tout conjugué à son prix attrayant, font du MDX un choix éclairé même si ce véhicule n'est pas le plus récent de sa catégorie.

Gabriel Gélinas

Photos : Acura

CHÂSSIS - TECHNOLOGIE

Emp/lon/lar/haut	2 750/4 867/2 238/1 733 mm
Coffre	425 à 2 364 litres
Réservoir	79 litres
Nombre coussins sécurité / ceintures	6 / 7
Suspension avant	indépendante, jambes de force
Suspension arrière	indépendante, multibras
Freins avant / arrière	disque / disque
Direction	à crémaillère, ass. variable
Diamètre de braquage	11,4 m
Pneus avant / arrière	P255/55R18 / P255/55R18
Poids	2 109 kg
Capacité de remorquage	2 268 kg (5 000 lb)

COMPOSANTES MÉCANIQUES

Base, Technologie, Elite

Cylindrée, soupapes, alim.	V6 3,7 litres 24 s atmos.
Puissance / Couple	300 chevaux / 270 lb-pi
Tr. base (opt) / rouage base (opt)	A6 / Int
0-100 / 80-120 / 100-0 km/h	7,6 s / 5,7 s / 46,2 m
Type ess. / ville / autoroute	Super / 13,2 / 9,6 l/100 km

FEU VERT

- Rouage intégral efficace
- Équipement complet
- Prix intéressant
- Qualité de finition

FEU ROUGE

- Carbure au Super
- Troisième banquette peu pratique
- Ergonomie du tableau de bord
- Esthétique discutable

DU NOUVEAU EN 2012

Aucun changement majeur

http://www.acura.ca/

Plus d'informations dans la section statistiques en dernière partie du Guide

LE SEUL TURBO DE LA FAMILLE

En 2010, la présentation extérieure du RDX a été remise au goût du jour afin de l'harmoniser avec les autres modèles Acura. Il a alors adopté cette fameuse grille de calandre si controversée qui a été atténuée cette année sur la TL, histoire d'obtenir un certain consensus d'approbation. La mécanique et la présentation intérieure avaient également connu des améliorations. Tout cela a remis ce modèle sur la liste des meneurs de la catégorie.

Les stylistes de cette division ont parfois tendance à être soit trop audacieux, soit trop conservateurs. Ils ont de la difficulté à trouver la recette qui rend tous les modèles homogènes sur le plan visuel comme c'est le cas chez Audi, BMW et Mercedes-Benz par exemple. Pourtant, qu'on aime ou pas cette calandre, elle a pour effet d'uniformiser la présentation de tous les modèles Acura.

TOUT EN FINESSE

Comme l'an dernier, les modifications à la silhouette sont quasi inexistantes. Ce n'est pas une mauvaise chose en soi, puisque les changements apportés en 2010 ont permis à Acura de nous offrir un véhicule élégant aux formes raffinées. Les phares avant débordent sur les ailes tandis que la très grande prise d'air dans le pare-chocs s'assure que le moteur turbo ne manquera pas d'air. À l'arrière, les sorties des tuyaux d'échappement sont rectangulaires comme le veut la tendance actuelle. Dans l'habitacle, le niveau de luxe est assez relevé, tandis que les espaces de rangement sont nombreux. En outre, la qualité du cuir utilisé pour la sellerie des sièges est de qualité. Parlant de cuir, soulignons que le boudin du volant en est recouvert et qu'on retrouve un bourrelet pour les pouces afin de mieux pouvoir agripper le volant. Plusieurs commandes sont placées sur les rayons horizontaux de celui-ci. Ces commandes sont faciles d'accès et d'opération. Tant qu'à y être, on aurait pu également améliorer la disposition des boutons et commandes de la climatisation et du système audio placés sous l'écran d'affichage.

CONCURRENTS
Audi Q5, BMW X3,
Infiniti EX, Land Rover LR2,
Mercedes-Benz Classe GLK,
Volvo XC60

IMPRESSIONS DE L'AUTEUR	
Agrément de conduite :	4 / 5
Fiabilité :	4 / 5
Sécurité :	4 / 5
Qualités hivernales :	4 / 5
Espace intérieur :	3.5 / 5
Confort :	4 / 5

Il est facile de prendre place à bord en raison de la hauteur moyenne de ce véhicule. Les sièges avant sont confortables et offrent un support latéral correct. Le conducteur bénéficie d'une bonne position de conduite et le volant se prend bien en main. Un trio de cadrans circulaires est très facile de consultation avec les chiffres blancs sur fond noir. Notre véhicule d'essai était doté d'un écran relié à un système de navigation par satellite qui est dans la

Catégorie	VUS
Échelle de prix	40 490 $ à 42 490 $ (2011)
Garanties	4 ans/80 000 km, 5 ans/100 000 km
Assemblage	Marysville, Ohio, É-U
Cote d'assurance	n.d.

bonne moyenne, aussi bien en fait de fonctionnalité que de facilité de consultation. Par ailleurs, les occupants des places arrière n'ont pas tellement à se plaindre, puisque cette banquette permet aux occupants de bénéficier d'un assez bon confort. Toutefois, comme sur la plupart des véhicules modernes, le passager arrière occupant la place centrale appréciera le fait que le trajet soit le plus court possible. La soute à bagages est facile d'accès avec un seuil de chargement relativement bas. Par contre, pour obtenir un plancher complètement plat lorsqu'on rabat le dossier arrière, il faut faire basculer le siège vers l'avant.

UN TURBO MAGIQUE ET GLOUTON

Un seul moteur est au catalogue : un quatre cylindres de 2,3 litres doté d'un turbocompresseur à débit variable produisant 240 chevaux. Personnellement, j'aurais apprécié que la transmission automatique à cinq rapports ait bénéficié d'une vitesse supplémentaire afin d'optimiser la consommation de carburant. Au Canada seule la version dotée de la transmission intégrale SH-AWD est commercialisée. Compte tenu de notre climat et de la petitesse de notre marché, c'était la solution la plus logique. Un bémol cependant quant au type d'essence utilisée. En effet, ce moteur turbocompressé s'alimente exclusivement à l'essence super. Les performances de ce moteur sont correctes, mais il faut surveiller la modulation de l'accélérateur pour que le turbocompresseur ne s'enclenche pas inutilement et ainsi augmenter la consommation de carburant qui peut dépasser les 15 l/100 km, ce qui est considérable.

Quant au pilotage, ce véhicule propose une tenue de route honnête et même un certain agrément de conduite. La direction est précise, bien que son assistance soit un peu trop généreuse à mon goût. Sur la chaussée recouverte d'asphalte, le roulement est généralement doux, la tenue de route sans histoire. Et si vous dépassez les limites de la physique, les aides électroniques au pilotage vous permettront de demeurer sur la route. Ce n'est pas un tout-terrain pur et dur, mais il permet de circuler sans stress sur la chaussée à faible coefficient d'adhérence, dans la boue et des routes en terre battue en très mauvais état. À ce chapitre, il faut préciser que le rouage intégral SH-AWD est l'un des plus sophistiqués que l'on puisse trouver sur le marché et il est efficace aussi bien en été qu'en hiver. Par contre, la suspension cogne un peu fort.

L'Acura RDX n'est pas parfaite, mais au moins elle est agréable à conduire tout en étant pratique et fiable. Malheureusement, il faut constamment surveiller les pulsions de son pied droit afin de ne pas augmenter la consommation de carburant super, parce qu'autrement, ça risque de coûter cher…

Denis Duquet

Photos: Acura

CHÂSSIS - BASE TI

Emp/lon/lar/haut	2 650/4 635/1 870/1 655 mm
Coffre	788 à 1 716 litres
Réservoir	68 litres
Nombre coussins sécurité / ceintures	6 / 5
Suspension avant	indépendante, jambes de force
Suspension arrière	indépendante, multibras
Freins avant / arrière	disque / disque
Direction	à crémaillère, ass. variable
Diamètre de braquage	12,0 m
Pneus avant / arrière	P235/55R18 / P235/55R18
Poids	1 788 kg
Capacité de remorquage	681 kg (1 501 lb)

COMPOSANTES MÉCANIQUES

RDX	
Cylindrée, soupapes, alim.	4L 2,3 litres 16 s turbo
Puissance / Couple	240 chevaux / 260 lb-pi
Tr. base (opt) / rouage base (opt)	A5 / Int
0-100 / 80-120 / 100-0 km/h	8,5 s / 5,9 s / 40,3 m
Type ess. / ville / autoroute	Super / 11,7 / 8,7 l/100 km

FEU VERT
- Conduite agréable
- Bonnes performances
- Rouage intégral sophistiqué
- Habitacle luxueux
- Moteur turbo

FEU ROUGE
- Risque de consommation élevée
- Transmission auto à cinq rapports
- Ergonomie déroutante
- Tableau de bord assez fade
- Clé intelligente non disponible

DU NOUVEAU EN 2012

Aucun changement majeur

http://www.acura.ca/

Plus d'informations dans la section statistiques en dernière partie du Guide

BEAUCOUP, MAIS PAS ASSEZ

« Close but no cigar ». C'est par cette expression que les anglophones désignent un produit qui possède beaucoup de qualité, mais qui ne réussit pas à s'imposer en raison d'une concurrence qui les surpasse. On ne saurait dire mieux à propos de l'Acura RL, le modèle le plus huppé et le plus onéreux de la gamme Acura. Les chiffres de vente sont on ne peut plus faibles et ce véhicule n'arrive plus à s'imposer, aussi bien en popularité qu'en prestige.

Et la raison est bien simple : depuis le lancement de la RL en 2005, les améliorations tant esthétiques que mécaniques ont été très limitées. Pourtant, au regard de sa fiche technique, le tout demeure encore attrayant. Mais lorsqu'on la compare à plusieurs de ses concurrentes et notamment à la TL, un modèle inférieur dans la hiérarchie de la marque, le constat devient moins impressionnant.

D'UNE ENNUYANTE SOBRIÉTÉ

Il y a des voitures dont la silhouette est sobre, très sobre même. Le plus bel exemple est sans doute celui de la Audi A8. Malgré tout, cette berline possède un petit quelque chose qui la démarque des autres voitures de la même catégorie. Ce n'est pas le cas de la RL. Elle est sobre, mais trop sobre, et on pourrait même ajouter qu'il s'agit d'une voiture discrète tant on ne la remarque pas dans la circulation. Et sans vouloir être méchant, on pourrait renchérir en disant que si elle se fait si discrète, c'est aussi parce que ses apparitions sur nos routes sont assez rares et qu'il ne s'en vend pas beaucoup.

Les lignes de la carrosserie sont de bon ton, la grille de calandre est moins ostentatoire que celle des autres modèles Acura et l'équilibre des masses est correct. Mais le résultat final ne fait certainement pas tourner les têtes. L'habitacle est d'une belle facture et la qualité des matériaux est excellente. Une partie du boudin du volant est en bois, ce qui donne une petite touche de luxe, tandis que le reste est gainé de cuir et permet une bonne prise en main. Soulignons également que les cadrans indicateurs sont très bien positionnés et d'une lecture très facile. Et lorsque ce modèle fut dévoilé, il proposait une kyrielle d'éléments électroniques inédits à l'époque, comme la reconnaissance vocale, un système de navigation plus affûté que les autres et j'en passe. Mais maintenant, tous ces gadgets sont devenus chose commune. On peut également reprocher à cette berline de luxe un manque flagrant d'ergonomie en ce qui

CONCURRENTS

Audi A6, BMW Série 5, Cadillac STS, Infiniti M, Jaguar XF, Lexus GS, Mercedes-Benz Classe E, Volvo S80

IMPRESSIONS DE L'AUTEUR

Agrément de conduite :	3 / 5
Fiabilité :	4 / 5
Sécurité :	5 / 5
Qualités hivernales :	4 / 5
Espace intérieur :	3 / 5
Confort :	4 / 5

Catégorie	Berline
Échelle de prix	64 690 $ (2011)
Garanties	4 ans/80 000 km, 5 ans/100 000 km
Assemblage	Saitama, Japon
Cote d'assurance	n.d.

concerne les commandes de la climatisation et du système audio, toutes regroupées sur une console verticale fort encombrée. Au début, pour s'y retrouver, il faut presque immobiliser le véhicule. Comme rien n'a été changé jusqu'à ce jour, cette critique est toujours aussi pertinente. Et tant qu'à faire des reproches, il faut ajouter que l'habitabilité n'est pas le point fort de cette voiture. Même le coffre à bagages laisse à désirer…

LARGUÉE SUR LA ROUTE

Si la voiture avait au moins évolué au chapitre des performances, on pourrait lui pardonner bien des défauts. Son moteur produit 300 chevaux, ce qui est dans la bonne moyenne de la catégorie. Par contre, sa boîte automatique n'était qu'à cinq rapports, pas tellement impressionnant pour un modèle qui se voulait le plus prestigieux de la marque. Cette année on a une vitesse de plus.

Mais le plus insultant, c'est le fait que la TL, vendue beaucoup moins cher, partage le même groupe propulseur et assure des performances de beaucoup supérieures. Tant au chapitre des accélérations, des reprises et du quart de mille, cette dernière offre de meilleurs chiffres que la RL. Et si s'il est vrai que la RL propose quelques éléments de luxe que le modèle moins dispendieux ne peut offrir, il n'y a aucune raison au monde pour ne pas choisir la TL par rapport à notre berline digne d'une autre époque. De plus, si la RL est offerte de série avec le rouage intégral SH- AWD faisant appel au couple du moteur pour gérer la traction, on peut le choisir en option sur la TL.

Il est incroyable et regrettable de constater qu'un véhicule qui, sur papier, propose encore de beaux restes, ne soit pas en mesure de déclasser ou d'égaler un modèle de la même famille. Et ce, en dépit d'une différence de prix d'environ 20 000 $. Tant qu'à enfoncer le clou, il faut également ajouter que ce modèle ne doit pas uniquement affronter la TL. Parmi ses concurrentes, on note la Audi A6, la BMW Série 5, la Jaguar XF, la Mercedes-Benz Classe E et la Volvo S80, pour n'en mentionner que quelques-unes.

Bref, cette berline de luxe n'a pas beaucoup d'arguments pour convaincre la clientèle. Elle n'est certainement pas dépourvue de qualités, mais elles ne sont pas à la hauteur de ce qu'offre la concurrence. Elle doit combattre des modèles plus modernes, plus performants, plus élégants et qui proposent un comportement routier beaucoup plus inspiré. Lors de son lancement il y a maintenant sept ans, elle réussissait à s'en sortir grâce à sa finition impeccable, son rouage intégral inédit et quelques gadgets futés. Mais toutes ses rivales offrent beaucoup mieux maintenant. Il est impératif qu'Acura modernise son modèle. Il ne s'agit pas là d'une simple question de marketing, mais de prestige de la marque.

Denis Duquet

Photos : Acura

CHÂSSIS - ELITE	
Emp/lon/lar/haut	2 800/4 973/1 847/1 455 mm
Coffre	391 litres
Réservoir	73 litres
Nombre coussins sécurité / ceintures	6 / 5
Suspension avant	indépendante, double triangulation
Suspension arrière	indépendante, multibras
Freins avant / arrière	disque / disque
Direction	à crémaillère, ass. variable électronique
Diamètre de braquage	11,8 m
Pneus avant / arrière	P245/45R18 / P245/45R18
Poids	1 875 kg
Capacité de remorquage	454 kg (1 000 lb)

COMPOSANTES MÉCANIQUES	
Elite	
Cylindrée, soupapes, alim.	V6 3,7 litres 24 s atmos.
Puissance / Couple	300 chevaux / 271 lb-pi
Tr. base (opt) / rouage base (opt)	A6 / Int
0-100 / 80-120 / 100-0 km/h	7,2 s / 6,6 s / 40,2 m
Type ess. / ville / autoroute	Super / 12,2 / 8,2 l/100 km

- Finition impeccable
- Rouage intégral efficace
- Fiabilité en progrès
- Surprenante agilité
- Bonne tenue de route

- Faible diffusion
- Silhouette super anonyme
- Prix élevé
- Habitabilité moyenne
- Pédale de frein d'urgence encombrante

DU NOUVEAU EN 2012

Aucun changement majeur

http://www.acura.ca/

Plus d'informations dans la section statistiques en dernière partie du Guide

UN PLAN DE REDRESSEMENT

La popularité des berlines de luxe est en hausse et pourtant, les ventes de la TL sont en déclin depuis 2004. Chez Acura, on croyait renverser la vapeur en 2009 avec la présentation d'une nouvelle génération au style plus flamboyant, mais visiblement le constructeur a fait fausse route, puisque la TL a connu son plus bas niveau de vente en 2010. Une fois encore, on tente cette année de remettre la TL dans le coup avec une version légèrement remaniée.

Pour sa version 2012, la compagnie Acura a corrigé les trois principaux défauts de la voiture: son insonorisation, sa consommation d'essence et — vous l'aurez peut-être deviné — son style. Les lignes de l'Acura TL sont loin de faire l'unanimité depuis l'arrivée la nouvelle génération alors que même les amateurs du modèle l'ont boudé.

NOUVEAU STYLE RASSEMBLEUR

Pour corriger le tir, le constructeur a apporté quelques modifications — plutôt subtiles, il faut le souligner — au style de la voiture. Bien qu'on ait réduit sa longueur de quelques millimètres, c'est l'avant de la TL, auquel on faisait le plus de reproches, qui a subi les changements les plus importants. On note par exemple que la grille, maintenant moins envahissante, ne remonte plus sur le capot et affiche des contours plus délicats. Pour éliminer les éléments trop tape-à-l'œil, les phares ont été retravaillés, tout comme la partie basse du pare-chocs. Même chose à l'arrière, alors qu'on remarque les nouveaux embouts d'échappement simples plutôt que doubles, ainsi que les réflecteurs et les garnitures de pare-chocs, qui se font plus discrets. Quant à la plaque d'immatriculation, elle est positionnée un peu plus haut qu'auparavant. Bref, la nouvelle TL conserve son style de base, mais le constructeur a tenté d'atténuer son caractère particulier. Est-ce suffisant? Il est permis d'en douter.

CONCURRENTS

Audi A4, BMW Série 3, Cadillac CTS, Infiniti G, Lexus IS, Lincoln MKZ, Volvo S60

IMPRESSIONS DE L'AUTEUR	
Agrément de conduite:	4 / 5
Fiabilité:	4 / 5
Sécurité:	5 / 5
Qualités hivernales:	4 / 5
Espace intérieur:	4 / 5
Confort:	4 / 5

À l'intérieur, la TL propose un habitacle soigné et bien aménagé. La finition est sans reproche et le choix des matériaux rehausse l'impression de qualité. Quelques changements ont tout de même été apportés pour la version 2012. On remarque de nouvelles garnitures et on voit que l'ergonomie de la partie centrale de la console, qui regroupe les commandes du climatiseur et du système de navigation, a également été retravaillée. Du reste, on apprécie la position de conduite, la prise en main du volant et l'excellente visibilité.

Sous le capot, les mécaniques restent inchangées. La TL reçoit de série un moteur V6 de 3,5 litres développant 280 chevaux pour un

Catégorie	Berline
Échelle de prix	39 490 $ à 48 990 $
Garanties	4 ans/80 000 km, 5 ans/100 000 km
Assemblage	Marysville, Ohio, É-U
Cote d'assurance	pauvre

couple de 254 lb-pi. Histoire de diminuer la consommation de ce moteur, les ingénieurs ont modifié la surface des pistons et le matériel qui les compose, réduisant ainsi la friction interne. On y trouve également deux nouveaux systèmes, un de récupération des gaz et un autre, d'admission d'air frais, deux dispositifs qui maximisent les performances du moteur. La grande nouveauté est la présence d'une nouvelle boîte automatique à six rapports en remplacement de l'automatique à cinq rapports. C'est l'élément principalement responsable du gain moyen de 2,0 l/100 km de la TL.

Cette nouvelle boîte trouve également application à bord de la TL à traction intégrale — SH-AWD pour les intimes. Dans ce cas-ci, elle est appariée à un moteur V6 de 3,7 litres qui développe 305 chevaux pour un couple de 273 lb-pi. Une excellente boîte manuelle à six rapports peut aussi être jumelée à ce groupe motopropulseur. Cependant, dans le cas de la TL, elle n'est pas proposée à titre de boîte d'entrée de gamme. Elle est plutôt destinée aux puristes et on la trouve uniquement à bord d'une version plus luxueuse.

LA MAGIE DU SYSTÈME SH-AWD

Sur la route, la TL offre une conduite dynamique, qui convient aux amateurs de voitures au caractère sportif. Son moteur de base offre des prestations acceptables et permet une bonne économie de carburant. Il est cependant difficile de ne pas recommander la version comportant le moteur de 3,7 litres, jumelé au rouage intégral. C'est là que la TL trouve tout son sens. Ce moteur permet des accélérations beaucoup plus vigoureuses et surtout, des reprises largement favorisées par le couple supérieur. La nouvelle boîte à six rapports offre non seulement une économie de carburant accrue, mais aussi une conduite plus silencieuse. D'ailleurs, le constructeur a fait beaucoup de progrès à ce chapitre.

L'Acura TL n'a peut-être pas le prestige de ses rivales germaniques, mais elle est dispose d'une arme redoutable: son rouage intégral « Super Handling », un des systèmes du genre les plus efficaces. Outre la possibilité de répartir la puissance entre les roues avant et arrière, il peut transférer jusqu'à 100 % du couple d'un côté à l'autre. Le tout se traduit par des performances supérieures en virages, surtout lorsque la chaussée est glissante. Nous avons testé ce système sur piste, dans des conditions exécrables, et nous aurions certainement perdu le contrôle si nous avions poussé autant un autre véhicule.

Il n'est pas facile pour Acura de rivaliser dans un créneau largement dominé par les constructeurs allemands. Toutefois, la plus récente TL propose une conduite emballante, un bon niveau de luxe et surtout, un excellent rapport équipement/prix.

Sylvain Raymond

Photos : Sylvain Raymond

CHÂSSIS - SH AWD TECHNOLOGIE	
Emp/lon/lar/haut	2 775/4 928/2 118/1 452 mm
Coffre	354 litres
Réservoir	70 litres
Nombre coussins sécurité / ceintures	6 / 5
Suspension avant	indépendante, double triangulation
Suspension arrière	indépendante, multibras
Freins avant / arrière	disque / disque
Direction	à crémaillère, ass. variable électronique
Diamètre de braquage	11,9 m
Pneus avant / arrière	P245/45R18 / P245/45R18
Poids	1 811 kg
Capacité de remorquage	n.d.

COMPOSANTES MÉCANIQUES	
Base, Technologie	
Cylindrée, soupapes, alim.	V6 3,5 litres 24 s atmos.
Puissance / Couple	280 chevaux / 254 lb-pi
Tr. base (opt) / rouage base (opt)	A6 / Tr
0-100 / 80-120 / 100-0 km/h	7,1 s / 5,8 s / 39,8 m
Type ess. / ville / autoroute	Super / 10,4 / 6,8 l/100 km
SH AWD	
Cylindrée, soupapes, alim.	V6 3,7 litres 24 s atmos.
Puissance / Couple	305 chevaux / 273 lb-pi
Tr. base (opt) / rouage base (opt)	A6 (M6) / Int
0-100 / 80-120 / 100-0 km/h	6,8 s / 6,0 s / 38,8 m
Type ess. / ville / autoroute	Super / 11,4 / 7,6 l/100 km

FEU VERT

- Nouvelle transmission six rapports
- Rouage intégral performant
- Conduite dynamique
- Bon niveau d'équipement

FEU ROUGE

- Style toujours discutable
- Moteur bruyant à haut régime
- Effet de couple (traction avant)

DU NOUVEAU EN 2012

Parties avant et arrière retouchées, tableau de bord remanié, nouvelle tramission à six rapports.

http://www.acura.ca/

Plus d'informations dans la section statistiques en dernière partie du Guide

L'AMÉRIQUE À LA SAUCE JAPONAISE

La première version de la TSX était unique en son genre. Cette Accord européenne adaptée à la manière Acura possédait une silhouette à la fois sobre et équilibrée. En outre, son moteur quatre cylindres était pointu et c'était un plaisir de lui soutirer des performances en jouant du levier de vitesse relié à la boîte manuelle à six rapports. Malheureusement, sur ce modèle, la transmission automatique de type manumatique ne faisait pas bon ménage avec le moteur. Bref, rien de tout cela n'intéressait l'acheteur américain moyen, trop souvent allergique aux voitures trop typées.

C'est pourquoi la seconde génération de la TSX possède une silhouette beaucoup plus mordante et que ses moteurs sont davantage en harmonie avec les goûts nord-américains.

LA FAMEUSE CALANDRE

Une grille de calandre beaucoup plus agressive est la signature visuelle de cette voiture. Certains aiment, d'autre pas. Mais elle ne laisse personne indifférent. La section arrière de la caisse est moins controversée tandis qu'un becquet intégré au couvercle du coffre ajoute un cachet particulier. Cette berline est relativement basse et large, ce qui contribue à lui donner une allure plus dynamique.

Le tableau de bord est sobre, bien agencé et la qualité des matériaux est irréprochable, comme sur les autres modèles de cette marque. Malheureusement, chez Acura, on a beau nous vanter les mérites de la disposition ergonomique des commandes, il est difficile de s'y retrouver parmi tous ces boutons. Sur une note plus positive, il faut préciser que chaque rangée a une plage d'utilisation. Par exemple, tous les boutons du système audio sont sur la même rangée. Soulignons au passage que les sièges sont très confortables et offrent un excellent support lombaire. Les places arrière sont correctes, mais il ne faut être trop grand pour les apprécier et mieux vaut abandonner tout de suite l'idée d'asseoir une personne en position centrale. Le niveau d'équipement de base est très relevé, une situation logique compte tenu du prix demandé pour une TSX.

CONCURRENTS
Audi A3,
Audi A4,
BMW Série 3,
Lexus IS,
Mercedes-Benz Classe C

IMPRESSIONS DE L'AUTEUR	
Agrément de conduite :	4 / 5
Fiabilité :	4 / 5
Sécurité :	4 / 5
Qualités hivernales :	3.5 / 5
Espace intérieur :	3.5 / 5
Confort :	4 / 5

RAFFINEMENT MÉCANIQUE

La compagnie fait appel à une plate-forme modulable pour ses voitures intermédiaires. La TSX est donc le fruit d'une évolution dérivée de celle-ci. Les suspensions avant sont à leviers triangulés, tandis

Catégorie	Berline
Échelle de prix	32 990 $ à 42 790 $ (2011)
Garanties	4 ans/80 000 km, 5 ans/100 000 km
Assemblage	Saitama, Japon
Cote d'assurance	pauvre

que la suspension arrière est plus ou moins la même que celle de la Honda S2000. Le centre de gravité et la garde au sol sont relativement bas pour une berline. Pour ce faire, les longerons extérieurs ont été déplacés à l'intérieur de la caisse.

Le moteur quatre cylindres de 2,4 litres est sensiblement le même que celui de la Honda Accord. Sa puissance est de 201 chevaux et la courbe de couple permet d'obtenir de bonnes accélérations à tous les régimes. Plus besoin de faire tourner le moteur à haute révolution pour obtenir un peu de performances. En plus, la consommation de carburant est intéressante avec une moyenne d'un peu plus de 10 l/100 km. Il faut toutefois déplorer l'absence d'une boîte automatique à six rapports, un must dans cette catégorie. Heureusement, la boîte manuelle est non seulement très précise, mais fort agréable à utiliser. Le moteur V6 de 3,5 litres produisant 280 chevaux est également associé à une transmission à cinq rapports.

CONFORT ET TENUE DE ROUTE

Les ingénieurs ont réussi à améliorer le niveau de confort dans l'habitacle, à nous proposer une suspension capable d'avaler les trous et les bosses et d'offrir une tenue de route assez spectaculaire. Notre essai routier s'est déroulé en partie sur des routes secondaires, dont la chaussée était assez bosselée. La suspension n'a pas offert de secousses ou de soubresauts, tout en étant capable d'aborder les virages sans roulis, ou presque. Il faut préciser que la direction sur cette voiture est à assistance électrique, ce qui n'est pas quelque chose de rassurant dans la majorité des cas. Heureusement, nous avons découvert une direction rapide et précise qui offrait un meilleur *feedback* de la route que la plupart mécanismes similaires.

Le moteur quatre cylindres est rapide et nerveux et ne se fait pas prier pour atteindre les régimes élevés. Toutefois, sa puissance est tout de même linéaire et le couple généreux explique en bonne partie ses accélérations et reprises nerveuses. La boîte automatique à cinq rapports réagit rapidement et la version sport est dotée de boutons de passages des rapports sur le volant. Et contrairement à plusieurs mécanismes de ce genre, la boîte automatique en mode manuel ne passe pas les vitesses de façon automatique : il faut l'intervention du pilote comme avec une boîte manuelle.

Cette nouvelle Acura s'adresse à une clientèle plus large et elle est plus polyvalente, sans rien perdre de ses qualités routières. On pourrait même conclure que son agrément de conduite a progressé au même rythme que son raffinement technologique et esthétique. Les modèles propulsés par le moteur V6 jouissent d'accélérations assez nerveuses avec un temps de 7,2 secondes pour boucler le 0-100 km/h. Par contre, en accélération, un effet de couple fait sentir sa présence dans le volant. Pour le reste, le comportement routier est plus ou moins égal à celui de la version à moteur quatre cylindres. Somme toute, une berline qui mérite qu'on s'y intéresse.

Denis Duquet

Photos : Denis Duquet

CHÂSSIS - PREMIUM

Emp/lon/lar/haut	2 705/4 726/1 840/1 440 mm
Coffre	357 litres
Réservoir	70 litres
Nombre coussins sécurité / ceintures	6 / 5
Suspension avant	indépendante, double triangulation
Suspension arrière	indépendante, double triangulation
Freins avant / arrière	disque / disque
Direction	à crémaillère, ass. variable
Diamètre de braquage	12,1 m
Pneus avant / arrière	P225/50R17 / P225/50R17
Poids	1 542 kg
Capacité de remorquage	454 kg (1 000 lb)

COMPOSANTES MÉCANIQUES

TSX	
Cylindrée, soupapes, alim.	4L 2,4 litres 16 s atmos.
Puissance / Couple	201 chevaux / 172 lb-pi
Tr. base (opt) / rouage base (opt)	M6 (A5) / Tr
0-100 / 80-120 / 100-0 km/h	8,0 s / 6,3 s / 43,8 m
Type ess. / ville / autoroute	Super / 10,5 / 7,0 l/100 km

TSX V6	
Cylindrée, soupapes, alim.	V6 3,5 litres 24 s atmos.
Puissance / Couple	280 chevaux / 254 lb-pi
Tr. base (opt) / rouage base (opt)	A5 / Tr
0-100 / 80-120 / 100-0 km/h	7,2 s / 5,4 s / 43,8 m
Type ess. / ville / autoroute	Super / 11,3 / 7,4 l/100 km

FEU VERT

- Excellents moteurs
- Bonne tenue de route
- Habitacle cossu
- Équipement complet
- Sièges avant confortables

FEU ROUGE

- Places arrière étroites
- Effet de couple dans le volant (V6)
- Boîte auto à six rapports serait bienvenue
- Calandre controversée

DU NOUVEAU EN 2012

Aucun changement majeur

http://www.acura.ca/

Plus d'informations dans la section statistiques en dernière partie du Guide

SI BEAU, SI INUTILE

Au moment où Acura présentait son nouveau ZDX au public, Honda faisait de même avec sa Accord Crosstour. Les deux véhicules affichant des caractéristiques semblables, la plupart des gens ont cru que le ZDX n'était qu'une Accord Crosstour endimanchée. Rien n'est plus faux. Mais comme stratégie de marketing, on a déjà vu mieux...

En fait, le ZDX repose sur une plate-forme d'Acura MDX tandis que l'Accord Crosstour reprend celle de la berline Accord V6. On ne parle pas de la même chose ! Toujours est-il qu'au niveau esthétique, le ZDX l'emporte haut la main sur l'Accord Crosstour, une des bizarreries actuelles de l'automobile. Lors de nos différentes prises en main du ZDX, à peu près tous les commentaires entendus étaient flatteurs. En effet, comment résister à cette ligne longue et trapue qui respire la puissance ? En plus, le toit entièrement vitré, tellement teinté qu'il en est noir, descend jusqu'au niveau de la plaque d'immatriculation. Lorsque le véhicule est de couleur pâle, c'est du plus bel effet.

Cependant, une telle ligne, ça se paie... Les places arrière, au nombre de trois si on se fie au nombre de ceintures, promettent de devenir rapidement désagréables. « Turbo désagréable ! » comme le dirait ma collègue Marie-France. De plus, y accéder demande certains déhanchements, gracieuseté de portières peu larges. Et que dire de la visibilité 3/4 arrière, sinon qu'on y voit péniblement. Mais, comme une fleur qui pousse dans une fente de l'asphalte, il y a toujours du positif : la caméra de recul offre, lorsque la lentille n'est pas sale, une image d'une netteté rarement égalée. Heureusement...

PHYSIQUE TROMPEUR

Il ne faudrait surtout pas oublier de mentionner que le coffre, au seuil de chargement très élevé — donc plus ou moins pratique — n'est pas très grand. En fait, il l'est moins que celui d'une Honda Fit ! Et selon les données d'Acura, il contiendrait à peine plus que celui d'une Accord Crosstour. Le coffre de la ZDX a beau être aussi bien fini que celui d'une Rolls, posséder un bac de rangement sous le plancher et un hayon motorisé, on ne peut pas dire qu'il soit très utile.

CONCURRENTS
BMW X6,
Cadillac SRX,
Infiniti FX,
Volvo XC70

IMPRESSIONS DE L'AUTEUR	
Agrément de conduite :	3.5/5
Fiabilité :	4.5/5
Sécurité :	5/5
Qualités hivernales :	4.5/5
Espace intérieur :	3/5
Confort :	4.5/5

Le conducteur se retrouvera dans un univers on ne peut plus Acura. Les matériaux qui composent le tableau de bord sont d'excellente qualité et bien assemblés, les jauges sont très lisibles, mais la pléthore de boutons peut rapidement devenir déroutante pour

le nouvel acquéreur. Les espaces de rangement manqueront cruellement à toute personne possédant un cellulaire, un iPod, une pomme, un paquet de gomme ou peu importe. Les poches de pantalon ou les sacs à main sont de mise!

MÉCANIQUE MODERNE

Sous le capot du beau ZDX, pas de jaloux: on retrouve uniquement un V6 de 3,7 litres développant 300 chevaux. Si vous remarquez une certaine ressemblance avec la fiche technique du MDX, vous n'êtes vraiment pas loin de la vérité... car c'est le même moteur! Ce moulin, très moderne, est associé à une transmission automatique à six rapports. Cette dernière, la seule offerte, relaie le couple aux quatre roues grâce au très réputé — et avec raison — rouage SH-AWD (pour Super Handling-All Wheel Drive). Tout d'abord, il faut mentionner que malgré un poids de stade olympique, le ZDX jouit d'accélérations et de reprises très honnêtes. Certes, l'amateur de performances, s'il n'est aucunement rebuté par l'inutilité d'un véhicule, se tournera sans doute vers le BMW X6 qui, étrangement, présente un physique comparable à celui du ZDX...

Une fois qu'on y attèle une remorque de 1 500 livres maximum — ce qui ne lui siérait pas très bien, remarquez —, on peut toutefois trouver les accélérations un tantinet moins dynamiques. La transmission fait généralement du bon boulot même si, à l'occasion, elle tardait un peu avant de passer au bon rapport. Lors de notre semaine d'essai, la consommation de notre ZDX s'est située à 13,8 litres/100 km, ce qui est quand même assez éloigné des 12,7 en ville et des 8,8 sur la route promis par Acura. Et comme si ce n'était pas suffisant, un ZDX ça ne boit que du super... Le rouage intégral mériterait à lui seul deux ou trois pages de ce Guide tant il est sophistiqué et performant. Pour résumer, disons qu'en plus de transférer le couple aux roues avant et/ou arrière qui en ont le plus besoin pour maximiser la traction, il permet aussi un transfert de gauche à droite. Ce système est d'une très grande efficacité.

Sur la route, le ZDX fait montre de plus de sportivité que le MDX dont il est dérivé. Cependant, il ne s'agit absolument pas d'un véhicule sport comme ses lignes voudraient nous le faire croire. Si le physique ressemble à celui d'un BMW X6, ce dernier le mangerait tout rond dès la première courbe d'un circuit. Par contre, si l'acheteur du ZDX ne cherche pas à constamment tester les limites de l'adhérence, ce multisegment saura se faire apprécier par son haut niveau de confort. Notons toutefois que la direction pourrait être un peu plus bavarde sur le travail du train avant.

D'une beauté à faire faner de honte une rose, l'Acura ZDX pourrait, s'il était une publicité, être accusé de tromperie. Car malgré ce que laisse supposer son physique, il saura surtout plaire à ceux qui préfèrent la beauté et le confort au caractère sportif.

Alain Morin

Photos: Acura

Catégorie	Multisegment
Échelle de prix	54 990 $ (2011)
Garanties	4 ans/80 000 km, 5 ans/100 000 km
Assemblage	Alliston, Ontario, Canada
Cote d'assurance	n.d.

CHÂSSIS - TECHNOLOGIE	
Emp/lon/lar/haut	2 750/4 887/2 174/1 596 mm
Coffre	745 à 1 580 litres
Réservoir	80 litres
Nombre coussins sécurité / ceintures	6 / 5
Suspension avant	indépendante, jambes de force
Suspension arrière	indépendante, multibras
Freins avant / arrière	disque / disque
Direction	à crémaillère, ass. variable
Diamètre de braquage	11,7 m
Pneus avant / arrière	P255/50R19 / P255/50R19
Poids	2 016 kg
Capacité de remorquage	680 kg (1 499 lb)

COMPOSANTES MÉCANIQUES	
Technologie	
Cylindrée, soupapes, alim.	V6 3,7 litres 24 s atmos.
Puissance / Couple	300 chevaux / 270 lb-pi
Tr. base (opt) / rouage base (opt)	A6 / Int
0-100 / 80-120 / 100-0 km/h	7,6 s / 5,9 s / 40,5 m
Type ess. / ville / autoroute	Super / 12,7 / 8,8 l/100 km

FEU VERT

- Carrosserie éclatante
- Rouage intégral réussi
- Confort abouti
- Finition de haut niveau
- Puissance adéquate

FEU ROUGE

- Inutilité confirmée
- Coffre de Honda Fit
- Poids très élevé
- Places arrière ridicules
- Essence super seulement

DU NOUVEAU EN 2012

Aucun changement majeur

http://www.acura.ca/

Plus d'informations dans la section statistiques en dernière partie du Guide

UN ROADSTER CLASSIQUE ET DÉGOURDI

La J2X Mk II est une réplique à la fois rigoureusement fidèle et parfaitement moderne des Allard J2X Mk I (pour Mark One) qui ont brillé en course automobile au début des années 50, y compris aux 24 Heures du Mans. Elle est l'œuvre de Roger Allard, un Québécois d'origine franco-ontarienne aux talents et carrières multiples, qui s'est pris d'une passion sans limites pour ce pur-sang britannique qui porte le même nom que lui. Il n'existe pour l'instant qu'une dizaine de J2X Mk II, mais d'autres devraient suivre bientôt. Nous avons conduit à nouveau ce roadster unique présenté dans le « dossier Québec » publié dans l'édition précédente du Guide.

CONCURRENTS
Aucun concurrent

IMPRESSIONS DE L'AUTEUR	
Agrément de conduite :	5/5
Fiabilité :	4.5/5
Sécurité :	2.5/5
Qualités hivernales :	2.5/5
Espace intérieur :	3/5
Confort :	3.5/5

La première chose qui frappe avec la J2X Mk II, c'est l'aspect lisse et riche de la peinture et les formes rondes et parfaitement régulières de la partie arrière. L'ensemble est solide. Les portières découpées bas se referment avec un cognement sourd et un cliquetis métallique irrésistible. Et les deux font exactement les mêmes sons. La carrosserie est presque entièrement faite de matériau composite. Sauf le capot, une pièce en acier mince et complexe, dont Roger Allard décrit avec minutie la fabrication par un artisan expert. La J2X Mk II regorge de pièces, petites et grandes, qui ont une histoire tout aussi fascinante. Nul besoin de préciser que chaque voiture est unique.

DES CŒURS ET UNE STRUCTURE MODERNES

Sous le capot de la J2X Mk II niche un V8 Chrysler « Hemi » de 5,7 litres dont on a modifié la présentation pour qu'elle s'accorde à l'esprit de la J2X Mk II. Le collecteur d'admission et le carter du filtre évoquent, par exemple, un gros carburateur alors que le gros V8 est alimenté par injection. D'autres Allard sont animées par un « Hemi » de 6,1 litres ou un V8 GM de 5,7 litres, toujours couplés à une boîte manuelle Tremec à 5 rapports. Les formes de la J2X Mk II sont classiques, mais son squelette est moderne. Le châssis à longerons triangulés comporte un arceau de sécurité intégré à la partie avant, un arceau double aux normes de la FIA derrière les sièges et des renforts dans les portières. La structure de la J2X est solide. Pas de bruits, de flexion ou de répercussions dans les sièges, même si c'est un roadster. Pas de système électronique anti-quoi-que-ce-soit non plus sur cette machine à conduire. Elle possède par contre quatre freins à disques Wilwood avec étriers à double piston et une suspension dont le pincement, le carrossage et l'amortissement sont réglables. Roger Allard veut

que ses voitures soient conduites et pas seulement admirées ou paradées. Y compris sur un circuit.

CONDUITE OU PILOTAGE ?

Une fois sanglé dans le harnais à quatre points d'ancrage, on découvre le beau volant à quatre rayons dont la mince jante marie le bois et l'aluminium. Le pommeau du levier de vitesse en bois vernis est couronné de l'écusson avec un grand « A » couleur argent sur fond rubis de l'écusson traditionnel de la marque Allard. Il est fait maison dans l'atelier de Boucherville. La direction est plus démultipliée que sur les sportives modernes. Pas de servodirection pour la J2X, mais aucune lourdeur non plus. Il faut jouer abondamment du volant à la manœuvre et au début on se retrouve facilement le coude gauche appuyé sur la portière même si elle est découpée assez bas. Le train avant se fait cependant plus incisif en amorce de virage et il n'y a pratiquement aucun jeu au centre.

La J2X est longue et plutôt étroite, comme les roadsters du début des années 50. Une fois glissé dans le siège, on boucle les ceintures à quatre points d'ancrage et on fait glisser le siège vers l'avant à la bonne position. Le siège est bien taillé, confortable. Le patron est fier de ces baquets cousus main, y compris pour le nom Allard brodé sur le haut du dossier.

Première constatation dans l'habitacle : il y a trois pédales d'aluminium, mais pas de repose-pied. Pas de place à la gauche dans cette carlingue étroite. Le pédalier a été conçu pour le pointe-talon et les pédales sont effectivement très bien placées l'une par rapport à l'autre. La course de la pédale de frein est toutefois longue et il faut y mettre l'effort. Ça se corrige ou s'ajuste, selon le père de la J2X Mk II. La course de la pédale d'embrayage est longue aussi, mais elle est juste assez ferme et très progressive. Le levier de vitesse est précis et son maniement étonnamment doux et léger. Il faut prendre garde à la marche arrière, placée juste sous la 5e, au risque de faire grincer les engrenages.

La J2X est de plus en plus agréable au fil des kilomètres. Le « Hemi » rugit assez férocement par les échappements latéraux qui sont juste à la hauteur de nos oreilles. En mouvement, on découvre que la direction n'a pratiquement aucun jeu au centre et que le train avant réagit sans délai en amorce de virage. En poussant plus sur un long virage serré à rayon constant, l'avant se met à glisser et les pneus Dunlop à se lamenter. En levant le pied droit une fraction de seconde et en remettant les gaz, le couple du V8 rétablit l'équilibre et la J2X avale le reste du virage. De quoi donner le goût d'apprendre à jouer avec elle là où il le faut, de préférence sur un circuit ou sur une route déserte et entortillée. À charge de revanche, très certainement.

Marc Lachapelle

Photos : Marc Lachapelle

Catégorie	Roadster
Échelle de prix	144 500 $ et plus
Garanties	1 an /illimité, 1 an /illimité
Assemblage	Boucherville, Québec
Cote d'assurance	n.d.

CHÂSSIS - MKII	
Emp/lon/lar/haut	2 690/4 240/1 700/1 120 mm
Coffre	n.d.
Réservoir	79 litres
Nombre coussins sécurité / ceintures	n.d. / 2
Suspension avant	indépendante, bras inégaux
Suspension arrière	indépendante, bras trapézoïdal
Freins avant / arrière	disque / disque
Direction	à crémaillère, assistée
Diamètre de braquage	n.d.
Pneus avant / arrière	225/60ZR16 / 235/60ZR16
Poids	1 250 kg
Capacité de remorquage	non recommandé

COMPOSANTES MÉCANIQUES	
Cylindrée, soupapes, alim.	V8 5,7 litres 16 s atmos.
Puissance / Couple	350 chevaux / 400 lb-pi
Tr. base (opt) / rouage base (opt)	M5 / Prop
0-100 / 80-120 / 100-0 km/h	n.d. / n.d. / n.d.
Type ess. / ville / autoroute	Ordinaire / n.d.
Cylindrée, soupapes, alim.	V8 5,7 litres 16 s atmos.
Puissance / Couple	370 chevaux / 398 lb-pi
Tr. base (opt) / rouage base (opt)	M5 / Prop
0-100 / 80-120 / 100-0 km/h	n.d. / n.d. / n.d.
Type ess. / ville / autoroute	Ordinaire / n.d.
Cylindrée, soupapes, alim.	V8 6,1 litres 16 s atmos.
Puissance / Couple	450 chevaux / n.d.
Tr. base (opt) / rouage base (opt)	M5 / Prop
0-100 / 80-120 / 100-0 km/h	n.d. / n.d. / n.d.
Type ess. / ville / autoroute	Ordinaire / n.d.

FEU VERT

- Silhouette classique et rare
- Son et couple d'un gros V8
- Qualité de fabrication remarquable
- Pur plaisir de conduire

FEU ROUGE

- Ni capote ni toit rigide (pour l'instant)
- Habitacle plutôt étroit
- Quand même dispendieuse
- Pas de coffre à gants ?

DU NOUVEAU EN 2012

Aucun changement majeur

www.allardj2x.com

Plus d'informations dans la section statistiques en dernière partie du Guide

DESIGN ET PUISSANCE

On peut reprocher bien des choses aux voitures produites par Aston-Martin, mais une chose est certaine: leur silhouette fait l'unanimité. En effet, aussi bien la DB9 que la DBS sont dotées d'une silhouette à la fois très élégante et très sportive. Il y a d'abord cette grille de calandre si typique, signature visuelle de la marque. Mais en plus, les stylistes maison ont été en mesure de nous offrir un équilibre quasiment parfait des lignes de la carrosserie. Comme cette marque est relativement rare au Québec, la rencontre avec une DB9 et DBS a pour effet d'impressionner tous les amateurs de belles voitures.

CONCURRENTS
Audi R8,
Bentley Continental,
Ferrari 599,
Ferrari 612 Scaglietti,
Lamborghini Aventador,
Mercedes-Benz SLS AMG

IMPRESSIONS DE L'AUTEUR		
Agrément de conduite:	■■■■	3.5/5
Fiabilité:	■■■	3/5
Sécurité:	■■■■	3.5/5
Qualités hivernales:	■■	2/5
Espace intérieur:	■■■	3/5
Confort:	■■■■	4/5

Depuis que Ford a vendu Aston Martin à un groupe d'investisseurs, plusieurs s'interrogent quant à la capacité des nouveaux propriétaires d'investir des sommes importantes pour le développement de nouveaux modèles. Pour l'instant, on continue de produire des modèles dérivés de la même plate-forme qui a été développée avec des ressources financières du constructeur américain. Mais, comme on dit en Louisiane: « Laissons le bon temps rouler. » Et on verra par la suite.

LA DB9

Inutile d'épiloguer sur la silhouette aussi bien du coupé que du cabriolet, car c'est un fait reconnu: elles sont parmi les plus belles voitures GT sur le marché. Quant à l'habitacle, il faut souligner qu'il respecte la tradition britannique avec de multiples appliqués en bois exotiques. Il est certain qu'on s'est cassé la tête très longtemps pour placer ces maudits morceaux de bois un peu partout. Personnellement, de l'aluminium brossé m'aurait semblé davantage en harmonie avec le raffinement technique de cette voiture. Et il ne faut pas oublier que nous avons affaire à une voiture anglaise, ce qui nécessite une certaine part d'excentricité. Par exemple, les aiguilles du compte-tours et de l'indicateur de vitesse tournent en sens opposé. La première fois qu'on se rend compte de cela, on se demande si on n'hallucine pas. Par ailleurs, si vous conduisez un modèle doté de la boîte automatique, le traditionnel levier de vitesse a pris le bord. Il est remplacé par une touche sur la console centrale permettant de sélectionner le mode « D » ou encore la marche arrière. Les autres rapports sont sélectionnés à l'aide des commandes placées sur le volant. Soulignons au passage que les places arrière ne sont que purement symboliques et peuvent tout au plus accueillir un ou deux sacs d'épicerie ou encore votre mallette.

Catégorie	Cabriolet, Coupé
Échelle de prix	192 800 $ à 210 000 $
Garanties	3 ans/illimité, 3 ans/illimité
Assemblage	Gaydon, Warwickshire, Angleterre
Cote d'assurance	n.d.

Mais le nerf de la guerre pour toute voiture à vocation sportive, c'est sa mécanique. Dans le cas qui nous occupe, aussi bien le coupé que le cabriolet sont propulsés par un moteur V12 6,0 litres d'une puissance de 470 chevaux. À l'achat, on peut choisir entre une boîte manuelle à six rapports tandis qu'une transmission automatique offrant le même nombre de vitesses est optionnelle. Parce que le véhicule est très lourd, cette puissance n'est pas de trop pour obtenir des performances intéressantes. C'est ainsi que le 0-100 km/h est l'affaire de moins de 5 secondes. Mais le prix à payer est une consommation de carburant plutôt spectaculaire. Excitez-vous à faire des départs, à rouler à haute vitesse, et vous enregistrerez une consommation de carburant avoisinant les 20 l/100 km. Si vous êtes gentils avec l'accélérateur, la moyenne sera autour de 16 l/100 km parcourus.

Malgré toute cette puissance et une plate-forme très sophistiquée qui combine légèreté et rigidité, cette élégante Britannique se veut davantage une voiture de grand tourisme plutôt qu'une sportive à tout crin. Et il ne faut pas trop secouer cette mécanique, car elle proteste et refuse de fonctionner, notamment la boîte de vitesses qui a tendance à surchauffer. Incidemment, on a fait beaucoup d'amélioration à la plate-forme du cabriolet Volante qui a gagné en rigidité.

LA DBS MAINTENANT

Les lois du marketing sont insondables et la logique ne prime pas toujours, surtout dans le monde de l'automobile. Prenons le cas de la DBS. Cette Aston Martin est en réalité une version plus légère et plus puissante de la DB9. Elle est d'ailleurs proposée en version coupé et cabriolet comme cette dernière. On aurait pu se contenter d'offrir une version plus puissante de la DB9 et le tour aurait été joué. Mais pourquoi ne pas profiter de l'ego parfois incommensurable des acheteurs de voitures sport de luxe?

En effet, il est moins impressionnant d'avouer à son entourage qu'on roule une version plus musclée de la DB9 que d'affirmer qu'on est propriétaire d'une DBS. Aux yeux de plusieurs, cela fait toute la différence. En fait, la seule différence se situe au niveau du prix demandé, d'un moteur plus puissant et d'un allégement de la voiture par l'intermédiaire de pièces en fibre de carbone. Puisque celles-ci sont nettement plus onéreuses, la facture est plus étoffée.

C'est ainsi qu'après avoir dépensé plusieurs milliers de dollars de plus, on se retrouve au volant d'une DBS dotée d'un moteur produisant 40 chevaux de plus que celui de la DB9 qui est sensiblement identique, à part la puissance. Cette cavalerie supplémentaire vous permettra de retrancher une demi-seconde dans l'exercice du 0-100 km/h. Par contre, il vous en coûtera approximativement 2 l/100 km de plus en carburant. Snobisme, quand tu nous tiens!

Denis Duquet

Photos: Aston Martin

CHÂSSIS - DB9 VOLANTE

Emp/lon/lar/haut	2 745/4 710/1 875/1 270 mm
Coffre	186 litres
Réservoir	80 litres
Nombre coussins sécurité / ceintures	4 / 2
Suspension avant	indépendante, bras inégaux
Suspension arrière	indépendante, bras inégaux
Freins avant / arrière	disque / disque
Direction	à crémaillère, assistée
Diamètre de braquage	11,5 m
Pneus avant / arrière	P235/40ZR19 / P275/35ZR19
Poids	1 800 kg
Capacité de remorquage	n.d.

COMPOSANTES MÉCANIQUES

DB9, DB9 Volante	
Cylindrée, soupapes, alim.	V12 6,0 litres 48 s atmos.
Puissance / Couple	470 chevaux / 443 lb-pi
Tr. base (opt) / rouage base (opt)	M6 (A6) / Prop
0-100 / 80-120 / 100-0 km/h	4,8 s / 4,3 s / 37,0 m
Type ess. / ville / autoroute	Super / 18,9 / 11,7 l/100 km

DBS, DBS Volante	
Cylindrée, soupapes, alim.	V12 6,0 litres 48 s atmos.
Puissance / Couple	510 chevaux / 420 lb-pi
Tr. base (opt) / rouage base (opt)	M6 (A6) / Prop
0-100 / 80-120 / 100-0 km/h	4,3 s / 4,0 s / 37,0 m
Type ess. / ville / autoroute	Super / 18,1 / 11,2 l/100 km

One-77	
Cylindrée, soupapes, alim.	V12 7,3 litres 48 s atmos.
Puissance / Couple	760 chevaux / 553 lb-pi
Tr. base (opt) / rouage base (opt)	A6 / Prop
0-100 / 80-120 / 100-0 km/h	3,7 s / 3,0 s (est) / 34,0 m (est)
Type ess. / ville / autoroute	Super / n.d.

- Moteurs V12
- Habitacle luxueux
- Silhouette classique
- Grande routière
- Accélérations impressionnantes

- Consommation très élevée
- Fiabilité presque illusoire
- Visibilité arrière
- Coffre minuscule

DU NOUVEAU EN 2012

Aucun changement majeur

http://www.astonmartin.com/

Plus d'informations dans la section statistiques en dernière partie du Guide

ATTRACTION TOTALE

La Rapide d'Aston Martin fait la preuve qu'il est possible d'éprouver un vrai coup de foudre pour une voiture. Élaborée sur la plateforme VH qui sert également de base aux DB9, DBS et Vantage, la Rapide fait plus de cinq mètres de long et presque deux mètres de large. Malgré son étonnant gabarit, elle réussit quand même à séduire par sa grande élégance. Avec ce modèle, Aston Martin a gagné son pari de concevoir une berline aussi belle qu'un coupé.

Lorsqu'il est question de style, les designers d'Aston Martin pourraient donner des leçons à ceux de Porsche. C'est que la Rapide est nettement mieux réussie que la Panamera, qui s'inscrit pourtant dans le même créneau, soit celui des voitures de Grand Tourisme. Chez la marque britannique, la transition d'un coupé vers une berline a été accomplie avec brio, alors que la filiation entre la 911 Carrera et la Panamera s'est avérée nettement moins heureuse chez le constructeur allemand. Avec la Rapide, la séduction passe non seulement par une silhouette très stylée, mais également par une foule de détails qui contribuent à l'opération charme. On pense notamment à la grille de calandre qui rappelle les anciennes DB5 ou encore à la signature visuelle des phares très effilés, qui donnent une image très dynamique à la voiture. La Rapide n'est pas la première berline de l'histoire de la marque, puisqu'elle a été précédée par la Lagonda, produite entre 1976 et 1989. Mais cette dernière, dont les lignes étaient taillées au couteau, ne possédait rien de l'élégance de l'actuelle Rapide, qui ne manque pas de faire tourner les têtes sur son passage.

LUXE ASSURÉ ET ERGONOMIE DÉFAILLANTE

Avec ses appliqués de noyer et sa sellerie de cuir, c'est un habitacle à la fois cossu et intimiste qu'offre la Rapide. Bien qu'il s'agisse d'une berline, les places arrière n'offrent toutefois pas assez de dégagement pour être confortables et exigent de véritables contorsions de la part des passagers. Au chapitre de l'habitabilité ainsi que de l'espace cargo, la Panamera, qui est pourtant plus courte que la Rapide, demeure supérieure à l'Anglaise, dont la capacité du coffre n'est que de 317 litres.

CONCURRENTS
Jaguar XJ,
Maserati Quattroporte,
Mercedes-Benz Classe CLS,
Porsche Panamera,
Ferrari FF

IMPRESSIONS DE L'AUTEUR		
Agrément de conduite :	■■■■□	4 / 5
Fiabilité :	■■■□□	3 / 5
Sécurité :	■■■■□	4 / 5
Qualités hivernales :	■■□□□	2 / 5
Espace intérieur :	■■□□□	2 / 5
Confort :	■■■■□	4 / 5

Malgré le soin évident apporté à la réalisation de l'intérieur et au choix de matériaux de qualité, certains éléments n'ont carrément pas leur place dans une voiture de ce prix, comme le volant noir dépourvu de style ou encore les boutons de commande empruntés au catalogue de pièces de Ford. De plus, l'ergonomie

est sérieusement défaillante, puisque le contrôleur, qui est localisé sur la console centrale et qui tombe naturellement sous la main, ne commande que les sièges chauffants et la climatisation. Et comme il s'agit ici d'une voiture de grand luxe, on ne peut que remarquer l'absence criante d'un système de télématique. On se demande également pourquoi l'écran du système de navigation, qui dépare complètement l'intérieur lorsqu'il s'élève de la planche de bord, est aussi illisible.

UN V12 ENVOÛTANT

L'as dans la manche de la Rapide, c'est la sonorité évocatrice de son V12 fait d'aluminium. Celui-ci livre 470 chevaux et prend absolument tout l'espace disponible sous le capot. La signature vocale de la Rapide est à ce point présente qu'elle provoque des frissons lorsque le tachymètre atteint la limite de révolutions de 6500 tours/minute, provoquant ainsi l'entrée en action du rupteur. Voilà qui risque de surprendre certains conducteurs, car la zone rouge ne figure pas sur le cadran… Au chapitre des performances, la Rapide concède une trentaine de chevaux à la Panamera Turbo et elle n'est équipée que d'une boîte automatique à six rapports dont les paliers de commande sont fixés sur la colonne de direction. Quant à la Porsche, elle dispose d'une boîte à double embrayage qui compte sept vitesses. Cette dernière est nettement plus efficace, ce qui donne un avantage à l'Allemande en accélération comme en reprise. Toutefois, le son plus étouffé du V8 turbo de la Panamera est beaucoup moins expressif que le chant du V12 de l'Aston Martin, qui nous donne l'impression que la voiture est plus puissante et plus véloce qu'elle ne l'est réellement.

Dans les virages, la Rapide est très à l'aise malgré son poids élevé. C'est en partie grâce à la répartition optimale des masses. Parce que la boîte de vitesse est accolée à l'essieu arrière plutôt qu'au moteur, le poids a pu être réparti de façon égale entre le train avant et le train arrière. En conduite normale ou en ville, la Rapide est très agréable, mais le niveau de confort qu'elle offre est convenable, sans plus, en raison de la fermeté de ses suspensions. Aussi, les manoeuvres de stationnement ne sont pas des plus faciles à cause de la piètre visibilité vers l'arrière, particulièrement vers les ¾ arrière.

Avec son fabuleux V12 et sa silhouette à couper le souffle, la Rapide ne manque pas d'attributs pour séduire. Et comme la diffusion de ce modèle est très limitée, une certaine exclusivité est assurée à l'acheteur. La Porsche Panamera Turbo, concurrente directe de la Rapide, est plus performante et plus pratique, mais nettement moins réussie en ce qui a trait au style. À vous maintenant de décider quelles sont vos priorités en ce qui a trait aux voitures de Grand Tourisme.

Gabriel Gélinas

Photos : Aston Martin

ASTON MARTIN RAPIDE

Catégorie	Berline
Échelle de prix	223 100 $
Garanties	3 ans/illimité, 3 ans/illimité
Assemblage	Graz, Autriche
Cote d'assurance	n.d.

CHÂSSIS - BASE

Emp/lon/lar/haut	2 989/5 019/2 140/1 360 mm
Coffre	317 à 886 litres
Réservoir	90 litres
Nombre coussins sécurité / ceintures	8 / 4
Suspension avant	indépendante, double triangulation
Suspension arrière	indépendante, double triangulation
Freins avant / arrière	disque / disque
Direction	à crémaillère, ass. variable
Diamètre de braquage	n.d.
Pneus avant / arrière	245/40ZR20 / 295/35ZR20
Poids	1 990 kg
Capacité de remorquage	n.d.

COMPOSANTES MÉCANIQUES

Base	
Cylindrée, soupapes, alim.	V12 6,0 litres 48 s atmos.
Puissance / Couple	470 chevaux / 443 lb-pi
Tr. base (opt) / rouage base (opt)	A6 / Prop
0-100 / 80-120 / 100-0 km/h	4,3 s / 3,2 s / n.d.
Type ess. / ville / autoroute	Super / 16,8 / 10,4 l/100 km

FEU VERT

- Très grande élégance
- Moteur V12 performant
- Sonorité évocatrice
- Bonne tenue de route
- Répartition optimale des masses

FEU ROUGE

- Prix très élevé
- Habitabilité très limitée
- Visibilité 3/4 arrière
- Fiabilité aléatoire

DU NOUVEAU EN 2012

Aucun changement majeur

http://www.astonmartin.com/

Plus d'informations dans la section statistiques en dernière partie du Guide

TOUJOURS PLUS VITE

Le Vantage a été présenté au public pour la première fois au Salon de l'auto de Genève 2005 en tant que modèle 2006. Il s'agit du modèle le plus sportif de cette prestigieuse marque britannique. Une de ses principales caractéristiques mécaniques était l'utilisation de la plate-forme VH faisant appel à des pièces en aluminium extrudé sur lequel sont collés des panneaux en aluminium. Cette plate-forme est utilisée également de nos jours par les versions DBS et Rapide. Et l'ajout d'autres modèles cette année permet au Vantage d'être le coq de la famille.

Parlant de famille, le Vantage est offert en de multiples configurations. Il y a d'abord le coupé et le cabriolet dotés du moteur V8 de 420 chevaux. Si cette puissance ne vous satisfait pas, il y a la version à moteur V12 de 510 chevaux. L'an dernier, on introduisait le modèle N420 pour célébrer la participation d'Aston Martin aux 24 Heures du Nürburgring. Puis, tout récemment, on a ajouté les versions S Coupe et S Cabriolet. Le Vantage est le modèle le plus sportif de cette marque. Il est le plus court et celui doté de l'empattement le plus réduit de tous les modèles Aston Martin. Ces dimensions relativement modestes ajoutent à son agilité, à sa performance et à sa tenue de route.

LES S ONT UNE CIBLE PRÉCISE

Bien que leur plate-forme en aluminium soit similaire au modèle régulier du coupé et du roadster, les modèles S connaissent de multiples améliorations afin d'améliorer leur comportement routier et leurs performances. Sous le capot, on retrouve une version plus puissante du moteur V8 de 4,7 litres. Ce moteur bénéficie d'un système d'admission d'air réglable, d'une cartographie de l'allumage plus agressif et de la possibilité d'utiliser de l'essence à indice d'octane plus élevé. Cela permet d'obtenir une puissance de

CONCURRENTS
Audi R8, BMW Série 6,
Chevrolet Corvette, Ferrari California,
Jaguar XK, Lamborghini Gallardo,
Maserati Gran Turismo,
Mercedes-Benz Classe SL,
Nissan GT-R, Porsche 911

IMPRESSIONS DE L'AUTEUR	
Agrément de conduite :	4 / 5
Fiabilité :	3 / 5
Sécurité :	4 / 5
Qualités hivernales :	2 / 5
Espace intérieur :	3 / 5
Confort :	3.5 / 5

430 chevaux, soit 10 de plus que sur la version N420. Cette cavalerie permet de boucler le 0-100 km/h en 4,7 secondes.

Ce moteur est associé à une nouvelle transmission : la boîte à sept rapports Sportshift II. Cette boîte placée à l'arrière est une transmission automatisée à simple embrayage. Elle permet d'obtenir une mécanique plus légère, tout en profitant des passages de rapports très rapides. Cette transmission peut être gérée à l'aide de palettes montées sur le volant. Soulignons au passage que cette boîte de vitesses n'est pas refroidie par l'intermédiaire d'un radiateur d'huile, mais par air, ce qui permet de sauver du poids.

Toujours au chapitre de la mécanique, plusieurs autres améliorations ont été apportées à ce modèle S. Le système d'échappement est plus performant, les freins sont plus puissants tandis que le système de stabilité latérale est plus sophistiqué. En outre, ce modèle est le premier chez Aston Martin à proposer le système d'assistance de départ en côte. Bien entendu, les stylistes ont apporté quelques modifications à la présentation intérieure et extérieure pour que le coupé S et le roadster S puissent se différencier des autres modèles.

Il est bien évident que le S cible la Porsche 911. Sur une piste, cette Britannique offre un équilibre surprenant dans les virages, tout en étant très neutre et très facile à contrôler. De plus, les performances du moteur sont dignes de mention. Toutefois, il faut déplorer une lacune d'importance sur ce modèle : cette transmission Sportshift II que l'on dit améliorée et qui propose des passages de vitesse plus rapides que précédemment. Malheureusement, cette boîte de vitesses à simple embrayage n'est pas à la hauteur des modèles à embrayage double qu'offrent plusieurs de ses concurrents directs, notamment la Porsche 911. En conduite normale, cette faiblesse n'est pas perceptible, mais comme cette voiture s'adresse à des propriétaires sportifs qui utiliseront certainement cette voiture sur une piste, cela risque de déplaire.

ET LE V12 ?

Le Vantage n'est pas seulement le modèle le plus petit chez Aston Martin, il peut également se targuer d'être la voiture sportive de plus petite dimension au monde à accueillir un moteur V12 (celui de la DBS) sous son capot. Inutile de dire que l'espace est plus que minime pour insérer un moteur de cette dimension. Pour ce faire, les ingénieurs ont dû modifier le système de lubrification et de refroidissement tout en utilisant un alternateur de plus petite dimension.

Avec le rapport poids/puissance favorisant le Vantage à moteur V12 par rapport à la DBS, ses accélérations sont plus rapides. De plus, le V12 a pour effet de dynamiser le comportement de cette voiture. Le couple très élevé de ce moteur permet d'obtenir des sensations fortes. Par contre, il y a toujours un petit quelque chose qui irrite à l'usage. C'est ainsi que le pédalier ne favorise pas le pointe-talon, ce qui est dommage puisque la boîte de vitesses est une transmission manuelle en provenance de Graziano, un fournisseur italien. Cette boîte propose des passages de vitesse rapide et précis. Il est donc malheureux que le pilote ne puisse faire un meilleur usage du pédalier. Par contre, une bonne note aux freins en céramique de carbone. Somme toute, même si les différentes moutures du Vantage ont toutes quelque chose à se faire pardonner, leur silhouette est tellement élégante qu'elles sont tout excusées.

Jean Léon

Photos : Aston Martin

Catégorie	Coupé, Roadster
Échelle de prix	137 495 $ à 183 000 $ (2011)
Garanties	3 ans/illimité, 3 ans/illimité
Assemblage	Newport Pagnell, Angleterre
Cote d'assurance	n.d.

CHÂSSIS - GT COUPÉ

Emp/lon/lar/haut	2 600/4 380/1 865/1 241 mm
Coffre	300 litres
Réservoir	80 litres
Nombre coussins sécurité / ceintures	4 / 2
Suspension avant	indépendante, double triangulation
Suspension arrière	indépendante, double triangulation
Freins avant / arrière	disque / disque
Direction	à crémaillère, assistée
Diamètre de braquage	11,1 m
Pneus avant / arrière	P255/35ZR19 / P295/30ZR19
Poids	1 680 kg
Capacité de remorquage	non recommandé

COMPOSANTES MÉCANIQUES

V8 Coupé , V8 Roadster

Cylindrée, soupapes, alim.	V8 4,7 litres 32 s atmos.
Puissance / Couple	420 chevaux / 346 lb-pi
Tr. base (opt) / rouage base (opt)	M6 (Séquentielle) / Prop
0-100 / 80-120 / 100-0 km/h	5,0 s / 4,5 s / 39,0 m
Type ess. / ville / autoroute	Super / 16,3 / 10,4 l/100 km

V8 S

Cylindrée, soupapes, alim.	V8 4,7 litres 32 s atmos.
Puissance / Couple	430 chevaux / 361 lb-pi
Tr. base (opt) / rouage base (opt)	A7 / Prop
0-100 / 80-120 / 100-0 km/h	4,8 (est) / 4,1 (est) / n.d.
Type ess. / ville / autoroute	Super /n.d.

V12 Coupé

Cylindrée, soupapes, alim.	V12 6,0 litres 48 s atmos.
Puissance / Couple	510 chevaux / 420 lb-pi
Tr. base (opt) / rouage base (opt)	M6 / Prop
0-100 / 80-120 / 100-0 km/h	4,2 s / 3,8 s / 39,0 m
Type ess. / ville / autoroute	Super / 19,1 / 12,1 l/100 km

FEU VERT

- Silhouette superbe
- Exclusivité assurée
- Sonorité envoûtante
- Disponibilité du V12
- Versions S

FEU ROUGE

- Fiabilité aléatoire
- Poids élevé
- Visibilité vers l'arrière
- Certains détails d'aménagement à revoir

DU NOUVEAU EN 2012

Addition de la V8 Vantage S

http://www.astonmartin.com/

Plus d'informations dans la section statistiques en dernière partie du Guide

LE LUXE, VERSION COMPACTE

Alors que sur le Vieux Continent, le titre de cadette de la marque Audi revient à la petite A1, chez nous, c'est la A3, la petite de la famille. Non sans caractère, cette voiture se décline plusieurs modèles: le cinq portes à traction, la traction intégrale avec un moteur turbocompressé à essence, ou encore la traction doublée d'un puissant moteur turbo-diésel. Et toutes ces variantes proposent beaucoup de luxe… en un format compact.

CONCURRENTS
Mercedes-Benz Classe B,
MINI Cooper,
Volvo C30

IMPRESSIONS DE L'AUTEUR		
Agrément de conduite:	■■■■□	4/5
Fiabilité:	■■■□□	3/5
Sécurité:	■■■■■	5/5
Qualités hivernales:	■■■■■	5/5
Espace intérieur:	■■■□□	3/5
Confort:	■■■□□	3/5

Essentiellement européen, le concept d'une voiture de luxe de petite dimension a tout de même fait nombre d'adeptes chez nous. C'est que l'idée d'une voiture de petite taille à la fois performante, confortable, bien équipée et économique a commencé à faire son chemin. Ce rôle de composition, la A3 le joue très bien avec son allure d'une sobriété toute germanique et son assemblage soigné. Même si elle a été élaborée sur la même plateforme que la Volkswagen Golf, peu de parallèles peuvent être faits entre les deux voitures, mis à part les dimensions compactes. Le souci du détail se transpose aussi à l'intérieur où la qualité de finition — excellente, il va sans dire — est égale à celle des autres modèles de la marque. Les sièges avant sont à la fois fermes et confortables, bien que l'espace accordé aux passagers prenant place à l'arrière se révèle plutôt limité. Il saura convenir à de jeunes enfants, mais pas vraiment à des adultes, du moins pas pour un long trajet. Aussi, la ligne du toit et l'inclinaison de la lunette arrière font en sorte que le volume de l'espace cargo se limite à 370 litres lorsque les dossiers des places arrière sont en position. Heureusement, celui-ci peut être augmenté à plus de 1 500 litres en abaissant ces mêmes dossiers.

DIÉSEL À L'HONNEUR

C'est avec la A3 TDI à motorisation diésel que la marque allemande s'est méritée le titre de Green Car of the Year au Salon de l'Auto de Los Angeles en 2010. Et pour cause: avec sa consommation moyenne, chiffrée à l'essai au Québec, de 7,0 litres aux 100 kilomètres et son autonomie de près de 1 000 kilomètres sur un seul plein, cette version de la A3 impressionne par sa frugalité. Mieux encore, cette économie ne se fait pas au prix de performances dénuées d'intérêt, bien au contraire. Le quatre cylindres de 2,0 litres turbo-diésel, qui ne développe que 140 chevaux, livre pourtant un impressionnant couple de 236 lb-pi, une donnée supérieure à celle obtenue par le moteur à essence. L'accélération initiale n'est donc pas des plus foudroyantes, mais les reprises le

Catégorie	Familiale
Échelle de prix	32 300$ à 39 950$ (2011)
Garanties	4 ans/80 000 km, 4 ans/80 000 km
Assemblage	Ingolstadt, Allemagne
Cote d'assurance	n.d.

sont, grâce au couple toujours généreux. Pour ce qui est du confort, notons toutefois que le bruit du moteur est nettement plus présent que dans la version avec moteur à essence. De plus, il est malheureusement impossible d'associer le rouage intégral à la motorisation diésel, cette version de la A3 ne pouvant être équipée que de la simple traction.

Le choix du rouage intégral signifie automatiquement la sélection du moteur quatre cylindres turbocompressé à essence, qui équipe également la A4 et le Q5. Primé à plusieurs reprises par le magazine spécialisé Ward's Auto World comme étant l'un des dix meilleurs moteurs de toute l'industrie, ce 2,0 litres turbocompressé développe une puissance plus qu'adéquate dans le cas de la A3, ce qui bonifie l'agrément de conduite de cette familiale. De plus, le châssis de la A3 fait preuve d'une grande rigidité et comme sa direction est très précise, l'agrément de conduite est au rendez-vous. La suspension s'avère parfois ferme lors de la conduite sur les routes dégradées et les pneus à taille basse n'aident pas la cause de la A3 dans ces conditions particulières. Toutefois, la tenue de route demeure bonne, surtout dans le cas des modèles équipés du rouage intégral, qui présentent un avantage évident compte tenu des rigueurs de notre climat.

DANS LA BOULE DE CRISTAL

La Audi A3 sera entièrement redessinée pour l'année-modèle 2013. Et si on se fie aux dévoilements successifs de la A3 concept du Salon de Genève en mars 2011 et de la A3 e-tron concept à motorisation hybride présentée au Salon de Shanghai un mois plus tard, tout porte à croire qu'une berline conventionnelle sera ajoutée à la gamme. Et comme ces deux concepts de la A3 sont aux antipodes l'un de l'autre, il y a fort à parier que c'est un éventail complet de motorisations qui sera proposé dans le cas de la prochaine Audi de taille compacte et qu'une motorisation hybride s'ajoutera aux moteurs thermiques à essence et au diésel.

La A3 concept présentée au Salon de Genève était animée par un puissant cinq cylindres turbocompressé développant 408 chevaux emprunté à la Audi TT RS, alors que la A3 e-tron concept adoptait un moteur quatre cylindres turbocompressé de 1,4 litres et de 201 chevaux jumelé à un moteur électrique développant 20 kilowatts, soit environ 27 chevaux. Pour ce qui est de la télématique, le système TouchPad, développé pour la grande berline de luxe A8, devrait se retrouver jumelé avec le système MMI (Multi Media Interface) de la Audi A3 au cours de la refonte. On s'attend à ce que le modèle de série de la prochaine A3, sous forme de berline ou de hatchback — ou peut-être les deux —, soit dévoilé en première mondiale au Salon de Genève en mars 2012. À voir !

Gabriel Gélinas

Photos : Audi

CHÂSSIS - 2.0T PREMIUM QUATTRO

Emp/lon/lar/haut	2 578/4 292/1 765/1 423 mm
Coffre	370 à 1 104 litres
Réservoir	55 litres
Nombre coussins sécurité / ceintures	6 / 5
Suspension avant	indépendante, jambes de force
Suspension arrière	indépendante, multibras
Freins avant / arrière	disque / disque
Direction	à crémaillère, ass. variable électronique
Diamètre de braquage	10,7 m
Pneus avant / arrière	P225/45R17 / P225/45R17
Poids	1 510 kg
Capacité de remorquage	n.d.

COMPOSANTES MÉCANIQUES

2.0 TDI	
Cylindrée, soupapes, alim.	4L 2,0 litres 16 s turbo
Puissance / Couple	140 chevaux / 236 lb-pi
Tr. base (opt) / rouage base (opt)	A6 / Tr
0-100 / 80-120 / 100-0 km/h	9,8 s / 7,2 s / 37,5 m
Type ess. / ville / autoroute	Diesel / 6,7 / 4,6 l/100 km

2.0T	
Cylindrée, soupapes, alim.	4L 2,0 litres 16 s turbo
Puissance / Couple	200 chevaux / 207 lb-pi
Tr. base (opt) / rouage base (opt)	M6 (A6) / Tr (Int)
0-100 / 80-120 / 100-0 km/h	7,0 s / 6,4 s / 37,5 m
Type ess. / ville / autoroute	Super / 9,6 / 7,5 l/100 km

FEU VERT

- Rouage intégral performant
- Qualité de finition
- Disponibilité du moteur diésel
- Silhouette élégante

FEU ROUGE

- Volume d'espace intérieur restreint
- Suspensions fermes
- Coûts d'entretien
- Coûts des options

DU NOUVEAU EN 2012

Aucun changement majeur. Nouvelle génération à venir.

http://www.audi.ca/

Plus d'informations dans la section statistiques en dernière partie du Guide

PLUS QU'UN PRIX DE CONSOLATION

Audi renouvelle sa gamme comme un bon joueur d'échecs. Chaque coup est calculé et annonce souvent le prochain. Prenez la série A4, entièrement et sérieusement remodelée il y a trois ans. Elle fut la première à porter les éléments de style qu'ont repris depuis les séries A8 et A6: une architecture nouvelle qui bonifie l'équilibre des masses, le comportement et l'habitabilité. La S4 a été la suivante à profiter de ce vent de renouveau. Cette dernière est perçue comme celle qui doit défendre l'honneur de la série la plus populaire de la marque d'Ingolstadt chez les berlines sportives. Et vous savez quoi? Elle s'en tire plutôt bien.

CONCURRENTS
Acura TL, Acura TSX, BMW Série 3, Cadillac CTS, Infiniti G, Lexus IS, Mercedes-Benz Classe C, Volvo S60

IMPRESSIONS DE L'AUTEUR	
Agrément de conduite:	4/5
Fiabilité:	4/5
Sécurité:	4.5/5
Qualités hivernales:	4.5/5
Espace intérieur:	3.5/5
Confort:	4/5

La clé du comportement transformé des A4 et S4 tient aux 117 mm que leur carrosserie a gagnés en longueur, mais aussi à un empattement qui s'est allongé de 160 mm par rapport à leurs devancières. Ces changements visaient à déplacer vers l'avant la ligne de l'essieu et à réduire le porte-à-faux pendant qu'on poussait le moteur le plus loin possible vers l'arrière. Jusque-là, l'implantation longitudinale du moteur qui facilite l'ajout du rouage quattro avait placé trop de poids sur les roues avant ce qui les portait depuis toujours à trop sous-virer.

Ces A4 et S4 plus équilibrées ont permis aux ingénieurs de partir de bases beaucoup plus saines pour raffiner le comportement. Il ne faut rien de moins quand la rivale la plus redoutable est la Série 3 de BMW, référence incontestée en la matière.

FINESSE ET DISCRÉTION

La carrosserie des nouvelles A4 et S4 est également un peu plus large, tout comme l'espacement des roues. Plus longues et plus larges de partout, pour une hauteur égale, pas étonnant qu'elles semblent plus profilées et mieux campées sur leurs roues, surtout que les stylistes ont souligné ces transformations en sculptant une mince nervure sur toute la longueur de la carrosserie, en accentuant les bas de caisse et en installant des phares et des feux arrières plus étroits, larges et finement dessinés. L'ensemble n'a rien de percutant ou de révolutionnaire, mais les A4 et S4 sont certainement élégantes et modernes.

En ouvrant les portières, on accède à un espace où Audi ne craint aucune rivale. Les A4 et S4 n'y font pas exception, même si leur habitacle n'a pas l'opulence de celui des grandes A8. La qualité des

Catégorie	Cabriolet, Coupé
Échelle de prix	46 200 $ à 85 000 $ (2011)
Garanties	4 ans/80 000 km, 4 ans/80 000 km
Assemblage	Ingolstadt, Allemagne
Cote d'assurance	n.d.

matériaux, leur texture et leur agencement sont du meilleur calibre. Seul un petit bruit entendu au tableau de bord d'une S4 nous a rappelé que la perfection trouve toujours le moyen de se défiler. Le cuir du volant est juste assez lisse, on trouve des moulures d'aluminium et des boutons métalliques là où il faut, et lorsqu'Audi ajoute des moulures en fibre de carbone comme dans la S4, elles sont minces et discrètes. La classe, c'est ça. Le bilan est plus mitigé en matière d'ergonomie. La position de conduite et les commandes principales sont irréprochables et les cadrans et tous les affichages d'une clarté remarquable. C'est au niveau des contrôles de la climatisation, de la sono et de l'interface de contrôle centrale que ça se gâte. Le réglage de la force de ventilation, par exemple, se fait en deux étapes et il faut quitter la route des yeux pour repérer la bonne touche avant de faire tourner la molette. Même combat pour la plupart des fonctions contrôlées par les boutons sur la console et la portion centrale du tableau de bord.

APLOMB CROISSANT

Dès notre premier essai de la nouvelle A4 nous avions remarqué de nets progrès en finesse, en équilibre et en agilité. Et comme toujours dans cette série, les gains se précisent avec les suspensions «sport» et des pneus plus mordants. C'est encore plus vrai dans le cas de la S4, sans compter qu'on peut la doter du différentiel arrière sport, qui permet à son rouage intégral quattro d'acheminer plus de couple à la roue arrière extérieure pour effacer virtuellement tout sous-virage. La direction n'a pas les qualités tactiles de celle d'une Série 3, mais on en vient vite à goûter ses réactions franches et directes qui rendent la conduite sportive plus physique. Le muscle, le caractère tranché et la belle sonorité du V6 compressé ne font qu'ajouter à ses vertus sportives, surtout qu'il est servi admirablement par une boîte S-tronic qui passe les rapports instantanément.

Chose certaine, la S4 n'est plus le prix de consolation qu'était l'ancienne, dans l'ombre de la RS4. Elle peut même chatouiller les BMW M3 et Mercedes-Benz C 63 AMG. Elle est moins puissante, mais elle est également moins cher et pas loin du tout au chrono. Nous avons mesuré un 0-100 km/h de 5,16 secondes dans une S4 dotée de la boîte S-Tronic — sans mode «départ assisté» —, alors qu'un coupé M3 à moteur V8 de 414 chevaux, doté lui aussi d'une boîte à double embrayage automatisé, s'est exécuté en 4,8 secondes avec un mode «départ-canon». La marge est encore plus mince avec la C63, qui a ramené un chrono de 5,05 secondes avec son V8 de 453 chevaux et sa boîte automatique. Et la S4 possède sur ce tandem l'avantage marqué d'un rouage intégral de pointe. On peut donc espérer la venue d'une nouvelle RS4 ou savourer dès maintenant cette S4 étonnante et attachante, qu'on apprécie de plus en plus au fil des kilomètres.

Marc Lachapelle

Photos : Marc Lachapelle

CHÂSSIS - S5 4.2 PREMIUM QUATTRO	
Emp/lon/lar/haut	2 751/4 625/1 981/1 372 mm
Coffre	340 litres
Réservoir	64 litres
Nombre coussins sécurité / ceintures	6 / 5
Suspension avant	indépendante, multibras
Suspension arrière	indépendante, multibras
Freins avant / arrière	disque / disque
Direction	à crémaillère, assistée
Diamètre de braquage	11,4 m
Pneus avant / arrière	P255/35R19 / P255/35R19
Poids	1 565 kg
Capacité de remorquage	n.d.

COMPOSANTES MÉCANIQUES	
2.0T	
Cylindrée, soupapes, alim.	4L 2,0 litres 16 s turbo
Puissance / Couple	211 chevaux / 258 lb-pi
Tr. base (opt) / rouage base (opt)	M6 (A8) / Int
0-100 / 80-120 / 100-0 km/h	8,5 s / 6,2 s / 41,6 m
Type ess. / ville / autoroute	Super / 10,1 / 7,5 l/100 km
S5	
Cylindrée, soupapes, alim.	V6 3,0 litres 16 s surcomp.
Puissance / Couple	333 chevaux / 325 lb-pi
Tr. base (opt) / rouage base (opt)	A7 / Int
0-100 / 80-120 / 100-0 km/h	5,6 s / 4,0 s / 38,5 m
Type ess. / ville / autoroute	Super / 12,9 / 8,1 l/100 km
RS5	
Cylindrée, soupapes, alim.	V8 4,2 litres 32 s atmos.
Puissance / Couple	450 chevaux / 317 lb-pi
Tr. base (opt) / rouage base (opt)	A7 / Int
0-100 / 80-120 / 100-0 km/h	4,6 s / 3,5 s (est) / n.d.
Type ess. / ville / autoroute	Super / n.d.

FEU VERT

- Performances et tenue de route solides (S4)
- Finition de l'habitacle toujours exemplaire
- Excellente position de conduite
- Choix de modèles équilibré

FEU ROUGE

- Certains réglages inutilement complexes
- Contrôles de climatisation trop fragmentés
- Système de navigation rébarbatif
- Sensible au vent (S4)

DU NOUVEAU EN 2012

Aucun changement majeur

http://www.audi.ca/

Plus d'informations dans la section statistiques en dernière partie du Guide

PERFORMANCE ET ÉLÉGANCE

La Audi A5 est l'une des plus belles et des plus élégantes voitures sur nos routes. Le coupé a été décrit comme une réussite en fait de design, tandis que sa version cabriolet est l'une des plus jolies sur le marché. Mais il faut plus qu'une jolie silhouette pour expliquer le succès de ces voitures.

En effet, la beauté aide à faire vendre des autos, mais il faut également que celles-ci soient équilibrées et que leurs performances soient à la hauteur de la concurrence, tout au moins.

LE CABRIOLET D'ABORD

Chez la plupart des constructeurs, un modèle, qu'il soit coupé ou cabriolet, offre un choix d'un ou deux moteurs, tout au plus. Dans le cas de la A5, c'est presque du cousu main alors que chaque version, ou presque, a son groupe propulseur distinct. Le cabriolet par exemple propose, dans sa version de base, l'incontournable moteur 2,0 litres TFSI associé à une boîte automatique Tiptronic à huit rapports. Le rouage sur tous les modèles de la A5 est de type Quattro. Si vous choisissez le cabriolet S5, c'est un moteur V6 3,0 litres TFSI couplé à la fameuse boîte à double embrayage S-Tronic à sept rapports. Dans les deux cas, l'équilibre est difficile à critiquer. La A5 cabrio propose de bonnes accélérations, tout en bénéficiant d'une économie de carburant raisonnable. Comme son nom l'indique, la S5 sera le choix des conducteurs plus sportifs et ce moteur 3,0 litres est impressionnant. En fait de performances, l'A5 Cabriolet boucle le 0-100 km/en 6,9 secondes tandis que la S5 réalise le même exercice en 5,6 secondes. Au chapitre du carburant, la A5 propose une consommation moyenne de 8,7 l/100 km, tandis que la S5, pour sa part, en consomme 1,5 de plus pour chaque tranche de 100 km parcourus.

CONCURRENTS

BMW Série 3,
Infiniti G,
Mercedes-Benz Classe E

IMPRESSIONS DE L'AUTEUR		
Agrément de conduite :	■■■■	4/5
Fiabilité :	■■■▌	3.5/5
Sécurité :	■■■■	4/5
Qualités hivernales :	■■■■▌	4.5/5
Espace intérieur :	■■■▌	3.5/5
Confort :	■■■■	4/5

Les formes équilibrées de ce cabriolet lui ont permis de ne pas souffrir de l'ablation du toit rigide. Elle est plus aguichante une fois le toit souple baissé, mais elle n'est pas handicapée par la présence de celui-ci. Et chez Audi, on se dit fier et heureux d'avoir résisté à l'envie de nous proposer un toit rigide se repliant dans le coffre. On nous souligne que la tradition Audi exige un toit souple, non sans insister sur le fait que cette décapotable possède l'un des coffres les plus spacieux de la catégorie, même un fois la capote repliée. Toujours en ce qui a trait au caractère pratique de cette configuration, le dossier de la banquette arrière de type 50/50 se rabat pour faire plus de place. Cela permet de transporter des objets pouvant

Catégorie	Cabriolet, Coupé
Échelle de prix	46 200 $ à 85 000 $ (2011)
Garanties	4 ans/80 000 km, 4 ans/80 000 km
Assemblage	Ingolstadt, Allemagne
Cote d'assurance	n.d.

être long de 1,76 m. Comme il se doit sur toute Audi qui se respecte, l'habitacle est de niveau supérieur. La qualité de la finition, des matériaux et du design permet à ce constructeur de demeurer en tête de la catégorie à ce niveau. Les places avant sont spacieuses et confortables, tandis que la banquette arrière peut accommoder deux adultes de taille moyenne dans un confort relatif. Lorsque les places arrière ne sont pas occupées, il est recommandé d'utiliser le dispositif anti-turbulence qui permet de diminuer le tourbillonnement de l'air dans l'habitacle et de réduire presque à néant les bruits éoliens.

ET LE COUPÉ ?

Ce modèle n'a rien perdu de son élégance et de son agrément de conduite. Le modèle de base est propulsé par le quatre cylindres 2,0 litres TFSI qui peut être commandé cette fois avec une boîte manuelle à six rapports ou avec l'automatique Tiptronic offrant le même nombre de vitesses. Ces transmissions sont également disponibles sur la S5 qui est propulsée par le moteur V8 de 4,2 litres d'une puissance de 450 chevaux.

Comme sur toutes les autres Audi, la console centrale est agrémentée de la manette de commande MMI qui permet de gérer différentes fonctions de réglage en plus de commander le système de navigation par satellite. Ce mécanisme est sans doute le plus intuitif de tous ceux offerts sur le marché présentement.

Peu importe le modèle, la plate-forme est très rigide et on ne remarque aucune vibration du capot avant (*cowl shake*) sur le cabriolet, alors que le coupé est solide comme un bloc de marbre. Sur le plan de la tenue de route, aussi bien l'A5 que la S5 ont d'excellentes manières. Par contre, dans les virages serrés, nous avons observé un certain manque d'agilité, tout simplement parce que le leur gabarit est tout de même assez imposant. Il s'agit de voitures intermédiaires, ne l'oublions pas.

Il est possible de commander le système de réglage du comportement. Le système Audi Drive Select permet au conducteur de varier dans trois plages d'utilisations différentes — ces modes sont nommés « Comfort », « Auto » et « Dynamic » — la caractéristique de l'admission des gaz, les points de passage des rapports de la boîte S Tronic à sept rapports et l'assistance de la direction Servotronic. Le cas échéant, le système de commande MMI fournit un quatrième niveau librement programmable. La régulation adaptative des amortisseurs et la direction dynamique à démultiplication variable sont également proposées.

Coupé ou cabriolet, les A5 et S5 sont des voitures d'excellence et l'arrivée du fabuleux coupé RS5 pourrait devenir réalité. Avec son V8 de 450 chevaux, les conducteurs sportifs seraient plus que comblés.

Denis Duquet

Photos: Audi

CHÂSSIS - S5 4.2 PREMIUM QUATTRO	
Emp/lon/lar/haut	2 751/4 625/1 981/1 372 mm
Coffre	340 litres
Réservoir	64 litres
Nombre coussins sécurité / ceintures	6 / 5
Suspension avant	indépendante, multibras
Suspension arrière	indépendante, multibras
Freins avant / arrière	disque / disque
Direction	à crémaillère, assistée
Diamètre de braquage	11,4 m
Pneus avant / arrière	P255/35R19 / P255/35R19
Poids	1 565 kg
Capacité de remorquage	n.d.

COMPOSANTES MÉCANIQUES	
2.0T	
Cylindrée, soupapes, alim.	4L 2,0 litres 16 s turbo
Puissance / Couple	211 chevaux / 258 lb-pi
Tr. base (opt) / rouage base (opt)	M6 (A8) / Int
0-100 / 80-120 / 100-0 km/h	8,5 s / 6,2 s / 41,6 m
Type ess. / ville / autoroute	Super / 10,1 / 7,5 l/100 km
S5	
Cylindrée, soupapes, alim.	V6 3,0 litres 16 s surcomp.
Puissance / Couple	333 chevaux / 325 lb-pi
Tr. base (opt) / rouage base (opt)	A7 / Int
0-100 / 80-120 / 100-0 km/h	5,6 s / 4,0 s / 38,5 m
Type ess. / ville / autoroute	Super / 12,9 / 8,1 l/100 km
RS5	
Cylindrée, soupapes, alim.	V8 4,2 litres 32 s atmos.
Puissance / Couple	450 chevaux / 317 lb-pi
Tr. base (opt) / rouage base (opt)	A7 / Int
0-100 / 80-120 / 100-0 km/h	4,6 s / 3,5 s (est) / n.d.
Type ess. / ville / autoroute	Super / n.d.

- Elégance des lignes
- Choix de moteurs
- Rouage Quattro impressionnant
- Excellente tenue de route
- Assemblage impeccable

- Visibilité arrière
- Prix corsés
- Groupes d'options onéreux
- Suspension ferme
- Certaines commandes déroutantes

DU NOUVEAU EN 2012

Aucun changement majeur. Modèle RS5 à venir.

http://www.audi.ca/

Plus d'informations dans la section statistiques en dernière partie du Guide

L'ÉLÈVE SAGE ET DOUÉE

La marque aux anneaux entrelacés lance cette année la septième génération de sa série A6, la berline intermédiaire qui occupe essentiellement le point central de sa gamme. Plus vive et agile, elle est truffée de systèmes et de technologies sous une carapace plus fine et moderne. Son habitacle hausse également à nouveau la barre en termes de qualité et de raffinement. Mais tout ça n'est que le prix d'entrée pour rivaliser avec les meilleures voitures de cette catégorie sélecte.

Avec ce pli qui court sur toute la longueur de sa carrosserie et les phares taillés au scalpel qui flanquent sa nouvelle calandre hexagonale, la nouvelle A6 paraît plus mince et fine. Un poil plus courte et basse mais plus large de 19 mm, sa voie avant a gagné 15 mm. Mais le changement le plus important est un empattement allongé de 79 mm qui réduit substantiellement le porte-à-faux puisque l'essieu s'est avancé d'autant. Ces modifications améliorent l'équilibre et le comportement de cette nouvelle A6 qui, vue de profil, semble aussi nettement plus féline et moins potelée que sa devancière.

CONCURRENTS
Acura RL, BMW Série 5, Infiniti M, Jaguar XF, Lexus GS, Lincoln MKS, Mercedes-Benz Classe E, Volvo S80

IMPRESSIONS DE L'AUTEUR	
Agrément de conduite :	4/5
Fiabilité :	NOUVEAU MODÈLE
Sécurité :	4.5/5
Qualités hivernales :	4.5/5
Espace intérieur :	4/5
Confort :	4/5

En utilisant généreusement l'aluminium, Audi a également réduit son poids total de quelque 80 kilos pour certaines versions. Ses ailes avant, portières, capot et couvercle de coffre sont désormais tous en aluminium, comme plusieurs composantes de la structure et de la suspension, sans parler du bloc et des culasses de ses moteurs.

BEAUTÉ INTÉRIEURE

Audi est reconnue pour la qualité inégalée de ses habitacles et celui de la nouvelle A6, qui partage plusieurs de ses éléments avec la grande berline A8, atteint des sommets inédits en termes de design et de raffinement. L'aspect et la texture des matériaux sont sans reproche et certains finis sont parfaitement uniques, surtout ces boiseries pâles à fines rayures dans certains modèles.

Audi a bossé pour rendre son interface de contrôle MMI plus intuitive et conviviale. La netteté et la lisibilité du texte et des images sont exceptionnelles sur les deux écrans offerts. Surtout avec le système optionnel qui combine les images de Google Earth et les données du système Navigation Plus, une fonction qui exige une connexion Internet par Bluetooth qui transforme la A6 en borne d'accès sans fil. Avec sa grosse molette et la galaxie de boutons qui l'entourent, l'interface MMI demeure malgré tout complexe et distrayante. Le démarrage sans clé et le volume audio sont placés à droite du sélecteur de vitesses.

Les sièges offrent un confort et un maintien impeccables. On se taille facilement une bonne position de conduite avec les réglages placés à la gauche du coussin. Sur les modèles les plus cossus, des réglages additionnels pour le maintien lombaire et latéral sont affichés à l'écran central et exigent une certaine habitude. Le volant gainé de cuir s'ajuste sur les deux axes, mais le réglage électrique est en option. Le coffre est vaste, avec un volume de 400 litres qui augmente sensiblement si on rabat les deux pans du dossier.

SURALIMENTATION INTÉGRALE

La première version à nous être offerte est la 3.0T quattro dont le V6 de 3,0 litres est suralimenté par compresseur. La motorisation s'enrichira ensuite d'un V6 diesel de 3,0 litres et d'une version traction 2.0T à moteur turbo. Audi prépare aussi une version hybride et une nouvelle mouture de la S6 qui sera sans doute pourvue d'un V8 de 4,0 litres à double turbo. Le V6 de la 3.0T produit 310 chevaux et 325 lb-pi de couple à seulement 2900 tr/min. Il est jumelé à une boîte automatique à 8 rapports qu'on a choisie pour la douceur de son convertisseur de couple. La 3.0T est seulement offerte avec la version la plus récente du rouage intégral quattro avec différentiel central à couronne et transfert de couple.

IN MEDIO STAT VIRTUS

La nouvelle A6 donne l'impression de conduire une voiture plus compacte. Son poids réduit et son empreinte plus longue et large ajoutent nettement à son agilité et sa stabilité. Nous avons aimé l'aplomb et les réactions vives d'une A6 équipée de la suspension « sport » optionnelle et de jantes de 20 pouces. Elle était également dotée du différentiel sport optionnel qui efface virtuellement tout sous-virage. Son roulement ferme, qui ne sera pas au goût de tous, suggère que la suspension et les jantes régulières marqueront un bon compromis. Quel que soit le modèle, la direction électromécanique est trop légère en mode « confort » et juste correcte en mode « dynamique ».

Le V6 compressé a du cœur et une belle sonorité mais espérons la venue rapide du V6 turbodiesel qui livre 245 chevaux et surtout 369 lb-pi de couple à seulement 1400 tr/min. Assez pour un 0-100 km/h en 6,1 secondes et une consommation de 6 l/100 km contre les 5,5 secondes et 8,2 l/100 km du 3,0 litres à essence.

Plus agile, légère et raffinée, la nouvelle A6 est bien armée pour affronter les ténors de cette catégorie d'élite. C'est une voiture bien conçue à laquelle il ne manque qu'une pincée de génie en conduite pour la rendre intouchable.

Marc Lachapelle

Photos: Sylvain Raymond

Catégorie	Berline
Échelle de prix	64 200 $ à 75 900 $ (2011)
Garanties	4 ans/80 000 km, 4 ans/80 000 km
Assemblage	Neckarsulm, Allemagne
Cote d'assurance	passable

CHÂSSIS - 3.0T BERLINE QUATTRO	
Emp/lon/lar/haut	2 912/4 925/2 086/1 468 mm
Coffre	400 litres
Réservoir	75 litres
Nombre coussins sécurité / ceintures	10 / 5
Suspension avant	indépendante, multibras
Suspension arrière	indépendante, multibras
Freins avant / arrière	disque / disque
Direction	à crémaillère, ass. variable électrique
Diamètre de braquage	11,9 m
Pneus avant / arrière	P225/55R17 / P225/55R17
Poids	1 839 kg
Capacité de remorquage	n.d.

COMPOSANTES MÉCANIQUES	
2.0T	
Cylindrée, soupapes, alim.	4L 2,0 litres 16 s turbo
Puissance / Couple	211 chevaux / 258 lb-pi
Tr. base (opt) / rouage base (opt)	CVT / Int
0-100 / 80-120 / 100-0 km/h	7,5 s / n.d. / n.d.
Type ess. / ville / autoroute	Super / 9,4 / 7,1 l/100 km
3.0T	
Cylindrée, soupapes, alim.	V6 3,0 litres 24 s surcomp.
Puissance / Couple	310 chevaux / 325 lb-pi
Tr. base (opt) / rouage base (opt)	A8 / Int
0-100 / 80-120 / 100-0 km/h	5,5 s / n.d. / n.d.
Type ess. / ville / autoroute	Super / 12,4 / 8,4 l/100 km

FEU VERT

- Finition remarquable
- Très silencieuse
- Comportement agile et sûr

FEU ROUGE

- Direction trop peu sensible
- Interfaces de contrôle complexes
- Pas de boîte de vitesses S-Tronic

DU NOUVEAU EN 2012

Nouveau modèle, V6 diésel à venir

http://www.audi.ca/

Plus d'informations dans la section statistiques en dernière partie du Guide

ÉLÉGANCE À CONTRE-COURANT

Le marché automobile est vraiment plein de surprises et de rebondissements. Par exemple, les voitures dotées d'un hayon dans les catégories compactes et sous compactes ne sont pas tellement appréciées de la part de nos voisins américains. C'est que pour eux, cette configuration, bien qu'éminemment pratique, est associée dans leur esprit à une voiture bon marché offrant un piètre rendement.

Pourtant, voilà que la compagnie Audi, bien décidée à leur prouver qu'ils ont tort, a choisi de ne pas tenir compte de cette opinion et nous propose une berline de luxe cinq portes, rien de moins. Et ce n'est pas tout : en plus de la présence d'un hayon arrière, cette voiture non conventionnelle, il va sans dire, adopte la silhouette d'un coupé.

Pour obtenir d'intéressants résultats sur le plan visuel et esthétique, les stylistes se sont inspirés de l'Audi A5 qui, lors de son dévoilement il y a environ trois ans, était considérée par plusieurs experts comme la plus élégante voiture jamais réalisée par ce constructeur. On ignorait à l'époque qu'il ne s'agissait là que d'un commencement… Cette fois, l'équipe de designers de l'A7 est parvenue à donner davantage de dynamisme aux parois latérales de cette voiture. Pour décrire ce style, chez Audi, on parle de la ligne « Tornado ». C'est toutefois la partie arrière du véhicule qui est la mieux réussie. À prime abord, il faut y regarder de près pour réaliser qu'il s'agit d'un véhicule cinq portes. Puis, sans trop d'artifices ou de lignes tourmentées, les stylistes ont trouvé une façon de concevoir quelque chose de vraiment élégant, qui s'harmonise très bien avec la partie avant. Celle-ci reprend tous les éléments propres aux plus récents modèles de ce constructeur, notamment la célèbre grille de calandre Singleframe. Les ailettes de celle-ci sont laquées d'un noir brillant et rehaussées de chrome pour en souligner la qualité. Parce qu'elle s'étire à l'horizontale, elle fait ressortir la largeur de cette voiture, tout comme le dessin des prises d'air larges et basses. Sur la route, elle fait partie de ces voitures dont le look nous étonne et nous saisit lorsqu'elles croisent notre route. Et cette impression est accentuée par les phares de jour à diodes électroluminescentes (DEL), qui sont du plus bel effet et qui mettent en évidence le caractère dynamique de cette belle Allemande.

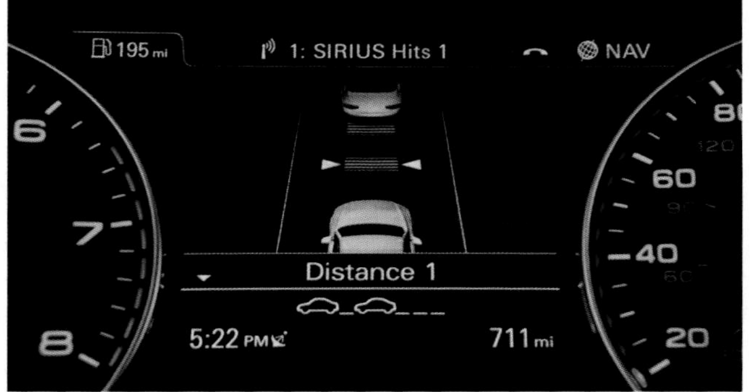

CONCURRENTS

BMW Série 5,
Jaguar XF,
Mercedes-Benz Classe CLS,
Porsche Panamera

IMPRESSIONS DE L'AUTEUR

Agrément de conduite :	■■■■	4/5
Fiabilité :		NOUVEAU MODÈLE
Sécurité :	■■■■	4/5
Qualités hivernales :	■■■■	4/5
Espace intérieur :	■■■■	4/5
Confort :	■■■■▌	4.5/5

VOITURE D'EXCEPTION

Comme on s'y attend lorsqu'il est question d'une voiture signée

Audi, l'habitacle est fort bien réussi. On a su concilier un certain look sportif avec une présentation de luxe et des matériaux de première qualité. À Ingolstadt, on est très fier de ces nouvelles appliques en bois, réalisées à partir d'un contreplaqué très joli, qui ajoutent à l'effet vivant et moderne. Autant le conducteur que le passager sont enveloppés par cette planche de bord qui ceinture toute la partie avant du véhicule, d'une portière à l'autre. Et comme il se doit, la finition est sans faille.

Mais ce qui demeure le plus spectaculaire, c'est l'écran de huit pouces à affichage par DEL, qui se déploie à la verticale ou se remise dans la planche de bord lorsqu'il n'est pas utilisé. Cet écran affiche les principales commandes pour gérer les fonctions de la voiture, commandes réglées à l'aide du bouton de contrôle du système MMI, un des plus intuitifs de la catégorie. À la gauche de ce bouton, on trouve un écran tactile qui permet de sélectionner les postes de radio ou qui peut se transformer en tablette sur laquelle on peut inscrire certaines lettres de commande : par exemple, avec votre doigt, on trace la lettre R pour accéder aux commandes de la radio !

Mais il y a encore plus, et encore mieux. La voiture est reliée au système de navigation Google Earth qui indique la route à suivre sur l'écran LCD. Parmi les autres options dignes de mention, il y a cet écran de nuit qui annonce des obstacles qui ne peuvent être éclairés par les feux de route dans l'obscurité. Toujours au chapitre des accessoires visant à relever le niveau de sécurité de la voiture, notons ce dispositif de chevauchement des lignes blanches, qui vous avertit non seulement lorsque vous transgressez celles-ci, mais qui ramène gentiment la voiture entre les lignes blanches.

Enfin, le régulateur de croisière ne se contente pas de maintenir automatiquement une distance préréglée entre votre automobile et celle qui vous devance, il immobilisera complètement votre véhicule si jamais celui qui vous précède stoppe sans prévenir. Sécurité, quand tu nous tiens…

AGRÉMENT DE CONDUITE, VOUS DITES ?

Lorsqu'on passe à travers la liste de tous les gadgets installés dans cette voiture, on a l'impression que le conducteur ne sera pas tellement actif. Il est vrai qu'il est possible de gérer la fermeté de la suspension et certains des autres paramètres visant à individualiser la voiture sur le plan dynamique. Mais n'ayez crainte, tous les accessoires ne viennent pas diminuer le plaisir de conduire une A7, bien au contraire.

La plate-forme est d'une très grande rigidité et les ingénieurs de la marque ont fait un bel étalage de leur savoir-faire : de

nombreux matériaux ont été utilisés, comme l'aluminium, l'acier travaillé à chaud, l'acier travaillé à froid et l'aluminium forgé. Tous ces éléments se conjuguent afin de créer une plate-forme très rigide et une carrosserie d'une grande légèreté pour une voiture de ces dimensions. D'ailleurs, Audi a entrepris une course à la légèreté dont bénéficieront tous les nouveaux modèles à venir.

Quant au groupe propulseur, un seul sera offert sur le continent américain : le moteur V6 de 3,0 litres TFSI avec compresseur qui produit 310 chevaux. Il est associé à une transmission Tiptronic à huit rapports. Le passage des rapports s'effectue automatiquement — cela va de soi ! — mais il peut également être géré en manipulant le levier des vitesses ou encore en appuyant sur des palettes placées derrière le volant. Il est possible de boucler le 0-100 km/h en 5,6 secondes et la consommation annoncée par le constructeur est inférieure à 9,0 l/100 km.

Sur la route, cette Audi cinq portes est un véritable plaisir à conduire. On aurait pu croire que la direction à assistance électrohydraulique serait trop assistée ou encore trop déconnectée de la route, mais cette direction nous a plutôt donné un bon feedback, en plus de se révéler très précise. La tenue de route de la voiture est étonnante, peu importe l'itinéraire choisi. Sur les routes sinueuses, cette automobile enchaîne les virages en toute neutralité. Comme il se doit, le rouage intégral quattro est de série sur ce bolide. Et si jamais tous les accessoires qui visent à hausser la sécurité et à rendre cette Allemande plus maniable sont incapables de restreindre l'enthousiasme de certains

conducteurs, les freins ultra-puissants réussiront sans doute à sauver la mise. En fait, cette voiture est exceptionnelle à plus d'un point de vue.

BIEN ÉQUIPÉE

Il ne faut pas passer sous le silence que grâce à son hayon motorisé et ses sièges arrière rabattables, sa capacité de chargement est de 1 390 litres. Sans oublier que si ce hatchback — ou sportback, comme le disent les Allemands — est déjà tout équipé de série, il est possible de l'optimiser par le biais d'options individuelles ou de groupes d'options, qui vous permettent de la raffiner davantage (comme si cela était nécessaire…). Parmi ces options, mentionnons la suspension sport, l'affichage tête haute, les détecteurs de présence latérale, des jantes de 20 pouces et un système audio très performant signé Bang & Olufsen. Et la liste, fort longue, ne s'arrête pas là.

Bref, il ne faudrait pas se surprendre si ce hatchback de grand luxe en venait à connaître du succès tant aux États-Unis qu'au Canada. Il ne serait pas étonnant non plus de voir d'autres constructeurs tenter l'aventure d'une berline de cinq portes dotée de la silhouette d'un coupé. Cependant, il faut souligner qu'Audi a placé la barre très haute avec cette A7 qui combine élégance, performances, caractère sportif et fonctionnalité.

Denis Duquet

Photos : Audi

Catégorie	Hatchback
Échelle de prix	68 600 $
Garanties	4 ans/80 000 km, 4 ans/80 000 km
Assemblage	Neckarsulm, Allemagne
Cote d'assurance	n.d.

CHÂSSIS - 3.0 TFSI QUATTRO PREMIUM	
Emp/lon/lar/haut	2 914/4 969/2 139/1 420 mm
Coffre	694 à 1 390 litres
Réservoir	75 litres
Nombre coussins sécurité / ceintures	6 / 4
Suspension avant	indépendante, multibras
Suspension arrière	indépendante, multibras
Freins avant / arrière	disque / disque
Direction	à crémaillère, ass. variable électrique
Diamètre de braquage	11,9 m
Pneus avant / arrière	P255/40R19 / P255/40R19
Poids	1 910 kg
Capacité de remorquage	n.d.

COMPOSANTES MÉCANIQUES	
3.0 TFSI Quattro Premium	
Cylindrée, soupapes, alim.	V6 3,0 litres 24 s surcompressé
Puissance / Couple	310 chevaux / 325 lb-pi
Tr. base (opt) / rouage base (opt)	A8 / Int
0-100 / 80-120 / 100-0 km/h	5,6 s / n.d. / n.d.
Type ess. / ville / autoroute	Super / 13,1 / 8,4 l/100 km

FEU VERT

- Silhouette élégante
- Moteur bien adapté
- Excellente tenue de route
- Habitacle luxueux
- Système de navigation inédit

FEU ROUGE

- Prix corsé
- Nombreuses options onéreuses
- Quatre places seulement
- Essence super obligatoire
- Système MMI parfois irritant

DU NOUVEAU EN 2012

Nouveau modèle

http://www.audi.ca/

Plus d'informations dans la section statistiques en dernière partie du Guide

CHIC DISCRÉTION

L'an dernier, Audi transformait sa berline de grand luxe, la A8. Par le passé, les propriétaires de cette voiture appréciaient la technologie avancée de l'automobile ainsi que son habitacle d'un raffinement exquis. Et pour se procurer une A8, il fallait également vouloir passer inaperçu, la silhouette était d'une discrétion notoire. Cette fois, on a donné un peu plus de piquant à la silhouette et on a également rehaussé l'agrément de conduite de cette Allemande.

Il est important de souligner que ce modèle a été la première voiture à proposer une plate-forme Space Frame en aluminium. Au fil des années et des versions, Audi a continué à raffiner et améliorer cette technologie. Tant et si bien que le modèle actuel est plus léger que toute autre berline de cette catégorie. Mieux encore, on a réduit son poids dans une proportion de 25 % par rapport au modèle antérieur. Soulignons au passage qu'Audi a la ferme intention de démocratiser cette technologie sur la plupart de ses modèles. On a pour exemple le coupé TT, dont une bonne partie de la carrosserie est en aluminium.

CONCURRENTS
BMW Série 7,
Jaguar XJ,
Lexus LS,
Maserati Quattroporte,
Mercedes-Benz Classe S

IMPRESSIONS DE L'AUTEUR	
Agrément de conduite : ■■■■□	4 / 5
Fiabilité : ■■■■▌	4.5 / 5
Sécurité : ■■■■■	5 / 5
Qualités hivernales : ■■■■■	5 / 5
Espace intérieur : ■■■■▌	4.5 / 5
Confort : ■■■■■	5 / 5

Pour en revenir au design extérieur, les stylistes ont décidé de relever l'impact visuel de cette voiture. En tout premier lieu, c'est la grille de calandre trapézoïdale que l'on remarque. L'utilisation d'éléments noirs et de lamelles chromées fait de cette grille l'élément visuel le plus important de la voiture. Et puisqu'au Québec, les voitures n'ont pas de plaques d'immatriculation à l'avant, c'est encore plus spectaculaire. Ajoutez à cela des phares horizontaux rehaussés de feux de jour à diodes électroluminescentes et vous avez là l'impact que recherchait le constructeur. Toujours dans le but de personnaliser davantage les lignes, les designers ont fait appel à des parois sculptées ainsi qu'à des passages de roues légèrement enflés. Cela a comme effet de créer une impression de dynamisme vraiment étonnante. L'utilisation d'une ligne de fuite dirigée vers l'arrière ajoute également à la vivacité du nouveau look. Et je m'en voudrais si je passais sous silence les jantes en alliage dont le design est vraiment sans reproche. Mais, pour une voiture de ce standing, c'est surtout dans l'habitacle que les choses se passent.

QUALITÉ PROPRE À AUDI

À bord de la A8, on est immédiatement frappé par la qualité de l'habitacle. Les sièges à sellerie de cuir sont confortables et il est possible de les régler de multiples façons. Une fois assis, on est conquis par cette impression de raffinement et de luxe. Il faut également souligner la qualité des agencements de couleur, des textures et des matériaux. À ce jour, aucun autre constructeur n'a réussi à marier tous ces éléments d'aussi belle façon.

Même si la tendance actuelle penche en faveur des consoles centrales verticales qui séparent la planche de bord en deux, les concepteurs d'Ingolstadt ont préféré une console horizontale très large séparant les deux sièges baquets avant. On y retrouve les commandes régulières du système de climatisation et de l'audio. En outre, on retrouve également le système de télématique, dont le bouton de commandes permet de régler les fonctions de la voiture, le système Audi Select Drive, la navigation et bien d'autres choses. À la gauche de ce bouton de commandes, un pavé tactile permet de dessiner une lettre correspondant à une fonction précise. Cela peut sembler de la science-fiction aux yeux des « technologiquement handicapés » mais avec de la pratique, on s'y habitue rapidement. Et si je suis en mesure de me débrouiller avec un tel système, tout le monde pourra s'y faire. L'écran d'affichage est placé juste au-dessus des buses de ventilation centrale et il se remise discrètement dans le tableau de bord lorsqu'il n'est pas utilisé.

L'habitacle est confortable, silencieux, doté de sièges climatisés et chauffants, et le système audio est d'excellente qualité, notamment le système Advanced de Bang et Olufsen dont la puissance de l'amplificateur est de 1400 watts.

COMPORTEMENT ROUTIER ÉTONNANT

Les ingénieurs de Audi n'ont pas chômé lorsqu'est venu le temps de développer la plate-forme de la A8. Un peu comme ce fut le cas avec la silhouette, la voiture possède une personnalité beaucoup plus sportive qu'auparavant. Elle n'a pas été transformée en *hot rod*, mais les sensations de conduite sont nettement moins atténuées et le *feedback* de la route est amélioré. Le moteur V8 de 4,2 litres a également été revu et corrigé. Ses 372 chevaux permettent de boucler le 0-100 km/h en 6,2 secondes, ce qui n'est pas mauvais du tout. Toutefois, ce n'est pas en matière de performances qu'on a voulu s'illustrer chez Audi, mais bien en fait de comportement routier et d'économie de carburant. Le moteur est moins assoiffé, en grande partie en raison d'une nouvelle transmission automatique ZF à huit rapports qui permet une réduction de la consommation de 15 %. En plus, le système Quattro est plus sophistiqué et fait appel à la gestion intelligente du couple aux roues arrière pour favoriser la tenue de route lorsque la chaussée est glissante. Enfin, le système Drive Select permet de régler le comportement de la voiture : au toucher de boutons, la A8 peut-être bourgeoise ou sportive, avec plusieurs réglages entre les deux. Une belle évolution !

Denis Duquet

Photos : Audi

Catégorie	Berline
Échelle de prix	99 200 $ à 111 700 $ (2011)
Garanties	4 ans/80 000 km, 4 ans/80 000 km
Assemblage	Ingolstadt, Allemagne
Cote d'assurance	n.d.

CHÂSSIS - 4.2 L QUATTRO

Emp/lon/lar/haut	3 122/5 267/2 111/1 471 mm
Coffre	510 litres
Réservoir	90 litres
Nombre coussins sécurité / ceintures	7 / 5
Suspension avant	indépendante, multibras
Suspension arrière	indépendante, multibras
Freins avant / arrière	disque / disque
Direction	à crémaillère, assistée
Diamètre de braquage	12,5 m
Pneus avant / arrière	P235/55R18 / P235/55R18
Poids	1 910 kg
Capacité de remorquage	n.d.

COMPOSANTES MÉCANIQUES

4,2

Cylindrée, soupapes, alim.	V8 4,2 litres 32 s atmos.
Puissance / Couple	372 chevaux / 325 lb-pi
Tr. base (opt) / rouage base (opt)	A8 / Int
0-100 / 80-120 / 100-0 km/h	6,1 s / 4,5 s / 35,7 m
Type ess. / ville / autoroute	Super / 13,1 / 8,7 l/100 km

- Construction Space Frame
- Habitacle d'anthologie
- Rouage Quattro
- Transmission 8 rapports
- Finition impeccable

- Certaines commandes complexes
- Prix élevé de certaines options
- Réparations coûteuses
- Système MMI parfois déroutant
- Fiabilité inconnue

DU NOUVEAU EN 2012

Aucun changement majeur

http://www.audi.ca/

Plus d'informations dans la section statistiques en dernière partie du Guide

ET HYBRIDE EN PLUS!

Depuis son arrivée sur le marché, ce multisegment est reconnu comme étant l'un des meilleurs, voire le meilleur, de sa catégorie. Sa silhouette est élégante et fort bien équilibrée tandis que son habitacle demeure la référence en la matière. Mais cette année, si le modèle à moteur thermique demeure inchangé, la famille Q5 s'agrandit d'une nouvelle version qui sera propulsée par une motorisation hybride permettant d'associer faible pollution, agrément de conduite et performance sportive.

CONCURRENTS
Acura RDX,
BMW X3,
Infiniti EX,
Land Rover LR2,
Mercedes-Benz Classe GLK,
Volvo XC60

IMPRESSIONS DE L'AUTEUR	
Agrément de conduite :	4.5/5
Fiabilité :	4/5
Sécurité :	5/5
Qualités hivernales :	5/5
Espace intérieur :	3.5/5
Confort :	4.5/5

D'ailleurs, ce modèle est le premier d'une longue liste des véhicules à propulsion hybride ou entièrement électrique que le constructeur d'Ingolstadt nous proposera au cours des années à venir. On a même développé un centre de recherche et de développement pour permettre à Audi de devenir automatiquement associé au rouage écologique de la même façon qu'on associe présentement la Quattro avec la transmission intégrale.

Q5 TRADITIONNELLE

Parce que le constructeur croit que les versions hybrides de la Q5 connaîtront une diffusion relativement faible en raison du manque d'intérêt de plusieurs acheteurs et du prix demandé qui sera plus élevé de plusieurs milliers de dollars, Audi a choisi de poursuivre avec la production des versions à moteur thermique. Pour les deux modèles, on retrouve la même silhouette et le même habitacle.

Comme c'est toujours le cas chez Audi, la présentation est d'un raffinement exquis, alors que la disposition des commandes est très intuitive. Même le système de gestion par bouton de la centrale de commandes appelé MMI chez ce constructeur est relativement intuitif. Le secret est de savoir que les quatre boutons corollaires à cette commande centrale permettent de passer à différents pavés de commandes. Une fois qu'on le sait, il est vraiment très facile de s'y retrouver.

L'incontournable V6 de 3,2 litres produisant 270 chevaux, associé à une boîte automatique Tiptronic à six rapports est de retour. Ce tandem permet de boucler le 0-100 km/h en 6,9 secondes tandis que la consommation est inférieure à 12 litres aux 100 km. On peut également choisir le 2,0 litres TFSI. Si cette Audi est si bien cotée, c'est à raison de son équilibre général, de son excellent comportement routier et d'un agrément de conduite de qualité supérieure. Il est vrai que les places arrière sont d'un confort relatif et

que l'espace de chargement n'est pas extraordinaire, mais malgré ces commentaires, elle mérite notre attention.

UNE Q5 ÉCOLO

Au cours de l'année 2012, une version à moteur hybride sera commercialisée en Amérique. En fait, il faudra attendre plusieurs mois avant que ce véhicule arrive sur nos berges, même s'il sera pourtant commercialisé en Europe au début de l'automne 2011. Le multisegment Q5 sera donc le premier véhicule écologique commercialisé par Audi. À ce titre, il reprend plus ou moins la même configuration mécanique que les véhicules de la concurrence. Il s'agit d'un hybride parallèle comprenant un moteur thermique de 2.0 litres TFSI associé à un moteur électrique de 40 kW (54 chevaux) alimenté par une batterie ion-lithium. Au total, ce groupe propulseur produit 245 chevaux. Cette nouvelle version boucle le 0-100 km/h en 7,1 secondes tandis que sa vitesse de pointe est de 222 km/h. En mode exclusivement électrique, il est possible de parcourir trois kilomètres à une vitesse maximale de 60 km/h. Sa consommation de carburant est inférieure à 7,0 litres/100 km.

Ce groupe propulseur longitudinal pourra être utilisé sur d'autres modèles Audi qui disposent de la même architecture mécanique : la nouvelle Audi A8, par exemple, ainsi que les modèles A6 et A6 Avant de la prochaine génération. Le moteur thermique quatre cylindres est associé à une transmission automatique à huit rapports dont le convertisseur de couple a été remplacé par le moteur électrique. Celui-ci peut fonctionner seul ou en parallèle avec le moteur à essence. Il est alimenté par une batterie ion-lithium développée conjointement par Sanyo et placée à l'arrière du véhicule. Malgré cela, le volume du coffre est quasiment identique à celui de la version régulière du Q5.

En conduite, le comportement routier est très semblable à celui du Q5 conventionnel. En fait, si ce n'était du cadran indicateur de gauche et de l'affichage central du flux d'énergie en fonction de la situation, il n'y a aucune différence au chapitre des sensations. Par contre, en appuyant sur le bouton EV, on peut rouler exclusivement en mode électrique plus longtemps et plus rapidement que ce que nous propose la concurrence.

Lors d'un essai effectué sur les routes très sinueuses de l'Île de Majorque, on a retrouvé la même agilité que le modèle régulier. Il n'y a pas cette sensation de lourdeur arrière en raison des batteries. Par contre, en certaines occasions, le moteur 2,0 litres était parfois rugueux. Mais malgré un prix qui sera jugé prohibitif par certains, cette première Audi hybride reste impressionnante.

Denis Duquet

credits : Audi

AUDI Q5

Catégorie	VUS
Échelle de prix	41 200 $ à 55 000 $ (2011)
Garanties	4 ans/80 000 km, 4 ans/80 000 km
Assemblage	Ingolstadt, Allemagne
Cote d'assurance	n.d.

CHÂSSIS - 3.2 QUATTRO

Emp/lon/lar/haut	2 807/4 629/2 089/1 653 mm
Coffre	540 à 1 560 litres
Réservoir	75 litres
Nombre coussins sécurité / ceintures	6 / 5
Suspension avant	indépendante, multibras
Suspension arrière	indépendante, multibras
Freins avant / arrière	disque / disque
Direction	à crémaillère, ass. variable
Diamètre de braquage	11,6 m
Pneus avant / arrière	P235/55R19 / P235/55R19
Poids	1 895 kg
Capacité de remorquage	2 000 kg (4 409 lb)

COMPOSANTES MÉCANIQUES

2,0	
Cylindrée, soupapes, alim.	4L 2,0 litres 16 s turbo
Puissance / Couple	211 chevaux / 258 lb-pi
Tr. base (opt) / rouage base (opt)	A8 / Int
0-100 / 80-120 / 100-0 km/h	7,1 s / n.d. / n.d.
Type ess. / ville / autoroute	Super / 10,6 / 7,7 l/100 km

Hybrid	
Cylindrée, soupapes, alim.	4L 2,0 litres 16 s turbo
Puissance / Couple	211 ch (245 max) / 258 lb-pi
Tr. base (opt) / rouage base (opt)	A8 / Int
0-100 / 80-120 / 100-0 km/h	7,1 s / n.d. / n.d.
Type ess. / ville / autoroute	Super / n.d.

3.2	
Cylindrée, soupapes, alim.	V6 3,2 litres 24 s atmos.
Puissance / Couple	270 chevaux / 243 lb-pi
Tr. base (opt) / rouage base (opt)	A6 / Int
0-100 / 80-120 / 100-0 km/h	6,9 s / 5,3 s / 39,0 m
Type ess. / ville / autoroute	Super / 11,5 / 9,0 l/100 km

FEU VERT

- Silhouette réussie
- Moteur hybride
- Habitacle raffiné
- Excellente tenue de route
- Rouage Quattro

FEU ROUGE

- Habitabilité moyenne
- Version hybride onéreuse
- Plusieurs options dispendieuses
- Adaptation à certaines commandes
- Disponibilité limitée

DU NOUVEAU EN 2012

Modèle hybride

http://www.audi.ca/

Plus d'informations dans la section statistiques en dernière partie du Guide

LA MAGIE TDI

L'an dernier, le plus gros véhicule de la marque Audi s'est payé les frais d'un downsizing qui n'a pas affecté son gabarit ou son poids, mais plutôt ses motorisations: le V8 de 4,2 litres et le V6 de 3,6 litres ont cédé leur place sous le capot à deux versions du V6 de 3,0 litres suralimenté, dont la première a été originalement développée pour la A6, alors que l'autre est empruntée à la S4. Même le modèle à motorisation diésel a été pourvu d'un nouveau moteur TDI de deuxième génération, à la fois plus léger et plus performant.

CONCURRENTS
Acura MDX, BMW X5,
Cadillac SRX, Infiniti FX,
Land Rover Range Rover Sport,
Lexus RX, Mercedes-Benz Classe GL,
Mercedes-Benz Classe M,
Porsche Cayenne

IMPRESSIONS DE L'AUTEUR		
Agrément de conduite:	■■■■■	5 / 5
Fiabilité:	■■■■□	4 / 5
Sécurité:	■■■■■	5 / 5
Qualités hivernales:	■■■■■	5 / 5
Espace intérieur:	■■■■■	5 / 5
Confort:	■■■■□	4 / 5

Le but de cette opération était fort simple: il s'agissait de réduire la consommation et les émissions polluantes. Mais cette transformation s'est également soldée par un autre bénéfice, qui est loin d'être marginal: les performances ont également été bonifiées. Dans le cas de la première version du V6 essence, la cavalerie s'affiche à 272 chevaux, soit huit de moins qu'avec le moteur précédent. Toutefois, le couple est en hausse, ce qui est loin d'être négligeable compte tenu du gabarit et du poids du gros utilitaire de la marque d'Ingolstadt. Le Q7 Sport reçoit la version la plus performante de ce moteur, qui a été recalibrée afin de favoriser le couple plutôt que la performance brute. L'abandon du V8 se traduit par une perte nette de chevaux, mais comme le couple du nouveau V6 est identique à celui de l'ancien V8, on ne perd pas vraiment au change. Dans le cas du moteur diésel, le couple demeure inchangé à 405 lb-pi et la puissance est en hausse de 15 chevaux et se chiffre maintenant à 240.

L'ARME SECRÈTE

Si les Q7 peuvent se targuer d'offrir plus de puissance et de couple tout en consommant moins que précédemment, c'est également en raison de la boîte automatique à huit rapports. En plus d'ajouter deux rapports, la nouvelle boîte Audi a été optimisée afin que les convertisseurs de couple soient verrouillés le plus possible afin de réduire les pertes par glissement. Le résultat, c'est que les changements de rapports se font avec davantage de rapidité, de souplesse et de confort et que le comportement routier du Q7 demeure toujours stable et prévisible grâce à l'action du rouage intégral qui livre 60 % du couple au train arrière et 40 % sur l'avant en conduite normale. Toutefois, si les conditions l'exigent, le rouage peut livrer jusqu'à 85 % de la motricité à l'arrière et jusqu'à 65 % sur l'avant, ce qui permet au Audi Q7 de se tirer facilement d'affaire, même dans les pires conditions

Catégorie	VUS
Échelle de prix	53 900$ à 69 200$ (2011)
Garanties	4 ans/80 000 km, 4 ans/80 000 km
Assemblage	Bratislava, Slovaquie
Cote d'assurance	n.d.

d'adhérence. C'est que le rouage intégral Quattro est, selon nous, l'un des plus perfectionnés et efficaces de l'industrie.

LE MEILLEUR CHOIX : LE V6 DIÉSEL

À mon avis, le choix du diésel s'impose presque de lui-même en raison de sa plus faible consommation de carburant et du fait que le couple livré par un moteur diésel est parfaitement adapté à ce véhicule de grande taille. Au feu vert, on sent une très légère hésitation du moteur turbo, suivie par une poussée franche et linéaire, qui fait augmenter la vitesse du véhicule. La boîte TipTronic fait son travail de façon presque imperceptible en passant du premier au huitième rapport. Le Q7 TDI décolle avec assez d'aplomb et de confiance pour que l'on devienne accro à sa poussée, tout en gardant une bonne conscience, puisque sa consommation est inférieure d'environ 30 % à celle du V6 essence. À bord du Q7 TDI, le seul signe distinctif qui vous indique que vous êtes au volant d'un véhicule à moteur diésel est la limite de révolutions-moteur plutôt basse qui est indiquée au tachymètre. Le moteur est relativement silencieux et ce n'est que lorsque l'on est à l'extérieur du véhicule stationné et que le moteur tourne au ralenti que l'on perçoit la sonorité plus basse et plus rauque, qui est le propre d'un moteur diésel.

Peu importe la motorisation choisie, la tenue de route est toujours sûre et inspire confiance, mais la direction s'avère un peu légère et l'on doit toujours tenir compte du poids très élevé du Q7 lorsque l'on aborde des virages à haute vitesse. Cependant, le freinage est toujours performant. Toutefois, on note que le rayon de braquage est très large, ce qui complique un peu les manoeuvres de stationnement ou la circulation en ville où il faut tenir compte du gabarit imposant du Q7.

La vie à bord est rendue plus qu'agréable par la qualité des matériaux retenus pour la composition de la planche de bord, par le confort des sièges, et par la facilité avec laquelle le conducteur peut interagir avec les divers systèmes de la voiture par l'entremise du contrôleur MMI (Multi Media Interface). La disposition des instruments est efficace, l'éclairage ambiant est du plus bel effet la nuit, et les subtiles touches de luxe sont omniprésentes dans cet habitacle dont la qualité de finition est sans égale. Le Q7 fait également preuve d'une grande polyvalence puisque son volume de chargement se chiffre à 775 litres avec tous les sièges en place, et à 2 035 litres avec un plancher parfaitement plat une fois les dossiers des deuxième et troisième rangées rabaissés. Le modèle de base est généralement bien équipé, mais, comme c'est souvent le cas chez Audi, l'ajout d'options et de groupes d'options peut facilement faire grimper la facture à plus de 70 000 $. Il faut donc faire preuve d'une certaine réserve lors du choix des options.

Gabriel Gélinas

Photos : Audi

CHÂSSIS - TDI QUATTRO

Emp/lon/lar/haut	3 002/5 086/1 983/1 737 mm
Coffre	1 136 à 2 512 litres
Réservoir	100 litres
Nombre coussins sécurité / ceintures	6 / 6
Suspension avant	indépendante, double triangulation
Suspension arrière	indépendante, double triangulation
Freins avant / arrière	disque / disque
Direction	à crémaillère, assistée
Diamètre de braquage	12,0 m
Pneus avant / arrière	P255/55R18 / P255/55R18
Poids	2 500 kg
Capacité de remorquage	2 495 kg (5 500 lb)

COMPOSANTES MÉCANIQUES

TDI quattro

Cylindrée, soupapes, alim.	V6 3,0 litres 24 s turbo
Puissance / Couple	225 chevaux / 406 lb-pi
Tr. base (opt) / rouage base (opt)	A8 / Int
0-100 / 80-120 / 100-0 km/h	9,3 s / 6,7 s / 46,9 m
Type ess. / ville / autoroute	Diesel / 13,2 / 8,3 l/100 km

3.0 Quattro

Cylindrée, soupapes, alim.	V6 3,0 litres 24 s turbo
Puissance / Couple	272 chevaux / 266 lb-pi
Tr. base (opt) / rouage base (opt)	A8 / Int
0-100 / 80-120 / 100-0 km/h	6,9 s / 5,9 s (est) / n.d.
Type ess. / ville / autoroute	Super / 16,1 / 11,2 l/100 km

3.0 quattro

Cylindrée, soupapes, alim.	V6 3,0 litres 16 s surcomp
Puissance / Couple	333 chevaux / 325 lb-pi
Tr. base (opt) / rouage base (opt)	A8 / Int
0-100 / 80-120 / 100-0 km/h	6,9 s / 6,0 s (est) / n.d.
Type ess. / ville / autoroute	Super / 14,9 / 10,3 l/100 km

FEU VERT

- Moteurs performants
- Boîte automatique à huit rapports
- Sièges avant confortables
- Qualité d'assemblage et de finition

FEU ROUGE

- Gabarit imposant
- Espace limité – 3e rangée de sièges
- Grand rayon de braquage
- Prix élevés

DU NOUVEAU EN 2012

Aucun changement majeur

http://www.audi.ca/

Plus d'informations dans la section statistiques en dernière partie du Guide

ENCORE PLUS FÉROCE

Au cours des dernières années, la R8 a permis à la marque Audi de se tailler une place dans le créneau des sportives de haut calibre. Avec son allure frappante, ses moteurs V8 et V10 et son rouage intégral, la R8 fait partie du groupe très sélect des voitures exotiques, surtout dans le cas de la R8 5.2 qui trônait au sommet de la pyramide Audi, du moins jusqu'à maintenant… Avec la nouvelle version GT, la division Quattro GmbH de Audi rehausse la barre d'un cran en produisant une voiture destinée à la clientèle qui participe à l'occasion à des journées d'essai sur circuit. C'est pourquoi la GT est à la fois plus légère et plus puissante que la R8 5.2.

CONCURRENTS

Aston Martin Vantage, BMW Série 6, Ferrari F458 Italia, Jaguar XK, Lamborghini Gallardo, Mercedes-Benz Classe SL, Nissan GT-R, Porsche 911

IMPRESSIONS DE L'AUTEUR		
Agrément de conduite :	■■■■■	5 / 5
Fiabilité :	■■■■□	4 / 5
Sécurité :	■■■■■	5 / 5
Qualités hivernales :	■■■□□	3 / 5
Espace intérieur :	■■■□□	3 / 5
Confort :	■■■■□	4 / 5

La R8 GT reçoit un pare-brise aminci, la lunette arrière et le vitrage séparant l'habitacle du compartiment moteur sont faits de polycarbonate, le capot arrière est fait de fibre de carbone plutôt que d'aluminium, et l'aileron arrière fixe en composite de carbone est plus léger de 1,2 kilos que le déflecteur mobile des R8 conventionnelles. Mais ce n'est pas tout. Le système d'échappement est à la fois plus mince et plus léger, le sous-châssis du moteur est réalisé en magnésium et les concepteurs ont même décidé de raser les tapis de l'habitacle qui sont donc moins épais sur la GT… En résulte une R8 GT qui pèse 1 525 kilos, soit 100 de moins que la R8 5.2.

JEU ÉGAL AVEC LA LAMBO…

Une recalibration de la gestion électronique du moteur a permis de porter la puissance à 560 chevaux, ce qui est exactement la puissance livrée par la Lamborghini Gallardo. La marque italienne peut toujours prétendre à la suprématie sur l'Allemande avec sa version Superleggera, qui développe 10 chevaux de plus et qui est également plus légère. Au démarrage, le V10 prend vie avec une sonorité riche et basse qui semble plus forte dans la GT que dans la R8 5.2. Dès l'entrée sur l'autobahn, le son du moteur se transforme en véritable cri dès la barre des 5 000 tours/minute et jusqu'à sa limite de révolutions de 8 700 tours/minute, alors que la voiture est littéralement catapultée vers l'avant avec une force autoritaire qui provoque rapidement l'effet d'une drogue dure.

ON ATTEND LA S TRONIC

En ce qui a trait à son niveau de performances, cette voiture est absolument brillante, mais on peut émettre des réserves quant à la boîte R Tronic à simple embrayage. Il permet toujours de passer

Catégorie	Coupé, Roadster
Échelle de prix	144 000 $ à 228 000 $
Garanties	4 ans/80 000 km, 4 ans/80 000 km
Assemblage	Neckarsulm, Allemagne
Cote d'assurance	n.d.

les vitesses plus rapidement qu'avec une boîte manuelle conventionnelle, mais il n'est pas aussi rapide et, surtout, aussi fluide que la boîte S Tronic à double embrayage de Audi. De ce côté, précisons que les ingénieurs de la marque développent actuellement une boîte à double embrayage capable de composer avec la puissance et le couple des moteurs de la R8, mais cette boîte ne sera probablement disponible sur ces voitures que dans un an ou deux. Sur les routes secondaires d'Allemagne et d'Autriche entre Munich et Wörthersee, la R8 GT s'est avérée plus directe et plus précise dans les virages rapides, tout en étant moins sous-vireuse que la R8 5.2. C'est parce que le rouage intégral de la GT n'envoie que 15 % du couple au train avant en conditions normales, ce qui signifie que 85 % du couple est donc livré aux roues arrière. Cela confère à la GT un comportement qui s'approche beaucoup plus de celui d'une propulsion que d'une intégrale. Les disques de freins en composite de céramique sont à la fois percés et ventilés de l'intérieur. Ils sont extrêmement puissants et faciles à moduler, ce qui n'est pas le cas chez certaines marques concurrentes.

L'habitacle de la R8 GT se démarque de celui des autres R8 par l'ajout de cadrans blancs ornés de logos GT rouges, d'appliqués réalisés en fibre de carbone et en aluminium, et par un superbe volant en Alcantara avec paliers de changements de vitesse. Malgré sa personnalité plus radicale, la R8 GT est toujours équipée de la climatisation, d'un système de navigation et d'une chaîne audio haut de gamme. En Europe, il est possible de commander en option des équipements spécialisés comme une cage de sécurité, des sièges de course avec harnais de sécurité ainsi qu'un extincteur fixé sur le plancher de la voiture côté passager. Toutefois, ces équipements ne seront pas disponibles au Canada.

L'exclusivité est assurée puisqu'Audi ne construira que 333 R8 GT pour le marché mondial et seulement 25 de ces voitures seront vendues à des acheteurs canadiens pour un prix de 228 000 $, soit 55 000 $ de plus que le prix d'une R8 5.2. Désolé de vous décevoir, mais toutes ces voitures ont déjà trouvé preneurs. Cependant, vous serez heureux d'apprendre que Audi entreprend la commercialisation d'une version Spyder de la R8 GT, qui sera toute aussi exclusive, puisque la production sera également limitée à 333 exemplaires.

Si elle trône désormais au sommet de la pyramide des R8, la GT sera peut-être un peu trop radicale pour certains. Le choix du modèle 5.2 sera plus avisé en raison de son prix moins élevé et du fait que ce modèle fait l'objet d'une diffusion moins limitée. Dès son arrivée sur le marché, la R8 a bousculé certaines marques prestigieuses reconnues pour la dynamique de leurs voitures exotiques en proposant une voiture aussi rapide qu'homogène et qui est assez pratique pour qu'on puisse la conduire tous les jours.

Gabriel Gélinas

Photos : Audi

CHÂSSIS - GT

Emp/lon/lar/haut	2 650/4 435/2 029/1 245 mm
Coffre	100 litres
Réservoir	90 litres
Nombre coussins sécurité / ceintures	6 / 2
Suspension avant	indépendante, double triangulation
Suspension arrière	indépendante, double triangulation
Freins avant / arrière	disque / disque
Direction	à crémaillère, ass. variable
Diamètre de braquage	11,5 m
Pneus avant / arrière	P235/35R19 / P295/30R19
Poids	1 525 kg
Capacité de remorquage	n.d.

COMPOSANTES MÉCANIQUES

4.2	
Cylindrée, soupapes, alim.	V8 4,2 litres 32 s atmos.
Puissance / Couple	430 chevaux / 317 lb-pi
Tr. base (opt) / rouage base (opt)	M6 (A6) / Int
0-100 / 80-120 / 100-0 km/h	4,6 s / 3,2 s / 36,1 m
Type ess. / ville / autoroute	Super / 17,1 / 10,3 l / 100 km

5.2	
Cylindrée, soupapes, alim.	V10 5,2 litres 40 s atmos.
Puissance / Couple	525 chevaux / 490 lb-pi
Tr. base (opt) / rouage base (opt)	M6 (A6) / Int
0-100 / 80-120 / 100-0 km/h	3,9 s / 3,1 s / 37,7 m
Type ess. / ville / autoroute	Super / 19,1 / 12,0 l/100 km

GT	
Cylindrée, soupapes, alim.	V10 5,2 litres 40 s atmos.
Puissance / Couple	560 chevaux / 398 lb-pi
Tr. base (opt) / rouage base (opt)	A6 / Int
0-100 / 80-120 / 100-0 km/h	3,6 s / n.d. / n.d.
Type ess. / ville / autoroute	Super / n.d.

- Allure frappante
- Excellente tenue de route
- Moteurs V8 et V10
- Disponibilité de modèles Spyder
- Finition impeccable

- Prix corsés
- Boîte R Tronic saccadée
- Visibilité arrière
- Espace cargo limité

DU NOUVEAU EN 2012

Arrivée du modèle GT

http://www.audi.ca/

Plus d'informations dans la section statistiques en dernière partie du Guide

CLASSIQUE UN JOUR, CLASSIQUE TOUJOURS

Audi est un constructeur qui a la bougeotte. Dès qu'un modèle est lancé, on travaille déjà à l'améliorer. Par exemple, chez plusieurs constructeurs on aurait continué de vendre la TT sans changements majeurs, puisqu'elle connaissait beaucoup de succès depuis sa refonte presque totale. Mais on n'a pu s'empêcher de l'améliorer l'an dernier, tant au chapitre de la mécanique que de la silhouette.

Depuis l'an dernier la carrosserie s'est affinée et l'aérodynamisme est amélioré. La calandre Singleframe d'un noir brillant est encadrée par des feux légèrement inclinés et élancés sur le côté. Les feux optionnels Xenon Plus possèdent, sous leur rebord inférieur, une ligne composée de douze diodes électroluminescentes blanches qui forment les phares de croisement de jour. Sur demande, Audi livre aussi les phares directionnels. À l'arrière, les réflecteurs en forme de tubes donnent aux feux une impression de profondeur visuelle. Il faut noter les embouts d'échappement double flux, tandis que l'aileron arrière est intégré dans les contours du couvercle du coffre. Cet aileron se déploie automatiquement à une vitesse de 120 km/h et se rétracte à moins de 80 km/h. Le conducteur peut en outre l'activer à tout moment à l'aide d'un commutateur. Soulignons au passage que la capote du Roadster est en toile, une autre caractéristique chère à Audi. On réalise ici une économie de poids, tandis que ce système est doté d'un mécanisme simple qui prend très peu de place.

L'habitacle demeure la référence pour cette catégorie. Les matériaux, tout comme la finition, sont impeccables et le design est remarquable. Le levier de vitesse est relativement court, le volant se prend bien en main et la position de conduite est pratiquement sans reproche. Ajoutons que les commutateurs sont faciles à utiliser et à atteindre.

CONCURRENTS

Mercedes-Benz Classe SLK,
Nissan Z,
Porsche Boxster,
Porsche Cayman

IMPRESSIONS DE L'AUTEUR

Agrément de conduite :	4.5/5
Fiabilité :	4/5
Sécurité :	4/5
Qualités hivernales :	4/5
Espace intérieur :	3.5/5
Confort :	3.5/5

MOTEURS, MOTEURS

La toute dernière génération du moteur 2,0 litres Turbo ronronne sous le capot de la version régulière. Produisant 211 chevaux, il est capable de boucler le 0 à100 km/h en 5,6 secondes et d'obtenir une vitesse de pointe de 245 km/h. Seule la boîte de vitesses à double embrayage S Tronic est disponible. Cette transmission permet de changer les six vitesses sans interruption perceptible et en quelques centièmes de seconde. Selon le souhait du conducteur, elle fonctionne en mode complètement automatique ou manuel, avec une commande par palettes sur le volant. Au niveau automatique, deux modes de fonctionnement sont disponibles : N pour normal,

S pour sportif. Le programme de démarrage «Launch Control» permet d'effectuer des accélérations plus efficaces.

Par ailleurs, le moteur de la TTS nous revient pour 2012, que ce soit en version Coupé ou Roadster. Ce TFSI 2,0 litres, avec son turbocompresseur plus gros et de nombreuses autres modifications, fournit 265 chevaux. Avec sa boîte de vitesse S Tronic à six rapports, le TTS Coupé est propulsé en 5,2 secondes de 0 à 100 km/h. Audi nous a promis depuis plusieurs mois que la fabuleuse TT RS serait distribuée sur notre marché. Nous attendons toujours. Cette fois, les ingénieurs ont fait appel à un moteur cinq cylindres de 2,5 litres. Grâce à son turbocompresseur et son injection directe d'essence FSI, ce moteur produit 340 chevaux, ce qui permet de réaliser le 0-100 km/h en 4,6 secondes. Finalement, la boîte S Tronic du TT RS sera offerte avec sept rapports. Espérons que notre patience sera récompensée.

SUR LA ROUTE

La TT est une voiture relativement neutre en virage et d'une grande agilité. Les changements de cap se font pratiquement par pivotement et le frottement des pneus (scrubbing) sur la chaussée est réduit à son minimum. Le moteur atteint son couple maximum à un régime moteur relativement bas, ce qui rend la conduite urbaine beaucoup plus facile. Il faut souligner, une fois de plus, l'effarante efficacité de la transmission S Tronic à double embrayage. En utilisant les palettes de changements de rapports montés sur le volant, le tout s'effectue en un clin d'œil. Sur l'autoroute, même à haute vitesse, l'insonorisation du cabriolet est impressionnante. À plus de 230 km/h — sur les autoroutes allemandes, cela va de soi —, il était possible de tenir une conversation sans hausser la voix.

La TTS est sans doute la solution du juste milieu avec sa puissance et son comportement routier. Elle propose une suspension à réglage magnétique qui s'ajuste automatiquement à la vitesse de l'éclair et qui semble toujours trouver la solution à la condition de la chaussée. De plus, son moteur est nerveux et son rendement digne de mention. Mais il y a aussi la RS!

Ce modèle se distingue par son aileron exclusif, ses freins plus puissants et une suspension abaissée de 10 mm. Mais ce sont ses performances qui la démarquent davantage. Notre modèle essayé comportait des sièges sport offrant un excellent support latéral qui permettait d'enfiler les virages serrés sans glisser sur le siège. De plus, la sonorité très spéciale d'un moteur cinq cylindres turbocompressé était de la musique à nos oreilles. Et bien entendu, que ce soit sur une route sinueuse ou une autobahn allemande, la stabilité était impressionnante et on avait vraiment l'impression d'être le maître à bord.

Denis Duquet

Photos: Audi

AUDI TT

Catégorie	Coupé, Roadster
Échelle de prix	57 900 $ à 62 200 $
Garanties	4 ans/80 000 km, 4 ans/80 000 km
Assemblage	Gyor, Hongrie
Cote d'assurance	n.d.

CHÂSSIS - TTS COUPÉ

Emp/lon/lar/haut	2 468/4 198/1 842/1 345 mm
Coffre	n.d.
Réservoir	60 litres
Nombre coussins sécurité / ceintures	4 / 4
Suspension avant	indépendante, jambes de force
Suspension arrière	indépendante, multibras
Freins avant / arrière	disque / disque
Direction	à crémaillère, assistée
Diamètre de braquage	11,0 m
Pneus avant / arrière	P255/35R19 / P255/35R19
Poids	1 315 kg
Capacité de remorquage	n.d.

COMPOSANTES MÉCANIQUES

TTS Coupé, TTS Roadster	
Cylindrée, soupapes, alim.	4L 2,0 litres 16 s turbo
Puissance / Couple	265 chevaux / 258 lb-pi
Tr. base (opt) / rouage base (opt)	A6 / Int
0-100 / 80-120 / 100-0 km/h	5,2 s / n.d. / n.d.
Type ess. / ville / autoroute	Super / 9,8 / 7,2 l/100 km
TT Coupé, TT Roadster	
Cylindrée, soupapes, alim.	4L 2,0 litres 16 s turbo
Puissance / Couple	211 chevaux / 258 lb-pi
Tr. base (opt) / rouage base (opt)	A6 / Int
0-100 / 80-120 / 100-0 km/h	5,6 s / n.d. / n.d.
Type ess. / ville / autoroute	Super / 9,1 / 6,4 l/100 km
TT RS	
Cylindrée, soupapes, alim.	5L 2,5 litres 16 s turbo
Puissance / Couple	340 chevaux / 332 lb-pi
Tr. base (opt) / rouage base (opt)	M6 (A7) / Int
0-100 / 80-120 / 100-0 km/h	4,3 s / n.d. / n.d.
Type ess. / ville / autoroute	Super / n.d.

FEU VERT

- Silhouette classique
- Moteurs performants
- Agréable à conduire
- Rouage Quattro
- Version cabriolet

FEU ROUGE

- Accès à bord difficile
- Visibilité arrière
- Options coûteuses
- Suspension ferme (RS)

DU NOUVEAU EN 2012

Version TTRS

http://www.audi.ca/

Plus d'informations dans la section statistiques en dernière partie du Guide

SANS MODÉRATION

Dès les débuts de l'automobile, les constructeurs (si ce terme peut s'appliquer lorsque la production est d'à peine quelques exemplaires) ont compris que des gens étaient prêts à débourser davantage pour avoir le privilège de rouler dans un véhicule différent. L'Humain ne changeant pas, il y a toujours, en 2012, des personnes qui désirent quelque chose de plus raffiné, luxueux et, surtout, exclusif que le voisin. Et il y a toujours des entreprises qui fabriquent des produits destinés à satisfaire cette clientèle. Comme Bentley.

CONCURRENTS
Aston Martin DB9, Audi A8, Ferrari 599, Ferrari 612 Scaglietti, Maserati Quattroporte, Mercedes-Benz Classe S

IMPRESSIONS DE L'AUTEUR	
Agrément de conduite :	3.5/5
Fiabilité :	3.5/5
Sécurité :	4.5/5
Qualités hivernales :	3/5
Espace intérieur :	4/5
Confort :	4/5

Même les marques de luxe doivent offrir différents modèles convenant à différents besoins. Chez Bentley, l'offre débute avec une voiture de base, satisfaisant une clientèle moins fortunée, en mal de prestige. Cette voiture d'indigent, c'est la Continental. Quand le prix de départ d'une automobile est de 230 555 $, on ne peut pas dire qu'on nage dans le superflu. C'est un minimum. Précisons d'entrée de jeu que la Continental est une série qui offre la GT (coupé), la GTC (cabriolet) et la Flying Spur (berline).

Cette année, pour épater les plus influençables, Bentley a revu l'esthétique de sa Continental GT. Ainsi, les phares reprennent le style de ceux vus sur la plus récente création de la marque, la Mulsanne. Les feux arrière aussi ont changé, mais de façon plus subtile. Dans l'habitacle, les modifications sont notables. Rien de spectaculaire, mais la présentation fait plus moderne qu'auparavant et conserve une indéniable touche de classe. Au centre de la planche de bord, on note un nouvel écran de 8 pouces. Le pédalier a été redessiné, de même que les sièges. Comme mentionné plus tôt, rien de majeur, juste assez pour satisfaire les quelques pauvres qui, à défaut de pouvoir se payer une Mulsanne, devront se rabattre sur une Continental. Pour les trois modèles, l'anémique moteur de base est un W12 (douze cylindres disposés en trois rangées, formant ainsi un vague W) de 6,0 litres développant 567 chevaux et 516 lb-pi de couple. C'est peu, mais « ça fait la job ». Ce moulin entraîne les 5 115 livres de la Continental GT de 0 à 100 km/h en environ 4,6 secondes. Il ne manque jamais de souffle et, à moins d'avoir devant soi une autobahn allemande sans limite de vitesse, je ne vois pas comment on peut en arriver à prendre la cavalerie de court. Cependant, et comme pour la GT tout court, on ne sent pas cette puissance. Tout se fait dans le calme et le feutré. Le conducteur écrase le champignon, la voiture avance et, le

Catégorie	Berline, Cabriolet, Coupé
Échelle de prix	230 555 $ à 343 430 $
Garanties	3 ans/illimité, 3 ans/illimité
Assemblage	Crew, Angleterre
Cote d'assurance	n.d.

temps de baisser les yeux pour regarder l'odomètre, il roule déjà à 140 km/h ! Il scrute l'horizon pour voir s'il n'y aurait pas de policiers et retourne les yeux à l'odomètre qui approche les 190. La transmission est une automatique ZF à six rapports — la vraie misère noire, quand on pense que celle du tacot de Lexus, la LS460, en possède huit, il y a de quoi être malade — qui a le mérite de se faire oublier. La liaison au sol est assurée par un rouage intégral.

LÀ, TU PARLES !

Pour ceux qui se satisfont de peu, il y a cette Continental. Mais pour les autres, Bentley a dévoilé, il y a quelques années, une version Speed. Cette livrée n'est pas encore proposée avec les nouvelles Continental, mais ça ne saurait tarder. Le moteur, toujours le W12 de 6,0 litres, fait 600 chevaux et 553 lb-pi de couple. Mais ça, c'est l'ancienne version. La prochaine devrait être un peu moins avare de performance… Parce que présentement, la différence entre les deux configurations n'est pas tellement importante. Cependant, les versions Speed apportent aussi avec elles des suspensions plus fermes, une direction plus vive et d'immenses pneus de 20 pouces.

Enfin, à l'été 2010, Bentley dévoilait la Supersport Coupe. Cette fois, le W12 fait 621 chevaux et 590 lb-pi de couple. La voiture a beau avoir le poids de la muraille de Chine, les accélérations et les reprises sont des plus impressionnantes. La consommation aussi… Et son prix de plus de 320 000 $ ravira les vrais riches.

Des trois modèles proposés dans la série Continental, le coupé, qui fut le premier à être lancé en 2003, demeure le modèle à privilégier. Plus sportif que le cabriolet et la berline, il est aussi plus agréable à piloter. Ce n'est pas pour rien que c'est lui qui hérite de la version SuperSport. Dans ce cas, l'appellation est loin d'être usurpée. Le cabriolet attire sans doute une clientèle différente, plus adepte de grands boulevards que de performances brutes. Cette version est encore plus lourde que le coupé, ce qui, convenons-en, est assez difficile à imaginer.

Enfin, on retrouve la berline, baptisée Flying Spur, en référence à un nom utilisé par Bentley dans le passé. Cette fois, les places arrière sont loin d'être inconfortables et l'espace n'est pas compté. Mais le châssis nous est apparu moins solide que dans une GT. Dans tous les cas, les matériaux les plus nobles se partagent un environnement hyper luxueux, ultra confortable et juste assez rétro pour attirer les plus vieux sans rebuter les jeunes.

Alain Morin

Photos : Alain Morin

CHÂSSIS - FLYING SPUR SPEED	
Emp/lon/lar/haut	3 065/5 290/2 118/1 465 mm
Coffre	475 litres
Réservoir	90 litres
Nombre coussins sécurité / ceintures	6 / 4
Suspension avant	indépendante, multibras
Suspension arrière	indépendante, multibras
Freins avant / arrière	disque / disque
Direction	à crémaillère, assistée
Diamètre de braquage	11,4 m
Pneus avant / arrière	P275/35ZR20 / P275/35ZR20
Poids	2 525 kg
Capacité de remorquage	n.d.

COMPOSANTES MÉCANIQUES	
Flying Spur, GTC	
Cylindrée, soupapes, alim.	W12 6,0 litres 48 s turbo
Puissance / Couple	552 chevaux / 479 lb-pi
Tr. base (opt) / rouage base (opt)	A6 / Int
0-100 / 80-120 / 100-0 km/h	5,1 s / n.d. / n.d.
Type ess. / ville / autoroute	Super / 19,1 / 11,3 l/100 km
GT	
Cylindrée, soupapes, alim.	W12 6,0 litres 48 s turbo
Puissance / Couple	567 chevaux / 516 lb-pi
Tr. base (opt) / rouage base (opt)	A6 / Int
0-100 / 80-120 / 100-0 km/h	4,6 s / n.d. / n.d.
Type ess. / ville / autoroute	Super / 19,6 / 12,4 l/100 km
GTC Speed, Flying Spur Speed	
Cylindrée, soupapes, alim.	W12 6,0 litres 48 s turbo
Puissance / Couple	600 chevaux / 553 lb-pi
Tr. base (opt) / rouage base (opt)	A6 / Int
0-100 / 80-120 / 100-0 km/h	4,6 s / n.d. / n.d.
Type ess. / ville / autoroute	Super / 25,3 / 11,6 l/100 km
Supersports Coupe, Convertible	
Cylindrée, soupapes, alim.	W12 6,0 litres 32 s turbo
Puissance / Couple	621 chevaux / 590 lb-pi
Tr. base (opt) / rouage base (opt)	A6 / Int
0-100 / 80-120 / 100-0 km/h	4,1 s / n.d. / n.d.
Type ess. / ville / autoroute	Super / 18,8 / 11,2 l/100 km

FEU VERT

- Prestige assuré
- Puissance adéquate (!!!)
- Comportement routier de haut niveau
- Version GT réussie
- Luxe frôlant la luxure

FEU ROUGE

- Poids démentiel
- Dimensions intimidantes
- Consommation de Boeing
- Prix très élitistes
- Places arrière ordinaires (sauf Flying Spur)

DU NOUVEAU EN 2012

Nouveau modèle

http://www.bentleymotors.com/

Plus d'informations dans la section statistiques en dernière partie du Guide

MIEUX VAUT ÊTRE RICHE ET EN SANTÉ

Même si Bentley est passé dans le giron de Volkswagen depuis plusieurs années, il en a fallu des lunes avant que la direction de cette filiale britannique passe à l'action. Sa grosse berline de luxe, l'Arnage, était sur le marché depuis 1998 avant qu'elle soit remplacée par la Mulsanne en 2010, ce qui constitue une éternité dans le monde de l'automobile, même chez les voitures de luxe.

Cette nouvelle venue conserve la silhouette très massive de sa devancière. Par contre, signe des temps, les angles sont moins aigus, la grille de calandre plus stylisée et la partie arrière arrondie rappelle un peu certaines Bentley des années 50. La tradition se maintient dans l'habitacle avec de multiples appliqués en bois exotiques et du cuir presque partout. Et du chrome, mes amis, du chrome partout, et pas du plaqué.

UN GROS MORCEAU

Ce cuirassé des routes ne fait pas dans la dentelle quant à ses dimensions. Histoire de vous donner quelques points de repère, cette Bentley est plus longue de 432 millimètres qu'une Cadillac Escalade et son empattement surpasse celui de la grosse Américaine de 320 millimètres.

L'habitacle de la Mulsanne est immensément vaste, on s'en doute, mais ce n'est pas ce qui saute aux yeux lorsqu'on y prend place pour la première fois. C'est le luxe suranné qui impressionne à coup sûr. Pourtant, derrière le tableau de bord, c'est tout ce qu'il y a de plus moderne. Pour les audiophiles, il faut souligner que le système audio a été concocté par la compagnie écossaise Naim dont la réputation en fait de qualité sonore n'est plus à faire. Si, à l'avant, la note est quasi parfaite, que dire de l'expérience vécue par les bienheureuses personnes qui ont la chance de voyager à

CONCURRENTS

Maybach 57 - 62, Rolls-Royce Phantom

IMPRESSIONS DE L'AUTEUR

Agrément de conduite :	■■■■	3.5 / 5
Fiabilité :	DONNÉES INSUFFISANTES	
Sécurité :	■■■■	4 / 5
Qualités hivernales :	■■■	3 / 5
Espace intérieur :	■■■■■	5 / 5
Confort :	■■■■■	5 / 5

l'arrière ! Espace et luxe sont omniprésents et le nombre de commandes pour gérer ces sièges est sans doute plus élevé que le nombre total de commandes d'une Toyota Yaris. Curieusement, le coffre n'est pas tellement grand et les dossiers des sièges arrière ne s'abaissent pas. Mais qu'est-ce qu'un propriétaire de Mulsanne doit s'en foutre !

La Mulsanne est immense, bourrée de matériel insonorisant et d'accessoires de toutes sortes, améliorant ainsi la sécurité et le luxe. Mais tout ça, ça pèse et il faut tout un moteur pour déplacer cette masse de près 3 tonnes à des vitesses vraiment illégales, et ce, en un

Catégorie	Berline
Échelle de prix	358 595 $
Garanties	3 ans / illimité, 3 ans / illimité
Assemblage	Crew, Angleterre
Cote d'assurance	n.d.

rien de temps. Depuis fort longtemps, les grosses berlines de Bentley ont une cylindrée de 6,8 litres, ou, pour respecter la tradition, de 6 ¾ litres. Puisque l'on a conservé les soupapes en tête, la course et l'alésage du moteur précédent, on serait porté à croire qu'il s'agit du même moulin. Mais le bloc-moteur, les culasses et toutes les pièces internes sont nouvelles. Mieux encore, la désactivation des cylindres a été intégrée à ce moteur dont la puissance est de 505 chevaux et le couple de 752 lb-pi grâce à la présence de deux turbocompresseurs Mitsubishi.

Lors d'accélérations brutales, la voiture hésite à s'arracher de la force d'inertie. Puis, après environ une seconde, c'est la folie. Dans un vrombissement un peu feutré des huit cylindres, la montagne de kilos qu'est la Mulsanne est catapultée vers l'avant et rien, rien, rien ne semble vouloir l'arrêter. Et même rendue à des vitesses à en faire fondre un radar, la voiture ne présente aucun signe d'essoufflement ! À noter que la ligne rouge du moteur débute à 4 500 tours/minute. On se croirait à bord d'une voiture diesel. Ce n'est pas le cas même si son moteur en possède le couple phénoménal. Cette fabuleuse pièce d'orfèvrerie est couplée à une non moins fabuleuse boîte automatique à huit rapports qui passe ses vitesses de façon tout à fait transparente. Lors d'un test éclair, nous avons abattu le 0-100 km/h en 6,0 secondes pile. Bentley parle de 5,0, sans doute avec les pneus de 20 pouces alors que notre voiture d'essai possédait des Pirelli P Zero Rosso P265/40ZR21 (le journaliste sent son bras gauche s'engourdir quand il pense au coût de remplacement… mais sans doute pas le propriétaire d'une Bentley…).

LE SPORT, FAÇON MULSANNE

Conduire une voiture de près d'un demi-million de dollars est toujours une expérience qui sort de l'ordinaire. Il faut tout d'abord s'assurer de ne pas l'abîmer lors des manœuvres de stationnement. Et puis s'habituer au regard des gens, souvent envieux, quelquefois hargneux (ce devaient être des écolos, la Mulsanne consommant une quantité indécente d'hydrocarbures). Le moteur est hyper puissant, les sièges divins, le luxe indicible, mais la conduite ne laisse pas cette impression de contentement qu'offre, par exemple, une Bentley Continental GT. La faute va à la direction, un peu trop vague et ne procurant pas suffisamment de retour d'information. Pourtant, même poussée au-delà de la logique dans un coin de rues, la Mulsanne tourne avec aplomb, affichant un certain roulis. Compte tenu du poids que les suspensions ont à gérer, nous ne pouvons que lever notre chapeau aux ingénieurs britanniques (et allemands, bien sûr).

La Mulsanne est une voiture hors de l'ordinaire pour des gens qui ont des ressources financières hors de l'ordinaire. Si jamais vous êtes suivis sur la route par une voiture dont les phares comprennent un cercle de diodes électroluminescentes, cédez donc le passage : c'est une Mulsanne.

Denis Duquet / Alain Morin

Photos : Alain Morin

CHÂSSIS - MULSANNE

Emp/lon/lar/haut	3 266/5 575/2 208/1 521 mm
Coffre	443 litres
Réservoir	96 litres
Nombre coussins sécurité / ceintures	8 / 5
Suspension avant	indépendante, double triangulation
Suspension arrière	indépendante, multibras
Freins avant / arrière	disque / disque
Direction	à crémaillère, assistée
Diamètre de braquage	n.d.
Pneus avant / arrière	265/45ZR20 / 265/45ZR20
Poids	2 585 kg
Capacité de remorquage	n.d.

COMPOSANTES MÉCANIQUES

Mulsanne

Cylindrée, soupapes, alim.	V8 6,8 litres 32 s turbo
Puissance / Couple	505 chevaux / 752 lb-pi
Tr. base (opt) / rouage base (opt)	A8 / Prop
0-100 / 80-120 / 100-0 km/h	5,0 s / n.d. / n.d.
Type ess. / ville / autoroute	Super / 25,3 / 11,8 l/100 km

FEU VERT

- Performances spectaculaires
- Confort indescriptible
- Habitabilité hors normes
- Surprenante tenue de route
- Exclusivité garantie

FEU ROUGE

- Lourde comme un camion
- Consommation d'un Airbus A380
- Dimensions d'un Airbus A380
- Prix stratosphérique
- Silhouette ringarde

DU NOUVEAU EN 2012

Aucun changement majeur

http://www.bentleymotors.com/

Plus d'informations dans la section statistiques en dernière partie du Guide

LA RELÈVE ANNONCE SES COULEURS

Dernier-né de la gamme de la Série 1, le coupé 1M était parmi ce qui se faisait de mieux dans l'univers de ce constructeur bavarois. Il a d'ailleurs brillamment dominé l'édition 2012 du match des sportives que l'on retrouve au début de cet ouvrage. Malheureusement, ce modèle d'anthologie ne sera pas reconduit pour 2012. C'est certainement décevant, mais il y a quand même une bonne nouvelle : cette voiture est à ce point douée que même sa version plus sage, la 135i — qui elle, demeure parmi nous — aurait emporté ce match, comme elle l'avait fait il y a trois ans, alors qu'elle avait affronté les meilleurs coupés sport de l'heure. C'est dire la qualité de cette voiture.

CONCURRENTS

Audi A3,
MINI Cooper,
Volkswagen Eos,
Volvo C30

IMPRESSIONS DE L'AUTEUR

Agrément de conduite :	5 / 5
Fiabilité :	3 / 5
Sécurité :	4 / 5
Qualités hivernales :	3 / 5
Espace intérieur :	2 / 5
Confort :	3 / 5

Il est cruel de la part de ce constructeur de nous priver d'une voiture aussi impressionnante et exclusive. Mais comme c'est souvent la tradition chez BMW, les modèles M ont des carrières bien éphémères, au grand dam des amateurs de sportives bien nées. Cela dit, il ne faut pas non plus ignorer les versions coupés et cabriolet 128i et 135i, qui sont en mesure de tenir la dragée haute à la concurrence.

MÉCANIQUE RECONDUITE, RETOUCHES ESTHÉTIQUES

Mis à part l'abandon du coupé 1M pour 2012, l'autre annonce de BMW tient à la modification des phares avant, qui comprennent dorénavant des DEL montées en rangée sur la partie supérieure des phares de route. Ce faisant, BMW suit non seulement la mode, mais s'adapte également à la nouvelle législation européenne puisque ces diodes électroluminescentes servent également de phares de jour. Toujours en matière d'éclairage, les feux arrière intègrent eux aussi des DEL afin d'assurer une meilleure visibilité et une plus grande vitesse de réaction au freinage.

L'autre nouveauté nous vient de la 128i. Elle possède sur son pare-chocs avant des prises qui dirigent l'air vers les puits de roue afin de produire un rideau aérodynamique autour du pneu. De cette façon, la turbulence est réduite, l'aérodynamisme de la voiture est amélioré et la consommation de carburant s'en trouve également diminuée. On trouve d'ailleurs exactement la même technologie sur la Vision EfficientDynamics, la voiture qui orne notre page couverture.

Cette année, la mécanique reste inchangée. La 128i est propulsée par un moteur six cylindres en ligne de 3,0 litres produisant 230 chevaux, ce qui permet de boucler le 0-100 km/h en

Catégorie	Cabriolet, Coupé
Échelle de prix	41 400$ à 43 200$
Garanties	4 ans/80 000 km, 4 ans/80 000 km
Assemblage	Leipzig, Allemagne
Cote d'assurance	n.d.

CHÂSSIS - 135I CABRIOLET

Emp/lon/lar/haut	2 660/4 360/1 919/1 411 mm
Coffre	260 à 305 litres
Réservoir	53 litres
Nombre coussins sécurité / ceintures	6 / 4
Suspension avant	indépendante, jambes de force
Suspension arrière	indépendante, multibras
Freins avant / arrière	disque / disque
Direction	à crémaillère, ass. variable
Diamètre de braquage	10,7 m
Pneus avant / arrière	P215/40R18 / P245/35R18
Poids	1 650 kg
Capacité de remorquage	n.d.

COMPOSANTES MÉCANIQUES

128i	
Cylindrée, soupapes, alim.	6L 3,0 litres 24 s atmos.
Puissance / Couple	230 chevaux / 200 lb-pi
Tr. base (opt) / rouage base (opt)	M6 (A6) / Prop
0-100 / 80-120 / 100-0 km/h	6,4 s / 5,2 s / n.d.
Type ess. / ville / autoroute	Super / 13,1 / 8,4 l/100 km

135i	
Cylindrée, soupapes, alim.	6L 3,0 litres 24 s turbo
Puissance / Couple	300 chevaux / 300 lb-pi
Tr. base (opt) / rouage base (opt)	M6 (A7) / Prop
0-100 / 80-120 / 100-0 km/h	5,4 s / 4,6 s / 35,4 m
Type ess. / ville / autoroute	Super / 12,4 / 8,4 l/100 km

FEU VERT

- Excellente tenue de route (135i)
- Puissance de freinage
- Moteurs performants
- Gamme complète

FEU ROUGE

- Prix élevé
- Coûts des options
- Espace accordé aux places arrière
- Absence de rouage intégral

DU NOUVEAU EN 2012

Quelques changements esthétiques

http://www.bmw.ca/

Plus d'informations dans la section statistiques en dernière partie du Guide

6,4 secondes avec la boîte manuelle à six rapports. Si vos ressources financières le permettent, il y a la 135i, dont le moteur six cylindres est suralimenté par le biais d'un turbocompresseur à double chambre dangereusement efficace. Ce moteur utilise également l'injection directe et le calage de soupapes Valvetronic. Il lui faut une seconde de moins que le six cylindres atmosphérique du 128i pour boucler le 0-100 km/h.

Mais la différence est encore plus spectaculaire avec la boîte à double embrayage automatisé à 7 rapports qui permet d'atteindre 100 km/h en 5,0 secondes pile. Quant à la 128i, sa transmission automatique est à six rapports. Comme il se doit, et ce peu importe le moteur, la tenue de route est impeccable et l'agrément de conduite garanti, qu'on opte pour le coupé ou le cabriolet. Et naturellement, les sièges offrent un excellent soutien latéral et le volant se prend bien en main.

LA NOUVELLE GÉNÉRATION

Lors d'un voyage-éclair à Munich au mois d'avril 2011, j'ai aperçu, en compagnie de mon collègue Gabriel Gélinas, de nombreux prototypes arborant une peinture spéciale affichant des motifs blancs et noirs qui cachaient les formes de la carrosserie. Ces voitures étaient clairement des exemplaires de la nouvelle Série 1, qui subissaient alors leurs derniers tests du programme de validation, avant le dévoilement programmé pour le Salon de l'auto de Francfort. Cette nouvelle génération, qui porte le nom de code F20 à l'interne chez le constructeur bavarois, est plus longue de 9 centimètres et plus large de 2 centimètres que le modèle actuel et sera déclinée en plusieurs variantes : trois portes, cinq portes, coupé et cabriolet. Mais on doit également s'attendre à ce que d'autres variations sur thème fassent leur apparition. Les rumeurs persistantes évoquent l'arrivée possible d'une Gran Turismo, dont le style émulerait celui du modèle du même nom de Série 5. La présentation de toutes ces variantes se fera progressivement entre l'automne 2011 et le printemps 2013, alors que la turbocompression sera adoptée pour l'ensemble des motorisations proposées sur la nouvelle Série 1.

Par ailleurs, il est également possible que cette nouvelle génération prenne le nom de Série 2, plutôt que celui de Série 1, qui deviendrait alors le nom de la nouvelle petite BMW à traction actuellement en cours de développement chez BMW. Le changement de désignation permettrait également de donner l'impression aux clients actuels de la Série 1 de « monter en grade » avec le modèle de nouvelle génération. Voilà qui représenterait un bon coup de marketing pour la compagnie. Du coup, ça lui permettrait de revoir l'échelle de prix à la hausse…

La Série 1 permet aux amateurs de s'initier à la marque bavaroise à un coût moindre que la Série 3 mais, comme toujours avec BMW, il faut faire un choix avisé quant aux options. Sinon, la facture risque d'exploser !

Jean Léon

Photos : BMW

TOUTES MAGICIENNES

Comment présenter la Série 3 de BMW sans ressasser les mêmes clichés ? Oui, elle est toujours la référence incontestable chez les berlines et les coupés sport, à tous égards. Oui, ses moteurs sont exceptionnels et enfin oui, elle est toujours la plus populaire de sa catégorie. Pas mal du tout pour une voiture qui en est à sa sixième année. Le constructeur bavarois amorce d'ailleurs le renouveau de sa série-fétiche dès l'hiver prochain avec les premières variantes de la sixième génération qui promettent quelques surprises. Et les multiples autres versions poursuivront leur carrière jusqu'à leur propre refonte, comme le veut la tradition chez BMW.

CONCURRENTS
Acura TL, Acura TSX,
Audi A4, Audi A5,
Cadillac CTS, Infiniti G,
Lexus IS, Mercedes-Benz Classe C,
Volvo C70

IMPRESSIONS DE L'AUTEUR	
Agrément de conduite :	4.5 / 5
Fiabilité :	3.5 / 5
Sécurité :	4 / 5
Qualités hivernales :	4.5 / 5
Espace intérieur :	3.5 / 5
Confort :	4 / 5

La Série 3 actuelle compte dix-sept modèles différents, selon la motorisation, le rouage et le type de carrosserie. D'abord, quatre types sont offerts : berline, coupé, décapotable et familiale. Rien de moins. L'éventail s'étend de la sage berline 323i et son six cylindres en ligne de 2,5 litres et 200 chevaux au V8 de 4,0 litres et 414 chevaux de la M3 Cabriolet. Le prix de ces deux modèles passe lui aussi du simple au double, puisqu'ils sont aux extrêmes de l'échelle. Entre les deux, on trouve une multitude de variations et de combinaisons possibles. Sans compter les versions Individual qui offrent une personnalisation plus poussée.

SUR TOUS LES FRONTS ET SURFACES

Seule la familiale est offerte en une seule version, la 328i xDrive Touring, propulsée par un six-en-ligne de 3,0 litres et 230 chevaux. Là encore, on a le choix entre une boîte manuelle et une automatique, toutes deux à six rapports. Chez BMW, c'est un choix véritable, parce que les manuelles sont excellentes et collent impeccablement au caractère et au comportement des Bavaroises. Ce sont plutôt les progrès notables des boîtes automatiques qu'il faut souligner, favorisés par l'évolution remarquable des six cylindres en ligne, pour la souplesse et la frugalité autant que la sonorité. Sans compter la venue de boîtes à double embrayage automatisé à 7 rapports pour les plus sportives, les M3 et le coupé 335is.

Le rouage intégral, rebaptisé xDrive, a également élargi et renforcé l'attrait de la Série 3. On le retrouve sur les berlines et les coupés, sauf les M3. Ce qui pourrait changer avec la prochaine, puisque BMW lancera bientôt une nouvelle M5 à rouage intégral, n'en déplaise aux puristes qui ne jurent que par la propulsion. La deuxième génération du xDrive répartit le couple entre les essieux

Catégorie	Berline, Cabriolet, Coupé, Familiale
Échelle de prix	37 650 $ à 82 300 $ (2011)
Garanties	4 ans/80 000 km, 4 ans/80 000 km
Assemblage	Regensburg, Allemagne
Cote d'assurance	passable

avant et arrière en proportion variable. L'équilibre du poids presque parfait fait le reste, sans répartition additionnelle de couple vers les roues extérieures comme chez certaines rivales. On y viendra sans doute avec la prochaine évolution, concurrence oblige. Pas de rouage intégral pour la berline 335d à moteur diesel, qui se contente d'offrir une grande frugalité. Nous avons mesuré 6,7 l/100 km sur quelques centaines de kilomètres de conduite mixte, ce qui est déjà excellent. Ce serait mieux encore si BMW se décidait à nous offrir aussi son diesel 2,0 litres qui fait encore mieux.

PÉCHÉS PAS TRÈS MIGNONS

Les Série 3 ne sont quand même pas parfaites. Elles ne sont d'abord pas les plus spacieuses à l'arrière, surtout les décapotables. Et l'interface iDrive est encore ahurissante par moments, malgré un progrès certain et de nouveaux affichages superbement clairs. Mauvaise note aussi pour les modèles Cabriolet, dont la suspension avant cogne incroyablement dur dans le moindre nid-de-poule. Un mal qui affecte aussi d'autres voitures chez BMW. Il est injuste de placer tout le blâme sur les pneus anticrevaison que ce constructeur sait marier à merveille aux suspensions de plusieurs de ses autres modèles.

Pour toute la rigueur que met BMW à raffiner le comportement de ses voitures, ses ingénieurs sont visiblement contraints de faire certains compromis avec les décapotables. Sans doute à cause de la rigidité moindre de la structure. La différence est nette, même dans la famille M3. Pour profiter pleinement des qualités sportives inégalées de cette série, il faut choisir le coupé avant tout, sinon la berline. La M3 est alors vive, solide et nerveuse comme aucune autre. La M3 décapotable est plus brouillonne, moins brillante et l'espace pour les bagages est sacrifié en bonne partie au profit du rangement du toit rétractable. Il est plus sage et moins cher de choisir un autre cabriolet.

En laissant de côté les options coûteuses dans le coupé et la berline M3, on peut même éviter l'interface iDrive. Grand dommage, par ailleurs, qu'on ne puisse ajouter le groupe BMW Apps de 300 $ qui permet le jumelage des téléphones sans devoir aussi payer 2 500 $ pour le groupe MDrive avec système de navigation et compagnie. L'alternative la plus intéressante au coupé M3 est le coupé 335is, qui profite d'une version plus poussée du six cylindres à double turbo de 3,0 litres produisant 320 chevaux. Le comportement est aiguisé, les accélérations à quelques dixièmes de la M3 et la note d'échappement ravissante, puisque ce modèle est réservé au marché nord-américain où les normes pour le bruit sont moins sévères qu'en Europe. On y gagne en plus la souplesse du moteur turbo à bas régime tout en évitant le vacarme métallique du V8 des M3 en démarrage à froid.

Marc Lachapelle

Photos: BMW

CHÂSSIS - M3 BERLINE

Emp/lon/lar/haut	2 761/4 580/2 005/1 447 mm
Coffre	450 litres
Réservoir	63 litres
Nombre coussins sécurité / ceintures	6 / 5
Suspension avant	indépendante, jambes de force
Suspension arrière	indépendante, multibras
Freins avant / arrière	disque / disque
Direction	à crémaillère, ass. variable électronique
Diamètre de braquage	11,7 m
Pneus avant / arrière	P245/40ZR18 / P265/40ZR18
Poids	1 690 kg
Capacité de remorquage	n.d.

COMPOSANTES MÉCANIQUES

328i, 328xi

Cylindrée, soupapes, alim.	6L 3,0 litres 24 s atmos.
Puissance / Couple	230 chevaux / 200 lb-pi
Tr. base (opt) / rouage base (opt)	M6 (A6) / Int (Prop)
0-100 / 80-120 / 100-0 km/h	6,6 s / 5,5 s / 40,0 m
Type ess. / ville / autoroute	Super / 12,2 / 7,4 l/100 km

M3

Cylindrée, soupapes, alim.	V8 4,0 litres 32 s atmos.
Puissance / Couple	414 chevaux / 295 lb-pi
Tr. base (opt) / rouage base (opt)	M6 (A7) / Prop
0-100 / 80-120 / 100-0 km/h	4,8 s / 3,9 s / 37,1 m
Type ess. / ville / autoroute	Super / 15,7 / 10,1 l/100 km

323i

6L 2,5 l, 200 ch, 180 lb-pi 0-100: 7,4 s - 11,1/6,9 l/100 km

335i, 335xi

6L 3,0 l, 300 ch, 300 lb-pi 0-100: 5,5 s - 11,8/7,1 l/100 km

335is

6L 3,0 l, 320 ch, 332 lb-pi 0-100: 5,4 s - 12,2/7,6 l/100 km

335d (diesel)

6L 3,0 l, 265 ch, 425 lb-pi 0-100: 6,3 s - 9,0/5,4 l/100 km

FEU VERT

- Tenue de route exceptionnelle
- Moteurs remarquables
- Plaisir de conduite
- Encore belles à leur sixième année
- Éventail de modèles très complet

FEU ROUGE

- Chère avec les options
- Moteur bruyant à froid (M3)
- Visibilité arrière (Cabriolet)
- Coffre limité (Cabriolet)
- Suspension sèche (Cabriolet)

DU NOUVEAU EN 2012

Aucun changement majeur. Nouvelle génération à venir

http://www.bmw.ca/

Plus d'informations dans la section statistiques en dernière partie du Guide

DU PLAISIR EN SÉRIE

Combien seriez-vous prêt à payer pour une chemise ? 50 $? 100 ? 300 ? Quel est le nombre d'heures idéal de loisirs durant une semaine ? 2 ? 20 ? 60 ? Pour chaque personne, la réponse est différente et pas nécessairement mauvaise. Il en va de même pour l'automobile. L'auteur de ce texte n'a pas les moyens de se payer une BMW Série 5, mais il sait que s'il tombait riche demain matin, cette voiture deviendrait le modèle à se procurer. Pas la Série 3, un peu petite. Ni la 7, trop prétentieuse. Non. Une 5. Berline. Avec le V8 de 4,4 litres. En attendant la prometteuse M5…

CONCURRENTS
Acura RL, Audi A6, Cadillac STS, Infiniti M, Jaguar XF, Lexus GS, Lincoln MKS, Mercedes-Benz Classe E, Volvo S80

IMPRESSIONS DE L'AUTEUR		
Agrément de conduite :	■■■■■	4.5 / 5
Fiabilité :	■■■	3 / 5
Sécurité :	■■■■■	5 / 5
Qualités hivernales :	■■■■	4 / 5
Espace intérieur :	■■■■	4 / 5
Confort :	■■■■	4 / 5

L'an dernier, BMW revoyait entièrement sa Série 5, qui partage désormais son châssis avec la Série 7, même si les dimensions de cette dernière sont plus imposantes. Même si les changements apportés sont plutôt subtils, un œil avisé aura tôt fait de les remarquer. La berline continue donc d'afficher des lignes pour le moins nobles, alliant force et look sportif. L'habitacle est vaste et il est difficile de prendre les matériaux et leur assemblage en défaut. Les sièges font preuve d'un confort plus qu'appréciable. À preuve, un trajet de quelques heures n'a pas suffi à faire souffrir mon dos douillet. À l'arrière, mon dos était tout aussi satisfait — heureusement, il ne prenait pas place au centre ! — mais l'espace pour les jambes pourrait être lus grand.

LA GT : POURQUOI ?

Sans que je comprenne trop pourquoi, BMW commercialise une autre 5, la GT. Si le nom est, selon moi, mal choisi pour une version à hayon, le hayon lui-même m'amène à me questionner. De l'extérieur, la voiture n'est pas laide, même si la partie arrière est plus massive que celle de la berline. Mais le hayon peut être ouvert de deux façons différentes. Si on ouvre la partie inférieure, on se retrouve alors avec un coffre comme sur une berline. Si on ouvre le hayon au complet, on a droit à un espace de chargement autrement plus grand. L'idée est bonne, mais combien inutile. De plus, le poids du hayon principal est beaucoup trop élevé et la partie arrière, plus allongée, nuit grandement à la visibilité des trois quarts arrière.

La Série 5 débute avec un nouveau moteur qui, il y a quelques années, aurait été considéré comme une hérésie. En effet, il s'agit d'un quatre cylindres de 2,0 litres turbocompressé développant la même puissance que le six en ligne de l'année dernière (à un cheval près) et 28 livres-pied supplémentaire de couple. Ce moteur est réservé à la berline, le poids plus élevé de la GT le rendant sans doute impotent — pour une BMW, s'entend ! J'imagine que la plupart des gens se tourneront vers l'autre six en ligne de 3,0 litres doté du double turbo de la 535i. Ici, on commence à jaser. On ne parle pas d'une bombe, mais ce moteur reste amplement suffisant pour des dépassements sécuritaires. Ceux qui préfèrent le plaisir opteront toutefois pour le V8 de 4,4 litres de la 550i. Ce moteur, lorsqu'il n'est pas sollicité outre mesure, ne consomme pas tellement plus que celui de la 535i. Mais si vous vous laissez aller à l'enthousiasme, par contre… Depuis quelque temps, une nouvelle jauge de récupération d'énergie est apparue dans le tableau de bord des BMW. En effet, grâce au système Efficient Dynamics, il est désormais possible de recharger la batterie lors des décélérations via un générateur.

S'il est un domaine où BMW excelle, c'est bien dans celui de la dynamique de conduite, surtout lorsque livrée berline. Comme toujours, on a l'impression d'être au volant d'un bloc de béton tant le châssis est solide. Il est possible, grâce à un bouton placé sur la console centrale, de modifier les paramètres de la suspension, du moteur, de l'accélérateur et de la transmission. Si les trois modes (Normal, Sport et Sport+) ne comportent pas tellement de différences en conduite normale, on sent qu'il en est autrement quand on brasse la voiture et on se surprend à vouloir la tester sur une piste de course. Il est d'ailleurs possible d'enlever toute aide électronique et de s'amuser à faire décrocher l'arrière à l'accélérateur, une activité qui n'est recommandée qu'en des lieux très sûrs.

Les suspensions, sans être inconfortables, n'ont pas la douceur de celles d'une Mercedes-Benz Classe E, l'éternelle rivale. Sur toutes les Série 5 essayées, j'ai trouvé la direction un peu trop dure à basse vitesse. Cependant, ce trait s'amenuise à mesure que la vitesse augmente et le retour d'information qu'elle procure est toujours apprécié. De plus, le rayon de braquage est passablement court, une bénédiction en ville.

Quant à la M5, bien peu de détails ont transpiré au moment d'écrire ces lignes. La féroce animale devrait être dévoilée au Salon de l'auto de Francfort, en septembre. BMW parle d'un V8 — et non plus d'un V10 comme dans la génération précédente — et d'un rouage intégral. Nous n'en n'avons pas encore fait l'essai, mais nous pouvons déjà confirmer qu'il s'agira d'une voiture ultra-puissante, à la tenue de route suprême et au prix démentiel. Après tout, la M5 se doit de respecter sa propre tradition !

La fiabilité des produits BMW n'a pas toujours été sans tache, surtout au niveau de l'électronique. C'est probablement ce qui explique le fait que plusieurs préfèrent louer une BMW plutôt que l'acheter.

Alain Morin

Photos : BMW

Catégorie	Berline
Échelle de prix	53 900 $ à 79 900 $ (2011)
Garanties	4 ans/80 000 km, 4 ans/80 000 km
Assemblage	Dingolfing, Allemagne
Cote d'assurance	n.d.

CHÂSSIS - 550I GT

Emp/lon/lar/haut	3 070/4 999/1 901/1 559 mm
Coffre	440 à 1 700 litres
Réservoir	70 litres
Nombre coussins sécurité / ceintures	6 / 5
Suspension avant	indépendante, double triangulation
Suspension arrière	indépendante, multibras
Freins avant / arrière	disque / disque
Direction	à crémaillère, assistée
Diamètre de braquage	n.d.
Pneus avant / arrière	P245/45R19 / P275/40R19
Poids	2 295 kg
Capacité de remorquage	n.d.

COMPOSANTES MÉCANIQUES

528i	
Cylindrée, soupapes, alim.	4L 2,0 litres 16 s turbo
Puissance / Couple	241 chevaux / 258 lb-pi
Tr. base (opt) / rouage base (opt)	n.d. / Prop (int)
0-100 / 80-120 / 100-0 km/h	n.d. / n.d. / n.d.
Type ess. / ville / autoroute	Super / n.d.
535i	
Cylindrée, soupapes, alim.	6L 3,0 litres 24 s turbo
Puissance / Couple	300 chevaux / 300 lb-pi
Tr. base (opt) / rouage base (opt)	A8 (M6) / Prop (Int)
0-100 / 80-120 / 100-0 km/h	6,1 s / 3,9 s / 37,7 m
Type ess. / ville / autoroute	Super / 11,5 / 7,3 l/100 km
550i	
Cylindrée, soupapes, alim.	V8 4,4 litres 32 s turbo
Puissance / Couple	400 chevaux / 450 lb-pi
Tr. base (opt) / rouage base (opt)	A8 (M6) / Prop (Int)
0-100 / 80-120 / 100-0 km/h	5,9 s / 4,0 s / 39,5 m
Type ess. / ville / autoroute	Super / 14,5 / 9,2 l/100 km
M5	
Cylindrée, soupapes, alim.	V8 4,4 litres 32 s turbo
Puissance / Couple	560 chevaux / 500 lb-pi
Tr. base (opt) / rouage base (opt)	A7 / Prop
0-100 / 80-120 / 100-0 km/h	4,4 s (const) / n.d. / n.d.
Type ess. / ville / autoroute	Super / n.d.

FEU VERT

- Lignes sobres et nobles (berline)
- Matériaux de qualité
- Plaisir de conduite évident
- Tenue de route relevée
- Grand coffre (GT)

FEU ROUGE

- Direction lourde à basse vitesse
- Version GT déconcertante
- Coût des options élevé
- Entretien dispendieux
- Fiabilité à établir

DU NOUVEAU EN 2012

Nouveau quatre cylindres 2,0 litres diesel

http://www.bmw.ca/

Plus d'informations dans la section statistiques en dernière partie du Guide

UNE GROSSE POINTURE

BMW a adopté une politique plutôt intéressante pour lancer son coupé et son cabriolet de la Série 6. En général, c'est le coupé qui a préséance lors d'une introduction sur le marché tandis que le cabriolet suit quelques mois plus tard. Mais sans doute pour profiter du marché lucratif des achats printaniers pour ce genre de modèle, c'est le cabriolet qui, cette fois, est arrivé le premier. Ce coup-ci, la silhouette est moins iconoclaste que celle du précédent modèle qui avait été dessiné sous la férule du très controversé Chris Bangle.

Les modèles de cette série sont ni plus ni moins dérivés de la Série 5. Par ailleurs, la silhouette — soit dit en passant, elle a été dessinée par Nader Faghihzadeh — s'inspire davantage des modèles de la première génération apparue en 1976. La voiture est plus basse, plus large et sa partie avant est nettement plus agressive. Prenez par exemple les phares avant. Sur l'ancien modèle, ils se contentaient d'être en position horizontale et même quelque peu inclinés vers le bas, ce qui donnait une attitude relativement triste à la voiture. Sur cette nouvelle génération, ces mêmes phares sont nettement plus oblongs et se déportent sur les ailes. Et les incontournables naseaux de la grille de calandre sont plus grands tandis qu'on retrouve sur la section inférieure du parechocs de petits déflecteurs qui donnent au véhicule un air sportif et agressif.

La partie supérieure de la paroi latérale est à relief et se prolonge vers l'arrière. Cela donne un peu plus de dynamisme à la silhouette lorsque la voiture est immobile et compense quelque peu pour les dimensions tout de même assez imposantes de cette voiture. À l'arrière, les deux tuyaux d'échappement rectangulaires s'harmonisent fort bien au design de la voiture. Soulignons que le

CONCURRENTS
Aston Martin Vantage,
Chevrolet Corvette,
Jaguar XK,
Maserati Gran Turismo,
Mercedes-Benz Classe SL,
Nissan GT-R, Porsche 911

IMPRESSIONS DE L'AUTEUR	
Agrément de conduite :	3.5/5
Fiabilité :	4/5
Sécurité :	4/5
Qualités hivernales :	3/5
Espace intérieur :	3.5/5
Confort :	4/5

toit du cabriolet est souple ce qui permet de profiter d'un peu plus d'espace dans le coffre à bagages lorsque la capote est remisée. Toutefois, je ne suis pas tellement entiché des arcboutants utilisés à la partie arrière de ce toit. Quant au coupé, sa silhouette est plus élégante que celle du cabriolet en raison de son toit nettement plus stylisé qui se poursuit en douceur vers le rebord du coffre.

SI VOUS AIMEZ L'ÉLECTRONIQUE

Plusieurs croient encore que les voitures BMW sont dépouillées, exclusivement orientées vers le pilotage, mais offrent toutefois une expérience routière enivrante. Il suffit de faire un petit tour au

Catégorie	Cabriolet, Coupé
Échelle de prix	95 500 $ à 106 800 $
Garanties	4 ans/80 000 km, 4 ans/80 000 km
Assemblage	Dingolfing, Allemagne
Cote d'assurance	n.d.

volant de cette Série 6 pour se rendre compte qu'on s'est drôlement embourgeoisé à Munich. En effet, compte tenu de sa catégorie et de son rang, il aurait été impensable d'y aller d'un habitacle dépouillé. Cette fois, la planche de bord est nettement plus intéressante pour le pilote puisque la plupart des commandes et instruments sont axés vers la gauche. Les deux principaux cadrans indicateurs, cerclés de chrome, n'ont pas tellement changé avec leurs chiffres blancs sur fond noir. Le tout s'avère très raffiné. Le volant, pour sa part, a été changé et son moyeu est nettement plus gros qu'auparavant. Il se prend bien en main et il est très facile de trouver une bonne position de conduite compte tenu des multiples ajustements à notre disposition. Bien entendu, la qualité de l'assemblage et de la finition est impeccable. Bien qu'il s'agisse d'un cabriolet quatre places, les personnes assises à l'arrière auront de la difficulté à s'asseoir lorsque le toit est en place et l'espace qui leur est réservé est relativement modeste. Notre voiture d'essai était dotée d'une planche de bord habillée de cuir fin rehaussé par des surpiqûres rouges. Les autres surfaces étaient recouvertes d'une laque noire marbrée qui faisait bon chic bon genre.

TOUT UN MOTEUR!

La grande nouvelle chez cette voiture, ce n'est pas son toit souple que l'on peut remiser ou déployer même lorsque la voiture roule à basse vitesse. Ce n'est pas non plus la lentille de la caméra de recul dissimulée sous l'écusson arrière. C'est le moteur. En effet, ce V8 4,4 litres à double turbo produit 407 chevaux et 442 lb-pi de couple. Il est associé à une transmission automatique à huit rapports, ce qui en fait l'un des groupes propulseurs les plus modernes sur le marché. Pour les personnes qui aiment prendre les choses en main, il est également possible de commander la voiture avec une boîte manuelle à six rapports. Dans les deux cas, il faut 5,1 secondes pour boucler le 0-100 km/h. Détail intéressant, ce moteur occupe tellement de place sous le capot, que les ingénieurs ont été obligés d'ancrer les barres de renfort à une poutre transversale placée à l'avant du moteur.

Puisque cette voiture est relativement lourde et imposante, le *feedback* de la conduite est quelque peu mitigé. Ce qui signifie que ce n'est pas nécessairement une sportive, malgré son moteur d'anthologie dont le rendement est exceptionnel. On sent qu'on pilote une grosse voiture. D'autant plus que la direction nous semble déconnectée de la route. Toujours au niveau de la conduite, l'affichage de tête est disponible et il est même possible de programmer un avertisseur sonore lorsqu'on dépasse une certaine vitesse qu'on aura réglée au préalable. En quelques mots, il s'agit d'une belle bourgeoise dotée d'une mécanique sportive.

Denis Duquet

Photos : Marc Lachapelle

CHÂSSIS - 650I CABRIOLET	
Emp/lon/lar/haut	2 855/4 894/1 894/1 365 mm
Coffre	300 à 350 litres
Réservoir	70 litres
Nombre coussins sécurité / ceintures	6 / 4
Suspension avant	indépendante, double triangulation
Suspension arrière	indépendante, multibras
Freins avant / arrière	disque / disque
Direction	à crémaillère, ass. électrique
Diamètre de braquage	11,7 m
Pneus avant / arrière	P245/45R18 / P245/45R18
Poids	1 940 kg
Capacité de remorquage	n.d.

COMPOSANTES MÉCANIQUES	
650i Coupe, 650i Cabriolet	
Cylindrée, soupapes, alim.	V8 4,4 litres 32 s turbo
Puissance / Couple	407 chevaux / 442 lb-pi
Tr. base (opt) / rouage base (opt)	A8 / Prop
0-100 / 80-120 / 100-0 km/h	5,1 s / n.d. / n.d.
Type ess. / ville / autoroute	Super / 15,5 / 7,8 l/100 km

FEU VERT

- Moteur d'anthologie
- Boîte automatique à huit rapports
- Tableau de bord réussi
- Excellente tenue de route
- Boîte manuelle disponible

FEU ROUGE

- Direction engourdie
- Certaines commandes rébarbatives
- Habitabilité moyenne
- Consommation élevée

DU NOUVEAU EN 2012

Nouveau modèle

http://www.bmw.ca/

Plus d'informations dans la section statistiques en dernière partie du Guide

BOURGEOISE MALGRÉ ELLE

Il y a deux ans est apparue une nouvelle Série 7 dont la silhouette avait été redessinée par le styliste montréalais Karim Antoine Habib. Depuis cette refonte complète, BMW a repris les grandes composantes et systèmes de la «7» pour créer l'inclassable Gran Turismo, la nouvelle Série 5 et les nouveaux coupés et cabriolets de Série 6. La grande BMW joue donc son rôle de vaisseau amiral au sein de la gamme. Or, pendant que les plus sages cherchent toujours à s'imposer dans le créneau impitoyable des berlines de prestige, la plus délurée part à la chasse aux chronos.

Les premières Séries 7 étaient de pures BMW, affichant une tenue de route exceptionnelle pour leur gabarit. L'ennui, c'est qu'elles s'adressaient aux passionnés de conduite, créatures fortement minoritaires dans cette catégorie. Erreur certaine pour une voiture qui est souvent appelée à camper le rôle de limousines ou à dorloter les pachas qui prennent place derrière.

Munich a par la suite corrigé son tir en soignant le confort et le luxe de ses grandes berlines pendant que ses rivales affinaient le comportement des leurs. Concurrence oblige. Sans parler de la course ininterrompue aux systèmes électroniques et accessoires de confort, de luxe et de sécurité qui sont le pain, le beurre et le caviar chez les berlines de luxe et de prestige.

RAFFINEMENT TOUS AZIMUTS

La Série 7 actuelle est certainement la plus achevée, raffinée, opulente et la mieux équipée à ce jour. Sans compter que la silhouette élégante, sobre et moderne que lui a taillée le jeune styliste Karim Antoine Habib, fier Montréalais, l'a sortie de la controverse provoquée par la Série 7 précédente. Dessinée par Adrian Van Hooydonk, patron actuel du design chez BMW, cette berline au coffre surélevé et aux flancs sculptés n'avait pas moins secoué le design automobile et influencé tous les stylistes.

CONCURRENTS
Audi A8,
Jaguar XJ,
Lexus LS,
Maserati Quattroporte,
Mercedes-Benz Classe S

IMPRESSIONS DE L'AUTEUR	
Agrément de conduite :	4/5
Fiabilité :	4/5
Sécurité :	4.5/5
Qualités hivernales :	4.5/5
Espace intérieur :	4.5/5
Confort :	4.5/5

Le dessin de l'habitacle est également plus classique et c'est un bien. Les grands cadrans et le large écran au centre du tableau sont remarquablement clairs et nets. La console et la portion centrale de la planche de bord sont dégagées et on y retrouve l'interprétation verticale du sélecteur électronique dont BMW fut d'ailleurs la pionnière sur l'audacieuse Série 7 de la génération précédente. Une technologie imitée depuis par tous les concurrents sérieux, Mercedes en tête.

Catégorie	Berline
Échelle de prix	112 295 $ à 187 995 $
Garanties	4 ans/80 000 km, 4 ans/80 000 km
Assemblage	Munich, Allemagne
Cote d'assurance	n.d.

On y trouve aussi la molette du système iDrive, cette interface plurifonctionnelle que tous les concurrents, sérieux ou pas, ont malheureusement imitée aussi. Sans abandonner ce système, BMW l'a modifié considérablement, l'entourant entre autres de plusieurs des boutons que sa venue était pourtant censée éliminer. Malgré ces retouches, la logique du système iDrive et ses menus éclatés sont encore imparfaits. En particulier en ce qui a trait à la syntonisation et à la mise en mémoire des postes de radio préférés, qui sont à hurler.

PLUS QUE COMPLET

Le modèle 750i xDrive et la version 750Li xDrive à empattement allongé sont au cœur de la Série 7. Si le rouage intégral est la règle chez nous désormais pour les grandes BMW, le modèle 760Li devient l'exception avec ses roues motrices arrière et son prix himalayen. Son V12 turbo de 6,0 litres et 535 chevaux se démarque aussi du V8 à double turbo de 4,4 litres et 400 chevaux des deux autres. Quant à la version ActiveHybrid 7L présentée dans l'édition précédente du Guide de l'Auto, son avenir est plus qu'incertain. L'équipement de série des 750i et 750Li est déjà fabuleusement complet. On a peine à imaginer ce qu'on pourrait y ajouter, mais BMW a trouvé. Le catalogue comporte des options offertes en solo ou en groupe qui permettent de faire grimper encore l'indice de luxe, de performance ou de sécurité. Le groupe Technologie ajoute par exemple des systèmes de maintien de voie, de surveillance d'angles morts et de vision nocturne avec détection de piétons, en plus d'un régulateur de vitesse avec mode arrêt-redémarrage pour 5 500 $. Ou alors le groupe Exécutif de 7 950 $, qui comprend des caméras périphériques, l'affichage au pare-brise, des sièges aérés, la radio satellite, du cuir au tableau de bord, des portières et un couvercle de coffre électrique. Enfin, vous voyez le genre.

CHASSEZ LE NATUREL… ET LE GALOP REVIENT

La plus chère des options est toutefois le groupe Alpina B7, qui coûte la bagatelle de 41 700 $. Développé par ce spécialiste allemand de la performance et de la transformation, il gonfle d'abord la puissance et le couple du V8 à 500 chevaux et 516 lb-pi grâce à des turbos et refroidisseurs plus gros et des pistons plus robustes. Nous avons mesuré un sprint 0-100 km/h de 5,58 secondes à bord de la 750Li xDrive, mais la B7 Alpina est censée l'expédier en 4,7 secondes.

Elle roule également sur des pneus plus larges de taille 245/35R21 à l'avant et 285/30R21 à l'arrière qui complètent des suspensions retouchées en conséquence. Son rouage xDrive achemine aussi 80 % du couple aux roues arrière en mode Sport au lieu des 60 % de la 750i, pour un comportement qui se rapproche de celui d'une propulsion. De quoi se mesurer à une Porsche Panamera Turbo dont les cotes de puissance et de couple sont identiques. La passion sportive n'est jamais cachée très loin chez BMW.

Marc Lachapelle

Photos: BMW

CHÂSSIS - 750LI XDRIVE	
Emp/lon/lar/haut	3 210/5 212/1 902/1 478 mm
Coffre	500 litres
Réservoir	82 litres
Nombre coussins sécurité / ceintures	7 / 5
Suspension avant	indépendante, double triangulation
Suspension arrière	indépendante, multibras
Freins avant / arrière	disque / disque
Direction	à crémaillère, ass. variable
Diamètre de braquage	12,1 m
Pneus avant / arrière	P245/50R18 / P245/50R18
Poids	2 205 kg
Capacité de remorquage	n.d.

COMPOSANTES MÉCANIQUES	
750i	
Cylindrée, soupapes, alim.	V8 4,4 litres 32 s turbo
Puissance / Couple	400 chevaux / 450 lb-pi
Tr. base (opt) / rouage base (opt)	A6 / Prop (Int)
0-100 / 80-120 / 100-0 km/h	5,5 s / 4,1 s / 40,4 m
Type ess. / ville / autoroute	Super / 15,4 / 10,0 l/100 km
ActiveHybrid7	
Cylindrée, soupapes, alim.	V8 4,4 litres 32 s atmos.
Puissance / Couple	440 chevaux / 480 lb-pi
Tr. base (opt) / rouage base (opt)	A8 / Int
0-100 / 80-120 / 100-0 km/h	n.d. / n.d. / n.d.
Type ess. / ville / autoroute	Super / 12,0 / 8,1 l/100 km
B7	
Cylindrée, soupapes, alim.	V8 4,4 litres 48 s atmos.
Puissance / Couple	500 chevaux / 516 lb-pi
Tr. base (opt) / rouage base (opt)	A8 / Prop
0-100 / 80-120 / 100-0 km/h	4,7 s (est) / 4,5 s (est) / n.d.
Type ess. / ville / autoroute	Super / n.d.
760Li	
Cylindrée, soupapes, alim.	V12 6,0 litres 48 s turbo
Puissance / Couple	535 chevaux / 550 lb-pi
Tr. base (opt) / rouage base (opt)	A8 / Prop
0-100 / 80-120 / 100-0 km/h	4,6 s / 5,0 s / n.d.
Type ess. / ville / autoroute	Super / 16,7 / 10,3 l/100 km

FEU VERT

- Performances relevées
- Agiles et maniables pour leur taille
- Affichages très nets
- Grand confort
- Version Alpina B7

FEU ROUGE

- Modulation des freins délicate
- Interface iDrive encore trop complexe
- Accélération brusque en amorce
- Légèrement sensible au vent
- Coffre plutôt étroit

DU NOUVEAU EN 2012

Partie avant légèrement retouchée

http://www.bmw.ca/

Plus d'informations dans la section statistiques en dernière partie du Guide

LE FACTEUR X

Le nouveau X1 devient le quatrième modèle de la gamme « X » du constructeur bavarois, et c'est déjà un best-seller pour BMW. En fait, 115 000 exemplaires ont été vendus sur d'autres marchés depuis le lancement mondial de ce modèle vers la fin de 2009. Le X1 a également connu sa première nord-américaine au Salon de l'auto de Montréal et s'est amené sur le marché canadien avec plusieurs mois d'avance sur celui des États-Unis.

Le X1 est présenté comme un utilitaire-sport de luxe de taille compacte. Il est presque possible de le considérer comme une familiale de Série 3 surélevée, car ce nouveau venu partage non seulement plusieurs éléments avec les voitures de Série 1 et 3, mais il est également assemblé sur les mêmes lignes de fabrication de l'usine de Leipzig. En fait, le X1 partage sa plateforme et son train arrière avec la Série 3 Touring mais adopte le sous-châssis avant de la Série1, dans un heureux métissage qui lui confère un comportement routier qui se rapproche plus de celui d'une voiture que d'un sport-utilitaire.

CONCURRENTS
Toyota RAV4, Volkswagen Tiguan

IMPRESSIONS DE L'AUTEUR		
Agrément de conduite :	■■■■	4 / 5
Fiabilité :	NOUVEAU MODÈLE	
Sécurité :	■■■■	4 / 5
Qualités hivernales :	■■■■	4 / 5
Espace intérieur :	■■■	3 / 5
Confort :	■■■■	4 / 5

MOTEUR TURBO ET BOÎTE À HUIT RAPPORTS

En Europe, le X1 est disponible avec un choix de motorisations à essence ou diésel, mais il n'est disponible au Canada qu'avec le nouveau moteur à quatre cylindres turbocompressé de 2,0 litres jumelé avec la boîte automatique à huit rapports ainsi qu'avec le rouage intégral. Sa motorisation se veut donc comparable à celle adoptée par le rival direct qu'est le Audi Q5. Le fait que la désignation complète du X1 proposé au Canada soit X1 xDrive28i indique que le dernier chiffre ne fait pas référence à la véritable cylindrée du moteur, mais plutôt à une cylindrée « virtuelle », puisque le moteur est en fait un 2,0 litres turbocompressé, et non pas un 2,8 litres. BMW a adopté récemment cette tendance dans la désignation technique de ses modèles, pratique qui porte plus à la confusion qu'autre chose.

Ce nouveau moteur est doté d'un seul turbocompresseur à double entrée et développe 241 chevaux à 5 000 tours/minute tout en livrant un couple assez impressionnant de 258 lb-pi dès la barre des 1 250 tours/minute. Cela fait que le X1 accélère vivement et ne semble jamais manquer de puissance, et ce, en dépit de son poids de 1 690 kilos. Il est également remarquable de constater que ce nouveau moteur est particulièrement doux et ne vibre pas comme un 4 cylindres typique sans toutefois émuler parfaitement l'onctueux six cylindres en ligne du constructeur bavarois à ce chapitre. Cela est dû au fait que le moteur est doté de deux arbres d'équilibrage positionnés à différente hauteur afin de compenser les vibrations et qu'un pendule centrifuge a été intégré dans le volant bimasse du moteur réduit. Le résultat, c'est que le X1 s'élance avec aplomb sans provoquer de vibrations même à bas régime. Parions d'ailleurs que ce nouveau moteur se retrouvera sous le capot d'autres modèles BMW dans les mois et années à venir puisqu'il s'avère performant tant au niveau de puissance que du couple.

200 KM/H ? SANS PROBLÈME...

Au cours d'un premier contact dans la région de Munich, nous avons obtenu une consommation moyenne de 11,7 l/100 kilomètres et cette donnée élevée s'explique en partie par le fait que le modèle à l'essai disposait de la boîte manuelle à six vitesses. Il faut noter que les X1 destinés au marché canadien sont dotés d'une transmission automatique comptant huit rapports, et que le trajet emprunté comportait une section sur autobahn parcourue à 200 kilomètres/heure... Même à cette vitesse, le X1 inspirait confiance en faisant preuve d'une bonne stabilité et seul un bruit de vent assez soutenu autour des piliers « A » et des rétroviseurs latéraux nous rappelait que nous roulions au double de la limite permise sur les autoroutes québécoises. Lors d'un essai subséquent au Canada, nous avons obtenu une cote de consommation moyenne de 9,2 l/100 km avec le modèle équipé de la boîte automatique à huit rapports qui fait preuve d'une grande souplesse.

À plusieurs égards, la conduite du X1 ressemble remarquablement à celle d'une Série 3 qui aurait été surélevée, le roulis en virages étant légèrement plus présent en raison d'un centre de gravité plus élevé. Les réactions du châssis sont toujours bien contrôlées et le X1 s'inscrit facilement en virages grâce à une direction précise qui permet de bien sentir la route, le seul inconvénient étant que le boudin du volant nous a semblé un peu trop mince. En temps normal, le rouage intégral livre 60 % du couple au train arrière ce qui confère un certain comportement sportif au X1. Lorsque les conditions d'adhérence deviennent plus marginales, le rouage intégral peut varier cette répartition jusqu'à atteindre 100 % sur le train avant ou arrière, ce qui devrait s'avérer efficace en conduite hivernale.

LOOK INTÉRESSANT

Côté style, le X1 ne pose pas de nouveaux jalons, mais ne déplait pas souverainement non plus avec sa calandre à doubles naseaux plutôt verticale et ses feux arrières qui émulent ceux de la Série 5 Gran Turismo. À mon avis, il est même plus réussi que le X3.

En prenant place à bord, vous toucherez plusieurs surfaces qui sont tactilement agréables. Toutefois, ce sont plutôt des plastiques durs que l'on retrouve au niveau de la console centrale qui ne dispose que d'un seul porte-gobelet, bien qu'il soit possible d'en fixer un deuxième du côté du passager de la console centrale, comme sur la Série 6.

Pour ce qui est de la qualité des matériaux utilisés dans la réalisation de l'habitacle ou de la qualité de la finition intérieure, précisons que le Audi Q5 n'a rien à craindre du X1... En fait, à ce niveau, Audi reste indélogeable.

La position de conduite se situe à peu près au milieu entre celle d'une berline conventionnelle et celle d'un VUS, et le X1 nous a semblé aussi spacieux et accueillant qu'un X3 de première génération. Le volume d'espace cargo est de 420 litres avec tous les sièges en place, et de 1 350 litres avec les dossiers rabaissés.

UNE LONGUE LISTE D'OPTIONS

Comme c'est souvent le cas avec les véhicules de la marque, le X1 dispose d'une longue liste d'équipements offerts en option comme la peinture métallisée (800 $) ou la sellerie de cuir (1 900 $), de même que plusieurs ensembles d'options. Par exemple, il y a l'ensemble navigation (2 000 $), l'ensemble Premium comprenant un volant chauffant et un toit ouvrant panoramique (1 490 $), un ensemble Commodités regroupant des sièges à commande électrique avec mémoire pour le conducteur ainsi que des phares adaptatifs bi-xénon avec dispositif de lave-phares (1 900 $), ou encore

Catégorie	VUS
Échelle de prix	38 500 $
Garanties	4 ans/80 000 km, 4 ans/80 000 km
Assemblage	Leipzig, Allemagne
Cote d'assurance	bonne

CHÂSSIS - XDRIVE28I

Emp/lon/lar/haut	2 760/4 454/2 044/1 545 mm
Coffre	420 à 1 350 litres
Réservoir	63 litres
Nombre coussins sécurité / ceintures	6 / 5
Suspension avant	indépendante, jambes de force
Suspension arrière	indépendante, multibras
Freins avant / arrière	disque / disque
Direction	à crémaillère, ass. variable
Diamètre de braquage	11,8 m
Pneus avant / arrière	P225/50R17 / P225/50R17
Poids	1 690 kg
Capacité de remorquage	750 kg (1 653 lb)

un ensemble sport avec jantes de 18 pouces, sièges sport et palettes de changement de vitesses au volant (1 500 $).

Tout cela fait en sorte que le X1 peut combler les attentes de l'acheteur, mais signifie aussi que le prix peut augmenter de façon significative. Toutefois, un choix avisé et sélectif parmi ce catalogue permettra à l'acheteur de se procurer un X1 pour un coût moins élevé que celui d'une Série 3 Touring dont le prix de détail se situe maintenant à 48 500 $, et ce simple facteur pourrait expliquer à lui seul l'accueil favorable que devrait connaître le X1 au Canada.

Par ailleurs, il est également possible que des propriétaires actuels de BMW X3 choisissent plutôt le X1, plutôt que la nouvelle génération du X3, simplement parce que le gabarit et le volume d'espace intérieur du X1 sont très similaires à ceux du X3 de première génération. Ajoutez à cela le fait que le X1 est moins cher et cela pourrait signifier que ces deux modèles BMW se livreraient alors à une lutte fratricide, en plus de se mesurer à la concurrence de modèles en provenance d'autres marques.

Reste à voir le dénouement…

Gabriel Gélinas

COMPOSANTES MÉCANIQUES

xDrive28i	
Cylindrée, soupapes, alim.	4L 2,0 litres 16 s turbo
Puissance / Couple	241 chevaux / 258 lb-pi
Tr. base (opt) / rouage base (opt)	A8 / Int
0-100 / 80-120 / 100-0 km/h	6,7 s / n.d. / n.d.
Type ess. / ville / autoroute	Super / 10,2 / 6,5 l/100 km

FEU VERT

- Style réussi
- Moteur performant
- Boîte automatique à huit rapports efficace
- Bonne tenue de route

FEU ROUGE

- Qualité de certains plastiques
- Coût des options
- Visibilité arrière limitée
- Dégagement pour les jambes à l'arrière

Photos : Alain Morin

DU NOUVEAU EN 2012

Nouveau modèle

http://www.bmw.ca/

Plus d'informations dans la section statistiques en dernière partie du Guide

PRENDRE DU GALON

Dans sa dernière refonte, le X3 est monté en grade à presque tous les niveaux par rapport au modèle de la génération antérieure : en habitabilité, en puissance et en tenue de route. Cette métamorphose complète du X3 s'explique par le fait que le modèle précédent avait plus de sept ans, une éternité dans le domaine de l'automobile, et qu'il n'était plus en mesure d'affronter avec succès la concurrence plus affûtée composée, entre autres, du Mercedes-Benz GLK et surtout, du Audi Q5.

CONCURRENTS
Acura RDX,
Audi Q5,
Infiniti EX,
Land Rover LR2,
Mercedes-Benz Classe GLK,
Volvo XC60

IMPRESSIONS DE L'AUTEUR		
Agrément de conduite :	■■■■□	4/5
Fiabilité :	■■■□□	3/5
Sécurité :	■■■■□	4/5
Qualités hivernales :	■■■■■	5/5
Espace intérieur :	■■■■□	4/5
Confort :	■■■□□	3/5

L'autre élément qui explique pourquoi le nouveau X3 a pris du galon est l'arrivée récente du X1 qui prend d'office la place qu'occupait autrefois le X3, soit celui du modèle d'entrée de gamme pour les véhicules sport-utilitaires de la marque bavaroise. En fait, la généalogie actuelle chez BMW s'établit ainsi : le nouveau X1 adopte des dimensions comparables au X3 de première génération, alors que le nouveau X3 se compare au X5 de première génération pour ce qui est de son gabarit. C'est beau de voir la famille grandir…

Les dimensions plus généreuses du X3 font en sorte que l'habitacle a gagné en volume et que les passagers prenant place à l'arrière disposent maintenant de davantage de dégagement pour les jambes. Ce n'est toujours pas le confort de la classe affaires, mais c'est nettement mieux qu'auparavant à ce chapitre. Le style de la planche de bord et de la console centrale émule presque parfaitement celui adopté par le X5, créant ainsi une filiation évidente entre les véhicules sport-utilitaires de la marque. Les habitués ne seront pas dépaysés.

Je me souviendrai toujours de mon premier contact avec le X3 de première génération, qui s'était fait en plein cœur de l'hiver, avec un modèle équipé de la suspension sport. À l'époque, j'avais écrit la phrase suivante pour décrire le confort plus qu'aléatoire du X3 de première génération : « Sur les routes souvent dégradées des Basses-Laurentides, la conduite d'un X3 équipé de l'option Sport et de ses pneus à profil bas vous donnera une bonne idée de ce que ressent un gallon de peinture fixé dans l'appareil servant à le brasser chez votre quincailler. » Ouch. Heureusement, l'essai du nouveau modèle m'a permis de constater que le confort est maintenant nettement meilleur, mais que le X3 conserve son caractère plus sportif et que sa très bonne tenue de route est en partie la résultante de la calibration plutôt ferme des suspensions. On ne se fait plus « brasser »

Catégorie	VUS
Échelle de prix	41 900 $ à 46 900 $
Garanties	4 ans/80 000 km, 4 ans/80 000 km
Assemblage	Spartanburg, Caroline du Sud, É-U
Cote d'assurance	bonne

comme avant, mais ça demeure une conduite ferme et directe. Pour ce qui est de la direction, précisons qu'elle est à assistance électrique et qu'elle est précise. Toutefois, la sensation est un peu artificielle dans un enchaînement de virages rapides.

En ce qui a trait à la motorisation de ce véhicule, on apprécie au plus haut point la nouvelle boîte automatique qui passe les huit rapports avec souplesse et qui permet au X3 d'adopter un régime moteur moins élevé en conduite sur autoroute. Avec 300 chevaux et 295 lb-pi de couple, le X3 35i s'élance avec un aplomb remarquable et ce six cylindres en ligne demeure une référence pour ce qui est de la souplesse et de l'absence de vibrations. Peu de constructeurs automobiles utilisent encore des moteurs à configuration six cylindres en ligne alors qu'au fil des ans, BMW s'est taillée une solide expertise dans ce domaine.

UN X4 À L'HORIZON ?

La suite des choses s'annonce passionnante puisqu'il est possible que le nouveau X3 soit également décliné en un modèle à vocation plus sportive, qui s'appellerait X4. Son style émulerait celui du X6 qui, pour sa part, est élaboré sur la plateforme du X5. En effet, comme la recette s'est avérée très payante pour BMW avec le X6, qui est vendu à un prix plus élevé que le X5, pourquoi ne pas la répéter ? Une chose est certaine, le X4 adoptera certainement le style coupé avec un toit fuyant vers l'arrière que BMW a développé pour le X6. Il ne proposerait que quatre places en raison d'une habitabilité plus limitée, chose qui se produit couramment lorsqu'on mise sur un style plus accrocheur. Avec son positionnement plus sportif, le X4 ne retiendrait que les motorisations les plus performantes et adopterait probablement des calibrations encore plus fermes pour ses suspensions, dans le but d'encore mieux le distinguer du X3. L'arrivée de ce nouveau modèle permettrait à BMW de mieux contrer la nouvelle concurrence que lui livrera le Porsche Cajun, qui sera un proche cousin du Audi Q5 et qui deviendra en quelque sorte le petit frère du Cayenne. Comme toujours, les constructeurs allemands suivent de très près l'évolution de la concurrence et font flèche de tout bois afin de mieux tirer leur épingle du jeu, ce qui explique pourquoi le développement d'un véhicule comme le X4 est tout à fait plausible.

Avec l'arrivée du X3 il y a plus de sept ans maintenant, BMW a été le premier constructeur allemand à proposer un utilitaire de luxe aux dimensions plus compactes et, avec la nouvelle génération de ce modèle, la marque bavaroise tente une reconquête du marché dans ce créneau. Le X3 ne manque pas d'arguments, mais la concurrence est maintenant bien établie et la suite des choses s'annonce fort intéressante. C'est ce que nous verrons…

Gabriel Gélinas

Photos: Marc Lachapelle

CHÂSSIS -XDRIVE 35I

Emp/lon/lar/haut	2 810/4 648/1 881/1 675 mm
Coffre	550 à 1 600 litres
Réservoir	67 litres
Nombre coussins sécurité / ceintures	6 / 5
Suspension avant	indépendante, jambes de force
Suspension arrière	indépendante, multibras
Freins avant / arrière	disque / disque
Direction	à crémaillère, ass. électrique
Diamètre de braquage	11,9 m
Pneus avant / arrière	P245/50R18 / P245/50R18
Poids	1 915 kg
Capacité de remorquage	750 kg (1 653 lb)

COMPOSANTES MÉCANIQUES

xDrive 28i	
Cylindrée, soupapes, alim.	6L 3,0 litres 24 s atmos.
Puissance / Couple	240 chevaux / 221 lb-pi
Tr. base (opt) / rouage base (opt)	A8 / Int
0-100 / 80-120 / 100-0 km/h	7,1 s / n.d. / n.d.
Type ess. / ville / autoroute	Super / 11,0 / 7,8 l/100 km

xDrive 35i	
Cylindrée, soupapes, alim.	6L 3,0 litres 24 s turbo
Puissance / Couple	300 chevaux / 295 lb-pi
Tr. base (opt) / rouage base (opt)	A8 / Int
0-100 / 80-120 / 100-0 km/h	5,8 s / n.d. / n.d.
Type ess. / ville / autoroute	Super / 11,1 / 7,7 l/100 km

- Moteur turbo performant
- Style classique
- Boîte automatique à huit rapports
- Habitacle plus spacieux

- Prix élevé
- Coût des options
- Confort parfois aléatoire
- Absence de moteur diésel

DU NOUVEAU EN 2012

Nouveau modèle

http://www.bmw.ca/

Plus d'informations dans la section statistiques en dernière partie du Guide

LE MUSCLE EN HABIT DE VILLE

C'est le X5 qui, le premier, a décoincé ces véhicules qu'on dit utilitaires et les a véritablement fait « arriver en ville », dans tous les sens de cette expression. Ce BMW haut sur pattes, élégant et costaud a placé la barre très haut, surtout en termes de comportement, dès le lancement de la première génération en 2000. Il a depuis été doublé sur la gauche par les multisegments, ces utilitaires mous, en termes de style, de douceur et de civilité pure. Son frère le X6 l'a doublé par la droite sur le territoire de l'audace, mais le X5 tient le cap en jouant sur l'équilibre qu'il offre entre toutes les contingences de ce type de machine.

CONCURRENTS
Acura MDX, Audi Q7, Buick Enclave, Cadillac SRX, Infiniti FX, Land Rover LR3, Lexus RX, Mercedes-Benz Classe M, Porsche Cayenne, Volkswagen Touareg, Volvo XC90

IMPRESSIONS DE L'AUTEUR	
Agrément de conduite :	4 / 5
Fiabilité :	3 / 5
Sécurité :	4 / 5
Qualités hivernales :	4.5 / 5
Espace intérieur :	4 / 5
Confort :	4 / 5

Après le succès sans équivoque du premier X5, la deuxième génération est venue souligner les forces et corriger certaines lacunes. Ces X5 sont plus longs de 19 cm, à la fois plus larges et plus hauts de 6,1 cm, et posés sur un empattement plus long de 11,3 cm. Il se fait nettement plus spacieux, surtout à l'arrière, sans compter la disponibilité nouvelle d'une banquette en troisième rangée. La soute a elle-même gagné 155 litres pour permettre cet ajout. La motorisation et l'équipement ont été bonifiés depuis, avec l'apparition l'an dernier des nouveaux moteurs biturbo avec boîte automatique à 8 rapports et l'adoption du nouvel écran d'affichage superbement large et clair d'abord apparu sur la Z4 pour le système de navigation.

DE VRAIS BMW MALGRÉ TOUT

Si le comportement du X5 est parfaitement sain malgré son poids, c'est que BMW ne renonce pas à ses bonnes habitudes, même s'il s'agit d'un quasi-utilitaire de plus de trois tonnes. Plus précisément, on compte 2 890 et 3 025 kg respectivement pour les xDrive35i et xDrive50i actuels. La répartition de tout ce poids est effectivement optimale puisque la masse repose à 52,7 % et 51,2 % sur l'essieu arrière de ces deux modèles. C'est pourquoi le X5 n'a jamais sous-viré et ne sous-vire toujours pas. La monte pneumatique généreuse de 255/55R18 et 255/50R19 y est évidemment pour quelque chose aussi.

Même si les X5 sont presque aux antipodes du véhicule écolo, ils profitent de certaines des technologies que BMW range sous le parapluie vert de ses « Efficient Dynamics » pour tenter de réduire les dégâts le moindrement. Les 35i et 50i récupèrent ainsi une partie de l'énergie cinétique lorsqu'ils ralentissent ou freinent, à la manière des hybrides. L'alternateur recharge la batterie et quand

c'est fait, il se découple, ce qui réduit un tant soit peu la charge sur le moteur avec des gains en consommation et en performance correspondants. La pompe du circuit de refroidissement et celle de la servodirection assistée sont également électriques, tandis que la pompe à huile et le compresseur de climatisation sont gérés par ordinateur. Une multitude de petits gains qui s'additionnent.

UN CHOIX PRAGMATIQUE

Pour être conséquent et profiter du gabarit du X5 de la manière la plus efficace, il faut se tourner plutôt vers le xDrive35d qui est animé par un six cylindres en ligne diesel turbocompressé de 3,0 litres qui produit 265 chevaux, mais surtout 425 lb-pi de couple à 1750 tr/min. Grâce au rendement exceptionnel du diesel, ses cotes de consommation ville/route sont 10.9/7.6 l/100 km, alors que celles des 50i et 35i sont établies à 15.2/9.8 et 13.0/8.5, même s'il dispose d'une boîte automatique à 6 plutôt que 8 rapports comme ses deux frères. Il abat également le 0-100 km/h en 7,47 secondes alors que ses rivaux, les Audi Q7 TDI et Mercedes ML 350 Bluetec s'exécutent en 9,22 et 9,45 secondes. En bon BMW, il reprend largement en performance et en plaisir de conduite le peu qu'il cède aux autres en silence de roulement et en consommation.

Les X5 ne se présentent certainement pas comme des tout-terrain purs et durs, mais leur garde au sol est quand même de 22,2 cm (8,74 po) et les angles d'approche et de dégagement assez réduits pour qu'ils sachent se débrouiller hors route, pourvu que leurs pneus à bande de roulement trouvent le moindrement d'adhérence et ne soient pas gorgés de boue.

ET UNE VRAIE BÊTE ...

Et il y toujours le X5 M pour qui recherche le summum de la performance et de la tenue de route dans un utilitaire, sans compromis pour les places arrière, la visibilité ou le volume cargo comme le X6 M. C'est une bête, lui aussi, tout simplement. Un véhicule qui n'a aucun sens, mais dont la conduite est étonnante, sinon franchement excitante, si on réussit à mettre sa raison de côté pendant un instant. Le V8 biturbo de 4,4 litres et 555 chevaux est un monstre de couple au rugissement parfaitement apocalyptique et franchement antisocial. Et aucun camion de 2,7 tonnes n'est censé tenir la route comme le X5 M et son diabolique jumeau mécanique. En accélération, il se permet un 0-100 km/h mesuré de 4,7 secondes et des cotes de consommation de 17.1/11.9 l/100 km. Son frère est tout aussi glouton.

Pour tout dire, ces deux-là sont un bras d'honneur aux bien-pensants de toute confession, comme leurs rivales, les Porsche Cayenne. Et pour se donner bonne conscience et montrer patte blanche, ces deux constructeurs en tirent aussi des versions hybrides (du X6 à tout le moins). Vous êtes certainement excusés d'y voir une pointe de cynisme.

Marc Lachapelle

Photos : BMW

Catégorie	VUS
Échelle de prix	63 795 $ à 97 900 $ (2011)
Garanties	4 ans/80 000 km, 4 ans/80 000 km
Assemblage	Spartanburg, Caroline du Sud, É-U
Cote d'assurance	passable

CHÂSSIS - X5M	
Emp/lon/lar/haut	2 933/4 851/1 994/1 764 mm
Coffre	620 à 1 750 litres
Réservoir	85 litres
Nombre coussins sécurité / ceintures	6 / n.d.
Suspension avant	indépendante, double triangulation
Suspension arrière	indépendante, multibras
Freins avant / arrière	disque / disque
Direction	à crémaillère, ass. variable
Diamètre de braquage	12,1 m
Pneus avant / arrière	P275/40R20 / P315/35R20
Poids	2 435 kg
Capacité de remorquage	n.d.

COMPOSANTES MÉCANIQUES	
xDrive 35d	
Cylindrée, soupapes, alim.	6L 3,0 litres 24 s turbo
Puissance / Couple	265 chevaux / 425 lb-pi
Tr. base (opt) / rouage base (opt)	A6 / Int
0-100 / 80-120 / 100-0 km/h	7,5 s / n.d. / n.d.
Type ess. / ville / autoroute	Diesel / 10,9 / 7,6 l/100 km
xDrive 35i	
Cylindrée, soupapes, alim.	6L 3,0 litres 24 s turbo
Puissance / Couple	300 chevaux / 300 lb-pi
Tr. base (opt) / rouage base (opt)	A8 / Int
0-100 / 80-120 / 100-0 km/h	6,8 s / n.d. / n.d.
Type ess. / ville / autoroute	Super / 13,0 / 8,5 l/100 km
xDrive 50i	
Cylindrée, soupapes, alim.	V8 4,4 litres 32 s turbo
Puissance / Couple	400 chevaux / 450 lb-pi
Tr. base (opt) / rouage base (opt)	A8 / Int
0-100 / 80-120 / 100-0 km/h	5,5 s / n.d. / n.d.
Type ess. / ville / autoroute	Super / 15,2 / 9,8 l/100 km
M	
Cylindrée, soupapes, alim.	V8 4,4 litres 32 s turbo
Puissance / Couple	555 chevaux / 500 lb-pi
Tr. base (opt) / rouage base (opt)	A6 / Int
0-100 / 80-120 / 100-0 km/h	4,7 s / n.d. / n.d.
Type ess. / ville / autoroute	Super / 17,1 / 11,9 l/100 km

- Conduite agréable et sûre
- Excellents moteurs
- Performances relevées
- Luxe et confort
- Version diésel intéressante

- Poids important
- Consommation forte (les V8)
- Troisième rangée étriquée
- Pneus limités hors route
- Version X5 M délinquante

DU NOUVEAU EN 2012

Aucun changement majeur

http://www.bmw.ca/

Plus d'informations dans la section statistiques en dernière partie du Guide

PERFORMANCES ET STYLE DÉBRIDÉS

Le BMW X6 a été conçu afin de s'adresser aux acheteurs qui sont à la fois à la recherche d'une voiture sport et d'un véhicule utilitaire de grande taille mais qui ne veulent pas acheter deux véhicules distincts. Avec son look de coupé haut perché, le X6 ne laisse personne indifférent. Force est d'admettre que BMW a réussi son pari, puisque d'autres marques ont ensuite repris le concept, notamment Acura avec son ZDX.

La ligne de toit fuyante a beau réduire l'habitabilité et le côté pratique que l'on associe à un véhicule sport-utilitaire conventionnel, tout ça ne semble pas décourager les acheteurs, même si ceux-ci doivent composer avec le fait que le X6 n'est doté que de quatre places. Le seuil de chargement de l'espace cargo à une hauteur très élevée de 0,825 mètres et la mauvaise visibilité vers l'arrière qui rend une caméra de recul essentielle pour les manoeuvres de stationnement ne semble pas les décourager non plus. Pourtant, un X5 est beaucoup plus pratique pour la vie active au quotidien, mais ce n'est pas la vocation première du X6.

CONCURRENTS

Infiniti FX,
Land Rover Range Rover Sport,
Mercedes-Benz Classe M,
Porsche Cayenne

IMPRESSIONS DE L'AUTEUR

Agrément de conduite :	■■■■□	4 / 5
Fiabilité :	■■■□□	3 / 5
Sécurité :	■■■■□	4 / 5
Qualités hivernales :	■■■■□	4 / 5
Espace intérieur :	■■■□□	3 / 5
Confort :	■■■□□	3 / 5

DEUX MODÈLES À PRÈS DE 100 000 DOLLARS

Deux des quatre modèles du X6 ont un prix de base qui est soit légèrement inférieur ou supérieur à la barre des 100 000 $. C'est le cas des versions « écolo » et « macho » que sont les X6 ActiveHybrid et X6M. Dans le premier cas, les ingénieurs de BMW ont ajouté une paire de moteurs électriques capable de développer une puissance équivalente à 80 chevaux au V8 biturbo de 4,4 litres, ce qui porte la puissance à 480 chevaux et le couple disponible à 575 lb-pi. Comme ce modèle est capable d'abattre le sprint de 0 à 100 km/h en 5,6 secondes, on s'aperçoit bien que l'idée première était de ne compromettre en rien les performances du véhicule. Il est techniquement possible de rouler avec en mode « électrique », sans que le moteur à combustion interne ne soit sollicité, mais je peux vous préciser qu'il faut obligatoirement exercer une très légère pression sur l'accélérateur et ne jamais dépasser les 60 km/h ou une distance de près de deux kilomètres et demi. Bref, ça peut servir à l'occasion si vous êtes coincé dans un bouchon ou si vous circulez lentement dans un garage souterrain, mais c'est à peu près tout.

PERFORMANCES SPECTACULAIRES

L'autre modèle au prix très élevé c'est le X6M, mis au point par la division haute-performance du constructeur bavarois, et qui est

Catégorie	Multisegment
Échelle de prix	65 700 $ à 99 900$
Garanties	4 ans/80 000 km, 4 ans/80 000 km
Assemblage	n.d.
Cote d'assurance	n.d.

capable de faire jeu égal avec une Porsche 911 Carrera S pour ce qui est du sprint de 0 à 100 km/h. C'est grâce aux 555 chevaux développés par le V8 biturbo ainsi qu'à la fonction de départ automatisé (launch control) qui commande un régime moteur constant de 3000 tours/minute avant le départ canon et le passage des rapports à la limite maximale des révolutions-moteur. Sur circuit, le X6M est très stable et ne présente qu'un minime roulis en virage, qui est toutefois facilement contrôlable. Dès la croisée du point de corde, il est possible de commander une ré-accélération presque immédiate, en raison du fait que le délai de réponse des doubles turbocompresseurs est minime. Aussi, il est relativement facile de provoquer une belle glissade du train arrière, grâce à l'intervention du système DPC (Dynamic Performance Control) qui autorise des accélérations particulièrement dynamiques en sortie de virages, et du mode M Dynamic qui agit sur le rouage intégral xDrive et qui livre un plus grand pourcentage du couple aux roues arrière. Le principal point faible noté pour la conduite sur circuit a été le relatif manque de performance des freins qui se sont rapidement échauffés en conduite sportive, rendant la pédale spongieuse. Je n'ai jamais manqué de freins sur la piste, mais le fait que la pédale se rende beaucoup plus loin que la mi-course exigeait une certaine confiance. Encore une fois, le poids élevé du X6M est en cause sur le circuit, mais en conduite normale sur routes balisées, les freins n'ont présenté aucun problème. Le X6M est donc capable de performances qui sont carrément impressionnantes pour un véhicule dont le poids est supérieur à deux tonnes, ce qui en dit long sur les prouesses que les ingénieurs ont été capables de réaliser, courtoisie de la contribution massive des aides électroniques au pilotage.

En conduite normale, toutes les versions du X6 offrent, à des degrés différents, une tenue de route performante, mais également un certain inconfort sur mauvaises routes en raison de suspensions fermes et de pneus surdimensionnés qui composent mal avec des revêtements de mauvaise qualité.

Le succès commercial du X6 pourrait par ailleurs inciter BMW à remettre à l'avant-plan un projet délaissé pendant la récente crise financière, soit celui de développer un autre véhicule à partir d'une version allongée de la plate-forme du X5. Ce nouveau joueur s'appellerait X7 et permettrait à BMW d'opposer une concurrence plus directe au Mercedes-Benz GL et Audi Q7 sur les marchés où les véhicules sport-utilitaires de grande taille sont populaires.

Somme toute, le X6 impressionne par ses qualités dynamiques, mais ce n'est pas la raison première pour laquelle les acheteurs le choisissent. Pour la très grande majorité d'entre eux, c'est d'abord et avant tout une question de style et d'image.

Gabriel Gélinas

Photos: BMW

CHÂSSIS - ACTIVEHYBRID	
Emp/lon/lar/haut	2 933/4 877/1 983/1 690 mm
Coffre	570 à 1 450 litres
Réservoir	85 litres
Nombre coussins sécurité / ceintures	6 / 5
Suspension avant	indépendante, leviers triangulés
Suspension arrière	indépendante, multibras
Freins avant / arrière	disque / disque
Direction	à crémaillère, ass. variable
Diamètre de braquage	n.d.
Pneus avant / arrière	275/40R20 / 275/35R20
Poids	2 390 kg
Capacité de remorquage	2 722 kg (6 000 lb)

COMPOSANTES MÉCANIQUES	
xDrive 35i	
Cylindrée, soupapes, alim.	6L 3,0 litres 24 s turbo
Puissance / Couple	300 chevaux / 300 lb-pi
Tr. base (opt) / rouage base (opt)	A6 / Int
0-100 / 80-120 / 100-0 km/h	7,2 s / 6,0 s / 40,0 m
Type ess. / ville / autoroute	Super / 13,0 / 8,5 l/100 km
xDrive 50i	
Cylindrée, soupapes, alim.	V8 4,4 litres 32 s turbo
Puissance / Couple	400 chevaux / 450 lb-pi
Tr. base (opt) / rouage base (opt)	A6 / Int
0-100 / 80-120 / 100-0 km/h	5,6 s / 4,8 s / 37,6 m
Type ess. / ville / autoroute	Super / 15,2 / 9,8 l/100 km
X6M	
Cylindrée, soupapes, alim.	V8 4,4 litres 32 s turbo
Puissance / Couple	555 chevaux / 500 lb-pi
Tr. base (opt) / rouage base (opt)	A6 / Int
0-100 / 80-120 / 100-0 km/h	4,7 s / n.d. / n.d.
Type ess. / ville / autoroute	Super / 17,1 / 11,9 l/100 km
ActiveHybrid	
Cylindrée, soupapes, alim.	V8 4,4 litres 32 s turbo
Puissance / Couple	480 chevaux / 575 lb-pi
Tr. base (opt) / rouage base (opt)	A7 / Int
0-100 / 80-120 / 100-0 km/h	5,6 s / n.d.
Type ess. / ville / autoroute	Super / 12,5 / 10,3 l/100 km

- Choix de motorisations
- Performances spectaculaires (X6M)
- Excellente tenue de route
- Direction précise

- Poids élevé
- Visibilité limitée vers l'arrière
- Consommation élevée
- Prix corsés

DU NOUVEAU EN 2012

Production du X6 ActiveHybrid se terminera en décembre 2011

http://www.bmw.ca/

Plus d'informations dans la section statistiques en dernière partie du Guide

CLASSIQUE ET MODERNE À LA FOIS

L'évolution de ce roadster a débuté par un petit cabriolet aux lignes particulièrement classiques et propulsées par un moteur de faible cylindrée. C'était en quelque sorte une version germanique de la Mazda Miata. Mais au fil des années, les moteurs ont gagné en cylindrée et en puissance tandis que la facture a connu également une progression assez impressionnante. Tant et si bien que la dernière génération était un véhicule qui se voulait stylisé, mais qui manquait nettement de panache et qui était doté d'un habitacle particulièrement dégarni ou les plastiques dominaient. Mais c'est une tout autre affaire avec la nouvelle génération dévoilée il y a deux ans.

CONCURRENTS

Audi TT,
Lotus Evora,
Mercedes-Benz Classe SLK,
Nissan Z,
Porsche Boxster / Cayman

IMPRESSIONS DE L'AUTEUR

Agrément de conduite :	4 / 5
Fiabilité :	3.5 / 5
Sécurité :	4 / 5
Qualités hivernales :	3 / 5
Espace intérieur :	3 / 5
Confort :	3.5 / 5

La première chose que l'on remarque, c'est que ce modèle est doté d'un toit rigide amovible comme le veut la tendance actuelle. On a donc réglé le problème du Z4 cabriolet et coupé en un seul modèle. De plus, la silhouette est vraiment la plus réussie dans toute l'histoire de ce modèle. On a su agencer les lignes classiques et très modernes à la fois, sans oublier une bonne dose d'agressivité sur le plan visuel.

LE CHAR DES *GIRLS*

En fait, son nez très allongé, sa partie arrière tronquée, ses lignes de fuite en relief sur les parois, la petite sortie d'air à l'arrière des ailes avant, tout ceci donne une allure fortement *macho* à ce véhicule. En plus, les naseaux de la calandre sont plus grands et chromés, ce qui donne de la prestance à la voiture. L'arrière est relativement court et de forme arrondie, comme si la voiture s'allongeait en roulait au gré de la vitesse. Cette impression est accentuée par les lignes en relief de la caisse. Il est difficile de trouver quelque chose de mieux réussi avec ou sans le toit. Par le passé, les versions coupé de ce modèle avaient une silhouette fort particulière que j'appréciais, mais je crois que je faisais partie de la minorité qui aimait ce style.

Détail intéressant, le design de ce cabriolet a été confié à deux stylistes allemandes, Juliana Blasi et Nadya Arkaout. Ce duo dynamique est la preuve que l'ère des gourous du design de sexe masculin est révolue. De plus, ce n'est pas uniquement l'extérieur qui présente une belle élégance. L'habitacle a été complètement revu et le résultat est fort joli. Sur la version précédente, la planche de bord était d'une désolante nudité, ce qui nous donnait des idées noires, si on roulait trop longtemps au volant de celle-ci. Cette fois, ce

n'est pas parfait non plus, mais tout est là. C'est dépouillé, c'est équilibré, et bien entendu, l'exécution est excellente. Et comme sur tous les autres produits de cette marque, la qualité des matériaux est impeccable.

Les sièges offrent un bon support pour les cuisses tandis que les bourrelets du dossier assurent un excellent support latéral. Une autre commodité de ce modèle est bien entendu ce toit qui se déploie ou se remise dans le coffre au toucher d'un simple bouton et en moins de 20 secondes. Par contre, comme tous les toits de ce genre, il ampute le coffre à bagages de près de la moitié de son espace. En effet lorsque le toit est en place, la capacité du coffre est de 310 litres. Lorsque vous roulez cheveux au vent, vous n'avez que 180 litres à votre disposition pour ranger vos affaires dans le coffre.

LA TRADITION RESPECTÉE

Par le passé, quand on parlait d'une voiture produite par BMW, on concluait automatiquement qu'un moteur six cylindres en ligne ronronnait sous le capot. La Z4 respecte cette tradition puisqu'elle est offerte avec un six cylindres en ligne de 3,0 litres, comme dans le bon vieux temps. Mais on n'a pas ressuscité une mécanique du passé. Il est turbocompressé et sa puissance est de 300 ou 335 chevaux selon la version. Dans la première version, son turbo de type Twin Scroll est unique tandis qu'il est double dans la seconde. Jusqu'à l'année dernière, le moteur de base était un six cylindres en ligne de 3,0 litres qui développait 255 chevaux. Ce moteur est remplacé par un quatre cylindres de 2,0 litres turbocompressé qui développe 241 chevaux et 258 livres-pied de couple, soit 38 de plus qu'avant. Tous ces modèles ont droit à une boîte manuelle à six rapports. La nouvelle sDrive28i, qui remplace la sDrive30i, peut aussi recevoir une transmission automatique à huit rapports. Elle compte un rapport de moins dans les deux autres versions.

Indépendamment de leur puissance, chacun de ces six cylindres montre beaucoup d'enthousiasme à monter un régime et à offrir un rendement vraiment supérieur à la moyenne. Ajoutez à cela une boîte manuelle pour l'étagement dont le maniement est excellent et vous vous retrouvez au volant d'une voiture vraiment agréable à conduire. De plus, tous les modèles sont dotés du système Driving Dynamic Control qui permet de régler la fermeté de la suspension et la rapidité de passage des rapports selon nos goûts et nos besoins.

Toutefois, bien que sportive, cette voiture n'est pas encore à la hauteur de la Porsche Boxster qui demeure la reine de la catégorie. Par contre, la Bavaroise reste une voiture à la fois ludique et sportive en plus de nous charmer par sa silhouette vraiment unique.

Denis Duquet

Photos : BMW

Catégorie	Roadster
Échelle de prix	56 295 $ à 79 895 $ (2011)
Garanties	4 ans/80 000 km, 4 ans/80 000 km
Assemblage	Allemagne
Cote d'assurance	n.d.

CHÂSSIS - SDRIVE35IS	
Emp/lon/lar/haut	2 496/4 239/1 790/1 291 mm
Coffre	180 à 310 litres
Réservoir	55 litres
Nombre coussins sécurité / ceintures	6 / 2
Suspension avant	indépendante, leviers triangulés
Suspension arrière	indépendante, multibras
Freins avant / arrière	disque / disque
Direction	à crémaillère, ass. variable
Diamètre de braquage	10,7 m
Pneus avant / arrière	P225/45R17 / P255/45R17
Poids	1 590 kg
Capacité de remorquage	non recommandé

COMPOSANTES MÉCANIQUES	
sDrive28i	
Cylindrée, soupapes, alim.	2,0 litres 16 s turbo
Puissance / Couple	241 chevaux / 258 lb-pi
Tr. base (opt) / rouage base (opt)	M6 (A8) / Prop
0-100 / 80-120 / 100-0 km/h	n.d. / n.d. / n.d.
Type ess. / ville / autoroute	Super / n.d.
sDrive35i	
Cylindrée, soupapes, alim.	6L 3,0 litres 24 s turbo
Puissance / Couple	300 chevaux / 300 lb-pi
Tr. base (opt) / rouage base (opt)	M6 (A7) / Prop
0-100 / 80-120 / 100-0 km/h	5,9 s / 5,0 s / n.d.
Type ess. / ville / autoroute	Super / 11,6 / 7,7 l/100km
sDrive35is	
Cylindrée, soupapes, alim.	6L 3,0 litres 24 s turbo
Puissance / Couple	335 chevaux / 332 lb-pi
Tr. base (opt) / rouage base (opt)	M6 (A7) / Prop
0-100 / 80-120 / 100-0 km/h	5,9 s / 5,0 s / n.d.
Type ess. / ville / autoroute	Super / 10,8 / 6,9 l/100km

FEU VERT

- Silhouette exceptionnelle
- Choix d'excellents moteurs
- Coupé ou cabriolet en 20 secondes
- Sièges confortables
- Agrément de conduite

FEU ROUGE

- Direction à assistance électrique
- Habitabilité moyenne
- Options onéreuses
- Prix corsé
- Peu d'espace de rangement

DU NOUVEAU EN 2012

Nouveau 4 cylindres remplace le 6 cylindres de la sDrive30i

http://www.bmw.ca/

Plus d'informations dans la section statistiques en dernière partie du Guide

BUICK ENCLAVE

DU BON ET DU MOINS BON

Le design est correct, mais l'intérieur est d'assemblage inégal. La motorisation est moderne et efficace, mais ça manque de technologies d'avant-garde. On souhaiterait une suspension un brin plus ferme pour davantage de contrôle sur la route, sinon il y a de l'espace à revendre à bord. Voilà qui résume à peu près les Mousquetaires d'utilitaires que sont les Traverse/Enclave/Acadia de GM.

Qu'on se le dise tout de suite : depuis sa presque faillite, GM a réussi de belle façon à reprendre du collier. Quel meilleur exemple que la Chevrolet Cruze nommée, en 2011, Meilleure nouvelle petite voiture de l'année au Canada par l'Association des journalistes automobile du Canada. Mais bon, les Trois Mousquetaires d'utilitaires de GM sont en quelque sorte un relent de ce qui a failli couler le constructeur américain.

D'abord, la suspension (multibras à l'arrière) est trop mollassonne pour une tenue de route assurée et si c'est très confortable pour tout le monde à bord, ça enlève du contrôle sur les cahots. Mais avec une silhouette aussi longue (plus de 5 mètres, ça fait peur en stationnement…), il est difficile de rêver à des gènes sportifs, d'autant plus que la garde au sol (182 mm) commande d'aborder les courbes avec respect. Le conducteur n'a donc aucune velléité de faire le fou au volant. Au fond, c'est peut-être là une première « bonne nouvelle GM » ? Aussi, la direction souffre d'un manque de connexion avec la route et le freinage fait plus dans le spongieux que dans le mordant.

Sous le capot, un seul moteur est proposé, soit le V6 de 3,6 litres à injection directe. Ça aussi, c'est une « bonne nouvelle GM ». Sous la poussée des 288 chevaux (281 chevaux avec l'échappement simple), les accélérations et les reprises sont bonnes et ne laissent personne en plan. Il demeure vrai, toutefois, que la boîte automatique met un certain temps à comprendre lorsqu'on la bouscule, mais sinon elle passe ses six rapports en toute transparence. Une chance, parce que son mode manuel étant constitué d'une commande au levier, au bout du pouce (Ford fait ça, aussi…), on n'est guère porté à s'en servir.

CONCURRENTS
Acura MDX, Audi Q7,
BMW X5, Cadillac SRX,
Land Rover LR4, Lexus RX,
Lincoln MKT,
Mercedes-Benz Classe M,
Volkswagen Touareg, Volvo XC90

IMPRESSIONS DE L'AUTEUR	
Agrément de conduite :	3 / 5
Fiabilité :	3.5 / 5
Sécurité :	4 / 5
Qualités hivernales :	4 / 5
Espace intérieur :	4 / 5
Confort :	4 / 5

QUAND C'EST DE « TRAVERSE »…

Les derniers habitacles conçus par GM ont monté en grade, mais étrangement, les Trois Mousquetaires tirent encore de la patte à ce niveau. Prenons le Buick Enclave comme exemple : notre version

Catégorie	Multisegment
Échelle de prix	43 520 $ à 53 700 $ (2011)
Garanties	4 ans/80 000 km, 5 ans/160 000 km
Assemblage	Lansing, Michigan, É-U
Cote d'assurance	passable

d'essai, à 64 000 $ avant taxes, misait sur des revêtements de plastique rugueux de facture très moyenne. L'assemblage était sommaire et l'insonorisation manquait de matériel aux puits des roues, là où le gravier qui vole se fait entendre (ce que l'on ne veut pas entendre, même dans un véhicule moitié moins cher).

Aussi, le design intérieur, en combinant le bois, le beige, le brun simili-moka et un peu de faux métal brossé créaient ensemble un pot-pourri trop peu harmonieux pour être agréable à vivre. Et il y a cette traditionnelle surenchère de commandes chez GM : on se cherche parmi des hiéroglyphes de boutons et de commande et, de surcroît, leur manipulation est loin d'être instinctive. Même après une semaine, on se battait encore pour faire fonctionner les essuie-glaces. Le système de navigation est également l'un des plus complexes du marché.

Par ailleurs, la technologie d'avant-garde fait défaut à bord de ces Mousquetaires. On aurait aimé le régulateur de vitesse intelligent, l'avertisseur d'angle mort, voire au moins le démarrage sans clé. Après tout, ces trois utilitaires affichent des étiquettes de base qui se situent entre 36 000 $ à presque à 44 000 $.

Heureusement, il y a lieu de se munir d'optionnelles gâteries comme les sièges chauffants et ventilés (bien que trop peu discret, ce moteur de ventilation sous les fesses), le hayon électrique, le double toit ouvrant et les phares adaptatifs au xénon.

LE BON CÔTÉ DES CHOSES

Du bon côté des choses, on retrouve tout cet espace, du moins aux deux premières rangées. Jusqu'à huit passagers peuvent monter à bord. Cependant, les sièges capitaine en deuxième rangée, plus agréables qu'une banquette, retranchent une place. Le cargo est généreux même lorsque la troisième rangée est relevée (657 litres sont alors disponibles, c'est très obligeant). Par contre, les trois occupants qui veulent prendre place à la dernière banquette doivent respecter les standards du Guide alimentaire canadien, sinon ils n'y tiendront qu'à deux.

Du trio, l'Enclave est particulièrement élégant avec ses lignes contemporaines et sa calandre en chute d'eau. Il est d'ailleurs l'un des plus agréables à « zyeuter » de sa catégorie, ce qui n'est pas peu dire.

Sinon, le trio d'utilitaires a besoin d'une prochaine refonte. Car pour le moment, il n'a rien de bien spécial pour le distinguer de la masse. Surtout qu'il affronte une concurrence féroce, notamment celles des canons comme les Honda Pilot/Acura MDX, Toyota Highlander/Lexus RX et Lincoln MKT.

Nadine Filion

CHEVROLET TRAVERSE

Photos: General Motors

CHÂSSIS - BUICK ENCLAVE CXL TI

Emp/lon/lar/haut	3 020/5 126/2 007/1 842 mm
Coffre	657 à 3 265 litres
Réservoir	83 litres
Nombre coussins sécurité / ceintures	6 / 7
Suspension avant	indépendante, jambes de force
Suspension arrière	indépendante, multibras
Freins avant / arrière	disque / disque
Direction	à crémaillère, ass. variable
Diamètre de braquage	12,3 m
Pneus avant / arrière	P255/60R19 / P255/60R19
Poids	2 259 kg
Capacité de remorquage	2041 kg (4 499 lb)

COMPOSANTES MÉCANIQUES

Enclave, Traverse, Acadia	
Cylindrée, soupapes, alim.	V6 3,6 litres 24 s atmos.
Puissance / Couple	288 chevaux / 270 lb-pi
Tr. base (opt) / rouage base (opt)	A6 / Tr (Int)
0-100 / 80-120 / 100-0 km/h	9,4 s / 8,5 s / 44,1 m
Type ess. / ville / autoroute	Ordinaire / 13,4 / 9 l/100 km

Chevrolet Traverse (échappement simple)	
Cylindrée, soupapes, alim.	V6 3,6 litres 24 s atmos.
Puissance / Couple	281 chevaux / 266 lb-pi
Tr. base (opt) / rouage base (opt)	A6 / Tr (Int)
0-100 / 80-120 / 100-0 km/h	9,9 s (est) / 9,0 s (est) / 44,1 m
Type ess. / ville / autoroute	Ordinaire / 13,4 / 9 l/100 km

GMC ACADIA

FEU VERT

- Cabine spacieuse
- Grand espace cargo
- Motorisation : la « bonne nouvelle GM »
- Jusqu'à huit passagers

FEU ROUGE

- Suspension trop mollassonne
- Trop de commandes, c'est comme pas assez
- Technologies qui manquent à l'appel

DU NOUVEAU EN 2012

Aucun changement majeur

http://www.gm.ca/

Plus d'informations dans la section statistiques en dernière partie du Guide

ASSISTANCE ÉLECTRIQUE À LA RESCOUSSE

La Buick LaCrosse est parmi nous depuis déjà plusieurs années, mais bien peu de gens le savent. Peut-être se souviennent-ils de la Buick Allure, alors? C'est qu'avant de porter un nom dont la connotation, au Québec, n'est pas la même qu'ailleurs en Amérique, la LaCrosse s'est appelée Allure au Canada, General Motors ne voulant pas offusquer quelques âmes trop bien tournées.

Esthétiquement, la LaCrosse ne change pas cette année. Mais sous le capot, c'est une tout autre histoire! Tout d'abord, précisons que le V6 demeure le même, soit un 3,6 litres, mais sa puissance augmente de 23 chevaux, lui qui n'en manquait déjà pas. Au moment de mettre sous presse, nous n'avions toujours pas pu rouler une LaCrosse dotée de ce moteur, mais nous considérons d'après nos essais passés que 23 chevaux de plus dans une écurie de 280, c'est un peu comme mettre un sucre et demi dans un café au lieu d'un et quart. L'an dernier, lors d'essais avec la LaCrosse, nous avions apprécié ce moteur pour sa souplesse et sa douceur de fonctionnement. Il est relié à une transmission automatique à six rapports qui dirige le couple aux quatre roues grâce à l'intervention d'un rouage intégral ou tout simplement aux roues avant dans la version de base.

PAS D'ALTERNATEUR

La grande nouveauté se situe toutefois au niveau du quatre cylindres de 2,4 litres qu'on a doté d'un système d'assistance électrique. Baptisé eAssist, ce système reprend le principe déjà vu sur les Saturn Aura et Vue ainsi que sur la Malibu hybride d'il y a quelques années. Cependant, chacune de ses pièces a été entièrement revue et il est désormais plus léger et trois fois plus performant. Contrairement à la tendance populaire dans le domaine de l'hybridation qui demande un moteur électrique entre le moteur thermique et la transmission, la pièce principale du eAssist est un moteur électrique qui remplace l'alternateur. Il est d'ailleurs situé au même endroit. Ceci étant dit, General Motors ne considère pas ce système comme étant un hybride. En fait, ce moteur électrique ne fait, comme son nom l'indique, qu'assister le moteur à essence, ce qui permet aux ingénieurs d'utiliser un moulin moins puissant, donc moins gourmand, tout en étant aussi performant.

CONCURRENTS

Chevrolet Impala, Chrysler 300, Ford Taurus, Honda Accord, Lexus ES, Lincoln MKZ, Toyota Camry

IMPRESSIONS DE L'AUTEUR

Agrément de conduite :	3.5/5
Fiabilité :	3.5/5
Sécurité :	3.5/5
Qualités hivernales :	3.5/5
Espace intérieur :	4/5
Confort :	4.5/5

Ce moteur-générateur, qui amène 15 chevaux supplémentaires aux 167 du moteur thermique, est relié par une courroie serpentine au compresseur du climatiseur et au vilebrequin du moteur à essence. Deux tendeurs de courroies permettent d'expédier l'énergie du moteur électrique au moteur thermique ou, au contraire, de régénérer le premier. C'est simple et efficace. Ce moteur-générateur ajoute ses 15 chevaux lorsque la demande de la puissance est plus importante comme lors des départs ou des accélérations dans une côte ascendante. General Motors parle d'une économie d'essence de plus de 20 %. Ce moteur-générateur permet aussi l'arrêt complet du moteur lorsque le véhicule n'avance pas. Les habitants de Montréal auront maintes fois l'occasion de faire l'essai de cette fonction Start-Stop…

La batterie 115 V au lithium-ion, logée entre le dossier du siège arrière et le coffre, développe jusqu'à 15 kW et est d'une capacité de 0,5 kWh. C'est peu, mais pour obtenir plus de capacité, il aurait fallu augmenter ses dimensions donc son poids et, surtout, son prix. Et c'est exactement ce que les ingénieurs ne voulaient pas faire. Ce système se retrouvera sans changements dans la Buick Regal dès cet automne et dans la Chevrolet Malibu de 2013. Aussi, il pourrait très bien être adapté à des véhicules plus imposants, mais les représentants de GM ont refusé de nous dire si cela sera un jour le cas. Il faut aussi féliciter General Motors de ne pas s'asseoir sur ses lauriers et attendre que le succès vienne avec la Volt. Le centre de recherches travaille sans relâche à trouver d'autres façons de diminuer la consommation d'essence.

UN QUATRE CYLINDRES QUI NE SE PREND PAS POUR UN SIX…

Sur la route, la LaCrosse eAssist présente le comportement d'une voiture… dotée d'un quatre cylindres de 2,4 litres. En accélération vive, on aimerait avoir un peu plus de jus sous la pédale, mais quand on prend en considération le poids assez élevé du véhicule, ce n'est pas dramatique. L'apport du système électrique est très transparent et il faut suivre le graphique au tableau de bord pour savoir ce qui se passe sous le capot. Même lorsqu'on relâche la pédale de frein après un arrêt complet, l'activation du moteur thermique est parfaitement coulée.

La transmission automatique à six rapports a été optimisée pour une consommation d'essence moindre. Ainsi, son rapport final a été modifié pour que le moteur à essence tourne moins rapidement à une vitesse de croisière (1 500 tours/minute à 100 km/h). Une pompe à l'huile électrique a été ajoutée pour que la transmission ne soit jamais laissée sans lubrification lors des nombreux arrêts du moteur. En plus, ses organes ont été revus en vue de réduire la friction entre eux.

Parmi les autres changements, notons des trappes à fermeture électrique dans la partie inférieure du bouclier avant. En plus d'aider à gérer la température du moteur, ces trappes permettent un meilleur aérodynamisme en repoussant l'air là où il le faut.

eAssist

Sous la voiture, les ingénieurs ont prévu des plaques très légères destinées à améliorer l'écoulement de l'air. Les modèles équipés du eAssist n'auront pas de pneu de secours pour d'évidentes raisons de poids. Il est remplacé par un compresseur et un liquide de remplissage. Parlant de pneus, ceux qui équipent la LaCrosse eAssist 2012 sont des Michelin Energy Saver A/S exclusifs. En tout et partout, le eAssist n'ajoute que six kilos à la LaCrosse 2011.

Lors de notre prise en main du véhicule, nous avons obtenu une moyenne de 33,2 milles au gallon US (7,08 l/100 km) sur une route secondaire assez montagneuse. Lors d'un autre parcours, nous avons surtout roulé en ville, la moyenne n'a été que de 23 milles au gallon (10,2 l/100 km), ce qui est plus élevé mais encore très intéressant.

La technologie eAssist nous a semblé au point, mais la stratégie marketing qui entoure son arrivée nous laisse songeur... Au Canada, il n'y aura pas de version 2,4 litres régulière. Quiconque choisira le quatre cylindres aura droit au eAssist, ce qui n'est pas une mauvaise nouvelle. Cependant, les prix avancés par General Motors lors du dévoilement annoncent une LaCrosse eAssist environ 1 000 $ plus dispendieuse qu'une LaCrosse munie d'un V6. Bien entendu, la consommation d'essence sera passablement moindre, mais plusieurs acheteurs potentiels seront sans doute davantage tentés par un bon gros V6 qu'un quatre cylindres, aussi assisté soit-il.

ET SUR LA ROUTE ?

Le châssis est solide et les suspensions, même si elles sont

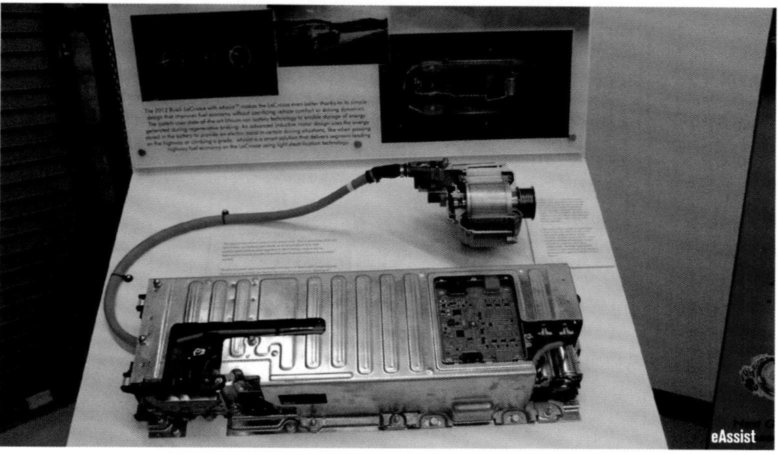
eAssist

génétiquement douées pour le confort, assurent tout de même une tenue de route qui saura satisfaire les acheteurs traditionnels de Buick. Par contre, dire que la direction de la LaCrosse, eAssist ou pas, est d'une précision chirurgicale relèverait de la turlupinade pure et simple. Les freins effectuent un boulot convenable et même si les décélérations sont génératrices d'énergie dans la batterie, la sensation sur la pédale est pratiquement identique à celle d'une version conventionnelle. Seuls les pieds très sensibles remarqueront une infime différence.

Malgré la première phrase du paragraphe précédent, j'ai eu de la difficulté à me faire aux sièges que je jugeais incommodants au début. Étrangement, ils me sont apparus très agréables à la fin de la journée. Apparemment, il n'y a que les fous qui ne changent pas d'idée… À l'arrière aussi, ils sont un peu durs. Notons aussi que l'espace pour la tête est compté pour les gens mesurant plus de 5' 8". L'habitacle est silencieux même si on entend un peu plus le bruit du système de ventilation de la batterie lorsqu'on est assis à l'arrière.

Il y aurait tant à dire sur le eAssist mais l'espace nous manque. Ce système devrait se généraliser d'ici quelques années et peut-être qu'un jour il sera offert au moins au même prix que le V6 !

Alain Morin

Photos : Alain Morin

Catégorie	Berline
Échelle de prix	35 415 $ à 44 030 $ (2011)
Garanties	4 ans/80 000 km, 5 ans/160 000 km
Assemblage	Kansas City, Kansas, É-U
Cote d'assurance	n.d.

CHÂSSIS - EASSIST

Emp/lon/lar/haut	2 837/5 003/1 858/1 503 mm
Coffre	307 litres
Réservoir	59 litres
Nombre coussins sécurité / ceintures	6 / 5
Suspension avant	indépendante, jambes de force
Suspension arrière	indépendante, multibras
Freins avant / arrière	disque / disque
Direction	à crémaillère, ass. variable électrique
Diamètre de braquage	11,8 m
Pneus avant / arrière	P245/50R17 / P245/50R17
Poids	1 732 kg
Capacité de remorquage	n.d.

COMPOSANTES MÉCANIQUES

eAssist

Cylindrée, soupapes, alim.	4L 2,4 litres 16 s atmos.
Puissance / Couple	182 chevaux / 172 lb-pi
Tr. base (opt) / rouage base (opt)	A6 / Tr
0-100 / 80-120 / 100-0 km/h	9,2 s (est) / n.d. / n.d.
Type ess. / ville / autoroute	Ordinaire / 8,0 / 5,4 l/100 km

CXL, CXL TI, CXS

Cylindrée, soupapes, alim.	V6 3,6 litres 24 s atmos.
Puissance / Couple	280 chevaux / 259 lb-pi
Tr. base (opt) / rouage base (opt)	A6 / Tr (Int)
0-100 / 80-120 / 100-0 km/h	7,7 s / 5,3 s / 41,4 m
Type ess. / ville / autoroute	Ordinaire / 12,2 / 7,3 l/100 km

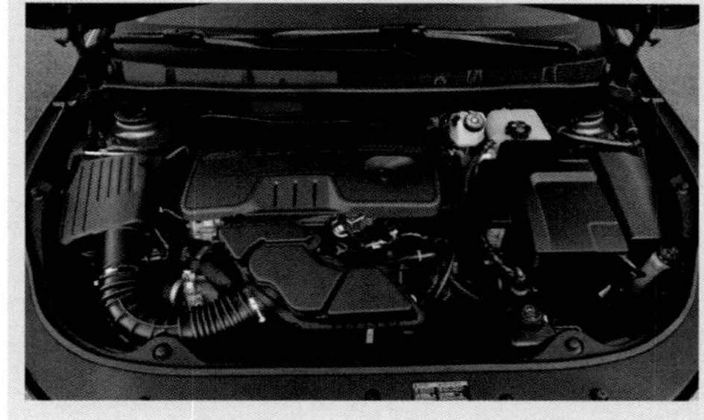

- Système eAssist simple et efficace
- Habitacle confortable
- Tableau de bord agréable
- Finition très correcte
- Direction plus communicative qu'avant

- Stratégie marketing douteuse
- V6 gourmand
- Coffre restreint (eAssist)
- Visibilité arrière pauvre
- Piliers « A » très larges

DU NOUVEAU EN 2012

Nouveau modèle à assistance électrique eAssist

http://www.gm.ca/

Plus d'informations dans la section statistiques en dernière partie du Guide

PAS LA VOITURE DE MON ONCLE

Avant d'être abandonnée, cette voiture a été pendant longtemps le modèle le plus populaire de Buick. La Regal a effectué son retour l'an dernier avec une toute nouvelle silhouette, une plate-forme aux origines européennes et un choix de trois moteurs quatre cylindres. Vous avez bien lu : pas de moteurs V6 ou même de V8 au catalogue.

La carrosserie, de style coupé quatre portes, est élégante sans être ostentatoire. La partie avant est passablement arrondie, les passages de roues sont légèrement en relief et le capot plongeant est doté d'une ligne centrale surélevée qui ajoute un petit je-ne-sais-quoi à l'ensemble. Bien entendu, la traditionnelle grille de calandre qui évoque une chute d'eau a été conservée. Le modèle GS, plus sportif, se démarque par des prises d'air verticales dans le pare-chocs.

Comme toute voiture moderne, les porte-à-faux sont passablement réduits. Il faut aussi souligner la présence de flancs sculptés qui insufflent un certain dynamisme à la voiture, particulièrement lorsqu'on la voie sur un plan latéral. La portion arrière est relativement courte afin de mettre l'emphase sur le style coupé. On note également la présence d'un petit déflecteur sur le couvercle du coffre, mais l'élément visuel le plus distinctif de cette voiture est cette barre de chrome qui traverse l'arrière de part en part.

L'habitacle est sobre et la disposition de toutes les commandes se révèle très pratique. Autant le conducteur que le passager profitent de sièges confortables dont le coussin offre un bon support pour les cuisses. La position de conduite est bonne en raison d'un volant qui est réglable autant en hauteur qu'en profondeur. Celui-ci possède, sur ses branches horizontales, les commandes du régulateur de croisière et de la radio.

CONCURRENTS
Acura TSX,
Lexus ES,
Mercedes-Benz Classe C,
Volvo S60

IMPRESSIONS DE L'AUTEUR	
Agrément de conduite :	4/5
Fiabilité :	4/5
Sécurité :	4/5
Qualités hivernales :	3.5/5
Espace intérieur :	3.5/5
Confort :	4/5

Les autres commandes sont regroupées au centre de la planche de bord. Dans les modèles que nous avons conduits, la voiture était dotée d'un système de navigation et les touches étaient placées sous l'écran de ce dernier.

Encore une fois, la GS se démarque par ses sièges de cuir, une section équarrie de la partie inférieure du volant, un pédalier en aluminium, et plus encore. En fait, la liste d'éléments particuliers est très longue. Terminons ce tour du propriétaire en soulignant que le coffre est d'assez bonne dimension et que son ouverture est assez grande.

Catégorie	Berline
Échelle de prix	31 990 $ à 37 035 $ (2011)
Garanties	4 ans/80 000 km, 5 ans/160 000 km
Assemblage	Oshawa, Ontario, Canada
Cote d'assurance	n.d.

TROIS DE QUATRE

Signe des temps, cette Regal n'est offerte qu'avec des moteurs quatre cylindres, rien d'autre. Trois choix s'offrent à nous et tous peuvent être couplés à une boîte automatique à six rapports de type manumatique. La boîte manuelle est disponible avec les modèles Turbo et GS. Ces derniers sont propulsés par une version turbocompressée du moteur quatre cylindres 2,0 litres. Le premier produit 220 chevaux tandis que le second en développe 35 de plus, surtout en raison de l'injection directe de carburant. Quant au moteur de la version de base, il s'agit du quatre cylindres Ecotec de 2,4 litres produisant 182 chevaux. Soulignons qu'il est également possible de commander la Regal avec le système eAssist doté de batteries ion-lithium de 115 volts. Ce système d'appoint permet de réduire la consommation de carburant.

Bien entendu, la suspension est indépendante aux quatre roues et il est également possible d'obtenir une suspension active en option. En fait, celle-ci possède trois modes de réglages qui influencent les passages des vitesses, la fermeté de la suspension ainsi que la direction. Il y a le mode Normal, le mode Touring et le mode Sport. On les contrôle à l'aide de touches placées sous l'écran de navigation. Selon le modèle choisi, cette voiture roule sur des pneus de 18, 19 pouces ou même 20 pouces dans le cas de la GS. Cette dernière est équipée de freins Brembo. Bref, ce n'est plus la Buick de mon oncle.

L'AGRÉMENT DE CONDUITE PRIME

Tous les modèles Regal proposent une excellente tenue de route, une direction très précise et une insonorisation impressionnante. Évidemment, plusieurs s'inquièteront de la présence d'un moteur quatre cylindres. Ils n'ont pas à s'en faire. Les performances du moteur 2,4 litres sont bonnes, les accélérations sont linéaires et les reprises, correctes. Par contre, il faut jouer de la transmission manumatique et passer les rapports manuellement afin d'obtenir les performances désirées. Heureusement, cette transmission est excellente : les passages des rapports sont instantanés et s'effectuent en douceur. Le moteur turbo propose 38 chevaux de plus et c'est beaucoup mieux ainsi. Soulignons, avant de l'oublier, que le temps de réponse du turbo est quasiment inexistant et que sa puissance est très linéaire, comme la majorité des moteurs de ce type. La GS, avec ses 255 chevaux, en offre davantage à tous les chapitres.

Contrairement à ce que les gens pourraient croire, cette Buick n'affiche aucun roulis en virage et sa suspension est juste ce qu'il faut : ni trop ferme, ni trop molle. Nous sommes convaincus des qualités routières de cette voiture. Il est vrai que sa silhouette tout en subtilité la fait passer inaperçue, mais les gens l'apprécient de plus en plus au fil des semaines et des mois. Et la GS affiche une présentation intérieure et extérieure un peu plus audacieuse qui la met davantage en évidence.

Denis Duquet

Photos : Buick

CHÂSSIS - CXL TURBO

Emp/lon/lar/haut	2 738/4 831/1 857/1 484 mm
Coffre	402 litres
Réservoir	70 litres
Nombre coussins sécurité / ceintures	6 / 5
Suspension avant	indépendante, jambes de force
Suspension arrière	indépendante, multibras
Freins avant / arrière	disque / disque
Direction	à crémaillère, ass. variable
Diamètre de braquage	11,4 m
Pneus avant / arrière	P235/50VR18 / P235/50VR18
Poids	1 655 kg
Capacité de remorquage	n.d.

COMPOSANTES MÉCANIQUES

eAssist, CXL	
Cylindrée, soupapes, alim.	4L 2,4 litres 16 s atmos.
Puissance / Couple	182 chevaux / 172 lb-pi
Tr. base (opt) / rouage base (opt)	A6 / Tr
0-100 / 80-120 / 100-0 km/h	9,0 s / 7,8 s / 42,0 m
Type ess. / ville / autoroute	Ordinaire / 10,8 / 6,5 l/100 km
CXL Turbo	
Cylindrée, soupapes, alim.	4L 2,0 litres 16 s turbo
Puissance / Couple	220 chevaux / 258 lb-pi
Tr. base (opt) / rouage base (opt)	A6 / Tr
0-100 / 80-120 / 100-0 km/h	8,9 s / 5,5 s / 43,1 m
Type ess. / ville / autoroute	Ordinaire / 11,5 / 7,0 l/100 km
GS Turbo	
Cylindrée, soupapes, alim.	4L 2,0 litres 16 s turbo
Puissance / Couple	255 chevaux / 295 lb-pi
Tr. base (opt) / rouage base (opt)	M6 (A6) / Tr
0-100 / 80-120 / 100-0 km/h	7,0 s (est) / n.d. / n.d.
Type ess. / ville / autoroute	Super / 12,4 / 8,1 l/100 km

FEU VERT

- Silhouette élégante
- Choix de moteurs
- Silence de roulement
- Boîte de vitesses
- Très bonne tenue de route

FEU ROUGE

- Réputation à rebâtir
- Silhouette anonyme
- Certaines commandes intrigantes
- Options onéreuses
- Places arrière moyennes

DU NOUVEAU EN 2012

Système eAssist, modèle GS Turbo

http://www.gm.ca/

Plus d'informations dans la section statistiques en dernière partie du Guide

VEDETTES AMÉRICAINES

Après maintes tentatives plus ou moins réussies, la série CTS est venue confirmer que Cadillac pouvait effectivement se renouveler et se relancer dans l'arène impitoyable du luxe automobile contre les meilleurs constructeurs au monde. Elle est déjà loin et bien morte l'époque où Lincoln était la seule rivale sérieuse aux yeux des bonzes de la marque de luxe de GM. Aux Allemandes, aux Japonaises et même à des Coréennes maintenant, la famille CTS oppose un style original et moderne, un comportement solide, une finition en progrès constant et des mécaniques raffinées. La silhouette unique, la tenue de route affûtée et les performances exceptionnelles des trois CTS-V, qui filent comme le suggère leur initiale, en est l'affirmation la plus spectaculaire.

CONCURRENTS
Acura TL, Audi A4, BMW Série 3, Infiniti G, Lexus IS, Lincoln MKZ, Mercedes-Benz Classe C, Volvo S60

IMPRESSIONS DE L'AUTEUR		
Agrément de conduite :	■■■■	4 / 5
Fiabilité :	■■■▌	3.5 / 5
Sécurité :	■■■■	4 / 5
Qualités hivernales :	■■■■	4 / 5
Espace intérieur :	■■■■	4 / 5
Confort :	■■■■	4 / 5

La première berline CTS a été présentée en 2003 et une version entièrement redessinée et reconçue a été lancée pour 2008. Cette nouvelle berline venait confirmer et consolider le rôle prédominant de la CTS dans le retour de Cadillac à l'avant-plan, et la marque de luxe et de prestige de GM n'a cessé de l'enrichir et de l'étoffer depuis. Une familiale cinq portes s'est ajoutée à la série CTS en 2010 alors qu'un coupé s'est greffé à la famille l'an dernier. Sans compter les fabuleuses versions CTS-V, propulsées par un V8 suralimenté par compresseur de 6,2 litres qui produit 556 chevaux.

AU DOIGT ET À L'ŒIL

Les versions plus accessibles qui constituent le cœur de la série CTS ont droit cette année à une grille de calandre requinquée, à une version plus musclée du V6 de 3,6 litres et à un nouveau groupe optionnel Touring. Les stylistes ont retouché la calandre de série en jouant sur de nouveaux finis pour faire ressortir le cadre et un emblème Cadillac qui affiche des couleurs plus vives. Le groupe Touring, dont on peut doter tous les modèles, comprend une version plus foncée de cette calandre. C'est l'élément le plus visible d'une série d'ajouts esthétiques et fonctionnels qui aiguisent le côté sportif de ces modèles. À preuve, le volant et le pommeau de levier de vitesse enveloppés de suède qu'on ne retrouvait jusqu'à maintenant que dans les CTS-V. Les modèles à moteur V6 de 3,6 litres y gagneront aussi des sièges Recaro comme ceux des modèles V et des jantes polies de 19 pouces. Quant aux CTS dotées du V6 de 3,0 litres, elles rouleront sur des jantes nickelées de 18 pouces.

La mise à jour la plus importante, en termes techniques, est l'adoption d'un nouveau V6 de 3,6 litres plus puissant. Il devrait néanmoins conserver les mêmes cotes de consommation ville/route de 11,4 et 6,9 l/100 km que son prédécesseur, qui fut le premier moteur à injection directe développé chez GM. La puissance passe de 304 à 318 chevaux et le couple augmente d'un poil seulement, soit de 273 à 275 lb-pi. Ce nouveau moteur profite de soupapes d'admission plus grandes commandées par des arbres à cames en tête modifiés. Des tubulures d'admission en composite et des collecteurs d'échappement jumelés aux culasses ont également permis d'alléger le moteur de 9,3 kg par rapport à l'ancien, ce qui est bénéfique en tout point. Espérons que ces gains injecteront aussi une dose de caractère et de musicalité mécanique à ce V6 dont la version antérieure s'exécutait avec une froideur plutôt clinique.

LE TRIO DE PUISSANCE : LES CTS-V

La berline CTS-V actuelle a pris le relais de la pionnière qui avait été lancée en 2004 avec un V8 de 5,7 litres et 400 chevaux. Elle fit instantanément paraître son aïeule pour ce qu'elle était : une version plus puissante, mais plutôt crue, de la première CTS, réalisée dans le registre des hotrodders américains. Désormais capable d'affronter les meilleures berlines européennes de performance, la berline CTS-V fut d'abord rejointe par une version V de la familiale que Cadillac avait pourtant juré n'avoir aucune intention de produire. Vint ensuite le coupé CTS-V, version de série remarquablement fidèle au prototype qui avait été la surprise et la sensation de l'édition 2009 du Salon de l'automobile de Détroit.

Le raffinement et la finition du coupé impressionnent. Le confort de roulement aussi, grâce aux amortisseurs à variation magnétique. L'ergonomie de conduite est sans reproche, mais la silhouette profilée du coupé impose une garde au toit réduite à l'avant, des places arrière plus serrées et une visibilité plutôt nulle. Les sonars de stationnement ne sont pas un luxe.

Le coupé CTS-V à boîte manuelle boucle le 0-100 km/h en 4,8 secondes et berline à boîte automatique en 4,9 secondes. Leurs grands freins Brembo sont aussi solides avec des distances moyennes respectives de 37,3 et 38,1 mètres à 100 km/h. Sur un circuit, le coupé CTS-V semble plus agile et le roulis moins présent que sur la berline. Leur empattement est identique, mais le coupé est plus bas et plus court d'environ 5 cm. Sa voie arrière est également plus large de 8 mm avec les roues optionnelles de 19 pouces.

Comme la berline, le coupé CTS-V réussit l'exploit de combiner l'attrait viscéral d'un V8 tout en muscles et un raffinement typiquement européen. Et on a même le choix d'une version familiale dont la ligne est aussi racée. Il n'y a pas à dire, on n'a vraiment plus les Cadillac qu'on avait. Et c'est tant mieux.

Marc Lachapelle

Photos : Marc Lachapelle

Catégorie	Berline, Coupé, Familiale
Échelle de prix	39 160 $ à 76 665 $ (2011)
Garanties	4 ans/80 000 km, 5 ans/160 000 km
Assemblage	Lansing, Michigan, États-Unis
Cote d'assurance	moyenne

CHÂSSIS - CTS-V SPORTWAGON	
Emp/lon/lar/haut	2 880/4 859/1 842/1 502 mm
Coffre	720 à 1 642 litres
Réservoir	68 litres
Nombre coussins sécurité / ceintures	6 / 5
Suspension avant	indépendante, bras inégaux
Suspension arrière	indépendante, bras inégaux
Freins avant / arrière	disque / disque
Direction	à crémaillère, ass. variable
Diamètre de braquage	11,6 m
Pneus avant / arrière	P255/40R19 / P285/35R19
Poids	1 909 kg
Capacité de remorquage	n.d.

COMPOSANTES MÉCANIQUES	
3.0	
Cylindrée, soupapes, alim.	V6 3,0 litres 24 s atmos.
Puissance / Couple	270 chevaux / 223 lb-pi
Tr. base (opt) / rouage base (opt)	M6 (A6) / Prop (Int)
0-100 / 80-120 / 100-0 km/h	7,6 s / 6,9 s / n.d.
Type ess. / ville / autoroute	Ordinaire / 11,9 / 7,6 l/100 km
3.6	
Cylindrée, soupapes, alim.	V6 3,6 litres 24 s atmos.
Puissance / Couple	318 chevaux / 275 lb-pi
Tr. base (opt) / rouage base (opt)	A6 (M6) / Prop (Int)
0-100 / 80-120 / 100-0 km/h	n.d. / n.d. / n.d.
Type ess. / ville / autoroute	Ordinaire / 11,4 / 6,9 l/100 km
CTS-V	
Cylindrée, soupapes, alim.	V8 6,2 litres 16 s surcomp.
Puissance / Couple	556 chevaux / 551 lb-pi
Tr. base (opt) / rouage base (opt)	M6 (A6) / Prop
0-100 / 80-120 / 100-0 km/h	4,9 s / 3,9 s / 38,1 m
Type ess. / ville / autoroute	Super / 14,9 / 10,5 l/100 km

FEU VERT

- Silhouettes uniques et modernes
- Versions CTS-V emballantes
- Série très complète
- Familiale étonnamment vaste

FEU ROUGE

- Coussin avant un peu courts
- Visibilité arrière (coupé)
- Contrôles de climatisation minuscules
- V6 de 3,0 litres plutôt anémique

DU NOUVEAU EN 2012

Calandre redessinée, nouvel ensemble Tourisme

http://www.gm.ca/

Plus d'informations dans la section statistiques en dernière partie du Guide

LA SURVIVANTE

Lorsqu'on connaît la DTS et la STS, on se surprend d'apprendre que c'est cette dernière qui a été éliminée de la gamme Cadillac. Pourtant, c'était la plus moderne et celle qui offrait le meilleur agrément de conduite. Mais c'était la mauvaise voiture au mauvais moment. Et si la DTS est toujours parmi nous, c'est pour une raison bien simple: le marché des limousines et des véhicules funéraires est assez important pour permettre à ce modèle de perdurer.

CONCURRENTS
Chrysler 300,
Hyundai Genesis,
Lexus GS, Lincoln MKS,
Mercedes-Benz Classe E,
Volvo S80

IMPRESSIONS DE L'AUTEUR	
Agrément de conduite:	3/5
Fiabilité:	4/5
Sécurité:	4/5
Qualités hivernales:	3/5
Espace intérieur:	4.5/5
Confort:	4.5/5

Cette carrière prolongée s'explique en bonne partie par le fait que la compagnie Ford ait abandonné la production du Lincoln Town Car, autrefois une incontournable dans le domaine des services de limousine. Sa disparition a fortement réduit le choix des entreprises de ce genre. Notre grosse Cadillac, avec ses places arrière généreuses, son coffre suffisamment grand et sa version avec banquette avant, devint alors une solution alternative fort intéressante. D'autant plus que son groupe propulseur, à défaut d'être excessivement moderne, était capable d'accomplir le travail.

LA QUESTION DES 17 CHEVAUX

Si vous faites partie des amateurs de voitures de luxe sophistiqué, vous allez certainement lever le nez sur le groupe propulseur de cette grosse Caddy. Alors que plusieurs compagnies proposent des transmissions automatiques à sept ou huit rapports, la DTS est dotée d'une boîte automatique qui n'en a que quatre. De quoi dissuader tous les propriétaires de voitures de luxe importées et même ceux conduisant une Cadillac CTS. Par contre, son efficacité est supérieure à la moyenne, tout comme sa fiabilité. En plus, comme on roule en ville la plupart du temps, quatre vitesses suffisent. Et c'est là qu'on revient à nos voitures de fonction. La majorité des acheteurs de DTS ne sont pas des amateurs de conduite sportive ou inspirée, et pour eux, c'est la fiabilité qui prime avant tout.

Ce qui caractérise également cette grosse Américaine, c'est le fait qu'on retrouve au catalogue deux moteurs de même cylindrée, mais dont la puissance diffère de 17 chevaux seulement. À première vue, cela semble incompréhensible. Pourquoi tant d'efforts pour une aussi petite différence de puissance? Encore une fois, il faut revenir à l'utilisation principale de cette voiture. Dans les deux cas, il s'agit du légendaire moteur V8 Northstar 4,6 litres, qui a fait ses preuves depuis longtemps déjà. La première version, appelée L-37, est la plus puissante produisant 292 chevaux. Ces équidés en surplus permettent une meilleure vitesse de pointe et plus de nervosité sur la grande route. La seconde, portant le nom de code LD-8, est moins puissante certes, mais son couple est plus important et il est obtenu à un régime relativement bas. Donc, en conduite urbaine et à basse vitesse, les accélérations initiales sont nettement plus nerveuses. Ce moteur sera apprécié des personnes qui effectuent des trajets urbains et, par le fait même, des chauffeurs de limousine.

Il ne faut pas oublier non plus que cette Cadillac, bien que ses groupes propulseurs soient relativement âgés, possède un équipement d'aide à la conduite passablement moderne. Contentons-nous de souligner la présence d'un indicateur de chevauchement de ligne blanche, un détecteur de proximité latérale ainsi qu'une suspension à contrôle magnétique appelée Magnetic Ride Control. Un liquide électromagnétique varie instantanément la fermeté des amortisseurs. Selon le constructeur, ce système propose le temps de réaction le plus rapide de l'industrie. Et pour ne pas prendre trop de recul face à la concurrence, un régulateur de vitesse de type adaptatif est également en équipement de série. Bien entendu, cette voiture possède une suspension indépendante aux quatre roues.

INTIMIDANTE EN VILLE

Malgré une mécanique qui date quelque peu et une silhouette qui trahit son âge, une Cadillac demeure une Cadillac et l'aménagement intérieur est fort luxueux. En plus, on lui a greffé plusieurs accessoires qui sont devenus incontournables dans cette catégorie. Le volant et la banquette arrière sont chauffants tandis que les sièges avant sont à la fois chauffants et climatisés. Et si la qualité des matériaux et de la finition doit céder le pas à ce qu'Audi nous propose, le résultat demeure particulièrement relevé. Malgré tout, on retrouve en quelques endroits, des petits dérapages au chapitre de la finition. La présentation du tableau de bord pourrait être beaucoup plus moderne. Pour faire comme les autres, une pendulette carrée trône sur la partie supérieure de la console centrale.

Mais compte tenu des dimensions de cette voiture, l'habitabilité est certainement son point fort. On peut y prendre ses aises à l'avant comme à l'arrière. Les sièges sont moelleux, mais le manque de support latéral est flagrant. Quant à la conduite, vous devrez endurer une direction engourdie, un certain roulis en virage et si vous décidez de jouer les pilotes de course, la suspension devrait avoir de la difficulté à suivre. En ville, il faut quelque temps pour s'habituer à une auto aussi imposante et garer ce véhicule pourrait devenir une hantise pour certains.

Si ce genre de voitures vous intéresse, le choix est relativement simple, puisque cette Cadillac est pratiquement seule dans sa catégorie.

Denis Duquet

Photos: Cadillac

DONNÉES 2011	
Catégorie	Berline
Échelle de prix	58 880 $ à 77 020 $
Garanties	4 ans/80 000 km, 5 ans/160 000 km
Assemblage	Hamtramck, Michigan, É-U
Cote d'assurance	n.d.

CHÂSSIS - BASE	
Emp/lon/lar/haut	2 936/5 273/1 900/1 463 mm
Coffre	532 litres
Réservoir	68 litres
Nombre coussins sécurité / ceintures	6 / 5
Suspension avant	indépendante, jambes de force
Suspension arrière	indépendante, multibras
Freins avant / arrière	disque / disque
Direction	à crémaillère, ass. variable électrique
Diamètre de braquage	12,8 m
Pneus avant / arrière	P235/55R17 / P235/55R17
Poids	1 818 kg
Capacité de remorquage	454 kg (1 000 lb)

COMPOSANTES MÉCANIQUES	
Base	
Cylindrée, soupapes, alim.	V8 4,6 litres 32 s atmos.
Puissance / Couple	275 chevaux / 295 lb-pi
Tr. base (opt) / rouage base (opt)	A4 / Tr
0-100 / 80-120 / 100-0 km/h	7,8 s / 6,7 s / 42,4 m
Type ess. / ville / autoroute	Ordinaire / 13,8 / 8,7 l/100 km
Platinum	
Cylindrée, soupapes, alim.	V8 4,6 litres 32 s atmos.
Puissance / Couple	292 chevaux / 288 lb-pi
Tr. base (opt) / rouage base (opt)	A4 / Tr
0-100 / 80-120 / 100-0 km/h	7,8 s / 6,7 s / 42,4 m
Type ess. / ville / autoroute	Ordinaire / 13,8 / 8,7 l/100 km

FEU VERT

- Motorisation fiable
- Habitabilité sans égale
- Équipement complet
- Tenue de route correcte
- Confortable

FEU ROUGE

- Effet de couple dans le volant
- Transmission quatre rapports
- Roulis en virage
- Dimensions intimidantes
- Modèle en sursis

DU NOUVEAU EN 2012

Modèle non renouvelé en 2012

http://www.gm.ca/

Plus d'informations dans la section statistiques en dernière partie du Guide

COMPÉTENT, MAIS PAS INSPIRANT

Le Cadillac SRX s'inscrit dans le créneau des multisegments de luxe et partage l'essentiel de sa structure avec les Chevrolet Equinox et GMC Terrain. Toutefois, le gabarit du SRX est plus imposant et son poids est nettement plus élevé que les deux autres en raison principalement de son équipement plus complet, prestige de la marque oblige. Depuis la refonte survenue en 2010, le SRX adopte les lignes taillées au couteau, qui sont devenues la signature visuelle de la marque. Cependant, l'effet n'est pas aussi frappant avec le SRX qu'avec la CTS Coupé.

Élaboré sur la base de la plate-forme Theta, qui sert aux utilitaires de taille compacte ou intermédiaire chez General Motors, le SRX est disponible en traction, mais aussi avec un rouage intégral, beaucoup mieux adapté à nos conditions climatiques. Le style de l'habitacle rappelle celui de la carrosserie, et le tableau de bord est à la fois bien dessiné et bien fini. Étrangement, on éprouve une sensation un peu clinique à bord du SRX, soit une sensation semblable à celle que l'on éprouve dans la salle d'attente du dentiste. Tout est fonctionnel, mais l'ambiance est un peu froide. Les sièges avant offrent un bon maintien et il est facile d'adopter une bonne position de conduite au volant, mais l'espace est un peu juste pour ce qui est du dégagement pour les jambes et la tête aux places arrière où le coussin des sièges est plutôt ferme. L'espace cargo mérite des éloges, puisqu'il est doté de rails de fixation permettant de bien arrimer les bagages ou colis, Cadillac s'étant fortement inspiré des véhicules européens concurrents à ce chapitre.

CONCURRENTS
Acura MDX, Audi Q7, BMW X5, Infiniti FX, Lexus RX, Lincoln MKX, Mercedes-Benz Classe M, Porsche Cayenne, Volkswagen Touareg, Volvo XC90

IMPRESSIONS DE L'AUTEUR		
Agrément de conduite :	■■■	3 / 5
Fiabilité :	■■■	3 / 5
Sécurité :	■■■■	4 / 5
Qualités hivernales :	■■■■	4 / 5
Espace intérieur :	■■■■	4 / 5
Confort :	■■■■	4 / 5

UN COMPORTEMENT ROUTIER SÛR

Sur la route, le SRX s'avère plutôt agréable à conduire, mais n'épate pas la galerie pour ce qui est de la dynamique. La direction est correcte, son assistance est bien dosée et les réactions du véhicule sont toujours sûres et prévisibles, surtout dans le cas des modèles à rouage intégral, qui non seulement améliore la motricité sur surfaces glissantes, mais permet aussi de transférer une partie du couple à la roue arrière extérieure afin d'améliorer le comportement du véhicule en virages. Cela dit, à cause de son poids très élevé, le SRX ne propose pas une conduite aussi inspirée ou sportive que les véhicules européens concurrents, et ce, même si les suspensions adoptent des calibrations plutôt fermes. À plus de 1 980 kilos, le SRX est loin d'être un poids plume, et sa masse importante affecte inversement les accélérations, les reprises et la tenue de route, sans parler du freinage.

Catégorie	Multisegment
Échelle de prix	44 095 $ à 60 095 $ (2011)
Garanties	4 ans/80 000 km, 5 ans/160 000 km
Assemblage	Ramos Arizpe, Mexique
Cote d'assurance	n.d.

Par ailleurs, le SRX est presque aussi silencieux que le Lexus, ce qui est un exploit notoire. En ce qui a trait à la motorisation, la boîte automatique passe les rapports plutôt lentement, histoire de bonifier le confort, mais il est possible de la contrôler en mode manuel, au moyen du levier de vitesse, pour effectuer des changements de rapport un peu plus rapides. Notre véhicule d'essai était équipé de roues surdimensionnées de 20 pouces, ce qui signifie aussi que l'achat de pneus de remplacement ou de pneus d'hiver s'accompagnera d'une facture très salée.

UN NOUVEAU MOTEUR POUR 2012

Au cours des dernières années, le SRX a souvent changé de moteur, les deux derniers en lice étant un V6 de 3,0 litres de 265 chevaux dont la puissance était plutôt juste, compte tenu du poids du SRX. Cela avait pour effet de rendre certaines manoeuvres, comme le dépassement sur routes secondaires, plus hasardeux. Un V6 turbo de 2,8 litres et 300 chevaux développé pour la marque Saab était également au programme, mais même si sa puissance était plus adéquate, ce moteur ne livrait pas son couple de façon linéaire.

Afin de corriger ces lacunes, le SRX fera l'objet de changements pour 2012, puisqu'il recevra le V6 de 3,6 litres emprunté à la Chevrolet Camaro et la Cadillac CTS. Sous le capot du SRX, ce moteur développera 308 chevaux et 265 livres pied de couple et deviendra le seul moteur disponible pour ce modèle. Par ailleurs, la technologie Bluetooth fera partie de la dotation de série sur tous les modèles SRX 2012, et le volant chauffant sera également offert de série sur les modèles haut de gamme.

Pour ce qui est de l'avenir à plus long terme de ce modèle, les rumeurs persistantes indiquent que Cadillac serait en train de développer une version à motorisation hybride «branchable» du SRX pour l'année-modèle 2013, et que cette nouvelle version pourrait recevoir un moteur thermique de quatre ou six cylindres jumelé à un moteur électrique, alimenté par un ensemble de batteries. Comme il s'agirait d'un hybride branchable, il serait possible de recharger l'ensemble de batteries pendant la nuit pour profiter pleinement de la motorisation électrique et ainsi réduire la consommation de carburant. Histoire à suivre…

Somme toute, il est clair que le SRX de Cadillac a été conçu afin de se mesurer au RX de Lexus, et c'est un véhicule confortable, compétent et qui a un certain style. Il est toutefois dommage de constater que son poids élevé affecte autant la dynamique de son comportement routier.

Gabriel Gélinas

Photos: Alain Morin

CHÂSSIS - DE LUXE TI

Emp/lon/lar/haut	2 807/4 834/1 910/1 669 mm
Coffre	839 à 1 733 litres
Réservoir	80 litres
Nombre coussins sécurité / ceintures	6 / 5
Suspension avant	indépendante, jambes de force
Suspension arrière	indépendante, multibras
Freins avant / arrière	disque / disque
Direction	à crémaillère, assistée
Diamètre de braquage	12,2 m
Pneus avant / arrière	P235/65R18 / P235/65R18
Poids	2 015 kg
Capacité de remorquage	1 136 kg (2 504 lb)

COMPOSANTES MÉCANIQUES

SRX TA, SRX TI	
Cylindrée, soupapes, alim.	V6 3,6 litres 24 s atmos.
Puissance / Couple	308 chevaux / 265 lb-pi
Tr. base (opt) / rouage base (opt)	A6 / Tr (Int)
0-100 / 80-120 / 100-0 km/h	8,0 (est) / n.d. / 44,1 (est)
Type ess. / ville / autoroute	Ordinaire / n.d.

- Nouveau V6 plus puissant
- Ligne réussie
- Confort des sièges avant
- Silence de roulement

- Poids élevé
- Présentation intérieure froide
- Version traction dénuée d'intérêt
- Transmission lente

DU NOUVEAU EN 2012

V6 3,6 litres à injection directe

http://www.gm.ca/

Plus d'informations dans la section statistiques en dernière partie du Guide

Cadillac Escalade EXT

BIENTÔT VESTIGES?

Il semblerait que les Américains commencent à réaliser que le prix de l'essence pourrait monter au cours des prochaines années et que les véhicules qui consomment beaucoup de carburant ont des chances de devenir dispendieux à opérer. Bon sang qu'ils sont rapides, nos voisins du Sud! En fait, l'avenir du duo Avalanche/Escalade EXT n'est pas lié qu'à celui de l'essence. En 2007, lors du renouvellement des Chevrolet Tahoe, Suburban et compagnie, il était prévu que la prochaine génération devrait être dévoilée en 2012 (année modèle 2013). Et comme l'Avalanche et l'Escalade EXT sont bâtis sur la même plate-forme, 2012 allait s'avérer une année cruciale pour eux aussi.

CONCURRENTS
Chevrolet Silverado,
Ford F-150,
GMC Sierra,
Nissan Titan,
Ram 1500,
Toyota Tundra

IMPRESSIONS DE L'AUTEUR	
Agrément de conduite :	3.5 / 5
Fiabilité :	3.5 / 5
Sécurité :	4 / 5
Qualités hivernales :	4 / 5
Espace intérieur :	4 / 5
Confort :	4.5 / 5

Sauf que la récession s'en est mêlée et General Motors a failli y laisser sa peau. Le renouvellement de ces bêtes de somme avait alors été repoussé à 2014. Puis, devant les succès de GM « nouvelle version » et les entrées d'argent frais, un programme accéléré a vu le jour et on est revenu à 2012 comme date de lancement de la prochaine génération. Cependant, il semblerait que le duo Avalanche/Escalade EXT ne fasse plus partie des plans, en grande partie à cause de ventes de plus en plus confidentielles.

LA SOLUTION DU JUSTE MILIEU

Pourtant, l'Avalanche (nous reviendrons plus loin sur l'Escalade EXT) est loin d'être un mauvais véhicule. Ce croisement entre une camionnette traditionnelle et un VUS semble plaire à tous ses propriétaires, si je me fie aux nombreux commentaires positifs entendus depuis 2007. On louange son confort, sa robustesse, sa caisse fermée par des panneaux en trois parties faciles à manipuler et la cloison entre la boîte et la cabine. Cette cloison, baptisée Midgate, permet, lorsqu'elle est abaissée, d'allonger la caisse de 63 à 98 pouces, ce qui n'est pas rien. Il est aussi possible d'enlever la vitre arrière pour obtenir encore plus d'espace. En plus, le tout est suffisamment léger pour être manipulé par à peu près tout le monde. Dans les parois de la caisse, on retrouve même des espaces de rangement. Et vous croyiez que Ram avait réinventé la roue avec ses Rambox…

L'habitacle s'apparente plus à celui d'une voiture qu'à celui d'une camionnette. Les sièges, autant à l'avant qu'à l'arrière, sont confortables et si vous trouvez que l'espace manque… dites-nous où! L'Avalanche se décline en trois versions: LS, LT et LTZ. Le niveau d'équipement standard et le raffinement technique augmentent au fil de l'alphabet.

Catégorie	Camionnette
Échelle de prix	44 525 $ à 79 910 $ (2011)
Garanties	3 ans/60 000 km, 5 ans/160 000 km
Assemblage	Silao, Mexique
Cote d'assurance	passable

CHÂSSIS - AVALANCHE LTZ 4X4	
Emp/lon/lar/haut	3 302/5 621/2 009/1 946 mm
Longueur de boîte	6 091 mm (63,3 pouces)
Réservoir	119 litres
Nombre coussins sécurité / ceintures	6 / 5
Suspension avant	indépendante, bras inégaux
Suspension arrière	indépendante, multibras
Freins avant / arrière	disque / disque
Direction	à crémaillère, assistée
Diamètre de braquage	13,1 m
Pneus avant / arrière	P275/55R20 / P275/55R20
Poids	2 560 kg
Capacité de remorquage	3 629 kg (8 000 lb)

COMPOSANTES MÉCANIQUES	
Avalanche	
Cylindrée, soupapes, alim.	V8 5,3 litres 16 s atmos.
Puissance / Couple	320 chevaux / 335 lb-pi
Tr. base (opt) / rouage base (opt)	A6 / Prop (4x4)
0-100 / 80-120 / 100-0 km/h	11,3 s / 7,6 s / 45,1 m
Type ess. / ville / autoroute	Ordinaire / 14,4 / 9,5 l/100 km
Cadillac EXT	
Cylindrée, soupapes, alim.	V8 6,2 litres 16 s atmos.
Puissance / Couple	403 chevaux / 417 lb-pi
Tr. base (opt) / rouage base (opt)	A6 /Int
0-100 / 80-120 / 100-0 km/h	7,4 s / 5,6 s / 45,8 m
Type ess. / ville / autoroute	Ordinaire / 15,3 / 10,1 l/100 km

L'Avalanche, peu importe le niveau de luxe, ne propose qu'un moteur, soit un V8 de 5,3 litres de 320 chevaux et 335 livres-pied de couple. Même s'il est moins puissant que celui de l'Escalade EXT, il permet de remorquer davantage, question de poids, mais aussi de rouage d'entraînement. L'Avalanche est soit une propulsion ou un 4x4. Le boîtier de transfert à deux gammes est optionnel, mais peut être standard selon le groupe d'équipement choisi. Ce rouage 4x4 permet au Chevrolet de se sortir d'à peu près toutes les impasses dont les chantiers de construction peuvent receler. La livrée deux roues motrices peut remorquer jusqu'à 8 100 livres (3 674 kg) et le 4x4, 8 000 (3 629), ce qui devrait satisfaire plusieurs propriétaires de caravanes à sellette. Cependant, on retrouve des caravanes plus lourdes. En parler avec son concessionnaire (GM ou celui qui vend la caravane) avant un achat d'un côté comme de l'autre s'impose…

ET L'ESCALADE EXT, LUI ?

De son côté, le Cadillac Escalade EXT est un Chevrolet Avalanche endimanché. Son niveau de luxe est, bien entendu, plus élevé ainsi que le degré de confort qu'il procure. Pour assurer son hégémonie, ce Cadillac hors normes reçoit un V8 de 6,2 litres de 403 chevaux et 417 livres-pied de couple. Inutile de préciser que les performances sont plutôt celles d'une voiture sport que celles d'une camionnette ! Ce qui ne veut pas dire qu'on a affaire à un véhicule sport. Loin de là !

En virages, la caisse penche beaucoup, peu importe l'écusson sur la calandre, la direction semble provenir d'un navire et le poids entraîne le véhicule… pas toujours dans la direction désirée ! Cependant, conduits avec un brin d'intelligence, ce Cadillac et ce Chevrolet deviennent d'agréables compagnons. Parlez-en à tous ces Québécois qui font l'aller-retour en Floride chaque année à leur volant ! Il faut noter que le Cadillac a droit à des suspensions plus raffinées, donc plus confortables, et qui le rendent plus agile. Un peu plus agile, devrait-on dire…

Contrairement à l'Avalanche qui reçoit un système 4x4 bœuf, l'Escalade EXT a droit à un rouage intégral relativement sophistiqué. Comme la vocation de cet immense véhicule n'est pas exactement la même que celle du non moins immense Chevrolet, il est sans doute utilisé davantage pour des besoins familiaux plutôt que pour le travail. On a donc préféré quelque chose de plus raffiné.

Le Chevrolet Avalanche et le Cadillac Escalade EXT, malgré leur style et leur polyvalence évidente, sont sur le point d'être mis à la retraite. Souhaitons que dans la refonte des Tahoe, Suburban, Yukon et Escalade on conserve, chez GM, un brin de folie pour créer une aussi intelligente extrapolation que furent les Avalanche et EXT…

Alain Morin

Chevrolet Avalanche

Photos : General Motors

FEU VERT

- Confort surprenant
- Groupes motopropulseurs réussis
- Système Midgate intelligent
- Polyvalence appréciée
- Occasion d'aubaines

FEU ROUGE

- Dimensions d'une autre époque
- Consommation décourageante
- Portières lourdes
- Direction anesthésiée
- Ça sent la fin…

DU NOUVEAU EN 2012

Aucun changement majeur

http://www.gm.ca/

Plus d'informations dans la section statistiques en dernière partie du Guide

PERPÉTUER LA LÉGENDE

La Camaro, c'est plus qu'une voiture, c'est un des symboles de l'Amérique, au même titre que la Mustang qui inaugura la catégorie des *pony cars* au milieu des années soixante. Depuis le début de cette belle époque, les amateurs ont choisi leurs camps respectifs: Mustang pour les uns, Camaro pour les autres. Cette bataille dure encore aujourd'hui avec une course vers la suprématie en puissance brute qui n'a cure du cours actuel du baril de pétrole.

Ford lance une Mustang Shelby GT500 avec un moteur de 540 chevaux? « Pas de problèmes », réplique Chevrolet, en dévoilant la Camaro ZL1 et son V8 suralimenté dont la puissance est chiffrée à 550 chevaux. Cette Camaro, dont le lancement en orbite est prévu pour le printemps 2012, sera en fait la plus rapide de l'histoire du modèle. Cette nouvelle version de la ZL1 rend hommage à celle de 1969 qui avait été originalement développée pour la compétition et qui n'avait été produite qu'à 69 exemplaires. Le moteur V8 LSA de 6,2 litres suralimenté devrait également livrer 550 lb-pi de couple aux roues arrière par l'entremise d'une boîte manuelle à six vitesses équipée d'un embrayage bi-disque, afin de composer avec la force d'accélération de la voiture. Des freins surdimensionnés en provenance de l'équipementier italien Brembo sont au programme, de même qu'une direction assistée électrique et une suspension Magnetic Ride Control, qui offrira deux modes d'amortissement, soit Touring et Sport.

UN LOOK NÉO-RÉTRO

Élaborée sur la base d'une plate-forme développée par la marque australienne Holden, qui fait partie du portefeuille des marques de General Motors, l'actuelle Camaro emprunte plusieurs éléments de style au modèle Camaro de 1969, ce qui lui donne une allure néo-rétro plutôt réussie si l'on se fie aux regards admirateurs des passants. J'ai également été en mesure d'apprécier le pouvoir d'attraction bien réel de la Camaro à l'occasion du Salon de l'Auto de Shanghai. Nous étions plusieurs journalistes rassemblés au kiosque de Chevrolet pour la première mondiale de la nouvelle Malibu, mais les collègues chinois ignoraient totalement cette nouvelle venue et donnaient plutôt de l'objectif vers la Camaro SS, qui était pourtant en retrait sur la scène principale.

CONCURRENTS
Dodge Challenger,
Ford Mustang,
Nissan Z

IMPRESSIONS DE L'AUTEUR		
Agrément de conduite:	■■■■□	4 / 5
Fiabilité:	■■■□□	3 / 5
Sécurité:	■■■□□	3 / 5
Qualités hivernales:	■■□□□	2 / 5
Espace intérieur:	■■■□□	3 / 5
Confort:	■■■□□	3 / 5

Le look Camaro, avec sa ceinture de caisse et sa partie arrière élevée, signifie cependant que l'on doit composer avec une visibilité atroce vers l'arrière ou sur les côtés, particulièrement dans le cas du coupé et du cabriolet lorsque le toit est en place. L'essai d'un cabriolet RS m'a également permis de constater que l'ajustement du toit souple restait à parfaire, puisque des sifflements se faisaient entendre dès les 70 km/h avec le toit en place. Voilà qui est regrettable. Pour abaisser le toit, il suffit de tourner une poignée et d'appuyer sur le bouton de commande pour voir la capote se replier en vingt secondes dans le coffre qui se retrouve alors amputé du quart de son volume. Une fois le toit souple replié, sachez que vous devrez installer un couvercle de tonneau, dont l'ajustement demande un peu d'efforts et une certaine gymnastique, afin que les mécanismes d'ouverture du toit soient recouverts et que le look de la voiture ne soit pas déparé.

Sur la route, la conduite du modèle cabriolet ne diffère pas grandement de celle du coupé puisque les modèles décapotables ont eux aussi un châssis très rigide. Selon les ingénieurs de Chevrolet, ce châssis est même plus rigide en torsion que celui du cabriolet BMW de Série 3. Bien sûr, les cabriolets sont plus lourds, ce qui fait en sorte qu'ils sont légèrement moins rapides en accélération franche. Tout ça nous amène à parler du poids de la Camaro, coupé ou cabriolet : la voiture est lourde, même très lourde, surtout lorsqu'on la compare à la Mustang. Même constat pour ce qui est des dimensions de la voiture, le gabarit de la Camaro étant nettement plus imposant. Le poids et le gabarit ont bien évidemment une incidence directe sur le comportement routier et la performance en virages de la Camaro, dont la direction rapide manque un peu de *feedback*. De plus, parce que les voies de la voiture sont très larges et qu'elle roule sur des pneus de grand diamètre, la Camaro a tendance à « suivre » les déformations de la chaussée et à louvoyer légèrement sur les routes secondaires.

Pour l'année modèle 2012, certains changements ont été apportés à la gamme des Camaro avec l'ajout de l'injection directe sur le V6 de 3,6 litres, d'une nouvelle suspension FE4 pour le coupé SS, d'un nouveau volant et d'une caméra de recul. De plus, 2012 marquant le 45e anniversaire de la Camaro, une édition spéciale commémorative est offerte sur les modèles coupé et cabriolet haut de gamme. Cette édition spéciale ne comporte cependant aucune modification d'ordre mécanique et se limite essentiellement à des éléments esthétiques comprenant une peinture spéciale, des jantes en alliage de 20 pouces et des bandes décoratives.

Quarante-cinq ans après son lancement, la Camaro actuelle ne renie pas ses origines. Elle continue de proposer une expérience de conduite typiquement américaine qui lui a permis de franchir le cap des cinq millions d'exemplaires vendus au cours de l'été 2011.

Gabriel Gélinas

Photos : Chevrolet

Catégorie	Coupé, Roadster
Échelle de prix	29 040 $ à 45 300 $
Garanties	3 ans/60 000 km, 5 ans/160 000 km
Assemblage	Oshawa, Ontario, Canada
Cote d'assurance	n.d.

CHEVROLET CAMARO

CHÂSSIS - LT

Emp/lon/lar/haut	2 852/4 836/1 918/1 377 mm
Coffre	320 litres
Réservoir	72 litres
Nombre coussins sécurité / ceintures	6 / 4
Suspension avant	indépendante, jambes de force
Suspension arrière	indépendante, multibras
Freins avant / arrière	disque / disque
Direction	à crémaillère, ass. variable
Diamètre de braquage	11,5 m
Pneus avant / arrière	P245/55R18 / P245/55R18
Poids	1 697 kg
Capacité de remorquage	n.d.

COMPOSANTES MÉCANIQUES

LS, LT	
Cylindrée, soupapes, alim.	V6 3,6 litres 24 s atmos.
Puissance / Couple	312 chevaux / 278 lb-pi
Tr. base (opt) / rouage base (opt)	M6 (A6) / Prop
0-100 / 80-120 / 100-0 km/h	8,4 s / 5,4 s / 39,0 m
Type ess. / ville / autoroute	Ordinaire / 13,8 / 8,4 l/100 km

SS	
Cylindrée, soupapes, alim.	V8 6,2 litres 16 s atmos.
Puissance / Couple	426 chevaux / 420 lb-pi
Tr. base (opt) / rouage base (opt)	M6 (A6) / Prop
0-100 / 80-120 / 100-0 km/h	5,3 s / 4,3 s / 35,6 m
Type ess. / ville / autoroute	Super / 14,7 / 9,8 l/100 km

FEU VERT

- Silhouette réussie
- Coffre de bonne dimension (coupé)
- Choix de moteurs
- Bonne tenue de route

FEU ROUGE

- Visibilité atroce
- Gabarit imposant
- Poids élevé
- Sifflements du toit souple (cabriolet)

DU NOUVEAU EN 2012

Version ZL1 sera dévoilée en cours d'année

http://www.gm.ca/

Plus d'informations dans la section statistiques en dernière partie du Guide

Chevrolet Colorado

MÛR POUR UN CHANGEMENT

La partie n'est pas toujours facile pour les constructeurs qui jouent la carte de l'originalité. Surtout s'ils visent des acheteurs de camionnettes dont les goûts et les habitudes d'achat sont rarement avant-gardistes. Parlez-en à GM qui lançait en 2004 les camionnettes Colorado et Canyon, dont même les noms évoquaient sensiblement la même région américaine. Malgré un gabarit intéressant, des lignes attrayantes et une motorisation unique, ces deux-là n'ont jamais connu le grand succès qu'espéraient leurs créateurs. Elles entament cette année un dernier tour de piste avant une première grande transformation.

En fait, les camionnettes de taille moyenne de GM ne se sont jamais imposées comme on pouvait l'espérer malgré le fait qu'elles offrent le meilleur des deux mondes à bien des égards. Leurs grandes sœurs, les Silverado et Sierra, continuent d'être nettement plus populaires et le prix du carburant ne semble pas avoir grand-chose à y voir. Il faut dire qu'avec cette popularité inégalée et les luttes féroces que se livrent inévitablement les constructeurs américains dans cette catégorie, les grandes ont toujours droit aux derniers raffinements, techniques et autres. À la guerre comme à la guerre, après tout.

Pendant ce temps, les Canyon et Colorado se contentent toujours de la boîte de vitesses automatique à seulement quatre rapports qu'elles avaient à leur lancement alors qu'elles profiteraient à tous égards d'une boîte plus moderne à cinq ou six rapports. Elles se vendent malgré tout raisonnablement bien au Québec, malgré leur discrétion absolue. Mieux que la Dodge Dakota, pionnière des intermédiaires, et la Nissan Frontier, mais quand même moins que la Toyota Tacoma, la star actuelle de ce segment.

CONCURRENTS

Honda Ridgeline,
Nissan Frontier,
Suzuki Equator,
Toyota Tacoma

IMPRESSIONS DE L'AUTEUR

Agrément de conduite :	3.5/5
Fiabilité :	3.5/5
Sécurité :	3.5/5
Qualités hivernales :	3.5/5
Espace intérieur :	3.5/5
Confort :	3.5/5

POUR S'EN TIRER MIEUX

Le constructeur a maintenu la mécanique des Canyon et Colorado passablement à jour et leur a refait une beauté à l'occasion au fil des huit années qui se sont écoulées depuis le lancement des premières. Elles remplaçaient alors les camionnettes compactes S-10 et S-15 qui prenaient leur retraite après 22 ans de services sans refonte. Là encore, âge vénérable et vétusté relative ne sont pas nécessairement synonymes d'insuccès chez les camionnettes. La compacte Ford Ranger se vend encore très bien, même si elle n'a jamais été entièrement redessinée depuis ses débuts… en 1983 !

Catégorie	Camionnette
Échelle de prix	26 080 $ à 38 695 $ (2011)
Garanties	3 ans/60 000 km, 5 ans/160 000 km
Assemblage	Shreveport, Louisiane, É-U
Cote d'assurance	moyenne

Canyon et Colorado ont toujours partagé leurs composantes mécaniques. D'abord un cinq cylindres en ligne qui était — et qui demeure — unique pour cette catégorie. Ce moteur faisait alors 3,5 litres et 220 chevaux et devait combiner l'encombrement d'un quatre cylindres à une puissance approchant celle d'un six cylindres, avec une consommation entre les deux. Or, le cinq consommait plus que prévu et sa sonorité n'était pas au goût de tout le monde. Nous aimions bien sa voix rauque et sa souplesse très convenable, mais ce ne fut pas l'avis de la majorité. La capacité de remorquage du nouveau duo était également de 1 815 kg (4 000 lb), donc inférieure à celle des camionnettes soi-disant compactes qu'elles relayaient.

Première solution retenue : une cinq cylindres qui faisait désormais 3,7 litres et produisait 242 chevaux à 5 600 tr/min et 242 lb-pi de couple à 5 600 tr/min. La capacité de remorquage grimpa aussitôt à 2 495 kg (5 500 lb) sur les versions les plus robustes. La même année, le quatre cylindres de base passait de 2,8 à 2,9 litres et sa puissance de 175 à 185 chevaux. Ces deux moteurs sont toujours offerts. La motorisation des Canyon et Colorado s'est ensuite enrichie du V8 de 5,3 litres qui livre 300 chevaux à 5 200 tr/min et 320 lb-pi de couple à 3 600 tr/min. La capacité de remorquage maximale passait du même coup à 2 721 kg (6 000 lb), donc presque autant que les Dakota et Tacoma avec leurs V6. L'honneur était à peu près sauf. Les Colorado et Canyon n'étaient pas tout à fait aussi grandes que leurs rivales de chez Ram et Toyota, mais presque aussi musclées.

PAS SEULEMENT POUR LA FORME

Et elles offrent autant de choix en configuration : cabine courte classique, cabine allongée ou cabine multiplace à quatre portières. Les sièges ont toujours été plutôt bien taillés et la position de conduite très correcte, à l'exception d'un repose-pied. Les commandes sont bien conçues et bien disposées dans l'ensemble.

Le comportement est correct, sauf pour ce qui est des sautillements sur les chaussées raboteuses. On peut le bonifier, ou du moins le modifier, en optant pour la suspension tout-terrain Z71 ou alors pour le groupe sport ZQ8 qui affine plutôt la tenue sur bitume. On y compte aussi une suspension raffermie de 30 % qui abaisse la carrosserie de 25 mm, des jantes d'alliage de 18 pouces, des sièges spéciaux et le V8 de 5,3 litres.

Pour remplacer ce duo en tournée d'adieu, GM lancerait dès l'an prochain des modèles de série qui seraient inspirés de l'étude de style Colorado qui fut dévoilée au dernier salon de Bangkok. La silhouette est magnifique et le profil rappelle la Honda Ridgeline, en plus joli toutefois. Il est question d'une architecture à roues avant motrices, mais le prototype était équipé d'un rouage à quatre roues motrices. Il serait bien qu'ils conservent le turbodiesel de 2,8 litres qui nichait sous le capot.

Marc Lachapelle

Photos : General Motors

CHÂSSIS - COLORADO LT 4X2 CABINE MULTIPLACE	
Emp/lon/lar/haut	3 200/5 260/1 717/1 656 mm
Longueur de boîte	1 551 mm (61,1 pouces)
Réservoir	74 litres
Nombre coussins sécurité / ceintures	6 / 5
Suspension avant	indépendante, bras inégaux
Suspension arrière	essieu rigide, ressorts à lames
Freins avant / arrière	disque / tambour
Direction	à crémaillère, assistée
Diamètre de braquage	13,5 m
Pneus avant / arrière	P215/70R16 / P215/70R16
Poids	1 688 kg
Capacité de remorquage	1361 kg (3 000 lb)

COMPOSANTES MÉCANIQUES	
Cabine simple, allongée	
Cylindrée, soupapes, alim.	4L 2,9 litres 16 s atmos.
Puissance / Couple	185 chevaux / 190 lb-pi
Tr. base (opt) / rouage base (opt)	M5 (A4) / Prop (4x4)
0-100 / 80-120 / 100-0 km/h	n.d. / n.d. / n.d.
Type ess. / ville / autoroute	Ordinaire / 11,3 / 8,1 l/100 km
Cabine multiplaces	
Cylindrée, soupapes, alim.	5L 3,7 litres 20 s atmos.
Puissance / Couple	242 chevaux / 242 lb-pi
Tr. base (opt) / rouage base (opt)	M5 (A4) / Prop (4x4)
0-100 / 80-120 / 100-0 km/h	8,7 s / n.d. / 41,0 m
Type ess. / ville / autoroute	Ordinaire / 12,9 / 9,0 l/100 km
Cabine simple, allongée, multiplaces	
Cylindrée, soupapes, alim.	V8 5,3 litres 16 s atmos.
Puissance / Couple	300 chevaux / 320 lb-pi
Tr. base (opt) / rouage base (opt)	M5 (A4) / Prop (4x4)
0-100 / 80-120 / 100-0 km/h	7,0 (est) / n.d. / n.d.
Type ess. / ville / autoroute	Ordinaire / 15,3 / 10,4 l/100 km

FEU VERT

- Bonne position de conduite
- Jolie pour une camionnette
- Bons sièges avant
- Motorisation variée

FEU ROUGE

- N'aime pas les routes cahoteuses
- Sensible au vent
- Boîte automatique à 4 rapports
- Flexion de la caisse

DU NOUVEAU EN 2012

Boîte manuelle n'est plus offerte avec versions LT

http://www.gm.ca/

Plus d'informations dans la section statistiques en dernière partie du Guide

À L'AUBE D'UNE NOUVELLE GÉNÉRATION

Le moins qu'on puisse dire, c'est que les gens du groupe Corvette ont le sens de l'histoire et du spectacle. Juste avant le dernier solstice d'été, une Corvette C6.R l'a emporté aux 24 Heures du Mans dans sa catégorie, de haute lutte devant une Ferrari, soulignant du même coup le 100e anniversaire de la marque fondée par Louis Chevrolet. On marquait également les 10 ans de sa première victoire au Mans. Les Américains ont profité de leur séjour européen pour améliorer également les chronos records des étalons de la famille, les modèles ZR1 et Z06, autour de la légendaire boucle Nord du circuit Nürburgring, validant ainsi les modifications apportées aux modèles 2012. Au nez et à la barbe de la concurrence européenne et nipponne. Et le prochain épisode de cette riche saga s'amorce bientôt.

CONCURRENTS
Aston Martin Vantage,
BMW Série 6,
Jaguar XK,
Maserati Gran Turismo,
Mercedes-Benz Classe SL,
Nissan GT-R, Porsche 911

IMPRESSIONS DE L'AUTEUR	
Agrément de conduite :	4.5/5
Fiabilité :	4/5
Sécurité :	4.5/5
Qualités hivernales :	2/5
Espace intérieur :	3.5/5
Confort :	4/5

Ce double exploit de la Corvette vient couronner en beauté l'évolution exceptionnelle de la sixième génération d'une série indissociable de l'histoire et de la culture automobile en Amérique. Une Corvette ZR1 2012 chaussée des nouveaux pneus Michelin Pilot Sport Cup (inclus à l'option PDE) a dévoré les 20,8 km du redoutable Nordschleife en 7:19.63 minutes soit 6 secondes de mieux que le meilleur temps précédent de la ZR1. Le même pilote a ensuite inscrit un chrono de 7:22.68 minutes au volant d'une Z06 2012 dotée du groupe optionnel Z07. Cette fois, c'est 20 secondes qu'il retranchait au meilleur temps précédent d'une Z06 au « Ring ».

Ces pneus anticrevaison sont essentiellement des gommes de course qu'on peut utiliser sur la route. Ils sont montés sur de nouvelles jantes d'aluminium plus robustes et légères de 2,2 kg que les précédentes. Le chrono de la Z06 est réjouissant pour les passionnés de conduite, puisque l'écart de trois secondes avec la ZR1 est infime sur plus de 20 km si l'on considère la différence de puissance de 133 chevaux. Le son plus rauque et viscéral du V8 atmosphérique de 7,0 litres a de quoi réjouir autant qu'un prix inférieur d'environ 30 000 $ pour une Z06.

DES GROUPES D'OPTIONS CIBLÉS

Le groupe optionnel Z07 est d'ailleurs une bénédiction pour le modèle Z06. Il lui ajoute d'abord des freins carbone-céramique Brembo et un nouveau système antipatinage qui offre plusieurs niveaux et un mode « départ-canon », des composantes déjà

Catégorie	Coupé, Roadster
Échelle de prix	69 575 $ à 131 040 $ (2011)
Garanties	3 ans/60 000 km, 5 ans/160 000 km
Assemblage	Bowling Green, Kentucky, É-U
Cote d'assurance	n.d.

CHÂSSIS - ZR1 COUPE	
Emp/lon/lar/haut	2 685/4 476/1 928/1 237 mm
Coffre	634 litres
Réservoir	68 litres
Nombre coussins sécurité / ceintures	4 / 2
Suspension avant	indépendante, bras inégaux
Suspension arrière	indépendante, bras inégaux
Freins avant / arrière	disque / disque
Direction	à crémaillère, ass. variable
Diamètre de braquage	12,0 m
Pneus avant / arrière	P285/30ZR19 / P335/25ZR20
Poids	1 512 kg
Capacité de remorquage	non recommandé

COMPOSANTES MÉCANIQUES	
Base, Gran Sport	
Cylindrée, soupapes, alim.	V8 6,2 litres 16 s atmos.
Puissance / Couple	430 chevaux / 424 lb-pi
Tr. base (opt) / rouage base (opt)	M6 (A6) / Prop
0-100 / 80-120 / 100-0 km/h	4,8 s / 4,0 s / n.d.
Type ess. / ville / autoroute	Super / 12,9 / 7,7 l/100 km
Z06 Coupe	
Cylindrée, soupapes, alim.	V8 7,0 litres 16 s atmos.
Puissance / Couple	505 chevaux / 470 lb-pi
Tr. base (opt) / rouage base (opt)	M6 / Prop
0-100 / 80-120 / 100-0 km/h	4,6 s / 3,0 s / 33,8 m
Type ess. / ville / autoroute	Super / 14,3 / 8,3 l/100 km
ZR1 Coupe	
Cylindrée, soupapes, alim.	V8 6,2 litres 16 s surcomp.
Puissance / Couple	638 chevaux / 604 lb-pi
Tr. base (opt) / rouage base (opt)	M6 / Prop
0-100 / 80-120 / 100-0 km/h	3,4 s / n.d. / n.d.
Type ess. / ville / autoroute	Super / 15,5 / 10,2 l/100 km

installées de série sur la ZR1. On pourra aussi la doter, pour la première fois cette année, des amortisseurs à variation magnétique qui font déjà merveille sur la ZR1 comme sur les Audi R8 et les Ferrari F458 et 599 GTB. Les groupes Z07 et PDE ajoutent aussi un aileron arrière de type compétition et on peut parer aussi la Z06 d'un capot en fibre de carbone. Ces retouches axées sur la performance s'accompagnent de bonifications longtemps espérées à l'habitacle. Surtout de nouveaux sièges dont le coussin et le dossier sont plus sculptés pour un meilleur maintien latéral. Le volant est nouveau lui aussi, doté de boutons de contrôle affinés et de rayons drapés de cuir. La console et les accoudoirs sont désormais légèrement rembourrés et on peut ajouter une surpiqûre de couleur contrastante. Le nouveau millésime apporte aussi une nouvelle chaîne audio Bose qui s'exprime par neuf haut-parleurs — deux de plus qu'auparavant — y compris deux haut-parleurs d'aiguës au tableau de bord et une meilleure reproduction des basses fréquences. Un nouveau groupe Techno rassemble plusieurs éléments populaires et les rend disponibles sur un plus grand nombre de modèles. Il comprend entre autres l'affichage de données au pare-brise, la chaîne Bose, la connectivité Bluetooth pour la téléphonie en mains libres et un port USB.

GRANDES VOYAGEUSES INSOUPÇONNÉES

Pour toute la furie dont elles sont capables, les Corvette sont des routières étonnamment confortables, dociles et agréables, y compris sur de longues distances. Avec le couple exceptionnel de leurs moteurs et leur régime très bas en vitesse constante, leur consommation est même raisonnable, avec une cote de 7,7 l/100 km sur la route pour le V8 de base et la boîte manuelle dont les deux derniers des six rapports sont surmultipliés. À titre de comparaison, le coupé BMW M3 et son V8 de 4,0 litres sont cotés à 9,9 l/100 km sur la route. Les Z06 et ZR1 sont plus gourmandes, mais leurs boîtes manuelles ont elles aussi droit à des cinquième et sixième rapports surmultipliés cette année. Elles y gagnent une réduction de près d'un litre aux 100 km en consommation.

Pour ce qui est de l'avenir, les soi-disant devins qui gravitent et grenouillent au sein et aux confins de l'industrie automobile ont longtemps prédit le lancement de la septième génération de la mythique Corvette pour l'année 2012. Or, cette apparition ne se produira pas plus cette année que la fin du monde annoncée par erreur dans le calendrier maya. Il y a par contre fort à parier que le groupe Corvette en profitera pour dévoiler cette nouvelle voiture qui fera vraisemblablement ses débuts officiels comme modèle 2013. Question de célébrer et souligner en grande le 60e anniversaire de la grande sportive américaine. On peut espérer une Corvette amincie qui pourrait être dotée de V8 turbocompressés de plus petite cylindrée en plus de versions bonifiées des gros V8 à culbuteurs qui sont au cœur de sa réussite.

Marc Lachapelle

Photos : Chevrolet

FEU VERT

- Rapport prix/performance inégalé
- Version Z06 bonifiée
- Routières étonnantes

FEU ROUGE

- Jante de volant épaisse
- Finition intérieure banale
- Modèle en fin de cycle

DU NOUVEAU EN 2012

Édition spéciale « Centenaire », capot de carbone offert sur la Z06, système magnétique de suspension Z06 redessiné, nouvelles roues

http://www.gm.ca/

Plus d'informations dans la section statistiques en dernière partie du Guide

TENIR PAROLE

L'automne dernier, General Motors nous présentait sa toute nouvelle berline compacte. La compagnie, qui compte se refaire une santé financière et reprendre la place qu'elle occupait sur le marché, mise beaucoup sur ce modèle. Leurs efforts porteront peut-être fruit, car malgré une concurrence très forte, la Cruze s'est méritée le titre de voiture de l'année décerné par l'AJAC.

Les lignes sont sobres, la voiture est jolie mais sa silhouette joue sur la discrétion. En fait, c'est sa grille de calandre qui est l'élément visuel le plus important. La ligne de caisse est assez élevée, tandis que l'arrière se retrousse quelque peu. Une présentation plus aérodynamique qui offre un coffre à bagages plus volumineux. Quant à l'habitacle, son design est plus audacieux. Par exemple, les cadrans indicateurs sont localisés dans une nacelle dont la partie supérieure épouse les contours de ces cadrans circulaires. Ces instruments sont rétroéclairés par des DEL.

La console centrale loge les commandes audio qui sont encadrées par deux buses de ventilation. Quant aux commandes de la climatisation, on utilise un bouton pour la température et un autre pour régler le ventilateur. Les autres réglages s'effectuent par des touches situées entre ces deux éléments. Toutes les versions de la Cruze possèdent des commandes audio et de téléphonie sur les branches horizontales du volant. Le boudin de celui-ci est de bonne dimension et se prend très bien en main.

La qualité des plastiques s'est avérée excellente, tout comme la finition intérieure. Les sièges avant fournissent un bon support latéral pour une voiture de cette catégorie et le support pour les cuisses est également bon. Par contre, le dossier semble être en disharmonie avec l'anatomie de certaines personnes. Mais au fil des kilomètres, ces sièges se sont tout de même révélés confortables. Quant aux places arrière, la banquette possède une bonne assise et l'inclinaison du dossier est correcte.

CONCURRENTS

Dodge Caliber, Ford Focus, Honda Civic, Hyundai Elantra, Kia Forte, Mazda3, Mitsubishi Lancer, Nissan Sentra, Subaru Impreza, Suzuki SX-4, Toyota Corolla, Volkswagen Jetta

IMPRESSIONS DE L'AUTEUR	
Agrément de conduite :	3 / 5
Fiabilité :	NOUVEAU MODÈLE
Sécurité :	4 / 5
Qualités hivernales :	4 / 5
Espace intérieur :	3.5 / 5
Confort :	4 / 5

MÉCANIQUE DU JOUR

La plate-forme Delta de la Cruze est nouvelle, tout comme la suspension arrière et la motorisation. La suspension arrière est vraiment innovatrice. La poutre de torsion est reliée à des bras tirés et à un autre support transversal afin d'équilibrer l'ensemble. Ceci a pour effet d'assurer un confort notable et une tenue de route fort honnête.

Deux moteurs sont au catalogue. Celui qui équipe la version LS, la plus économique, est un quatre cylindres de 1,8 litre d'une puissance de 138 chevaux qui offre un couple de 125 lb-pi. Quant aux autres versions, elles sont dotées du nouveau moteur 1,4 litre turbo produisant également 138 chevaux. Par contre, son couple — très linéaire et survenant à bas régime — est plus élevé avec 148 lb-pi. Ce moteur est associé à un turbo tournant à très haute vitesse et très facilement sollicité, ce qui élimine presque complètement le temps de réponse. Deux transmissions sont offertes, automatique et manuelle, toutes deux à six rapports.

Sur la route, la Cruze impressionne au plan des performances, du confort et de la tenue de route. Le moteur n'est pas malingre et son rendement est très bon. On peut aussi accorder une excellente note à la boîte automatique à six rapports dont les passages de vitesse sont presque imperceptibles. De plus, cette boîte automatique permet les passages en mode manuel. C'est intuitif et rapide. L'insonorisation est un autre bon point à faire valoir. Bien calibrée, la suspension permet une tenue de route honnête et sans surprise, tout en absorbant les imperfections de la chaussée sans trop de difficultés. Enfin, la rigidité de la caisse et de la plate-forme est à souligner.

L'ECO, PAS JUSTE ÉCOLO

Il faut attirer l'attention sur la version Eco dont la consommation de carburant est encore plus faible. Pour y arriver, on l'a rendue plus aérodynamique suite à des centaines d'heures de test en soufflerie. Ces travaux ont permis de revoir complètement la calandre supérieure. Celle-ci possède davantage d'obturations qui améliorent l'aérodynamisme du véhicule. Soulignons également une rallonge inférieure du déflecteur avant, un aileron arrière, une suspension abaissée et des panneaux sous la carrosserie qui permettent un passage plus facile de l'air sous le véhicule. L'Eco est également doté d'un obturateur d'air situé plus bas sur la calandre et celui-ci se ferme à haute vitesse pour accroître les caractéristiques physiques du véhicule. De plus, il s'ouvre à basse vitesse pour optimiser le refroidissement du moteur. Des pneus Goodyear de 17 pouces à très faible résistance au roulement et des roues légères contribuent à réduire encore plus le coefficient de traînée. Celui-ci a été réduit de 10 % par rapport à la version régulière du Cruze tandis que la voiture a été allégée de 92 kg. En plus, les rapports de la boîte de vitesses ont été optimisés. Les première et deuxième vitesses permettent d'accélérer rapidement, tandis que la sixième est très longue pour la conduite sur l'autoroute. Comme sur la version régulière on retrouve le même moteur qui produit la même puissance.

En résumé, la Cruze réussit à nous faire oublier les efforts souvent malheureux de GM pour lutter contre une concurrence très relevée. Un bon coup du constructeur américain…

Denis Duquet

Photos : Alain Morin

Catégorie	Berline
Échelle de prix	16 940 $ à 26 825 $ (2011)
Garanties	3 ans/60 000 km, 5 ans/160 000 km
Assemblage	Lordstown, Ohio, É-U.
Cote d'assurance	n.d.

CHÂSSIS - ECO

Emp/lon/lar/haut	2 685/4 597/1 796/1 476 mm
Coffre	425 litres
Réservoir	48 litres
Nombre coussins sécurité / ceintures	10 / 5
Suspension avant	indépendante, jambes de force
Suspension arrière	semi-indépendante, multibras
Freins avant / arrière	disque / tambour
Direction	à crémaillère, ass. variable électrique
Diamètre de braquage	10,8 m
Pneus avant / arrière	P215/55R17 / P215/55R17
Poids	1 365 kg
Capacité de remorquage	n.d.

COMPOSANTES MÉCANIQUES

LS	
Cylindrée, soupapes, alim.	4L 1,8 litre 16 s atmos.
Puissance / Couple	138 chevaux / 125 lb-pi
Tr. base (opt) / rouage base (opt)	M6 (A6) / Tr
0-100 / 80-120 / 100-0 km/h	11,0 (est) / 8,0 (est) / 42,1 m
Type ess. / ville / autoroute	Ordinaire / 7,8 / 5,4 l/100 km

Eco, LT Turbo, LTZ Turbo	
Cylindrée, soupapes, alim.	4L 1,4 litre 16 s turbo
Puissance / Couple	138 chevaux / 148 lb-pi
Tr. base (opt) / rouage base (opt)	M6 (A6) / Tr
0-100 / 80-120 / 100-0 km/h	10,4 s / 7,3 s / 42,1 m
Type ess. / ville / autoroute	Ordinaire / 8,5 / 5,5 l/100 km

FEU VERT

- Mécanique moderne
- Finition soignée
- Bonne tenue de route
- Consommation de carburant raisonnable
- Grand coffre

FEU ROUGE

- Version à hayon en attente
- Fiabilité indéterminée
- Silhouette anonyme
- Places arrière moyennes

DU NOUVEAU EN 2012

Transmission manuelle six rapports de série sur LT

http://www.gm.ca/

Plus d'informations dans la section statistiques en dernière partie du Guide

GMC TERRAIN

DANS LA BONNE MOYENNE

Lorsque le Chevrolet Equinox de deuxième génération a été dévoilé en 2009 en tant que modèle 2010, la presse spécialisée s'est emballée pour ce nouvel utilitaire sport compact. Et la presse ne s'est apparemment pas trompée, puisque le public a suivi et les propriétaires rencontrés sont généralement très satisfaits de leur véhicule.

L'année dernière, GM donnait un frère à l'Equinox: le GMC Terrain. Le Général a appris de ses erreurs et a donné à ce dernier un physique suffisamment différent pour le démarquer de son frérot. Il y a à peine quelques années, on se serait contenté d'installer un badge GMC sur la calandre du Chevrolet. À voir le nombre de Terrain sur nos routes, il faut croire que ce «rebadging» est réussi! La plupart des gens interrogés appréciaient davantage les lignes carrées et plus machos du GMC, même si le style plus placide du Chevrolet en fait toujours le plus vendu des deux.

ERREURS DE DÉBUTANT

Dans l'habitacle, les différences sont à peu près inexistantes et il faut regarder au centre du volant pour savoir si on conduit un produit Chevrolet ou GMC. Peu importe la marque ou le matériel qui les recouvre, les sièges avant sont confortables et la position de conduite se trouve facilement. On apprécie la beauté du tableau de bord — et encore plus la nuit lorsqu'il est illuminé! — mais lors d'une journée ensoleillée, les reflets de ce dernier dans la vitre qui protège les jauges perturbent la lecture. Il est plutôt étrange qu'un véhicule de conception si récente soit affligé d'une telle tare. Aussi, lors d'une journée très ensoleillée, une collègue qui voyageait du côté du passager s'est plainte que le contour chromé de la nacelle des instruments l'aveuglait. Curieusement, lors de mon essai de l'Equinox, j'avais noté qu'en sortant du véhicule, mon pied gauche frottait constamment contre le vide-poches situé dans la portière. Je n'ai toutefois pas eu ce problème avec le Terrain.

CONCURRENTS
Dodge Nitro, Ford Escape, Honda CR-V, Hyundai Santa Fe, Jeep Liberty, Mitsubishi Outlander, Subaru Forester, Suzuki Grand Vitara, Toyota RAV4, Volkswagen Tiguan

IMPRESSIONS DE L'AUTEUR	
Agrément de conduite:	3.5/5
Fiabilité:	3.5/5
Sécurité:	5/5
Qualités hivernales:	4/5
Espace intérieur:	4/5
Confort:	4/5

Les places arrière sont correctes et l'espace dévolu aux jambes et à la tête des passagers est passablement grand. Comme c'est souvent le cas, la place centrale est d'une extraordinaire dureté. Les dimensions du coffre sont dans la moyenne de la catégorie, mais on s'étonne de voir que le coffre du Terrain est un tantinet plus grand (28 litres) que celui de l'Equinox alors qu'il s'agit pourtant du même véhicule.

Catégorie	VUS
Échelle de prix	28 040 $ à 39 470 $ (2011)
Garanties	3 ans/60 000 km, 5 ans/160 000 km
Assemblage	Ingersoll, Ontario, Canada
Cote d'assurance	n.d.

TROIS TECHNOLOGIES

Pour déplacer notre duo, General Motors fait appel à deux moteurs. On trouve tout d'abord un quatre cylindres Ecotec de 2,4 litres de 182 chevaux. Sur papier, cette écurie est impressionnante, mais, dans les faits, elle doit traîner plus de 1 700 kilos, ce qui peut s'avérer un peu juste dans certaines circonstances. Les montées abruptes, les dépassements serrés et une charge (1 500 livres — 680 kilos max) font ressortir son manque d'enthousiasme dans un grondement bien peu agréable à entendre. Cependant, pour les besoins quotidiens, il fait parfaitement l'affaire. Au tableau de bord, on trouve un bouton Eco. Ce système, vous l'aurez compris, favorise l'économie d'essence, aux dépens des performances. La transmission change ses rapports plus tôt dans les tours/minute, l'accélérateur est moins sensible et l'ordinateur coupe l'arrivée d'essence au moteur plus rapidement lors des décélérations. L'autre moteur est un V6 de 3,0 litres. Plus puissant, il s'avère beaucoup plus agréable à vivre. Avec ce moulin, on peut remorquer jusqu'à 3 500 livres (1 588 kilos). Naturellement, il consomme davantage. Même si General Motors n'a pas voulu confirmer la nouvelle, il y a de fortes chances pour qu'un Equinox hybride voie le jour durant l'année. La technologie utilisée pour cette version pourrait bien être la même que dans la Buick Regal e-Assist qui a récemment vu le jour, étant donné que les deux véhicules partagent le même moteur 2,4 litres. Ce e-assist n'est pas nouveau et cette année, GM présente la deuxième génération. On l'a déjà vu dans les Saturn Vue Hybrid, Chevrolet Malibu Hybrid et quelques autres, il y a à peine quelques années. Toutefois, si jamais le Chevrolet Equinox Hybrid ne voyait pas le jour, je nierai avoir écrit ces lignes.

Sur la route, notre duo se comporte comme un VUS compact, c'est-à-dire que leur comportement se rapproche davantage de celui d'une automobile que de celui d'un camion. D'office, l'Equinox et le Terrain sont mus par les roues avant, mais il est possible, quel que soit le moteur, d'opter pour le rouage intégral. En général, le silence de roulement est impressionnant sauf, peut-être, lors d'accélérations vives avec le quatre cylindres. Le châssis est solide et les suspensions qui y sont accrochées assurent une tenue de route très correcte sans trop de roulis dans les virages serrés et un confort relevé. La direction est assez précise, mais elle manque de retour d'informations. J'ai toutefois l'impression qu'elle est un peu plus bavarde dans le GMC.

Les Chevrolet Equinox et GMC Terrain sont des véhicules réussis à plusieurs chapitres, bien qu'ils ne sont pas encore au niveau des Kia Sportage, Hyundai Tucson ou même de l'ancien Toyota Rav4. Mais ils occuperont une place de choix dans l'histoire de General Motors en faisant état du chemin parcouru par ce dernier depuis quelques décennies.

Alain Morin

Chevrolet quinox

Photos : Alain Morin

CHÂSSIS - LTZ TI (V6)	
Emp/lon/lar/haut	2 857/4 771/1 842/1 760 mm
Coffre	872 à 1 803 litres
Réservoir	79 litres
Nombre coussins sécurité / ceintures	6 / 5
Suspension avant	indépendante, jambes de force
Suspension arrière	indépendante, multibras
Freins avant / arrière	disque / disque
Direction	à crémaillère, assistée
Diamètre de braquage	12,2 m
Pneus avant / arrière	P235/55R18 / P235/55R18
Poids	1 860 kg
Capacité de remorquage	1 588 kg (3 500 lb)

COMPOSANTES MÉCANIQUES	
Equinox, Terrain	
Cylindrée, soupapes, alim.	4L 2,4 litres 16 s atmos.
Puissance / Couple	182 chevaux / 172 lb-pi
Tr. base (opt) / rouage base (opt)	A6 / Tr (Int)
0-100 / 80-120 / 100-0 km/h	9,9 s / 6,9 s / 42,0 m
Type ess. / ville / autoroute	Ordinaire / n.d.
Equinox, Terrain	
Cylindrée, soupapes, alim.	V6 3,0 litres 24 s atmos.
Puissance / Couple	264 chevaux / 222 lb-pi
Tr. base (opt) / rouage base (opt)	A6 / Tr (Int)
0-100 / 80-120 / 100-0 km/h	8,0 s / 6,0 s / 42,0 m
Type ess. / ville / autoroute	Ordinaire / 12,9 / 8,6 l/100 km

FEU VERT

- Style contemporain
- V6 agréable à vivre
- Habitacle réussi
- Comportement routier honnête
- Made in Canada

FEU ROUGE

- Jauges difficilement lisibles si soleil
- Portières lourdes et manquant de ressort
- Quelques plastiques assez ordinaires, merci
- Moteur 4 cylindres un peu juste
- Poids assez élevé

DU NOUVEAU EN 2012

Moteur 2,4 litres reçoit l'injection directe

http://www.gm.ca/

Plus d'informations dans la section statistiques en dernière partie du Guide

QUELLE MONOTONIE!

Un nouveau moteur en attendant la prochaine génération prévue pour 2014? Bah, ce n'est pas ce qui va changer la donne pour le Chevrolet Impala. Car cette grande Américaine, quoiqu'ultra confortable, demeure l'une des berlines les plus ennuyantes, tant à conduire qu'à regarder.

CONCURRENTS
Buick LaCrosse,
Chrysler 300,
Dodge Charger,
Ford Taurus

IMPRESSIONS DE L'AUTEUR	
Agrément de conduite :	3 / 5
Fiabilité :	3 / 5
Sécurité :	3.5 / 5
Qualités hivernales :	3.5 / 5
Espace intérieur :	4 / 5
Confort :	4 / 5

Lancée à l'automne 2005, l'Impala de dernière génération est pratiquement une relique. De fait, elle est la dernière voiture assemblée sur la vétuste plateforme des années 1990 qui accueillait, rappelez-vous, feue la Pontiac Grand Prix. Et pendant qu'elle fait du sur place, cette Impala, eh bien la concurrence avance à pas de géant: pensez Buick LaCrosse, Chrysler 300, Ford Taurus, Hyundai Genesis. Mais bon, GM promet que pour l'année-modèle 2014, sa grande berline recevra une nouvelle architecture (l'Epsilon, aussi destinée à la nouvelle Cadillac XTS), de même qu'une nouvelle usine d'assemblage. C'est d'ailleurs une triste annonce pour l'Ontario: l'Impala quittera ses actuelles chaînes de montage d'Oshawa, pour être construite à l'usine Hamtramk de Détroit, aux côtés de la Volt et de la nouvelle Malibu (2013).

En attendant sa refonte, l'Impala est tellement soporifique qu'il est difficile de susciter l'intérêt du conducteur et encore moins de l'acheteur. Ça commence par un design si sobre qu'il n'affiche aucun caractère, aucune présence sur la route. Oh, surprise, surprise: il y a du nouveau, pour cette année. Quoi, vous n'avez pas remarqué? Regardez bien: la grille de calandre délaisse les stries noires pour adopter le nid d'abeille argenté à la Chevrolet. La belle affaire, direz-vous, mais c'est quand même une tentative pour rallier, visuellement parlant, le reste de la famille Chevrolet.

BYE BYE, LES DEUX V6

Au moins, c'est vrai qu'elle est confortable, l'Impala. Et spacieuse de surcroît, avec son excellent dégagement aux jambes à l'arrière. Qui plus est, elle est l'une des seules du marché — pour ne pas dire l'unique — à proposer une banquette à l'avant susceptible d'accueillir trois passagers. C'est parfait pour les familles reconstituées ou les «corporates» qui ont besoin de six places à bord. Et le coffre peut se permettre d'accueillir plus que son lot: 527 litres, c'est vaste et profond.

Par contre, l'habitacle est d'un ennui consommé. On est heureusement loin de la surenchère de commandes à laquelle GM s'adonne depuis quelques années. Ainsi, les contrôles de commandes sont faciles à repérer et à manier. Mais pour le style (quel style ?), on repassera… et pour la finition aussi. Le premier est d'une autre époque, la seconde se fait de moyenne facture. Oh, et toujours pas de volant télescopique… Non mais, faut le faire !

Aussi, la tenue de route n'a rien (un euphémisme…) d'incisif. La suspension mise sur le confort, pas sur un comportement solide. Je me rappelle cette version SS avec moteur V8 de 5,3 litres (une variante disparue en 2010) qui développait trop de couple pour le châssis. Ça rappelait un bateau sur une mer déchaînée et ça faisait peur. Encore aujourd'hui, la direction n'a pas d'âme et le rayon de braquage (12,2 mètres) est trop grand pour manœuvrer aisément en stationnement. Et c'est d'une monotonie… Passons donc à la grande nouveauté pour 2012 : on dit adieu aux deux moteurs V6 de 3,5 litres et de 3,9 litres (respectivement de 252 et de 251 chevaux), pour ne confier la propulsion aux roues avant qu'à un seul V6 de 3,6 litres.

Plus moderne et plus puissant (de 72 chevaux par rapport au 3,9 litres), ce V6 que l'on retrouve aussi, notamment dans la Malibu, mise sur l'injection directe. Avec pour résultat une consommation annoncée moindre : 3 % sur l'autoroute, et surtout 9 % en ville. Cette « bonne nouvelle » GM est en partie attribuable à la nouvelle boîte automatique à six rapports, qui vient remplacer la désuète automatique quatre rapports. Autrement dit : le « nouveau » V6 a beau se faire plus puissant que les deux moteurs qui tirent leur révérence (avec ses 252 chevaux et 257 lb-pi), il se fait plus économe. Bon, est-ce que ça vous réveille un brin l'intérêt, tout ça ?

PROCHAINE GÉNÉRATION EN 2014

OK, je vous entends. Vous vous dites : « Mais pourquoi se casser les nénettes avec une telle mise à niveau, en matière de motorisation, tout juste avant qu'une nouvelle génération d'Impala ne se pointe ? » La réponse est pourtant simple : parce que mine de rien, la voiture est encore fort prisée des parcs de véhicules commerciaux.

D'ailleurs, c'est justement pour cette raison que sa prochaine génération devra suffisamment se différencier de l'intermédiaire Malibu (actuellement plus moderne, plus jolie et mieux équipée). L'avenir devrait donc nous apporter une Impala aux dimensions plus larges, et peut-être aussi le retour de la performance (SS). Et pourquoi pas quelque chose qui ressemble à une mi-hybride, avec ce système eAssist qui équipe nouvellement la Buick LaCrosse ? Peut-on rêver de traction intégrale ? Ou de technologies d'avant-garde, comme l'avertisseur d'angles morts, le démarrage sans clé ou quelque dispositif de communication comme l'IntelliLink ?

À vrai dire, à peu près n'importe quoi de nouveau et de bien ficelé saura donner un peu de vie à cette voiture beaucoup trop monotone…

Nadine Filion

MODÈLE 2011

Photos : Chevrolet

Catégorie	Berline
Échelle de prix	27 325 $ à 30 655 $ (2011)
Garanties	3 ans/60 000 km, 5 ans/160 000 km
Assemblage	Oshawa, Ontario, Canada
Cote d'assurance	bonne

CHEVROLET IMPALA

CHÂSSIS - LTZ	
Emp/lon/lar/haut	2 807/5 090/1 851/1 491 mm
Coffre	527 litres
Réservoir	64 litres
Nombre coussins sécurité / ceintures	6 / 5
Suspension avant	indépendante, jambes de force
Suspension arrière	indépendante, jambes de force
Freins avant / arrière	disque / disque
Direction	à crémaillère, assistée
Diamètre de braquage	12,2 m
Pneus avant / arrière	P235/50R18 / P235/50R18
Poids	1 655 kg
Capacité de remorquage	454 kg (1 000 lb)

COMPOSANTES MÉCANIQUES	
LS, LT, LTZ	
Cylindrée, soupapes, alim.	V6 3,6 litres 24 s atmos.
Puissance / Couple	252 chevaux / 251 lb-pi
Tr. base (opt) / rouage base (opt)	A6 / Tr
0-100 / 80-120 / 100-0 km/h	n.d. / n.d. / n.d.
Type ess. / ville / autoroute	Ordinaire / n.d.

- Confortable
- Très grand coffre
- Nouvelle motorisation plus moderne, plus économe
- Nouvelle boîte automatique six rapports

- Très forte dépréciation
- Conduite soporifique
- Plateforme vétuste
- Design démodé
- Habitacle désuet

DU NOUVEAU EN 2012

Quelques retouches à l'avant et à l'arrière, V6 3,6 litres à injection directe, transmission automatique à six rapports

http://www.gm.ca/

Plus d'informations dans la section statistiques en dernière partie du Guide

À LA CONQUÊTE DU MONDE

Lorsque la division Chevrolet a décidé de ressusciter la Malibu à la fin des années 90, le résultat était correct, même si ce modèle a éprouvé de la difficulté à surpasser ses concurrents. La version fortement revue et corrigée en 2008 était une tout autre affaire. Cette berline s'était méritée une multitude de prix, en plus de recevoir l'appui du public. C'était l'un des premiers véhicules qui nous démontrait à quel point ce constructeur était désireux de nous proposer des voitures de qualité dotées d'une finition supérieure.

CONCURRENTS

Buick LaCrosse, Chrysler 200, Dodge Avenger, Ford Fusion, Honda Accord, Hyundai Sonata, Kia Optima, Mazda6, Nissan Altima, Suzuki Kizashi, Toyota Camry

IMPRESSIONS DE L'AUTEUR

Agrément de conduite :	4/5
Fiabilité :	4/5
Sécurité :	4/5
Qualités hivernales :	3.5/5
Espace intérieur :	4/5
Confort :	4/5

Les ventes se sont enflammées et la voiture a connu beaucoup de succès même si sa version de base, avec un moteur quatre cylindres et une boîte automatique à quatre rapports, était quelque peu en retrait face à la concurrence. Au fil des années et suites aux difficultés financières qu'a connues ce constructeur, plusieurs personnes ont cru que cette Chevrolet serait délaissée par le public. Pourtant, malgré une campagne publicitaire assez discrète, les chiffres de vente de ce modèle demeurent rassurants. Non seulement la Malibu est la Chevrolet la plus vendue en Amérique, mais ses ventes ont continué de progresser depuis le début de l'année 2011. Ses détracteurs ont souligné que ces chiffres positifs sont le fruit de campagnes promotionnelles très poussées qui incitent les acheteurs à économiser beaucoup à l'achat. C'est peut-être vrai, mais il faut prendre en ligne de compte que Chevrolet n'est pas le seul constructeur à adopter cette politique. Bref, ces succès ont incité les dirigeants de la compagnie à pousser davantage la vocation internationale de ce modèle.

SIX CONTINENTS ET 100 MARCHÉS

La nouvelle version de la Malibu, qui sera disponible au début de l'année 2012 en tant que modèle 2013, a été dévoilée simultanément aux salons automobiles des villes de New York et Shanghai. La raison de ce lancement bicéphale est très simple : cette nouvelle génération de la Malibu sera commercialisée partout sur la planète. Elle sera présente sur les marchés de six continents et assemblée dans des usines réparties un peu partout dans le monde.

Cette nouvelle génération — du moins ce que l'on en connait pour l'instant — offrira la nouvelle technologie hybride eAssist qui est déjà disponible sur la Buick LaCrosse : batteries ion-lithium refroidies par air, moteur électrique de 15 chevaux associé à un moteur quatre cylindres à injection directe et une toute nouvelle transmission automatique à six rapports spécialement conçue pour économiser du carburant. Cette nouvelle venue sera également un peu plus courte, mais plus large et plus légère. Selon les communiqués du constructeur, on pourra parcourir une distance de 880 kilomètres avec un réservoir de 61 litres.

Pour ceux qui cherchent une voiture plus traditionnelle, la Malibu 2013 pourra être commandée avec un moteur quatre cylindres à injection directe de 2,5 litres de 190 chevaux, lui aussi relié à cette nouvelle transmission automatique à six rapports. De plus, toutes les Malibu ont été l'objet d'études aérodynamique fort poussées afin de diminuer la résistance à l'air et ainsi réduire la consommation de carburant. Chez Chevrolet, on nous promet une tenue de route digne des meilleures européennes de la catégorie.

EN ATTENDANT

Il est certain que les voitures qui seront vendues jusqu'à l'arrivée de la nouvelle génération ne connaîtront pas de changement. On se contentera de produire des modèles similaires à ceux qui étaient offerts en 2011. Ce n'est pas une mauvaise nouvelle. Sur le plan esthétique, cette berline a bien vieilli et ses lignes sobres et classiques lui permettent de défier le temps. L'habitacle est spacieux, même si la présentation commence à prendre de l'âge. En fait, c'est de bon augure puisque cette Chevrolet était l'une des seules à offrir une bonne qualité des matériaux et une finition soignée.

Au cours des dernières années, une des améliorations les plus remarquées a été l'abandon de la piètre transmission automatique à quatre rapports, qui n'était livrée qu'avec le moteur quatre cylindres. Depuis plusieurs mois maintenant, ce moteur est livré avec une boîte automatique à six rapports dont l'efficacité et le fonctionnement sont à souligner. Ceci permet de bénéficier des qualités indéniables de ce moteur 2,4 litres, qui est dorénavant beaucoup plus économique en carburant.

Les versions plus huppées et plus chères, qui se vendent plus de 30 000 $, sont propulsés par le moteur V6 de 3,6 litres qui demeure toujours l'un des plus raffinés, de sa catégorie, mécaniquement parlant. Il est associé, lui aussi, à la boîte automatique à six rapports. Détail à souligner, en version de base, peu importe le moteur choisi, la direction est à assistance électrique. Il est toutefois possible, par l'intermédiaire des groupes d'options, de commander une Malibu dotée d'une direction à assistance hydraulique afin d'obtenir un meilleur *feedback* de la route.

Somme toute, l'avenir semble prometteur pour cette berline, dont les modèles futurs se destinent à une carrière internationale. Sans compter que les versions présentement offertes sont encore parmi les plus intéressantes de la catégorie. D'ailleurs, sa popularité auprès du public en est la preuve.

Denis Duquet

Photos : Chevrolet

CHEVROLET MALIBU

Catégorie	Berline
Échelle de prix	26 040 $ à 35 040 $ (2011)
Garanties	3 ans/60 000 km, 5 ans/160 000 km
Assemblage	Kansas City, Kansas, É-U
Cote d'assurance	n.d.

CHÂSSIS - LTZ	
Emp/lon/lar/haut	2 852/4 872/1 786/1 450 mm
Coffre	428 litres
Réservoir	61 litres
Nombre coussins sécurité / ceintures	6 / 5
Suspension avant	indépendante, jambes de force
Suspension arrière	indépendante, multibras
Freins avant / arrière	disque / disque
Direction	à crémaillère, ass. variable électrique
Diamètre de braquage	12,0 m
Pneus avant / arrière	P225/50R18 / P225/50R18
Poids	1 577 kg
Capacité de remorquage	454 kg (1 000 lb)

COMPOSANTES MÉCANIQUES	
LS, LT, LTZ	
Cylindrée, soupapes, alim.	4L 2,4 litres 16 s atmos.
Puissance / Couple	170 chevaux / 158 lb-pi
Tr. base (opt) / rouage base (opt)	A6 / Tr
0-100 / 80-120 / 100-0 km/h	10,6 s / 9,0 s / 42,5 m
Type ess. / ville / autoroute	Ordinaire / 9,4 / 5,9 l/100 km
LT, LTZ	
Cylindrée, soupapes, alim.	V6 3,6 litres 24 s atmos.
Puissance / Couple	252 chevaux / 251 lb-pi
Tr. base (opt) / rouage base (opt)	A6 / Tr
0-100 / 80-120 / 100-0 km/h	7,8 s / 6,5 s / 42,5 m
Type ess. / ville / autoroute	Ordinaire / 12,4 / 7.8 l/100 km

FEU VERT

- Versions futures intéressantes
- Modèles actuels toujours corrects
- Choix de moteurs
- Boîte automatique à six rapports
- Tenue de route sans surpris

FEU ROUGE

- Certaines versions onéreuses
- Qualité de certains plastiques à revoir
- Modèle en sursis
- Version de base tristounette
- Certaines commandes à revoir

DU NOUVEAU EN 2012

Aucun changement majeur

http://www.gm.ca/

Plus d'informations dans la section statistiques en dernière partie du Guide

UNE GLACE À LA VANILLE

Il y a peu de petites fourgonnettes à six ou sept places sur le marché. La nouvelle Chevrolet Orlando prend donc position sur un terrain où peu de joueurs s'amusent, mis à part les Dodge Journey, Kia Rondo, Mazda5. C'est pourquoi elle trouvera surement des amateurs, à condition que ceux-ci aiment la glace à la vanille. Parce que ceux qui préfèrent le chocolat ou la fraise seront déçus.

Nous n'avons eu l'occasion de rouler dans la nouvelle Orlando sur à peine quelques kilomètres, et ce, en bordure d'une autoroute. Ce n'est évidemment pas assez pour vous livrer des impressions grandioses, mais on peut quand même vous dire que le comportement routier nous a paru solide — après tout, le véhicule est assemblé sur la plate-forme allongée de la compacte Cruze —, que la direction (électrique) n'est pas trop déconnectée, que la suspension est confortable sans être mollassonne et que la puissance est correcte.

DU CONNU, QUAND MÊME

Puissance correcte et... bien connue, puisqu'il s'agit du quatre cylindres de 2,4 litres à injection directe puisé à même le giron des Chevrolet Equinox/GMC Terrain. Développant ici 172 chevaux, cette motorisation a su conserver sa douceur et sa linéarité. Si on l'a sentie trop timide pour le duo d'utilitaires, elle paraît mieux ici, sans doute parce que l'Orlando, avec ses 1 528 kilos, fait moins osciller la balance. Aussi, on aime la modernité de ce moteur, de même que sa consommation: dans l'Equinox, nous avons réussi du 6,5 l/100km sur l'autoroute et si ça s'avère dans l'Orlando, eh bien ce sera un litre et demi de moins que pour la Mazda5.

La modernité (et la générosité) se retrouve également dans les transmissions de l'Orlando. Une boîte manuelle six rapports est proposée en version de base, l'une des rares boîtes manuelles de la catégorie (seule la Mazda5 en fait autant). L'Orlando offre aussi une optionnelle automatique à six rapports. À titre comparatif, la Rondo se contente de boîtes automatiques à quatre et cinq rapports, le Dodge Journey n'offre le sixième rapport automatique qu'avec son moteur V6 et l'automatique de la Mazda5 ne compte pas sur plus de rapports que sa désignation.

CONCURRENTS
Mazda5,
Kia Rondo,
Dodge Journey

IMPRESSIONS DE L'AUTEUR	
Agrément de conduite :	3.5/5
Fiabilité :	Nouveau modèle
Sécurité :	3.5/5
Qualités hivernales :	N.D.
Espace intérieur :	4/5
Confort :	4/5

L'automatique six rapports, que nous avons testée brièvement, nous a paru faire un boulot sans heurt, avec toutefois une légère hésitation en démarrage. On aime que le mode manuel soit permis par le biais du levier qu'on pousse et qu'on tire, et non pas par une commande au bout du pouce, comme pour la nouvelle Chevrolet Sonic.

En ce qui a trait à la suspension, on semble miser sur le confort davantage que sur la sportivité, et c'est ce à quoi on s'attend de la part d'un véhicule familial. Lors de notre essai, les amortisseurs se sont bien replacés sur un moyen cahot, sans désagréables rebonds. Dans l'ensemble, l'Orlando nous a paru solide, la direction électrique nous a semblé mieux connectée que d'autres du même genre et le freinage s'est montré convaincant.

Enfin, les 172 chevaux du moteur se sont révélés suffisants. Ils sont d'ailleurs dans la bonne moyenne des concurrentes équipées d'un quatre cylindres et c'est même une vingtaine de chevaux de plus que pour la Mazda5. Cela dit, nous n'étions pas chargés de passagers ni de bagages et il faudra voir si cette motorisation suffira lors de voyages plus encombrés.

Le hic, c'est que si tout semble correct dans l'ensemble, rien ne vient cependant démarquer le véhicule. Au sortir de notre courte balade, nous n'avons pas eu de grandes envolées dithyrambiques. Pas de «wow», seulement du «correct». Une glace à la vanille, quoi. Cet essai nous a en fait rappelé la neutralité du Dodge Journey, dans un comportement toutefois plus masculin que pour celui des Rondo et Mazda5. Sauf que l'Orlando n'a pas l'avantage, comme le Journey, d'une seconde motorisation plus puissante, ni de la possible traction intégrale.

HABITACLE SURPRENANT

Dans l'habitacle de l'Orlando, la première impression est substantielle. On n'est pas dans un «éconobox» et ça se voit dans cette planche de bord agrémentée de noir laqué, qui descend agréablement en angle entre le conducteur et son passager. L'époque de la surenchère des commandes serait-elle enfin révolue chez GM? Toujours est-il que les boutons sont moins nombreux que dans certains autres produits du constructeur et c'est tant mieux.

Mais tout n'est pas parfait. Ainsi, le déverrouillage des portières ne se trouve pas sur les portières, là où il serait normalement logique de le retrouver, mais plutôt à proximité de la climatisation. Pourquoi? On ne le sait pas. Et la commande qui désactive le système de stabilité est plus près du passager que du conducteur. Pas pratique quand on veut désactiver rapidement, mais au moins, cela reste possible... Sinon, les contrôles audio sont bien disposés tout en haut de la console, séparés de ceux de la climatisation, et l'ensemble s'apprivoise facilement.

Notre version était équipée du revêtement de cuir et les sièges se voulaient enveloppants et moelleux. Les ajustements du côté du conducteur étaient nombreux et dans notre LTZ, nous avons pu rapidement trouver la bonne position — même la hauteur s'ajuste électriquement. Le volant se règle en hauteur et en profondeur. Les plastiques nous ont cependant laissés sur notre faim, non seulement parce qu'ils sont durs et s'égratignent pour un rien, mais parce qu'ils contrastent négativement avec le doux cuir des sièges. Comme il s'agissait d'un véhicule de préproduction, nous nous réservons une meilleure analyse à son arrivée sur le marché, cet automne.

Quelques bons mots, encore : la garde au sol, assez basse, assure des entrées et des sorties aisées. On ne monte ni ne descend des sièges, on y glisse. La rangée du centre, qui accueille trois passagers, se rabat dans une seule manœuvre. Elle est toutefois lourde lorsque vient le temps de la remettre en place. Et si elle ne s'avance ni se recule, ses dossiers ont néanmoins l'avantage de s'incliner. Les grandes tailles apprécieront, parce qu'elles trouveront le dégagement aux têtes restreint, assis sur cette banquette montée en « podium ».

La troisième rangée est accessible sans trop d'acrobaties. L'espace aux genoux est plus généreux que pour la Kia Rondo et les pieds trouvent avantageusement à se caser sous le siège devant. Parce que l'assise est basse, on a droit à un bon dégagement aux têtes (les mesures officielles nous diront sans doute qu'il se fait meilleur à la troisième rangée qu'à la seconde), mais il ne faut pas souffrir de claustrophobie pour tenir dans cette cavité aux fenêtres minuscules.

Catégorie	Multisegment
Échelle de prix	n.d.
Garanties	3 ans/60 000 km, 5 ans/160 000 km
Assemblage	Kunsan, Corée du sud
Cote d'assurance	n.d.

CHÂSSIS - LT

Emp/lon/lar/haut	2 760/4 665/1 835/1 635 mm
Coffre	454 à 1 594 litres
Réservoir	64 litres
Nombre coussins sécurité / ceintures	6 / 7
Suspension avant	indépendante, jambes de force
Suspension arrière	semi-indépendante, multibras
Freins avant / arrière	disque / disque
Direction	à crémaillère, ass. variable électrique
Diamètre de braquage	11,3 m
Pneus avant / arrière	P215/60R16 / P215/60R16
Poids	1 528 kg
Capacité de remorquage	750 kg (1 653 lb)

COMPOSANTES MÉCANIQUES

LS, LT, LTZ

Cylindrée, soupapes, alim.	4L 2,4 litres 16 s atmos.
Puissance / Couple	172 chevaux / 167 lb-pi
Tr. base (opt) / rouage base (opt)	M6 (A6) / Tr
0-100 / 80-120 / 100-0 km/h	n.d. / n.d. / n.d.
Type ess. / ville / autoroute	Ordinaire / n.d.

On se demandait un peu plus tôt si le quatre cylindres suffirait à transporter passagers et bagages, mais la question ne se pose pas vraiment: quand toutes les places sont occupées à bord, il ne reste pratiquement plus d'espace cargo. À peine quelques sacs d'épicerie ou peut-être une ou deux petites valises de cabine peuvent se coincer entre le dos du siège et le hayon (facile à soulever et à refermer). Pour tout dire, si l'Orlando est plus large (41 mm) que le Journey, il est substantiellement moins long (d'un quart de mètre) et c'est là que ça paraît.

MIEUX... MAIS EST-CE ASSEZ?

Si, à première vue, l'Orlando n'a rien d'extraordinaire, il reste qu'il fait partie de la nouvelle gamme de produits offerts par GM, nettement plus évolués, mieux pensés et conçus qu'auparavant. Surtout quand on compare à l'ancienne génération de Chevrolet Uplander et Pontiac Montana. Qui plus est, on a affaire ici à un véhicule plus joli à regarder que ces fourgonnettes d'antan, avec sa sympathique carrure qui rappelle les véhicules commerciaux européens. De dimensions plus petites que ses très peu illustres prédécesseures Uplander et Montana, l'Orlando devrait pouvoir aisément se faufiler dans la circulation urbaine, tout en demeurant logeable et pratique. Et le fait qu'elle ne soit pas affublée de portières coulissantes devrait aider à sa cause.

Reste à voir si le prix d'étiquette sera compétitif et si quelques gâteries s'ajouteront, comme le démarrage sans clé ou encore le toit panoramique. Parce que la vanille, c'est bon, mais ça a moins de goût que le chocolat.

Nadine Filion

Photos: Chevrolet

FEU VERT

- Pas de portière coulissante
- Boîte manuelle: une rareté dans la catégorie
- Véhicule correct
- Jolie silhouette à la «fourgon européen»

FEU ROUGE

- Très peu de cargo lorsque toutes les places sont occupées
- Pas de traction intégrale
- Une seule motorisation
- Certaines commandes curieusement disposées

DU NOUVEAU EN 2012

Nouveau modèle

http://www.gm.ca/

Plus d'informations dans la section statistiques en dernière partie du Guide

GMC SIERRA

ATTENTION À LA CONCURRENCE

Alors que les modèles Heavy Duty de GM ont subi une refonte l'an passé, on avait mentionné dans ce même ouvrage que ce serait au tour de la gamme 1 500 à être mis au goût du jour cette année. Il semble que ce ne sera pas le cas, le constructeur ayant décidé de conserver la génération actuelle qui, introduite en 2006, a atteint un âge plus que vénérable. Le tandem, qui fait face à une concurrence féroce et entièrement renouvelée, commence à tirer de la patte à certains égards.

À l'instar de Ford, GM n'est pas le dernier venu dans le créneau des camionnettes pleine grandeur. Le constructeur sait y faire et peu importe les raisons qui vous poussent à vous procurer un Sierra ou un Silverado, il y a peu de chance que vous soyez déçu. Le véhicule demeure solide et ses mécaniques ont peu à envier aux autres. Au chapitre du style, GM ne nous a jamais habitués à des designs hyper musclés ou imposants. On a donc toujours droit à une camionnette aux lignes plus classiques, alors que ses ailes évasées sont le principal élément qui met en valeur sa robustesse. Plusieurs lui reprochent toutefois le peu d'inspiration de la calandre avant. D'ailleurs, GM offrait en promotion divers accessoires et plusieurs acheteurs n'ont pas hésité à opter pour une grille chromée, afin de donner un peu plus de personnalité au véhicule. Voilà qui aura poussé à GM à doter son tandem d'une nouvelle grille plus inspirante cette année, histoire de corriger cette lacune.

À l'arrière, la caisse n'offre pas toutes les fonctionnalités des modèles rivaux. On s'est ingénié chez la concurrence à offrir divers équipements et accessoires améliorant la fonctionnalité de la caisse, mais rien récemment chez GM. Le tandem est aussi le seul du lot à ne pas proposer un connecteur de remorque double (rond à sept broches et plat à quatre broches). On doit se contenter de celui à sept broches et il faut se procurer un adaptateur pour les autres utilisations.

CONCURRENTS
Chevrolet Silverado,
Ford F-150,
Nissan Titan,
RAM 1500,
Toyota Tundra

IMPRESSIONS DE L'AUTEUR	
Agrément de conduite :	4 / 5
Fiabilité :	3 / 5
Sécurité :	3 / 5
Qualités hivernales :	4 / 5
Espace intérieur :	3.5 / 5
Confort :	4 / 5

À bord, on apprécie la simplicité du tableau de bord et la disposition des commandes. Le tout est simple à comprendre et efficace. Toutefois, ils n'évoquent pas le même luxe que leurs rivaux. Le tout est très sobre, un peu trop même. Bref, c'est surtout l'habitacle qui laisse transparaître l'âge de cette génération. Plusieurs personnes ont aussi noté l'inconfort des sièges arrière en raison de leur assise courte et basse. GM a toutefois ajouté un nouveau système de sonorisation incluant un disque dur de 80 GB.

UN MOTEUR À FAVORISER

Heureusement, les mécaniques demeurent tout de même compétitives face à ce que la concurrence nous propose. Pour les utilisations légères, on retrouve à la base un V6 de 4,3 litres de 195 chevaux, moteur qui intéressera peu de gens puisque ses capacités sont très restreintes. Vient ensuite le moteur qui équipe de série la majeure partie des modèles, soit un V8 de 4,8 litres, développant une puissance de 302 chevaux pour un couple de 305 lb-pi. Tout comme le V6, ce moteur est jumelé à une boîte automatique à quatre rapports. Voilà pourquoi le second V8 de 5,3 litres s'avère le moteur à retenir. Il développe non seulement un peu plus de puissance et de couple, mais il est marié à une boîte automatique à six rapports plutôt que quatre. Cet élément permet une conduite plus douce et agréable, mais la consommation est aussi plus basse que dans le cas du V8 de 4,8 litres. Voilà qui justifie le déboursé supplémentaire. C'est pour ne pas être en reste face à Dodge avec son V8 HEMI et à Ford avec son nouveau V8 de 6,3 litres de 411 chevaux, que GM propose un V8 de 6,2 litres développant 403 chevaux. À l'instar de Ford, GM le réserve à ses modèles haut de gamme, la version Denali dans le cas du Sierra. C'est toutefois ce moteur qui apporte la meilleure capacité de remorque, soit 10 700 lb alors que ce chiffre descend à 9 600 lb dans le cas du V8 de 5,3 litres.

Pour compléter le tout, GM est le seul à proposer une camionnette pleine grandeur en version hybride, combinant un V8 de 6,0 litres à un moteur électrique. On a voulu minimiser le principal irritant de ce type de véhicule soit sa consommation élevée tout en conservant tous les attraits du modèle. Le résultat est intéressant au chapitre de la consommation. On se doit de louanger l'effort, mais si vous optez pour ce modèle, il vous faudra considérer ses capacités réduites de chargement et de remorquage, ce qui dénature quelque peu un tel véhicule.

SUR LA ROUTE

Au volant, le Sierra adopte une conduite confortable et douce. Même les longs trajets ne s'avèrent pas trop punitifs, ce qui, à bord d'une camionnette, s'avère un excellent point. Au chapitre du freinage, le Sierra est le seul du lot à bénéficier de freins à tambour à l'arrière plutôt qu'à disques, élément qui semble toutefois ne pas trop le pénaliser au chapitre des distances de freinage. La boîte automatique à six rapports tire bien profit de la puissance disponible, alors que son sixième rapport favorise l'économie de carburant, au détriment de l'accélération toutefois.

Il est difficile de comprendre pourquoi le constructeur ne se bat pas plus férocement pour conserver ses parts de marché, car tôt ou tard, les petits détails qui avantagent la concurrence en ce moment pèseront lourd dans la balance.

Sylvain Raymond

CHEVROLET SILVERADO

Photos: General Motors

Catégorie	Camionnette
Échelle de prix	28 440 $ à 53 835 $ (2011)
Garanties	3 ans/60 000 km, 5 ans/160 000 km
Assemblage	Fort Wayne, Indiana et Flint, Michigan, É-U
Cote d'assurance	passable

CHÂSSIS - SILVERADO LTZ 4X4 CABINE ALLONGÉE	
Emp/lon/lar/haut	3 645/5 844/2 031/1 872 mm
Longueur de boîte	2 483 mm (97,7 pouces)
Réservoir	98 litres
Nombre coussins sécurité / ceintures	6 / 5
Suspension avant	indépendante, bras inégaux
Suspension arrière	essieu rigide, ressorts à lames
Freins avant / arrière	disque / tambour
Direction	à crémaillère, assistée
Diamètre de braquage	14,3 m
Pneus avant / arrière	P265/65R18 / P265/65R18
Poids	2 364 kg
Capacité de remorquage	4355 kg (9 601 lb)

COMPOSANTES MÉCANIQUES	
Silverado, Sierra	
Cylindrée, soupapes, alim.	V6 4,3 litres 12 s atmos.
Puissance / Couple	195 chevaux / 260 lb-pi
Tr. base (opt) / rouage base (opt)	A4 (A6) / Prop (4x4)
Type ess. / ville / autoroute	Ordinaire / 14,9 / 11,3 l/100 km
Silverado, Sierra	
Cylindrée, soupapes, alim.	V8 4,8 litres 16 s atmos.
Puissance / Couple	302 chevaux / 305 lb-pi
Tr. base (opt) / rouage base (opt)	A4 (A6) / Prop (4x4)
Type ess. / ville / autoroute	Ordinaire / 15,9 / 11,4 l/100 km
Silverado, Sierra	
Cylindrée, soupapes, alim.	V8 5,3 litres 16 s atmos.
Puissance / Couple	326 chevaux / 348 lb-pi
Tr. base (opt) / rouage base (opt)	A6 / Prop (4x4)
Type ess. / ville / autoroute	Ordinaire / 14,4 / 9,5 l/100 km
Silverado Hybrid, Sierra Hybrid	
Cylindrée, soupapes, alim.	V8 6,0 litres 16 s atmos.
Puissance / Couple	332 chevaux / 367 lb-pi
Tr. base (opt) / rouage base (opt)	CVT / Prop (4x4)
Type ess. / ville / autoroute	Ordinaire / 10,2 / 8,5 l/100 km
Silverado, Sierra Denali	
V8 6,2 l, 403 ch / 407 lb-pi, 17,4 / 11,1 l/100 km	

FEU VERT

- Bon choix de moteurs
- Conduite confortable
- Bonnes capacités
- Version hybride offerte

FEU ROUGE

- Habitacle moins moderne
- Freins à tambour à l'arrière
- Boîte automatique à quatre rapports
- Génération vieillissante

DU NOUVEAU EN 2012

Aucun changement majeur

http://www.gm.ca/

Plus d'informations dans la section statistiques en dernière partie du Guide

TROIS PETITS TOURS...

Quelques kilomètres seulement, c'est tout ce que j'ai pu conduire de la Chevrolet Sonic avant que ne soit imprimé votre Guide de l'Auto 2012. Mais l'idée générale est là : la nouvelle sous-compacte de GM est un « bébé Cruze ». Pas de grand style extérieur, mais un grand pas (américain) en avant versus l'ancienne Aveo (coréenne).

Pas de grandes envolées de style et de design pour le « bébé Cruze », et ce, tant pour la berline que la variante cinq portes. Les lignes sont peu contemporaines et la mouture hatchback fait trop penser à une Aveo qu'on a tenté de mettre au goût du jour. Bref, rien pour démarquer la nouvelle Sonic du paysage des Ford Fiesta, Honda Fit, Hyundai Accent, Mazda2 et (nouvelle) Nissan Versa. C'est même à se demander où on est allé pêcher cette calandre brisée qui termine plutôt brutalement un capot aux latéraux enflés. Remarquez, c'est à peu près le seul endroit où la voiture laisse son empreinte visuelle. Le reste fait dans un anonymat qui a cependant le mérite d'être bien proportionné.

CONCURRENTS
Honda Fit,
Hyundai Accent,
Kia Rio/Rio5,
Nissan Versa,
Toyota Yaris

IMPRESSIONS DE L'AUTEUR	
Agrément de conduite :	3.5/5
Fiabilité :	NOUVEAU MODÈLE
Sécurité :	3.5/5
Qualités hivernales :	DONNÉES INSUF.
Espace intérieur :	3.5/5
Confort :	3.5/5

PROPORTIONNELLEMENT PARLANT

Puisqu'il est question de proportions: la Sonic est, dimensions pour dimensions, l'une des plus grandes « petites » du marché. Pas la plus longue (c'est la Fiesta berline qui l'emporte), mais elle est l'une des plus larges et des plus hautes. Résultat: l'espace aux têtes arrière est parmi le plus généreux du segment (avec la Honda Fit). Et parce qu'elle propose l'un des plus longs empattements, la Sonic offre un dégagement aux jambes arrière digne d'une compacte (9 cm de plus que pour la Fiesta, avouez que c'est par mal!).

Les rangements dispersés ici et là dans l'habitacle sont intéressants. Il y a d'abord ces deux cavités qui entourent le système audio, ce dernier au demeurant bien distinct de la climatisation avec ses commandes placées tout en haut. Il y aussi la double boîte à gants, en plus de vrais compartiments dans les portières avant. Les portes arrière n'y ont cependant pas droit, ce qui ne laisse qu'un seul porte-gobelet à l'arrière. Dommage, parce que la banquette de la Sonic est l'une des rares, chez les sous-compactes, qui peut réellement asseoir cinq passagers. Le coffre? La Sonic quatre portes fait dans la bonne moyenne avec ses 397 litres et la variante à hayon en offre plus que les autres concurrentes derrière sa banquette occupée, soit 539 litres. C'est deux fois plus que pour la Toyota Yaris, ça devrait donc suffire pour accueillir la poussette de bébé (pour ceux que ça intéresse). Par contre, le cargo de la Sonic cinq portes, lorsque la banquette est rabattue, se fait carrément doubler par la Honda Fit.

Contrairement à l'extérieur, l'intérieur de la Sonic fait montre d'un bel effort de style avec une planche de bord qu'on dirait tirée d'un jeu vidéo (Chevrolet se targue d'être plutôt allé puiser du côté des motocyclettes). L'instrumentation amassée devant les yeux du conducteur demande un peu d'apprivoisement, avec ce grand cadran qui indique les révolutions plutôt que la vitesse — celle-ci se lit numériquement, tout à côté. Mais c'est différent de ce qu'on voit ailleurs et ça, on aime. Aussi, la vision tout autour est bonne, comme à peu près dans toutes les petites voitures du genre. Et les sièges avant sont assez larges pour donner aux occupants l'impression d'être à bord d'une compacte, effet rehaussé par la présence (optionnelle) de sièges chauffants, d'un toit ouvrant et d'un possible démarreur à distance.

À première vue, l'insonorisation est de qualité, merci à du matériel insonorisant jusque dans le coffre de la berline. Un bon mot pour le volant aussi, à la fois ajustable en hauteur et en profondeur, une rareté dans la catégorie. J'aime moins cependant le tissu rêche qui recouvre les sièges, mais ce textile a sûrement le mérite d'être facile à nettoyer. Je vous dirais aussi que les plastiques sont durs et peu agréables au toucher, mais nous avons conduit ce qu'on appelle un « pré-prod » (d'avant production), nous nous réservons donc un jugement plus élaboré lorsque les « vraies versions » seront mises à notre disposition.

DEUX MOTEURS PLUTÔT QU'UN

Et sur la route ? Trois kilomètres à plus ou moins 50 km/h avec la variante équipée du même quatre cylindres Ecotec de 1,8 litre que la Cruze (138 chevaux et 125 lb-pi) nous ont permis de noter une direction (électrique) trop légère. C'est parfait en stationnement, parce que ça accorde un court rayon de braquage (11,0 mètres, c'est dans la bonne moyenne des sous-compactes), mais ça manque de substance en conduite urbaine. Reste à voir si ça se précisera sur l'autoroute.

Chevrolet se vante d'avoir mis à l'œuvre, pour sa Sonic, l'équipe responsable du comportement routier de la Corvette. Le marketing de GM peut bien dire ce qu'il veut, reste qu'ici, on n'est certainement pas au volant d'un bolide sport. Ne serait-ce qu'en raison de la suspension à poutre de torsion (la norme dans le segment, mais ça ne fait pas de miracle), qui a sourdement résonné sur un cahot. Quand même, le châssis nous a semblé rigide (la Sonic a droit à une nouvelle plateforme Gamma II) et la balade s'est avérée solide, assurée. Après tout, 2525 mm

d'empattement, c'est presque autant que pour une compacte et ça assied bien la voiture. Faudra maintenant voir si la haute silhouette, surtout celle à hayon, sera sensible aux vents latéraux (un défaut qui est souvent l'apanage des courtes et hautes sur pattes).

La boîte automatique (optionnelle avec le 1,8 litre) offre six rapports, qui semblent délier, et non pas handicaper, la puissance. Les accélérations sont un brin bruyantes (au passage, sachez que le contrôle de traction nous a paru inefficace), mais le son qui s'extirpe de l'échappement n'est pas du tout vilain à entendre. Cette boîte a aussi le bonheur du mode manuel, mais elle le permet par une petite commande à même le levier, au niveau du pouce et je trouve personnellement la manœuvre moins satisfaisante qu'un levier qu'on pousse ou qu'on triture. Qui plus est, les changements commandés manuellement se font attendre, dans trop d'hésitation pour donner envie de contrôler celle qui, sinon, semble bien travailler d'elle-même. Évidemment, une boîte manuelle cinq vitesses est proposée de série avec ce moteur de base et m'est avis que les accélérations seront alors plus dynamiques. Aucun poids n'a encore été révélé pour la Sonic, mais la courte expérience de conduite vécue nous fait dire que la sous-compacte pourrait être l'une des plus lourdes de sa catégorie.

Il a été question de « moteur de base »... Vous avez tiqué ? En effet, croyez-le ou non, la petite Chevrolet s'offre avec un deuxième moteur (si je ne me trompe, et mise à part la Versa, c'est la seule sous-compacte à se montrer aussi généreuse). Là encore, c'est un moteur transfuge de la Cruze qui grimpe sous le capot, soit le quatre cylindres turbo de 1,4 litre, pour 138 chevaux et 148 lb-pi. Si la

CHEVROLET SONIC HATCHBACK

Catégorie	Berline
Échelle de prix	15 000 $ à 20 000 $ (est)
Garanties	3 ans/60 000 km, 5 ans/160 000 km
Assemblage	Lake Orion, Michigan, États-Unis
Cote d'assurance	n.d.

CHÂSSIS - LTZ HATCHBACK	
Emp/lon/lar/haut	2 525/4 039/1 735/1 517 mm
Coffre	539 à 869 litres
Réservoir	46 litres
Nombre coussins sécurité / ceintures	6 / 5
Suspension avant	indépendante, jambes de force
Suspension arrière	semi-indépendante, poutre de torsion
Freins avant / arrière	disque / tambour
Direction	à crémaillère, ass. variable électronique
Diamètre de braquage	11,0 m
Pneus avant / arrière	P205/50R17 / P205/50R17
Poids	n.d.
Capacité de remorquage	n.d.

COMPOSANTES MÉCANIQUES	
LS, LS hatchback	
Cylindrée, soupapes, alim.	4L 1,8 litre 16 s atmos.
Puissance / Couple	138 chevaux / 125 lb-pi
Tr. base (opt) / rouage base (opt)	M5 (A6) / Tr
0-100 / 80-120 / 100-0 km/h	n.d. / n.d. / n.d.
Type ess. / ville / autoroute	Ordinaire / n.d.
LTZ, LTZ hatchback	
Cylindrée, soupapes, alim.	4L 1,4 litre 16 s turbo
Puissance / Couple	138 chevaux / 148 lb-pi
Tr. base (opt) / rouage base (opt)	M6 / Tr
0-100 / 80-120 / 100-0 km/h	9,5 s (est) / n.d. / n.d.
Type ess. / ville / autoroute	n.d. / n.d.

puissance est, à trois chevaux près, la même que pour le « petit » moteur, reste que le couple est plus obligeant et ça devrait faire une différence. Pas des départs canon, bien sûr, mais sans doute un peu plus de vivacité. Soulignons que 148 lb-pi, chez les sous-compactes, c'est un tiers plus de couple que la moyenne. À noter aussi qu'une seule boîte est alors offerte avec cet Ecotec turbo, soit la manuelle six vitesses (un rapport de plus que pour le moteur de base).

Autre proposition de la Sonic qu'on ne retrouve pas nécessairement ailleurs : des pneumatiques de 17 pouces sont possibles. Et le nombre de coussins gonflables est effarant : 10 dans un si petit habitacle, c'est dire qu'il y en a partout. Par contre, la Sonic a manqué une occasion d'évolution en continuant de miser sur des freins tambour à l'arrière. Rien de criminel, puisque la majorité de la catégorie s'y fie, mais il faut savoir que la nouvelle Hyundai Accent s'amène avec des disques aux quatre roues, même en variante de base.

SE DÉMARQUERA-T-ELLE ?

Il nous faudra certes un essai plus poussé pour conclure sur la pertinence de deux motorisations pour la Sonic — tant pour les performances que la consommation (encore à déterminer, mais à voir les derniers produits GM, on se doute qu'elle saura être frugale). J'ai surtout hâte à un prochain comparatif qui nous permettra de mesurer la nouvelle Américaine (une vraie, cette fois) aux autres qui ont toutes un petit quelque chose qui les distingue. Ça nous permettra de découvrir ce qui fait la différence chez la Chevrolet. Car pour le moment, la Sonic ne fait que constituer une nette amélioration par rapport à l'Aveo.

Nadine Filion

Photos : Nadine Filion / Alain Morin

FEU VERT

- Bon dégagement aux têtes
- Deux motorisations, dont l'une des plus puissantes du segment
- Une vraie banquette 3 places à l'arrière
- Coffre et cargo spacieux

FEU ROUGE

- Style extérieur anonyme
- Contrôle de traction inefficace
- Tissus rêches
- Direction sans substance
- Moteur turbo : qu'avec la boîte manuelle

DU NOUVEAU EN 2012

Nouveau modèle

http://www.gm.ca/

Plus d'informations dans la section statistiques en dernière partie du Guide

CHEVROLET TAHOE

CERTAINS EN ONT BESOIN!

Il fût un temps où l'on se procurait un VUS pleine grandeur simplement parce que la mode était aux gros véhicules et que notre succès se mesurait bien souvent la grosseur du… véhicule. GM a su profiter de la manne et a engrangé des profits faramineux avec son quatuor de mastodontes, mais de nos jours, la hausse du prix de l'essence et le changement des mentalités nous a appris à faire un peu plus dans la simplicité. Les temps changent, les véhicules évoluent, mais il demeure des gens pour qui ces VUS s'avèrent toujours des choix intéressants.

Que ce soit pour les besoins de votre entreprise, pour transporter des diplomates, pour remorquer votre bateau jusqu'au chalet ou simplement parce que vous avez plus de cinq enfants et qu'après votre huitième fourgonnette, vous sentiez le besoin de passer à autre chose, il existe toujours de bonnes raisons de posséder un Tahoe, un Yukon, un Suburban ou un luxueux Escalade. Ce sont tous des véhicules qui brillent par leur espace intérieur, mais également par leur capacité de chargement et de remorquage.

CADILLAC ESCALADE

CONCURRENTS
Dodge Durango, Ford Expedition, Infiniti QX, Land Rover Range Rover, Lexus LX, Lincoln Navigator, Mercedes-Benz Classe GL, Nissan Armada, Toyota Sequoia

IMPRESSIONS DE L'AUTEUR	
Agrément de conduite :	3/5
Fiabilité :	3/5
Sécurité :	4/5
Qualités hivernales :	4/5
Espace intérieur :	4.5/5
Confort :	4.5/5

GROS OU EXTRA GROS

En ce qui a trait aux similitudes, ce quatuor peut être divisé en deux catégories distinctes. Le Chevrolet Tahoe, le GMC Yukon et le Cadillac Escapade disposent de dimensions un peu plus modestes et partagent plate-forme et mécaniques. Ils sont capables d'accueillir cinq passagers avec grand confort, ils offrent amplement d'espace de chargement, alors que les sièges arrière rabattables permettent de maximiser l'espace cargo, idéal lorsque vous devez transporter de gros objets. Il s'agit sans doute des modèles les plus populaires du lot, puisqu'ils offrent un bon compromis à tous les niveaux.

Pour les non-initiés, le Yukon XL, le Chevrolet Suburban et son émule plus luxueux, le Cadillac ESV, s'avèrent identiques, mais avec 518 mm de plus en longueur. Forts de ces dimensions plus imposantes, ces véhicules peuvent transporter des passagers ou du cargo supplémentaire. Bien entendu, ces mastodontes affichent un poids supérieur à leurs petits frères. Nul doute, il ne s'agit pas de véhicules très urbains et les manœuvres de stationnement en relèvent chaque fois du défi.

Inutile de vous décliner toutes les versions offertes, il nous faudrait un livre complet pour y arriver. Au niveau de la

motorisation, les choix sont aussi nombreux, mais il n'y a pas de véritable moteur à éviter ou à favoriser. Sous le capot du Tahoe et du Yukon, on retrouve de série un V8 de 5,3 litres de 320 chevaux, le même moteur que l'on retrouve à bord de certaines versions de la camionnette pleine grandeur du constructeur. Jumelé à une boîte automatique à six rapports, ce moteur offre une bonne puissance et surtout, une économie de carburant appréciable. Pour plus de puissance, vous pourrez jeter votre dévolu sur le V8 de 6,0 litres, ce dernier développant 352 chevaux pour un couple de 382 lb-pi. Finalement, les modèles haut de gamme, comme le Cadillac Escalade, disposent de série du V8 de 6,2 litres de 403 chevaux, le plus puissant des moteurs à essence offerts chez GM. Bien entendu, ce moteur dote ces VUS de prestations très vigoureuses et apporte des capacités de chargement et de remorquage des plus intéressantes. Et si ce n'est pas assez, vous pourrez hausser d'un cran les capacités du Chevrolet Suburban et du GMC Yukon en optant pour une version 2 500, cette dernière, comme les camionnettes « Heavy Duty », profitant de composantes plus robustes et mieux adaptées aux gros travaux. Vous obtiendrez ainsi un VUS doté de capacités inégalées par la concurrence. Toutefois, le confort sur route de ces modèles est bien évidemment moins agréable. On ne peut pas tout avoir.

POUR FAVORISER L'ÉCONOMIE DE CARBURANT

Le principal défaut de ces véhicules s'avère sans contredit leur consommation de carburant. Procurez-vous un Suburban par simple curiosité et vous découvrirez rapidement, lors de vos visites à la pompe, que remplir un réservoir d'essence de 120 litres n'a rien de joyeux. Voilà pourquoi le constructeur propose des versions hybrides de ses petits modèles (Tahoe, Yukon et Escalade). Ces derniers disposent d'un système bimode efficace qui permet de circuler uniquement en mode électrique jusqu'à une vitesse d'environ 45 km/h. Au cœur de cette motorisation, on trouve un moteur thermique V8 de 6,0 litres jumelé à une paire de moteurs électriques de 60 kW. Cet ensemble permet d'obtenir une économie de carburant de l'ordre de 25 %, ce qui place la consommation du véhicule égale aux VUS intermédiaires. Toutefois, le prix plus élevé de ces versions risque de rapidement ralentir vos ambitions vertes.

Bien entendu, le constructeur n'investit pas une tonne d'argent dans le développement et la modernisation de ces véhicules. Voilà pourquoi l'habitacle demeure sobre et ne propose pas un style égal à celui des nouveaux véhicules du constructeur. Toutefois, certains modèles, comme le Yukon et l'Escalade, disposent d'un large écran tactile au centre qui permet de contrôler les différents systèmes du véhicule. Le tout est beau, mais surtout très efficace. Ces véhicules ne se retrouveront certainement pas au palmarès des plus vendus, mais ils continuent de combler certains besoins et à ce chapitre, ils le font bien.

Sylvain Raymond

GMC YUKON

Photos : General Motor

Catégorie	VUS
Échelle de prix	51 600 $ à 73 845 $ (2011)
Garanties	3 ans/60 000 km, 5 ans/160 000 km
Assemblage	Arlington, Texas, É-U
Cote d'assurance	passable

CHÂSSIS - LTZ 4X4	
Emp/lon/lar/haut	2 946/5 131/2 007/1 953 mm
Coffre	479 à 3084 litres
Réservoir	98 litres
Nombre coussins sécurité / ceintures	6 / 7
Suspension avant	indépendante, bras inégaux
Suspension arrière	indépendante, multibras
Freins avant / arrière	disque / disque
Direction	à crémaillère, assistée
Diamètre de braquage	11,9 m
Pneus avant / arrière	P275/55R20 / P275/55R20
Poids	2 505 kg
Capacité de remorquage	3720 kg (8 201 lb)

COMPOSANTES MÉCANIQUES	
Yukon, Tahoe	
Cylindrée, soupapes, alim.	V8 5,3 litres 16 s atmos.
Puissance / Couple	320 chevaux / 335 lb-pi
Tr. base (opt) / rouage base (opt)	A6 / Prop (Int)
0-100 / 80-120 / 100-0 km/h	9,0 s / 6,8 s / 46,2 m
Type ess. / ville / autoroute	Ordinaire / 14,4 / 9,6 l/100 km
Suburban, Yukon	
Cylindrée, soupapes, alim.	V8 6,0 litres 16 s atmos.
Puissance / Couple	352 chevaux / 382 lb-pi
Tr. base (opt) / rouage base (opt)	A6 / Prop (Int)
0-100 / 80-120 / 100-0 km/h	8,5 s (est) / n.d. / 46,2 m
Type ess. / ville / autoroute	Ordinaire / 20,7 / 13,1 l/100 km
Escalade, Yukon Denali	
Cylindrée, soupapes, alim.	V8 6,2 litres 16 s atmos.
Puissance / Couple	403 chevaux / 417 lb-pi
Tr. base (opt) / rouage base (opt)	A6 / Prop (Int)
0-100 / 80-120 / 100-0 km/h	7.4 s / 6,5 s / 46,2 m
Type ess. / ville / autoroute	Ordinaire / 15,3 / 10,1 l/100 km
Escalade Hybride, Tahoe Hybride	
V8 6,0 l, 332 ch, 367 lb-pi - 0-100 :9,9 s - 9,8 / 9,1 l/100 km	

FEU VERT
- Habitacle spacieux
- Bonnes capacités de remorquage
- Choix de moteurs
- Confort sur route

FEU ROUGE
- Dimensions encombrantes
- Consommation élevée
- Version hybride onéreuse
- Dépréciation

DU NOUVEAU EN 2012

Aucun changement majeur

http://www.gm.ca/

Plus d'informations dans la section statistiques en dernière partie du Guide

CHEVROLET TAHOE / SUBURBAN / GMC YUKON / CADILLAC ESCALADE

L'AVENIR AUTOMOBILE CONJUGUÉ AU PRÉSENT

Vous avez fait sa connaissance dans le Guide il y a deux ans déjà et connaissez sans doute les détails de son groupe propulseur électrique, de sa batterie lithium-ion et du moteur thermique qui prolonge son autonomie de quelques centaines de kilomètres. Or, la Volt existe maintenant en version de série et nous l'avons enfin mise à l'essai sur les routes du Québec après quelques rencontres préliminaires très prometteuses. À travers notre batterie habituelle de tests et de mesures, ce presque miracle sorti des ateliers d'un géant ressuscité tient bel et bien ses promesses, et même plus.

CONCURRENTS
Aucun concurrent

IMPRESSIONS DE L'AUTEUR	
Agrément de conduite :	4.5/5
Fiabilité :	Nouveau modèle
Sécurité :	4.5/5
Qualités hivernales :	Données insuf.
Espace intérieur :	3.5/5
Confort :	4/5

Après la courte balade au volant d'un prototype que décrivait Alain Morin dans l'édition précédente du Guide, nous avions eu l'occasion d'en conduire plus longuement la version définitive l'automne dernier, sur les routes du Michigan. Nous avions alors découvert une voiture étonnante, conçue avec ingéniosité et réalisée avec un soin remarquable. À plus forte raison pour une compacte produite par General Motors, pour être franc. Agile, stable et confortable, la Volt nous avait permis de parcourir plus de 70 kilomètres dans un silence presque complet, avec une vivacité étonnante. Il restait alors suffisamment de charge électrique dans les 288 cellules de la batterie pour parcourir encore 10 kilomètres. Il faut toutefois spécifier que nous avions conduit en nous efforçant de consommer le moins d'électrons possible et qu'une conduite normale rognera forcément quelques kilomètres à l'autonomie électrique.

SCIENCE-FICTION CONCRÈTE

À la suite de ces essais, la Volt fut primée Voiture nord-américaine de l'année et GM amorça la production et la distribution. Quelques mois plus tard, nous étions aux commandes d'une Volt de série au Québec. L'équipe de conception s'était fixé l'objectif de 65 km d'autonomie électrique et c'est un trajet de 66 km que nous a prédit le système après une première recharge complète. Le fil orange du chargeur fourni de série se branche sur le réseau de 120 volts d'Hydro-Québec et se range ensuite, enroulé proprement, sous le plancher de la soute à l'arrière. Un poste de recharge sur 240 volts devrait coûter environ 500 $.

Cette Volt couleur « argent glacé métallisé » a confirmé les impressions largement favorables des premiers contacts. Sa peinture lustrée, les matériaux utilisés dans l'habitacle et les affichages

électroniques clairs et colorés respirent la qualité. On apprécie immédiatement aussi le siège bien sculpté et facilement ajusté, le volant gainé de cuir réglable sur deux axes et un repose-pied large et plat qui permettent de se tailler une position de conduite impeccable en quelques secondes. Les leviers de commande de part d'autre du volant sont d'une netteté et d'une précision réjouissantes et on apprivoise assez rapidement les multiples touches par effleurement disposées sur la console centrale qui semblent plutôt rébarbatives au premier abord. Elles permettent de contrôler les principaux systèmes, audio, climatisation et autres. Difficile, par contre, de s'habituer au fini blanc émaillé de la console elle-même, qui fait beaucoup trop frigo. D'autres teintes sont heureusement offertes.

COMME UN TAPIS VOLANT

La fascination et le charme de la Volt opèrent aussitôt qu'on appuie sur le bouton de contact, que les écrans s'allument et qu'il ne se passe rien du tout. On glisse alors simplement le sélecteur de vitesses classique vers la position « D », on appuie sur l'accélérateur et elle s'élance sans hésitation, dans un silence presque parfait. Il en sera de même pour des dizaines de kilomètres, selon votre conduite. On entend à peine un filet de vent à plus de 100 km/h sur l'autoroute et un peu de bruit de roulement à l'arrière sur les chaussées plus rugueuses. Pas mal pour une hatchback dont la soute ouverte n'a même pas d'écran rétractable. Dommage, d'ailleurs.

La Volt tient également ses promesses en performance. Elle boucle le 0-100 km/h en 9,84 secondes et le quart de mile en 17,26 secondes avec une pointe de 132,2 km/h. La reprise 60-100 km/h est expédiée en 5,95 secondes et le 80-120 km/h 7,72 secondes. Tout ça, presque sans bruit, en propulsion électrique. Le moteur thermique ne se manifeste que par un léger bourdonnement sourd lorsque la réserve d'électrons est tarie. On est intrigué les premières fois, puisque son régime n'est aucunement lié à la vitesse sauf à vitesse constante sur autoroute où il alimente indirectement le moteur électrique.

La distance moyenne en freinage d'urgence simulé à 100 km/h est de 39,94 mètres. La pédale reste ferme et l'antiblocage exploite bien le mordant des pneus à faible résistance au roulement. Ces derniers trahissent cependant leur vocation écolo en se mettant très vite à miauler en virage. La Volt sous-vire pourtant très peu. Sans être sportive, elle affiche un aplomb et une tenue de cap très corrects et son confort de roulement est impeccable, même sur chaussée raboteuse.

Pour tout dire, la Volt est une réussite impressionnante qui amorce véritablement une ère nouvelle pour l'automobile en se moquant du souci constant d'autonomie qu'impose encore la voiture purement électrique. Il nous reste maintenant à vérifier comment elle appréciera nos hivers.

Marc Lachapelle

Photos : Marc Lachapelle

Catégorie	Berline
Échelle de prix	41 545 $
Garanties	3 ans/60 000 km, 5 ans/160 000 km
Assemblage	Hamtramck, Michigan
Cote d'assurance	n.d.

CHEVROLET VOLT

CHÂSSIS - VOLT	
Emp/lon/lar/haut	2 685/4 498/1 788/1 435 mm
Coffre	300 litres
Réservoir	35 litres
Nombre coussins sécurité / ceintures	8 / 4
Suspension avant	indépendante, jambes de force
Suspension arrière	semi-indépendante, poutre de torsion
Freins avant / arrière	disque / disque
Direction	à crémaillère, ass. électrique
Diamètre de braquage	15,0 m
Pneus avant / arrière	215/55R17 / 215/55R17
Poids	1 719 kg
Capacité de remorquage	n.d.

COMPOSANTES MÉCANIQUES	
Moteur thermique	
Cylindrée, soupapes, alim.	4L 1,4 litre 16 s atmos.
Puissance / Couple	84 chevaux / n.d.
Tr. base (opt) / rouage base (opt)	Aucune / Tr
0-100 / 80-120 / 100-0 km/h	9,8 s / 7,7 s / 39,9 m
Type ess. / ville / autoroute	Super / 6,7* / 5,9* l/100 km
	* Seulement lorsque le moteur à essence fonctionne
Moteur électrique	
Puissance / Couple	149 chevaux / 368 lb-pi
Batterie	
Type	Lithium-ion (Li-ion)
Énergie	16 kWh
Temps de charge	12 heures 120 V/10A
	4 heures 240V/15A

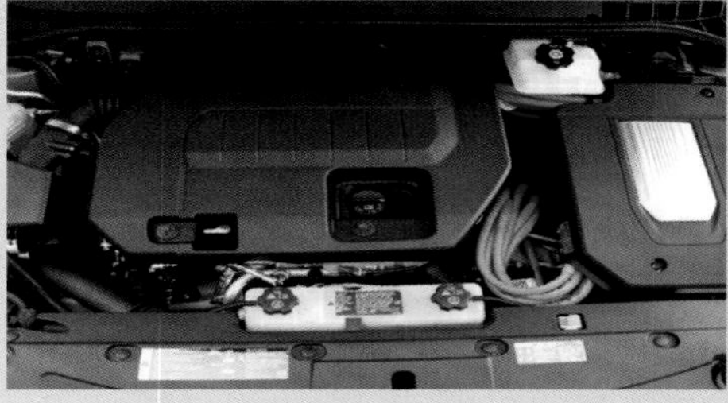

- Groupe propulseur remarquable
- Consommation nulle possible
- Confort et silence impeccables
- Comportement très sûr
- Ergonomie et fabrication soignées

- Quatre places seulement
- Soute cargo moyenne
- Console blanche bizarroïde
- Prix corsé pour une compacte
- Fiabilité hivernale à prouver

DU NOUVEAU EN 2012

Nouveau modèle

http://www.gm.ca/

Plus d'informations dans la section statistiques en dernière partie du Guide

TRANSFORMATION BÉNÉFIQUE

Dans le cadre d'une révision presque entière de ses modèles, la compagnie Chrysler s'est débarrassée de la Sebring de triste mémoire pour la remplacer par la toute nouvelle 200. Mais quand je dis nouvelle, il faut prendre ce mot avec un grain de sel. Par le biais d'astucieuses modifications et de diverses améliorations, on a transformé la Sebring en une voiture moderne et même désirable. Ce qu'elle n'était pas, mais alors là, pas du tout.

Pourtant, lors de son dévoilement en grande pompe il y a quelques années, cette Chrysler avait impressionné la galerie par sa silhouette très réussie. Mais on s'en était tenu à ça. La direction de Chrysler semblait n'avoir eu des ressources financières que pour modifier la carrosserie. L'habitacle était fabriqué à partir de plastiques quelconques, la finition était très inégale et les sièges avant étaient parmi les plus inconfortables du marché. Ajoutez à cela une suspension pas tellement efficace associée à une tenue de route à peine acceptable, et vous comprenez pourquoi ce modèle n'a pas connu de succès. Pourtant, la base était suffisamment bonne pour avoir droit à une voiture fort potable. Il suffisait d'y apporter les modifications qui s'imposaient. C'est ce qui s'est produit dans le cas de la nouvelle 200.

UN HABITACLE DIGNE DE LA MARQUE

Je me souviens de la Chrysler du cousin Joseph-Arthur quand j'étais jeune. À mes yeux d'enfant, la voiture me paraissait luxueuse et son tableau de bord évoquait la richesse. De nos jours, plusieurs décennies plus tard, la nouvelle planche de bord de la 200 me semble digne d'un produit de cette marque. Au toucher, c'est souple comme sur les meilleures voitures étrangères. Si la disposition des cadrans et des instruments n'a pas beaucoup changé par rapport à la version Sebring, un design plus sophistiqué, l'utilisation de matériaux de meilleure qualité ainsi que certains petits détails d'aménagement ont fait une immense différence. L'impression d'être au volant d'une voiture de luxe est totale. Ajoutez à cela la petite horloge analogique placée entre les deux buses centrales de ventilation et vous avez quelque chose d'encore mieux.

CONCURRENTS
Chevrolet Malibu, Ford Fusion, Honda Accord, Hyundai Sonata, Kia Optima, Mazda6, Nissan Altima, Subaru Legacy, Suzuki Kizashi, Toyota Camry

IMPRESSIONS DE L'AUTEUR		
Agrément de conduite :	■■■■	3.5/5
Fiabilité :	■■■■	4/5
Sécurité :	■■■■	3.5/5
Qualités hivernales :	■■■■	3.5/5
Espace intérieur :	■■■■	3.5/5
Confort :	■■■■	4/5

Mais il n'y a pas que la planche de bord qui a été changée. Le volant fait moins bon marché, la position de conduite est bonne et les sièges avant sont beaucoup plus confortables. Sur les éditions plus luxueuses, une surpiqûre de couleur contrastante ajoute à l'atmosphère de voitures de luxe. Ce n'est pas aussi bien fait que sur

Catégorie	Berline, Cabriolet
Échelle de prix	17 995 $ à 38 495 $ (2011)
Garanties	3 ans/60 000 km, 5 ans/100 000 km
Assemblage	Sterling Heights, Michigan, É-U
Cote d'assurance	moyenne

une 300, mais c'est quand même bon si on tient compte du prix demandé. Par contre, les places arrière sont surtout destinées à des personnes de taille moyenne en raison d'un dégagement aux jambes et à la tête un peu juste.

LA MAGIE DU PENTASTAR

Un autre élément qui a eu des répercussions négatives sur la Sebring était la présence de transmissions vétustes. Cette fois-ci, peu importe le choix du moteur, vous allez bénéficier d'une toute nouvelle transmission automatique à six rapports. Celle-ci permet d'obtenir un meilleur rendement de la part des moteurs et une économie de carburant améliorée. À tel point que le rugueux quatre cylindres mondial de 2,4 litres m'est apparu beaucoup plus doux cette fois-ci. Cette douceur s'explique par la présence de la nouvelle transmission et également par une amélioration de l'insonorisation de la voiture. Mais si vous voulez mon avis, le meilleur choix est le fameux moteur Pentastar V6 de 3,6 litres. Avec ses 283 chevaux, il assure de bonnes reprises et de bonnes performances. Par la même occasion, les ingénieurs ont révisé la géométrie de la suspension et renforcé la plate-forme tout en abaissant légèrement le centre de gravité. Il s'ensuit une voiture nettement plus agréable à conduire. Par contre, lors des essais à haute vitesse dans le cadre de la présentation au centre d'essai de Chrysler au Michigan, la 200 m'est apparue instable en ligne droite et l'arrière avait tendance à se balader dans les courbes serrées. Pourtant, quelques minutes auparavant, j'avais exécuté le même exercice au volant d'un Dodge Avenger, pratiquement similaire à la 200, et les résultats avaient été nettement plus positifs. Il faut probablement en conclure qu'il s'agit d'un véhicule mal réglé.

Il ne faut pas oublier non plus que le Chrysler 200 peut être commandé en version cabriolet, comme c'était le cas avec la Sebring. Curieusement, l'acheteur a le choix entre deux types de toit. Le premier est en toile isolée et propose une silhouette classique. Bien entendu, l'ouverture et la fermeture de ce toit s'effectuent à l'aide des moteurs électriques. C'est en quelque sorte la version de base du cabriolet et il ne peut être livré qu'avec le moteur 2,4 litres. Si vous désirez obtenir le toit rigide escamotable, il vous faudra choisir un modèle nettement plus luxueux, soit la version Limited et son moteur V6. Comme son nom l'indique, ce dernier modèle ne vient pas seulement avec le toit rigide rétractable. Il est livré avec un équipement supplémentaire qui vient porter la facture à tout près de 40 000 $.

Bref, même si cette voiture n'a pas été complètement transformée, il est certain que les améliorations qui ont été apportées en ont fait un bien meilleur produit.

Denis Duquet

Photos: Marc Lachapelle / Alain Morin

CHÂSSIS - LX CABRIOLET	
Emp/lon/lar/haut	2 765/4 947/1 843/1 470 mm
Coffre	190 à 370 litres
Réservoir	64 litres
Nombre coussins sécurité / ceintures	4 / 4
Suspension avant	indépendante, jambes de force
Suspension arrière	indépendante, multibras
Freins avant / arrière	disque / disque
Direction	à crémaillère, ass. variable
Diamètre de braquage	11,1 m
Pneus avant / arrière	P225/55R17 / P225/55R17
Poids	1 733 kg
Capacité de remorquage	450 kg (992 lb)

COMPOSANTES MÉCANIQUES	
LX	
Cylindrée, soupapes, alim.	4L 2,4 litres 16 s atmos.
Puissance / Couple	173 chevaux / 166 lb-pi
Tr. base (opt) / rouage base (opt)	A6 / Tr
0-100 / 80-120 / 100-0 km/h	10,0 s / 8,5 s / 46,5 m
Type ess. / ville / autoroute	Ordinaire / 10,3 / 6,9 l/100 km
Limited	
Cylindrée, soupapes, alim.	V6 3,6 litres 24 s atmos.
Puissance / Couple	283 chevaux / 260 lb-pi
Tr. base (opt) / rouage base (opt)	A6 / Tr
0-100 / 80-120 / 100-0 km/h	8,0 s / 7,0 s / n.d.
Type ess. / ville / autoroute	Ordinaire / 11,0 / 6,8 l/100 km

- Moteur V6
- Boîte automatique à six rapports
- Tableau de bord élégant
- Matériaux de l'habitacle de meilleure qualité
- Version cabriolet

- Réputation à refaire
- Places arrière moyennes
- Valeur de revente inconnue
- Pneumatiques moyens
- Train arrière instable

DU NOUVEAU EN 2012

Nouvel ensemble de luxe «S», transmission automatique à double embrayage offerte avec quatre cylindres

http://www.chrysler.ca/

Plus d'informations dans la section statistiques en dernière partie du Guide

(RE)DÉCOUVRIR AVEC BONHEUR

Elle est devenue une icône en peu de temps, cette Chrysler 300. Arrivée en 2004 avec son style mordant, ayant de surcroît fait le choix de la propulsion, la grande berline donnait alors un second souffle à un constructeur qui en avait bien besoin. La deuxième génération de la 300, avec nous depuis presque un an maintenant, vient nous rappeler à quel point le risque a été — et continue d'être — payant.

Nos excuses à Ralf Gilles, le designer Haïtien/Montréalais à l'origine du succès esthétique de la Chrysler 300 et aujourd'hui vice-président design du groupe. Ce qui va suivre ne lui plaira pas nécessairement. En effet, notre œil n'accueille pas favorablement les modifications apportées à la nouvelle devanture. On a voulu faire dans le moins brutal, mais si l'élégance demeure au rendez-vous, le punch a malheureusement disparu. Certes, les phares avant prennent la signature des diodes électroluminescentes (DEL), ce qui accorde une allure racée à la voiture. Mais la grille s'est trop ramassée sur elle-même, ce qui vient briser ce qui était de belles proportions inédites. L'arrière est plus distingué, avec ce coffre qui bombe moins le torse, mais il reste que d'un bout à l'autre de la voiture, le tout manque de cohésion et peut désormais se fondre dans un parc de limousines — ou de véhicules de police.

INTÉRIEUR REVU

Cela dit, les améliorations les plus notables ont été apportées dans l'habitacle. Vous rappelez-vous de cette instrumentation aux cadrans blancs, lisses et ennuyants ? De ces plastiques froids et sombres ? De et assemblage qui laissait à désirer et qui reprenait des composantes empruntées à d'autres produits de la marque (et pas toujours les meilleurs) ? Heureusement, cette époque est révolue. La planche de bord, maintenant aérée, s'élève agréablement en angle tandis que les commandes sont aisées à manipuler et à apprivoiser. L'instrumentation est désormais d'un grand chic, surtout à la noirceur alors qu'est mis en valeur son éclairage bleuté. Les matériaux et les revêtements, plus soignés, sont enfin dignes du prix d'étiquette (à partir de 33 000 $), mais aussi de l'élégance extérieure. Au lieu de se glisser dans un intérieur sec et sans âme, le conducteur prend maintenant place dans un habitacle de grand confort qui rivalise sans gêne avec les Buick et Lincoln de ce monde.

CONCURRENTS

Buick LaCrosse, Chevrolet Impala, Dodge Charger, Ford Taurus, Hyundai Genesis, Nissan Maxima, Toyota Avalon

IMPRESSIONS DE L'AUTEUR

Agrément de conduite :	4.5/5
Fiabilité :	NOUVEAU MODÈLE
Sécurité :	4/5
Qualités hivernales :	3/5
Espace intérieur :	4/5
Confort :	4.5/5

Pas un mot à redire sur l'insonorisation. Elle était hermétique avant et elle l'est toujours. Par contre, les sièges ont

— heureusement! — gagné en support, devenant parmi les plus confortables de la catégorie. On reprochait une pauvre visibilité en raison de cette haute ceinture de caisse. Désormais, les surfaces vitrées ont été élargies de 15 %, ce qui tempère l'impression d'enfermement. Enfin, on a fait monter à bord quelques musts technologiques, comme le démarreur sans clé (de série, bravo!), le régulateur de vitesse intelligent, l'avertisseur de collision et l'alerte d'angles morts. Honnêtement, il ne manque plus grand-chose…

EXIT, LES TENDANCES : LE V8 RESTE!

Qui dit deuxième génération, dit généralement beaucoup plus de modifications que ne le propose la nouvelle Chrysler 300. À la défense du constructeur, soulignons que le peu de changements qui ont été apportés à la mécanique ont été faits pour le mieux. Et qui ce qui est resté est loin d'être mauvais.

Mais que reste-t-il, au juste? Évidemment, la propulsion, un reliquat de Mercedes, la compagnie-mère d'alors. Votre mémoire se souviendra que le pari du RWD était risqué, en 2004. On peut aujourd'hui affirmer qu'il a payé, non seulement pour ce qui est du marketing — la 300 est l'un des véhicules les plus récompensés du groupe — mais aussi en comportement routier.

Le V8 Hemi de 5,7 litres, avec un tout petit peu plus de puissance livrée (3 chevaux additionnels, à 363 chevaux) est aussi demeuré en place. On l'aime, ce V8, une espèce en voie de disparition avec la montée en tendance des turbos et de l'injection directe. Ce moteur est certes moins raffiné que le nouveau V6, mais quand on pense à un V8, ce n'est pas de la finesse que l'on recherche. On s'attend plutôt à des accélérations profondes et puissantes, ce qu'elles sont ici. Elles sont en fait si souples sous le pied qu'elles font paraître la conduite toute légère : on enfonce et on décolle dans un échappement guttural, sans effet de couple, contrairement à la Ford Taurus, soit dit en passant.

Le constructeur avance un 0-100 km/h en moins de six secondes pour ce V8, mais notre test-maison tourne plutôt autour des 6,5 secondes. Très honorable pour une voiture de plus de 2 000 kilos (avec traction intégrale). En ville, ça bouffe au moins trois litres de plus aux 100 km que le V6, mais sur l'autoroute, grâce à la désactivation des cylindres, la 300c, même avec la traction intégrale, consomme à peine un litre de plus.

TOUJOURS CINQ RAPPORTS… À QUAND HUIT?

L'automatique à cinq rapports, une autre réminiscence de Mercedes, reste également. On serait porté à vous dire d'attendre la boîte à huit rapports que Chrysler dit mettre au point — et trois rapports supplémentaires signifieront une meilleure

consommation en carburant. Mais sincèrement, la docilité de cette boîte et ses imperceptibles passages — on vous met au défi de les sentir — sont encore de mise. Ceux qui se servent du mode manuel le font uniquement par enthousiasme, non par nécessité : la mécanique travaille bien d'elle-même, nul besoin de se mêler de sa course. Mieux vaut se contenter de cinq rapports qui répondent bien, que de six qui se cherchent comme ceux de la Buick LaCrosse.

Mais il y a aussi des changements. L'insuffisant V6 de 2,7 litres et celui de 3,5 litres tirent leur révérence, au profit du nouveau Pentastar de 3,6 litres. Ce V6 équipe de plus en plus de produits Chrysler/Dodge/Jeep et, ici comme ailleurs, on encense sa douceur et sa linéarité. Alors pourquoi opter pour un V8 quand on a droit, avec le V6, à 292 chevaux (soit 42 chevaux de plus que l'ancien 3,5 litres) ? Et il est offert avec traction intégrale en option et une boîte auto à 8 rapports.

ÉTONNANTE TENUE DE ROUTE

Autre élément qui demeure, c'est la tenue de route — étonnante pour une si grande berline — avec plus ou moins de roulis de caisse et un aplomb imperturbable sur les droits à grande vitesse. Lorsqu'on lui fait attaquer les virages, la Chrysler 300 se comporte comme une plus petite et plus légère, s'agrippant au bitume avec une agilité inattendue. Conduire la deuxième génération nous fait réaliser à quel point on aime, depuis les débuts, ce comportement solide et plus sportif que celui de la concurrence.

Ces belles qualités routières sont d'abord le résultat d'une distribution de poids presque parfaite. On les doit aussi à des suspensions révisées (de base et Touring) qui, si elles continuent d'avantager le confort, assoient l'ensemble sur des amortisseurs qui se replacent vite et bien. La direction a été ajustée pour une bonne connexion avec la route, dans une belle progressivité. On lui prendrait cependant un brin plus de lourdeur, question de mieux refléter la nature de la voiture.

PLUS CHIC, ENFIN !

Étrangement, Chrysler a toujours tenté d'être plus chic que sa lignée, souvent en vain. Mais voilà qu'avec un habitacle plus luxueux et quelques gadgets technologiques au goût du jour, la 300 réussit à se tailler une place dans le haut de la cohorte. Personnellement, je n'hésiterais pas à la lancer contre les Buick et Lincoln, mais aussi contre quelques japonaises chez Acura, Lexus ou Infiniti. L'Américaine est une bonne occasion d'affaires, bardée d'équipements et fort plaisante à conduire. Elle n'avait pas à rougir devant la compétition, et ça ne change pas. Bref, la deuxième génération de la Chrysler 300 a beau être davantage une évolution qu'une révolution, elle nous ramène quand même à nos premières amours.

Nadine Filion

Photos: Denis Duquet

Catégorie	Berline
Échelle de prix	32 995 $ à 41 995 $ (2011)
Garanties	3 ans/60 000 km, 5 ans/100 000 km
Assemblage	Brampton, Ontario, Canada
Cote d'assurance	n.d.

CHÂSSIS - C AWD

Emp/lon/lar/haut	3 052/5 044/1 902/1 504 mm
Coffre	462 litres
Réservoir	72 litres
Nombre coussins sécurité / ceintures	7 / 5
Suspension avant	indépendante, bras inégaux
Suspension arrière	indépendante, multibras
Freins avant / arrière	disque / disque
Direction	à crémaillère, assistée
Diamètre de braquage	11,9 m
Pneus avant / arrière	P235/55ZR19 / P235/55ZR19
Poids	2 047 kg
Capacité de remorquage	454 kg (1 000 lb)

COMPOSANTES MÉCANIQUES

Touring, Limited	
Cylindrée, soupapes, alim.	V6 3,6 litres 24 s atmos.
Puissance / Couple	292 chevaux / 260 lb-pi
Tr. base (opt) / rouage base (opt)	A8 / Prop (int)
0-100 / 80-120 / 100-0 km/h	8,0 s (est) / 7,0 s (est) / n.d.
Type ess. / ville / autoroute	Ordinaire / 11,7 / 7,3 l/100 km

C, C AWD	
Cylindrée, soupapes, alim.	V8 5,7 litres 16 s atmos.
Puissance / Couple	363 chevaux / 394 lb-pi
Tr. base (opt) / rouage base (opt)	A5 / Prop (Int)
0-100 / 80-120 / 100-0 km/h	6,7 (est) / 5,0 (est) / 41,2 (est)
Type ess. / ville / autoroute	Ordinaire / 14,4 / 8,5 l/100 km

SRT8	
Cylindrée, soupapes, alim.	V8 6,4 litres 16 s atmos.
Puissance / Couple	470 chevaux / 470 lb-pi
Tr. base (opt) / rouage base (opt)	A5 / Prop (Int)
0-100 / 80-120 / 100-0 km/h	4,0 (est) / 3,0 (est) / n.d.
Type ess. / ville / autoroute	Super / n.d.

FEU VERT

- Belle agilité (et quel aplomb !)
- Habitacle digne des Buick et Lincoln
- Nouveau V6 Pentastar d'une grande douceur
- Le plaisir de la propulsion
- À peu près toutes les technologies de l'heure

FEU ROUGE

- Cette calandre : vous l'aimez, vous?
- Encore l'automatique cinq rapports
- Larges intervalles d'assemblage entre les panneaux extérieurs

DU NOUVEAU EN 2012

Modèle SRT8, rouage intégral disponible avec V6, boite automatique à 8 rapports avec V6

http://www.chrysler.ca/

Plus d'informations dans la section statistiques en dernière partie du Guide

QUELLE TRANSFORMATION !

Avez-vous lu les critiques de ce modèle dans l'édition précédente du Guide de l'auto ? Si oui, vous savez qu'il s'agissait de l'une des pires voitures sur le marché. Sa silhouette était attrayante et moderne, mais dès qu'on prenait place à bord, on se retrouvait au volant d'un véhicule dépassé à tous les points de vue. C'était probablement ce que Dodge avait de pire à nous offrir. L'Avenger était d'autant plus décevante puisque sa présentation laissait présager un certain potentiel. Mais ces espoirs s'envolaient en fumée dès qu'on la conduisait…

CONCURRENTS
Chevrolet Malibu, Ford Fusion, Honda Accord, Hyundai Sonata, Kia Optima, Mazda6, Nissan Altima, Subaru Legacy, Toyota Camry

IMPRESSIONS DE L'AUTEUR	
Agrément de conduite :	3.5/5
Fiabilité :	4/5
Sécurité :	4/5
Qualités hivernales :	3.5/5
Espace intérieur :	3.5/5
Confort :	4/5

Force est d'admettre que la compagnie Chrysler a accompli un travail incroyable en modernisant une foule de modèles qui ont été dévoilés le printemps dernier. L'Avenger fait heureusement partie des voitures qui ont eu droit à cette refonte en profondeur. Et ce qui est le plus fascinant dans tout cela, c'est qu'on n'a même pas modifié les éléments de base de cette voiture. On s'est contenté de corriger les défauts et — Dieu merci ! — de redessiner l'habitacle et la planche de bord.

WOW !

Je me souviens du découragement que j'ai ressenti l'an dernier, lorsque j'ai pris place à bord de l'ancienne version et que j'ai aperçu les boulons dénudés qui retenaient le siège du conducteur, un peu comme sur les camionnettes… Ajoutez à cela une planche de bord dont la disposition était correcte, mais réalisée à partir de plastiques durs et bon marché. Comme si cela n'était pas assez, le stylisme du tableau de bord était presque élémentaire. Pourtant, tout était là, mais l'exécution était plus que boiteuse. Et je tente de rester poli, ici…

Cette année, lorsque je me suis assis à l'intérieur de la voiture, la mâchoire m'est quasiment tombée. Par réflexe, j'ai regardé l'assise des sièges avant : la présentation presque primaire de l'ancrage des sièges au plancher a été remplacée par un arrimage beaucoup plus moderne et plus esthétique. Vous me direz qu'il s'agit là d'un simple détail, mais c'est justement grâce à ces menus détails que l'on réussit, de nos jours, à départir les bonnes voitures des moins bonnes. Mais le changement le plus spectaculaire reste sans contredit la présentation générale du tableau de bord. Les surfaces sont recouvertes d'une matière plastique souple et du plus bel effet. Enfin, une impression de qualité ! On devrait d'ailleurs prendre des notes chez Toyota à ce sujet. Alors qu'auparavant, ce modèle était synonyme de présentation mal exécutée, cette nouvelle génération est tout le contraire.

Catégorie	Berline
Échelle de prix	17 995 $ à 26 495 $ (2011)
Garanties	3 ans/60 000 km, 5 ans/100 000 km
Assemblage	Sterling Heights, Michigan, É-U
Cote d'assurance	passable

Pourtant, en comparant attentivement cette version à la présentation de l'an dernier, on retrouve les buses de ventilation au même endroit et l'écran de navigation directement placé au-dessus celle-ci. La climatisation est gérée par trois gros boutons dont l'utilisation est très aisée. En ce qui concerne les cadrans, l'indicateur de vitesse se trouve au centre, le compte-tours à droite, tandis qu'à gauche, une jauge combinée comprend le thermomètre et le niveau d'essence. On a réussi à tout transformer en utilisant, çà et là, des petites touches fort intéressantes, en plus d'améliorer la qualité des matériaux et de la finition. Les sièges sont également beaucoup plus confortables.

PASSONS À L'ÈRE MODERNE

L'incontournable moteur quatre cylindres 2,4 litres est de retour. Je sais que plusieurs ont critiqué ce moteur qui pourrait être un peu moins rugueux. Par contre, pourquoi ne le critique-t-on pas, alors qu'il est utilisé aussi bien chez Hyundai que chez Mitsubishi ? Encore une fois, il semble que l'adage *deux poids, deux mesures* fasse foi ici. Cependant, les choses se sont améliorées dans le cas de ce moteur alors qu'il est dorénavant associé à une boîte automatique à six rapports. Cette transmission a permis de réduire le niveau sonore et la consommation de carburant par la même occasion. Ses 173 chevaux assurent des performances correctes.

Mais la grande nouvelle à propos de l'Avenger est l'arrivée sous le capot de l'excellent moteur V6 Pentastar de 3,6 litres, dont la puissance est de 283 chevaux. Lui aussi est couplé à une boîte automatique à six rapports. Les ingénieurs ne se sont pas contentés d'élargir la voie et d'ajouter davantage de matériaux insonorisants, ils ont également revu la suspension de fond en comble en modifiant de nombreux éléments de celle-ci. Ils ont également abaissé sa hauteur de 12 mm à l'avant et de 6 mm à l'arrière, ce qui a un effet positif dans les virages. Mais si vous voulez conduire une version plus sportive de l'Avenger, il y a également le modèle R/T. La section avant est quasiment dépouillée de chrome, tandis que dans habitacle, les cuirs sont relevés de surpiqûres rouges. Les sièges sport sont également exclusifs à ce modèle. Le moteur V6 Pentastar produit toujours 283 chevaux — le plus puissant de sa catégorie selon Dodge —, mais la suspension modifiée assure une meilleure tenue en virage et un comportement plus prévisible lorsqu'on pousse la voiture dans les courbes.

Les stylistes et les ingénieurs de la division Dodge ont pratiquement réalisé un tour de magie en transformant une berline médiocre en une automobile qui, en plus d'être maintenant dotée d'un intérieur élégant, assure un agrément de conduite qu'il était impossible d'imaginer l'an dernier.

Denis Duquet

Photos : Alain Morin

CHÂSSIS - SXT PLUS	
Emp/lon/lar/haut	2 765/4 892/1 850/1 483 mm
Coffre	382 litres
Réservoir	64 litres
Nombre coussins sécurité / ceintures	6 / 5
Suspension avant	indépendante, jambes de force
Suspension arrière	indépendante, multibras
Freins avant / arrière	disque / disque
Direction	à crémaillère, ass. variable
Diamètre de braquage	11,5 m
Pneus avant / arrière	P225/50R18 / P225/50R18
Poids	1 634 kg
Capacité de remorquage	454 kg (1 000 lb)

COMPOSANTES MÉCANIQUES	
SE, SXT	
Cylindrée, soupapes, alim.	4L 2,4 litres 16 s atmos.
Puissance / Couple	173 chevaux / 166 lb-pi
Tr. base (opt) / rouage base (opt)	A4 (A6) / Tr
0-100 / 80-120 / 100-0 km/h	11,3 s / 9,0 s / 44,0 m
Type ess. / ville / autoroute	Ordinaire / 9,9 / 6,7 l/100 km
SXT Plus, R/T	
Cylindrée, soupapes, alim.	V6 3,6 litres 24 s atmos.
Puissance / Couple	283 chevaux / 260 lb-pi
Tr. base (opt) / rouage base (opt)	A6 / Tr
0-100 / 80-120 / 100-0 km/h	7,7 s / 6,2 s / 43,5 m
Type ess. / ville / autoroute	Ordinaire / 11,0 / 6,8 l/100 km

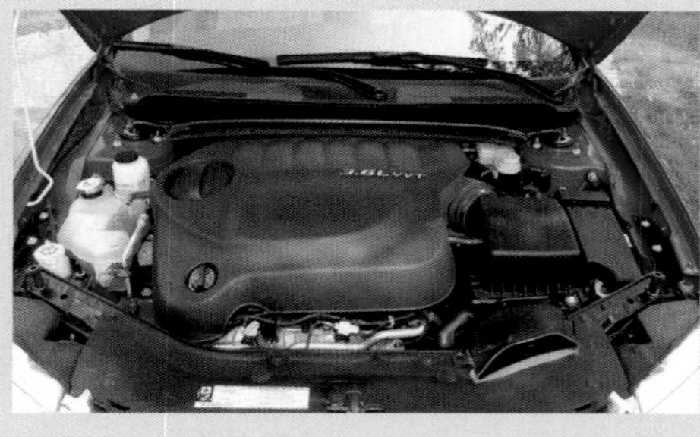

FEU VERT

- Moteur Pentastar
- Tableau de bord réussi
- Tenue de route améliorée
- Matériaux de meilleure qualité
- Attention aux détails

FEU ROUGE

- Pneumatiques moyens
- Effet de couple dans le volant
- Visibilité arrière
- Moteur 2,4 litres rugueux
- Places arrière moyennes

DU NOUVEAU EN 2012

Nouveau modèle R/T, transmission automatique à double embrayage offerte avec le 2,4 litres

http://www.dodge.ca/

Plus d'informations dans la section statistiques en dernière partie du Guide

FIN DE CARRIÈRE ?

Il y a deux ou trois ans, plusieurs des véhicules commercialisés par la compagnie Chrysler et sa division Dodge étaient tellement moches, qu'on suggérait aux gens de passer outre. Souvent, et c'était le cas de la Caliber, le concept de base était excellent, mais l'exécution fort décevante, tant en matière de finition, d'aménagement intérieur que de motorisation. Mais depuis que Sergio Marchionne et Fiat ont décidé de prendre les choses en main, plusieurs véhicules ont connu de nettes améliorations.

CONCURRENTS
Hyundai Elantra Touring, Kia Soul, Mazda3 Sport, Nissan cube, Subaru Impreza, Suzuki SX-4, Toyota Matrix

IMPRESSIONS DE L'AUTEUR	
Agrément de conduite :	3.5/5
Fiabilité :	4/5
Sécurité :	3.5/5
Qualités hivernales :	3.5/5
Espace intérieur :	3.5/5
Confort :	3.5/5

Quelques modèles ont été l'objet d'une refonte quasi complète ou de modifications fort importantes. Dans le cas qui nous concerne, la Caliber a bénéficié de quelques changements au chapitre de l'habitacle et de la motorisation au cours des récentes années. De plus, la qualité de la finition s'est améliorée. Ce n'est pas spectaculaire, mais suffisant pour qu'on s'y intéresse de plus près.

UNIQUE POUR LA CATÉGORIE

Une chose est certaine, il est difficile d'accuser les décideurs qui ont présidé au développement de ce modèle d'avoir manqué d'imagination et d'audace. Qu'on l'aime ou pas, force est de constater que cette silhouette, qui semble empruntée à un VUS, est des plus originales. De plus, on a tenté de lui donner un air un peu macho avec ses passages de roues fortement en relief, tandis que la ligne toit inclinée vers l'arrière lui donne un petit air sportif. En fait, lorsque ce modèle a été dévoilé, plusieurs se disaient : « Pourquoi les autres constructeurs se contentent de nous offrir des berlines conventionnelles ? » Cette silhouette est non seulement excentrique, mais elle permet de proposer un véhicule d'une très grande polyvalence. Avec son hayon et la possibilité de rabattre le dossier de la banquette arrière, cette petite Dodge peut transporter des objets plutôt encombrants. De plus, l'habitacle est truffé d'espace de rangement de toutes sortes et d'accessoires, qui demeurent encore originaux plusieurs années après le lancement du véhicule. Par exemple, la partie supérieure du coffre à gant sert à refroidir les breuvages, tandis qu'il est possible de commander en option une enceinte acoustique placée à l'intérieur du hayon. Ce dernier accessoire sera apprécié lors de vos partys, mais je doute que vos voisins soient de cet avis. Malheureusement, la première génération était dotée d'un habitacle assemblé à partir de plastiques de très mauvaise qualité alors que la planche de bord était vraiment plus qu'ordinaire. On a réussi, il y a deux ans, à remanier celle-ci et c'est beaucoup mieux maintenant. La disposition des commandes est bonne et il est facile de gérer la climatisation à l'aide de trois gros boutons placés sous l'écran de navigation pour les modèles qui en sont dotés. Les matériaux se sont améliorés quelque peu, mais il reste toujours de la place pour de l'amélioration. Enfin, les sièges sont moyennement confortables mais, là aussi, c'est mieux qu'auparavant.

UNE SAGE DÉCISION

Au cours des 12 derniers mois, plusieurs choses ont évolué chez ce constructeur. Au début de l'année-modèle 2011, seul le moteur quatre cylindres 2,0 litres était offert, soit avec une boîte manuelle à cinq rapports ou une automatique à rapports constamment variables. Pas besoin d'être un grand connaisseur en matière de voitures pour savoir que les 158 chevaux de ce petit moulin faisaient souvent plus de bruit qu'autre chose. Lorsqu'associé à la boîte CVT, comme on le dit au Québec: « Il ne se passait pas grand-chose. » Heureusement, au fil des mois, on a ajouté un autre moteur quatre cylindres, celui-ci étant un 2,4 litres produisant 172 chevaux. Ce moteur est quelque peu rugueux, mais il est solide et sa puissance est la bienvenue, peu importe le type de transmission choisi.

Pour les personnes qui se contentent de piloter leur voiture sans trop se préoccuper de son comportement routier, du confort de la suspension et de la puissance des freins, la Dodge Caliber fera l'affaire. Et il faut souligner que la suspension arrière indépendante ajoute au confort sur les mauvaises routes. Par contre, si vous êtes un peu plus exigeant à ce chapitre, il se peut que vous soyez déçus. En premier lieu, l'insonorisation n'est pas le point fort de ce véhicule, et une randonnée de quelques kilomètres sur une route en gravier vous convaincra rapidement. Certains modèles sont équipés de freins arrière à tambours, ce qui donne des distances de freinage plutôt longues. Mais quand on tient compte du fait que la Caliber est vendue à un prix fort alléchant, il serait logique de commander une version plus étoffée afin de bénéficier de freins à disques aux quatre roues. Le freinage serait ainsi plus efficace. Ajoutez à cela une direction qui manque de précision et vous savez pourquoi cette compacte ne domine pas la colonne des ventes dans cette catégorie.

Cette année, la Caliber nous revient sans changement majeur. Il semble que la direction de la compagnie ait décidé de concentrer ses efforts sur le développement de sa remplaçante qui serait fabriquée aux États-Unis mais conçue par Fiat, et qui utiliserait les éléments mécaniques de l'Alfa Romeo Giuletta. Voilà qui promet.

Denis Duquet

Photos: Dodge

DODGE CALIBER

Catégorie	Hatchback
Échelle de prix	14 595 $ à 21 995 $ (2011)
Garanties	3 ans/60 000 km, 5 ans/100 000 km
Assemblage	Belvidere, Illinois, É-U
Cote d'assurance	n.d.

CHÂSSIS - SE PLUS

Emp/lon/lar/haut	2 635/4 414/1 747/1 533 mm
Coffre	351 à 1 360 litres
Réservoir	51 litres
Nombre coussins sécurité / ceintures	4 / 5
Suspension avant	indépendante, jambes de force
Suspension arrière	indépendante, multibras
Freins avant / arrière	disque / tambour
Direction	à crémaillère, assistée
Diamètre de braquage	10,8 m
Pneus avant / arrière	P215/60R17 / P215/60R17
Poids	1 345 kg
Capacité de remorquage	454 kg (1 000 lb)

COMPOSANTES MÉCANIQUES

Canada Value Package, SE Plus, SXT, Uptown

Cylindrée, soupapes, alim.	4L 2,0 litres 16 s atmos.
Puissance / Couple	158 chevaux / 141 lb-pi
Tr. base (opt) / rouage base (opt)	M5 (CVT) / Tr
0-100 / 80-120 / 100-0 km/h	9,9 s / 8,6 s / 44,8 m
Type ess. / ville / autoroute	Ordinaire / 9,0 / 7,3 l/100 km

Rush

Cylindrée, soupapes, alim.	4L 2,4 litres 16 s atmos.
Puissance / Couple	172 chevaux / 165 lb-pi
Tr. base (opt) / rouage base (opt)	M5 (CVT) / Tr
0-100 / 80-120 / 100-0 km/h	9,0 s / 7,9 s (est) / 44,8 m
Type ess. / ville / autoroute	Ordinaire / 9,0 / 6,9 l/100 km

FEU VERT

- Habitacle polyvalent
- Prix de vente compétitif
- Moteur 2,4 litres
- Tenue de route correcte
- Finition en progrès

FEU ROUGE

- Finition perfectible
- Insonorisation désolante
- Boîte CVT peu convaincante
- Faible valeur de revente

DU NOUVEAU EN 2012

Aucun changement majeur

http://www.dodge.ca/

Plus d'informations dans la section statistiques en dernière partie du Guide

SPORTIVE COMME UN DEMI OFFENSIF

Dodge a certes contribué à la renaissance des *muscle cars* américains en lançant une Challenger entièrement nouvelle il y a quatre ans. Ce coupé costaud a non seulement résisté à la tempête qui a soufflé presque aussitôt sur le groupe Chrysler, mais profité, l'an dernier, de retouches nombreuses et pertinentes, tout en héritant de moteurs inédits ou plus puissants. La Challenger ne peut rendre coup pour coup aux Camaro et Mustang qui sont produites aussi en version décapotable, mais elle possède les meilleurs atouts pour combler l'amateur de *muscle cars* américains coulés dans le moule classique.

Cette marque résolument américaine et plus que centenaire n'a ménagé ni efforts ni moyens pour bonifier, entre autres, le comportement routier déjà très correct de ses Challenger l'an dernier. Des modifications semblables ont relancé la Dodge Charger et la berline Chrysler 300 qui partagent la même architecture dont plusieurs éléments provenaient à l'origine de la Classe E de Mercedes-Benz. Or, la Challenger, ses sœurs et ses cousines sont maintenant affranchies de cet héritage. Les ingénieurs du clan Mopar, pour reprendre le nom qui a toujours désigné les produits Chrysler pour les inconditionnels, ont fait un boulot de développement et de raffinement impressionnant.

CONCURRENTS

Chevrolet Camaro,
Dodge Charger,
Ford Mustang

IMPRESSIONS DE L'AUTEUR

Agrément de conduite :	4 / 5
Fiabilité :	3 / 5
Sécurité :	4 / 5
Qualités hivernales :	3 / 5
Espace intérieur :	4 / 5
Confort :	4 / 5

MIEUX QUE TENIR LE RYTHME

C'est pourquoi la Challenger SRT8 392 s'est tirée plus qu'honorablement de notre match des sportives où elle affrontait ses rivales redoutables que sont la Mustang Boss 302 et le Coupé M de Série 1 BMW, en plus du coupé Infiniti G37 IPL. Sa devancière, la première SRT8, avait également surpris dans le match des sportives de l'édition 2010 du Guide. Étonnamment solide et spacieuse, elle affichait un comportement très sain pour un gabarit et un poids un cran au-dessus de ses rivales. Si la nouvelle SRT8 392 a fait encore mieux cette fois-ci, contre des coupés plus puissants et affûtés, c'est que sa tenue de route s'est améliorée et qu'elle profite d'une version encore plus puissante du V8 Hemi.

Ce petit nouveau fait 6,4 litres de cylindrée, soit 392 pouces cubes en mesure traditionnelle. D'où le suffixe 392, qui évoque le fameux moteur Hemi 392 qui a brillé en course d'accélération à la fin des années 50. Le nouveau Hemi produit 470 chevaux à 6 000 tr/min et 470 lb-pi de couple à 4 200 tr/min, des gains substantiels par rapport aux 421 chevaux et 420 lb-pi du V8 de 6,1 litres auquel il succède. Ce fut suffisant pour que la Challenger 392 inscrive le meilleur chrono pour le quart de mile et le 0-100 km/h (ex æquo avec la BMW) malgré sa boîte automatique. La SRT8 a minci par rapport au modèle antérieur, mais de seulement 4,5 kilos. Elle fait donc toujours plus de deux tonnes en mesures anglaises (1 887 kg).

Le coupé Challenger SRT8 392 n'a d'ailleurs pas inscrit le meilleur chrono sur le circuit routier de l'autodrome St-Eustache. Il s'est même retrouvé à quelques deux secondes du coupé BMW et de la Boss 302, deux bêtes de circuit. Il est toutefois parfaitement agréable et amusant à piloter, avec le gros mordant de ses pneus de taille 245/45ZR20, sa structure béton, ses grands freins Brembo et un équilibre en virage qu'on maintient sans peine en dosant l'accélérateur, antidérapage désactivé, avec le rugissement envoûtant de ce gros V8 en pleine santé. Ai-je précisé que la cote de consommation officielle sur route de la Challenger SRT8 392 est de 9,2 l/100 km grâce au système de cylindrée variable électronique MDS, qui coupe la moitié des cylindres de ce gros V8 lorsqu'il file à vitesse constante?

DES VERTUS INSOUPÇONNÉES

De toute manière, la SRT8 n'est pas une bête de circuit, même si elle s'y débrouille très correctement. Elle fait plutôt penser à ces demis offensifs de 100 kilos du football à l'américaine qui ramènent des chronos étonnants sur le 100 mètres et se faufilent entre les colosses d'en face. La Challenger se moque d'ailleurs de ses rivales pour l'espace et le confort très honnêtes de sa banquette arrière et un coffre assez vaste qu'on peut prolonger en repliant le dossier de la banquette arrière.

La plus puissante des Challenger dispense également un confort de roulement surprenant, même sur des chaussées défoncées, malgré ses roues de 20 pouces et ses pneus à taille basse. Le silence qui y règne sur l'autoroute est une autre surprise. Ces vertus, qui découlent entre autres d'une excellente solidité structurelle, sont aussi nettes dans les modèles SXT et R/T, les premières roulant sur des jantes de 18 pouces et les secondes sur les mêmes roues de 20 pouces que la SRT8.

Ces deux séries ont également profité de nombreuses retouches à la géométrie et aux tarages de leurs suspensions l'an dernier, avec le même objectif d'aiguiser leur comportement. Les SXT ont hérité, en plus, du nouveau V6 Pentastar de Chrysler qui fait 3,5 litres et produit 305 chevaux, une hausse appréciable de 55 chevaux pour une consommation moindre et un agrément nettement meilleur. En somme, les Challenger sont une interprétation moderne du coupé américain traditionnel qui cherche son public, en espérant qu'il existe encore en nombre suffisant pour justifier sa survie. Chose certaine, Chrysler y croit encore fermement. Pour l'instant.

Marc Lachapelle

Photos: Denis Duquet

Catégorie	Coupé
Échelle de prix	26 995 $ à 47 995 $ (2011)
Garanties	3 ans/60 000 km, 5 ans/100 000 km
Assemblage	Brampton. Ontario, Canada
Cote d'assurance	passable

CHÂSSIS - SRT8 392	
Emp/lon/lar/haut	2 946/5 023/1 923/1 449 mm
Coffre	459 litres
Réservoir	74 litres
Nombre coussins sécurité / ceintures	6 / 5
Suspension avant	indépendante, bras inégaux
Suspension arrière	indépendante, multibras
Freins avant / arrière	disque / disque
Direction	à crémaillère, assistée
Diamètre de braquage	11,4 m
Pneus avant / arrière	P245/45ZR20 / P255/45ZR20
Poids	1 891 kg
Capacité de remorquage	n.d.

COMPOSANTES MÉCANIQUES	
SXT	
Cylindrée, soupapes, alim.	V6 3,6 litres 24 s atmos.
Puissance / Couple	305 chevaux / 268 lb-pi
Tr. base (opt) / rouage base (opt)	A5 / Prop
0-100 / 80-120 / 100-0 km/h	n.d. / n.d. / n.d.
Type ess. / ville / autoroute,	Ordinaire / 11,7 / 7,3 l/100 km
R/T automatique	
Cylindrée, soupapes, alim.	V8 5,7 litres 16 s atmos.
Puissance / Couple	372 chevaux / 400 lb-pi
Tr. base (opt) / rouage base (opt)	A5 (M6) / Prop
0-100 / 80-120 / 100-0 km/h	6.5 s / 7.5 s / 40,0 m
Type ess. / ville / autoroute	Ordinaire / 13,5 / 8,0 l/100 km
R/T manuelle	
Cylindrée, soupapes, alim.	V8 5,7 litres 16 s atmos.
Puissance / Couple	376 chevaux / 410 lb-pi
Tr. base (opt) / rouage base (opt)	A5 (M6) / Prop
0-100 / 80-120 / 100-0 km/h	7,0 s (est) / n.d. / 40,0 m
Type ess. / ville / autoroute	Ordinaire / 13,5 / 8,0 l/100 km
SRT8	
Cylindrée, soupapes, alim.	V8 6,4 litres 16 s atmos.
Puissance / Couple	470 chevaux / 470 lb-pi
Tr. base (opt) / rouage base (opt)	A5 (M6) / Prop
0-100 / 80-120 / 100-0 km/h	5,0 / 4,5 s (est) / 36,6 m
Type ess. / ville / autoroute	Super / 15,6 / 9,2 l/100 km

- Moteurs puissants et animés
- Comportement prévisible
- Silence étonnant sur autoroute
- Spacieux pour un coupé sport

- Cadrans trop sombres
- Angle mort vers l'arrière
- Poids et gabarit imposants
- Fiabilité à démontrer

DU NOUVEAU EN 2012

V6 3,6 et SRT8 392 ont débuté durant l'année-modèle 2011

http://www.dodge.ca/

Plus d'informations dans la section statistiques en dernière partie du Guide

LA BÊTE EST LÂCHÉE

La Dodge Charger, écrivions-nous dans une précédente édition du Guide de l'auto, n'a pas seulement l'air méchante, elle l'est! Et si c'était vrai il y a de cela quelques années, ce l'est encore plus aujourd'hui, avec l'arrivée, l'automne dernier, d'une nouvelle génération. Les puristes n'ont toujours pas pardonné à la belle Américaine l'ajout de deux portières — on se souviendra que la Charger des années 60 et 70 était un coupé — mais tous les autres, sauf les écologistes, lui vouent un profond respect.

CONCURRENTS
Buick LaCrosse,
Chrysler 300,
Ford Taurus,
Nissan Maxima

IMPRESSIONS DE L'AUTEUR	
Agrément de conduite :	4/5
Fiabilité :	3.5/5
Sécurité :	4/5
Qualités hivernales :	3.5/5
Espace intérieur :	4/5
Confort :	4.5/5

La nouvelle Charger a connu plusieurs changements. La partie avant n'a pas été radicalement métamorphosée, mais juste assez modifiée pour lui permettre d'intimider davantage les automobilistes qui la précèdent à une vitesse trop peu élevée. Le message envoyé par cette calandre est clair: « Pousse-toi, j'arrive! » L'arrière, lui, a été entièrement transformé et les lumières s'étirent en une longue bande transversale du plus bel effet. La plupart aiment le nouveau style de la Charger, mais j'entends encore les mots murmurés par un journaliste plus âgé, complètement découragé, dans un Salon de l'auto: « Les *%#?(@*, ils l'ont ruinée… »

SUPERBE HABITACLE

Par contre, je n'ai pas rencontré beaucoup de personnes qui n'ont pas apprécié le nouveau tableau de bord. Si l'ancien était d'un générique consommé, le nouveau s'avère beaucoup plus réussi et la filiation avec la Chrysler 300, renouvelée elle aussi, est moins évidente qu'avant. Le volant est toujours un zeste trop grand mais, au moins, son boudin est juste assez gros pour une bonne prise en main. Les matériaux sont de bien meilleure qualité qu'auparavant, ce qui n'était pas difficile à faire. Au centre du tableau de bord, on retrouve le nouvel écran des produits Chrysler avec le U-Connect, le système maison de série dans la plupart des versions visant à concurrencer le Sync de Ford. Ce système est simple et convivial… du moins pour les menus dont je me suis servi.

Côté mécanique, l'offre est moins relevée que par le passé… et c'est une excellente chose! En effet, le V6 de 2,7 litres n'avait tout simplement pas sa place dans une voiture dotée d'un physique aussi agressif. Désormais, on commence avec le nouveau V6 Pentastar 3,6 litres. Ce moteur est vif, souple et suffisamment puissant pour permettre à cette grosse berline de près de 1800 kilos d'accélérer rapidement. La transmission est une automatique à cinq rapports seulement ce qui, de nos jours, peut quasiment être considéré comme de l'indigence. Une boîte à huit rapports sera bientôt proposée sur les modèles SXT et SXT Plus. Dommage que l'offre ne s'étende pas au reste de la gamme. Cette année, les SXT et SXT Plus V6 peuvent aussi recevoir le rouage intégral.

LA R/T, POUR LES PETITS PLAISIRS DE LA VIE

Ceux qui ne détestent pas avoir une réserve de puissance toujours prête opteront sans hésiter pour le V8 Hemi de 5,7 litres. Les accélérations sont linéaires et une fois la bête allumée, il n'y a plus grand-chose pour l'arrêter ! Sur la grande route, à vitesse constante, on peut se rendre à destination en consommant moins de 12,0 litres à tous les 100 km. Mais quand on a autant de puissance sous le pied droit, pourquoi ne pas en profiter ? Une amie de l'auteur, habituée à sa Yaris, s'est fait un malin plaisir à écraser le champignon plusieurs fois, juste pour le plaisir. Cependant, on souhaiterait que la sonorité du moteur soit un peu moins étouffée. C'est le prix à payer pour avoir droit à un habitacle très silencieux. Encore ici, on a droit, pour l'instant, à l'automatique à cinq rapports. La R/T est une propulsion (roues arrière motrices) et une version AWD est aussi offerte.

Une version SRT8 débarquera bientôt chez les concessionnaires. On estime que le V8 6,4 litres Hemi développera 465 chevaux et autant de couple. Pour ralentir les ardeurs de l'enragée, Dodge parle de freins Brembo très puissants. Nous n'en doutons pas un instant ! Entre la R/T et la SRT8, Dodge a eu la bonne idée de commercialiser le groupe Mopar qui rehausse les qualités dynamiques d'une R/T.

Le châssis original de la Charger provient de la Mercedes-Benz Classe E de précédente génération, ce qui s'avère être une bonne base, c'est le moins qu'on puisse dire. Pour la nouvelle mouture de la Charger, on l'a revu et les modifications sont des plus bénéfiques. Pourtant, comme par le passé, plus on monte dans la hiérarchie « chargerienne », plus les réactions de la voiture sont aiguisées. La tenue de route est toujours très relevée, peu importe le modèle, mais il est indéniable qu'une R/T présente moins de roulis en courbes qu'une SE, par exemple. Aussi, la direction, si elle n'offre pas suffisamment de retour d'information, se révèle plus précise qu'avant. À des vitesses pouvant faire perdre un permis de conduire pour les 200 prochaines années, la Charger R/T AWD se montre très stable. Alors, imaginez une SRT8 ! En conduite sportive cependant, les sièges n'offrent pas suffisamment de soutien latéral. Encore une fois, la SRT8 devrait régler ce problème.

La nouvelle Charger offre amplement d'espace pour ses occupants, son habitacle est confortable, son coffre est grand et ses moteurs sont très bien adaptés à son caractère brutal. Que demander de plus ?

Alain Morin

Photos : Alain Morin

Catégorie	Berline
Échelle de prix	29 995 $ à 39 995 $ (2011)
Garanties	3 ans/60 000 km, 5 ans/100 000 km
Assemblage	Brampton, Ontario, Canada
Cote d'assurance	passable

CHÂSSIS - R/T AWD	
Emp/lon/lar/haut	3 048/5 077/1 905/1 482 mm
Coffre	437 litres
Réservoir	72 litres
Nombre coussins sécurité / ceintures	7 / 5
Suspension avant	indépendante, bras inégaux
Suspension arrière	indépendante, multibras
Freins avant / arrière	disque / disque
Direction	à crémaillère, ass. variable
Diamètre de braquage	12,0 m
Pneus avant / arrière	P235/55R19 / P235/55R19
Poids	2 018 kg
Capacité de remorquage	454 kg (1 000 lb)

COMPOSANTES MÉCANIQUES	
SE, SXT	
Cylindrée, soupapes, alim.	V6 3,6 litres 24 s atmos.
Puissance / Couple	292 chevaux / 260 lb-pi
Tr. base (opt) / rouage base (opt)	A8 / Prop (int)
0-100 / 80-120 / 100-0 km/h	n.d. / n.d. / n.d.
Type ess. / ville / autoroute	Ordinaire / n.d.
R/T	
Cylindrée, soupapes, alim.	V8 5,7 litres 16 s atmos.
Puissance / Couple	370 chevaux / 395 lb-pi
Tr. base (opt) / rouage base (opt)	A5 / Prop (Int)
0-100 / 80-120 / 100-0 km/h	6,8 s / 5,0 s / 41,0 m
Type ess. / ville / autoroute	Ordinaire / 14,4 / 8,5 l/100 km
SRT8	
Cylindrée, soupapes, alim.	V8 6,4 litres 16 s atmos.
Puissance / Couple	470 chevaux / 470 lb-pi
Tr. base (opt) / rouage base (opt)	A5 / Prop (Int)
0-100 / 80-120 / 100-0 km/h	n.d. / n.d. / n.d.
Type ess. / ville / autoroute	Ordinaire / n.d.

FEU VERT

- Lignes agressives à souhait
- Excellents moteurs
- La SRT8 !
- Confort notable
- Habitacle vaste et silencieux

FEU ROUGE

- Consommation élevée
- Visibilité arrière pauvre
- Boîte cinq rapports quelquefois erratique
- Surpoids confirmé
- Portières avant difficiles à refermer (trop éloignées)

DU NOUVEAU EN 2012

Modèle SRT8 plus puissant, transmission huit rapports et rouage intégral offerts sur certains modèles

http://www.dodge.ca/

Plus d'informations dans la section statistiques en dernière partie du Guide

RETOUR EN FORCE

Ne cherchez pas l'essai du Dodge Durango dans les éditions 2010 et 2011 du Guide de l'auto, vous ne le trouverez pas. Pourquoi ? Simplement parce que le constructeur avait décidé de mettre fin à la production du modèle en 2009. On disait que le véhicule ne collait plus aux réalités du marché et aux goûts des acheteurs. Mais voilà que Chrysler a revu sa position et relancé ce modèle à l'automne 2011, déjouant ainsi les pronostics de l'équipe du Guide. Nous prendre en défaut, c'est tout un exploit, mais présenter un nouveau Durango, c'est exceptionnel !

CONCURRENTS
Chevrolet Tahoe,
GMC Yukon,
Nissan Armada,
Toyota Sequoia

IMPRESSIONS DE L'AUTEUR	
Agrément de conduite :	3.5/5
Fiabilité :	NOUVEAU MODÈLE
Sécurité :	4/5
Qualités hivernales :	4/5
Espace intérieur :	4/5
Confort :	4/5

La nouvelle mouture a été changée du tout au tout. Oubliez ce que vous connaissez du Durango, il perd sa vocation de VUS pur et dur pour se déplacer du côté des multisegments, un créneau plus populaire de nos jours. Ce changement drastique est principalement marqué par sa nouvelle plate-forme, cette dernière provenant de chez Mercedes-Benz, plus précisément du GL. Celle-ci a permis d'augmenter les dimensions du Durango, qui se distingue principalement du Grand Cherokee par sa longueur accrue et sa troisième banquette. Si sa nouvelle plate-forme apporte une excellente base, son style plus que réussi ajoute aux éléments intéressants. L'avant reprend le design de la Charger et du Ram, ce qui lui donne toute une prestance. Sa ceinture de caisse élevée, ses zones vitrées réduites et son hayon arrière incliné, qui rappelle quelque peu la Dodge Magnum, en font un véhicule à la fois moderne et dynamique. Lors de notre essai, plusieurs têtes se sont tournées sur notre passage, chose rare pour un VUS.

Avec cette description, plusieurs d'entre vous voudront se diriger vers leur concessionnaire pour essayer le nouveau Durango. Malheureusement, il n'est pas parfait. Son prix est assez élevé ce qui en fait un véhicule moins accessible. On saute rapidement les 40 000 $ et la version la plus cossue frise les 50 000 $. Voilà qui est dommage, car la compagnie Ford, avec son Explorer, a su pour sa part concevoir des versions plus abordables. C'est là peut-être le seul véritable point négatif du Durango.

LE V6 À FAVORISER

On trouve à bord du Durango deux excellentes motorisations. Toutes les versions reçoivent de série le V6 Pentastar de 3,6 litres, ce moteur développant une puissance de 290 chevaux pour un couple de 260 lb-pi. Il s'agit d'une motorisation bien adaptée au véhicule, mais le seul bémol touche à la présence d'une boîte

Catégorie	VUS
Échelle de prix	37 995 $ à 49 995 $ (2011)
Garanties	3 ans/60 000 km, 5 ans/100 000 km
Assemblage	Detroit, Michigan, É-U
Cote d'assurance	moyenne

automatique à cinq rapports de série. On aurait apprécié une automatique à six rapports pour plusieurs raisons, entre autres pour diminuer le régime à vitesse de croisière. Toutefois, on apprécie la présence d'un rouage intégral offert de série, une excellente décision.

Pour plus de puissance, pratiquement toutes les versions peuvent recevoir en option le V8 HEMI de 5,7 litres, ce dernier développant une puissance de 360 chevaux et un excellent couple de 390 lb-pi. Ce moteur profite d'un système de désactivation des cylindres afin de réduire sa consommation. Ce système était toutefois peu convaincant dans le passée, surtout lorsque le véhicule était chargé. Afin d'améliorer le tout, on a greffé au V8 une boîte automatique à six rapports, un ajout fort apprécié. Est-ce suffisant pour rendre le V6 inintéressant? Pas nécessairement. La capacité de remorquage du Durango V8 n'est pas tellement plus élevée, soit 7 200 lb (3 266 kg) comparativement à 6 200 lb (2 812 kg) pour les modèles à moteur V6. Bref, outre sa puissance accrue, le V8 HEMI n'offre pas réellement d'avantages majeurs et notre recommandation va donc au V6.

UN HABITACLE AMÉLIORÉ

Une fois à bord du Durango, on se sent en pays de connaissance. En fait, mis à part l'espace accru à l'arrière et la troisième banquette, on reconnaît plusieurs éléments issus du Jeep Grand Cherokee. Il faut avouer qu'il s'agit d'une nette amélioration dans le cas du Durango, qui a souvent été critiqué pour son habitacle terne et d'apparence bon marché. Le traitement est beaucoup plus riche et c'est surtout l'attention aux détails qui marque la plus grande amélioration. Toutefois, le tableau de bord exhibe l'ancien écran multifonction, mais il y a fort à parier que le nouvel écran, qui a déjà sa place dans plusieurs produits de la compagnie, y trouvera son chemin sou peu.

Très pratique, le Durango offre une foule de configurations de siège permettant d'adapter l'habitacle à nos besoins. Les passagers avant disposent de beaucoup de dégagement et les nombreux ajustements des sièges permettent de trouver rapidement une bonne position de conduite. On a cependant noté un manque de maintien latéral. L'accès à la troisième banquette est facilité par un mécanisme simple qui, en une seule étape, permet à un enfant de se glisser à l'arrière sans aide.

Au volant, le Durango adopte un comportement plus urbain. On n'a pas l'impression de piloter un tel mastodonte surtout qu'il enfile les virages avec aplomb. Difficile de se croire à bord d'un véhicule de près de 4 800 lb (2 200 kg)! On apprécie la rigidité accrue du véhicule alors que la suspension, entièrement indépendante, a été élaborée en fonction de ce nouveau châssis. On obtient ainsi un véhicule qui semble beaucoup moins étriqué que celui de la précédente génération.

Sylvain Raymond

Photos : Denis Duquet

CHÂSSIS - CITADEL	
Emp/lon/lar/haut	3 042/5 075/1 925/1 801 mm
Coffre	490 à 2 393 litres
Réservoir	93 litres
Nombre coussins sécurité / ceintures	6 / 7
Suspension avant	indépendante, bras inégaux
Suspension arrière	indépendante, multibras
Freins avant / arrière	disque / disque
Direction	à crémaillère, assistée
Diamètre de braquage	11,3 m
Pneus avant / arrière	P265/50R20 / P265/50R20
Poids	2 312 kg
Capacité de remorquage	2 812 kg (6 199 lb)

COMPOSANTES MÉCANIQUES	
SXT, Crew Plus, Citadel	
Cylindrée, soupapes, alim.	V6 3,6 litres 24 s atmos.
Puissance / Couple	290 chevaux / 260 lb-pi
Tr. base (opt) / rouage base (opt)	A5 / Int
0-100 / 80-120 / 100-0 km/h	9,7 s / 8,0 s (est) / n.d.
Type ess. / ville / autoroute	Ordinaire / 13,0 / 8,9 l/100 km
R/T	
Cylindrée, soupapes, alim.	V6 5,7 litres 16 s atmos.
Puissance / Couple	360 chevaux / 390 lb-pi
Tr. base (opt) / rouage base (opt)	A6 / Int
0-100 / 80-120 / 100-0 km/h	7,5 s (est) / 6,0 s (est) / n.d.
Type ess. / ville / autoroute	Ordinaire / 16,6 / 10,1 l/100 km

FEU VERT

- Style réussi
- Finition à bord
- Boîte à six rapports (V8)
- Bonne capacité de remorquage

FEU ROUGE

- Boite cinq rapports (V6)
- Prix élevée
- Manque de soutiens des sièges

DU NOUVEAU EN 2012

Nouveau modèle

http://www.dodge.ca/

Plus d'informations dans la section statistiques en dernière partie du Guide

LA RÉHABILITATION D'UNE LÉGENDE

Pendant des années, la fourgonnette produite par Chrysler a été non seulement la plus populaire de sa catégorie, mais elle était en mesure de se débrouiller assez bien face à des rivales nippones pourtant dotées d'une motorisation plus moderne et dont la qualité de fabrication était plus relevée. Malheureusement, sa dernière révision majeure en 2008 avait été fort décevante: sa silhouette était rébarbative, sa motorisation poussive et son assemblage assez quelconque. C'était sous le règne de Cerberus, de triste mémoire.

Lorsque le constructeur Fiat a pris les commandes de la compagnie à la suite de la faillite de celle-ci, plusieurs étaient sceptiques quant à l'avenir de Chrysler. Et le fait qu'aucun nouveau produit n'ait été présenté pendant des mois ne rassurerait personne. Puis, au printemps 2011, de multiples nouveaux produits ont été dévoilés en rafale. Aucune transformation radicale, mais une foule d'améliorations qui ont complètement transformé la qualité de ces véhicules en général et leur agrément de conduite en particulier. Les fourgonnettes Grand Caravan de Dodge et la Chrysler Town & Country faisaient partie du lot. Pour ce qui est du Routan de Volkswagen, il s'agit essentiellement d'une fourgonnette Chrysler dotée d'un habitacle distinctif et d'une suspension plus sophistiquée. Par contre, le système Stow 'n Go n'est pas disponible dans cette dernière.

SILHOUETTE INCHANGÉE, HABITACLE AMÉLIORÉ

Plusieurs n'acceptent toujours pas cette silhouette équarrie caractéristique à cette fourgonnette. Mais il faudra faire avec jusqu'à la prochaine révision complète, qui n'est pas pour demain, on le craint. Par contre, on a grandement amélioré l'habitacle, tant en matière de design que de qualité des matériaux. Les plastiques durs ont disparu pour faire place à des garnitures souples et les matériaux choisis sont visiblement de meilleure qualité. De plus, on accède aux multiples espaces de rangement par des couvercles ou des tiroirs dont l'ajustement est très bon. Le clou de la planche de bord demeure les deux cadrans circulaires avec fond blanc et lettres noires, une présentation qui semble plaire aux stylistes de la maison. Ces deux cadrans principaux sont cerclés de rouge et sont du plus bel effet la nuit. On retrouve, à la droite du volant, le levier de vitesse, brillamment positionné, vraiment à la portée de la main. L'écran à affichage par cristaux liquides est unique en son genre en raison des illustrations graphiques utilisées et de la

CONCURRENTS

Honda Odyssey, Kia Sedona, Nissan Quest, Toyota Sienna

IMPRESSIONS DE L'AUTEUR	
Agrément de conduite :	4/5
Fiabilité :	3.5/5
Sécurité :	4/5
Qualités hivernales :	3.5/5
Espace intérieur :	5/5
Confort :	4.5/5

présentation de la route à choisir. Soulignons au passage que notre modèle d'essai était doté d'un système de cinéma, qui sera fortement apprécié des occupants des places arrière lors des longues randonnées.

Cette refonte a vu la disparition des sièges pivotants et de la table amovible. Par contre, le système Stow 'n Go permet toujours aux sièges de s'escamoter dans le plancher, une véritable bénédiction pour les personnes qui exploitent à fond le caractère multifonctionnel de ces fourgonnettes. Le confort de la seconde rangée est bon tandis que celui de la troisième rangée est correct. Une fois cette dernière remisée dans le plancher, l'espace de chargement devient fort impressionnant.

Toujours en ce qui concerne le transport d'objets, les travers de supports de toit sont appelés « Stow 'n Place ». Lorsqu'ils ne sont pas utilisés, il est possible de les remiser dans les supports latéraux, améliorant ainsi l'aérodynamique du véhicule.

ENFIN UN MOTEUR !

Depuis des années, la grande faiblesse des fourgonnettes de ce constructeur était le groupe propulseur. En effet, on proposait un assortiment de vieux moteurs V6 associés à des boîtes de vitesse automatiques plutôt douteuses. Cette fois, on a réglé le problème de belle façon en éliminant toute la quincaillerie du passé pour la remplacer par le tout nouveau moteur Pentastar V6 3,6 litres d'une puissance de 283 chevaux et couplé à une boîte automatique à six rapports. Ce moteur est non seulement puissant, mais sa conception mécanique est moderne. Ajoutez à cela une consommation de carburant améliorée et vous obtenez une transformation qui vaut la peine d'être soulignée. On nous propose également un autre moyen d'économiser du carburant : on retrouve, dans la partie inférieure centrale du tableau de bord, un bouton vert qui permet de modifier les passages des rapports de boîte de façon à réduire davantage la consommation d'essence.

Ce moteur est donc fort bien adapté et la boîte de vitesses m'est apparue correcte. Par contre, lorsqu'on enclenchait le rapport « D », une secousse se faisait sentir dans la transmission. Ce n'est pas une grosse secousse, mais assez pour être perçue. Sur la route, il est évident qu'un véhicule de ce poids et de cette configuration ne possède pas l'agilité et l'agrément de conduite d'une Mazda MX5. Par contre, la géométrie de la suspension a été révisée et la conduite est nettement plus intéressante qu'auparavant.

Avec un meilleur moteur, une finition beaucoup plus resserrée et un comportement routier amélioré, les fourgonnettes de Chrysler et la Routan de Volkswagen sont en mesure de livrer une chaude lutte aux Honda Odyssey et Toyota Sienna. Ces dernières n'ont qu'à bien se tenir !

Denis Duquet

CHRYSLER TOWN & COUNTRY

Photos : Denis Duquet

Catégorie	Fourgonnette
Échelle de prix	20 995 $ à 27 995 $ (2011)
Garanties	3 ans/60 000 km, 5 ans/100 000 km
Assemblage	Windsor, Ontario, Canada
Cote d'assurance	n.d.

CHÂSSIS - GRAND CARAVAN SXT STOW'N GO	
Emp/lon/lar/haut	3 078/5 144/2 000/1 725 mm
Coffre	915 à 3 967 litres
Réservoir	83 litres
Nombre coussins sécurité / ceintures	7 / 7
Suspension avant	indépendante, jambes de force
Suspension arrière	semi-indépendante, poutre de torsion
Freins avant / arrière	disque / disque
Direction	à crémaillère, assistée
Diamètre de braquage	12,0 m
Pneus avant / arrière	P225/65R16 / P225/65R16
Poids	1 960 kg
Capacité de remorquage	454 kg (1 000 lb)

COMPOSANTES MÉCANIQUES	
Grand Caravan, Town & Country, Volkswagen Routan	
Cylindrée, soupapes, alim.	V6 3,6 litres 24 s atmos.
Puissance / Couple	283 chevaux / 260 lb-pi
Tr. base (opt) / rouage base (opt)	A6 / Tr
0-100 / 80-120 / 100-0 km/h	9,2 s / 8,0 s / n.d.
Type ess. / ville / autoroute	Ordinaire / 12,2 / 7,9 l/100 km

VOLKSWAGEN ROUTAN

FEU VERT

- Moteur performant
- Tableau de bord élégant
- Polyvalence assurée
- Agrément de conduite en progrès
- Boîte automatique à six rapports

FEU ROUGE

- Silhouette controversée
- Fiabilité à déterminer
- Certains modèles onéreux
- Absence de rouage intégral

DU NOUVEAU EN 2012

Nouveau modèle dévoilé durant l'année-modèle 2011

http://www.dodge.ca/

Plus d'informations dans la section statistiques en dernière partie du Guide

UTILITAIRE... ET COMPACT!

À voir le volume de vente depuis quelques années, on comprend que vous êtes nombreux à vous intéresser au Dodge Journey. Tout comme ses principaux rivaux, le Kia Rondo et la Mazda5, le Journey fait partie de ces véhicules fort pratiques pour les familles en raison de leur capacité à accueillir plus de passagers. Ils proposent pratiquement tous les avantages d'une fourgonnette, mais dans un format réduit et surtout, à un prix plus abordable. Fort d'une refonte en 2011, le Journey demeure un excellent choix dans sa catégorie.

On ne peut le nier, la refonte apportée l'an passée à grandement amélioré le Journey et ce, à plusieurs chapitres. Le véhicule gagne en maturité et on a corrigé les principaux irritants. Ce Dodge offre plusieurs choix aux intéressés, un peu plus, d'ailleurs, que ses rivaux. Outre les différentes versions qui proposent des niveaux d'équipements distincts, deux motorisations sont offertes. Les modèles de bases viennent avec un moteur bien connu, le même qu'on trouve à bord depuis son introduction en 2009: un quatre cylindres de 2,4 litres développant 173 chevaux pour 166 lb-pi de couple.

Ce moteur, monté notamment à bord de la Dodge Caliber, se tire bien d'affaire. Mais vous n'attendez pas à être cloué au siège en accélération, surtout si vous transportez sept passagers. L'autre élément un peu moins reluisant de ce moteur, c'est qu'il est marié à une boîte automatique à quatre rapports, certes efficace et fiable, mais pas tellement moderne. Et ce n'est pas non plus l'économie de carburant qui fera pencher la balance en faveur de cette mécanique. Bref, à part le fait que les versions équipées de ce moteur sont les plus abordables de la gamme, il vaut mieux se tourner vers la seconde mécanique, surtout depuis 2011.

CONCURRENTS

Kia Rondo,
Mazda5

IMPRESSIONS DE L'AUTEUR

Agrément de conduite:	3.5/5
Fiabilité:	3/5
Sécurité:	4/5
Qualités hivernales:	4/5
Espace intérieur:	3.5/5
Confort:	3.5/5

UN V6 MIEUX ADAPTÉ

Chrysler a remplacé le glouton V6 de 3,5 litres par le nouveau fer de lance du constructeur: le V6 Pentastar de 3,6 litres, un moteur qui produit 283 chevaux et un couple de 260 livres-pied. Moderne, il dispose de l'injection directe, ce qui maximise sa puissance et son économie de carburant. Dans cette version, le moteur est jumelé à une boîte automatique à six rapports, qui maximise également la consommation du véhicule. Alors que depuis quelque temps, l'avantage revient au moteur quatre cylindres sur plusieurs modèles, dans le cas du Journey, c'est plutôt le V6 qui s'avère plus approprié, surtout lorsque l'on considère que les versions qui en

sont équipées sont loin d'être hors de prix. Finalement, le Journey dispose d'un avantage très intéressant sur ses rivaux, soit la disponibilité d'un rouage intégral. Toutefois, seule la version R/T, la plus cossue, en est équipée, ce qui limite quelque peu les possibilités. Dommage.

À l'extérieur, le Journey adopte un style plus dynamique que ses principaux rivaux. On apprécie ses lignes modernes et surtout, bien distinctes par rapport à une minivan... et c'est tant mieux! Voilà un véhicule dont l'aspect pratique est l'élément central, mais qui demeure tout de même agréable à l'œil. Autre bon point: les jantes qui ajoutent au dynamisme, surtout dans le cas de la R/T, la plus sportive des versions.

UN INTÉRIEUR AMÉLIORÉ

La refonte en 2011 aura également corrigé l'un des principaux défauts de ce multisegment: son habitacle. Oubliez les plastiques durs et les matériaux d'apparence bon marché, l'habitacle est depuis 2011 beaucoup plus raffiné. On a finalement compris qu'il n'est plus possible de s'en tirer avec des habitacles bas de gamme, surtout face à des concurrents à la page. Tout d'abord, les panneaux de portes offrent une finition plus soignée, alors que des parties souples situées aux endroits de contact assurent un confort supérieur. Même constat pour l'ensemble du tableau de bord dont l'instrumentation profite d'un style beaucoup plus moderne et très réussi. Tout en étant très esthétique, le tout est lisible, bien présenté et simple à comprendre.

On remarque immédiatement l'attention qui a été porté aux détails, comme les différentes garnitures et le rétroéclairage omniprésent. Le volant offre également une bonne prise en main et est beaucoup plus agréable au toucher. Le Journey profite également du nouveau système d'écran tactile, ce dernier permettant de contrôler notamment la climatisation et la chaîne audio. Le tout est simple et intuitif. Bref, voilà tout un habitacle en comparaison à ce que nous avons vu par le passé. Quant à l'aspect pratique, il s'avère hyper fonctionnel, tant par sa capacité d'accueillir sept passager, que par ses nombreux espaces de rangement.

La conduite est agréable et s'apparente à celle d'une voiture. C'est à cause de la position moins élevée, surtout par rapport à une fourgonnette. La direction est toutefois légèrement floue et peu communicative. Et un meilleur support de la part des sièges aurait été apprécié. Ceux qui aiment les véhicules dotés d'une tenue de route supérieure ne sont pas en reste puisqu'ils pourront se tourner vers la version R/T, qui profite d'une suspension plus ferme. Ses roues de 19 pouces ajoutent également à la stabilité du véhicule alors que son rouage intégral apporte une conduite optimale en toute saison.

Sylvain Raymond

Photos : Dodge

Catégorie	Multisegment, VUS
Échelle de prix	18 995 $ à 28 995 $ (2011)
Garanties	3 ans/60 000 km, 5 ans/100 000 km
Assemblage	Toluca, Mexique
Cote d'assurance	n.d.

CHÂSSIS - SXT	
Emp/lon/lar/haut	2 890/4 888/1 834/1 693 mm
Coffre	1121 à 1 915 litres
Réservoir	78 litres
Nombre coussins sécurité / ceintures	7 / 5
Suspension avant	indépendante, jambes de force
Suspension arrière	indépendante, multibras
Freins avant / arrière	disque / disque
Direction	à crémaillère, ass. variable
Diamètre de braquage	11,7 m
Pneus avant / arrière	P225/65R17 / P225/65R17
Poids	1 772 kg
Capacité de remorquage	454 kg (1 000 lb)

COMPOSANTES MÉCANIQUES	
SE Canada Value Pack	
Cylindrée, soupapes, alim.	4L 2,4 litres 16 s atmos.
Puissance / Couple	173 chevaux / 166 lb-pi
Tr. base (opt) / rouage base (opt)	A4 / Tr
0-100 / 80-120 / 100-0 km/h	12,5 s / 10,0 s / 45,6 m
Type ess. / ville / autoroute	Ordinaire / 10,8 / 7,5 l/100 km
SXT, Crew, R/T	
Cylindrée, soupapes, alim.	V6 3,6 litres 24 s atmos.
Puissance / Couple	283 chevaux / 260 lb-pi
Tr. base (opt) / rouage base (opt)	A6 / Tr (Int)
0-100 / 80-120 / 100-0 km/h	9,2 (est) / 7,9 (est) / 45,6 m
Type ess. / ville / autoroute	Ordinaire / 13,0 / 8,4 l/100 km

FEU VERT

- Conduite agréable
- Rouage intégral disponible
- Véhicule pratique
- Habitacle de qualité

FEU ROUGE

- Transmission 4 rapports (4 cylindres)
- Rouage intégral seulement dans une version
- Freinage moins mordant

DU NOUVEAU EN 2012

Nouveau modèle présenté durant l'année-modèle 2011

http://www.dodge.ca/

Plus d'informations dans la section statistiques en dernière partie du Guide

DODGE NITRO

DUO CATASTROPHIQUE

Si vous voulez expliquer à un étranger l'importance du malheur qui a frappé les sinistrés du Richelieu, et si cette personne travaille dans le monde de l'automobile, vous n'avez qu'à leur dire que cette inondation est comparable au duo Nitro/Liberty que nous propose Chrysler. En effet, ces deux véhicules tout terrain sont tellement en queue de peloton de leur catégorie qu'on peut parler de sinistrés. De sinistrés qui font pitié.

Dans la plupart des publications spécialisées, notre tandem vivote dans le bas du classement, aussi bien en fait de qualité d'assemblage, de performances, de tenue de route et j'en passe. Même l'incroyable réputation de Jeep ne réussit pas à leur donner un certain avantage. Et si j'étais un membre de la division Jeep, je serais « en beau maudit » après celles et ceux qui ont concocté ces nouveaux modèles. Après tout, ce sont les successeurs du Jeep Liberty de la première génération. Et il n'y a pas si longtemps, ce modèle était partout sur nos routes et sa popularité faisait l'envie de la concurrence. Amusez-vous à trouver un modèle de la seconde génération de nos jours… Vous n'en trouverez pas beaucoup et la plupart d'entre eux sont dans les cours des concessionnaires.

POUR LES NOSTALGIQUES

Si vous faites partie de ces gens pour qui le passé est toujours plus intéressant que le présent, vous avez des chances d'apprécier nos deux ratés. En effet, sur le plan de la motorisation, de la suspension et des transmissions, c'est un triste retour en arrière. Alors que Chrysler a modifié la plupart de ses modèles et les a dotés de groupes propulseurs améliorés, plus modernes sur le plan mécanique et plus puissants tout en consommant moins, notre duo doit se contenter de moteurs V6 poussifs dont les performances sont peu reluisantes.

CONCURRENTS
Chevrolet Equinox, Ford Escape, Hyundai Santa Fe, Kia Sorento, Mitsubishi Outlander, Nissan Xterra, Subaru Forester, Suzuki Grand Vitara, Toyota RAV4

IMPRESSIONS DE L'AUTEUR	
Agrément de conduite :	2 / 5
Fiabilité :	3 / 5
Sécurité :	3 / 5
Qualités hivernales :	4 / 5
Espace intérieur :	3 / 5
Confort :	3 / 5

Le moteur de base est un V6 de 3,7 litres d'une puissance de 210 chevaux associé à une vétuste boîte automatique à quatre rapports. Et comme l'insonorisation de ces deux véhicules est très sommaire, on a droit à une belle cacophonie des soupapes qui tentent de livrer la marchandise sous le capot. Les accélérations sont plus bruyantes qu'excitantes et, bien entendu, la transmission est un retour en arrière. En effet, la plupart des modèles concurrents proposent tout au moins un rapport de plus, quand ce n'est pas deux. Mieux vaut opter pour le moteur 4,0 litres, dont les 260 chevaux et la boîte automatique à cinq rapports permettent au conducteur de compter sur un groupe propulseur d'une certaine modernité. Malheureusement, dans les deux cas, la consommation de carburant est relativement élevée pour un véhicule de ces dimensions. Mais il faut également souligner que ce ne sont pas des poids légers, alors qu'ils pèsent pratiquement 2 tonnes chacun.

Comme il se doit, l'essieu arrière est rigide, ce qui n'augure rien de bon en fait de conduite. Si les deux modèles se partagent la même plate-forme, plus ou moins les mêmes éléments de suspension et les mêmes moteurs, ils se démarquent l'un de l'autre au chapitre du rouage intégral. En effet, le Nitro, malgré ses apparences de costaud, est doté d'un rouage 4x4 à temps partiel, qui n'est pas parmi les plus efficaces sur le marché. Au moins, il peut être commandé avec le rouage intégral Select-Trac II. Cela permet au Liberty d'afficher sur ses flancs l'écusson « Trail Rated », qui identifie les véhicules Jeep capables de rouler hors route sans problème.

RIEN DE POSITIF

Lorsque j'ai fait l'essai du Nitro, une de mes compagnes de travail, qui affectionne ce genre de véhicules, m'a demandé de lui prêter les clés pour un petit galop d'essai. Comme elle possède déjà un tout-terrain compact, c'était la personne toute désignée pour obtenir une seconde opinion. De retour au bureau après une randonnée d'une heure, elle a déposé les clés sur mon bureau en me disant : « J'ai beau essayer de trouver, je n'ai rien de positif à dire à propos du Nitro, mis à part que sa silhouette est attrayante. »

Cela démontre à quel point l'équipe responsable de leur développement est passée à côté de la coche. On ne peut que conclure qu'ils avaient un budget très mince pour tenter de trouver une succession valable au Jeep Liberty, qui jouissait alors d'une très grande popularité. Il était si populaire que la division Dodge voulait elle aussi son modèle, afin de bénéficier des retombées au chapitre des ventes. Malheureusement, ce fut un coup d'épée dans l'eau, puisque ce modèle est raté sur toute la ligne. Si au moins l'habitacle était confortable… La présentation est étriquée, les plastiques sont de qualité moyenne — si on veut être poli — et l'habitabilité est très modeste.

Une fois sur la route, le roulis et le tangage font partie du quotidien. Et si le véhicule est doté du moteur de 3,7 litres, le niveau sonore semble inversement proportionnel aux performances de ce dernier. Il faut préciser que le Jeep est nettement plus équilibré et offre une meilleure expérience au volant, bien que la position de conduite semble avoir été dessinée pour des personnes dont l'anatomie est très spéciale.

Puisqu'aucun changement majeur n'est apporté cette année, contrairement à plusieurs autres modèles de ces deux marques, on espère qu'on est en train de fignoler de nouvelles versions.

Denis Duquet

JEEP LIBERTY

Photos : Jeep et Denis Duquet

Catégorie	VUS
Échelle de prix	31 695$ à 34 420$ (2011)
Garanties	3 ans/60 000 km, 5 ans/100 000 km
Assemblage	Toledo, Ohio, É-U
Cote d'assurance	passable

CHÂSSIS - SXT 4X4	
Emp/lon/lar/haut	2 763/4 544/1 857/1 790 mm
Coffre	830 à 2 100 litres
Réservoir	74 litres
Nombre coussins sécurité / ceintures	4 / 5
Suspension avant	indépendante, bras inégaux
Suspension arrière	essieu rigide, multibras
Freins avant / arrière	disque / disque
Direction	à crémaillère, assistée
Diamètre de braquage	11,1 m
Pneus avant / arrière	P245/50R20 / P245/50R20
Poids	1 911 kg
Capacité de remorquage	907 kg (1 999 lb)

COMPOSANTES MÉCANIQUES	
Liberty, Nitro	
Cylindrée, soupapes, alim.	V6 3,7 litres 12 s atmos.
Puissance / Couple	210 chevaux / 235 lb-pi
Tr. base (opt) / rouage base (opt)	A4 (A5) / 4x4
0-100 / 80-120 / 100-0 km/h	9,5 s / 8,3 s / 43,2 m
Type ess. / ville / autoroute	Ordinaire / 14,0 / 9,7 l/100 km
Nitro	
Cylindrée, soupapes, alim.	V6 4,0 litres 24 s atmos.
Puissance / Couple	260 chevaux / 265 lb-pi
Tr. base (opt) / rouage base (opt)	A5 / 4x4
0-100 / 80-120 / 100-0 km/h	7,7 s / 6,7 s / 43,2 m
Type ess. / ville / autoroute	Ordinaire / 13,5 / 9,7 l/100 km

- Esthétique générale
- Rouage intégral plus sophistiqué (Liberty)
- Capacité de remorquage correcte
- Plusieurs accessoires songés
- Version Jeep

- Position de conduite pour invertébrés
- Motorisation à revoir
- Habitacle exigu
- Finition douteuse
- Valeur de revente catastrophique

DU NOUVEAU EN 2012

Aucun changement majeur

http://www.dodge.ca/

Plus d'informations dans la section statistiques en dernière partie du Guide

PUR SANG

Avec un moteur V8 d'anthologie, une boîte à double embrayage ultrarapide et une carrosserie qui ressemble plus à un avion de chasse qu'à une voiture de sport, la 458 Italia représente la quintessence du savoir-faire de la célèbre marque au cheval cabré et déborde d'innovations sur le plan technique.

Si la 458 Italia peut être qualifiée de véritable voiture de course avec plaque d'immatriculation, c'est en partie en raison de la filiation avec la supervoiture Enzo, produite à 400 exemplaires par Ferrari entre 2002 et 2004 qui elle aussi était très étudiée sur le plan de l'aérodynamisme. Mais ce qualificatif lui est également donné en raison du style de l'habitacle, carrément inspiré d'une voiture de compétition. Il suffit de prendre le volant en mains pour s'apercevoir que presque toutes les commandes y ont été intégrées, à la manière d'un volant de F1. Le tachymètre s'affiche avec la couleur jaune adoptée sur la F430 et en position centrale dans le bloc d'instruments, où il est flanqué de deux petits écrans servant à relayer les informations du système de navigation, de la radio ainsi qu'une reproduction digitale d'un indicateur de vitesse analogique.

UN V8 EXCEPTIONNEL

Dès le démarrage, la sonorité plus qu'évocatrice du V8 annonce la couleur d'une expérience de conduite hors de l'ordinaire et l'accélération initiale s'avère intense, surtout lorsque le moteur franchit la barre des 3200 tours-minute alors que le couple commence à se faire sérieusement sentir. À l'approche de sa limite de révolutions de 9000 tours-minute, le V8 rage avec un hurlement qui vient vous chercher jusque dans les tripes et, avec ses 570 chevaux pour 4,5 litres, ce moteur livre presque 125 chevaux par litre de cylindrée, ce qui est tout simplement phénoménal.

CONCURRENTS

Aston Martin DB9, Audi R8, Lamborghini Gallardo, Maserati Gran Turismo, Mercedes-Benz Classe SLR, Nissan GT-R

IMPRESSIONS DE L'AUTEUR		
Agrément de conduite :	■■■■■	5/5
Fiabilité :	DONNÉES INSUFFISANTES	
Sécurité :	■■■■■	5/5
Qualités hivernales :		NULLES
Espace intérieur :	■■■□□	3/5
Confort :	■■■□□	3/5

Les liaisons au sol sont assurées par des suspensions dont les amortisseurs sont pilotés électroniquement afin d'assurer la meilleure tenue de route en toutes circonstances et de réduire au maximum l'effet de plongée au freinage. L'une des particularités les plus appréciées de la boîte à double embrayage est la fonction qui permet de rétrograder successivement de plusieurs rapports lors d'un freinage appuyé à l'approche d'un virage en maintenant une pression constante sur le palier de commande de gauche. La direction s'avère plutôt légère, mais d'une précision remarquable, et la 458 Italia s'inscrit en virage comme un véritable scalpel, alors que le roulis est facilement contrôlé. Malgré son potentiel de performance très élevé, la 458 Italia est relativement facile à conduire et ne demande que très peu d'efforts de la part du conducteur, hormis d'apprendre à apprivoiser la nouvelle disposition des commandes au volant.

UNE NOUVELLE RIVALE SE POINTE

Les comparaisons entre la Ferrari 458 Italia et la nouvelle McLaren MP4-12C sont maintenant inévitables parce que ces deux voitures sont de conception très similaire étant toutes deux des sportives à moteur V8 logés en position centrale. Leur puissance est comparable avec 570 chevaux pour l'Italienne et 592 pour l'Anglaise et les deux marques se livrent une lutte de tous les instants dans le Championnat du monde de Formule 1, où elles sont d'ailleurs les deux seules écuries qui ont été engagées toutes les saisons depuis l'arrivée de McLaren en F1. Mais l'aspect le plus significatif qui permet de marquer la différence entre ces deux exotiques aux performances spectaculaires se situe au niveau de leurs systèmes électroniques de contrôle de la stabilité.

Les deux voitures permettent au conducteur de choisir le degré d'intervention de ces systèmes, mais seule la Ferrari autorise une désactivation complète par l'entremise du *mannetino* localisé sur le volant, alors que celui de la MP4-12C demeure en fonction, même lorsque le mode « track » est sélectionné. Il est donc plus facile de provoquer des glissades à l'accélérateur avec la Ferrari, qui ne rechigne pas du tout à l'idée de se faire traiter de la sorte, alors que la MP4-12C ne permet pas autant de latitude et qu'elle demeure plus sensible lorsque poussée à la limite. Bref, l'Italienne peut se montrer plus « joueuse » que l'Anglaise, elle qui récompense une approche plus précise, voire même chirurgicale, dans le style de pilotage. Vous l'aurez compris, il faut aller chercher loin et pousser les voitures à leurs limites pour trouver le facteur qui fait la différence.

Dévoilée en première mondiale au Salon de l'auto de Francfort, la nouvelle version Spyder de la Ferrari 458 Italia proposera sensiblement la même expérience de conduite, mais à ciel ouvert grâce à un toit souple en toile, qui a été préféré au toit rigide rétractable développé pour la California, pour des raisons de tradition et, surtout, pour ne pas pénaliser ce nouveau modèle d'un trop grand excédent de poids. Elle sera certainement plus lourde que le modèle conventionnel en raison de l'ajout d'éléments de structure pour préserver la rigidité de la voiture, mais les ingénieurs de la marque prétendent que le poids demeurera sous la barre des 1500 kilos. Par ailleurs, la version Spyder sera dotée de tous les éléments mécaniques et techniques que l'on retrouve sur la 458 Italia, et parions que la sonorité du moteur sera encore plus grisante au volant du cabriolet.

Gabriel Gélinas

Photos: Ferrari

Catégorie	Coupé
Échelle de prix	290 000 $ (2011)
Garanties	2 ans/illimité, 2 ans/illimité
Assemblage	Maranello, Italie
Cote d'assurance	n.d.

FERRARI 458 ITALIA

CHÂSSIS - 458 ITALIA	
Emp/lon/lar/haut	2 650/4 527/1 937/1 213 mm
Coffre	230 litres
Réservoir	86 litres
Nombre coussins sécurité / ceintures	2 / 2
Suspension avant	indépendante, double triangulation
Suspension arrière	indépendante, multibras
Freins avant / arrière	disque / disque
Direction	à crémaillère, assistée
Diamètre de braquage	n.d.
Pneus avant / arrière	235/35ZR20 / 295/35ZR20
Poids	1 485 kg
Capacité de remorquage	non recommandé

COMPOSANTES MÉCANIQUES	
458 Italia	
Cylindrée, soupapes, alim.	V8 4,5 litres 32 s atmos.
Puissance / Couple	570 chevaux / 398 lb-pi
Tr. base (opt) / rouage base (opt)	Séquentielle / Prop
0-100 / 80-120 / 100-0 km/h	3,6 s / n.d. / 32,5 m
Type ess. / ville / autoroute	Super / n.d. / 13,3 l/100 km

FEU VERT

- Performances spectaculaires
- Aérodynamisme étudié
- Sonorité évocatrice du V8
- Boîte à double embrayage très rapide

FEU ROUGE

- Prix stratosphérique
- Délais de livraison
- Utilisation estivale seulement
- Visibilité vers l'arrière

DU NOUVEAU EN 2012

Version cabriolet sera dévoilée en cours d'année

http://www.ferrariquebec.com/

Plus d'informations dans la section statistiques en dernière partie du Guide

ÉVOLUTION À VENIR

Le fait que la marque au cheval cabré ait récemment commercialisé de nouvelles versions de sa super Grand Tourisme signifie que le travail de développement de la prochaine génération de la 599 GTB Fiorano est déjà entamé. C'est que Ferrari a pris l'habitude de décliner de nouvelles variantes, plus exclusives encore, de ses modèles lorsque ceux-ci atteignent la fin de leur cycle de production.

CONCURRENTS
Aston Martin DBS,
Lamborghini Aventador,
Mercedes-Benz Classe SL,
Porsche 911

IMPRESSIONS DE L'AUTEUR	
Agrément de conduite : ■■■■■	5/5
Fiabilité : DONNÉES INSUFFISANTES	
Sécurité : ■■■■□	4/5
Qualités hivernales :	NULLES
Espace intérieur : ■■■□□	3/5
Confort : ■■■□□	3/5

Dans le cas de la 599 GTB Fiorano, ces signes avant-coureurs ont pris la forme de plusieurs variantes. On pense par exemple à la GTO ou encore à la 599XX, une véritable bête de course produite à seulement 30 exemplaires et dont la puissance du V12 de 6,0 litres a été gonflée à 720 chevaux. La très grande rareté de ce modèle fait en sorte que le prix d'une 599XX usagée mise en vente en Europe au printemps 2011 était de plus de 1,3 millions d'euros, un prix supérieur à celui demandé par le constructeur lorsque la voiture était neuve.

On a également dévoilé, en septembre 2010, au Mondial de l'Automobile de Paris, la 599 SA Aperta, une version cabriolet de la 599 GTB Fiorano, dont le nom rend hommage aux défunts dirigeants du carrossier italien soit Sergio et Andrea Pininfarina. La 599 SA Aperta n'a été produite qu'à 80 exemplaires, histoire de commémorer le 80ième anniversaire de Pininfarina, un partenaire de longue date de la marque de Maranello. Naturellement, toutes ces voitures ont trouvé preneurs. Sous le capot avant, le V12 développe 670 chevaux, soit la même puissance que la 599 GTO, mais la 599 SA Aperta se démarque par l'adoption d'un pare-brise à la fois plus court et plus incliné dont le pourtour est orné d'aluminium. De plus, la garde au sol de la 599 SA Aperta est moins élevée que celle du coupé, ce qui donne un look plus aérodynamique à ce cabriolet. Mentionnons qu'on lui a par ailleurs ajouté deux arêtes latérales, qui se prolongent à partir des deux arceaux de sécurité jusqu'au-dessus des ailes arrière, afin d'émuler la silhouette du coupé. Précisons en terminant que le toit de la 599 SA Aperta n'est qu'une simple capote de toile, très légère, conçue uniquement pour protéger l'intérieur en cas de besoin absolu. C'est que la vocation de ce modèle est d'évoluer lorsque la météo est au beau fixe…

Après le lancement de la FF en 2011, Ferrari s'apprêterait donc à revoir sa 599 GTB Fiorano afin de lui donner un nouveau souffle.

Les rumeurs qui courent à ce sujet font mention d'un moteur qui développerait 700 chevaux afin de donner la réplique à la nouvelle Aventador de Lamborghini. On dit aussi que le châssis ferait un usage plus intensif de matériaux légers comme l'aluminium et que la nouvelle 599 GTB Fiorano demeurerait une propulsion, l'usage du rouage intégral développé pour la FF n'étant apparemment pas au programme, du moins pour l'instant.

L'ÉPREUVE DU CIRCUIT

En prenant place à bord, on est immédiatement séduit par l'environnement très luxueux de la 599 GTB Fiorano, qui conjugue à la fois cuir, fibre de carbone et aluminium pour former un habitacle de très grand luxe. Le volant, qui est partiellement réalisé en fibre de carbone et qui n'est pas parfaitement circulaire, rappelle celui de la monoplace F1 de la Scuderia, avec l'intégration du bouton de démarrage, du manettino, qui permet de calibrer le degré d'intervention du système de contrôle électronique de la stabilité. On y trouve également des diodes lumineux dans la partie supérieure, qui indiquent au conducteur qu'il est temps de changer de rapport.

Dès le démarrage, le moteur adopte immédiatement un régime de 2 000 tours/minute, comme s'il désirait signifier qu'il est temps de prendre la piste. C'est un véritable cœur de feu qui anime la 599 puisque son moteur V12 est dérivé de celui de la très exclusive Enzo, que Ferrari n'a produit qu'à 399 exemplaires. Avec ses 620 chevaux, ce V12 atmosphérique ne concède que 40 chevaux à l'Enzo et livre un énorme potentiel de performance avec un ratio de 103 chevaux par litre de cylindrée. Dès le premier tour de circuit, c'est justement le moteur qui impressionne le plus, la poussée étant phénoménale dès les 3 000 tours/minute et jusqu'à la limite de 8 200. La 599 GTB Fiorano s'inscrit parfaitement en virage grâce à une direction très précise et dès qu'on atteint le point de corde des virages, on sent bien l'arrière de la voiture qui s'écrase légèrement, alors que le transfert de poids s'opère en accélération franche. Le freinage est à la hauteur des performances livrées par le moteur et ne pose sans doute aucun problème pour la conduite sur routes balisées. Mais la 599 GTB Fiorano demeure une GT et bien qu'elle soit extrêmement rapide en piste, elle ne l'est pas autant que les authentiques sportives de la marque au cheval cabré, qui sont mieux adaptées à la conduite sur circuit.

Qu'à cela ne tienne, il est difficile de faire mieux qu'une véritable bête de 620 chevaux lorsque vient le temps de choisir une GT et, à ce chapitre, la 599 GTB Fiorano déclasse complètement la Aston Martin DBS qui ne peut compter que sur un moteur capable de développer un peu plus de 500 chevaux…

Gabriel Gélinas

Photos: Ferrari

Catégorie	Coupé
Échelle de prix	403 120 $ à 450 000 $ (2011)
Garanties	2 ans/illimité, 2 ans/illimité
Assemblage	Maranello, Italie
Cote d'assurance	n.d.

CHÂSSIS - GTO	
Emp/lon/lar/haut	2 750/4 710/1 962/1 326 mm
Coffre	320 litres
Réservoir	105 litres
Nombre coussins sécurité / ceintures	2 / 2
Suspension avant	indépendante, bras inégaux
Suspension arrière	indépendante, triangles superposés
Freins avant / arrière	disque / disque
Direction	à crémaillère, ass. variable
Diamètre de braquage	11,6 m
Pneus avant / arrière	P285/30ZR20 / P315/35ZR20
Poids	1 605 kg
Capacité de remorquage	non recommandé

COMPOSANTES MÉCANIQUES	
599 GTB Fiorano	
Cylindrée, soupapes, alim.	V12 6,0 litres 48 s atmos.
Puissance / Couple	620 chevaux / 448 lb-pi
Tr. base (opt) / rouage base (opt)	M6 (Séquentielle) / Prop
0-100 / 80-120 / 100-0 km/h	3,7 s / 3,0 s / n.d.
Type ess. / ville / autoroute	Super / 19,8 / 13,1 l/100 km
GTO	
Cylindrée, soupapes, alim.	V12 6,0 litres 24 s atmos.
Puissance / Couple	670 chevaux / 457 lb-pi
Tr. base (opt) / rouage base (opt)	M6 (Séquentielle) / Prop
0-100 / 80-120 / 100-0 km/h	3,4 s / 2,8 s (est) / n.d.
Type ess. / ville / autoroute	Super / 19,8 / 13,1 l/100 km

- Performances exceptionnelles
- Style intemporel
- Exclusivité assurée

- Modèles exclusifs déjà tous vendus
- Prix stratosphériques
- Dimensions imposantes

DU NOUVEAU EN 2012

Aucun changement majeur

http://www.ferrariquebec.com/

Plus d'informations dans la section statistiques en dernière partie du Guide

IRRÉSISTIBLE SÉDUCTRICE

Premier coupé cabriolet produit par Ferrari, la California se distingue comme étant l'un des rares modèles de la marque à ne pas recevoir une désignation comptant trois chiffres. Au pays des 458 Italia et des 599 GTB Fiorano, seules la California et la nouvelle FF soulignent ainsi leur différence.

L'actuelle California a beau partager son nom avec la célèbre et mythique 250 GT California Spyder de 1952 et avec la 365 du milieu des années soixante, elle demeure une voiture résolument moderne et bien de son temps. Cette Ferrari adopte une motorisation V8 en position centrale-avant, ainsi qu'une silhouette qui a comme mission de charmer autant la traditionnelle clientèle masculine que la gent féminine. Une première pour le constructeur italien, selon son président Luca di Montezemolo. La voiture est également nommée en l'honneur de l'état américain, lui qui représente le plus gros marché de la marque… du moins, pour l'instant! En effet, les Chinois fortunés commencent à s'intéresser sérieusement aux sportives de haut calibre. Un gros changement, puisque jusqu'à tout récemment, cette clientèle très riche était plutôt habituée à se faire conduire par un chauffeur dans une berline de très grand luxe. Il faut croire que les temps changent…

Peu importe que l'on soit un homme ou une femme, Américain ou Chinois, la California sort le grand jeu pour séduire. Il faut dire qu'elle ne manque pas d'atouts pour parvenir à ses fins avec son allure un brin agressive, comme en témoigne sa partie avant. Et parce qu'il s'agit à la fois d'un coupé et d'un cabriolet, la California adopte un toit rigide rétractable, tout comme la Mercedes-Benz SL et plusieurs autres voitures actuelles. Par contre, si la partie avant fait l'unanimité, ce n'est pas le cas de la partie arrière qui essuie son lot de critiques en raison de sa hauteur et de sa largeur. Le galbe des rondeurs présentes à l'arrière a cependant sa raison d'être: il est en fait nécessaire pour laisser suffisamment d'espace dans le coffre pour le toit rigide, une fois replié. Cette opération, qui se fait en 15 secondes seulement, fait alors passer le volume du coffre de 340 à 240 litres seulement. Heureusement, comme c'est souvent le cas chez Ferrari, il est possible de commander en option, et à très fort prix, une ligne de bagages parfaitement adaptée au volume et aux dimensions du coffre, du moins lorsque celui-ci n'est pas encombré par les éléments du toit…

CONCURRENTS

Aston Martin Vantage,
Audi R8,
Maserati Gran Turismo,
Mercedes-Benz Classe SL,
Nissan GT-R,
Porsche 911

NOS IMPRESSIONS

Agrément de conduite:	4/5
Fiabilité:	DONNÉES INSUFFISANTES
Sécurité:	DONNÉES INSUFFISANTES
Qualités hivernales:	NULLES
Espace intérieur:	3/5
Confort:	3/5

Catégorie	Cabriolet
Échelle de prix	250 000$ (2011)
Garanties	2 ans/illimité, 2 ans/illimité
Assemblage	Maranello, Italie
Cote d'assurance	n.d.

DOUBLE EMBRAYAGE OU MANUELLE

La California est animée par un V8 de 4,3 litres développant 460 chevaux. Il est monté en position centrale-avant afin d'optimiser la répartition des masses. Voilà qui est presque parfait : le poids est réparti à 47 % sur le train avant et à 53 % sur l'arrière, puisque les ingénieurs de la marque ont décidé d'accoler la boîte de vitesses au différentiel sur le pont arrière. Développée par l'équipementier Getrag, la boîte à double embrayage compte sept rapports. Il s'agit là d'une pure merveille. Ses changements de rapports se font en 65 millièmes de seconde en conduite sportive. Toutefois, son comportement devient plus souple et plus fluide en conduite normale alors que le mode automatique est sélectionné. Une boîte manuelle conventionnelle à six vitesses est également au programme, mais il y a fort à parier que la très grande majorité des acheteurs choisira la boîte à double embrayage. Lancée à l'attaque en virages, la California fait preuve d'une très bonne tenue de route, malgré les calibrations plus souples de ses suspensions. Ces dernières font en sorte que l'on ressent un léger effet de plongée vers l'avant lors des freinages intenses, de même qu'un certain roulis en courbe, qui demeure toutefois bien contrôlé. Ici, le poids plutôt élevé de la California est en cause puisqu'elle fait tout de même 1 739 kilos.

Avec le toit en place, le niveau de confort est excellent, et il faut vraiment atteindre des vitesses largement supérieures à la limite permise avant de percevoir le bruit du vent. Mais le véritable plaisir de conduire la California se manifeste lorsque la voiture est découverte, ce qui permet d'apprécier au plus haut point la sonorité du V8, surtout lorsque celui-ci atteint sa limite de révolutions de 8 000 tours/minute.

NOUVELLE VERSION HELE

En septembre 2010, au Mondial de l'Automobile de Paris, Ferrari a présenté une nouvelle variante de sa California ayant reçu la désignation technique HELE – pour High Emotion Low Emissions. Vous l'aurez compris, le but de cette version est de réduire les émissions de gaz carbonique, dans une proportion de 23 % selon Ferrari. Elle adopte le dispositif Stop/Start, qui est utilisé sur les voitures à motorisation hybride et qui commande automatiquement l'arrêt du V8 lorsque la voiture s'immobilise à un feu rouge par exemple. Ce système le redémarre ensuite, en 230 millièmes de seconde, lorsque le conducteur relâche les freins quand le feu de circulation passe au vert. De plus, la version HELE adopte une gestion adaptative de la boîte à double embrayage ainsi qu'un compresseur de climatisation à contrôle électronique, donc plus efficace, en vue d'optimiser la consommation. Celle-ci s'en trouve d'ailleurs réduite de 1,6 l/100 kilomètres par rapport au modèle conventionnel. Bref, une autre belle Italienne qui saura plaire...

Gabriel Gélinas

Photos : Ferrari

CHÂSSIS - GT COUPÉ	
Emp/lon/lar/haut	2 670/4 563/1 902/1 308 mm
Coffre	240 à 340 litres
Réservoir	78 litres
Nombre coussins sécurité / ceintures	4 / 2
Suspension avant	indépendante, double triangulation
Suspension arrière	indépendante, multibras
Freins avant / arrière	disque / disque
Direction	à crémaillère, ass. variable
Diamètre de braquage	n.d.
Pneus avant / arrière	245/40ZR19 / 285/40ZR19
Poids	1 739 kg
Capacité de remorquage	non recommandé

COMPOSANTES MÉCANIQUES	
California	
Cylindrée, soupapes, alim.	V8 4,3 litres 32 s atmos.
Puissance / Couple	460 chevaux / 357 lb-pi
Tr. base (opt) / rouage base (opt)	Séq (M6) / Prop
0-100 / 80-120 / 100-0 km/h	3,9 s / 2,5 s / 31,0 m
Type ess. / ville / autoroute	Super / n.d. / 13,1 l/100 km

- Moteur performant
- Style distinctif
- Exclusivité assurée
- Très bonne tenue de route

- Prix stratosphérique
- Espace de chargement restreint
- Diffusion limitée
- Visibilité problématique

DU NOUVEAU EN 2012

Aucun changement majeur

http://www.ferrariquebec.com/

Plus d'informations dans la section statistiques en dernière partie du Guide

VIVE LE CULTE !

Depuis une bonne dizaine d'années, une vague de nostalgie déferle sur le monde automobile. Après les Ford Thunderbird (2002-2005), Volkswagen New Beetle (1999-2011) — une toute nouvelle Beetle arrive cette année, voir son essai plus loin dans le présent Guide de l'auto 2012 —, Mini (2002 à aujourd'hui) et les feux Chrysler PT Cruiser et Chevrolet HHR, c'est au tour de Fiat de nous faire profiter d'une icône du passé, la 500.

Pour la petite histoire, soulignons qu'une première 500, la Topolino, avait été produite en Italie entre 1936 et 1955. Mais la 500 qui a fait littéralement craquer le cœur des Italiens a été celle construite entre 1957 et 1975. Avec sa frimousse sympathique et son habitacle logeable à souhait, et malgré une foule de défauts, la Fiat 500, la Cinquecento comme ils disent là-bas (et ici aussi !), a trimballé des millions de personnes. Raviver la Fiat 500 n'était pas un gros défi. En raviver l'esprit, par contre, était plus osé en ces temps où la sécurité et le confort font foi de tout… ce qui était loin d'être le cas à l'époque !

Aussi bien le dire tout de suite, le pari que le constructeur s'était lancé a été gagné haut la main. Tout d'abord, Fiat a su garder sa 500 dans des dimensions très compactes. Mais si vous pouviez mettre une 500 2012 juste à côté d'une 500 d'antan, vous remarqueriez aussitôt à quel point celle d'aujourd'hui est plus volumineuse. Tout comme la Mini et la Beetle, d'ailleurs. De toute façon, TOUTES les voitures ont gagné en dimensions depuis quelques années. Et puis, si on avait conservé les données techniques de la génération 1957-1975, aucun de nos contemporains (ou presque) n'en aurait voulu. Ouvrons une petite parenthèse pour mentionner que la Fiat 500 est offerte aux Européens depuis 2008. Fermons la parenthèse.

CONCURRENTS

Scion iQ,
smart Fortwo

IMPRESSIONS DE L'AUTEUR

Agrément de conduite : ■■■■□	4 / 5
Fiabilité :	NOUVEAU MODÈLE
Sécurité : ■■■■□	4 / 5
Qualités hivernales : ■■■□□	3 / 5
Espace intérieur : ■■■■□	4 / 5
Confort : ■■■■	3.5 / 5

Le bon côté, c'est que l'espace habitable est franchement impressionnant compte tenu des dimensions extérieures. Le tableau de bord est des plus réussis et la plaque de plastique qui reprend la couleur de la carrosserie est du plus bel effet. Cependant, je trouve que le volant détonne dans cet univers. Mais comme l'été, je mets encore des bas blancs pas d'élastique avec des culottes courtes, j'éviterai les commentaires désobligeants sur son esthétisme… La plupart des plastiques sont de bonne qualité et leur assemblage m'est apparu très correct. Les sièges sont étonnamment confortables, mais j'ai toujours eu un peu de difficultés à trouver une bonne position de conduite, peu importe le modèle essayé depuis son lancement en Amérique en janvier 2011. Mon genou droit n'a de cesse de côtoyer la console centrale, ce qui devient agaçant à la longue. Mentionnons aussi que le siège du passager ne s'ajuste pas en hauteur et que les grandes personnes risquent de faire du frotte-coco avec le plafond.

Les places arrière ne paient pas de mine, certes, et le dégagement dévolu aux jambes est minimal (et tout juste correct pour la tête) mais le siège lui-même n'est pas inconfortable, même si les appuie-têtes peuvent en déranger certains. Les vitres latérales ne s'entrouvrent même pas, un relent de l'ancienne 500 !

TOIT DE TOILE, DÉTOILE-TOI

La grande nouveauté cette année est l'arrivée du modèle décapotable judicieusement baptisé... 500C. En fait, il ne s'agit pas d'un véritable cabriolet dans le sens où on l'entend généralement. Le toit est plutôt constitué d'une toile qui se replie vers l'arrière entre les montants latéraux qui, eux, demeurent en place... comme à l'époque! Il est possible de régler, électriquement, ce toit de toile en deux positions : on peut le faire coulisser pour former une espèce de grand toit ouvrant, un peu comme sur la Renault 5 de regrettée mémoire, et il est également possible de le faire descendre davantage de façon à dégager la partie arrière. Mais à ce moment-là, bye bye visibilité arrière.

Si la version régulière est un hatchback, le cabriolet a droit à un coffre séparé, beaucoup plus petit. Heureusement, il est possible, dans les deux cas, de replier le dossier des sièges arrière pour agrandir l'espace. Une fois rabattus, cependant, ils ne forment pas un fond plat. Ceux qui seraient tentés de chercher un pneu de secours sous le tapis du coffre risquent d'être déçus. Pour sauver du poids, certaines versions ne possèdent tout simplement pas cet accessoire, mais présentent plutôt un compresseur, placé sous le siège du conducteur, qui injecte dans le pneu fautif un matériau gommant. Sur les versions dotées d'un pneu de secours, celui-ci se trouve sous le véhicule, comme s'il s'agissait d'un gros VUS !

IL EN DÉPLACE DE L'AIR, LE MULTIAIR!

En ce qui a trait à la mécanique, il était évident que les ingénieurs de Fiat iraient piger dans les tablettes maison plutôt que d'aller chercher un Hemi chez Chrysler... Le moteur qui anime la petite Fiat 500 est un quatre cylindres de 1,4 litre développant 101 chevaux à 6500 tr/min et 98 livres-pied de couple à 4000 tr/min. Ce moulin est baptisé Multiair. Le terme Multiair réfère au calage variable des soupapes actionné grâce à un système électrohydraulique. Ce système, qui m'a semblé plutôt complexe, contrôle directement le flux d'air indépendamment pour chaque cylindre et pour chaque cycle. Ceci a pour effet d'augmenter la puissance du moteur, son couple et, surtout, de faire diminuer les rejets de CO_2.

Heureusement que ce système a aussi pour effet d'augmenter la puissance… car elle est encore très juste. C'est surtout à bas régime que ce manque d'enthousiasme est le plus évident. Un 0-100 km/h sous les 12 secondes ne peut d'ailleurs s'expliquer que par une tornade de dos.

Il faut dire que les transmissions ne sont pas étagées pour rendre le moteur plus performant. Visiblement dotées de rapports visant une faible consommation, il faut jouer du levier avec la manuelle, afin de garder « les tours hauts » pour avoir droit à des prestations un peu plus vigoureuses. Il faut toutefois apprécier les embrayages un peu mous et les leviers à la course longue. De son côté, l'automatique possède, heureusement, un mode manuel. Cependant, sur une voiture essayée au Québec, le passage des rapports inférieurs, autant en montée qu'en rétrogradation, était souvent saccadé. Sur le tableau de bord, on retrouve un bouton «Sport» qui, sans donner plus de chevaux à la voiture, retarde le passage des rapports et agit sur la précision de la direction, un tantinet vague en temps normal. Un bouton «Sport» au tableau de bord amène des changements de rapports plus tardifs et joue un rôle positif dans la précision de la direction.

Lors de notre dernière semaine d'essai, notre consommation moyenne a été de 6,9 l/100 km, ce qui respecte les données de Chrysler, mais qui est décevant compte tenu du poids de la voiture. Sans doute qu'un moteur plus puissant serait moins sollicité et consommerait moins. Et il serait sans doute moins bruyant en accélération…

Catégorie	Hatchback, cabriolet
Échelle de prix	15 995 $ à 20 800 $ (2011)
Garanties	3 ans/60 000 km, 5 ans/100 000 km
Assemblage	Toluca, Mexique
Cote d'assurance	n.d.

CHÂSSIS - SPORT	
Emp/lon/lar/haut	2 300/3 547/1 627/1 520 mm
Coffre	184 à 496 litres
Réservoir	40 litres
Nombre coussins sécurité / ceintures	7 / 4
Suspension avant	indépendante, jambes de force
Suspension arrière	semi-indépendante, poutre de torsion
Freins avant / arrière	disque / disque
Direction	à crémaillère, ass. électrique
Diamètre de braquage	9,3 m
Pneus avant / arrière	P195/45R16 / P195/45R16
Poids	1 074 kg
Capacité de remorquage	non recommandé

COMPOSANTES MÉCANIQUES	
POP, SPORT, LOUNGE	
Cylindrée, soupapes, alim.	4L 1,4 litre 16 s atmos.
Puissance / Couple	101 chevaux / 98 lb-pi
Tr. base (opt) / rouage base (opt)	M5 (A6) / Tr
0-100 / 80-120 / 100-0 km/h	13,3 s / 11,1 s / n.d.
Type ess. / ville / autoroute	Ordinaire / 8,7 / 6,9 l/100 km

CONFORT ÉTONNANT

Même si la 500 est une petite voiture, le confort est surprenant. Certes, c'est loin d'être parfait, mais à côté d'une smart, une 500 fait figure de Mercedes-Benz Classe S ! Les freins font un bon boulot, mais rappelons-nous qu'ils ont moins de 1 200 kilos à stopper.

Offertes à des prix bien étudiés (et passablement moins corsés que ceux demandés par Mini !), les Fiat 500 et 500C sont distribués par quelques dizaines de concessionnaires au Canada, dont la moitié provient Québec, là où, selon la logique, cette citadine devrait se vendre le mieux. Cependant, à moins de lancer des modèles différents à intervalles réguliers, la 500 pourrait n'être qu'une mode, comme l'a été avant elle la New Beetle.

Si la Mini est encore dans le coup, c'est justement grâce à ses nombreuses déclinaisons. Pour l'instant, on connaît le hatchback classique 500 et le cabriolet 500C. La version sport Abarth s'en vient dès l'an prochain. Et pourquoi pas, d'ici quelques années, une version Jardinière (Giardinetta), une sorte de familiale qui ferait une belle concurrence à la Mini Clubman ? Après tout, Fiat prévoit vendre entre 50 000 et 100 000 unités de la 500 en Amérique dès 2012…

Alain Morin

- Binette irrésistible
- Prix bien étudiés
- Conduite agréable
- Confort étonnant
- Habitabilité très correcte

- Moteur trop peu puissant
- Fiabilité à prouver
- Transmissions peu sportives
- Quelques bruits de caisse
- Bruyant en accélération

DU NOUVEAU EN 2012

Nouveau modèle

Photos: Marc Lachapelle

https://www.fiatcanada.com/

Plus d'informations dans la section statistiques en dernière partie du Guide

SOIGNEZ VOTRE VOCABULAIRE

Pour l'année modèle 2011, l'Edge a connu plusieurs améliorations tant au point de vue de la mécanique, de la silhouette que de l'habitacle lui-même. On parlait de changements substantiels, mais il aurait peut-être été plus exact de dire qu'il s'agissait d'une refonte complète.

Malgré tout, l'entrée en scène de ce modèle a quelque peu été escamotée. Car si on avait annoncé les changements apportés au cours de l'été dernier, il a fallu attendre tard à l'automne pour la mettre à l'essai. Sans compter que le fameux moteur EcoBoost de quatre cylindres qu'on nous avait promis s'est fait attendre plus longtemps encore. C'est ce qui arrive quand un constructeur modifie une incroyable quantité de modèles, tant en Amérique que sur les autres continents.

Cette année, à part l'arrivée d'un nouveau moteur, les changements apportés au véhicule sont relativement mineurs. J'ai tout de même apprécié la partie avant de cette version, avec sa calandre formée de deux languettes chromées au centre et sur lesquelles s'accroche le célèbre ovale bleu. Ajoutez à cela un pare-chocs avant chromé en section inférieure et vous avez un véhicule dont la présentation extérieure est loin d'être mauvaise. Il faut souligner également que la version sport arbore une calandre et un pare-chocs noirs afin d'accentuer le caractère sportif du véhicule, qui roule sur des roues de 22 pouces.

Ces détails donnent beaucoup de présence au véhicule. Toutefois, le porte-monnaie en souffrira lorsque viendra le temps d'installer des pneus d'hiver ou de remplacer les pneus d'origine. Quant aux grosses prises d'air de chaque côté de la partie avant, elles insufflent encore plus de caractère à ce véhicule. Au fond de ces orifices, on retrouve des feux de position.

CONCURRENTS
Hyundai Santa Fe,
Mazda CX-7,
Nissan Murano,
Subaru Tribeca,
Toyota Highlander

IMPRESSIONS DE L'AUTEUR	
Agrément de conduite :	4/5
Fiabilité :	4/5
Sécurité :	5/5
Qualités hivernales :	4.5/5
Espace intérieur :	4/5
Confort :	4/5

FORD, VOUS AVEZ UN PROBLÈME

L'habitacle revu en profondeur est une réussite en soi. La position de conduite est bonne, les sièges, qui offrent un bon support latéral, sont confortables et les sièges arrière sont en mesure d'accommoder la plupart des gabarits avec le niveau de confort assez élevé. Les matériaux sont de qualité, de nombreux détails donnent une impression de luxe et l'ensemble est fort élégant. Les stylistes ont su bien agencer les quelques éléments en aluminium brossé avec le plastique noir. Le cadran principal est assez gros et sa consultation se fait aisément. De plus, sur les branches horizontales du volant, on trouve de multiples commandes, notamment celles du

Catégorie	Multisegment
Échelle de prix	29 549 $ à 45 049 $ (2011)
Garanties	3 ans/60 000 km, 5 ans/100 000 km
Assemblage	Oakville, Ontario, Canada
Cote d'assurance	bonne

régulateur de croisière, de la téléphonie et du système de gestion des principales fonctions de la voiture. Et malheureusement, c'est là que les choses se gâtent. Vous direz que je suis trop vieux pour être habitué aux technologies modernes, et vous avez peut-être raison. Mais chez Ford, on a poussé la technologie un peu trop loin. Avec le MyFord Touch, plusieurs des commandes fonctionnent par effleurement et il devient difficile de contrôler quoi que ce soit.

Je dois avouer que j'ai eu plus de succès avec le système Sync à commande vocale. Par contre, il semble que mon vocabulaire soit trop « ecclésiastique » pour ce système, qui ne reconnaît pas les jurons traditionnels des Québécois. Chaque fois que j'émettais un juron, le système disait ne pas me comprendre. Les choses se sont aggravées au point où j'avais envie de donner un coup de hache dans le tableau de bord. Cela dit, le système MyFord Touch demeure une bonne idée, mais nécessite encore quelques ajustements.

ENCORE L'ECOBOOST!

Chez Ford, on croit dur comme fer en l'avenir des moteurs EcoBoost. Le principe est assez simple : on fait appel à des moteurs de petite cylindrée sur lesquels on greffe un ou deux turbocompresseurs à faible inertie en plus d'utiliser l'injection directe et le calage variable des soupapes. On obtient alors, toujours selon Ford, le meilleur des deux mondes. En effet, on est censé bénéficier à la fois de l'économie obtenue par une faible cylindrée et de la puissance relativement élevée d'un moteur turbocompressé. Mais c'est de la théorie. Il est vrai que les moteurs EcoBoost tiennent leurs promesses la plupart du temps. Toutefois, dès qu'on se prend à accélérer vigoureusement et à conduire de façon plus sportive, l'économie de carburant est diminuée d'autant. Sur l'Edge, il s'agit d'un moteur 2,0 litres produisant 237 chevaux. Il est associé à une boîte automatique à six rapports et peut équiper le modèle à traction avant ou à transmission intégrale.

Le moteur de série est un V6 de 285 chevaux associé à la boîte automatique six rapports à sélecteur bifonction SelectShift. Il y a aussi un modèle sport dont le V6 de 3,7 litres produit 305 chevaux. Les multiples améliorations apportées à la plateforme, à la suspension et à la géométrie de celle-ci ont quand même amélioré le comportement routier du Edge, qui est plus prévisible et davantage en mesure de dompter les mauvaises routes. Par contre, l'insonorisation reste perfectible.

Ce véhicule n'est pas parfait, mais sa polyvalence, sa silhouette élégante, la bonne idée de ne pas avoir placé une troisième rangée de sièges à l'arrière et la qualité de son habitacle sont autant d'éléments qui rendent ce véhicule fort intéressant. Espérons cependant que les ingénieurs de Ford amélioreront le système à commande tactile...

Denis Duquet

Photos: Alain Morin

CHÂSSIS - SEL TI

Emp/lon/lar/haut	2 824/4 679/2 223/1 702 mm
Coffre	912 à 1 951 litres
Réservoir	72 litres
Nombre coussins sécurité / ceintures	6 / 5
Suspension avant	indépendante, jambes de force
Suspension arrière	indépendante, multibras
Freins avant / arrière	disque / disque
Direction	à crémaillère, assistée
Diamètre de braquage	11,8 m
Pneus avant / arrière	P245/60R18 / P245/60R18
Poids	1 935 kg
Capacité de remorquage	907 kg (1 999 lb)

COMPOSANTES MÉCANIQUES

SE, SEL, LIMITED

Cylindrée, soupapes, alim.	V6 3,5 litres 24 s atmos.
Puissance / Couple	285 chevaux / 253 lb-pi
Tr. base (opt) / rouage base (opt)	A6 / Tr (Int)
0-100 / 80-120 / 100-0 km/h	8,9 s / 7,2 s / 42,9 m
Type ess. / ville / autoroute	Ordinaire / 11,9 / 8 l/100 km

FEU VERT

- Choix de moteurs
- Habitacle confortable
- Équipement de base complet
- Tenue de route sans surprise
- Bonne cote de sécurité

FEU ROUGE

- Système MyFord Touch à repenser
- Insonorisation perfectible
- Vocabulaire limité du système à commande parlée
- Fiabilité du moteur EcoBoost à prouver

DU NOUVEAU EN 2012

Moteur 2,0 litres Ecoboost sera offert en cours d'année

http://www.ford.ca/

Plus d'informations dans la section statistiques en dernière partie du Guide

FINIE LA COHABITATION FRATRICIDE !

Même si ces deux constructeurs font dorénavant cavalier seul, il n'y a pas si longtemps, Ford et Mazda développaient et produisaient des modèles conjoints qu'ils offraient au public sous deux noms différents. Cette période est définitivement terminée et la version Mazda du Ford Escape sera remplacée cette année par le CX-5, entièrement développé et fabriqué par Mazda dans ses usines japonaises. Bref, le Tribute nous quitte, tandis que le Ford Escape poursuit sa carrière sans trop de modifications, du moins pour l'année-modèle 2012.

CONCURRENTS
Chevrolet Equinox, Honda CR-V, Hyundai Tucson, Jeep Compass/ Liberty, Kia Sportage, Mitsubishi Outlander, Nissan Rogue, Subaru Forester, Suzuki Grand Vitara, Toyota RAV4, Volks Tiguan

IMPRESSIONS DE L'AUTEUR	
Agrément de conduite :	3.5/5
Fiabilité :	3.5/5
Sécurité :	4/5
Qualités hivernales :	4/5
Espace intérieur :	3.5/5
Confort :	3.5/5

Mais puisque Ford a transformé la quasi-totalité de ses modèles utilitaires sport, il ne faudrait pas se surprendre si l'Escape bénéficiait d'un remodelage d'ici peu. L'arrivée du Mazda CX-5 plus moderne et plus sophistiqué serait un incitatif chez Ford pour effectuer un sérieux dépoussiérage.

VIVE L'HYBRIDE !

Selon l'opinion publique, il n'y aurait que Toyota qui réussit à vendre des hybrides en grande quantité. Pourtant, cette perception qui n'est pas tout à fait exacte. Essayez, juste pour voir, de commander une version hybride de l'Escape. La plupart du temps, on vous répondra qu'il y a un délai de plusieurs semaines et que tous les modèles sont vendus. En effet, l'Escape Hybrid est très demandée. Ce n'est pas nécessairement en raison de sa mécanique qui est similaire à tous les autres modèles à motorisation hybride présentement sur le marché, mais c'est le seul VUS hybride de prix abordable. Le moteur thermique est un quatre cylindres de 2,5 litres associé à un moteur électrique suffisamment puissant pour faire une différence. Il est alimenté par une batterie nickel hydrure métallique de 330 volts. Mais si vous pensiez être en mesure de rouler sur de longues distances en mode électrique seulement, détrompez-vous. C'est possible, mais sur de très courtes distances. Comme il se doit sur un véhicule de ce genre, la puissance est transmise aux roues par une transmission à rapports continuellement variables (CVT) dont le rendement est dans la bonne moyenne. Cette version surprend par une motorisation relativement dynamique, qui permet également d'obtenir une consommation de carburant inférieure à 7,0 l/100 km. Ce qui n'est pas mal pour un utilitaire de cette catégorie.

Si vous faites partie des gens qui préfèrent l'Escape à moteur thermique seulement, deux choix s'offrent à vous. La version de base est

Catégorie	VUS
Échelle de prix	21 549 $ à 47 349 $ (2011)
Garanties	3 ans/60 000 km, 5 ans/100 000 km
Assemblage	Kansas City, Missouri, É-U
Cote d'assurance	bonne

CHÂSSIS - LIMITED TI 3.0L	
Emp/lon/lar/haut	2 619/4 437/2 065/1 722 mm
Coffre	889 à 1 903 litres
Réservoir	66 litres
Nombre coussins sécurité / ceintures	6 / 5
Suspension avant	indépendante, jambes de force
Suspension arrière	indépendante, multibras
Freins avant / arrière	disque / tambour
Direction	à crémaillère, ass. variable électrique
Diamètre de braquage	11,2 m
Pneus avant / arrière	P235/70R16 / P235/70R16
Poids	1 609 kg
Capacité de remorquage	907 kg (1 999 lb)

COMPOSANTES MÉCANIQUES	
Hybride	
Cylindrée, soupapes, alim.	4L 2,5 litres 16 s atmos.
Puissance / Couple	153 chevaux / 136 lb-pi
Tr. base (opt) / rouage base (opt)	CVT / Tr (Int)
0-100 / 80-120 / 100-0 km/h	9,9 s / 7,6 s / 45,0 m
Type ess. / ville / autoroute	Ordinaire / 6,6 / 7,3 l/100 km
XLT, Limited	
Cylindrée, soupapes, alim.	4L 2,5 litres 16 s atmos.
Puissance / Couple	171 chevaux / 171 lb-pi
Tr. base (opt) / rouage base (opt)	M5 (A6) / Tr (Int)
0-100 / 80-120 / 100-0 km/h	9,4 s / 7,8 s / 43,8 m
Type ess. / ville / autoroute	Ordinaire / 10,4 / 7,6 l/100 km
XLT, Limited 3,0	
Cylindrée, soupapes, alim.	V6 3,0 litres 24 s atmos.
Puissance / Couple	240 chevaux / 223 lb-pi
Tr. base (opt) / rouage base (opt)	A6 / Tr (Int)
0-100 / 80-120 / 100-0 km/h	7,8 s / 6,8 s / 44,2 m
Type ess. / ville / autoroute	Ordinaire / 11,5 / 8,7 l/100 km

dotée d'un quatre cylindres de 2,5 litres, mais qui n'est pas de cycle Atkinson, comme c'est le cas avec le modèle hybride. Il est associé à une boîte manuelle à cinq rapports, tandis qu'une transmission automatique à six rapports est proposée en option. Cette dernière est la seule à pouvoir être reliée au V6. Peu importe le moteur choisi, on peut sélectionner un modèle à traction avant ou à rouage intégral. Ce dernier mécanisme ne vous permettra pas de monter le mont Everest au volant de votre Escape, mais il se révélera adéquat la plupart du temps. Pour la majorité des conducteurs, le moteur quatre cylindres fait le travail. Sa consommation est correcte et ses performances dans la bonne moyenne. Le V6, pour sa part, est nécessairement plus doux et sa capacité de remorquage est de 3 500 livres (1 588 kilos) en comparaison des 1 500 livres (680 kilos) avec le moteur 2,5 litres.

RETOUR EN ARRIÈRE

Dès qu'on prend place à bord de l'Escape, on se rend immédiatement compte qu'il n'a pas été modifié sérieusement depuis quelques années. Ce n'est pas par manque d'élégance ou d'ergonomie, mais la présentation commence à démontrer ses origines un peu lointaines. Ce n'est pas désuet pour autant, puisque la plupart des commandes sont à la portée de la main et leur disposition logique. Les modèles équipés du système de navigation par satellite sont dotés d'un écran à diodes électroluminescentes encadré par des pavés de commandes de chaque côté. La présentation générale est correcte et la qualité des matériaux est dans la bonne moyenne. Mais nous sommes loin du raffinement proposé par les modèles Edge et Explorer, pour ne mentionner que ceux-ci.

En plus d'une de finition de bon aloi, la visibilité est bonne en raison d'une position de conduite élevée et d'une fenestration généreuse. La silhouette est peut-être quelque peu conservatrice, mais ses formes carrées permettent l'utilisation de vitres latérales de grand format. Conducteur comme passagers n'auront pas à se plaindre du confort des sièges et du support pour les cuisses. Les passagers de la banquette arrière sont choyés en fait d'espace pour la tête et les jambes, mais le siège n'est pas tellement confortable. On se doit toutefois de mentionner que l'accès et la sortie ne sont pas des plus faciles. Le hayon permet d'enfourner des objets encombrants dans un coffre-fort logeable. Enfin, la vitre arrière s'ouvre séparément, une bénédiction si on veut transporter des objets longs ou déposer des colis sans ouvrir le hayon.

Ses nombreuses qualités permettent à l'Escape de demeurer compétitif. Mais pour être en mesure de s'attaquer à une concurrence de plus en plus pointue, Ford devra résolument moderniser son Escape pour demeurer le modèle le plus populaire de la catégorie.

Denis Duquet

Photos: Ford

- Dimensions correctes
- Choix de moteurs
- Version hybride
- Prix compétitifs
- Comportement routier équilibré

- Lignes commencent à dater
- Consommation élevée du V6
- Certaines commandes à revoir
- Insonorisation perfectible

DU NOUVEAU EN 2012

Aucun changement majeur

http://www.ford.ca/

Plus d'informations dans la section statistiques en dernière partie du Guide

FORD EXPEDITION

À N'EN PLUS FINIR

Dans un monde où la plupart des constructeurs, Ford compris, présentent des moteurs de moins en moins gourmands, mais au moins aussi puissants, dans un monde où la chasse au moindre kilo superflu bat son plein, comment se fait-il que l'on retrouve encore des véhicules comme les Ford Expedition et Lincoln Navigator ? Parce qu'ils répondent toujours à un besoin.

À un besoin de moins en moins présent, soit, mais il reste encore des personnes qui demandent un véhicule présentant des capacités de charge et de remorquage élevées, en mesure de passer partout et de le faire dans un confort évident. Et c'est exactement ce qu'offre ce duo. Voyons-y de plus près…

Construits sur le châssis de la camionnette F-150, nos deux compères font preuve d'une solidité à toute épreuve. Ce qui tend à prouver qu'ils sont généralement utilisés pour des besoins professionnels ou spécialisés. D'ailleurs, ils sont surtout populaires auprès des entrepreneurs en construction et des familles qui traînent une roulotte. La capacité de remorquage d'environ 9 000 livres est là pour le prouver. Si les besoins en remorquage sont encore plus élevés, on entre dans la catégorie commerciale et Ford possède un catalogue des plus étoffés présentant ce type de véhicules. Toujours en ce qui concerne le remorquage, soulignons que les camions Ford (et Lincoln, bien entendu) possèdent un contrôle de stabilité de remorque qui, de concert avec les systèmes Advance Trac et d'anticapotage, applique les freins sur la ou les roues qui demandent à être ralenties. Pour avoir fait l'essai de ce système sur un Ford Flex, je peux vous assurer que ça fonctionne. Malgré nos efforts pour déstabiliser la remorque chargée, cette dernière et le véhicule se replaçaient dans le droit chemin comme par magie. Il ne faut cependant pas oublier que la physique a des lois qui sont immuables ! À noter que les rétroviseurs sont suffisamment grands pour bien voir la remorque qui suit.

CONCURRENTS

Cadillac Escalade, Chevrolet Tahoe, GMC Yukon, Infiniti QX, Land Rover Range Rover, Lexus LX, Mercedes-Benz Classe G/GL, Nissan Armada, Toyota Sequoia

IMPRESSIONS DE L'AUTEUR

Agrément de conduite :	4/5
Fiabilité :	3/5
Sécurité :	4.5/5
Qualités hivernales :	4.5/5
Espace intérieur :	5/5
Confort :	5/5

EXPÉRIENCE PARANORMALE

Un seul moteur est proposé, soit le sempiternel V8 de 5,4 litres qui ne développe pas une puissance extraordinaire, mais qui se reprend par son couple élevé. On a beau dire ce que l'on voudra, le fait que cette masse de plus de 2 700 kilos (environ 6 000 livres) puisse s'arracher à la force d'inertie et atteindre les 100 km/h en moins de 10 secondes tient du paranormal. Cependant, rien de paranormal dans la consommation… Même sans abuser du pied

Catégorie	VUS
Échelle de prix	50 549 $ à 65 549 $ (2011)
Garanties	3 ans/60 000 km, 5 ans/100 000 km
Assemblage	Louiseville, KY, É-U
Cote d'assurance	passable

CHÂSSIS - MAX LIMITED 4X4	
Emp/lon/lar/haut	3 327/5 621/2 332/1 974 mm
Coffre	1 206 à 3 704 litres
Réservoir	129 litres
Nombre coussins sécurité / ceintures	6 / 8
Suspension avant	indépendante, double triangulation
Suspension arrière	indépendante, multibras
Freins avant / arrière	disque / disque
Direction	à crémaillère, ass. variable
Diamètre de braquage	13,4 m
Pneus avant / arrière	P275/55R20 / P275/55R20
Poids	2 782 kg
Capacité de remorquage	3 946 kg (8 699 lb)

COMPOSANTES MÉCANIQUES	
Expedition, Navigator	
Cylindrée, soupapes, alim.	V8 5,4 litres 24 s atmos.
Puissance / Couple	310 chevaux / 365 lb-pi
Tr. base (opt) / rouage base (opt)	A6 / 4x4
0-100 / 80-120 / 100-0 km/h	8,9 s / 7,5 s / 45,2 m
Type ess. / ville / autoroute	Ordinaire / 16,7 / 11,5 l/100 km

droit, il est difficile de rouler sous la barre des 17 l/100 km. Une remorque derrière le véhicule (ou de la mauvaise volonté, c'est selon) et le 20 l/100 km devient tout à coup à portée de main. Et dites-vous que la transmission automatique, au fonctionnement irréprochable, comporte six rapports. S'il fallait qu'elle n'en compte que cinq, nous n'osons imaginer la consommation moyenne!

Si nos voisins sub-45e parallèle peuvent avoir un Expedition ou un Navigator deux roues motrices seulement, nous n'avons droit qu'au rouage 4x4. De toute façon, la propulsion ne serait pas très populaire ici, même si elle permet de remorquer quelques kilos supplémentaires.

Sur la route, alors qu'on s'attendrait au festival du roulis et du transfert de poids, on a droit à un comportement très civilisé… même s'il faut éviter les montées hormonales! La précision de la direction et le retour d'information qu'elle procure surprennent agréablement, pour un camion s'entend. Les pneus de 20 pouces de la plupart des versions y sont sans doute pour quelque chose. Ils y seront aussi pour quelque chose dans le compte de banque, lorsque viendra le temps de les remplacer…

GROS, VOUS DITES?

On l'a dit, ce duo propose des véhicules très gros. «Immenses» serait un qualificatif plus juste. Mais ces dimensions de stade olympique qui, avec raison, en rebuteraient plusieurs sont une véritable panacée pour d'autres. Et si les versions régulières ne sont pas suffisamment grandes, autant le Ford que le Lincoln sont proposés en version allongée. Alors là, ce n'est plus le stade olympique, c'est le parc au complet! Jusqu'à huit personnes peuvent y prendre place sans jamais se toucher les coudes ou sans que les jambes ou les têtes se sentent le moindrement coincées. Si l'Explorer présente une calandre rappelant les autres produits Ford, le Navigator reste fidèle à sa grille quadrillée et à ses phares pour le moins différents. Sans doute que la calandre corporative Lincoln ne lui siérait pas très bien.

Assez curieusement, alors que les ventes dans le créneau spécialisé du VUS grand format diminuent de plus en plus, la concurrence y est toujours vive. Pour tenter de faire la vie dure à l'Expedition et au Navigator, il y a bien Chevrolet/GMC/Cadillac avec leurs Tahoe, Suburban, Yukon et Escalade. Il ne faudrait pas oublier les Toyota Sequoia et Lexus LX570, ainsi que les Nissan Armada et Infiniti QX56. Mais dans le domaine du «truck», ce sont encore les Américains qui font la loi. Ils connaissent parfaitement ce marché et proposent des produits qui répondent à des besoins précis. Ce n'est pas pour rien que lorsqu'une entreprise indépendante veut transformer un VUS en limousine ou le transformer en véhicule blindé (pour le transport de politiciens, par exemple), elle se tourne toujours vers Ford ou GM.

Alain Morin

FORD EXPEDITION

LINCOLN NAVIGATOR

Photos: Ford

FEU VERT
- Confort étonnant
- Habitacle immense
- Capacité de remorquage élevée
- Comportement routier très correct
- Belle complicité moteur/transmission

FEU ROUGE
- Dimensions de cathédrale
- Alcoolique invétéré
- Roues de 20 pouces = $$$$
- Véhicule extraordinairement lourd
- Marché en fort déclin

DU NOUVEAU EN 2012

Aucun changement majeur

http://www.ford.ca/

Plus d'informations dans la section statistiques en dernière partie du Guide

ÉDULCORER POUR POPULARISER

Qu'on en commun la Volkswagen Jetta et le Ford Explorer ? Pas grand-chose, me direz-vous. Vous n'avez pas tout à fait tort. Sauf que dans le cas de ces deux véhicules, les marques allemande et américaine suivent le même raisonnement : pour augmenter leurs ventes, il faut les rendre plus accessibles au grand public. Dans les deux cas, ça fonctionne. Au grand désespoir des puristes qui ont perdu « leurs » Jetta et « leurs » Explorer.

Sans élaborer davantage sur la Jetta — lisez le texte à cet effet en page 604 —, il serait à propos de préciser que, dans le cas de l'Explorer, Ford ne fait que suivre la tendance actuelle qui demande des véhicules moins énergivores, plus branchés et plus confortables. Le nouvel Explorer est tellement différent de celui de la génération précédente qu'on aurait pu lui trouver un nouveau nom. Mais comme la désignation « Explorer » est reconnue par 96 % de la population américaine — même le pape est moins connu ! — la question n'a probablement même pas été abordée.

RARES SONT LES CHALETS AU SOMMET DE L'EVEREST

Pour cette nouvelle génération, l'Explorer n'est plus bâti sur une plate-forme à échelle comme sur une camionnette régulière, mais plutôt sur un châssis monocoque dérivé de celui du Ford Flex. Après s'être jetés sur les VUS comme des journalistes automobiles sur un buffet gratuit, les gens se sont rendus compte que le bonheur ne résidait peut-être pas dans l'ascension de l'Everest, et que le trou de boue de trois pouces de profondeur sur la route menant au chalet ne requerrait pas un 4x4 débrayable. Aussi, le niveau d'inconfort n'en valait peut-être pas le coup, ni le coût. Car un véhicule conçu pour s'attaquer aux pires conditions est généralement un alcoolique de haut niveau. Parlez-en aux propriétaires de Jeep Wrangler !

CONCURRENTS
Jeep Grand Cherokee,
Nissan Pathfinder,
Toyota 4Runner

IMPRESSIONS DE L'AUTEUR	
Agrément de conduite :	4/5
Fiabilité :	4/5
Sécurité :	5/5
Qualités hivernales :	4.5/5
Espace intérieur :	4/5
Confort :	4.5/5

Le nouvel Explorer n'a donc plus les capacités d'antan pour affronter la misère. Il existe même une version à roues avant motrices. Eh oui, un Explorer à traction. Les temps changent. Au Canada, les versions à rouage intégral seront assurément plus populaires. Une seule version est offerte avec les roues motrices à l'avant et je soupçonne Ford de la proposer uniquement pour afficher un prix alléchant dans ses publicités. Et aussi pour avoir un véhicule 85 kilos moins lourd…

LE TERRAIN MANAGEMENT

Le rouage intégral de l'Explorer est loin d'être aussi performant en hors-route qu'un vrai 4x4. Une molette, située sur la console, active un système baptisé Terrain Management. Ce système ressemble à celui proposé par Land Rover, ce qui n'est pas si étrange au fond, quand on sait que lorsqu'il a été développé, Ford était propriétaire de la prestigieuse marque britannique. Ce rouage est étonnamment sophistiqué et saura amplement répondre aux besoins communs des utilisateurs. La molette permet de choisir, à la volée, parmi quatre modes (normal, sable, boue et neige) et de sélectionner la fonction d'assistance en descente.

L'hiver dernier, dans le cadre d'essais dans la belle région de Charlevoix, nous avons pu mettre le Terrain Management à l'essai. Sur un chemin enneigé et tortueux, nous avons pu atteindre des vitesses assez élevées sans jamais prendre au dépourvu ce véhicule. Le système gère la puissance du moteur, la transmission et les freins en vue d'optimiser la traction, selon le type de chaussée choisi. Quant au système de contrôle en descente, il emmène la véhicule au bas d'une pente prononcée en toute sécurité, sans que le conducteur touche le moindrement au frein, le système gérant tous les paramètres, même sur une surface glissante. Du beau travail Ford, mais qu'on retrouve maintenant chez plusieurs autres fabricants.

Il y a aussi le « Curve Control » ou, comme dirait Molière « Contrôle en courbe ». En fait, il s'agit d'une version améliorée du système Advanced Trac déjà proposé sur plusieurs VUS de Ford. Ce système fonctionne aussi bien sur la neige que sur l'asphalte et de façon transparente.

EN ATTENDANT L'ECOBOOST

Côté moteur, on en retrouve un seul pour le moment, soit un V6 de 3,5 litres atmosphérique. Sa puissance n'est pas la plus élevée de la catégorie, qui comprend aussi le Jeep Grand Cherokee et le Honda Pilot. Il y a aussi les Toyota 4Runner et Nissan Pathfinder, mais comme ces derniers font partie des 4x4 purs et durs bâtis sur un châssis de camionnette, ils ne sont pas en concurrence directe avec les trois autres. Toujours est-il que le 3,5 de Ford procure des accélérations et des reprises tout à fait convenables qui feront l'affaire la plupart du temps. Cependant, l'Explorer est un véhicule lourd, comme tous les produits Ford, ce qui le pénalise au chapitre de la conduite et de la consommation. La transmission a beau être une automatique à six rapports, peu importe le nombre de roues motrices, il est très difficile de s'en tirer avec une consommation moyenne sous les 12,0 litres aux cent kilomètres, même en maintenant les révolutions du moteur à un niveau très acceptable (1 800 tr/min à 100 km/h). Et pour en arriver à ce chiffre, il aura fallu au moins 90 % d'autoroutes à une vitesse constamment légale sans vent de face. Un quatre cylindres 2,0 litres, de type Ecoboost (injection directe et turbocompressé) sera bientôt offert.

Dans la transition entre les deux générations, l'Explorer a perdu des plumes au chapitre du remorquage. Désormais, au lieu de présenter des capacités à en déloger la Place Ville-Marie de son solage, on se contente d'offrir ce que les autres constructeurs proposent, soit un maximum de 2 268 kilos (5 000 livres). Pour le V6 bien entendu. Le 2,0 litres ne pourra remorquer que 907 kilos (2 000 livres). En fait, les gens devront cesser d'associer Explorer et remorquage extrême, du moins tant qu'un V6 Ecoboost ne sera pas proposé, ce qui ne semble pas encore dans les plans de Ford.

INTÉRIEUR AGRÉABLE

L'habitacle a connu des modifications profondes et le tableau de bord reprend les thèmes chers à Ford. Les matériaux sont donc d'excellente qualité et sont bien assemblés. Le silence de roulement est impressionnant et les jauges du tableau de bord sont confiées à la technologie ACL, ce qui permet de choisir les informations désirées parmi une foule de menus relativement simples à comprendre.

Le MyFord Touch est cependant moins simple à comprendre. Sachez que je tape allègrement sur ce système dans mon analyse du Lincoln MKX (en page 404), si ça vous intéresse. Toutefois, je dois avouer que dans le Ford, j'ai réussi à brancher mon téléphone portable sans trop de difficultés. Allez savoir pourquoi. Avant de terminer, notons que les piliers « A » sont très larges et amputent une partie du champ de vision, surtout lorsqu'on négocie un coin de rues.

Les sièges avant sont très confortables, de même que ceux de la deuxième rangée. Mais ils sont tous un peu difficiles d'accès, le véhicule étant assez haut de terre. Accéder à la troisième rangée demande une certaine gymnastique mais, une fois rendu sur place, on est étonné du confort. Lorsque cette rangée de dépannage est remisée, l'espace de chargement devient très grand. Par contre, le seuil du coffre est élevé et il n'y a pas de bande de caoutchouc sur le dessus du pare-chocs, ce qui laissera invariablement des marques.

BIEN ADAPTÉ

Le Ford Explorer, on l'a déjà dit, est désormais construit sur une plate-forme monocoque et dès qu'on prend la route, on remarque que les aléas de notre réseau routier sont bien absorbés et que les courbes sont prises avec assurance, même si la direction manque un peu de précision et de beaucoup de retour d'information. Malgré le poids élevé, le roulis est bien maîtrisé, mais les sièges pourraient retenir davantage le corps.

Définitivement moins « camion » qu'avant, donc moins efficace en hors-route et en situation de remorquage, le nouvel Explorer rejoint un public beaucoup plus large. Les nostalgiques de la belle époque pourront toujours se rabattre sur les Nissan Pathfinder et Toyota 4Runner. Quant au 2,0 litres à venir, il sera sans doute moins puissant, mais il devrait permettre de sauver beaucoup de sous à la pompe.

Alain Morin

Photos : Sylvain Raymond

Catégorie	VUS
Échelle de prix	31 549 $ à 45 749 $ (2011)
Garanties	3 ans/60 000 km, 5 ans/100 000 km
Assemblage	Chicago, Illinois, É-U
Cote d'assurance	moyenne

CHÂSSIS - LIMITED V6 4WD

Emp/lon/lar/haut	2 860/5 006/2 291/1 803 mm
Coffre	595 à 2 285 litres
Réservoir	70 litres
Nombre coussins sécurité / ceintures	6 / n.d.
Suspension avant	indépendante, jambes de force
Suspension arrière	indépendante, multibras
Freins avant / arrière	disque / disque
Direction	à crémaillère, ass. électrique
Diamètre de braquage	n.d.
Pneus avant / arrière	P255/50R20 / P255/50R20
Poids	2 146 kg
Capacité de remorquage	2 268 kg (5 000 lb)

COMPOSANTES MÉCANIQUES

Ecoboost	
Cylindrée, soupapes, alim.	4L 2,0 litres 16 s turbo
Puissance / Couple	237 chevaux / 250 lb-pi
Tr. base (opt) / rouage base (opt)	A6 / Tr
0-100 / 80-120 / 100-0 km/h	n.d. / n.d. / n.d.
Type ess. / ville / autoroute	Ordinaire / n.d.

V6	
Cylindrée, soupapes, alim.	V6 3,5 litres 24 s atmos.
Puissance / Couple	290 chevaux / 255 lb-pi
Tr. base (opt) / rouage base (opt)	A6 / Tr (4x4)
0-100 / 80-120 / 100-0 km/h	8,8 s / 7,2 s / 42,0 m
Type ess. / ville / autoroute	Ordinaire / 12,5 / 8,8 l / 100 km

FEU VERT

- Nom reconnu
- Niveau de confort élevé
- Silence de roulement confirmé
- Système Terrain Management intéressant
- Moteur quatre cylindres à venir

FEU ROUGE

- Capacités de remorquage à la baisse
- Hors-route moins évident qu'avant
- Consommation assez élevée (V6)
- Système MyFord Touch complexe
- Véhicule lourd

DU NOUVEAU EN 2012

Moteur quatre cylindres Ecoboost sera offert en cours d'année

http://www.ford.ca/

Plus d'informations dans la section statistiques en dernière partie du Guide

L'ÉTERNEL DUR-À-CUIRE

Année après année, les communiqués de presse de la compagnie Ford ne cessent de vanter les mérites de la camionnette F-150 et de sa position dominante sur le marché. En effet, avant la plus récente crise économique, ce véhicule était le plus vendu, non seulement aux États-Unis, mais dans le monde entier. La récession a fortement frappé les États-Unis, les ventes des camionnettes ont diminué et le champion de chez Ford n'a pas été épargné.

Malgré cela, au lieu de couper dans le développement de produits futurs, la direction de la compagnie a décidé d'améliorer cette camionnette et surtout, de transformer les moteurs disponibles. Le F-150 a donc été passablement transformé en 2009, alors que sa silhouette a été modifiée et son habitacle grandement revu et corrigé. Puis, en 2011, ce fut au tour des moteurs.

EXTÉRIEUR COSTAUD, HABITACLE RAFFINÉ

Même si cela aide à faire vendre ce modèle, je me suis toujours opposé à ce que les stylistes de la compagnie Ford adoptent des lignes qui donnent au F-150 l'apparence d'être plus gros qu'il ne l'est en réalité. Comme c'est déjà un costaud, on se questionne sur le bien-fondé de cette façon de faire. Mais compte tenu du succès des ventes, difficile de s'opiniâtrer.

La signature visuelle de cette camionnette est sa grille de calandre dotée de barres transversales chromées, encadrées dans un rectangle lui-même chromé. On ne fait pas dans la dentelle et la reconnaissance visuelle est sans faille. Ajoutez à cela des parois relativement planes, des passages de roues en relief, un capot plat, un pare-chocs relativement imposant, et l'impression de dur de dur est totale. Cela n'empêche toutefois pas Ford d'offrir un peu de raffinement par l'intermédiaire de jantes chromées qui sont d'un bel effet. Notre véhicule d'essai était doté d'un marchepied escamotable à commande électrique qui fonctionnait à merveille. Contrairement à plusieurs autres marchepieds proposés par la concurrence, celui du F-150 n'est pas cylindrique, mais plat. Cela facilite l'accès à bord.

CONCURRENTS

Chevrolet Silverado,
Dodge RAM,
GMC Sierra,
Nissan Titan,
Toyota Tundra

IMPRESSIONS DE L'AUTEUR

Agrément de conduite :	4/5
Fiabilité :	4.5/5
Sécurité :	4/5
Qualités hivernales :	3/5
Espace intérieur :	4/5
Confort :	3.5/5

Il faut rendre hommage aux stylistes qui ont conçu cette cabine et notamment la planche de bord. Ils ont réussi à amalgamer le luxe d'une berline au caractère pratique d'une camionnette. Ces designers ont opté pour deux cadrans indicateurs avec les chiffres noirs sur fond blanc qui sont faciles à consulter. En outre, trois autres petits cadrans circulaires sont placés sur la partie centrale supérieure de la

Catégorie	Camionnette
Échelle de prix	21 649 $ à 66 449 $ (2011)
Garanties	3 ans/60 000 km, 5 ans/100 000 km
Assemblage	Oakville, Ontario, Canada
Cote d'assurance	moyenne

nacelle. Le volant est relativement sobre, mais il se prend bien en main tandis que plusieurs commandes sont placées le long des rayons verticaux. La console centrale est située entre deux bandes verticales abritant les buses de ventilation, et sur le côté gauche, on trouve le bouton servant à régler la transmission intégrale. Ajoutons que la version de base propose un rouage 4x4 avec commande manuelle au plancher. De plus, les sièges avant sont confortables et offrent un bon support latéral, du moins pour une camionnette. Les places arrière sont très généreuses et il est facile de transporter des objets encombrants dans la cabine en relevant la banquette.

L'ECOBOOST EN VEDETTE

Mais le grand changement apporté à cette camionnette est survenu l'an dernier alors qu'on a complètement révisé l'offre de la motorisation, tout en conservant la plate-forme, les suspensions et autres configurations mécaniques apportées en 2009. En effet, les moteurs proposés précédemment étaient corrects, mais alors que certains consommaient trop, d'autres n'avaient pas le raffinement voulu.

Voici donc un joyeux quatuor capable de répondre aux besoins la plupart des acheteurs potentiels. Il y a tout d'abord le moteur V6 de 3,7 litres. Ses 302 chevaux en font le moteur V6 le plus puissant de sa catégorie et le plus économe en carburant.

Mais une camionnette de ce genre se doit d'offrir des moteurs V8. Le F-150 en propose deux. Le moteur V8 5,0 litres a la même cylindrée qu'auparavant, mais il a été sérieusement modifié avec son calage des soupapes variables et ses doubles arbres à cames en tête. Ses 360 chevaux assurent une capacité de remorquage de 10 000 livres. Pas mal pour une camionnette d'une demi-tonne. Si ce moteur vous laisse indifférent — sait-on jamais ! —, Ford a quelque chose d'autre à vous proposer : un V8 de 6,2 litres d'une puissance de 411 chevaux et d'une capacité de remorquage de 11 300 livres, la meilleure de la catégorie. Ce moteur est de la vieille école avec ses soupapes en tête et deux soupapes par cylindre.

D'autre part, le moteur vedette en 2012 sur le F-150 est sans contredit le tout nouveau moteur V6 EcoBoost de 3,5 litres produisant 365 chevaux, soit cinq de plus que le V8 5,0 litres. Ce V6 possède une capacité de remorquage de 11 300 livres, un avantage de 1 300 livres par rapport aux camionnettes équipées du moteur V8 5,0 litres. Et pour nous convaincre de la solidité et des capacités de ce moteur, la direction de Ford a multiplié les tests extrêmes et les essais comparatifs avec la concurrence. Mais il faudra plus que cela pour convaincre les traditionnalistes.

S'il est vrai que la suspension est ferme lorsque le véhicule n'est pas en charge, sa conduite impressionne par sa tenue en virage et la puissance des freins. Ajoutez à cela la nervosité du moteur EcoBoost et vous avez là des arguments difficiles à contrer.

Denis Duquet

Photos: Marc Lachapelle

CHÂSSIS - KING RANCH 4X4 CAB. SUPER CREW	
Emp/lon/lar/haut	3 988/6 195/2 012/1 920 mm
Longueur de boîte	1 981 mm (78,0 pouces)
Réservoir	136 litres
Nombre coussins sécurité / ceintures	6 / 5
Suspension avant	indépendante, double triangulation
Suspension arrière	essieu rigide, ressorts à lames
Freins avant / arrière	disque / disque
Direction	à crémaillère, ass. variable électrique
Diamètre de braquage	15,4 m
Pneus avant / arrière	P275/65SR18 / P275/65SR18
Poids	2 593 kg
Capacité de remorquage	3 402 kg (7 500 lb)

COMPOSANTES MÉCANIQUES	
Cylindrée, soupapes, alim.	V6 3,7 litres 24 s atmos.
Puissance / Couple	302 chevaux / 278 lb-pi
Tr. base (opt) / rouage base (opt)	A6 / Prop (4x4)
Type ess. / ville / autoroute	Ordinaire / 12,8 / 8,9 l/100 km
Cylindrée, soupapes, alim.	V8 5,0 litres 32 s atmos.
Puissance / Couple	360 chevaux / 380 lb-pi
Tr. base (opt) / rouage base (opt)	A6 / 4x4 (Prop)
Type ess. / ville / autoroute	Ordinaire / 13,9 / 9,7 l/100 km
Ecoboost	
Cylindrée, soupapes, alim.	V6 3,5 litres 24 s turbo
Puissance / Couple	365 chevaux / 420 lb-pi
Tr. base (opt) / rouage base (opt)	A6 / 4x4 (Prop)
Type ess. / ville / autoroute	Ordinaire / n.d. / n.d.
Raptor	
Cylindrée, soupapes, alim.	V8 6,2 litres 32 s atmos.
Puissance / Couple	411 chevaux / 434 lb-pi
Tr. base (opt) / rouage base (opt)	A6 / 4x4 (Int, Prop)
Type ess. / ville / autoroute	Ordinaire / 19,1 / 14,2 l/100 km

FEU VERT

- Choix de moteurs
- Habitacle confortable
- Bonne tenue de route
- Multiples options
- Freinage puissant

FEU ROUGE

- Suspension sèche
- Certains pneus mal adaptés
- Absence d'un moteur diesel
- Plusieurs options onéreuses
- Fiabilité de l'EcoBoost à déterminer

DU NOUVEAU EN 2012

Abandon des moteurs 4,6 et 5,4 litres et arrivée des V6 3,7 et 3,5 Ecoboost et du V8 5,0 litres

http://www.ford.ca/

Plus d'informations dans la section statistiques en dernière partie du Guide

LA GRANDE PETITE

Moins incisive que la Mazda2 et que la Fiesta européenne, la Fiesta offerte chez nous compense par un intérieur haut de gamme et des équipements inattendus de la part d'une sous-compacte. Et en prime, la variante cinq portes exhibe une sacrée belle gueule!

Il y a deux ans, la compagnie Ford nous avait invités à conduire la Fiesta européenne dans les rues de Toronto. Nous notions alors une belle fermeté de suspension, une direction précise et une agilité fort plaisante. Pneus quatre-saisons et surplus de poids obligent, la version américaine de la Fiesta s'est un peu assagie, surtout en ce qui a trait à la suspension. Le résultat est qu'en piste, elle ne se montre pas aussi solide que ce que nous escomptions. Sa direction manque de résistance en son centre — mais ne critiquons pas trop cet aspect, il s'agit là de l'une des directions électriques les mieux réussies du marché — et la poutre de torsion, en guise de suspension arrière, a tendance à valser sur les cahots.

Dans l'ensemble, la tenue de route de la Ford Fiesta est donc moins prévisible et moins rassurante que celle de la Mazda2, décidément plus stimulante et instinctive à pousser dans ses retranchements.

Toujours sur circuit, et au détriment de la Fiesta, une autre voiture prouve que même en fin de cycle (ou presque), elle en a suffisamment dans le corps pour demeurer une concurrente de taille. Je parle ici de la Honda Fit, qui reste une menace à tout ce qui se fait de sous-compactes sur le marché.

ENTRE RÊVE ET RÉALITÉ

En Amérique du Nord, la Fiesta est offerte avec le moteur le plus puissant de sa gamme mondiale, soit le quatre cylindres de 1,6 litre pour 120 chevaux. (On aimerait bien le diesel, mais c'est une autre histoire… Et tant qu'à rêver, pourquoi ne pas espérer une traction intégrale?)

CONCURRENTS

Honda Fit,
Hyundai Accent,
Kia Rio/Rio5,
Nissan Versa,
Toyota Yaris

IMPRESSIONS DE L'AUTEUR	
Agrément de conduite:	3.5/5
Fiabilité:	3.5/5
Sécurité:	4/5
Qualités hivernales:	3.5/5
Espace intérieur:	3.5/5
Confort:	4/5

Dans une catégorie où la puissance joue dans la centaine de chevaux, on se dit que 120 suffiront à la tâche. C'est sans compter le fait que la Fiesta est plus lourde que la moyenne, d'où ses accélérations raisonnables, mais pas dithyrambiques. La variante à hayon reste cependant notre préférée, parce qu'à la balance, elle compte une bonne vingtaine de kilos en moins.

La transmission manuelle fait généralement bien paraître la voiture, mais elle ne compte que cinq rapports et à vitesse d'autoroute, le moteur qui révolutionne à presque 3000 tr/min nous fait régulièrement chercher une sixième vitesse. En vain. L'optionnelle automatique a toutes les allures de la modernité (six rapports et double embrayage),

Catégorie	Berline, Hatchback
Échelle de prix	14 449 $ à 20 449 $ (2011)
Garanties	3 ans/60 000 km, 5 ans/100 000 km
Assemblage	Cuautitlán Izcalli, Mexico
Cote d'assurance	n.d.

CHÂSSIS -SEL BERLINE	
Emp/lon/lar/haut	2 489/4 409/1 976/1 473 mm
Coffre	362 litres
Réservoir	45 litres
Nombre coussins sécurité / ceintures	7 / 5
Suspension avant	indépendante, jambes de force
Suspension arrière	semi-indépendante, poutre de torsion
Freins avant / arrière	disque / tambour
Direction	à crémaillère, ass. électrique
Diamètre de braquage	10,4 m
Pneus avant / arrière	P195/50R16 / P195/50R16
Poids	1 172 kg
Capacité de remorquage	n.d.

COMPOSANTES MÉCANIQUES	
Cylindrée, soupapes, alim.	4L 1,6 litre 16 s atmos.
Puissance / Couple	120 chevaux / 112 lb-pi
Tr. base (opt) / rouage base (opt)	M5 (A6) / Tr
0-100 / 80-120 / 100-0 km/h	10,7 s / 9,2 s / 43,2 m
Type ess. / ville / autoroute	Ordinaire / 7,1 / 5,3 l/100 km

mais malheureusement, six rapports dans ce cas, c'est trop : elle se cherche et ne se trouve pas toujours. Et aucun mode manuel ne vient aider sa cause. Toutefois, la beauté de la chose, c'est que l'économie en carburant est vraiment au rendez-vous. Et contrairement à la tendance, c'est encore mieux avec la boîte automatique.

BON CHARGEMENT

Il faut avouer que c'est dans sa version hatchback que la Fiesta se fait la plus jolie. La berline n'est pas laide, mais elle n'a pas ce punch moderne qui caractérise sa cousine à hayon. La faute incomberait-elle au tiers de mètre de plus avec lequel la quatre portes doit composer ? Peut-être.

Mais qui dit plus long, dit plus d'espace habitable. Logiquement, on s'attend à ce que la berline offre plus de dégagement que dans la cinq portes, notamment à l'arrière. Pourtant, ce n'est pas le cas : les dimensions intérieures sont identiques. Cela signifie que pour l'une comme pour l'autre, les genoux sont serrés à l'arrière — le propre de toute petite voiture, notez bien. Les grandes têtes sont aussi à l'étroit en raison de cette silhouette plus basse que la moyenne. Par contre, les occupants avant ne se frottent pas trop les coudes et, du côté de la hatchback, le chargement peut atteindre jusqu'à 965 litres (20 % de plus que la Mazda2). Autre bon point : le hayon s'élève suffisamment pour ne pas heurter les hauts fronts.

CARTE DE VISITE

Continuons avec l'intérieur, parce que c'est là que réside la plus belle carte de visite de la Fiesta. En effet, il est surprenant de pouvoir équiper autant une sous-compacte. Cependant, les gâteries varient au gré de l'échelle des versions, et plus on y grimpe, plus ça coûte cher. Reste qu'on aime la connectivité Sync, l'ordinateur de bord géré par sa molette intelligente, le démarrage sans clé et cette planche de bord en angle qui fait très techno.

Les matériaux sont de belle facture et les sièges sont confortables. Le volant accepte de s'ajuster en hauteur et en profondeur, et l'insonorisation est supérieure à la moyenne. Bref, on est loin de l'intérieur noir et sombre de l'écono-box d'antan. Bien au contraire, la cabine est accueillante — elle demande cependant un temps d'apprivoisement — et pour tout dire, on se sent dans plus gros que dans une petite cocotte qui débute sous les 15 000$.

Voilà, le prix est lancé et vous l'aurez deviné, à ce niveau-là, on se passe de climatisation et de groupe électrique. Pour obtenir un tant soit plus, ou encore pour s'offrir la variante cinq portes, il faut mettre au bas mot 3 000 $ supplémentaires. La marche est haute. La bonne nouvelle, c'est que si on est prêt à y mettre les sous, le cuir, la climatisation automatique et les sièges chauffants peuvent monter à bord.

Nadine Filion

Photos : Gilles Olivier

FEU VERT

- Beaucoup de style, intérieur comme extérieur
- Gadgets technologiques au rendez-vous
- Qualité de matériaux et d'assemblage
- Bonne insonorisation
- Cabine accueillante

FEU ROUGE

- Appuie-tête inconfortables à l'arrière
- Dégagement limité aux têtes
- La version américaine a perdu au change, côté comportement
- Transmissions à peaufiner

DU NOUVEAU EN 2012

Aucun changement majeur

http://www.ford.ca/

Plus d'informations dans la section statistiques en dernière partie du Guide

ESPACE ET PERFORMANCE AU CARRÉ

Pas de demi-mesure avec le Flex. On achète parce qu'on craque pour sa silhouette unique, tout en angles, ou alors on achète en dépit de ses lignes carrées taillées à la machette. Dans un cas comme dans l'autre, on se retrouve aux commandes d'un véhicule à peu près inclassable : spacieux, pratique, confortable et sûr comme très peu. Musclé, polyvalent et performant en plus, si on s'offre le moteur Ecoboost à double turbo qui n'est, hélas, accessible que sur les deux versions les plus cossues.

Choisissez votre métaphore préférée ou inventez la vôtre. Selon l'œil qui observe, le Flex a l'air d'une boîte à souliers, d'une version géante de la Mini Clubman, du cousin costaud d'un Scion xB et quoi encore. Chose certaine, il faut reconnaître à Ford le culot d'avoir créé une version de série de l'étude Fairlane dévoilée au Salon de Détroit en 2005. Surtout qu'elle lui est remarquablement fidèle. Sa grille de calandre à trois larges traverses a inspiré celles de la Fusion et du Edge qui ont suivi, mais le profil anguleux est toujours exclusif au Flex chez Ford.

SUR DES BASES SOLIDES

Le Flex est construit sur la plate-forme D4 de Ford, elle-même dérivée de l'architecture P2 de Volvo. Il la partage entre autres avec le nouvel Explorer et le Lincoln MKT. Sur cette base très saine, Ford a élaboré un véhicule qu'on classe dans cette catégorie fourre-tout des multisegments, faute de mieux. Parce qu'il ne prétend aucunement jouer au tout-terrain, le Flex est campé plus bas que ses rivaux américains ou japonais, et plus agile et stable d'autant. Et il se révèle au moins aussi spacieux, confortable et polyvalent pour ses six ou sept passagers, selon qu'on choisisse un modèle doté ou pas de sièges individuels en deuxième rangée.

CONCURRENTS

Buick Enclave, Chevrolet Traverse, Honda Pilot, Hyundai Veracruz, Mazda CX-9, Subaru Tribeca, Toyota Highlander

IMPRESSIONS DE L'AUTEUR

Agrément de conduite :	4/5
Fiabilité :	4/5
Sécurité :	4.5/5
Qualités hivernales :	4.5/5
Espace intérieur :	4.5/5
Confort :	4.5/5

Les Flex les plus accessibles sont les SE à roues avant motrices, tandis que les SEL et Limited sont également offerts avec rouage intégral. Tous partagent un V6 atmosphérique de 3,5 litres et 262 chevaux. Et tous partagent les vertus fondamentales de cette série : espace, aplomb, confort, polyvalence et sécurité, à des niveaux croissants de luxe et d'équipement.

Cela dit, les performances, l'équilibre et le plaisir de conduite sont en hausse très nette avec le moteur EcoBoost, en option sur le modèle Limited et de série sur la version Titane, lancée l'an dernier. Il s'agit d'un V6 de 3,5 litres à double arbre à cames en tête et double turbo qui produit 355 chevaux à 5 700 tr/min et un couple de 350 lb-pi dès 1 500 tr/min. Le Flex Limited Ecoboost boucle le 0-100 km/h en 6,95 secondes alors qu'un SEL à rouage intégral y met 9,25 secondes.

Le plus agréable est de goûter la souplesse exceptionnelle de ce moteur en conduite normale. Surtout qu'il est servi à merveille par une boîte automatique à 6 rapports impeccablement douce et précise, qui se révèle tout aussi efficace avec le V6 atmosphérique. Et le plus étonnant est de comparer les cotes de consommation des deux moteurs avec le rouage intégral: le V6 turbo est moins gourmand en ville, soit 13,1 l/100 km contre 13,4, tandis que le V6 atmosphérique se limite à 9,0 l/100 km sur la route contre 9,1 pour l'Ecoboost. Pourquoi s'en priver, effectivement, si ce n'est qu'il lui faut de l'essence super pour livrer toute sa puissance. Les Flex à deux roues motrices sont les plus raisonnables avec leurs cotes de 12,8 et 8,4 l/100 km. Nous avons mesuré une consommation de 11,3 l/100 km en conduite normale et surtout urbaine dans un Flex à moteur Ecoboost. Pas mal du tout.

POURQUOI PAS ?

La version Titane (Titanium sur la carrosserie) s'est imposée au sommet de la série l'an dernier. Elle se reconnaît au nom FLEX épelé en grosses lettres sur le capot et à des jantes d'alliage de 20 pouces chaussées de pneus de taille 255/55. Le confort de roulement est très correct, la suspension bien amortie et juste assez ferme. L'équipement est généreux, mais on peut encore y ajouter le stationnement automatique (étonnamment facile et efficace), une console réfrigérée, une chaîne DVD pour l'arrière, une troisième banquette qui s'escamote par moteur électrique et un toit panoramique.

Un Flex Titane n'a évidemment pas le prestige ou le luxe d'un Audi Q7 3.0 Sport ou d'un Mercedes-Benz GL 450, mais il est aussi performant et consomme moins que le GL, et se montre plus frugal que le Q7 qu'il déclasse en accélération. C'est un sept places, comme les deux autres, mais son volume intérieur est supérieur. Et il est aussi solide que ces Allemands en conduite et en sécurité. Tout ça pour 20 000 $ de moins que le Q7 et 30 000 $ de mieux que le GL. La garantie de son groupe propulseur est meilleure, mais sa garantie de base plus courte. Pour ça, il y a toujours le Lincoln MKT qui partage la même plate-forme et le moteur EcoBoost avec une année de garantie additionnelle.

Pour tout dire, le Flex est un pied de nez réjouissant à ces aristocrates pour l'acheteur pragmatique qui recherche malgré tout l'originalité et sait conjuguer audace certaine et bon sens de l'humour. Le Flex n'est certainement pas pour tout le monde, mais ceux qui se laissent tenter l'apprécient sans réserve. Les sondages le disent. Surtout s'ils ont eu les moyens de s'offrir les modèles équipés du superbe V6 EcoBoost.

Marc Lachapelle

Photos: Marc Lachapelle

WWW.GUIDEAUTOWEB.COM/FORD/FLEX/

FORD FLEX

Catégorie	Multisegment
Échelle de prix	31 549 $ à 51 149 $ (2011)
Garanties	3 ans/60 000 km, 5 ans/100 000 km
Assemblage	Oakville, Ontario, Canada
Cote d'assurance	n.d.

CHÂSSIS - SEL TI	
Emp/lon/lar/haut	2 995/5 126/2 256/1 727 mm
Coffre	415 à 2 355 litres
Réservoir	70 litres
Nombre coussins sécurité / ceintures	6 / 7
Suspension avant	indépendante, jambes de force
Suspension arrière	indépendante, multibras
Freins avant / arrière	disque / disque
Direction	à crémaillère, assistée
Diamètre de braquage	12,4 m
Pneus avant / arrière	P235/60R18 / P235/60R18
Poids	2 105 kg
Capacité de remorquage	907 kg (1 999 lb)

COMPOSANTES MÉCANIQUES	
Cylindrée, soupapes, alim.	V6 3,5 litres 24 s atmos.
Puissance / Couple	262 chevaux / 248 lb-pi
Tr. base (opt) / rouage base (opt)	A6 / Tr (Int)
0-100 / 80-120 / 100-0 km/h	9,2 s / 7,2 s / 40,9 m
Type ess. / ville / autoroute	Ordinaire / 13,4 / 9,0 l/100 km
Ecoboost	
Cylindrée, soupapes, alim.	V6 3,5 litres 24 s turbo
Puissance / Couple	355 chevaux / 350 lb-pi
Tr. base (opt) / rouage base (opt)	A6 / Int
0-100 / 80-120 / 100-0 km/h	6,9 s / 5,9 s (est) / 40,9 m
Type ess. / ville / autoroute	Ordinaire / 13,1 / 9,2 l/100 km

FEU VERT

- Moteur Ecoboost impressionnant
- Beaucoup d'espace
- Confort pour six ou sept
- Comportement équilibré et sûr
- Accessoires efficaces

FEU ROUGE

- V6 Ecoboost réservé aux modèles chers
- Trop de boutons au tableau de bord
- Gabarit imposant
- Certains détails de finition bâclés
- Affichages vieillots

DU NOUVEAU EN 2012

Aucun changement majeur

http://www.ford.ca/

Plus d'informations dans la section statistiques en dernière partie du Guide

L'AMÉLIORATION A BIEN MEILLEUR GOÛT

Après un lancement réussi, mais ensuite terni par des ennuis récurrents de fiabilité, la Focus nord-américaine s'est campée dans un conservatisme désolant. Alors que ce modèle était modernisé et transformé sur les autres continents, on avait toujours droit à la même plate-forme et à des modifications en demi-teinte. Elle continuait de se vendre en raison d'un prix fort compétitif associé à un produit tout de même convenable offrant une tenue de route sans surprises et des performances correctes. Mais pour avancer sur notre marché fort encombré, il fallait faire mieux. Cette fois, la compagnie Ford en Amérique du Nord s'est mise au diapason du reste du monde avec la nouvelle génération de la Focus.

CONCURRENTS
Chevrolet Cruze, Dodge Caliber, Honda Civic, Hyundai Elantra, Kia Forte, Mazda3, Mitsubishi Lancer, Nissan Sentra, Subaru Impreza, Suzuki SX-4, Toyota Corolla, Volkswagen Jetta

IMPRESSIONS DE L'AUTEUR	
Agrément de conduite :	4/5
Fiabilité :	NOUVEAU MODÈLE
Sécurité :	4/5
Qualités hivernales :	3.5/5
Espace intérieur :	4/5
Confort :	4/5

Au cours de l'été 2011, la Focus dotée d'une toute nouvelle plate-forme s'est présentée sous trois différentes configurations : une intermédiaire, une berline et un modèle cinq portes à hayon. Dans quelque temps, une version familiale sera également proposée. Cette décision de Ford s'avère intéressante et bien pensée puisqu'elle permettra au constructeur d'offrir un modèle n'ayant pas de concurrent direct. Il faut se rappeler qu'à une certaine époque, la Focus familiale a pu jouir d'une très grande popularité dans notre pays.

QUATRE OU CINQ PORTES ?

On joue d'audace chez Ford en proposant un modèle hatchback alors qu'on sait très bien que les consommateurs américains ne sont pas particulièrement friands de ce type de carrosserie. Pourtant, pour une compacte, c'est probablement la meilleure configuration. Il s'agit tout de même d'un certain risque et on verra au fil des mois et des années si Ford gagnera son pari. Et ce n'est pas tout : les stylistes qui ont dessiné la berline ont presque réussi à la faire passer pour un hatchback. Avec son coffre à bagages haut et la présence d'un petit aileron sur celui-ci, on dirait que nous avons affaire à une cinq portes. Par contre, la version à hayon est plus courte et les feux arrière sont nettement différents, ceux du hatchback étant plus proéminents et plus grands également.

L'élément visuel le plus important de cette voiture est la grille de calandre et la prise d'air de fortes dimensions qui est placée sous celle-ci. On a l'impression que les designers se sont inspirés des museaux des bolides de Formule 1. Alors que l'ancienne Focus était sans âme en matière de design, celle-ci change la donne, en nous en proposant plus que la moyenne. Et c'est la même chose dans l'habitacle. Celui-ci est fait de matériaux de qualité et sa finition est impeccable. Fait à souligner, le plastique utilisé sur le tableau de bord est souple et résiste fort bien aux égratignures. On se croirait à bord d'une voiture beaucoup plus dispendieuse. La présentation respecte les tendances de l'heure avec un élément de commandes triangulaire placé sous un petit tableau d'affichage pour les versions sans système de navigation. Sur les versions plus huppées, seul un gros bouton central règle le système audio Sony et les autres tâches se retrouvent sur l'écran tactile DEL, dont la taille est importante, qui sert également d'écran de navigation.

Le pilote a devant lui deux cadrans indicateurs et, entre ceux-ci, un écran d'affichage permet d'obtenir différentes informations et expose les commandes du système de navigation. Mais ce qui impressionne le plus, étonnamment, c'est le volant qui se prend bien en main. Orné d'appliques en chrome qui sont du plus bel effet, il possède en son pourtour de multiples commandes pour gérer les principaux systèmes, qu'il s'agisse de la communication vocale, du régulateur de vitesse ou de bien d'autres choses encore. Les places avant sont confortables et leur support latéral est excellent. Quant aux places arrière, elles sont adéquates, mais l'espace pour les jambes demeure assez limité.

DEUX MODÈLES, DEUX TESTS

Depuis le lancement de ce modèle, nous avons été en mesure de conduire une berline ainsi qu'un cinq portes. La berline était un modèle SE, équipé d'accessoires intéressants, du groupe Sport notamment. Celui-ci comprend des jantes en alliage peintes et des freins à disques aux roues arrière. Cette version était dotée de la boîte manuelle à cinq rapports. Quant au hatchback, il s'agissait d'une version Titanium, nettement plus luxueuse et ayant un niveau d'équipement très relevé, comme le système de navigation MyFord Touch, un système audio Sony de qualité et le système Sync. Pour l'instant, un seul moteur est offert. Il s'agit d'un quatre cylindres 2,0 litres à injection directe d'une puissance de 160 chevaux.

Nous avons réalisé différents essais dans des conditions diverses. Ceux-ci nous permettent de conclure que la tenue de route est excellente. Le roulis est bien contrôlé tandis que la voiture est pratiquement neutre dans les virages. Il faut que la courbe soit très serrée avant qu'un léger sous-virage se fasse. Nous avons conduit sur des routes tout de même exigeantes qui permettaient de bien tester le freinage. Les freins ont résisté au réchauffement et sont demeurés très stables. La direction à assistance électrique est généralement correcte et son assistance est bien dosée dans l'ensemble. Mais lors de nos pérégrinations en montagnes, elle a

quelquefois été prise au dépourvu, alors qu'il y avait un délai entre une assistance trop légère ou trop forte. Toutefois, dans la circulation de tous les jours, pour vaquer à vos occupations quotidiennes, elle fera amplement l'affaire. De plus, le gros boudin du volant permet une excellente prise en main.

En matière de motorisation, la tendance actuelle favorise des moteurs de petite cylindrée dotés de l'injection directe et d'une puissance relativement intéressante. Ford a suivi ce courant en ce qui a trait à sa Focus et le moteur de celle-ci se révèle bien adapté à la voiture. Ce n'est pas un engin de course, mais ses performances sont satisfaisantes.

Certains lui ont reproché de manquer de couple à bas régime, mais il faut nuancer la chose. Premièrement, la boîte manuelle à cinq rapports possède deux rapports surmultipliés. Pour obtenir un peu plus de muscles et de reprises, il faut donc rétrograder au troisième rapport. Même si l'embrayage est progressif et si la course du levier de vitesses est précise, ce n'est pas toujours intéressant. Mais si l'on joue du levier et harmonise le régime moteur à la situation de la route, ce moulin se tire bien d'affaire. Bref, si vous optez pour la boîte manuelle, attendez-vous à faire appel à celle-ci assez souvent.

Et il est certain que ce moteur performe mieux avec la boîte automatique à six rapports à double embrayage. En plus, cette transmission est dotée d'un mode Sport qui permet de tirer un meilleur parti du moteur et de rétrograder automatiquement

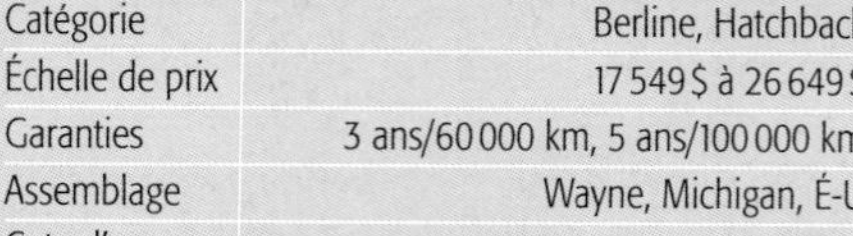

Catégorie	Berline, Hatchback
Échelle de prix	17 549 $ à 26 649 $
Garanties	3 ans/60 000 km, 5 ans/100 000 km
Assemblage	Wayne, Michigan, É-U
Cote d'assurance	moyenne

FORD FOCUS

CHÂSSIS - SEL HATCHBACK	
Emp/lon/lar/haut	2 649/4 359/2 060/1 466 mm
Coffre	674 à 1 269 litres
Réservoir	47 litres
Nombre coussins sécurité / ceintures	6 / 5
Suspension avant	indépendante, jambes de force
Suspension arrière	indépendante, multibras
Freins avant / arrière	disque / disque
Direction	à crémaillère, ass. variable électrique
Diamètre de braquage	11,0 m
Pneus avant / arrière	P205/50R16 / P205/50R16
Poids	1 327 kg
Capacité de remorquage	454 kg (1000 lb)

COMPOSANTES MÉCANIQUES	
Cylindrée, soupapes, alim.	4L 2,0 litres 16 s atmos.
Puissance / Couple	160 chevaux / 146 lb-pi
Tr. base (opt) / rouage base (opt)	M5 (A6) / Tr
0-100 / 80-120 / 100-0 km/h	9,0 s (est) / 7,5 s (est) / n.d.
Type ess. / ville / autoroute	Ordinaire / 7,3 / 5,2 l/100 km

dans les descentes afin de maintenir une vitesse constante. Cet ajout est fort apprécié. Par contre, à basse vitesse dans la circulation, cette boîte a parfois tendance à passer les rapports inférieurs avec une secousse sèche.

ET ÉLECTRIQUE EN PLUS!

Somme toute, c'est une voiture réussie à presque tous les points de vue que nous a présenté le constructeur américain. En continuant sur leur lancée, les ingénieurs de Ford ne se sont pas arrêtés là. En effet, ils ont en plus concocté une version électrique de la Focus dont la présentation extérieure est différente avec, entre autres, une grille de calandre bien distincte de celle de sa soeur à moteur thermique. Ford promet un temps de recharge de 3 à 4 heures avec une alimentation de 240 volts. Le rayon est de 160 km tandis que la puissance est de 134 chevaux et le couple de 184 lb-pi.

Nous avons eu l'occasion de conduire un prototype de cette Focus électrique et les résultats quant à son avenir s'annoncent prometteurs. Nous espérons bientôt avoir la chance de l'essayer à nouveau.

Denis Duquet

FEU VERT

- Plate-forme moderne
- Boîte automatique à double embrayage
- Silhouettes réussies
- Version électrique
- Tenue de route

FEU ROUGE

- Certaines versions chères
- Moteur parfois un peu juste
- Places arrière moyennes
- Fiabilité inconnue

Photos: Ford

DU NOUVEAU EN 2012

Nouveau modèle

Plus d'informations dans la section statistiques en dernière partie du Guide

LA BERLINE À TOUT FAIRE

Il est vrai qu'il y existe d'autres choix intéressants sur le marché pour qui se cherche une berline intermédiaire. Par contre, il est difficile de trouver un véhicule qui offre autant d'options en matière de groupes propulseurs et de versions. De toutes les Américaines de la catégorie, c'est elle qui est le plus en mesure de damer le pion à ses rivales japonaises, sans pour autant abandonner son caractère propre à notre continent.

La première génération de cette voiture était une adaptation réussie de la Mazda 6 de l'époque. Les ingénieurs de Ford avaient modifié son comportement routier et sa suspension pour que la Fusion plaise aux acheteurs américains. Cela ne signifie pas pour autant qu'on ait transformé la suspension en guimauve et déconnecté le volant de la direction. Bien au contraire, c'était une voiture équilibrée et fort intéressante à conduire. Toutefois, elle a été complètement transformée en 2010 et grandement améliorée, en plus de proposer une version hybride.

HYBRIDE AGRÉABLE À CONDUIRE!

Dans la majorité des cas, les voitures à propulsion hybride ne sont pas tellement impressionnantes autant à ce qui a trait à la tenue de route qu'à la conduite. S'il est vrai que l'économie d'essence est supérieure aux versions régulières, il faut généralement faire attention à ne pas rouler trop vite. Sans compter que la probabilité de rouler en mode électrique seulement s'avère très faible. Rien de cela sur la Fusion, l'un des rares véhicules hybrides qui nous permettent de partir en mode électrique et de rouler sans l'apport du moteur thermique sur une distance tout de même respectable. En fait, il est même possible d'atteindre des vitesses de 75 km/h lorsque la batterie est à pleine charge. Aucune autre berline actuellement sur le marché n'offre de telles performances.

CONCURRENTS

Chevrolet Malibu, Chrysler 200, Dodge Avenger, Honda Accord, Hyundai Sonata, Kia Optima, Mazda6, Nissan Altima, Subaru Legacy, Suzuki Kizashi, Toyota Camry

IMPRESSIONS DE L'AUTEUR

Agrément de conduite :	■■■■□	4/5
Fiabilité :	NOUVEAU MODÈLE	
Sécurité :	■■■■□	4/5
Qualités hivernales :	■■■■□	4/5
Espace intérieur :	■■■▌□	3.5/5
Confort :	■■■■□	4/5

Il faut également accorder de bonnes notes au tableau de bord de ce modèle. Le design de l'instrumentation toute numérique est à la fois simple et moderne. À la droite du volant, on retrouve la jauge d'essence et l'indicateur de consommation instantanée. Sans oublier, à l'extrême droite, un tableau d'affichage qui illustre des feuilles d'arbres. Le nombre de celles-ci varie en fonction de la qualité écologique de votre pilotage. À la gauche du volant, on trouve l'indicateur de la batterie régulière, la puissance utilisée du moteur électrique et le niveau de charge des accumulateurs qui alimentent le rouage hybride.

Comme sur la majorité des véhicules hybrides de cette catégorie, les ingénieurs ont fait appel à un moteur quatre cylindres de 2,5 litres de cycle Atkinson associé à une transmission à rapports continuellement variables et à un moteur électrique. La puissance combinée des deux est de 191 chevaux. Ceci permet de boucler le 0-100 km/h en moins de 10 secondes, tout en offrant une consommation de carburant d'environ 6 l/100 km, ce qui est excellent. Mais en plus de proposer une économie de carburant inférieure à la moyenne et la possibilité de rouler en mode électrique à une vitesse plus grande et sur une distance importante, il ne faut pas oublier que cette berline est sans doute la seule de la catégorie qui se révèle agréable à conduire.

ET LES AUTRES ?

Toute brillante soit la version à moteur hybride, la plupart des Fusion vendues sur notre continent sont exclusivement propulsées par un moteur thermique. Ajoutons que depuis quelques années, cette Ford est la berline nord-américaine la plus vendue. L'habitacle est pratiquement similaire à celui de l'hybride, à l'exception, bien entendu, des cadrans indicateurs et de quelques autres accessoires propres à la version hybride. Cette dernière par exemple, ne possède pas le dossier rabattable de la berline régulière et la capacité de chargement du coffre à bagages est moindre. Dans les deux cas, les sièges avant sont confortables, les matériaux utilisés sont de qualité et la position de conduite est excellente, en raison d'un volant télescopique et réglable également en hauteur.

Selon son budget et ses intérêts, l'acheteur a l'embarras du choix en fait de moteurs. Les versions les plus économiques sont dotées d'un quatre cylindres de 2,5 litres d'une puissance de 175 chevaux. La boîte manuelle à six rapports est de série avec ce moteur tandis que l'automatique à six rapports est optionnelle. Cette dernière transmission est de série sur tous les autres modèles. Dans la majorité des cas, les acheteurs vont se tourner vers le moteur 3,0 litres produisant 240 chevaux qui peut être commandé avec une transmission intégrale dont le fonctionnement est sans reproche. En fait, le modèle Sport, une traction uniquement, assure des performances un peu plus pointues en raison de son moteur V6 de 3,0 litres d'une puissance de 263 chevaux. Il faut sept secondes et des poussières pour boucler le traditionnel 0-100 km/h. Par contre, sa consommation est un peu plus importante qu'avec l'autre moteur V6. Sur la route, il s'agit de l'une des berlines nord-américaines les plus agréables à conduire tant son comportement routier est équilibré, sa direction relativement précise et son freinage bien dosé. On pourrait lui reprocher une suspension un peu plus souple qu'on l'aurait désirée, mais dans les circonstances, c'est fort intéressant.

Denis Duquet

Photos : Sylvain Raymond

Catégorie	Berline
Échelle de prix	21 549 $ à 36 849 $ (2011)
Garanties	3 ans/60 000 km, 5 ans/100 000 km
Assemblage	Hermosillo, Mexique
Cote d'assurance	n.d.

CHÂSSIS - SEL 3.0L TI	
Emp/lon/lar/haut	2 728/4 849/2 035/1 445 mm
Coffre	467 litres
Réservoir	63 litres
Nombre coussins sécurité / ceintures	6 / 5
Suspension avant	indépendante, bras inégaux
Suspension arrière	indépendante, multibras
Freins avant / arrière	disque / disque
Direction	à crémaillère, ass. variable électrique
Diamètre de braquage	12,2 m
Pneus avant / arrière	P225/50R17 / P225/50R17
Poids	1 654 kg
Capacité de remorquage	n.d.

COMPOSANTES MÉCANIQUES	
Hybride	
Cylindrée, soupapes, alim.	4L 2,5 litres 16 s atmos.
Puissance / Couple	156 chevaux / 136 lb-pi
Tr. base (opt) / rouage base (opt)	CVT / Tr
0-100 / 80-120 / 100-0 km/h	9,2 s / 6,1 s / 42,3 m
Type ess. / ville / autoroute	Ordinaire / 4,6 / 5,4 l/100 km
S, SE, SEL	
Cylindrée, soupapes, alim.	4L 2,5 litres 16 s atmos.
Puissance / Couple	175 chevaux / 172 lb-pi
Tr. base (opt) / rouage base (opt)	M6 (A6) / Tr
0-100 / 80-120 / 100-0 km/h	9,9 s / 7,0 s / 46,0 m
Type ess. / ville / autoroute	Ordinaire / 9,0 / 6,0 l/100 km
SEL TA, SEL TI	
Cylindrée, soupapes, alim.	V6 3,0 litres 24 s atmos.
Puissance / Couple	240 chevaux / 223 lb-pi
Tr. base (opt) / rouage base (opt)	A6 / Tr (Int)
0-100 / 80-120 / 100-0 km/h	7,6 s / 6,5 s / 46,0 m
Type ess. / ville / autoroute	Ordinaire / 11,9 / 7,8 l/100 km
Sport TI	
Cylindrée, soupapes, alim.	V6 3,5 litres 24 s atmos.
Puissance / Couple	263 chevaux / 249 lb-pi
Tr. base (opt) / rouage base (opt)	A6 / Int
0-100 / 80-120 / 100-0 km/h	7,1 s / 6,0 s / 46,0 m
Type ess. / ville / autoroute	Ordinaire / 12,6 / 8,3 l/100 km

FEU VERT

- Version hybride intéressante
- Habitacle élégant et confortable
- Tenue de route saine
- Choix de moteurs
- Fiabilité rassurante

FEU ROUGE

- Dossier arrière fixe (Hybride)
- Coffre arrière limité (Hybride)
- Moteur 4 cylindres bruyant
- Absence d'un moteur EcoBoost

DU NOUVEAU EN 2012

Aucun changement majeur

http://www.ford.ca/

Plus d'informations dans la section statistiques en dernière partie du Guide

LA CHARGE DE LA CAVALERIE SE POURSUIT

Le retour de vieilles rivales a eu le meilleur effet sur la Mustang. La pionnière des pony cars n'a cessé de progresser depuis, sur tous les fronts. Sans parler du lancement de versions modernes de modèles mythiques sortis de la grande histoire de l'étalon américain. Après le retour du V8 de 5,0 litres et l'apparition d'une Shelby GT500 spectaculaire l'an dernier, Ford présente cette année une Boss 302 qui a tout pour faire revivre les années glorieuses de la Mustang en série Trans Am. Y compris une clé spéciale qui la transforme en bête de circuit et une version Laguna Seca qui n'est rien de moins qu'une voiture de course qu'on peut immatriculer.

CONCURRENTS
Chevrolet Camaro,
Dodge Challenger,
Hyundai Genesis Coupe,
Mazda RX-8,
Volkswagen Eos

IMPRESSIONS DE L'AUTEUR	
Agrément de conduite :	4.5/5
Fiabilité :	3/5
Sécurité :	4/5
Qualités hivernales :	2.5/5
Espace intérieur :	3/5
Confort :	3.5/5

On croirait revivre l'âge d'or des années soixante alors que les constructeurs américains étaient souverains sur ce continent et se livraient une guerre sans merci, autant sur les circuits que chez les concessionnaires. Ford a répliqué à l'arrivée des nouvelles Camaro et Challenger l'an dernier en dotant sa Mustang d'un nouveau V6 de 3,7 litres et en faisant renaître le V8 de 5,0 litres pour la GT. Dans les deux cas, le gain de puissance était de près de cent chevaux. Le constructeur lançait également une version fortement remaniée de la Shelby GT500 qui devenait la Mustang de série la plus puissante jamais produite.

Ford ne s'est pas arrêtée en si bon chemin et lance cette année une version moderne de la Boss 302, une sportive sans compromis créée en 1969 pour permettre l'inscription de la Mustang à la célèbre série Trans Am. Elle allait surtout y affronter la Camaro Z28, créée par Chevrolet dans le même but et le même esprit. Les deux étaient propulsées par des versions très poussées de moteurs V8 dont la cylindrée respectait la limite de 305 pouces cube (5 litres) imposée dans cette série. D'où le vocable 302 pour les 4,9 litres du moteur de cette première Boss que Jacques Duval présenta comme « une voiture de course en liberté » dans l'édition 1970 du Guide de l'auto.

POUR LA ROUTE OU LES CIRCUITS

En peu de mots, la nouvelle Boss 302 est une version du coupé GT dont les ingénieurs ont revu ou modifié pratiquement toutes les composantes pour améliorer à la fois performances et tenue de route. Résultat : une Mustang dont le V8 atmosphérique de 4,951 cc produit 444 chevaux à 7 500 tr/min, un régime élevé pour un V8 de cette taille. C'est possible grâce à un collecteur d'admission et des arbres à cames différents de même qu'un échappement

à quatre embouts dont deux exhalent sur les côtés de la voiture. La suspension est plus ferme et abaisse la carrosserie de 11 mm à l'avant et 1 mm à l'arrière. Amortisseurs et jambes de force se règlent sur cinq niveaux avec un simple tournevis selon qu'on se balade sur la route ou qu'on pilote sur un circuit. Cette Mustang pour les purs et durs profite également de roues d'alliage plus légères et de freins Brembo plus puissants.

La Boss 302 propose des performances, un comportement et des sonorités étonnamment différentes de celles de la GT ou de la Shelby GT500. Elle est d'ailleurs au cœur du match des sportives que vous pouvez parcourir en première partie du Guide (page 58). Vous y découvrirez comment elle s'est débrouillée contre un trio de sportives de calibre, sur la route, le circuit St-Eustache et la piste d'accélération du complexe ICAR. Ce sera à charge de revanche pour la Boss 302 version Laguna Seca qu'on a allégée et dont on a encore raffermi les suspensions et bétonné la structure pour en faire une voiture de course qu'on peut ramener à la maison plutôt que le contraire.

L'AUTRE PUR-SANG PIAFFE TOUJOURS

La Shelby GT500 devenait l'an dernier la Mustang la plus puissante jamais produite. Son V8 compressé de 550 chevaux, dérivé de celui de la Ford GT produite en 2005 et 2006, consomme moins que son prédécesseur, mais il est surtout plus léger de 46 kilos grâce à un bloc-moteur en aluminium. Cet allègement important à la hauteur du train avant fait des merveilles pour la tenue de route. La suspension de la GT500 a été revue et sa structure est plus rigide de 12 %, au point où la décapotable profite maintenant des mêmes tarages que le coupé, chose rare pour de type de voiture.

Le groupe SVT optionnel ajoute un différentiel autobloquant plus démultiplié, des jantes d'alliage plus larges et légères et des pneus Goodyear créés spécialement pour ce modèle. Des ressorts plus fermes abaissent également la carrosserie de 11 mm à l'avant et 8 mm à l'essieu arrière. La sonorité du gros V8 compressé est fabuleuse et la tenue de route accrocheuse et précise. La GT500 dispute assurément le titre de meilleure Mustang de série jamais produite à la nouvelle Boss 302, mais peut également être considérée comme le meilleur *muscle car* du moment.

En ces temps de restrictions et d'incertitude économique, où voitures électriques et semblables font la manchette presque quotidiennement, la présence de coupés américains aussi exceptionnels que les Mustang Boss 302 et Shelby GT500 dans la gamme du même constructeur tient plutôt du phénomène. Bravo à Ford de laisser la passion vive de ses ingénieurs s'exprimer aussi librement pour ses plus fiers destriers. Toutes ses voitures n'en seront que meilleures, des compactes les plus sages aux voitures vertes les plus novatrices.

Marc Lachapelle

Photos : Sylvain Raymond

Catégorie	Cabriolet, Coupé
Échelle de prix	24 549 $ à 65 249 $
Garanties	3 ans/60 000 km, 5 ans/100 000 km
Assemblage	Flat Rock, Michigan, É-U
Cote d'assurance	passable

CHÂSSIS - BOSS	
Emp/lon/lar/haut	2 720/4 778/2 035/1 400 mm
Coffre	379 litres
Réservoir	61 litres
Nombre coussins sécurité / ceintures	4 / 4
Suspension avant	indépendante, jambes de force
Suspension arrière	essieu rigide, multibras
Freins avant / arrière	disque / disque
Direction	à crémaillère, ass. variable électrique
Diamètre de braquage	12,0 m
Pneus avant / arrière	P245/35R19 / P285/35R19
Poids	1 651 kg
Capacité de remorquage	454 kg (1 000 lb)

COMPOSANTES MÉCANIQUES	
V6 coupé, cabriolet	
Cylindrée, soupapes, alim.	V6 3,7 litres 24 s atmos.
Puissance / Couple	305 chevaux / 280 lb-pi
Tr. base (opt) / rouage base (opt)	M6 (A6) / Prop
0-100 / 80-120 / 100-0 km/h	5,7 s (est) / 5,0 s (est) / n.d.
Type ess. / ville / autoroute	Ordinaire / 11,1 / 6,9 l/100 km
GT coupé, cabriolet	
Cylindrée, soupapes, alim.	V8 5,0 litres 32 s atmos.
Puissance / Couple	412 chevaux / 390 lb-pi
Tr. base (opt) / rouage base (opt)	M6 (A6) / Prop
0-100 / 80-120 / 100-0 km/h	5,5 s (est) / 4,7 s (est) / n.d.
Type ess. / ville / autoroute	Super / 12,2 / 7,6 l/100 km
Boss	
Cylindrée, soupapes, alim.	V8 5,0 litres 32 s atmos.
Puissance / Couple	444 chevaux / 380 lb-pi
Tr. base (opt) / rouage base (opt)	M6 / Prop
0-100 / 80-120 / 100-0 km/h	5,1 s / n.d. / 37,1 m
Type ess. / ville / autoroute	Super / 12,2 / 7,6 l/100 km
Shelby GT500 coupé, cabriolet	
Cylindrée, soupapes, alim.	V8 5,4 litres 32 s surcomp
Puissance / Couple	550 chevaux / 510 lb-pi
Tr. base (opt) / rouage base (opt)	M6 / Prop
0-100 / 80-120 / 100-0 km/h	5,1 s / 3,8 s / 39,2 m
Type ess. / ville / autoroute	Super / 14,4 / 8,7 l/100 km

FEU VERT

- Versions Boss 302 et GT500 impressionnantes
- Décapotable réussie
- Très bonne fiabilité
- Prix alléchant

FEU ROUGE

- Finition intérieure terne
- Volant réglable en hauteur seulement
- Essieu arrière rigide parfois sec
- Places arrière serrées

DU NOUVEAU EN 2012

Retour de la Boss 302

http://www.ford.ca/

Plus d'informations dans la section statistiques en dernière partie du Guide

LE CHAÎNON MANQUANT

De nos jours, le millésime d'une voiture est quasiment une affaire d'interprétation. Combien de fois, au cours des dernières années, avons-nous vu un modèle lancé en décembre d'une année porter le millésime non pas de l'année à venir, mais de l'autre qui suit. On utilise cette astuce lorsqu'un modèle se vend plus ou moins bien et qu'on veut inciter les consommateurs à choisir un véhicule « d'une année future ». Les gens ont alors l'impression de sauver au chapitre de la valeur de revente. C'est sans doute ce qui arrive avec la Taurus.

CONCURRENTS
Buick LaCrosse,
Chevrolet Impala,
Chrysler 300,
Dodge Charger,
Nissan Maxima,
Toyota Avalon

IMPRESSIONS DE L'AUTEUR	
Agrément de conduite :	4/5
Fiabilité :	4/5
Sécurité :	4/5
Qualités hivernales :	4/5
Espace intérieur :	4.5/5
Confort :	4/5

Lors du dernier salon de l'auto de New York, tenu en avril 2011, Ford a dévoilé la nouvelle génération de la Taurus... 2013. Lorsqu'on a demandé ce qu'il adviendrait de la version 2012, la réponse a été floue. On nous a répondu que ce véhicule, la Taurus 2013, serait commercialisé au début de l'année 2012 en tant que modèle 2013. Remarquez, Ford n'est pas le seul coupable dans ce jeu de millésimes, puisque nombreux sont les constructeurs qui, de nos jours, dévoilent des voitures plusieurs mois avant leur mise en marché.

PLUS QU'UNE NOUVELLE CALANDRE

Lors de la présentation de la nouvelle génération de cette Ford grand format, on nous laissait croire que seulement quelques retouches avaient été effectuées à la grille de calandre. Pourtant, lorsqu'on examine de plus près la voiture et les informations données, on se rend compte qu'il s'agit beaucoup plus que d'un simple face lift. Il est vrai que la carrosserie de la voiture a été révisée. La calandre adopte une nouvelle approche puisqu'on veut raffiner la grille de calandre et la partager avec tous les nouveaux modèles de ce constructeur. Bref, sur le plan visuel, même si on a conservé les mêmes dimensions, pour employer le jargon des designers, la voiture offre une présentation visuelle plus substantielle.

Mais il n'y a pas que des changements intérieurs et extérieurs à cette voiture. En effet, plusieurs nouveautés sont à souligner sous le capot. La grande nouvelle, c'est la présence du nouveau moteur quatre cylindres 2,0 litres EcoBoost produisant 234 chevaux. Comme tous les moteurs EcoBoost de ce constructeur, on fait appel à l'injection directe et à la turbocompression afin d'obtenir une puissance impressionnante de la part d'une cylindrée relativement faible. Il sera également possible de commander le V6 de

Catégorie	Berline
Échelle de prix	29 549 $ à 49 749 $ (2011)
Garanties	3 ans/60 000 km, 5 ans/100 000 km
Assemblage	Chicago, Illinois, É-U
Cote d'assurance	bonne

3,5 litres dont la puissance annoncée est de 290 chevaux. Dans les deux cas, ces moteurs sont associés à une transmission automatique à six rapports dont la programmation favorise l'économie de carburant. Ces modifications et améliorations ne signifient pas que la SHO ait été abandonnée. En fait, cette nouvelle cuvée nous offre la version la plus puissante jamais proposée par ce modèle. Encore une fois, les ingénieurs ont fait appel à la technologie EcoBoost, qui porte la puissance son moteur V6 de 3,5 litres à 365 chevaux. Bien entendu, la suspension est dotée d'amortisseurs plus sportifs. De plus, il est possible de commander des jantes de 20 pouces et de les garnir de pneus sport plus larges et plus performants. Il faut également souligner les nombreux ajouts qui favorisent soit la tenue de route, le confort ou la sécurité. Comme il se doit, les systèmes Sync, MyTouch ainsi que MyKey, pour ne nommer que les principaux, seront offerts sur ce modèle.

DE BEAUX RESTES

Dans l'attente de cette nouvelle génération, les versions disponibles ne sont pas à négliger. En effet, dans sa mouture actuelle, il s'agit de l'une des meilleures berlines de sa catégorie. La tenue de route est bonne et les moteurs offerts se révèlent fort bien adaptés. N'oublions pas qu'il s'agit des deux versions du moteur V6 3,5 litres qui seront conservées sur le modèle 2013. Et il faut souligner que la direction à assistance électrique de cette Taurus est vraiment impressionnante, tant par son feedback que par sa précision. Ford nous prouve que cette configuration peut être exploitée de façon positive. Si la silhouette actuelle nous semble quelque peu lourdaude et même si les améliorations esthétiques apportées au modèle futur allégeront la présentation visuelle, la Taurus reste dans le coup à ce chapitre. D'autre part, l'habitacle est l'une des principales qualités de cette voiture. Non seulement la disposition ergonomique est bonne, mais la qualité des matériaux et de l'assemblage nous donne l'impression d'être au volant d'un véhicule vendu beaucoup plus cher.

Au volant, on se plaît à profiter de son excellente tenue de route et de la performance de ses moteurs. De plus, le rouage intégral, qui est offert en option sur les modèles équipés du moteur V6 de 365 chevaux et de série sur la SHO, est fort efficace et transparent. D'ailleurs, si vos moyens vous le permettent, il serait sage de vous procurer le rouage intégral, car il s'agit d'une grosse voiture qui peut être plus difficile à contrôler sur les chaussées glissantes en version tout à l'avant.

Il est vrai que les grosses berlines n'ont pas tellement la cote auprès des automobilistes québécois. Toutefois, si vous avez besoin d'une voiture aux dimensions généreuses et que vous appréciez la conduite et le confort, cette Ford pourrait être pour vous.

Denis Duquet

Photos : Ford

CHÂSSIS - SHO TI

Emp/lon/lar/haut	2 868/5 154/2 177/1 542 mm
Coffre	569 litres
Réservoir	72 litres
Nombre coussins sécurité / ceintures	6 / 5
Suspension avant	indépendante, jambes de force
Suspension arrière	indépendante, multibras
Freins avant / arrière	disque / disque
Direction	à crémaillère, ass. électrique
Diamètre de braquage	12,2 m
Pneus avant / arrière	P245/45R20 / P245/45R20
Poids	1 920 kg
Capacité de remorquage	454 kg (1 000 lb)

COMPOSANTES MÉCANIQUES

SE, SEL, Limited

Cylindrée, soupapes, alim.	V6 3,5 litres 24 s atmos.
Puissance / Couple	263 chevaux / 249 lb-pi
Tr. base (opt) / rouage base (opt)	A6 / Tr (Int)
0-100 / 80-120 / 100-0 km/h	8,2 s / 5,8 s / 39,8 m
Type ess. / ville / autoroute	Ordinaire / 12,3 / 7,8 l/100 km

SHO TI

Cylindrée, soupapes, alim.	V6 3,5 litres 24 s turbo
Puissance / Couple	365 chevaux / 350 lb-pi
Tr. base (opt) / rouage base (opt)	A6 / Int
0-100 / 80-120 / 100-0 km/h	6,3 s / 4,3 s / 40,3 m
Type ess. / ville / autoroute	Ordinaire / 12,5 / 8,1 l/100 km

FEU VERT

- Choix de moteurs
- Version SHO
- Bonne tenue de route
- Habitabilité assurée
- Suspension bien calibrée

FEU ROUGE

- Version 2013 anticipée
- EcoBoost pourrait consommer moins
- Dimensions parfois encombrantes
- Valeur de revente
- Réputation à bâtir

DU NOUVEAU EN 2012

Nouvelles couleurs

http://www.ford.ca/

Plus d'informations dans la section statistiques en dernière partie du Guide

PARI GAGNÉ

Très souvent, les gens qui visitent l'Europe se demandent pourquoi les constructeurs qui sont présents des deux côtés de la mare n'exportent pas certains modèles vers notre continent. Un peu pour leur répondre, Ford a décidé d'agir. C'est moins glamour dans le cas d'une fourgonnette de service que pour une auto sport, mais la compagnie a décidé de commercialiser le Transit Connect en Amérique du Nord, une fourgonnette commerciale à vocation essentiellement urbaine. C'était un pari osé.

CONCURRENTS
Aucun concurrent

IMPRESSIONS DE L'AUTEUR	
Agrément de conduite :	3.5/5
Fiabilité :	4/5
Sécurité :	3.5/5
Qualités hivernales :	3.5/5
Espace intérieur :	5/5
Confort :	3.5/5

Si les ventes ont été assez timides au début, elles ont progressé au fil des mois et on voit maintenant beaucoup de ces véhicules sur nos routes. Et certaines entreprises ont remplacé leur flotte de grosses fourgonnettes par des Transit Connect.

PRODUIT MONDIAL

Pour Ford, le risque restait toutefois calculé, puisque ce modèle n'a pas été développé uniquement pour notre marché. Il faut tout d'abord savoir que la fourgonnette commerciale la plus populaire en Europe est la grosse Transit, vendue sous de multiples moutures. Le Connect, lancé en 2002, est en quelque sorte son petit frère qui ne cesse de connaître des accessits depuis son arrivée. Par exemple, en 2003, il a été nommé meilleure fourgonnette commerciale au monde. Le TC est distribué dans 57 pays et 4 continents et plus de 600 000 exemplaires ont été vendus depuis 2002.

Le Transit Connect a été spécifiquement conçu pour un usage commercial. Il ne s'agit pas d'une Focus transformée en fourgonnette, car la solidité ne serait pas au rendez-vous. Sa construction est monocoque, mais la caisse est renforcée par deux longerons en acier au bore et le renfort central avant est on ne peut plus solide. C'est simple, mais très robuste, une nécessité pour des véhicules qui seront abusés jour après jour. La plate-forme est archisimple avec un essieu arrière rigide, des ressorts elliptiques, des freins à tambours et une suspension avant de type MacPherson. Le toit surélevé n'est pas le fait d'une conversion effectuée par un tiers parti, mais bien réalisé à l'usine comme partie intégrante du véhicule.

Cette simplicité volontaire se poursuit sous le capot. Un moteur quatre cylindres Duratec de 2,0 litres produisant 136 chevaux est couplé à une boîte automatique à quatre rapports, la seule offerte.

Catégorie	Fourgonnette
Échelle de prix	28 349 $ à 30 249 $ (2011)
Garanties	3 ans/60 000 km, 5 ans/100 000 km
Assemblage	Kocaeli, Turquie
Cote d'assurance	n.d.

CHÂSSIS - CARGO VAN XLT

Emp/lon/lar/haut	2 911/4 590/1 796/2 113 mm
Coffre	3 670 litres
Réservoir	56 litres
Nombre coussins sécurité / ceintures	4 / 2
Suspension avant	indépendante, jambes de force
Suspension arrière	essieu rigide, ressorts à lames
Freins avant / arrière	disque / tambour
Direction	à crémaillère, assistée
Diamètre de braquage	11,8 m
Pneus avant / arrière	P205/65R15 / P205/65R15
Poids	1 524 kg
Capacité de remorquage	n.d.

COMPOSANTES MÉCANIQUES

Électrique	
Moteur électrique	300 volts
Puissance	78 chevaux
Couple	117 lb-pi continu, 173 lb-pi max
Transmission	Vitesse unique
Batterie	Li-ion, 28 kW/h, 215 à 390 volts
Autonomie	Environ 120 km
0-100 km/h	Environ 12 secondes
XLT	
Cylindrée, soupapes, alim.	4L 2,0 litres 16 s atmos.
Puissance / Couple	136 chevaux / 128 lb-pi
Tr. base (opt) / rouage base (opt)	A4 / Tr
0-100 / 80-120 / 100-0 km/h	12,8 s / 9,9 s / 45,0 m
Type ess. / ville / autoroute	Ordinaire / 10,1 / 7,7 l/100 km

FEU VERT

- Construction commerciale
- Excellente capacité
- Moteur robuste
- Versions électriques
- Consommation raisonnable

FEU ROUGE

- Faible visibilité arrière
- Confort commercial
- Moteur un peu juste
- Prix relativement élevé

DU NOUVEAU EN 2012

Aucun changement majeur

http://www.ford.ca/

Plus d'informations dans la section statistiques en dernière partie du Guide

UN UTILITAIRE ÉLÉGANT

Son toit surélevé lui donne une silhouette singulière et permet de transporter beaucoup de matériel. Il sera même possible de l'équiper de systèmes de rangements multiples qui pourront être installés directement en usine. Détail important, le plancher de la section arrière est recouvert d'un tapis en caoutchouc de qualité industrielle qui semble « capable d'en prendre » et qui se lave très facilement. Pour accéder à cet espace de chargement, on bénéficie de deux portes latérales coulissantes, une de chaque côté, tandis qu'on accède à la soute à bagages arrière par deux portes à battants qui s'ouvrent à 180 degrés. La TC est vendue en version Cargo, avec ou sans glaces latérales, et en version Wagon, équipée de fenêtres latérales arrière et d'une banquette arrière à trois ou à deux places, qui se replie vers l'avant lorsqu'elle n'est pas utilisée. La planche de bord est correcte et réalisée avec des plastiques de qualité industrielle qui semblent en mesure de subir les pires abus pendant des années. Les sièges sont confortables et leur support latéral est plus qu'acceptable, une surprise pour un véhicule commercial. La position de conduite est bonne et les rétroviseurs de grandes dimensions. Une large tablette de rangement, qui permet de remiser des objets de toutes sortes, est située sur la partie avant du pavillon.

VOCATION PAS NÉCESSAIREMENT LUDIQUE

Même si la silhouette est élégante et attrayante, il ne faut pas croire à un véhicule ludique. Il a été conçu à la base pour la livraison urbaine ou encore pour faire office de plate-forme de travail mobile. Les accélérations sont adéquates tandis que la direction est assez précise et le diamètre de braquage étonnamment court, un must pour la conduite en ville. Les ressorts elliptiques arrière reliés à un essieu rigide nous font craindre le pire, mais les trous et les bosses sont gérés avec aplomb. Par contre, il faudra vous habituer à conduire en vous fiant aux rétroviseurs extérieurs, car la visibilité arrière est handicapée par la présence du pilier central arrière des portes à battant. Et avec la version sans fenêtres, on ne voit rien du tout et les rétroviseurs extérieurs deviennent votre seul contact avec ce qui se déroule derrière. Un radar de recul offert en option n'est pas un luxe.

Le Transit Connect peut être commandé en version 100 % électrique. C'est une excellente solution pour les véhicules captifs qui sont obligés de retourner à leur base en fin de journée. D'ailleurs, Poste Canada en a acheté plusieurs. Ford souligne que le rayon d'action est de 80 à 130 kilomètres selon les conditions. Au fil des mois, cette version devrait connaître une certaine popularité auprès des artisans de la construction par exemple. Une fois de plus, c'est en usine que les modifications sont apportées tandis qu'une version à gaz propane est offerte.

Denis Duquet

Photos: Ford

VOCATION SPÉCIALISÉE

Pendant des années, la berline Honda Accord a été la plus vendue en Amérique. Petit à petit, elle a perdu son hégémonie aux dépends de la Toyota Camry. Blessés dans leur orgueil, les dirigeants de Honda ont décidé de combattre le feu par le feu. Selon eux, si l'Accord a concédé son titre, c'est qu'elle était trop petite face à une concurrente plus volumineuse et plus spacieuse. La huitième génération de ce modèle, dévoilé il y a maintenant quatre ans, était donc plus grosse et plus luxueuse que la version précédente.

Malheureusement pour Honda, si on s'est efforcé de grossir ce modèle, les stylistes se sont enfargés dans leurs crayons, notamment en ce qui a trait à la silhouette de la berline qui, vous l'avouerez, est relativement conventionnelle. Et si ce modèle ne nous séduit pas tellement par son apparence, l'habitacle, particulièrement dans les versions les plus économiques, ne nous impressionne pas plus. Enfin, autant l'agrément de conduite que l'insonorisation sont à améliorer, surtout sur les versions de base de la berline.

Ce modèle a perdu cette petite étincelle qui en avait fait une incontournable dans la catégorie des intermédiaires. Même aujourd'hui, en dépit de certaines modifications apportées à la carrosserie à l'avant comme à l'arrière, personne ne mentionne l'esthétique de cette voiture pour justifier son choix. On parle surtout de moteurs fiables et performants, d'une finition intérieure impeccable, d'une bonne direction et d'une consommation de carburant raisonnable. Des deux versions, force est d'admettre que le coupé nous permet de mieux apprécier les éléments positifs de cette voiture. Mais nous y reviendrons plus tard, il nous faut d'abord parler de la version cinq portes hatchback.

CONCURRENTS

Crosstour: Mazda CX-7, Nissan Murano, Toyota Venza
Accord: Chevy Malibu, Ford Fusion, Hyundai Sonata, Kia Optima, Toyota Camry

IMPRESSIONS DE L'AUTEUR		
Agrément de conduite :	■■■■□	4 / 5
Fiabilité :	■■■■□	4 / 5
Sécurité :	■■■■■	5 / 5
Qualités hivernales :	■■■■□	4 / 5
Espace intérieur :	■■■■□	4 / 5
Confort :	■■■■□	4 / 5

CROSSTOUR : FORTEMENT CONTROVERSÉE

Même si on reproche de plus en plus à Honda de manquer d'audace, il arrive encore à ce constructeur de nous surprendre avec un modèle vraiment hors-norme. Le Crosstour fait partie de ces véhicules. On a doté la berline à moteur V6 d'un hayon arrière, en plus de lui concevoir une silhouette vraiment unique. Je ne crois pas qu'on puisse qualifier cette carrosserie d'élégante, mais elle est certainement originale.

Le Crosstour est une nouveauté dans la gamme Accord, une série qui en avait bien besoin. À défaut de pouvoir proposer une version familiale, on a imaginé cet hybride. On a eu la sagesse de ne choisir que la version la plus huppée propulsée par le moteur V6. Cela signifie que les performances du moteur V6 de 3,5 litres ne sont pas à dédaigner en raison de ses 271 chevaux. Malheureusement, ceux qui aiment posséder ce qui se fait de plus moderne en fait de mécanique vont sans doute hésiter devant la transmission automatique à cinq rapports. Celle-ci est correcte, mais la concurrence est plus généreuse à ce chapitre.

Lorsqu'on dit joindre l'utile à l'agréable, la Crosstour est l'exemple parfait de ce dicton. En plus de posséder une bonne tenue de route et de proposer un bon agrément de conduite, elle est capable de transporter des objets relativement encombrants, qui sont littéralement avalés par ce hayon. Et les dossiers arrière peuvent se rabattre pour augmenter l'espace de chargement. Pourtant, ce modèle audacieux ne semble pas jouir d'une grande popularité, si on se fie au faible nombre d'entre eux que l'on croise sur nos routes. La version la plus huppé de la Crosstour, dotée du système de navigation par satellite et de la transmission intégrale, se vend pour environ 40 000 $, un prix comparable à une Audi A4 avant quattro. C'est un pensez-y bien !

LA MAGIE DU COUPÉ HFP

Honda a résisté longtemps à la tentation de créer des modèles dérivés d'une division développant des voitures de performances, ou à tout le moins des accessoires permettant de donner une allure plus sportive à sa voiture. On connaît la section TRD chez Toyota et Mazdaspeed chez Mazda, pour ne nommer que ces deux exemples. Cette fois, on a décidé de joindre les rangs en offrant un modèle HFP du Coupé V6. Il s'agit du premier modèle à être vendu au Canada en version HFP, trois lettres signifiant Honda Factory Performance.

Dans le cas qui nous intéresse, la suspension est abaissée, les amortisseurs sont plus sportifs, les roues de 19 pouces en alliage exclusif sont garnies de pneus Michelin MXM4, tandis que des déflecteurs spéciaux avant et arrière donnent un peu plus de caractère à cette voiture. J'ai bien apprécié ce modèle qui, lorsqu'on le voit pour la première fois, propose un petit quelque chose de différent sur le plan visuel, sans pour autant ressembler à une voiture modifiée par un *tuner* en mal de sensations fortes. Sur la route, l'abaissement de la suspension et les autres modifications mécaniques rendent cette voiture nettement plus agréable à conduire et il semble que la direction soit également plus précise. Compte tenu de l'excellente boîte de vitesses manuelle associée à un moteur V6 vraiment dynamique, on peut affirmer que ce modèle est une réussite. Seulement 200 unités de cette Accord HFP seront disponibles. Jadis une voiture dominante par ses chiffres de vente, l'Accord devient petit à petit un modèle visant des créneaux relativement spécifiques par le biais de la Crosstour et du Coupé HFP.

Denis Duquet

Photos : Denis Duquet

Catégorie	Berline, Coupé, Multisegment
Échelle de prix	24 790 $ à 35 890 $ (2011)
Garanties	3 ans/60 000 km, 5 ans/100 000 km
Assemblage	Marysville, Ohio, É-U
Cote d'assurance	passable

CHÂSSIS - EX-L BERLINE

Emp/lon/lar/haut	2 800/4 930/1 846/1 476 mm
Coffre	397 litres
Réservoir	70 litres
Nombre coussins sécurité / ceintures	6 / 5
Suspension avant	indépendante, double triangulation
Suspension arrière	indépendante, multibras
Freins avant / arrière	disque / disque
Direction	à crémaillère, ass. variable
Diamètre de braquage	11,5 m
Pneus avant / arrière	P225/50R17 / P225/50R17
Poids	1 560 kg
Capacité de remorquage	454 kg (1 000 lb)

COMPOSANTES MÉCANIQUES

Berline	
Cylindrée, soupapes, alim.	4L 2,4 litres 16 s atmos.
Puissance / Couple	177 chevaux / 161 lb-pi
Tr. base (opt) / rouage base (opt)	M5 (A5) / Tr
0-100 / 80-120 / 100-0 km/h	9,9 s / 8,4 s / 42,3 m
Type ess. / ville / autoroute	Ordinaire / 8,8 / 5,8 l/100 km

Berline, coupé	
Cylindrée, soupapes, alim.	4L 2,4 litres 16 s atmos.
Puissance / Couple	190 chevaux / 162 lb-pi
Tr. base (opt) / rouage base (opt)	M5 (A5) / Tr
0-100 / 80-120 / 100-0 km/h	9,5 s / 8,2 s / 42,3 m
Type ess. / ville / autoroute	Ordinaire / 9,0 / 5,5 l/100 km

Berline, coupé, Crosstour	
Cylindrée, soupapes, alim.	V6 3,5 litres 24 s atmos.
Puissance / Couple	271 chevaux / 254 lb-pi
Tr. base (opt) / rouage base (opt)	A5 / Tr
0-100 / 80-120 / 100-0 km/h	6,6 s / 4,1 s / 42,3 m
Type ess. / ville / autoroute	Super / 11,9 / 7,6 l/100 km

- Motorisation impeccable
- Finition sans reproche
- Version HFP bien exécutée
- Crosstour pratique
- Boîte manuelle

- Silhouette anonyme (berline)
- Prix élevés
- Insonorisation perfectible
- Position de conduite (berline)
- Ergonomie toujours complexe

DU NOUVEAU EN 2012

Aucun changement majeur

http://www.honda.ca

Plus d'informations dans la section statistiques en dernière partie du Guide

MAUDITE SAGESSE !

Lorsqu'une voiture se vend très bien, un dilemme vient toujours à se poser pour les décideurs. Pas facile d'effectuer les changements qui s'imposent tout en conservant les éléments qui sont responsables d'une si grande popularité. C'est justement le cas de la nouvelle Honda Civic. Quand une voiture peut se targuer d'être la plus vendue au Canada depuis plus d'une décennie, on marche sur des œufs lorsque vient le temps de la transformer.

Lors de la refonte de la Civic, stylistes et ingénieurs ont décidé de jouer la carte de la sagesse. La nouvelle édition proposée pour 2012 est davantage un modèle évolutif qu'une version révolutionnaire. Cette approche a poussé bien des chroniqueurs automobiles à reprocher à Honda son manque d'audace. La majorité d'entre eux croyait que les ingénieurs allaient concocter une Civic presque entièrement revue. Croyez-moi, ils sont restés sur leur appétit. L'audace a ici été largement supplantée par la prudence.

REGARDEZ L'ARRIÈRE

La nouvelle Civic est une voiture dont la silhouette est évolutive, sans plus. En fait, les parties avant de la nouvelle et de l'ancienne génération sont très similaires. Pour les démarquer l'une de l'autre, il faut se diriger vers la section arrière, nettement plus modifiée. En effet, les feux ne débordent plus sur le couvercle du coffre, mais constituent une entité verticale qui se limite à l'aile de la voiture. Le coffre a également été retouché. On y a ajouté un petit déflecteur intégré pour favoriser une meilleure pénétration dans l'air.

Parmi les autres modifications à la carrosserie, il faut souligner un pare-brise fortement incliné vers l'arrière. Cette solution technique est louable, mais elle a des répercussions sur l'agencement du capot et dans l'habitacle. En effet, on a abaissé la partie avant de ce pare-brise ce qui crée une bonne dénivellation entre le rebord arrière du capot et le pare-brise. Ce n'est pas vraiment désagréable à l'œil, mais on peut s'interroger sur ce qui va arriver l'hiver avec les dépôts de neige et de glace.

CONCURRENTS
Chevrolet Cruze, Dodge Caliber, Ford Focus, Hyundai Elantra, Kia Forte, Mazda3, Nissan Sentra, Subaru Impreza, Suzuki SX-4, Toyota Corolla, Volkswagen Jetta

IMPRESSIONS DE L'AUTEUR	
Agrément de conduite :	4/5
Fiabilité :	4/5
Sécurité :	4/5
Qualités hivernales :	3.5/5
Espace intérieur :	3/5
Confort :	3.5/5

Sans doute pour ce qu'on imagine être des raisons d'aérodynamique et pour ne pas non plus grever les budgets, toutes les voitures, qu'il s'agisse du coupé ou de la berline, se partagent la même silhouette. Seuls les roues et quelques écussons nous permettent de les distinguer. Soulignons en terminant que la qualité de finition et de fabrication de la caisse demeure à la hauteur de la réputation de ce constructeur.

PRATIQUE MAIS SANS ÉLÉGANCE

L'une des caractéristiques uniques de la précédente génération de la Civic était son tableau de bord à affichage superposé. C'était pratique, relativement audacieux et au fil des années, les gens avaient fini par apprécier cette configuration. Cette fois, on a décidé de poursuivre dans cette veine, mais en offrant davantage d'informations au pilote. Pour ce faire, on a allongé l'espace d'affichage supérieur qui est maintenant de forme rectangulaire en plus d'être passablement long. On y a regroupé tous les cadrans importants et les écrans d'information. Ceux-ci sont à affichage multiple et sont gérés par un bouton placé sur le volant. C'est peu esthétique, mais très pratique, en théorie. Malheureusement, ces cadrans sont difficiles à lire lorsque les rayons du soleil atteignent cet espace d'information.

Il y a donc, en premier lieu, cette présentation quelque peu anachronique. Mais la longueur du tableau de bord est un autre élément qui surprend. Assis aux places avant, on a l'impression que celui-ci mesure au moins 1 m de long (j'exagère, mais vous comprenez…). Je ne connais pas la mesure exacte, mais croyez-moi, c'est vraiment long. Et la raison de cette disposition est très simple : il a été allongé en raison du pare-brise fortement incliné. Si on n'avait pas donné cet espace vital, les occupants des places avant se seraient heurté la tête sur le pare-brise. En définitive, les sièges avant sont en retrait et on a dû allonger le pare-brise. Mais la grande surprise (et la déception majeure), c'est la texture et la qualité plutôt médiocre des plastiques utilisés autant pour la planche de bord que pour la portière. Le plastique choisi est non seulement ultra dur, mais sa texture semble bon marché.

Mais tout n'est pas négatif, au contraire. Sur une note pratique, l'ergonomie des commandes est excellente tandis que l'écran d'affichage du système de navigation optionnel est sans reproche. La position de conduite est également bonne. Il est aussi important de souligner que les occupants des places arrière bénéficient de 40 mm de plus d'espace pour les jambes, ce qui s'avère quand même impressionnant, compte tenu du fait que l'empattement a été raccourci de 30 mm et que la longueur hors tout du véhicule est demeurée identique.

UN TRIO DE MOTEURS

Comme sur la version précédente, les acheteurs peuvent choisir entre trois motorisations. Il y a le moteur des modèles réguliers, celui des versions plus sportives et finalement la motorisation hybride. Dans l'ensemble, ces mécaniques sont plus raffinées par

rapport aux versions précédentes plutôt que modifiées. Il est difficile de s'en plaindre d'une quelconque manière puisqu'on avait déjà peu de choses à leur reprocher.

Avant de parler du moteur hybride, il est important de préciser que Honda est le seul constructeur à proposer ce genre de motorisation chez les compactes. De plus, il était fort important pour la compagnie de conserver un prix de vente très compétitif pour cette version. C'est sans doute ce qui explique pourquoi les ingénieurs de Honda sont demeurés fidèles au système IMA, qui consiste en un petit moteur électrique installé entre la transmission et le moteur thermique. Cette technologie donne de bons résultats, même si elle est moins sophistiquée que ce que la concurrence propose. On a toutefois innové en adoptant des accumulateurs ion-lithium afin de pouvoir compter sur plus de puissance et un poids réduit. Le moteur électrique a vu sa puissance portée de 15 à 20 kW. En plus, la transmission à rapports continuellement variables a été raffinée, tout comme le système de climatisation et les freins régénérateurs d'énergie. Cela permet à Honda de promettre une consommation de 4,4 1/100 km en ville et de 4,2 sur la grande route.

Pour ce qui est des moteurs plus classiques, la Civic toujours est propulsée par un quatre cylindres de 1,8 litre qui produit encore la même puissance, soit 140 chevaux. Mais plusieurs améliorations internes permettent d'obtenir une consommation de carburant réduite de l'ordre de 12 %, qu'on se doit de souligner.

Par ailleurs, la berline et le coupé Si sont propulsés par un moteur 2,4 litres produisant 201 chevaux, un gain de quatre chevaux par rapport à la version précédente. Pour accentuer davantage le caractère sportif de ce modèle, seule la transmission manuelle à six rapports est disponible. En plus, les Si sont dotées de déflecteurs avant et arrière qui lui sont exclusifs, tout comme les jantes en alliage dont le nouveau design est fort intéressant.

BONNE ROUTIÈRE

Comme on n'a pas voulu modifier une combinaison gagnante chez Honda, ces nouvelles Civic conservent également leurs qualités routières. Sa caisse plus rigide, sa suspension améliorée et une tenue de route supérieure à la moyenne de la catégorie sont autant d'éléments qui la démarquent. Le moteur 1,8 litre est nerveux et les accélérations sont quand même agressives. Sur l'autoroute, la tenue de route est bonne, la direction précise mais l'insonorisation demeure cependant perfectible. La version hybride n'est pas spectaculaire, mais si on prend la peine de conduire de façon écologique, on peut facilement circuler avec une moyenne réelle de 5,0 l/100 km, soit juste un peu plus que ce que le constructeur nous promet.

En conclusion, même si plusieurs seront déçus par la trop grande sagesse que démontre Honda pour sa Civic, et ce, tant au chapitre de la mécanique que de l'esthétique, les gens devraient continuer d'acheter en grand nombre cette petite nipponne assemblée au Canada.

Denis Duquet

Photos : Denis Duquet

Catégorie	Berline, Coupé
Échelle de prix	14 990 $ à 27 350 $
Garanties	3 ans/60 000 km, 5 ans/100 000 km
Assemblage	Alliston, Ontario, Canada
Cote d'assurance	pauvre

CHÂSSIS - EX-L BERLINE	
Emp/lon/lar/haut	2 670/4 504/1 752/1 435 mm
Coffre	344 litres
Réservoir	50 litres
Nombre coussins sécurité / ceintures	6 / 5
Suspension avant	indépendante, jambes de force
Suspension arrière	indépendante, multibras
Freins avant / arrière	disque / disque
Direction	à crémaillère, ass. variable électrique
Diamètre de braquage	10,8 m
Pneus avant / arrière	P205/55R16 / P205/55R16
Poids	1 267 kg
Capacité de remorquage	454 kg (1 000 lb)

COMPOSANTES MÉCANIQUES	
Hybride	
Cylindrée, soupapes, alim.	4L 1,5 litre 8 s atmos.
Puissance / Couple	110 chevaux / 127 lb-pi
Tr. base (opt) / rouage base (opt)	CVT / Tr
0-100 / 80-120 / 100-0 km/h	n.d. / n.d. / n.d.
Type ess. / ville / autoroute	Ordinaire / 4,4 / 4,2 l/100 km
Berline, coupé	
Cylindrée, soupapes, alim.	4L 1,8 litre 16 s atmos.
Puissance / Couple	140 chevaux / 128 lb-pi
Tr. base (opt) / rouage base (opt)	M5 (A5) / Tr
0-100 / 80-120 / 100-0 km/h	8,6 s / 7,1 s / 42,8 m
Type ess. / ville / autoroute	Ordinaire / 7,2 / 5,0 l/100 km
Berline Si, coupé Si	
Cylindrée, soupapes, alim.	4L 2,4 litres 16 s atmos.
Puissance / Couple	201 chevaux / 170 lb-pi
Tr. base (opt) / rouage base (opt)	M6 / Tr
0-100 / 80-120 / 100-0 km/h	7,0 (est) / 5,0 (est) / 40,8 (est)
Type ess. / ville / autoroute	Super / 10,0 / 6,4 l/100 km

- Moteurs bien adaptés
- Économie de carburant
- Bonne tenue de route
- Versions Si
- Fiabilité rassurante

- Boîte automatique à cinq rapports
- Plastiques de l'habitacle à revoir
- Insonorisation moyenne
- Tableau de bord peu élégant
- Version de base dépouillée

DU NOUVEAU EN 2012

Nouveau modèle

http://www.honda.ca

Plus d'informations dans la section statistiques en dernière partie du Guide

PAREIL OU PAS PAREIL?

Prêt pour quelques devinettes? Pour tout dire, vous n'avez pas vraiment le choix – et nous non plus. Car au moment de mettre sous presse, votre Guide de l'Auto 2012 n'avait toujours pas obtenu les informations quant à la quatrième génération du Honda CR-V. Apparemment qu'un certain tsunami au Japon aurait ralenti la mise en marché de l'utilitaire compact… Alors, amusons-nous à deviner ce qu'il en sera.

Design: pareil ou pas pareil? Pareil, croyons-nous. Et pour cause: l'une des rares photos du nouveau CR-V à avoir circulé sur le Net montre une allure qui ne tombe vraiment pas très loin de l'arbre. Un peu comme pour la nouvelle Civic, le constructeur japonais n'a sans doute pas voulu tripoter ce qui, somme toute, est resté contemporain.

Par contre, un élément distinguera assurément la nouvelle génération du CR-V de l'ancienne et c'est le hayon : au lieu de se terminer en goutte d'eau, et toujours si l'on en croit les photos-espion, la partie arrière se renfle d'un… d'un… mais qu'est-ce que cette excroissance à la Volvo XC90? Serait-ce là une manière d'accueillir les occupants d'une toute nouvelle troisième rangée? C'est possible et ça expliquerait d'ailleurs pourquoi le CR-V photographié sur le vif, pourtant à peine déguisé, arbore un cache-fenêtre aux flancs arrière. Restera à constater de visu si ces sixième et septième sièges sont minimalement confortables ou s'ils ne pourront recevoir que ceux nés au nouveau millénaire…

SÛREMENT PAS DE V6

La motorisation, maintenant: pareille ou pas pareille? Nous pensons que c'est encore un quatre cylindres de 2,4 litres qui se glissera sous le capot. À notre avis, pas de turbo, ni d'injection directe, encore moins de V6 ou de propulsion hybride à l'horizon. Et ce n'est pas une mauvaise nouvelle en soi, puisque l'actuel moteur de 2,4 litres, qui a gagné 18 chevaux (à 180 chevaux) en 2010, suffit à la tâche, en plus de savoir se montrer frugal.

CONCURRENTS

Chevy Equinox, Ford Escape, Hyundai Tucson, Jeep Compass/Patriot, Kia Sportage, Mitsubishi Outlander, Nissan Rogue, Subaru Forester, Suzuki Grand Vitara, RAV4, Volks Tiguan

IMPRESSIONS DE L'AUTEUR	
Agrément de conduite:	3.5/5
Fiabilité:	5/5
Sécurité:	5/5
Qualités hivernales:	3.5/5
Espace intérieur:	3.5/5
Confort:	4/5

La tendance veut que chaque nouvelle génération de véhicules qui s'amène offre un surcroît de puissance, assorti d'une réduction de la consommation. C'est donc ce que nous anticipons ici aussi. Oh, pas une augmentation phénoménale de la vigueur — c'est mal connaître Honda, que d'envisager pareil scénario. Non, nous parions plutôt sur une vingtaine de chevaux en extra, pour un max de 200. Et pour prétendre à une encore meilleure frugalité, peut-être que Honda fera le saut vers une boîte automatique à six rapports (un rapport de plus qu'actuellement). Peut-être même accordera-t-il, nouvellement à son CR-V, une direction électrique. Si c'est le cas, prions pour qu'elle communique bien avec la route, comme le fait l'actuelle crémaillère. Au passage, peut-on enfin rêver d'un mode manuel à la transmission, comme ça devient de plus en plus la norme dans l'industrie ? Ou à une traction intégrale (elle devrait demeurer optionnelle, celle-là) qui accepte de se verrouiller manuellement 50/50, question de mieux affronter les situations corsées ? Sans doute pas : n'exagérons pas sur la nouveauté, quand même…

NE TOUCHEZ PAS À L'HABITACLE !

Habitacle : pareil ou pas pareil ? Pareil, et là, c'est notre souhait personnel qu'on fait entendre. Parce que la cabine du dernier CR-V a su nous conquérir. Les commandes sont bien disposées, faciles à manipuler. On aime le levier de vitesse monté en podium et qui tombe sous la main. Les indicateurs, rétroéclairés de blanc et de bleu, composent un ensemble moderne qui fait très « cockpit ». Même après cinq ans sur le marché, le tout demeure bien pensé, de même que les matériaux et l'assemblage sont d'une telle qualité qu'on peut presque confondre l'intérieur du CR-V avec celui d'une Acura. C'est pourquoi on espère que le changement générationnel ne passera pas par un habitacle où les commandes s'éparpilleront — comme Honda a malheureusement su le faire dans certains de ses produits. Pour cette autre génération de CR-V, on peut prédire que, dans les versions plus haut de gamme, on pourra encore se gâter du revêtement de cuir, du système de navigation avec commandes vocales, de la climatisation bi-zone et de la caméra de recul. On souhaite cependant que le démarrage sans clé devienne possible et, pourquoi pas, qu'un toit panoramique s'ajoute au catalogue afin d'éclairer tout le monde à bord.

SANS DOUTE TOUJOURS AUSSI CHER…

Cargo : pareil ou pas pareil ? Sûrement pareil, parce que le CR-V ne voudra pas perdre sa réputation d'utilitaire compact parmi les plus logeables et les plus polyvalents du marché. Sans doute, que les sièges de deuxième rangée continueront de se rabattre en un pratique « flip-flop », pour un très généreux 2064 litres de chargement. Et gageons que si une troisième rangée monte effectivement à bord, elle sera facile à rabattre en configuration 50/50.

Prix : pareils ou pas pareils ? Là encore, sûrement pareils. Mais il faut dire que le CR-V n'a pas de marge de manœuvre : il a toujours été l'un des utilitaires le plus coûteux à l'achat. Qu'on se console : sa fiabilité incontestée et sa grande valeur de revente devraient continuer de compenser en bout de piste.

Nadine Filion

Photos : Honda

DONNÉES 2011	
Catégorie	VUS
Échelle de prix	26 290 $ à 35 590 $ (2011)
Garanties	3 ans/60 000 km, 5 ans/100 000 km
Assemblage	East Liberty, Ohio, É-U et El Salto, Mexique
Cote d'assurance	n.d.

CHÂSSIS - LX 2RM	
Emp/lon/lar/haut	2 620/4 555/1 820/1 680 mm
Coffre	1 011 à 2 064 litres
Réservoir	58 litres
Nombre coussins sécurité / ceintures	6 / 5
Suspension avant	indépendante, jambes de force
Suspension arrière	indépendante, multibras
Freins avant / arrière	disque / disque
Direction	à crémaillère, ass. variable
Diamètre de braquage	11,5 m
Pneus avant / arrière	P225/65R17 / P225/65R17
Poids	1 543 kg
Capacité de remorquage	680 kg (1 499 lb)

COMPOSANTES MÉCANIQUES	
Cylindrée, soupapes, alim.	4L 2,4 litres 16 s atmos.
Puissance / Couple	180 chevaux / 161 lb-pi
Tr. base (opt) / rouage base (opt)	A5 / Tr (Int)
0-100 / 80-120 / 100-0 km/h	10,3 s / 8,7 s / 42,5 m
Type ess. / ville / autoroute	Ordinaire / 10,1 / 7,5 l/100 km

FEU VERT

- Élégance extérieure (si elle demeure)
- Polyvalence intérieure (si elle reste)
- Habitacle stylé et fonctionnel
- Une boîte automatique à six rapports ?

FEU ROUGE

- Un mode manuel ?
- La traction intégrale qui se verrouille 50/50 ?
- Vraiment, une 3e rangée ?

DU NOUVEAU EN 2012

Aucun changement majeur.
Nouveau modèle sera dévoilé en cours d'année

http://www.honda.ca

Plus d'informations dans la section statistiques en dernière partie du Guide

UNE FAUSSE BONNE IDÉE

Entre 1984 et 1991, Honda commercialisait une très amusante voiture, la CRX. Il y a quelques années, la marque japonaise récidivait en présentant dans les Salons de l'auto à travers le monde un autre biplace fort stylisé, la CR-Z, doté d'une motorisation hybride, seyant mieux à notre époque qu'un vulgaire moteur thermique. Malgré un beau succès lors de sa première année de commercialisation au Japon, la CR-Z est loin de faire l'unanimité. Est-ce une sportive ou une écolo? En tentant de viser ces deux extrêmes, Honda semble rater les deux cibles.

Les amateurs de conduite inspirée sont très rarement tentés par l'approche écologique tandis que les «verts» n'ont que faire d'une voiture dégourdie. En fait, Honda aurait sans doute convaincu plus d'acheteurs si elle avait présenté sa CR-Z comme une Insight sportive (ce qu'elle est puisqu'elle en est étroitement dérivée) plutôt que comme une CRX moderne.

PLUS FONCTIONNELLE QUE SPORTIVE

Toujours est-il que la CR-Z n'est pas une mauvaise voiture. Certes, elle offre juste deux places, mais elles sont étonnamment confortables et l'espace ne manque pas. De plus, les sièges offrent un excellent support latéral. Attraper les ceintures pour pouvoir les attacher demande toutefois une certaine gymnastique. Derrière ces sièges, on retrouve des bacs de rangement très pratiques. Dommage que le seuil de chargement du coffre soit si élevé. Le hayon est formé de deux vitres séparées par une barre horizontale qui bloque passablement la visibilité vers l'arrière. La vitre du haut reçoit un essuie-glace, ce qui est une excellente idée. C'est cependant la vitre du bas, qui est pratiquement verticale, qui se salit rapidement.

CONCURRENTS

Aucun concurrent

IMPRESSIONS DU LECTEUR

Agrément de conduite :	4 / 5
Fiabilité :	3 / 5
Sécurité :	4 / 5
Qualités hivernales :	3 / 5
Espace intérieur :	3.5 / 5
Confort :	4 / 5

Le tableau de bord, tout éclairé de bleu, est d'un design plutôt étrange. Composé de nombreuses parties qui s'imbriquent, il ne m'est pas apparu des plus esthétiques. Aussi, j'aurais aimé que le bouton de mise en marche du système audio (un terme bien pompeux pour un appareil délivrant une qualité sonore si modeste) et celui du volume cessent de me confondre.

La CR-Z, on l'a déjà dit, est dérivée de l'Insight avec qui elle partage son châssis. Elle reprend aussi plusieurs éléments de la Civic, comme nous l'avons vu lorsque nous l'avons emmenée au garage Roch Lavallée et Fils de Granby. Les suspensions avant et arrière ainsi que les freins ressemblent presque en tout point à ce qu'on retrouve dans la Civic. Nous avons aussi découvert que l'antirouille était inexistant (une situation qui semble se généraliser dans l'industrie) et qu'il n'y avait pas de trou dans le châssis pour permettre l'installation d'un support à vélo.

CONSOMMATION CORRECTE, SANS PLUS

Le moteur thermique de la CR-Z développe 113 chevaux, ce qui est bien peu pour une sportive. Au moins, il est aidé par un moteur électrique qui ajoute 12 chevaux. On serait donc en droit de s'attendre à une puissance combinée de 125 chevaux, mais Honda annonce plutôt 122. Les performances ne sont pas éclatantes, mais un 0-100 sous les 10 secondes (9,5 pour être précis) demeure intéressant pour une si petite écurie. Lors d'un essai hivernal où mon thermomètre me suppliait de le laisser entrer dans la maison, nous avons obtenu une moyenne de 6,7 l/100 km, ce qui s'aligne sur les promesses de Honda (6,5 en ville et 5,3 sur autoroute). C'est mieux qu'une Civic et qu'une Fit, mais moins bien qu'une Insight. Reste à savoir si les quelques litres économisés par rapport aux deux premières, dont la fiabilité et la valeur de revente sont établies, en valent la chandelle…

C'est que la technologie hybride, en provenance de Honda ou de n'importe quel autre constructeur, a beau être parmi nous depuis déjà quelques années, sa fiabilité n'est pas encore parfaite… La CR-Z m'a abandonné l'hiver passé, refusant de démarrer par moins 23 Celcius. Il a fallu la « booster » pour la faire sortir de sa torpeur. Et l'explication de Honda a de quoi laisser perplexe : l'erreur provenait, semble-t-il, du conducteur qui n'avait pas mis la boîte manuelle sur le neutre lors du démarrage. J'avais pourtant le pied sur l'embrayage. Comme cette procédure est écrite dans le manuel du propriétaire, nous nous devons de l'accepter. Toutefois, si vous voulez mon avis, le problème était beaucoup plus important, mais nous nous contenterons de l'explication de Honda.

Le conducteur peut choisir entre trois modes de conduite : Econ, Normal et Sport. Même si la mission première de ce biplace est l'économie d'essence, il faudrait être plus vert que vert pour toujours rouler sur le mode Econ qui semble endormir la moitié des chevaux sous le capot. À l'autre bout, le mode Sport fait fi de l'essence ingurgitée et réveille les équidés comme s'il avait un fouet ! Quiconque aime une conduite plus inspirée enfoncera avec plaisir ce bouton. Quant au mode Normal, il se situe entre les deux autres et fera l'affaire de ceux qui veulent économiser argent et environnement sans se faire crier des noms par les automobilistes impatients qui les suivraient.

La CR-Z de Honda tente de faire plaisir à tout le monde, sportifs et écolos, mais ne plaît à personne en fin de compte.

Alain Morin

Photos : Marc Lachapelle

Catégorie	Coupé
Échelle de prix	23 490 $ à 24 290 $ (2011)
Garanties	3 ans/60 000 km, 5 ans/100 000 km
Assemblage	Suzuka, Japon
Cote d'assurance	n.d.

CHÂSSIS - BASE CVT

Emp/lon/lar/haut	2 435/4 079/1 740/1 394 mm
Coffre	286 à 711 litres
Réservoir	40 litres
Nombre coussins sécurité / ceintures	6 / 2
Suspension avant	indépendante, jambes de force
Suspension arrière	semi-indépendante, poutre de torsion
Freins avant / arrière	disque / disque
Direction	à crémaillère, ass. variable électrique
Diamètre de braquage	10,8 m
Pneus avant / arrière	P195/55R16 / P195/55R16
Poids	1 229 kg
Capacité de remorquage	non recommandé

COMPOSANTES MÉCANIQUES

Base CVT	
Cylindrée, soupapes, alim.	4L 1,5 litre 16 s atmos.
Puissance / Couple	122 chevaux / 123 lb-pi
Tr. base (opt) / rouage base (opt)	CVT / Tr
0-100 / 80-120 / 100-0 km/h	9,8 s / 7,1 s / 42,5 m
Type ess. / ville / autoroute	Ordinaire / 5,6 / 5,0 l/100 km

Base	
Cylindrée, soupapes, alim.	4L 1,5 litre 16 s atmos.
Puissance / Couple	122 chevaux / 128 lb-pi
Tr. base (opt) / rouage base (opt)	M6 / Tr
0-100 / 80-120 / 100-0 km/h	9,5 s (est) / 6,8 s (est) / 42.5 m
Type ess. / ville / autoroute	Ordinaire / 6,5 / 5,3 l/100 km

FEU VERT

- Design très agréable
- Sièges confortables
- Performances correctes
- Transmission manuelle agréable
- Conduite agréable (en mode Sport)

FEU ROUGE

- Ni écolo, ni sportive
- Consommation un peu élevée
- Fiabilité reste à prouver
- Visibilité arrière pauvre
- Dégagement au sol restreint

DU NOUVEAU EN 2012

Aucun changement majeur

http://www.honda.ca

Plus d'informations dans la section statistiques en dernière partie du Guide

NARGUER LES HYBRIDES

Lancez-la dans un essai comparatif avec d'autres sous-compactes et la Honda Fit a de bonnes chances de remporter les honneurs – surtout dotée de la boîte manuelle.

Dans le monde automobile actuel, les hybrides veulent nous vendre l'économie d'essence, mais la double motorisation et la technologie qui s'y rattache demandent des milliers de dollars supplémentaires. Pourquoi vous dit-on cela? Parce que depuis toujours, lorsqu'on teste des hybrides, on vous répète la même conclusion : « Vous devriez songer à la Honda Fit, elle est presque aussi frugale, moins lourde, son cargo est très généreux et elle coûte 10 000 $ de moins. »

Si on utilise encore la Fit comme point de comparaison, c'est parce que la sous-compacte fait presque tout bon. D'abord, son espace est hautement habitable. Merci à sa haute silhouette – plus jolie depuis l'arrivée d'une deuxième génération moins quadrilatère –, elle héberge cinq passagers de façon plus accueillante que la font la majorité de ses concurrentes. L'intérieur est facile à apprivoiser, la banquette se replie sans difficulté et le cargo est vaste: 1 622 litres, c'est autant, sinon plus, que certains utilitaires.

La Fit a su innover, aussi. Encore aujourd'hui, on encense sa banquette Magic Seat dont l'assise se relève comme au cinéma. C'est si pratique qu'on se demande pourquoi la concurrence ne l'a pas encore copié. Surtout, la consommation de la Fit est un exemple à suivre. Les cotes annoncées par le constructeur sont non seulement très frugales, elles sont possibles. Nos tests maison ont enregistré des moyennes, en situations réelles, sous les 6 l/100km, tant pour la boîte automatique que pour la manuelle.

CONCURRENTS
Ford Fiesta,
Hyundai Accent,
Kia Rio/Rio5,
Mazda2,
Nissan Versa,
Toyota Yaris

IMPRESSIONS DE L'AUTEUR	
Agrément de conduite :	4/5
Fiabilité :	4.5/5
Sécurité :	4/5
Qualités hivernales :	3.5/5
Espace intérieur :	4/5
Confort :	3.5/5

PAS SANS LA MANUELLE!

Les bons mots pour la Fit se poursuivent sur la route : dans un match avec les sous-compactes de l'heure (hormis la nouvelle Hyundai Accent), la Honda a tenu le haut du pavé, ce qui est remarquable étant donné qu'elle en est à sa quatrième année sur le marché. C'est d'abord pour son caractère sportif qui fait défaut à d'autres. Et c'est grâce à une direction (pourtant électrique!) et des pédales parmi les plus communicatives de la catégorie. À 10,5 mètres, le braquage est parmi les plus courts et, joint aux petites dimensions de la voiture (tout juste 4 m de long), ça permet de se faufiler aisément dans la circulation.

Certes, sur les cahots, la suspension trahit (plus durement que d'autres) son architecture à poutre de torsion, mais reste qu'en piste, le comportement est à la fois prévisible et assuré, voire dynamiquement plaisant. Il n'y a que les forts vents pour faire broncher celle qui se montre presque aussi haute que large. Attention, cependant : pour bien apprécier la Fit, il faut choisir la boîte manuelle. Car 117 chevaux et à peine 106 lb-pi sous le capot, développés par un quatre cylindres de 1,5 litre, ce n'est pas beaucoup et c'est avec la manuelle (cinq vitesses) que la petite se débrouille le mieux. D'autant que cette boîte se manie de façon souple et que ses passages sont instinctifs. Les accélérations sont alors correctes, la motorisation est parmi les plus douces du segment et la puissance se module bien – en troisième vitesse, on trouve avec surprise encore un peu de jus sous le pied droit. Il en va autrement pour l'automatique (cinq rapports, elle aussi), qui donne malheureusement une tout autre personnalité à la Fit. De sympathique et pimpante, la voiture devient essoufflée et bruyante. Un handicap, cette boîte. Dommage qu'on ne lui ait pas donné des palettes au volant, comme à la première génération. Ça l'aurait fait mieux paraître.

PRESQUE UN UTILITAIRE

Dans l'habitacle, les matériaux sont bien sélectionnés et d'excellent assemblage. Haute de 1 525 mm (c'est autant que la Yaris, mais en moyenne 50 mm de plus que les Ford Fiesta, Mazda2 et Kia Rio), la Fit offre un bon dégagement aux têtes. Au risque de se répéter, elle propose du cargo en masse, grâce à une banquette qui se rabat facilement et tout à fait à plat. Même avec ses cinq places occupées, la petite héberge 585 litres de chargement – presque deux fois plus que la moyenne.

Mais, il y a un « mais » : au passage générationnel de 2009, la planche de bord a tellement voulu se moderniser qu'elle demande, depuis, un temps d'apprivoisement. Le tableau est éclaté, on tâtonne pour le système audio et on cherche encore à comprendre pourquoi les commandes de chauffage sont dissimulées par le volant. Il aurait fallu garder l'ergonomie en tête. Autres critiques : les porte-gobelets sont peu accessibles, coincés sous la console ou placés loin derrière le coude. Aussi, le siège du conducteur ne s'ajuste pas en hauteur. Enfin, l'insonorisation est moyenne. Vous direz que c'est de bonne guerre pour une sous-compacte, mais sachez que les nouvelles venues dans la catégorie savent faire à ce chapitre.

En ce qui a trait au prix, la Fit peut sembler plus chère que la concurrence (14 480 $ pour la variante de base), mais il faut savoir qu'elle vient de série avec le groupe électrique. Et répétons-le : elle accueille presque autant de chargement qu'un utilitaire, tout en consommant tellement moins. Un vrai pied de nez aux hybrides…

Nadine Filion

MODÈLE 2011

Photos : Honda

Catégorie	Hatchback
Échelle de prix	14 480 $ à 18 780 $ (2011)
Garanties	3 ans/60 000 km, 5 ans/100 000 km
Assemblage	Suzuka, Japon
Cote d'assurance	moyenne

CHÂSSIS - DX-A

Emp/lon/lar/haut	2 500/4 105/1 695/1 525 mm
Coffre	585 à 1 622 litres
Réservoir	40 litres
Nombre coussins sécurité / ceintures	6 / 5
Suspension avant	indépendante, jambes de force
Suspension arrière	semi-indépendante, poutre de torsion
Freins avant / arrière	disque / tambour
Direction	à crémaillère, ass. variable électrique
Diamètre de braquage	10,5 m
Pneus avant / arrière	P175/65R15 / P175/65R15
Poids	1 119 kg
Capacité de remorquage	n.d.

COMPOSANTES MÉCANIQUES

DX, DX-A, LX, Sport

Cylindrée, soupapes, alim.	4L 1,5 litre 16 s atmos.
Puissance / Couple	117 chevaux / 106 lb-pi
Tr. base (opt) / rouage base (opt)	M5 (A5) / Tr
0-100 / 80-120 / 100-0 km/h	10,3 s / 9,8 s / 42,0 m
Type ess. / ville / autoroute	Ordinaire / 7,1 / 5,7 l/100 km

FEU VERT

- Oui, mais avec la boîte manuelle !
- Consommation réelle sous les 6 l/100 km
- Qualité des matériaux et de leur assemblage
- Magic Seat
- Direction électrique communicative

FEU ROUGE

- Suspension qui tressaute
- Insonorisation moyenne
- Silhouette qui « prend » dans le vent
- Boîte automatique handicapante
- Commandes de chauffage dissimulées par le volant

DU NOUVEAU EN 2012

Partie avant redessinée, retouches au tableau de bord, meilleure insonorisation

http://www.honda.ca

Plus d'informations dans la section statistiques en dernière partie du Guide

MODÈLE 2011

MAL DANS SA PEAU

Même si les gens associent hybride et Prius, il ne faudrait pas oublier que c'est Honda qui, la première, a commercialisé une voiture à motorisation hybride, la Insight, à la fin de 1999. Pour la plupart, cette étrange petite chose roulante était davantage un objet de curiosité qu'un hommage à l'environnement. Treize années plus tard, la Insight est toujours dans le portrait, avec une allure différente, toujours « hybride », mais moins étonnante.

Lancée il y a deux ans, cette nouvelle génération est construite sur la base de la très réussie Honda Fit. Cette dernière étant quasiment adulée, on est en droit de s'attendre à autant de caractère de la part de la Insight. Or, ce n'est vraiment pas le cas.

Mécaniquement, le système hybride de la Insight en est un en ligne, par opposition à celui de la Prius qui est en série. Alors que ce dernier système permet à la Toyota d'avancer en mode électrique seulement, celui de la Insight ne possède pas cette aptitude. Son moteur électrique est placé entre le moteur à essence et la transmission et il assiste le moteur lorsque ce dernier en ressent le besoin. C'est simple, peu coûteux, mais moins spectaculaire que ce que Toyota a concocté. Le moteur électrique fournit jusqu'à 13 chevaux et 58 lb-pi de couple entre zéro et 1 000 tours/minute.

TOUT PETIT MOTEUR

Le moteur à essence, combiné avec l'électrique, développe 98 chevaux et 123 lb-pi de couple. Malgré le poids réduit de la voiture (environ 1 235 kilos), les performances n'ont rien pour épater la galerie. Le 0-100 s'effectue en 12,7 secondes et le 80-120 km/h en 11,1, ce qui est moins rapide qu'une Honda Fit. Par contre, pour une hybride, les performances ne sont pas trop décevantes.

MODÈLE 2011

CONCURRENTS
Toyota Prius

IMPRESSIONS DE L'AUTEUR	
Agrément de conduite :	2.5/5
Fiabilité :	4/5
Sécurité :	5/5
Qualités hivernales :	3/5
Espace intérieur :	3.5/5
Confort :	3/5

Cependant, le boucan d'enfer qui accompagne la moindre accélération nous incite à accepter plus facilement les limites de vitesse…

La transmission est une CVT. La version EX, plus luxueuse, permet même de changer les rapports au moyen de palettes situées derrière le volant. Dans les deux cas, elle possède un mode « Sport » qui, lorsqu'il est choisi, fait sensiblement augmenter les révolutions du moteur. Par exemple à 100 km/h, il passe de 2 000 tours/minute à 3 100, ce qui semble donner un coup de nitro à la voiture. Ce mode est surtout utile quand vient le temps de dépasser, puisqu'en temps normal, la puissance à bas régime est à peu près inexistante.

Malgré les prétentions de Honda, je n'ai pas réussi à descendre sous les 6,4 l/100 km. Il faut cependant dire que je n'ai jamais adapté ma conduite aux normes hybrides. Après tout, c'est la voiture qui doit rendre service, pas le contraire. Pour 2012, la Insight a droit à un meilleur aérodynamisme, à des pneus mieux adaptés à la vocation de la voiture et à une réduction des frictions à l'intérieur du moteur, question de réduire la consommation.

Les suspensions, indépendantes à l'avant et à poutre de torsion à l'arrière, ne semblent pas avoir très bien compris leur rôle. Elles tapent trop dur et rendent la voiture instable, surtout sur la version de base. Aussi, elles sont à l'origine d'un certain roulis. La direction non plus ne semble pas avoir été mise au courant du travail à faire. Elle est d'une précision tout juste correcte, mais elle souffre d'une trop grande légèreté. Les freins font preuve de mordant, mais les premières fois, il m'a été très difficile de stopper doucement la voiture de façon coulée.

PLUTÔT FLEUR BLEUE

En ce qui a trait au style, il est difficile de savoir si les designers ont concocté les lignes les plus aérodynamiques possible ou s'ils avaient pour mandat de copier celles de la Prius… Peu importe. La Insight n'est vraiment pas laide – je la trouve même plus belle que la Prius – mais la ligne du toit oblige une partie arrière verticale. Le hayon est donc séparé en deux par une barre horizontale qui bloque la visibilité arrière. Aussi, j'ai trouvé l'essuie-glace mal placé car, vu du rétroviseur intérieur, il ne dégage qu'une petite partie de la lunette.

La vie à bord de la Insight nous laisse aussi sur notre faim. Certains plastiques sont très ordinaires, mais c'est davantage le tableau de bord qui laisse songeur avec son ramassis de jauges, pitons et buses placées ici et là. C'est une question de goût, remarquez. Au centre du tableau de bord, juste devant le conducteur, on retrouve un grand compte-tours, élément très rare dans un véhicule hybride. Dans le cas de la Insight, on ne retrouve pas de graphiques étranges comme ce fut souvent le cas avec d'autres véhicules dans le passé. En fait, on peut suivre sa consommation avec le « Eco Assist », une sorte de moniteur qui indique la qualité « verte » de votre conduite. Plus la conduite est économique, plus les petites fleurs possèdent de feuilles. Et si on réussit une conduite parfaitement environnementale, un trophée apparaît entre deux feuilles de laurier, un sigle qui ressemble, étrangement, à celui de Cadillac…

Lors d'un match comparatif organisé par le Guide pour l'édition 2010, les voitures conçues à la base pour recevoir une motorisation hybride, la Insight et la Prius, ont terminé bonnes dernières. Ce qui tend à prouver que le choix d'une Insight (ou d'une Prius) est bien plus un statut social qu'un choix logique…

Alain Morin

MODÈLE 2011

Photos: Honda

Catégorie	Hatchback
Échelle de prix	23 900 $ à 27 500 $ (2011)
Garanties	3 ans/60 000 km, 5 ans/100 000 km
Assemblage	Suzuka, Japon
Cote d'assurance	n.d.

HONDA INSIGHT

CHÂSSIS - EX	
Emp/lon/lar/haut	2 550/4 376/1 694/1 427 mm
Coffre	450 à 891 litres
Réservoir	40 litres
Nombre coussins sécurité / ceintures	6 / 5
Suspension avant	indépendante, jambes de force
Suspension arrière	semi-indépendante, poutre de torsion
Freins avant / arrière	disque / tambour
Direction	à crémaillère, ass. variable électrique
Diamètre de braquage	11,0 m
Pneus avant / arrière	P175/65R15 / P175/65R15
Poids	1 250 kg
Capacité de remorquage	non recommandé

COMPOSANTES MÉCANIQUES	
LX, EX	
Cylindrée, soupapes, alim.	4L 1,3 litre 8 s atmos.
Puissance / Couple	98 chevaux / 123 lb-pi
Tr. base (opt) / rouage base (opt)	CVT / Tr
0-100 / 80-120 / 100-0 km/h	12,0 s / 11,0 s / 40,0 m
Type ess. / ville / autoroute	Ordinaire / 4,8 / 4,5 l/100 km

FEU VERT

- Économiquement abordable
- Système hybride peu complexe
- Consommation correcte
- Graphiques bien pensés
- Mode Eco intéressant

FEU ROUGE

- Manque de puissance flagrant
- Suspensions mal calibrées
- Insonorisation ratée
- Places arrière peu confortables
- Visibilité arrière problématique

DU NOUVEAU EN 2012

Parties avant et arrière retouchées, consommation améliorée

http://www.honda.ca

Plus d'informations dans la section statistiques en dernière partie du Guide

MISSION : FAMILLE

Dans le créneau en décroissance des minifourgonnettes, l'Odyssey s'impose comme la référence de la catégorie depuis plusieurs années. Il peut sembler paradoxal que ce constructeur, qui s'est développé une solide expertise dans le créneau des petites voitures, obtienne autant de succès avec le plus grand véhicule produit par la marque. Ce phénomène singulier n'est d'ailleurs pas exclusif à la division automobile, puisque la très grande Gold Wing de Honda s'impose aussi comme la référence dans le créneau des motos de tourisme.

Dans les deux cas mentionnés ci-dessus, ce qui explique le succès, c'est l'écoute des propriétaires de ces modèles respectifs et le souci de livrer ce que la clientèle désire. Dans le cas de l'Odyssey, Honda a procédé à une recherche exhaustive des besoins des clients avant d'entreprendre la refonte de sa minifourgonnette, dont le modèle actuel s'avère plus polyvalent et plus pratique que celui de la génération antérieure.

Même si elle est moins audacieuse que la nouvelle Nissan Quest en ce qui a trait au style, il n'en demeure pas moins que l'actuelle Odyssey réussit à se démarquer, puisqu'elle est à la fois plus large et légèrement plus basse que le modèle précédent. Vue de profil, la ceinture de caisse s'élève vers l'arrière pour ensuite se décocher vers le bas, afin d'agrandir la surface vitrée latérale à la troisième rangée de sièges. Cette brisure est censée rappeler la forme d'un éclair, ce qui vous permettra de dire à vos enfants que c'est comme l'image qui orne la carrosserie de Lightning McQueen dans le film Cars, ce qui les rendra très heureux… Par ailleurs, les bas de caisse sont profilés afin de créer l'illusion d'un véhicule plus svelte. Mais il s'agit, justement, d'une illusion, puisque l'Odyssey est en fait plus large de cinq centimètres. Les parties avant et arrière représentent cependant une évolution moins typée par rapport au modèle précédent, ce qui fait que l'air de famille est conservé, malgré le « restylage ».

CONCURRENTS
Chrysler Town & Country,
Dodge Grand Caravan,
Kia Sedona,
Nissan Quest,
Toyota Sienna,
Volkswagen Routan

IMPRESSIONS DE L'AUTEUR		
Agrément de conduite :	■■■■□	4 / 5
Fiabilité :	■■■■□	4 / 5
Sécurité :	■■■■■	5 / 5
Qualités hivernales :	■■■■□	4 / 5
Espace intérieur :	■■■■□	4 / 5
Confort :	■■■■□	4 / 5

PAS UNE PLASMA DE 52 POUCES, MAIS…

Les versions plus cossues peuvent être équipées d'un écran vidéo de 16 pouces de largeur. Cela vous permettra d'initier vos enfants aux joies du *multitasking* dès leur plus tendre enfance, puisqu'il est possible de visionner deux programmes en même temps : ils pourront ainsi apprendre l'espagnol avec *Manny et ses outils* et le chinois avec *Ni Hao Kai-Lan* en simultané. Remarquez aussi que

Catégorie	Fourgonnette
Échelle de prix	29 990 $ à 46 990 $ (2011)
Garanties	3 ans/60 000 km, 5 ans/100 000 km
Assemblage	Lincoln, Alabama, É-U
Cote d'assurance	moyenne

CHÂSSIS - EX-L RES

Emp/lon/lar/haut	3 000/5 154/2 012/1 737 mm
Coffre	1 087 à 4 205 litres
Réservoir	80 litres
Nombre coussins sécurité / ceintures	6 / 8
Suspension avant	indépendante, jambes de force
Suspension arrière	indépendante, multibras
Freins avant / arrière	disque / disque
Direction	à crémaillère, ass. variable
Diamètre de braquage	11,2 m
Pneus avant / arrière	P235/65R17 / P235/65R17
Poids	2 049 kg
Capacité de remorquage	1 588 kg (3 500 lb)

COMPOSANTES MÉCANIQUES

LX, EX, EX-L RES, Touring

Cylindrée, soupapes, alim.	V6 3,5 litres 24 s atmos.
Puissance / Couple	248 chevaux / 250 lb-pi
Tr. base (opt) / rouage base (opt)	A5 (A6) / Tr
0-100 / 80-120 / 100-0 km/h	9,2 s / 6,3 s / 43,1 m
Type ess. / ville / autoroute	Ordinaire / 10,9 / 7,1 l/100 km

FEU VERT

- Silhouette distinctive
- Bonne tenue de route
- Qualité de finition
- Polyvalence de l'habitacle

FEU ROUGE

- Gabarit imposant
- Prix des modèles haut de gamme
- Direction lente

DU NOUVEAU EN 2012

Aucun changement majeur

http://www.honda.ca

Plus d'informations dans la section statistiques en dernière partie du Guide

cela peut accessoirement vous permettre de résoudre les conflits quant au choix de la programmation entre vos deux petits amours… Ce détail illustre à quel point ce véhicule a été conçu afin d'anticiper les demandes de la clientèle.

La polyvalence de l'habitacle est l'un des aspects les plus importants à considérer lorsque vient le temps d'acquérir une minifourgonnette, et l'Odyssey se démarque en étant la plus polyvalente de toutes avec son agencement modulaire des sièges qui permet de multiples configurations. Ainsi, les fauteuils de la deuxième rangée peuvent être positionnés sur les côtés du véhicule – ce qui est parfait pour séparer deux enfants qui se chamaillent – ou peuvent être rapprochés de façon à créer une banquette si l'harmonie est au beau fixe. De plus, sa troisième rangée de sièges est la plus confortable de la catégorie et le système qui permet de replier la banquette dans le plancher est à la fois ingénieux et d'une simplicité désarmante. Au fait, l'Odyssey permet même de fixer cinq sièges pour enfants à son bord au moyen de points d'ancrage de type LATCH. Assis au volant, vous noterez que si la planche de bord ressemble beaucoup à celle du modèle précédent, le levier de vitesse est cependant placé un peu plus bas sur le côté gauche. Son ergonomie est presque parfaite avec la présence de gros boutons de commande et le fait que tous les cadrans sont bien en vue.

LA PLUS PERFORMANTE

Même si les performances et le comportement routier ne figurent généralement pas au sommet des priorités pour l'acheteur d'une minifourgonnette, précisons que l'Odyssey trône en tête de la catégorie à ce chapitre. De plus, son V6 est doté d'une fonction de désactivation des cylindres, lorsque la pleine puissance n'est pas requise, afin d'améliorer la consommation de carburant en vitesse de croisière sur autoroute.

Le châssis étant maintenant plus rigide et le véhicule plus léger, le comportement routier s'en trouve amélioré. Pour y arriver, les calibrations des suspensions ont été revues et les amortisseurs font un meilleur travail qu'avant pour absorber les impacts plus prononcés, comme lors de la traversée de nids-de-poule, tout en contrôlant bien le roulis en virages. Les disques de freins sont de plus grand diamètre qu'auparavant, ce qui fait que la performance au freinage est légèrement améliorée par rapport au modèle précédent. De toutes les minifourgonnettes, l'Odyssey propose le meilleur comportement routier et c'est celle qui vous fera le moins regretter d'avoir délaissée votre berline traditionnelle.

Mais même si la dynamique de l'Odyssey est supérieure à celle des concurrentes, c'est véritablement par la polyvalence accrue et le souci du détail qu'elle réussit à s'imposer comme la référence de la catégorie.

Gabriel Gélinas

Photos : Honda

ÉGAL À LUI-MÊME

Si le Pilot de la première génération se confondait dans la circulation en raison de ses lignes anonymes et de sa silhouette quelconque, son remplaçant est tout le contraire. Avec sa carrosserie taillée au couteau, ses angles aigus et sa partie avant quasiment verticale, il sait se faire remarquer, pas de doute là-dessus. Il est vrai que son apparence plutôt rustique détonne quelque peu en ville, mais justement, il n'a pas été conçu pour des balades sur la rue Racine à Saguenay, sur la Grande Allée à Québec et encore moins sur la rue Crescent à Montréal.

Son terrain de prédilection, ce sont les routes secondaires. On peut même s'aventurer sur des sentiers peu invitants. C'est qu'il est costaud, le Pilot. Mais costaud ne signifie pas nécessairement inconfortable, primitif et sans intérêt. En effet, il ne faut pas le juger en raison de son apparence. Bien des personnes ont critiqué son aspect extérieur, mais personnellement, je n'ai aucun reproche à faire en la matière. Il a l'air de ce quoi il est capable. Pas de faux-fuyant, pas de tentative plus ou moins heureuse de conjuguer urbanité et plein air. Le Pilot est un véhicule capable d'en prendre. Et qui plus est, qui traite ses occupants aux petits soins.

IL FAUT LEVER LA JAMBE

En accord avec son caractère et sa silhouette, il faut lever la jambe bien haut pour arriver à prendre place à bord du Pilot. C'est en raison de son seuil de portière élevé. Si cette acrobatie se fait de façon bien peu élégante, elle a toutefois l'avantage de nous offrir une garde au sol de 204 mm. Avec tout ce dégagement entre le dessous du véhicule et le sol, on peut aborder la majorité des obstacles qui sont sur notre route avec l'esprit en paix. Cette paix d'esprit est accentuée par un habitacle sobre et accueillant. S'il est vrai que les matériaux pourraient être de meilleure qualité, particulièrement quand on tient compte du prix de vente du Pilot, il reste difficile de trouver à redire. J'ai bien apprécié les cadrans indicateurs de couleur aluminium avec chiffres noirs. Leur lecture est facile et cela crée un élégant contraste avec le reste de la planche de bord gris-noir. Les stylistes ont utilisé la même astuce pour la console centrale verticale, qui accueille les commandes audio, de la climatisation et du système de navigation par satellite. Soit dit en passant, ce dernier est assez facile d'utilisation. Je n'ai pas toujours connu beaucoup de succès avec ces dispositifs, mais celui-là m'a beaucoup plu et je m'en suis accommodé aisément.

MODÈLE 2011

CONCURRENTS

Chevrolet Traverse, Ford Flex, GMC Acadia, Hyundai Veracruz, Nissan Murano, Subaru Tribeca, Toyota Highlander

IMPRESSIONS DE L'AUTEUR

Agrément de conduite :	3.5/5
Fiabilité :	4/5
Sécurité :	4/5
Qualités hivernales :	4/5
Espace intérieur :	5/5
Confort :	4.5/5

Catégorie	VUS
Échelle de prix	34 820 $ à 48 420 $ (2011)
Garanties	3 ans/60 000 km, 5 ans/100 000 km
Assemblage	Alliston, Ontario, Canada
Cote d'assurance	moyenne

Toutefois, on a toujours droit à une – trop grande – multitude de boutons et commutateurs pour régler l'audio et la climatisation. Il faut détourner ses yeux de la route pour trouver la bonne commande, à tel point qu'il est plus prudent de s'immobiliser sur le bord de la route. Toutefois, après quelques jours, je me suis familiarisé avec la disposition des commandes principales et je suis arrivé à me tirer d'affaire sans nécessairement regarder la console et les différentes touches. Si certaines d'entre elles sont difficiles à localiser, ce n'est toutefois pas le cas du levier de vitesse, qui est placé sur la partie inférieure de la planche de bord, juste à la droite du volant. La position de conduite est bonne tandis que le volant gainé de cuir se prend bien en main. Sur chaque branche de celui-ci, on trouve les commandes audio, celle du régulateur de croisière, de même que celles de la téléphonie.

Compte tenu des dimensions imposantes de ce véhicule, il n'est pas surprenant que les places arrière centrales soient très généreuses et résolument confortables. On dit qu'il s'agit d'un véhicule qui propose pas moins de huit places, mais force est d'admettre que le huitième occupant devra être de petite taille pour être à l'aise.

UNE CONDUITE SANS HISTOIRE

Le Honda Pilot est doté de l'incontournable moteur V6 de 3,5 litres. Il est associé à une boîte automatique à cinq rapports, dont le fonctionnement est sans histoire. Mais compte tenu de la consommation relativement élevée de ce moteur, un sixième rapport serait bienvenu. Malgré ses 250 chevaux, les accélérations sont dans la bonne moyenne, sans plus. Mais la douceur de ce moteur et une suspension relativement souple rendent l'expérience de conduite assez intéressante, pour autant que vous utilisiez votre jugement et adaptiez la vitesse du véhicule aux conditions routières. Ajoutons que la suspension arrière indépendante est également souple et se révèle parfois prise de court lorsque la chaussée est dégradée. En outre, le seuil de gravité relativement élevé incite à la prudence en certaines circonstances. Quant au rouage intégral, il n'a pas le perfectionnement de ce qu'on trouve, par exemple, sur le Grand Cherokee ou le Ford Explorer, mais il est suffisamment efficace pour affronter une grande variété de situations.

Ajoutons à cette fiche une capacité de remorquage jusqu'à 2 045 kg (4 500 livres !), une bonne fiabilité et un habitacle très fonctionnel et vous avez un bon résumé des points forts du Pilot. Par contre, son moteur relativement gourmand, sa boîte automatique à cinq rapports et un certain manque d'agilité sont à inscrire dans la colonne des points négatifs.

Denis Duquet

MODÈLE 2011

Photos : Honda

CHÂSSIS - LX 4RM	
Emp/lon/lar/haut	2 775/4 850/1 995/1 846 mm
Coffre	510 à 2 464 litres
Réservoir	80 litres
Nombre coussins sécurité / ceintures	6 / 8
Suspension avant	indépendante, jambes de force
Suspension arrière	indépendante, multibras
Freins avant / arrière	disque / disque
Direction	à crémaillère, ass. variable
Diamètre de braquage	11,8 m
Pneus avant / arrière	P245/65R17 / P245/65R17
Poids	2 047 kg
Capacité de remorquage	2 045 kg (4 508 lb)

COMPOSANTES MÉCANIQUES	
Cylindrée, soupapes, alim.	V6 3,5 litres 24 s atmos.
Puissance / Couple	250 chevaux / 253 lb-pi
Tr. base (opt) / rouage base (opt)	A5 / Tr (Int)
0-100 / 80-120 / 100-0 km/h	8,8 s / 7,1 s / 47,1 m
Type ess. / ville / autoroute	Ordinaire / 13,1 / 9,1 l/100 km

- Bonne habitabilité
- Moteur adéquat
- Comportement routier correct
- Confort des sièges
- Multiples espaces de rangement

- Insonorisation perfectible
- Consommation de carburant
- Seuil d'accès élevé
- Ergonomie à revoir
- Finition moyenne

DU NOUVEAU EN 2012

Retouches à l'avant et à l'arrière, habitacle renouvelé

http://www.honda.ca

Plus d'informations dans la section statistiques en dernière partie du Guide

SEPT ANS DE BONHEUR PRATIQUE

L'ingéniosité et l'inventivité sont inscrites dans le code génétique de Honda et le constructeur japonais l'a maintes fois démontré au fil des six dernières décennies, dans tous les domaines où il s'est lancé. La marque en a peut-être été avare tout récemment en ce qui a trait à ses automobiles, mais ces qualités se sont exprimées librement lorsque Honda a créé sa première camionnette il y a sept ans. La carrosserie autoporteuse, la suspension arrière à roues indépendantes, le coffre étanche sous la plate-forme et le battant qui s'ouvre dans les deux sens étaient tous inédits pour une camionnette. Et ce ne sont certes pas les seules qualités de la Ridgeline, qui collectionne honneurs et distinctions à défaut de fracasser les records de ventes.

Elle complète donc son premier septennat sans avoir subi de changements majeurs et se voit encore offerte en une seule configuration : camionnette à quatre portières et cinq vraies places, dotée d'une plate-forme de 1,52 mètre (5 pieds) et d'un rouage intégral. Toujours propulsée aussi par le même V6 de 3,5 litres et 250 chevaux qu'à son lancement, boulonné à la même boîte automatique à 5 rapports. Honda a redessiné calandre, phares, feux et pare-chocs il y a trois ans pour raffermir ses liens fraternels avec le Pilot, mais la silhouette de la Ridgeline est toujours aussi peu conforme aux canons esthétiques traditionnels des camionnettes dont les acheteurs sont assurément les plus conservateurs.

LES BONNES MANIÈRES

Les ventes sont honnêtes, mais la Ridgeline n'a certainement pas connu le succès monstre qu'espéraient ses créateurs. Même si elle est invariablement reconnue comme la camionnette intermédiaire la plus fiable, la mieux construite et la plus durable dans toutes les études sérieuses. Malgré aussi qu'elle soit habituellement cotée

CONCURRENTS
Chevrolet Colorado,
GMC Canyon,
Nissan Frontier,
Suzuki Equator,
Toyota Tacoma

IMPRESSIONS DE L'AUTEUR		
Agrément de conduite :	■■■■□	4 / 5
Fiabilité :	■■■■▌	4.5 / 5
Sécurité :	■■■■▌	4.5 / 5
Qualités hivernales :	■■■■▌	4.5 / 5
Espace intérieur :	■■■■□	4 / 5
Confort :	■■■■□	4 / 5

première pour ses qualités globales, y compris au Guide de l'auto où elle trône comme première de classe en titre.

Nous avons effectivement aimé la Ridgeline dès son lancement. Parce qu'elle est confortable, spacieuse, pratique, bien conçue, pratique, polyvalente, sûre et agréable à conduire comme à peu près aucun autre véhicule. Ses sièges avant sont confortables et offrent un maintien impeccable. Le tableau de bord est bien dessiné, avec de grands cadrans clairs et des commandes simples et bien placées qui fonctionnent avec cette précision et cette douceur fluide propres aux meilleures créations de Honda. Le volant

Catégorie	Camionnette
Échelle de prix	34 990 $ à 41 490 $ (2011)
Garanties	3 ans/60 000 km, 5 ans/100 000 km
Assemblage	Alliston, Ontario, Canada
Cote d'assurance	moyenne

est bien taillé, mais nous attendons toujours le réglage télescopique et des leviers séparés pour les clignotants et les essuie-glaces de part et d'autre de la colonne de direction.

Si la banquette arrière est confortable pour trois adultes, même à la place centrale, phénomène de plus en plus rare, c'est que la Ridgeline est nettement plus large que ses concurrentes. L'assise est également scindée en pans asymétriques qu'on peut replier vers le haut d'une seule main, comme dans la Fit. Superbement pratique, sinon carrément génial. On trouve aussi une abondance de rangements, dont une grande console centrale qu'on peut allonger et ouvrir par sections.

La caisse autoporteuse avec châssis séparé favorise à la fois le silence, le confort de roulement et le comportement. Sa rigidité permet des écarts très minces entre les panneaux de carrosserie qui réduisent le bruit aérodynamique. La suspension arrière à roues indépendantes a permis d'ajouter ce grand coffre verrouillable qui demeure unique. Il peut même servir de glacière et se lave au boyau en enlevant un bouchon. La roue de rechange est blottie sous la partie avant du plancher dans un berceau coulissant et demeure toujours propre et sans rouille. Il faut simplement souhaiter ne pas en avoir besoin lorsque la camionnette est chargée. La caisse elle-même a une capacité de charge de 500 kg (plus d'une demi-tonne). On y trouve six crochets d'arrimage et trois rainures pour immobiliser des motos tout-terrain. Avec la suspension arrière indépendante, les puits des roues empiètent très peu sur l'espace disponible. On peut ouvrir le battant vers le bas ou le côté. Il peut supporter jusqu'à 136 kg et se referme en émettant le son agréable d'une grosse serrure de métal.

SANS HISTOIRE ET SANS SURPRISE

La Ridgeline est douce, souple et agile pour une camionnette, mais franchement toujours agréable à conduire, sans égard à la catégorie. Elle est raisonnablement performante et frugale pour un véhicule de son genre, et son groupe propulseur a la douceur et le raffinement habituels des mécaniques Honda. Son rouage intégral n'a pas de rapports courts, mais la Ridgeline se débrouille sans peine en tout-terrain modéré. Ça suffit amplement pour arriver sans peine au chalet en toute saison ou aller à la chasse sans s'inquiéter.

Avec une capacité de remorquage jusqu'à 2 268 kg (5 000 livres), elle ne peut évidemment rivaliser avec les grandes camionnettes en muscle pur et soufflera fort en pleine charge dans les côtes. Mais elle conserve un avantage net en matière d'agilité et de stabilité. Libre de toute attache, elle demeure stable et confortable sur nos routes parsemées de nids-de-poule et autres cratères insoupçonnés. À cette époque incertaine, c'est plus qu'assez pour se faire aimer. Nous allons donc continuer.

Marc Lachapelle

CHÂSSIS - EX-L	
Emp/lon/lar/haut	3 100/5 255/1 976/1 808 mm
Coffre	241 litres
Longueur de boîte	1 524 mm (60.0 pouces)
Réservoir	83 litres
Nombre coussins sécurité / ceintures	6 / 5
Suspension avant	indépendante, jambes de force
Suspension arrière	indépendante, multibras
Freins avant / arrière	disque / disque
Direction	à crémaillère, ass. variable
Diamètre de braquage	13,0 m
Pneus avant / arrière	P245/60R18 / P245/60R18
Poids	2 065 kg
Capacité de remorquage	2 268 kg (5 000 lb)

COMPOSANTES MÉCANIQUES	
DX, VP, EX-L	
Cylindrée, soupapes, alim.	V6 3,5 litres 24 s atmos.
Puissance / Couple	250 chevaux / 247 lb-pi
Tr. base (opt) / rouage base (opt)	A5 / Int
0-100 / 80-120 / 100-0 km/h	9,4 s / 8,4 s / 42,0 m
Type ess. / ville / autoroute	Ordinaire / 14,1 / 9,8 l/100 km

FEU VERT
- Comportement sûr, stable et précis
- Cabine spacieuse et confortable
- Excellente ergonomie des contrôles
- Rangements ingénieux
- Groupe propulseur solide et efficace

FEU ROUGE
- Volant sans réglage télescopique
- Silhouette toujours hors-norme
- Visibilité limitée en marche arrière
- Levier unique pour clignotants et essuie-glace
- Cabine farouchement monochrome

MODÈLE 2011

Photos : Alain Morin

DU NOUVEAU EN 2012

Nouveau modèle sport, nouvelle grille avant

http://www.honda.ca

Plus d'informations dans la section statistiques en dernière partie du Guide

L'OUVRIÈRE MONTE EN GRADE

Le Québec, société distincte s'il en est une, a toujours eu une attirance pour les sous-compactes. Combien d'entre vous se sont procurés une vieille Suzuki Swift, une économique Toyota Echo ou une increvable Volkswagen Golf pour se mouvoir de façon économique? Ou relativement économique selon le modèle... La Hyundai Accent fait partie de club sélect des voitures qui en ont dépanné plus d'un et plus d'une. Et ce n'est sans doute pas pour rien que l'entreprise coréenne a présenté au Salon de l'auto de Montréal en janvier 2011, et en grande première nord-américaine s'il vous plaît, sa nouvelle Accent.

CONCURRENTS
Chevrolet Sonic, Ford Fiesta, Honda Fit, Kia Rio/Rio5, Mazda2, Nissan Versa, Toyota Yaris

IMPRESSIONS DE L'AUTEUR	
Agrément de conduite:	3.5/5
Fiabilité:	NOUVEAU MODÈLE
Sécurité:	4/5
Qualités hivernales:	3.5/5
Espace intérieur:	4/5
Confort:	4/5

Il y a quelques années, Hyundai, réussissait à abaisser le prix de base de l'Accent sous les 10 000 $. Il fallait le faire, même si la voiture affichait une incroyablement triste dotation de base. Cette année, Hyundai renouvelle de fond en comble sa petite Accent. Oubliez cependant les modèles dans les quatre chiffres aussi équipés qu'un dé à coudre. Même si elle demeure dans le créneau des sous-compactes, la nouvelle Accent monte en grade, autant au niveau de l'équipement que des dimensions ou de l'esthétique. On ne cherche donc plus à vendre un prix, mais plutôt un produit.

ELLES ONT LA MÊME MÈRE, ÇA PARAÎT!

Finie, donc, la voiture générique possédant des lignes aussi plaisantes à regarder qu'un bar à salade vide. Désormais, l'Accent se pare d'un esthétisme des plus modernes qui n'est pas sans rappeler sa grande sœur, l'Elantra. Personnellement, je trouve même qu'elles se ressemblent trop. Les phares, très stylisés, s'étendent sur les flancs et les feux antibrouillards forment une larme toute joyeuse. La partie arrière s'avère tout aussi dynamique. La hatchback ressemble un peu à l'Elantra Touring, mais en beaucoup plus vivante, tandis que la berline ne perd pas au change avec des feux allongés et un becquet de canard sur le dessus du coffre. Cependant, le modèle à hayon jouit, dans l'ensemble, d'un coup de crayon plus agréable.

Ah oui, aussi bien le dire tout de suite: l'Accent de quatrième génération se présente en hatchback à cinq portes et en berline. Exit, donc, le petit trois portes qui a permis à tant de gens de se procurer un moyen de transport à peu de frais.

Au cours de la transformation, l'Accent a gagné de précieux millimètres ici et là, ce qui lui permet de présenter un habitacle plus vaste que la majorité de ses contemporaines que sont, entre autres, les Ford Fiesta, Mazda2 et Toyota Yaris. L'empattement a gagné 70 mm et la longueur hors tout de la hatchback cinq portes, 125 (si on se fie aux données de la Kia Rio 5, Hyundai ne commercialisant pas de version cinq portes hatchback lors la dernière génération). Cinq petits millimètres se sont ajoutés en largeur, mais la hauteur en a perdu 20, ce qui donne à la sous-compacte un look trapu plus musclé qu'auparavant.

Comme nous le disions, l'habitacle est plus grand qu'avant. On ne s'y sent toujours pas comme dans celui d'une Bentley Mulsanne mais il s'agit quand même d'une belle amélioration. Le tableau de bord de la génération précédente était à peine plus dynamique qu'un poteau de clôture, mais il est maintenant nettement plus réussi. C'est simple, efficace et pas désagréable à regarder. Même les matériaux ont considérablement gagné en qualité et en raffinement.

Les sièges des créations coréennes n'ont pas l'habitude de plaire à mon dos et à mes fesses, mais dans le cas de l'Accent, mon corps pas trop rouspété. Ou celui-ci s'habitue ou les Coréens pensent à mon bien-être. Oui, c'est assurément ça… Les dossiers de la banquette arrière s'abaissent de façon 60/40, mais ils ne forment pas un fond plat. Ils agrandissent ainsi un coffre déjà de bonnes dimensions surtout, bien entendu, dans le modèle hatchback. Cependant, le seuil élevé pourrait déranger lorsque des objets lourds doivent être transportés. À noter que l'ouverture du coffre de la berline est suffisamment grande. Lors de notre prise en main de l'Accent, aucune des voitures ne possédait de pneu de secours. On retrouvait seulement un compresseur. Il s'agissait de modèles américains. Or, les Canadiens ont droit à un vrai faux pneu de secours (lire temporaire).

MODERNITÉ

Sous le capot, on trouve un seul moteur, de la même cylindrée qu'avant, soit un quatre cylindres de 1,6 litre. Mais attention, ce moulin, baptisé Gamma, est tout nouveau et fort moderne avec son injection directe, son calage variable double des soupapes, son vilebrequin décentré pour réduire la friction à l'intérieur des cylindres et j'en passe. Ce moteur est plus puissant que le précédent et présente plus de couple. Cependant, autant les chevaux que le couple maximal sont obtenus plus haut dans les tours qu'auparavant, ce qui vient un peu ternir ce tableau, jusque-là flamboyant. Nous y reviendrons. Soulignons aussi qu'il consomme moins que l'ancien (la génération précédente n'étant pas un parangon de sobriété, ce n'était pas difficile à battre…) et qu'il promet d'être plus écologique. Hyundai annonce une cote de 6,9 litres en ville pour la transmission manuelle et 7,0 pour l'automatique.

« Tant qu'à changer l'Accent, on va la changer en tabarouette », se sont dit les ingénieurs de Hyundai (ou quelque chose du genre, je ne voudrais pas rapporter de faux propos). Les deux transmissions proposées sont tout aussi nouvelles que le moteur. On retrouve d'abord une manuelle à six rapports et une automatique qui affiche autant de rapports et qui possède un mode manuel.

Le châssis aussi est inédit, même si les solutions retenues ressemblent à celles déjà utilisées dans la génération précédente. La suspension avant demeure à jambes de force (MacPherson) tandis que la partie arrière est soutenue par une poutre de torsion.

Voilà qui est fort intéressant, mais qu'est-ce que ça donne en pratique ? Le comportement routier de la nouvelle Accent, on s'en doute, est à des années-lumière de ce que proposait l'ancienne génération. Toutefois, malgré de substantiels gains, la puissance n'est toujours pas très éloquente. Certes, ça avance, mais pour des accélérations et des reprises de Honda Fit, par exemple, on repassera. C'est surtout lors des dépassements qu'on aimerait avoir plus de pédale. En fait, la puissance n'est vraiment perceptible qu'à partir des 3 500 tours/minute, ce qui peut s'avérer un net désavantage pour quiconque n'aime pas jouer du levier de vitesse.

UNE FORMULE UN !

Parlant de levier de vitesse, mentionnons que celui de la manuelle présente une précision et une course correctes, sans plus. Par contre, si on compare avec la génération qu'elle remplace, c'est le levier d'une Formule Un que nous manipulons ! L'embrayage, toujours un

peu mou, s'avère tout de même nettement plus intéressant que celui de la génération précédente. L'automatique, de son côté, propose un mode anti-recul, un peu à la manière de Subaru. C'est bien, mais c'est sur la manuelle qu'on devrait l'offrir !

L'habitacle est bien isolé des bruits extérieurs (sauf lorsque le moteur monte au-delà des 3 500 tours/minute) et la direction, assez précise, offre un certain retour d'information, une nouveauté dans une Accent. Il est assez difficile pour nous de vous décrire le travail des suspensions étant donné que nous avons fait l'essai de la voiture sur les routes parfaites du Nevada. Cependant, quelques coins de rue pris un peu rapidement n'ont pas fait ressortir un roulis anormal pour la catégorie. Par contre, si Hyundai remplaçait les ignobles Khumo Solus, ces rondelles de caoutchouc noires qui ne mériteraient même pas d'être placées dans des robinets, le comportement routier n'en serait qu'amélioré. Fait à noter, toutes les versions de l'Accent reçoivent quatre freins à disques. Ça parait bien dans une fiche technique, mais, à mon avis, de bons freins à tambour auraient fait parfaitement le travail tout en étant moins coûteux en entretien et à remplacer.

Il y a quelques années, tout ce qui sortait des usines japonaises était adulé. Aujourd'hui, cet honneur revient aux Coréens et l'Accent de Hyundai mérite les éloges qu'elle reçoit.

Alain Morin

Photos : Alain Morin

Catégorie	Berline, Hatchback
Échelle de prix	13 199 $ à 18 399 $
Garanties	5 ans/100 000 km, 5 ans/100 000 km
Assemblage	Ulsan, Corée du Sud
Cote d'assurance	moyenne

CHÂSSIS - GLS HATCHBACK

Emp/lon/lar/haut	2 570/4 115/1 700/1 450 mm
Coffre	487 à 1 345 litres
Réservoir	43 litres
Nombre coussins sécurité / ceintures	6 / 5
Suspension avant	indépendante, jambes de force
Suspension arrière	semi-indépendante, poutre de torsion
Freins avant / arrière	disque / disque
Direction	à crémaillère, ass. variable électrique
Diamètre de braquage	10,4 m
Pneus avant / arrière	P195/50R16 / P195/50R16
Poids	1 102 kg
Capacité de remorquage	n.d.

COMPOSANTES MÉCANIQUES

Cylindrée, soupapes, alim.	4L 1,6 litre 16 s atmos.
Puissance / Couple	138 chevaux / 123 lb-pi
Tr. base (opt) / rouage base (opt)	M6 (A6) / Tr
0-100 / 80-120 / 100-0 km/h	10,0 s (est) / 8,0 s (est) / n.d.
Type ess. / ville / autoroute	ordinaire / 6,9 / 4,8 l/100 km

FEU VERT

- Design au goût du jour
- Version cinq portes bienvenue
- Habitacle vaste
- Comportement routier correct
- Excellente garantie

FEU ROUGE

- Puissance à bas régime juste
- Pneus d'origine déprimants
- Version berline moins intéressante
- Seuil du coffre élevé
- Valeur de revente à confirmer

DU NOUVEAU EN 2012

Nouveau modèle

http://www.hyundaicanada.com/

Plus d'informations dans la section statistiques en dernière partie du Guide

ENCORE PLUS LOIN

Quelles sont les paroles exactes de cette chanson de Ginette Reno? « Un peu plus haut, un peu plus loin... » Avouez, cette ritournelle sied bien à Hyundai: depuis quelques années, le constructeur coréen nous propose des produits bien ficelés, qui ne sont plus les parents pauvres de leurs catégories. L'histoire se poursuit avec la nouvelle Elantra, qui collectionne suffisamment de bons points pour faire mal à la compétition.

Elle a une bien belle gueule, cette Hyundai Elantra. Indéniablement, cette nouvelle génération s'inspire de quelques éléments Mercedes et devient l'une des plus jolies compactes du marché. Son aérodynamisme (0,28 Cx) a de quoi rendre jalouses les voitures hybrides. Son élégant design tout en fluidité, musclé là où ça compte, fait qu'elle se démarque dans le paysage automobile, à l'instar de sa grande sœur, la Sonata.

Mis à part le style, l'autre atout de cette Coréenne réside dans son habitacle. Le style est léché, l'assemblage est de qualité et les matériaux sont de bonne facture. Tout au plus, on retrouve, ici et là, un revêtement dur, mais rarement aux endroits où ça dérange. Les contrôles sont logiquement répartis, soit l'audio dans la partie supérieure de la console et la climatisation bien cloisonnée juste en dessous. Tout est ergonomique et facile à manipuler. On adresse toutefois un reproche à la molette qui active la soufflerie: elle est incorporée au contrôle de la chaleur et demande un certain temps de réflexion.

Au volant, les commandes audio jouxtent celles de l'ordinateur de bord, avec lesquelles on récupère aisément les infos de base (distances, moyennes et consommation). Aucun problème de ce côté, tout est clair et bien indiqué.

CONCURRENTS
Chevrolet Cruze, Dodge Caliber,
Ford Focus, Honda Civic,
Kia Forte, Mazda3,
Mitsubishi Lancer, Nissan Sentra,
Suzuki SX-4, Toyota Corolla,
Toyota Matrix, Volkswagen Golf

IMPRESSIONS DE L'AUTEUR	
Agrément de conduite:	3.5/5
Fiabilité:	NOUVEAU MODÈLE
Sécurité:	3.5/5
Qualités hivernales:	3.5/5
Espace intérieur:	4/5
Confort:	4/5

Merci à l'ajustement en hauteur du siège conducteur (de série pour toutes les versions), on trouve rapidement la bonne position de conduite. Les sièges sont confortables, et ce, même après une longue journée passée sur la route. Votre dos ne requerra pas des traitements de chiropratique. Un détail, pour ceux qui cherchent des raisons de se faire plaisir: les sièges de cuir sont mieux rembourrés, et donc plus confortables, que ceux en tissu. Et pour les personnes qui aiment quand les bancs chauffent, sachez que les éléments sont très convaincants dans leur intensité (contrairement à d'autres marques comme Mazda, pour ne pas la nommer).

UN PEU PLUS GRANDE...

Fidèle à sa génération, l'Elantra accroît ses dimensions : 51 mm de plus à l'empattement (à 2 700 mm) et 23 mm de plus en longueur. On remarque donc que la longueur et la largeur sont maintenant similaires à celles de la Kia Forte... Pas étonnant, puisque les deux compactes partagent leur plateforme d'assemblage (modifiée pour l'Elantra, nous assurent les gens de Hyundai). Ces dimensions accrues signifient que le dégagement à l'avant, aux têtes et aux jambes, est parmi les plus obligeants de la catégorie. Mieux encore que la Chevrolet Cruze, pourtant très spacieuse.

Par contre, les places arrière sont parmi les plus restrictives du segment, avec 842 mm aux jambes et 943 mm aux têtes. Voilà sans doute le prix à payer pour ce bel aérodynamisme extérieur. Pour compenser ce manque, le coffre se fait très généreux avec ses 420 litres, un élément qui, en temps normal, se fait davantage l'apanage d'une berline intermédiaire. Ce n'est pas autant que la Cruze – vous a-t-on dit qu'elle était spacieuse, celle-là ? –, mais c'est nettement plus que ses autres rivales, comme la Corolla, Mazda3, ou encore la nouvelle Ford Focus. Et on accorde un autre bon point pour ce matériel placardé à l'intérieur du coffre et du hayon qui joue positivement sur l'insonorisation intérieure.

UN PEU PLUS TECHNO...

Toujours au nom du passage générationnel, l'Elantra a gagné 10 chevaux en puissance. En lieu et place du moteur Beta de 2,0 litres, on fait désormais affaire avec le nouveau quatre cylindres Nu de 1,8 litre, pour 148 chevaux et 131 lb-pi. Cette fiche technique se situait dans la bonne moyenne, jusqu'à ce que la nouvelle Ford Focus, avec ses 160 chevaux, n'entre en scène. Mais ces chiffres demeurent tout de même très honnêtes pour une voiture qui pèse jusqu'à 1 305 kilos (on a réussi à retrancher 28 kg par rapport à la génération précédente).

Cette motorisation est douce et offre une bonne souplesse pour une conduite au quotidien. La direction a beau être électrique, elle ne manque pas de connexion, même si celle-ci se fait un brin trop élastique à notre goût. Le rayon de braquage nous a aussi semblé plus large que les 10,6 mètres annoncés (10,6 mètres, c'est l'équivalent de « virer sur un dix cents », ça).

Le freinage est efficace, mené par des disques aux quatre roues, alors que d'autres compactes misent encore sur des tambours pour l'arrière. Par contre, à la suspension arrière, une poutre de torsion dégrade un peu la rigidité accrue (+37 %) par rapport à l'ancienne génération. Voilà qui fait un peu trop sentir les cahots et qui réduit l'assurance en conduite dynamique. Comme pour la Sonata, on

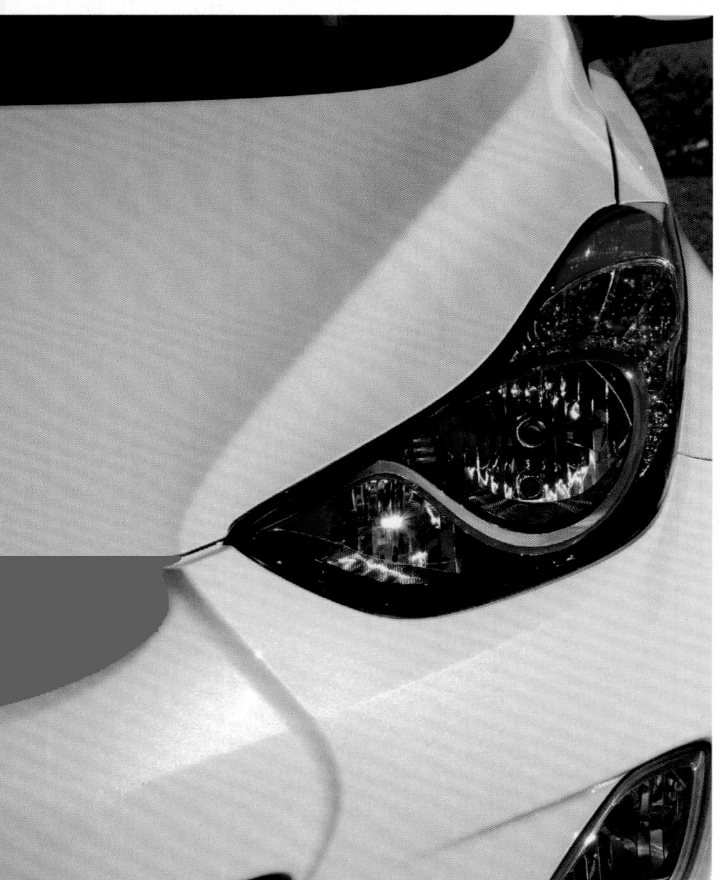

sent les limites de la voiture, mais en contrepartie, elle offre un bon confort sur l'autoroute.

… MAIS PAS ASSEZ

Revenons à la puissance, si vous le voulez bien. Il faut mentionner que l'Elantra n'est pas la plus déliée en ville, même lorsque négociée avec la boîte manuelle. Les six rapports sont trop courts et ils exigent, en reprises, qu'on les passe plus souvent qu'à leur tour. Mais il y a quand même de bonnes nouvelles : cette transmission manuelle n'est pas offerte uniquement en version de base, puisque les variantes GL et GLS y ont aussi droit.

Optionnelle, la transmission automatique gagne un rapport, pour un total de six. Elle fait un travail tout à fait respectable, mais des passages retardés nous forcent à régulièrement lever le pied pour obtenir un régime-moteur optimal. Surtout, il ne faut pas lui demander le Klondike : nous avons estimé le 0-100km/h à plus de 11 secondes…Si vous vous mêlez de sa course par le biais du passage manuel au levier, vous arriverez à gagner environ une seconde.

Bref, l'Elantra n'est pas la compacte la plus sportive actuellement sur le marché. Si c'est le caractère sportif qu'on recherche, il est préférable de se tourner vers les Mazda3 et Mitsubishi Lancer. Par contre, et pour une fois, elle peut se targuer d'une frugale consommation en carburant. Il faut avouer que cet aspect n'a pas toujours été la prérogative des constructeurs coréens. Cette fois-ci, on nous promet une très petite moyenne de 4,9 l/100 km sur autoroute, tant pour la boîte manuelle que pour l'automatique. Dans la

Catégorie	Berline, Familiale
Échelle de prix	15 849 $ à 22 699 $
Garanties	5 ans/100 000 km, 5 ans/100 000 km
Assemblage	Ulsan, Corée du Sud
Cote d'assurance	bonne

CHÂSSIS - GLS BERLINE	
Emp/lon/lar/haut	2 700/4 530/1 775/1 435 mm
Coffre	420 litres
Réservoir	48 litres
Nombre coussins sécurité / ceintures	6 / 5
Suspension avant	indépendante, jambes de force
Suspension arrière	semi-indépendante, poutre de torsion
Freins avant / arrière	disque / disque
Direction	à crémaillère, ass. variable électrique
Diamètre de braquage	10,6 m
Pneus avant / arrière	P205/55R16 / P205/55R16
Poids	1 207 kg
Capacité de remorquage	n.d.

COMPOSANTES MÉCANIQUES	
L, GL, GLS, Limited	
Cylindrée, soupapes, alim.	4L 1,8 litre 16 s atmos.
Puissance / Couple	148 chevaux / 131 lb-pi
Tr. base (opt) / rouage base (opt)	M6 (A6) / Tr
0-100 / 80-120 / 100-0 km/h	9,5 s / 7,0 s / 41,0 m
Type ess. / ville / autoroute	Ordinaire / 6,9 / 4,9 l/100 km

pratique, les chiffres se sont avérés quelque peu différents. Mais il reste que sur routes sinueuses et le pied pas mal au plancher, nous avons enregistré du 7,1 l/100km, ce qui n'est pas trop loin du 6,0 l/100km annoncé en combiné pour la boîte automatique.

PAS LA MOINS CHÈRE

Une précision en ce qui a trait à l'aspect monétaire, pour ceux que ça intéresse : la nouvelle Elantra n'est pas la compacte la moins coûteuse du marché. Cette ère est révolue pour Hyundai. Pour le prix d'étiquette le moins élevé, il faut plutôt reluquer du côté de la Chevrolet Cruze, qui débute à un millier de dollars de moins. Cela dit, l'Elantra fait monter à bord des équipements à faire pâlir d'envie la compétition (sauf peut-être la Ford Focus, qui en met plein la vue pour ce qui est de la technologie). Par exemple, la Coréenne propose les sièges chauffants à l'arrière, un élément jusqu'à présent réservé aux véhicules de luxe. Et ce n'est pas ici une coûteuse option, c'est de série sur la variante GLS.

De base, la compacte est livrée avec les rétros chauffants et toute la sécurité nécessaire, mais sans climatiseur, régulateur de vitesse, système d'alarme, commandes audio au volant, ajustement télescopique du volant ou déverrouillage à distance. C'est pourquoi notre faveur va définitivement à la GL (à partir de 18 000 $, boîte manuelle), qui réunit tous ces équipements, avec en prime les sièges chauffants en avant et la connectivité Bluetooth. Et surveillez dans les mois à venir l'arrivée d'une variante familiale Touring de nouvelle génération.

Nadine Filion

FEU VERT

- Les sièges chauffants… arrière !
- Le style (dedans comme dehors) tout en élégance
- Coffre aussi grand qu'une intermédiaire
- Bonne échelle de versions
- Petite consommation en carburant

FEU ROUGE

- Places arrière restreintes
- Transmissions qui gagneraient à être ré-étagées
- Pas la plus sportive en ville

DU NOUVEAU EN 2012

Nouveau modèle

http://www.hyundaicanada.com/

Plus d'informations dans la section statistiques en dernière partie du Guide

Photos : Alain Morin

FAIRE BANDE À PART

Depuis son arrivée sur la scène canadienne, la version Touring de l'Elantra fait toujours bande à part. Sa silhouette très européenne n'a jamais rien eu en commun avec sa sœur plutôt traditionnelle, particulièrement avec celle de la génération précédente. Cette divergence demeure cette année, même si la berline a été complètement transformée. En fait, ces deux modèles se distinguent tellement l'un de l'autre qu'il serait possible de mettre de côté la désignation Elantra dans ce cas-ci, pour ne parler que de la Touring.

CONCURRENTS
Chevrolet Cruze, Ford Focus, Honda Civic, Kia Forte, Mazda3, Mitsubishi Lancer, Nissan Sentra, Subaru Impreza, Suzuki SX-4, Toyota Corolla

IMPRESSIONS DE L'AUTEUR	
Agrément de conduite :	3.5/5
Fiabilité :	4/5
Sécurité :	3.5/5
Qualités hivernales :	3/5
Espace intérieur :	4/5
Confort :	4/5

Celle-ci se veut une concurrente directe de la Mazda Sport 3, qui propose, elle aussi, une version familiale. Mais là s'arrête la ressemblance. Cette Hyundai bien à part est toujours élégante, mais à mes yeux, elle a pris un léger coup de vieux au cours des derniers mois, probablement en raison de l'arrivée d'une version nettement plus moderne de la berline. Quoi qu'il en soit, cette voiture détonne par son originalité dans tout le parc automobile de ce constructeur. Les phares avant sont très effilés et se prolongent sur l'aile comme le veut la tendance. Quant à la calandre, la partie la plus intéressante de ce véhicule, elle est toute petite et surplombe une prise d'air trapézoïdale qui occupe une bonne partie du pare-chocs avant. De plus, un petit renflement au bas de la caisse donne une certaine identité à ce modèle, tout comme les incontournables passages de roues bombées. À l'arrière, des feux verticaux encadrent le hayon qui offre une généreuse fenestration. Somme toute, c'est un véhicule très élégant, mais qui souffre d'un certain déséquilibre visuel, en raison de sa partie arrière qui semble manquer d'homogénéité avec l'avant.

BEAUCOUP D'ESPACE

Le hayon arrière est de très bonne dimension et il offre un excellent dégagement pour la tête une fois soulevé. Il permet d'accéder à un vaste espace de chargement. Le seuil du coffre à bagages est relativement bas, ce qui facilite les manœuvres de chargement et de déchargement. Soulignons au passage qu'il est possible de commander en accessoire un tapis qui protège le pare-chocs des éraflures lors de la manutention des objets et qui empêche également les gens de se souiller contre le pare-chocs. Détail fort irritant cependant : on doit payer la somme de 300 $ pour un cache-bagages, alors que chez plusieurs concurrents, celui-ci fait partie de l'équipement de série. Le dossier arrière s'abaisse de façon 60/40 et permet de nombreux agencements de passagers et bagages.

Le tableau de bord est fonctionnel, offre une bonne ergonomie et est réalisé à partir de matériaux de qualité. Son assemblage est également soigné. Par contre, en fait de design, on est vraiment loin de tout ce que ce constructeur nous a proposé au cours des dernières années. La console centrale est on ne peut plus sobre et on a de la difficulté à cacher son âge. C'est qu'elle a été réalisée à une époque où le stylisme n'était pas le point fort de ce constructeur. Par ailleurs, on donne de bonnes notes aux cadrans indicateurs, qui affichent une belle couleur bleutée la nuit venue. Quant au volant, son design provient visiblement d'une autre époque.

Par ailleurs, il faut mentionner que l'habitabilité est très bonne, particulièrement quand on tient compte des dimensions de cette voiture. Les passagers des places avant comme ceux des places arrière peuvent prendre leurs aises. Un gros plus, bien entendu, puisque ce véhicule fera office de voiture familiale dans bien des cas.

ÇA GRONDE SOUS LE CAPOT !

Depuis son lancement, la Touring a toujours été handicapée par un moteur dont la rusticité détonne par rapport à l'élégance de sa silhouette. En effet, à voir la voiture, on croirait qu'un moteur moderne et élaboré se cache sous le capot. Bien au contraire, dès que ce moteur est lancé, son grondement et ses vibrations nous font complètement déchanter. Mais dans le monde de l'automobile, il y a un dicton qui dit que le moteur bruyant et souvent le signe d'un moteur fiable et durable. Si on se fie aux cotes de fiabilité de cette voiture, ce dicton est véridique. Pour ce qui est de l'agrément de conduite cependant, c'est une autre histoire. Et c'est encore pire lorsqu'on choisit la boîte automatique à quatre rapports. Les passages des rapports sont plutôt lents et on a même droit, quelquefois, à une secousse. L'arrivée d'une boîte plus moderne permettrait sans doute d'apaiser ce moteur. Mais je suis prêt à parier que d'ici peu, une version nettement plus sophistiquée sur le plan mécanique viendra remplacer ce modèle aux allures européennes, dont le moteur nous rappelle actuellement les premiers engins produits par ce constructeur, qui se distinguaient à l'époque par leur niveau sonore et leur rusticité.

Sur la route, la tenue en virage est bonne et on se doit de souligner l'efficacité des freins. Toutefois, la course du levier des vitesses de la boîte manuelle est plutôt longue. Cela explique sans doute pourquoi on retrouve, au cahier des accessoires, un levier de vitesse plus sportif afin de favoriser des passages de rapports plus rapides.

Malgré ces réserves, la Hyundai Elantra Touring demeure une voiture fiable qui offre une consommation de carburant raisonnable et qui s'avère pratique.

Denis Duquet

Photos : Hyundai

Catégorie	Familiale
Échelle de prix	14 999 $ à 22 049 $ (2011)
Garanties	5 ans/100 000 km, 5 ans/100 000 km
Assemblage	Ulsan, Corée du Sud
Cote d'assurance	bonne

CHÂSSIS - TOURING GLS SPORT	
Emp/lon/lar/haut	2 700/4 485/1 765/1 520 mm
Coffre	689 à 1 848 litres
Réservoir	53 litres
Nombre coussins sécurité / ceintures	6 / 5
Suspension avant	indépendante, jambes de force
Suspension arrière	indépendante, multibras
Freins avant / arrière	disque / disque
Direction	à crémaillère, ass. variable
Diamètre de braquage	10,3 m
Pneus avant / arrière	P215/45R17 / P215/45R17
Poids	1 329 kg
Capacité de remorquage	340 kg (749 lb)

COMPOSANTES MÉCANIQUES	
Cylindrée, soupapes, alim.	4L 2,0 litres 16 s atmos.
Puissance / Couple	138 chevaux / 136 lb-pi
Tr. base (opt) / rouage base (opt)	M5 (A4) / Tr
0-100 / 80-120 / 100-0 km/h	10,3 s / 7,4 s / 41,3 m
Type ess. / ville / autoroute	Ordinaire / 8,9 / 6,4 l/100 km

FEU VERT

- Mécanique solide
- Silhouette élégante
- Tenue de route saine
- Freinage puissant
- Bonne habitabilité

FEU ROUGE

- Moteur bruyant
- Transmission automatique vétuste
- Pneumatiques à remplacer
- Modèle en sursis

DU NOUVEAU EN 2012

Aucun changement majeur

http://www.hyundaicanada.com/

Plus d'informations dans la section statistiques en dernière partie du Guide

FAIRE ACTE DE PRÉSENCE

Hyundai, on l'a dit et répété, est parti de loin, surtout quand on pense aux caricaturales Pony et Stellar des années 1980 ! À cette époque, tous les constructeurs automobiles regardaient ces drôles de Coréens tenter de fabriquer des automobiles. Aujourd'hui pourtant, ceux qui autrefois riaient, pleurent en constatant que le groupe Hyundai/Kia se classe en cinquième position mondiale. Avec sa nouvelle Equus, Hyundai n'a pas le produit pour leur rafler des ventes, mais il s'agit surement d'un coup de semonce en attendant LE vrai produit…

Disons d'emblée que Hyundai n'entend pas vendre beaucoup d'Equus. En fait, on veut surtout souligner à la compétition qu'on est là, à apprendre… Et quand on voit ce que cette marque est devenue en 25 ans, oui, les Mercedes-Benz et autres compagnies de ce genre ont raison d'être craintifs. Mais contre qui l'Equus se bat-elle ? C'est un peu difficile à dire. Sur le plan technique, on parle des monstres sacrés que sont les Mercedes-Benz Classe S, BMW Série 7, Audi A8 et Lexus LS 460. Pourtant, au niveau du prix, Hyundai s'aligne plutôt sur les Mercedes Classe E, BMW Série 5, Audi A6 et Lexus GS460. Et pour ce qui est de la conduite, le nouveau porte-étendard de la marque coréenne s'aligne assez bien contre la Lexus LS460. Voyons-y de plus près…

La Hyundai Equus n'est pas une petite voiture, c'est le moins qu'on puisse dire. Ses dimensions la rapprochent, comme nous le mentionnions, des Audi A8 et Mercedes-Benz Classe S. On ne fait donc pas dans le sous-compact. La carrosserie n'est pas vilaine, mais demeure anonyme. Si ce n'était du H stylisé apposé sur le couvercle du coffre, il n'y aurait aucun moyen de savoir qu'on a affaire à un produit Hyundai. Il y a aussi cette grille un peu bizarre, déjà vue sur la plus petite Genesis. En y regardant bien, il est vrai que l'Equus ressemble à une Lexus LS460. Simple hasard ?

CONCURRENTS
Audi A8,
BMW Série 7,
Lexus LS,
Mercedes-Benz Classe S

IMPRESSIONS DE L'AUTEUR		
Agrément de conduite :	■■■□□	3 / 5
Fiabilité :	■■■■□	3.5 / 5
Sécurité :	■■■■□	4 / 5
Qualités hivernales :	■■■■□	3.5 / 5
Espace intérieur :	■■■■■	4.5 / 5
Confort :	■■■■■	4.5 / 5

QUESTION DE PRESTIGE

L'habitacle est vaste, tendu de matériaux de belle facture et assemblé avec un soin qui n'est pas sans rappeler… Lexus ! Les sièges s'ajustent d'une multitude de façons et s'avèrent très confortables, autant à l'avant qu'à l'arrière et l'espace ne manque jamais. L'équipement est pléthorique, et ce, même pour la version de base, appelée Signature. La livrée la plus huppée, Ultimate, en rajoute une couche en proposant des sièges arrière avec massage et repose-pied intégré (ceux de la Signature ne sont « que » chauffants et électriques). Le critique remarquera toutefois quelques manquements mineurs à la bienséance de la berline de prestige. Par exemple, une mémoire à deux niveaux uniquement et pour le seul siège du conducteur, un ordinateur de bord sommaire ainsi qu'une trappe à essence en plastique plutôt chancelante.

Sous le capot de l'Equus, le 4,6 litres des années antérieures a laissé sa place au V8 de 5,0 litres déjà vu dans la Genesis berline. Ce 5,0 litres livre 44 chevaux et 43 lb-pi de couple de plus que le 4,6, corrigeant ainsi une des lacunes du modèle précédent. Il faut dire que l'Equus n'est pas vraiment un poids plume avec ses 2 066 kilos (version Signature) et ces chevaux supplémentaires ne sont pas de refus ! Ce V8 est très souple et ne rechigne jamais au travail, prouvant sa bonne volonté par un intéressant vrombissement.

La transmission est une automatique à six rapports (contre huit pour certaines BMW, Audi et Lexus et sept pour la Mercedes-Benz Classe S) et elle relaie la puissance aux roues arrière. À noter que son mode manuel n'apporte pas grand-chose. Même si nous n'avons pas eu la chance de faire un essai d'une semaine entière avec une Equus 5,0 litres, il y a fort à parier que sa consommation d'essence ne sera pas beaucoup plus élevée qu'avec le 4,6.

UN DÉBUT DE PLAISIR

Curieusement, le cheval de Hyundai demande une période d'adaptation de la part de son conducteur. Comme le mentionnait le collègue Lachapelle dans un article paru sur le site www.guideautoweb.com, la conduite est, de prime abord, des plus ennuyantes, rappelant irrémédiablement la Lexus LS460. La direction est vague, ne procure aucune sensation et la moindre bosse provoque un tangage inopportun. Puis, on découvre un bouton marqué « Sport » sur la console. Et l'Equus se transforme ! Pas assez pour qu'on se sente au volant d'une Ferrari, mais suffisamment pour qu'on commence à apprécier cette Hyundai. Les aléas de la route sont tout à coup beaucoup mieux maîtrisés et on se prend à aimer la direction qui semble gagner en précision au fil des kilomètres. Pour le *feedback*, par contre, c'est peine perdue ! Et les courbes qui mènent au travail se prennent de plus en plus rapidement. Attention toutefois, il ne faut pas trop s'enthousiasmer. Une bosse apparue dans une courbe déstabilise facilement cette grosse Coréenne.

Entre une Lexus LS460 et une Hyundai Equus, que choisir ? La première jouit d'une excellente fiabilité, respire le luxe et porte un logo prestigieux. La seconde est un peu plus agréable à conduire et coûte au bas mot 20 000 $ de moins pour autant d'équipement. Mais elle n'a pas le prestige et ne l'aura sans doute pas avant quelques années…

Alain Morin

Photos: Alain Morin

Catégorie	Berline
Échelle de prix	62 999 $ à 69 999 $ (2011)
Garanties	4 ans/100 000 km, 4 ans/100 000 km
Assemblage	Corée du Sud
Cote d'assurance	n.d.

CHÂSSIS - ULTIMATE	
Emp/lon/lar/haut	3 045/5 158/1 889/1 490 mm
Coffre	473 litres
Réservoir	75 litres
Nombre coussins sécurité / ceintures	6 / 5
Suspension avant	indépendante, multibras
Suspension arrière	indépendante, multibras
Freins avant / arrière	disque / disque
Direction	à crémaillère, ass. variable électrique
Diamètre de braquage	11,5 m
Pneus avant / arrière	P245/45R19 / P275/40R19
Poids	2 034 kg
Capacité de remorquage	n.d.

COMPOSANTES MÉCANIQUES	
Signature	
Cylindrée, soupapes, alim.	V8 5,0 litres 32 s atmos.
Puissance / Couple	429 chevaux / 376 lb-pi
Tr. base (opt) / rouage base (opt)	A6 / Prop
0-100 / 80-120 / 100-0 km/h	6,6 s (est) / 4,3 (est) / 43,1 m
Type ess. / ville / autoroute	Super / 14,7 / 9,8 l/100 km

FEU VERT

- Confort de première classe
- Niveau d'équipement relevé
- Moteur d'une grande douceur
- Comportement routier surprenant
- Excellent rapport qualité/prix

FEU ROUGE

- Berline de prestige… sans prestige
- Quelques fautes de goût
- Direction qui manque de *feedback*
- Distribution limitée à quelques concessionnaires
- Valeur de revente incertaine

DU NOUVEAU EN 2012

Moteur 5,0 litres remplace le 4,6, transmission à huit rapports

http://www.hyundaicanada.com/

Plus d'informations dans la section statistiques en dernière partie du Guide

ENTRE DEUX CHAISES

«Char de mon'oncle» ou berline sportive? La Hyundai Genesis devra éventuellement choisir. En attendant, il en manque encore un peu à celle qui a pourtant été la saveur du mois à son lancement, il y a trois ans. Et ce, malgré des motorisations plus puissantes proposées pour 2012.

Qu'apporte la nouvelle année modèle? La Genesis quatre portes voit son V6 de 3,8 litres s'enrichir de l'injection directe et de 43 chevaux, portant ainsi le total à 333. Quant au V8 de 4,6 litres, il est remplacé par un 5,0 litres offrant 11 % plus de puissance, soit 429 chevaux. Le tout est nouvellement transigé par une boîte automatique à huit rapports (deux de plus que précédemment), pour une consommation 5 % moindre sur l'autoroute avec le V6, mais 2 % plus gourmande qu'avant pour le V8.

Nous vous avons toujours dit que le V6 faisait du bon boulot, au point de rendre le V8 inutile. Ça n'a pas changé. La motorisation de base est douce, puissante, linéaire et elle assure suffisamment de vigueur aux roues arrière pour propulser les presque deux tonnes métriques sans coup férir. Les huit rapports se passent sans que l'on s'en rende compte (ce qui brise l'excitation, cependant). Plus puissant que ça, ça reste du gaspillage.

D'autant plus que pour la «grosse» Genesis 5.0 R-Spec (sa nouvelle appellation), le raffermissement des amortisseurs, d'environ 30 % dit-on, n'annule pas tous les rebonds mollassons de la suspension à multibras. Même que la balade se fait plus rugueuse qu'avec la variante V6, tout en ne gommant pas les petites aspérités de la route. La solution? Comme le contrôle manuel de la suspension est hors de question – Hyundai n'en est pas encore là –, il faut se rabattre sur la Genesis V6: plus neutre, sa suspension accorde un compromis fermeté/confort nettement plus agréable.

CONCURRENTS

Acura TL, Buick Lucerne, Chrysler 300, Ford Taurus, Lexus ES, Lincoln MKZ, Nissan Maxima, Toyota Avalon

IMPRESSIONS DE L'AUTEUR	
Agrément de conduite:	3.5/5
Fiabilité:	NOUVEAU MODÈLE
Sécurité:	3.5/5
Qualités hivernales:	3.5/5
Espace intérieur:	4/5
Confort:	4.5/5

Ne resterait qu'à donner un peu d'âme à la direction, qui n'est pourtant pas électrique, et le résultat serait – presque – parfait.

ON AURAIT PRIS...

La mise à niveau de la berline passe, esthétiquement, par des phares avant à DEL, une tombée de calandre à la prise d'air plus contemporaine, des bas de caisse plus marqués, des phares arrière mieux dessinés et des échappements désormais intégrés au pare-chocs. Évidemment, on garde la grille-mystère sur laquelle le logo Hyundai n'apparaît pas. Ce n'est peut-être rien pour déplacer les montagnes, mais comme la Genesis arbore déjà une silhouette racée qui plaît à l'œil, il aurait été dommage de la dénaturer.

Catégorie	Berline
Échelle de prix	38 999$ à 49 999$ (2011)
Garanties	5 ans/100 000 km, 5 ans/100 000 km
Assemblage	Ulsan, Corée du Sud
Cote d'assurance	n.d.

On s'attendait toutefois à davantage de technologies. Après tout, la concurrence propose des avertisseurs d'angles morts, des systèmes pré-collision ou la traction intégrale. Pourtant, toujours rien pour la berline coréenne qui se dit de luxe. On a certes ajouté des sièges chauffants à l'arrière et le régulateur de vitesse intelligent l'an dernier, mais pour 2012, outre le détecteur de changement de voie – un foutu système qu'on s'empresse de désactiver, qu'importe la marque ou le modèle –, pas d'autre percée.

Si seulement l'AWD s'était pointé le bout du nez, la voiture se serait peut-être montrée plus assurée lors de notre passage dans la Vallée de Feu du Nevada. Le problème relevait-il d'un système de stabilité trop acharné ? Ou est-ce la pilote qui n'a pas les talents des Gabriel Gélinas et Marc Lachapelle de ce monde ? Peu importe, certains virages ne s'effectuaient pas avec autant d'assurance que souhaité.

On aurait également pris une direction plus substantielle, de même qu'un volant plus gros en main. On aurait aussi aimé, même si ça n'avait été que pour la 5.0 R-Spec, le passage des rapports au volant. Ce n'est pas le cas. Même que le mode manuel au levier ne mise sur aucune programmation spéciale plus agressive. En plus, il n'y a pas de son grondant qui s'extirpe de l'échappement pour nous donner l'ampleur des 429 chevaux sous le capot. Comment se targuer d'être une voiture de performance R-Spec, alors ?

NI L'UNE, NI L'AUTRE

La Genesis tente une incursion du côté de la sportivité quand, de fait, elle était et reste, malgré la puissance additionnelle attribuée pour 2012, une berline de « mon'oncle ». Je n'ai rien contre les berlines de « mon'oncle », ni contre les « mon'oncles » eux-mêmes. Bien au contraire, il y a des avantages au grand confort intérieur, au luxe des matériaux, à l'excellente insonorisation, au bon dégagement tant à l'avant qu'à l'arrière – toutes des qualités dont peut se targuer la Genesis. Autres qualités : les commandes sont plus simples à apprivoiser qu'ailleurs – on est loin de la complexité des Allemandes – et tout est au poil dans l'habitacle. On ne reproche qu'une instrumentation difficile à lire sous le soleil et un coffre qui, bien que dans la très bonne moyenne avec ses 450 litres, n'accepte pas d'en offrir davantage, puisque la banquette ne se rabat pas. Mais il reste que la conduite de la Genesis n'est pas incisive et que la traction intégrale manque cruellement à l'appel. Toutefois, la donne pourrait changer bien vite là-dessus.

Sinon, pour le prix, et selon la tradition, la berline coréenne s'amène mieux équipée que la plupart, surtout dans sa variante V6 Premium. Il faut juste faire avec une expérience de conduite qui n'envoie aucun frisson dans le bas de la colonne.

Nadine Filion

Photos: Alain Morin

CHÂSSIS - 5.0 R-SPEC	
Emp/lon/lar/haut	2 935/4 986/1 890/1 480 mm
Coffre	450 litres
Réservoir	77 litres
Nombre coussins sécurité / ceintures	8 / 5
Suspension avant	indépendante, multibras
Suspension arrière	indépendante, multibras
Freins avant / arrière	disque / disque
Direction	à crémaillère, ass. variable électrique
Diamètre de braquage	11,0 m
Pneus avant / arrière	P235/45R19 / P235/45R19
Poids	1 839 kg
Capacité de remorquage	n.d.

COMPOSANTES MÉCANIQUES	
3.8	
Cylindrée, soupapes, alim.	V6 3,8 litres 24 s atmos.
Puissance / Couple	333 chevaux / 291 lb-pi
Tr. base (opt) / rouage base (opt)	A8 / Prop
0-100 / 80-120 / 100-0 km/h	6,5 s (est) / n.d. / n.d.
Type ess. / ville / autoroute	Ordinaire / 11,1 / 6,9 l/100 km
5.0 R-Spec	
Cylindrée, soupapes, alim.	V8 5,0 litres 32 s atmos.
Puissance / Couple	429 chevaux / 376 lb-pi
Tr. base (opt) / rouage base (opt)	A8 / Prop
0-100 / 80-120 / 100-0 km/h	5,8 s (est) / n.d. / n.d.
Type ess. / ville / autoroute	Super / 13,1 / 8,1 l/100 km

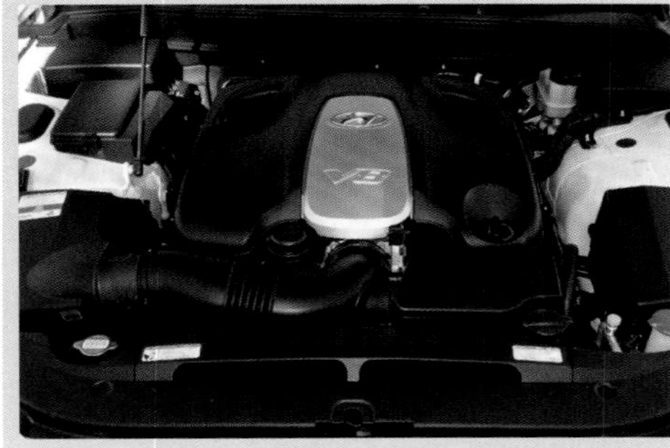

FEU VERT

- Excellent rapport qualité/prix
- Silhouette toujours aussi racée
- Bon dégagement intérieur, grand confort
- V6 de très bonne puissance – le V8 l'est (inutilement) encore plus

FEU ROUGE

- Toujours pas de traction intégrale
- Certaines technologies d'avant-garde encore absentes
- Pas le comportement sportif annoncé (R-Spec? Mon œil...)
- Banquette qui ne se rabat pas

DU NOUVEAU EN 2012

Quelques retouches esthétiques, moteur 5,0 litres remplace le 4,6, moteur 3,8 plus puissant

http://www.hyundaicanada.com/

Plus d'informations dans la section statistiques en dernière partie du Guide

SANS PASSION

Il est étrange de constater que la berline Genesis, toute placide de comportement et d'esthétisme, a remporté le titre de voiture de l'année 2009 offert par l'Association des Journalistes Automobiles Canadiens, alors que la sportive qui porte le nom de Genesis Coupe, malgré un comportement plus affirmé et une ligne d'enfer, est carrément passée dans le beurre!

C'est que la première profite d'un équilibre général assez exceptionnel et que la seconde, malgré le même nom, est plus... disons... ordinaire. Précisons d'entrée de jeu que si la Genesis et la Genesis Coupe partagent un nom, c'est que le châssis du coupé est élaboré à partir de celui de la berline qui, pour l'occasion, a été raccourci de 115 mm. Mais comme il y a autant de différence entre les deux modèles qu'entre Justin Beiber et le cardinal Turcotte, Hyundai aurait très bien pu donner un nom différent à son coupé sport.

S'il y a une chose sur laquelle il est facile de s'entendre, c'est sur la beauté des lignes de ce coupé. Même un ami, qui n'est attiré que par les Challenger et Charger de la belle époque, lui a trouvé un charme indéniable. Il ne s'était assurément pas approché suffisamment pour découvrir la peinture très pelure d'orange et les interstices entre les panneaux pas toujours égaux de notre modèle d'essai... Bien entendu, une telle ligne se paie par une visibilité arrière de type %$#*@& quand vient le temps de reculer et d'un coffre au seuil élevé et dont la profondeur manque cruellement. Et il ne faudrait surtout pas oublier de mentionner que les places arrière sont destinées à des enfants. Il faut toutefois avouer que nous avons déjà vu bien pire ailleurs.

EN ATTENDANT LE MOTEUR

Qui dit «coupé sport» dit «moteurs performants». Et ce ne sont pas les chevaux qui manquent dans la Genesis Coupe. Le moteur de base, un quatre cylindres de 2,0 litres turbocompressé, propose 210 chevaux, ce qui est suffisant pour mener la voiture à 100 km/h en 8,0 secondes pile. Cependant, les chiffres ne disent pas tout. Par exemple, ils se taisent sur le délai de réponse du turbo qui, en plus, ne s'éclate qu'à partir de 3500 tours/minute. Ils ne disent pas non plus que ce quatre cylindres en accélération émet une sonorité bien peu sportive.

CONCURRENTS
Chevrolet Camaro,
Ford Mustang,
Nissan Z,
Volkswagen GTI

IMPRESSIONS DE L'AUTEUR	
Agrément de conduite:	3.5/5
Fiabilité:	4/5
Sécurité:	5/5
Qualités hivernales:	3/5
Espace intérieur:	3/5
Confort:	3.5/5

Alors, me demandez-vous non sans justesse, pourquoi ne pas opter pour le V6 de 3,8 litres? Dans le courant de l'année, Hyundai devrait présenter une nouvelle génération de ce moteur. Il sera

dorénavant doté de l'injection directe et commandera une écurie de 333 chevaux, tout comme dans la version berline. Nul doute qu'il fera rapidement oublier le 3,8 actuel et ses 306 chevaux qui, même s'il offre des performances très relevées, n'est pas particulièrement sportif. Souhaitons aussi que les ingénieurs de Hyundai puissent réduire un peu son poids. Présentement, il ajoute 45 kilos par rapport au 2,0 litres sur le train avant, ce qui paraît en conduite très sportive.

Ces deux moteurs s'arriment d'office à une manuelle à six rapports qui, elle non plus, n'est pas exempte de péchés. La course de son levier est courte, mais elle demande un tel synchronisme entre la main droite et le pied gauche qu'il arrive souvent qu'elle accroche. On retrouve aussi une automatique à cinq rapports pour le 2,0 litres turbo et une à six rapports avec le 3,8. Les rumeurs les plus folles parlent d'une boîte automatique à huit rapports et, ô douce euphorie, d'un rouage intégral.

VIVEMENT LA GT

Malgré le regard plus négatif que positif que nous avons porté sur la Genesis Coupe jusqu'à présent, tout n'est pas sombre. Les suspensions ne sont pas trop dures et font preuve d'un bon compromis entre sportivité et confort, ce qui est apprécié les 350 jours de l'année où on ne tente pas de se prendre pour Andrew Ranger. La direction est précise et les freins puissants. À noter que les modèles GT – Hyundai a eu la bonne idée d'offrir cet ensemble autant pour le 2,0 litres que pour le 3,8 – profitent de plusieurs éléments rehaussant le caractère sportif de la voiture : suspensions plus fermes, barre antirapprochement sous le capot, pneus 19 pouces au lieu de 18 au profil plus bas et à la semelle plus agressive et freins Brembo à quatre pistons. Ainsi équipée, la Genesis Coupe peut tenir son bout sur une piste de course. Cependant, il ne faut pas se méprendre. Il ne s'agit pas d'une voiture sport pour autant. Il suffit de piloter agressivement une Mazda RX-8 ou une Nissan 370Z pour s'en rendre compte. D'ailleurs, lors d'un match comparatif tenu dans le Guide de l'auto 2009, la Genesis Coupe était arrivée derrière ces deux sportives. Lors d'un essai d'une 2,0T sur une route bosselée, la liaison au sol était problématique, les pneus manquant facilement d'adhérence. Et comme les systèmes de contrôle intervenaient au moindre soupçon, le moteur coupait à tout moment.

Au moment d'écrire ces lignes (été 2011), la Genesis Coupe nous laisse sur notre appétit. Son comportement routier est correct, mais elle n'aime pas trop se faire brasser. Pourtant, le message qu'envoie sa carrosserie est tout autre. Il y a cependant fort à parier que les améliorations que s'apprête à apporter Hyundai à son coupé sportif l'amèneront à un niveau supérieur. Nous ne demandons qu'à revoir notre jugement!

Alain Morin

Photos : Hyundai

Catégorie	Coupé
Échelle de prix	24 899 $ à 36 499 $ (2011)
Garanties	5 ans/100 000 km, 5 ans/100 000 km
Assemblage	Ulsan, Corée du Sud
Cote d'assurance	n.d.

CHÂSSIS - 2.0T GT	
Emp/lon/lar/haut	2 820/4 630/1 865/1 385 mm
Coffre	332 litres
Réservoir	65 litres
Nombre coussins sécurité / ceintures	6 / 4
Suspension avant	indépendante, jambes de force
Suspension arrière	indépendante, multibras
Freins avant / arrière	disque / disque
Direction	à crémaillère, ass. variable
Diamètre de braquage	11,4 m
Pneus avant / arrière	P225/40R19 / P245/40R19
Poids	1 498 kg
Capacité de remorquage	n.d.

COMPOSANTES MÉCANIQUES	
2.0T	
Cylindrée, soupapes, alim.	4L 2,0 litres 16 s turbo
Puissance / Couple	210 chevaux / 223 lb-pi
Tr. base (opt) / rouage base (opt)	M6 (A5) / Prop
0-100 / 80-120 / 100-0 km/h	8,0 s / 5,8 s / 42,5 m
Type ess. / ville / autoroute	Super / 10,0 / 6,6 l/100 km
V6 3.8	
Cylindrée, soupapes, alim.	V6 3,8 litres 24 s atmos.
Puissance / Couple	306 chevaux / 266 lb-pi
Tr. base (opt) / rouage base (opt)	M6 (A6) / Prop
0-100 / 80-120 / 100-0 km/h	6,6 s / 5,5 s / 36,7 m
Type ess. / ville / autoroute	Super / 12,0 / 7,6 l/100 km

FEU VERT

- Ligne d'enfer
- V6 performant
- Confort étonnant
- Comportement routier sain
- Version GT recommandée

FEU ROUGE

- Moins sportif qu'il n'y paraît
- Temps de réponse du turbo (2,0 litres)
- Levier de la boîte manuelle capricieuse
- Visibilité arrière pénible
- Coffre restreint

DU NOUVEAU EN 2012

Aucun changement majeur

http://www.hyundaicanada.com/

Plus d'informations dans la section statistiques en dernière partie du Guide

TOUJOURS UN BON CHOIX

Dès son arrivée sur le marché, le Sante Fe a connu beaucoup de succès. Ses dimensions étaient de genre « juste ce qu'il faut », mais ce qui plaisait encore davantage, c'était la qualité de son comportement routier, son agrément de conduite et sa polyvalence. Il y avait bien quelques détails qui retroussaient, des petites choses qui accrochaient, mais rien de bien grave. Puis au fil des années, on a amélioré ceci, remplacé cela et ce véhicule est devenu nettement meilleur. Mais le temps passe.

Depuis le lancement du Santa Fe, le Tucson a été complètement modernisé et de façon spectaculaire. Et avant cela, le Veracruz empruntait la plate-forme du Santa Fe pour aller jouer dans les plates-bandes des Ford Flex, GMC Acadia et autres. Mais le Veracruz est trop gros pour être considéré comme son égal. Par contre, il est plus difficile de le départager du Tucson. On espérait que le Santa Fe soit modernisé à son tour, mais tout porte à croire que ce ne sera pas pour 2012.

LA LOGIQUE PRÉVAUT

Les gens se demandent toujours pourquoi, au début, on donnait le choix entre des moteurs quasi similaires. Je plains les conseillers en ventes qui devaient à l'époque éclairer les clients. Heureusement, les choses sont maintenant beaucoup plus simples alors qu'on a le choix entre un moteur quatre cylindres de 2,4 litres produisant 175 chevaux associé à une boîte manuelle à six rapports ainsi qu'un autre engin, un V6 de 3,5 litres d'une puissance de 276 chevaux uniquement disponible avec la transmission automatique Shiftronic à six rapports. Cette boîte manumatique permet de passer les vitesses manuellement. Si vous voulez mon avis, peu de gens utilisent cette option. C'est parfois utile en certaines circonstances, mais la plupart du temps, on laisse la transmission effectuer son travail tout seul.

CONCURRENTS

Chevrolet Equinox, Dodge Nitro, Ford Escape, Honda CR-V, Jeep Liberty, Mitsubishi Outlander, Suzuki Grand Vitara, Toyota RAV4

IMPRESSIONS DE L'AUTEUR

Agrément de conduite : ■■■■□	4 / 5
Fiabilité : ■■■■□	4 / 5
Sécurité : ■■■■■	5 / 5
Qualités hivernales : ■■■■□	4 / 5
Espace intérieur : ■■■■□	4 / 5
Confort : ■■■■□	4 / 5

Mais quand on résout un problème, on en crée souvent un autre et les clients hésiteront désormais entre le Santa Fe et le Tucson, également propulsé par le même moteur. À une différence près cependant : le Santa Fe à moteur quatre cylindres ne peut être livré qu'avec les roues motrices à l'avant. Si vous voulez le rouage intégral, une seule solution existe : choisir le moteur V6.

Si vous hésitez toujours entre le Tucson et le Santa Fe, entre le premier avec le moteur quatre cylindres avec rouage intégral et le deuxième à moteur V6 pour plus de puissance et de meilleures performances ? Pas facile, mais plusieurs souligneront que l'un est plus élégant que l'autre... D'ailleurs, pour compliquer le portrait,

Catégorie	VUS
Échelle de prix	23 999 $ à 35 799 $ (2011)
Garanties	5 ans/100 000 km, 5 ans/100 000 km
Assemblage	Ulsan, Corée du Sud
Cote d'assurance	excellente

le rouage intégral sur l'un et sur l'autre de ces modèles n'est disponible qu'avec la transmission automatique. Ça reste donc une question de goût.

COMPÉTITIF

Le Santa Fe a impressionné dès son premier tour de roue, car il était doué à tous les chapitres. Une troisième rangée de sièges était même offerte. Mais compte tenu du caractère peu pratique de cette configuration, on a eu la bonne idée de l'éliminer. La finition de l'habitacle est toujours impeccable, même si la présentation commence à prendre de l'âge. Selon la tendance actuelle, toutes les commandes audio et de climatisations sont logées dans une console verticale. Celle-ci accueille également l'écran de navigation disponible sur la version Limited Navigation qui, comme son nom l'indique, est munie du système GPS de navigation par satellite. Il faut souligner également que la position de conduite est bonne, que les commandes placées le long du moyeu du volant sont faciles d'accès et de manipulation. Les cadrans indicateurs cerclés d'une bande de chrome se consultent aisément, hormis ce petit écran d'information placé au centre, qui s'avère parfois difficile à lire. Les versions les plus onéreuses proposent des appliques en bois qui rehaussent la présentation. Il faut également souligner que l'habitabilité est bonne et les sièges confortables.

Le nouveau moteur quatre cylindres de 2,4 litres est de conception mécanique moderne avec le calage infiniment variable des soupapes. Son rendement est excellent. Il faut de plus ajouter que sa consommation de carburant est raisonnable et la possibilité de l'associer à une boîte manuelle à six rapports en influencera certains. Cette transmission est plus utilitaire que sportive et ne transforme pas le Santa Fe en bête féroce. Par contre, peu importe le moteur choisi, la transmission automatique est excellente.

Le Santa Fe se démarque par une bonne tenue de route, une insonorisation poussée et un habitacle aussi confortable que bien agencé. Sur la route, la suspension absorbe bien les imperfections de la chaussée tandis que la direction est précise et son assistance bien dosée. Par contre, les bruits de suspension filtrent dans l'habitacle et deviennent agaçants à la longue lorsqu'on circule sur une route en gravier. Il est certain que le Santa Fe sera rajeuni au cours de la prochaine année. Mais ses caractéristiques techniques, sa motorisation, de même que son comportement routier associés à des dimensions plus généreuses que celle du Tucson lui permettent de demeurer compétitif. Il faut également ajouter que la qualité des matériaux est bonne et l'assemblage sérieux. Un modèle pour l'acheteur rationnel.

Denis Duquet

Photos: Hyundai

CHÂSSIS - GL 3.5 SPORT TI

Emp/lon/lar/haut	2 700/4 676/1 890/1 725 mm
Coffre	968 à 2 214 litres
Réservoir	68 litres
Nombre coussins sécurité / ceintures	6 / 5
Suspension avant	indépendante, jambes de force
Suspension arrière	indépendante, multibras
Freins avant / arrière	disque / disque
Direction	à crémaillère, ass. variable
Diamètre de braquage	10,9 m
Pneus avant / arrière	P235/60R18 / P235/60R18
Poids	1 868 kg
Capacité de remorquage	749 kg (1 651 lb)

COMPOSANTES MÉCANIQUES

2.4	
Cylindrée, soupapes, alim.	4L 2,4 litres 16 s atmos.
Puissance / Couple	175 chevaux / 169 lb-pi
Tr. base (opt) / rouage base (opt)	M6 (A6) / Tr (Int)
0-100 / 80-120 / 100-0 km/h	10,0 s / 8,9 s / 43,9 m
Type ess. / ville / autoroute	Ordinaire / 10,6 / 8,0 l/100 km

3.5	
Cylindrée, soupapes, alim.	V6 3,5 litres 24 s atmos.
Puissance / Couple	276 chevaux / 248 lb-pi
Tr. base (opt) / rouage base (opt)	A6 / Tr (Int)
0-100 / 80-120 / 100-0 km/h	9,0 s / 7,3 s / 43,9 m
Type ess. / ville / autoroute	Ordinaire / 10,6 / 7,7 l/100 km

FEU VERT

- Moteurs bien adaptés
- Transmission automatique efficace
- Habitacle confortable
- Bonne tenue de route
- Rouage intégral

FEU ROUGE

- Modèle en sursis
- Silhouette un peu rétro
- Pneumatiques à revoir
- Pas d'intégrale avec le quatre cylindres

DU NOUVEAU EN 2012

Aucun changement majeur

http://www.hyundaicanada.com/

Plus d'informations dans la section statistiques en dernière partie du Guide

QUAND HYBRIDATION RIME AVEC AMBITION

L'an dernier, Hyundai lâchait une bombe en dévoilant sa nouvelle Sonata. D'une beauté à en donner des idées pas catholiques à un pape, elle allait, par la suite, influencer le style des Elantra, Tucson et Accent. Qui plus est, le comportement routier était à l'avenant. Mais quiconque suit l'évolution de Hyundai depuis son arrivée sur notre continent au début des années 1980 n'est pas surpris par la qualité des plus récents produits de la marque sud-coréenne. Hyundai voit grand, très grand, et prend les moyens pour arriver à ses fins.

La carrosserie, on l'a déjà précisé, est très jolie. Est-ce qu'elle le sera encore dans cinq ou six ans, seul l'avenir nous le dira. Mais pour le moment, profitons-en ! La qualité d'assemblage est généralement très relevée, mais, sur une Sonata Turbo, nous avons décelé des taches de rouille sur la partie avant… et la voiture n'avait même pas 10 000 km !

Le tableau de bord se marie bien à l'ensemble et en général, l'agencement des couleurs est réussi. La plupart des matériaux sont de belle qualité et les sièges sont confortables, un adjectif que j'ai rarement utilisé pour qualifier les bancs d'église des voitures coréennes. Les places arrière sont assez dures et le fait que leur assise soit basse pourrait indisposer certaines personnes moins mobiles. Bien entendu, les dossiers s'abaissent de façon 60/40 pour agrandir le coffre, mais ils ne forment pas un fond plat. En plus, le seuil de chargement est passablement élevé, ce qui peut devenir agaçant, si on a souvent des objets lourds à transporter.

ATMOSPHÉRIQUE OU TURBO ?

La première Sonata à être proposée sur notre marché est celle munie d'un quatre cylindres de 2,4 litres. Associé à une transmission manuelle à six rapports ou à une automatique à six rapports,

CONCURRENTS

Buick LaCrosse, Chevrolet Malibu, Chrysler 200, Dodge Avenger, Ford Fusion, Honda Accord, Kia Optima, Mazda6, Nissan Altima, Subaru Legacy, Suzuki Kizashi, Toyota Camry

IMPRESSIONS DE L'AUTEUR		
Agrément de conduite :	■■■■	4 / 5
Fiabilité :	■■■■	4 / 5
Sécurité :	■■■■	4 / 5
Qualités hivernales :	■■■■	4 / 5
Espace intérieur :	■■■■	4 / 5
Confort :	■■■■	4 / 5

il offre des performances très correctes à défaut d'être renversantes. Le comportement routier de cette traction, sans pouvoir être qualifié de sportif, se classe parmi les ténors de la catégorie, catégorie qui comprend aussi les Chevrolet Malibu, Ford Fusion, Honda Accord, Mazda6 et autres Toyota Camry. Lors de notre semaine d'essai, nous avons obtenu une moyenne de 8,5 l/100 km, ce qui correspond aux données avancées par Hyundai.

Un peu plus tard, Hyundai a lancé la version 2,0T. Plutôt que d'opter pour un V6, la marque coréenne a privilégié un moteur de plus faible cylindrée, mais doté de la turbocompression. La puissance et le couple font un gain considérable et les performances

Catégorie	Berline
Échelle de prix	22 649 $ à 34 499 $ (2011)
Garanties	5 ans/100 000 km, 5 ans/100 000 km
Assemblage	Montgomery, Alabama, É-U
Cote d'assurance	passable

s'en ressentent joyeusement ! La consommation est certes plus élevée, mais le 9,7 l/100 de moyenne que nous avons obtenu sans faire trop attention est une bonne nouvelle. Ce moteur est marié à une boîte automatique à six rapports.

ET L'HYBRIDE ?

La nouveauté de l'année dans la gamme Sonata, c'est l'arrivée de l'hybride. Le système développé par Hyundai s'appelle BlueDrive. Il consiste en un moteur électrique placé entre le quatre cylindres thermique de 2,4 litres et un embrayage automatisé et la transmission automatique à six rapports. La voiture peut rouler en mode électrique seulement, thermique seulement ou une combinaison des deux. Hyundai prétend qu'il est possible de rouler jusqu'à 100 km/h en mode électrique seulement et sans doute que cette donnée peut être reproduite… mais pas par l'auteur de ces lignes, qui n'a pu atteindre plus de 70 km/h, ce qui s'avère quand même très bien. Durant notre semaine d'essai où nous nous sommes rendus à Québec par la 20 à des vitesses 15 % illégales à l'aller et environ 25 % au retour, nous avons obtenu une excellente moyenne de 6,8 l/100 km.

Au niveau de la conduite, outre le silence de roulement en mode électrique uniquement, on remarque, du moins sur l'exemplaire essayé aux fins du présent Guide, que la transmission est souvent lente à se mettre en branle lors d'accélérations intempestives, ou alors elle hésite avant de changer de rapport lorsqu'on accélère très lentement. Il en résulte une conduite souvent peu coulée. Cela est sans doute dû à la configuration mécanique particulière. Toutefois, d'autres systèmes semblables, provenant d'autres manufacturiers, ne se comportaient pas de cette façon. Soulignons que le passage entre le mode électrique et thermique est à peine perceptible.

Sur la route, le comportement de cette Hyundai bleue – c'est drôle, dans le domaine des voitures hybrides, les constructeurs parlent de moins en moins de vert et de plus en plus de bleu ! – rappelle celui de la berline avec le moteur 2,4 litres régulier. Toutefois, la pédale de frein est plus sensible et les premiers arrêts sont plutôt disgracieux ! En situation d'urgence, c'est la dureté de la pédale et le manque de « feeling » qui surprennent.

La version Hybrid se reconnaît au premier coup d'œil grâce à sa partie avant différente qui améliore le flux aérodynamique et à ses insignes bleus ici et là sur la carrosserie. Elle se distingue aussi dans le coffre, où l'ensemble de batteries lithium-polymère, qui pèse 43,5 kilos, enlève 160 litres d'espace (464 contre 304). Et pour ceux que ça intéresse, oui, il y a des petits graphiques tout jolis qui renseignent sur ce qui se passe sous le capot et qui indiquent si la conduite est écoresponsable. Après tout, il s'agit d'une hybride !

Alain Morin

Photos : Alain Morin

CHÂSSIS - HYBRID

Emp/lon/lar/haut	2 795/4 820/1 835/1 470 mm
Coffre	304 litres
Réservoir	65 litres
Nombre coussins sécurité / ceintures	6 / 5
Suspension avant	indépendante, jambes de force
Suspension arrière	indépendante, multibras
Freins avant / arrière	disque / disque
Direction	à crémaillère, ass. électrique
Diamètre de braquage	10,9 m
Pneus avant / arrière	P205/65R16 / P205/65R16
Poids	1 580 kg
Capacité de remorquage	non recommandé

COMPOSANTES MÉCANIQUES

Hybrid	
Cylindrée, soupapes, alim.	4L 2,4 litres 16 s atmos.
Puissance / Couple	166 chevaux / 154 lb-pi
Tr. base (opt) / rouage base (opt)	A6 / Tr
0-100 / 80-120 / 100-0 km/h	9,0 s / 7,0 s / n.d.
Type ess. / ville / autoroute	Ordinaire / 6,5 / 5,9 l/100 km

GL, GLS, Limited	
Cylindrée, soupapes, alim.	4L 2,4 litres 16 s atmos.
Puissance / Couple	198 chevaux / 184 lb-pi
Tr. base (opt) / rouage base (opt)	M6 (A6) / Tr
0-100 / 80-120 / 100-0 km/h	9,3 s / 7,0 s / 40,7 m
Type ess. / ville / autoroute	Ordinaire / 9,8 / 6,7 l/100 km

Turbo	
Cylindrée, soupapes, alim.	4L 2,0 litres 16 s turbo
Puissance / Couple	274 chevaux / 269 lb-pi
Tr. base (opt) / rouage base (opt)	A6 / Tr
0-100 / 80-120 / 100-0 km/h	7,1 s / 5,3 s / 40,0 m (est)
Type ess. / ville / autoroute	Super / 10,7 / 6,9 l/100 km

FEU VERT

- Physique excitant
- Comportement routier relevé
- Hybride sérieuse
- Effet de couple presque nul
- Vaste habitacle

FEU ROUGE

- Direction un peu déconnectée
- Qualité de la peinture à vérifier
- Peu de sensations au freinage
- Pneus d'origine bâtards
- Valeur de revente à valider (Hybrid)

DU NOUVEAU EN 2012

Modèles Turbo et Hybrid

http://www.hyundaicanada.com/

Plus d'informations dans la section statistiques en dernière partie du Guide

L'ESSENCE D'UN VUS COMPACT

Hyundai, on le répète constamment mais non sans raison, connaît, avec son cousin Kia, une croissance fulgurante. Certes, les produits du constructeur coréen sont au goût du jour, mais il ne faut surtout pas minimiser tout le travail effectué en amont. Par exemple, si le Tucson actuel connaît beaucoup de succès, c'est en grande partie à cause de la première génération, apparue en 2004. Ce VUS compact, plutôt fiable, s'était rapidement taillé une place enviable dans le cœur des Québécois.

Le modèle actuel a reçu le même traitement visuel que les autres produits Hyundai. Le résultat est réussi et tout à fait moderne. Cependant, je trouve que les bas de caisse, invariablement en PVC noir, font un peu bas de gamme, surtout sur les versions les plus dispendieuses. Aussi, le design est résolument contemporain, mais je me demande s'il vieillira bien. Je laisse le temps en juger.

LE SIÈGE DE LA RÉCRIMINATION

L'habitacle n'a rien à envier aux autres créations de la marque. Le tableau de bord est esthétique et ergonomique. La nuit, il se pare de bleu, ce qui le distingue et lui donne de fort jolis airs. Juste devant le conducteur, on retrouve deux grands cercles comprenant les révolutions du moteur et l'odomètre. Les espaces de rangement sont nombreux et, délicate attention, les modèles les plus huppés ont droit au dégivrage des essuie-glaces (une bande chauffante est placée dans le bas du pare-brise). S'il n'y avait qu'un bémol à apporter, c'est au sujet des sièges. Autant à l'avant qu'à l'arrière, ils manquent de confort, du moins selon mes standards, et leur look ne paie vraiment pas de mine. En plus, le cuir qui recouvre ceux de la version Limited n'est pas de très grande qualité et ne « respire » pas suffisamment. Et comme si ce n'était pas assez, ils offrent trop peu de support latéral en virage.

CONCURRENTS

Chevy Equinox, Ford Escape, Honda CR-V, Jeep Compass/Patriot, Kia Sportage, Mitsubishi Outlander, Nissan Rogue, Subaru Forester, Suzuki Grand Vitara, Toyota RAV4, Volkswagen Tiguan

IMPRESSIONS DE L'AUTEUR

Agrément de conduite :	4 / 5
Fiabilité :	4 / 5
Sécurité :	4 / 5
Qualités hivernales :	4 / 5
Espace intérieur :	4 / 5
Confort :	4 / 5

Le coffre est grand, son ouverture est généreuse et le seuil de chargement est bas, ce qui facilite le transport d'objets volumineux. Bien entendu, les dossiers de la banquette s'abaissent de façon 60/40 et forment un fond plat. Sous le plancher, on retrouve un bel espace de rangement, invisible aux regards concupiscents. Si Hyundai offrait son cache-bagages en équipement de base, la vie n'en serait que plus agréable !

LE 2,4 À PRIVILÉGIER

Tout comme en 2011, le Tucson 2012 se décline en versions L, GL, GLS, Limited et, enfin, Limited avec navigation. Toutes ces livrées, sauf la L, reçoivent un quatre cylindres de 2,4 litres qui officie déjà

Catégorie	VUS
Échelle de prix	19 999 $ à 34 349 $
Garanties	5 ans/100 000 km, 5 ans/100 000 km
Assemblage	Ulsan, Corée du Sud
Cote d'assurance	excellente

dans plusieurs autres créations de Hyundai et Kia. Ce moteur s'avère assez raffiné, mais les accélérations et reprises sont dans la moyenne, tout comme la consommation. Hyundai prévoit 7,1 l/100 km en ville et 10,1 sur la route et notre moyenne pour une semaine a été de 9,9, ce qui respecte la logique du constructeur.

Seule une transmission automatique à six rapports est arrimée à ce moteur. Elle est dotée d'un mode manuel qui lui donne un peu de pep. À 100 km/h, par exemple, lorsqu'on pousse le levier de « D » vers ce mode, la boîte se place sur le cinquième rapport, faisant ainsi monter le régime moteur de 1 900 tours/minute à 2 600. Ce mode sera surtout utilisé par ceux qui désirent remorquer en région montagneuse tandis que les autres s'en lasseront rapidement. Selon la version, les roues motrices peuvent être celles situées à l'avant ou encore, le véhicule peut être mû par les quatre roues. Dans ce cas, en temps normal, seules les roues avant sont motrices, mais il est possible de verrouiller le rouage intégral pour que toutes les roues travaillent de concert.

De son côté, la version de base « L », n'a droit qu'au quatre cylindres de 2,0 litres. Un peu moins puissant que le 2,4, c'est surtout au niveau du couple qu'il est désavantagé. En plus, il boit à peine moins d'essence que ce dernier. La transmission de base est une manuelle à cinq rapports peu agréable à manipuler, mais la plupart des (peu nombreuses) personnes qui choisiront le 2,0 litres, opteront pour l'automatique à six rapports. Seules les roues avant déplacent un Tucson 2,0 litres.

Au niveau de la conduite, le Tucson surprend par son silence de roulement. Si seulement Hyundai se débarrassait des infâmes et bruyants pneus d'origine, la Terre ne s'en porterait que mieux. On ne peut pas qualifier la tenue de route de sportive, mais elle est rassurante et si jamais on pousse le bouchon trop loin, on peut se fier aux systèmes électroniques, très intrusifs, pour nous ramener dans le droit chemin. Au passage de certains trous ou bosses, les suspensions réagissent assez sèchement. Ce n'est toutefois pas dramatique, mais on s'attendrait à un tantinet plus de considération pour nos physiques. Cette année, Hyundai a d'ailleurs amélioré les suspensions de certains modèles pour les rendre plus douces. La direction est assez précise, mais c'est surtout son court rayon de braquage qui retient l'attention. Quant aux freins à disques aux quatre roues, ils faisaient un excellent boulot l'année dernière. Cette année, ils sont un peu plus gros à l'avant.

Sans être le plus compétent dans sa catégorie (nous lui préférons le Kia Sportage, plus dynamique), le Tucson de Hyundai n'a pas à rougir devant la concurrence. Et puis, il est si beau !

Alain Morin

Photos : Alain Morin

CHÂSSIS - GLS TA

Emp/lon/lar/haut	2 640/4 400/1 820/1 655 mm
Coffre	728 à 1 580 litres
Réservoir	55 litres
Nombre coussins sécurité / ceintures	6 / 5
Suspension avant	indépendante, jambes de force
Suspension arrière	indépendante, multibras
Freins avant / arrière	disque / disque
Direction	à crémaillère, assistée
Diamètre de braquage	10,8 m
Pneus avant / arrière	P225/60R17 / P225/60R17
Poids	1 582 kg
Capacité de remorquage	454 kg (1 000 lb)

COMPOSANTES MÉCANIQUES

L	
Cylindrée, soupapes, alim.	4L 2,0 litres 16 s atmos.
Puissance / Couple	165 chevaux / 146 lb-pi
Tr. base (opt) / rouage base (opt)	M5 (A6) / Tr
0-100 / 80-120 / 100-0 km/h	11,0 s / 9,1 s (est) / 41,8 m
Type ess. / ville / autoroute	Ordinaire / 10,1 / 7,4 l/100 km
GL, GLS, Limited	
Cylindrée, soupapes, alim.	4L 2,4 litres 16 s atmos.
Puissance / Couple	176 chevaux / 168 lb-pi
Tr. base (opt) / rouage base (opt)	A6 / Tr (Int)
0-100 / 80-120 / 100-0 km/h	10,6 s / 8,1 s / 41,8 m
Type ess. / ville / autoroute	Ordinaire / 10,1 / 7,1 l/100 km

- Lignes réussies
- Moteur 2,4 litres bien adapté
- Habitacle bien insonorisé
- Garantie alléchante
- Rouage intégral compétent

- Suspensions parfois un peu sèches
- Moteur 2,0 litres très juste
- Pneus d'origine indignes
- Sièges plus ou moins confortables
- Boîte manuelle bien peu attirante

DU NOUVEAU EN 2012

Aucun changement majeur

http://www.hyundaicanada.com/

Plus d'informations dans la section statistiques en dernière partie du Guide

SANG NEUF

Il n'y a pas si longtemps, le stylisme des voitures produites par Hyundai laissait à désirer. Les lignes étaient anonymes, la silhouette plus ou moins réussie et personne n'achetait ces voitures pour leur beauté. En fait, pendant longtemps, c'est le prix qui était beau. Les mécaniques étaient rurales, la qualité des matériaux était, tout au plus, correcte et l'agrément de conduite était… un espoir. Lorsqu'on regarde les modèles qui nous sont proposés aujourd'hui, on constate à quel point ce constructeur a fait des progrès, et ce, à tous les niveaux.

CONCURRENTS
Honda CR-Z,
MINI Cooper,
Scion tC

IMPRESSIONS DE L'AUTEUR		
Agrément de conduite :	■■■■□	4 / 5
Fiabilité :	NOUVEAU MODÈLE	
Sécurité :	■■■■□	4 / 5
Qualités hivernales :	■■■□□	3 / 5
Espace intérieur :	■■■▌□	3.5 / 5
Confort :	■■■▌□	3.5 / 5

La plus récente preuve apportée au dossier de la sophistication et de la modernisation des produits Hyundai est le nouveau coupé sportif Veloster, dont la présentation extérieure est originale et la conception vraiment à part.

TROIS OU QUATRE PORTIÈRES ?

Il est certain que les stylistes affectés au design de cette voiture ne se sont pas gênés pour nous offrir un produit qui a vraiment du *punch*. Je sais, plusieurs critiques ont dit que les lignes étaient trop tourmentées, trop caricaturales. C'est peut-être vrai. Mais demandez l'avis de l'acheteur ciblé par ce modèle et il répondra : « C'est cool ! » Et il aura lui aussi raison.

La partie avant est sans doute la moins réussie de cette auto, surtout en raison de cette calandre relativement lourde par rapport aux dimensions de la voiture. On a l'impression qu'on a voulu trop en mettre pour l'espace disponible. La pièce en forme de T qui surplombe la grosse prise d'air du pare-chocs se marie assez mal avec le reste de la carrosserie. En fait, l'élément le plus important est ce toit fuyant, qui nécessite une fenestration décroissante. Ces deux éléments donnent du dynamisme à la silhouette et celle-ci plaira aux jeunes. Les parois latérales sont quelque peu cintrées et une encoche en bas de caisse donne du relief à l'ensemble. On retrouve la même dynamique à l'arrière, alors que la fenêtre du hayon se poursuit sur la paroi verticale du couvercle du coffre, un peu à la manière de la Honda CR-Z. Mais tandis que les stylistes nippons ont adopté une présentation plus classique, leurs homologues coréens ont décidé de frapper fort. Le rebord du coffre, ainsi que les feux arrière, sont sur le même plan et superposent un pare-chocs vraiment très large qui occupe tout l'espace visuel. Et pour équilibrer quelque peu cette masse et l'associer en quelque sorte à la fenêtre du hayon, on retrouve une partie noire contrastante sous laquelle on regroupe les deux tuyaux d'échappement. Ce n'est peut-être pas subtil aux yeux de certains, mais ce n'est pas l'impact qui manque.

Malgré les textes dithyrambiques des communiqués de presse de Hyundai, l'habitacle reprend les présentations adoptées par plusieurs constructeurs. Par contre, cette console centrale est plus accentuée alors que les bandes contrastantes de chaque côté forment un « V » relativement large. Un gros bouton au centre de cette console règle la température de la climatisation et la vitesse du ventilateur. Comme c'est dorénavant de coutume, le moyeu du volant est parsemé de pavés de contrôle.

Mais l'élément le plus spectaculaire de cette voiture, c'est l'utilisation d'une troisième porte du côté arrière droit. Cette fois-ci, il ne s'agit pas d'une porte inversée (porte-suicide), mais d'une portière conventionnelle. Selon Hyundai, cette configuration facilite beaucoup l'accès à bord de la voiture. On parle donc de trois portières, mais mathématiquement parlant, il y en a quatre, puisque le Veloster est bien entendu doté d'un hayon pour permettre l'accès au coffre à bagages.

BOUCLEZ VOS CEINTURES... DE SÉCURITÉ

Cette Coréenne à la silhouette agressive a été dotée d'une mécanique qui devrait plaire aux amateurs de petites voitures offrant de bonnes performances. Le moteur offert, le seul disponible d'ailleurs, est un quatre cylindres de 1,6 litre produisant 138 chevaux et 123 lb-pi de couple. Il est assez sophistiqué en raison de l'injection directe et possède également le calage infiniment variable des soupapes d'admission et d'échappement. Il est associé à une boîte manuelle à six rapports de série. Pour ceux qui désirent se procurer un Veloster avec une transmission automatique, celle-ci est à six rapports. Mais mieux encore, elle est la première transmission à double embrayage à être proposée par Hyundai. Grâce à cette technologie, les passages des rapports se font deux fois plus rapidement qu'avec une boîte manuelle. Cette traction avant est guidée par une direction à assistance électrique.

Comme c'est généralement le cas sur ces petites sportives, la suspension avant est à jambes de force MacPherson, tandis que l'essieu arrière et une poutre de torsion en forme de « V » reliée à des ressorts hélicoïdaux et à des amortisseurs monotubes. Soulignons que la barre stabilisatrice à l'avant est de 24 mm et celle à l'arrière de 23 mm. Les jantes de série sont garnies de pneus sport de 17 pouces, mais il est également possible de commander en option des roues de 18 pouces.

Bref, Hyundai a créé une petite voiture ludique de dimensions relativement modestes, dotée d'une silhouette qui a de l'impact et dont le comportement routier plaira aux amateurs de voitures maniables et performantes.

Denis Duquet

Photos: Hyundai

Catégorie	Coupé
Échelle de prix	n.d.
Garanties	5 ans/100 000 km, 10 ans/160 000 km
Assemblage	Ulsan, Corée du Sud
Cote d'assurance	n.d.

CHÂSSIS - BASE	
Emp/lon/lar/haut	2 649/4 219/1 791/1 400 mm
Coffre	439 litres
Réservoir	50 litres
Nombre coussins sécurité / ceintures	6 / 4
Suspension avant	indépendante, jambes de force
Suspension arrière	semi-indépendante, poutre de torsion
Freins avant / arrière	disque / disque
Direction	à crémaillère, ass. variable électrique
Diamètre de braquage	10,4 m
Pneus avant / arrière	P215/45R17 / P215/45R17
Poids	1 175 kg
Capacité de remorquage	n.d.

COMPOSANTES MÉCANIQUES	
Base	
Cylindrée, soupapes, alim.	4L 1,6 litre 16 s atmos.
Puissance / Couple	138 chevaux / 123 lb-pi
Tr. base (opt) / rouage base (opt)	M6 (A6) / Tr
0-100 / 80-120 / 100-0 km/h	n.d. / n.d. / n.d.
Type ess. / ville / autoroute	Ordinaire / n.d. / 5,9 l/100 km

FEU VERT

- Silhouette dynamique
- Moteur sophistiqué
- Transmission automatique
- Troisième portière
- Agrément de conduite

FEU ROUGE

- Fiabilité inconnue
- Places arrière exiguës
- Visibilité arrière très moyenne
- Agrément de conduite

DU NOUVEAU EN 2012

Nouveau modèle

http://www.hyundaicanada.com/

Plus d'informations dans la section statistiques en dernière partie du Guide

UN VUS QUI VISE HAUT

Aujourd'hui, le constructeur coréen Hyundai tente par tous les moyens de se tailler une place d'honneur dans le créneau des berlines de luxe, comme avec la Genesis puis avec l'Equus. Mais le premier coup d'envoi de cette tendance vers le haut de gamme a été l'arrivée du Veracruz en 2006, qui s'attaquait de front aux ténors de la catégorie de l'époque, soient le Lexus RX400 et l'Acura MD.

La stratégie initiale était d'offrir, à un prix plus que compétitif, un multisegment de sept places dont le luxe égalait celui du Lexus RX350. D'ailleurs, lors de la présentation initiale de ce véhicule, on comparait constamment le Veracruz au Lexus, tant au niveau des dimensions, de la performance, et de tout le reste. Pas besoin d'être un grand spécialiste pour comprendre le message que le constructeur coréen tentait de lancer. En plus, lors de son arrivée sur le marché, le Veracruz était sans doute l'un des premiers véhicules Hyundai à avoir des prétentions en fait de style et d'élégance.

LUXE ET HABITABILITÉ

Pour respecter les objectifs initiaux, on avait mis le paquet en matière de présentation. Quelques années plus tard, l'ensemble commence à être quelque peu vieillot avec ce groupe avant de couleur aluminium placée en plein centre de la planche de bord. Mais que voulez-vous : à l'époque, c'était chic et de bon goût. Mais cette disposition facilite l'accès aux commandes et leur manipulation. Quant aux cadrans indicateurs, ils sont protégés des rayons du soleil par un petit surplomb et la forme ovoïde de leur nacelle permet une disposition simple et élégante. Bien entendu, l'indicateur de vitesse, au centre, est le cadran principal. Il est flanqué, à gauche, du compte-tours et, à droite, du cadran multifonction contenant la jauge d'essence et le thermomètre. Quant au volant, il reprend le fini imitant l'aluminium brossé de la console, ce qui

CONCURRENTS

Buick Enclave, Chevrolet Traverse, Ford Flex, GMC Acadia, Honda Pilot, Mazda CX-9, Nissan Murano, Subaru Tribeca, Toyota Highlander

IMPRESSIONS DE L'AUTEUR

Agrément de conduite :	3/5
Fiabilité :	3.5/5
Sécurité :	4/5
Qualités hivernales :	4/5
Espace intérieur :	4/5
Confort :	4.5/5

crée un contraste avec le cuir noir du boudin et de sa propre partie centrale, noire également. Comme c'est la coutume actuellement, on retrouve sur celui-ci les commandes audio et du régulateur de croisière. La position de conduite est bonne tandis que la qualité des matériaux qui nous entourent est excellente.

Les gens sont surpris d'apprendre que ce véhicule utilise la plateforme allongée du Santa Fe. Il ne faut pas oublier qu'à ses débuts, ce dernier offrait la possibilité d'avoir une troisième rangée de sièges. Si on a abandonné cette idée en cours de route sur le Santa Fe, les dimensions plus importantes du Veracruz permettent ces places additionnelles. Par contre, lorsque la troisième rangée

Catégorie	Multisegment
Échelle de prix	32 499 $ à 44 999 $ (2011)
Garanties	5 ans/100 000 km, 5 ans/100 000 km
Assemblage	Ulsan, Corée du Sud
Cote d'assurance	moyenne

de sièges est déployée, il ne reste plus beaucoup d'espace pour les bagages. Ces places additionnelles sont à la fois un atout et un gros défaut. En effet, la banquette est relativement confortable, mais elle est très difficile d'accès. Je suis persuadé que dans la majorité des cas, celle-ci demeure sagement repliée dans le plancher afin de permettre aux propriétaires d'utiliser le véhicule pour des activités qui n'impliquent pas de transporter de membres de la famille dans une position inconfortable.

SILENCE ET CONFORT

Puisqu'on veut aller jouer dans la cour des grands avec ce modèle, Hyundai a surtout mis l'emphase sur le confort et le silence de roulement. Encore, on tente d'émuler le Lexus RX et une fois de plus, des comparaisons en faveur du modèle coréen face à son adversaire nippon illustrent bien clairement les objectifs qui sont visés par Hyundai. Bref, en plus de la finition très relevée, les ingénieurs ont consacré beaucoup d'efforts à l'insonorisation du véhicule. Et leurs efforts ont porté fruit, puisque cette voiture est très bien isolée des bruits de la route et du moteur.

En matière de moteur, un seul est au catalogue: un V6 de 3,8 litres produisant 260 chevaux et un couple de 257 lb-pi. Il est associé à une transmission automatique à six rapports avec passage manuel des vitesses. Cette transmission est d'une grande douceur, mais elle s'avère un peu paresseuse. Il reste que bien peu de défauts viennent porter ombrage au bilan de cette Hyundai. En effet, force est d'admettre que la tenue de route est bonne, que la direction est relativement précise et que la suspension est confortable. Voilà qui résume les éléments positifs.

Par contre, il faut toutefois souligner que l'agrément de conduite n'est pas des plus relevé dans ce véhicule et malgré sa précision, la direction n'offre que très peu de *feedback* de la route. Sans compter que les réactions de la suspension ont pour effet d'éponger toute sensation de pilotage. On conduit donc un véhicule relativement long, animé par un moteur suffisamment puissant, mais pour le reste, on est tellement isolé du monde que cette voiture en devient peu excitante à conduire.

Il n'en demeure pas moins que la fiabilité correcte de ce véhicule, son équipement complet et son prix plus que compétitif — il a d'ailleurs connu une baisse au cours des derniers mois —, sont autant d'arguments qui convaincront certainement plusieurs acheteurs potentiels à s'intéresser à ce modèle, qui a beaucoup à offrir, mais qui, malheureusement, n'a pas encore assez de piquant pour attirer une clientèle nombreuse. Ça viendra peut-être un jour…

Denis Duquet

Photos: Hyundai

CHÂSSIS - GLS	
Emp/lon/lar/haut	2 805/4 840/1 945/1 807 mm
Coffre	184 à 2 458 litres
Réservoir	78 litres
Nombre coussins sécurité / ceintures	6 / 7
Suspension avant	indépendante, jambes de force
Suspension arrière	indépendante, multibras
Freins avant / arrière	disque / disque
Direction	à crémaillère, assistée
Diamètre de braquage	11,2 m
Pneus avant / arrière	P245/60R18 / P245/60R18
Poids	2 010 kg
Capacité de remorquage	1 588 kg (3 500 lb)

COMPOSANTES MÉCANIQUES	
Cylindrée, soupapes, alim.	V6 3,8 litres 24 s atmos.
Puissance / Couple	260 chevaux / 257 lb-pi
Tr. base (opt) / rouage base (opt)	A6 / Tr (Int)
0-100 / 80-120 / 100-0 km/h	8,6 s / 7,7 s / 44,4 m
Type ess. / ville / autoroute	Ordinaire / 13,2 / 8,9 l/100 km

FEU VERT

- Finition impeccable
- Équipement complet
- Moteur bien adapté
- Tenue de route sans surprise
- Bonne habitabilité

FEU ROUGE

- Direction engourdie
- Design quelconque
- Conduite peut inspirante
- Faible valeur de revente
- Popularité à la baisse

DU NOUVEAU EN 2012

Aucun changement majeur

http://www.hyundaicanada.com/

Plus d'informations dans la section statistiques en dernière partie du Guide

PLUS SPORTIF QU'UTILITAIRE

Si vous visitez le site Internet d'Infiniti, vous verrez que le EX est proposé en tant que VUS avec les modèles FX et QX. À l'exception du QX, qui est un mastodonte des routes, les deux autres modèles nous proposent une silhouette très élancée, qui tient davantage de la voiture sportive. Malgré tout, les modèles FX peuvent toujours être, à l'occasion, plus utilitaires que sportifs, car leurs dimensions restent assez généreuses. Mais en ce qui concerne le EX, il n'est en fait qu'une version familiale de la berline G. En effet, autant ses dimensions que sa configuration générale ne lui permettent pas de se qualifier en tant que véhicule utilitaire. C'est mon opinion.

CONCURRENTS
Acura RDX,
Audi Q5,
BMW X3,
Land Rover LR2,
Mercedes-Benz Classe GLK,
Volvo XC60

IMPRESSIONS DE L'AUTEUR	
Agrément de conduite :	4 / 5
Fiabilité :	4 / 5
Sécurité :	4 / 5
Qualités hivernales :	4 / 5
Espace intérieur :	3 / 5
Confort :	3.5 / 5

Remarquez, ce n'est pas nécessairement un défaut majeur. Plusieurs personnes aiment les voitures aux dimensions plus songées, mais apprécient en même temps la possibilité de bénéficier d'un hayon, d'un rouage intégral efficace et d'espace pour transporter des objets relativement encombrants. Bien entendu, ils recherchent un luxe poussé, un habitacle confortable et un comportement routier sportif. Pour ces gens, il y a justement cet Infiniti.

LES SIÈGES KIMONO, VOUS CONNAISSEZ ?

Une chose est certaine, les responsables du marketing de cette division de Nissan ne manquent pas d'imagination. On se souvient que lors du lancement de la première génération des utilitaires sport FX, on parlait de « guépard bionique », rien de moins. Les stylistes associaient en effet la silhouette élancée de ce modèle à cette bête ayant fière allure. Puisque le EX reprend la silhouette des FX, doit-on parler de « bébé guépard » ?...

Revenons à des choses plus sérieuses. Il est indéniable que l'habitacle est d'un raffinement poussé et sa présentation donne l'impression d'entrer dans un lieu de luxe et de confort. Les sièges sont particulièrement confortables et pour les décrire, on parle chez Infiniti de « sièges kimono ». Pourquoi cette appellation ? C'est que, selon Infiniti, ils sont aussi confortables qu'un... kimono ! Mais peu importe le terme utilisé pour les qualifier, ils sont effectivement accueillants et fabriqués de cuirs très fins qui donnent l'impression de rouler dans une voiture de très grande valeur. Pour améliorer le niveau de confort, le siège, le volant et le rétroviseur extérieur s'ajustent en synchronisation. Et parmi les accessoires qui visent à nous rendre la vie plus facile, les appuie-tête des sièges avant sont cintrés. Parmi les autres trouvailles des responsables du développement de ce modèle, il y a cet éclairage

Catégorie	Multisegment
Échelle de prix	42 200$ (2011)
Garanties	4 ans/100 000 km, 6 ans/110 000 km
Assemblage	Tochigi, Japon
Cote d'assurance	n.d.

d'accueil. Lorsqu'on s'approche du véhicule, les capteurs de celui-ci détectent la présence de la clé intelligente et allument l'éclairage du pavillon et les feux placés dans la partie inférieure des rétroviseurs. Cet éclairage est rassurant et facilite l'accès à bord.

La qualité des matériaux utilisés est indéniable et la présentation est à la hauteur de la catégorie. On trouve également, comme sur tout modèle Infiniti, une montre analogique sur la console principale, juste au-dessous du gros bouton de commandes centrales. Ce dernier est placé sur un pavé qui accueille également plusieurs autres commandes. Juste au-dessus, il y a l'écran de navigation qui est de bonnes dimensions. Étonnamment, l'habitacle est relativement exigu et même aux places avant, il se peut que les coudes se touchent. Les places arrière sont étroites et il en est de même de l'espace réservé aux bagages. Cette fois-ci, on a sacrifié l'habitabilité en faveur de la silhouette et il faut en payer le prix. Ajoutons en terminant que la visibilité arrière n'est pas le point fort du EX.

LES PERFORMANCES, MAINTENANT

Lorsqu'on installe un moteur de près de 300 chevaux sous le capot d'un véhicule relativement léger, on est en droit de s'attendre à des performances sportives. L'alliance entre ce moteur V6 de 3,5 litres et une transmission automatique à sept rapports permet de compter sur un groupe propulseur nerveux, performant et dont la consommation demeure raisonnable. Même si ce véhicule n'est pas conçu pour aller dans la forêt équatoriale, il est important de souligner que son rouage intégral, nommé « Intelligent AWD » par le constructeur, est vraiment efficace. En fait, contrairement à plusieurs autres modèles de sa catégorie, il s'agit d'une propulsion et la transmission intégrale peut transmettre jusqu'à 50 % du couple aux roues avant. Selon les conditions, il se peut qu'on se retrouve au volant d'un véhicule dont les roues arrière sont motrices à 100 %, ce qui ajoute à l'agrément de conduite. Toujours au niveau de la conduite, ce modèle, comme plusieurs autres de ce constructeur, est doté d'un système signalant le chevauchement des lignes blanches. À mon avis, c'est beaucoup plus agaçant que pratique. Heureusement, il est facile de désactiver ce mécanisme. Par ailleurs, le système de détection de présence latérale est davantage apprécié.

Le EX35 n'est pas un véhicule pour les familles nombreuses et n'est pas non plus un adversaire spécialement concocté pour nuire au Range Rover. Par contre, il propose un niveau de luxe intéressant, de bonnes performances, un comportement routier équilibré, en plus d'un rouage intégral très efficace sur la route. Somme tout, une bonne option.

Denis Duquet

Photos: Infiniti

CHÂSSIS - 35	
Emp/lon/lar/haut	2 850/4 631/1 803/1 589 mm
Coffre	527 à 1 342 litres
Réservoir	76 litres
Nombre coussins sécurité / ceintures	6 / 5
Suspension avant	indépendante, double triangulation
Suspension arrière	indépendante, multibras
Freins avant / arrière	disque / disque
Direction	à crémaillère, ass. variable
Diamètre de braquage	11,0 m
Pneus avant / arrière	P225/55R18 / P225/55R18
Poids	1 794 kg
Capacité de remorquage	n.d.

COMPOSANTES MÉCANIQUES	
Cylindrée, soupapes, alim.	V6 3,5 litres 24 s atmos.
Puissance / Couple	297 chevaux / 253 lb-pi
Tr. base (opt) / rouage base (opt)	A7 / Int
0-100 / 80-120 / 100-0 km/h	7,4 s / 5,6 s / 39,5 m
Type ess. / ville / autoroute	Super / 12,4 / 8,5 l/100 km

FEU VERT

- Moteur bien adapté
- Très bonne tenue de route
- Rouage intégral impressionnant
- Habitacle luxueux
- Transmission sept rapports

FEU ROUGE

- Habitacle très exigu
- Piètre visibilité arrière
- Suspension ferme
- Volant peu inspirant

DU NOUVEAU EN 2012

Aucun changement majeur

http://www.infiniti.ca/

Plus d'informations dans la section statistiques en dernière partie du Guide

INTÉRESSANT CROISEMENT DE GÈNES

Les VUS ont bien évolué depuis leur apparition au milieu des années 90. Dès le début, les constructeurs ont pris la vague de front et l'on a rapidement assisté à la naissance de différents types de véhicules utilitaires. C'est Infiniti qui a lancé la mode des VUS athlétiques avec l'introduction du FX en 2003. Non seulement ce véhicule marquait l'imaginaire avec son style évoquant celui d'un bolide sport, mais il s'est de plus inscrit rapidement dans un créneau qui, encore de nos jours, continue de générer des chiffres de vente plus qu'appréciables chez plusieurs constructeurs.

De nos jours, le FX n'est plus seul dans son créneau. Si vous êtes intéressés par ce type de VUS, vous pouvez également opter pour le Porsche Cayenne, le BMW X6, le Mercedes-Benz ML ou le Range Rover Sport, tous des véhicules utilitaires ayant les mêmes prétentions. Ce qui distingue le FX du lot? Son prix plus compétitif. C'est d'autant plus intéressant puisque la compagnie Infiniti n'avait auparavant jamais joué la carte de l'accessibilité pour se distinguer de la concurrence. C'est pourtant ce que l'on observe dans le cas du FX. Son prix de base est largement inférieur à celui de ses rivaux, même s'il offre des niveaux d'équipement similaires.

Puisque le FX a été le précurseur et qu'il est offert à un prix plus enviable, il devrait, selon toute logique, bénéficier de ventes plus qu'enviables. Ce n'est malheureusement pas le cas. Pourquoi? Probablement parce que les gens qui s'intéressent à ce type de véhicule sont prêts à payer davantage pour un modèle doté d'un emblème plus prestigieux. Sur ce point, force est d'admettre que la compagnie Infiniti ne réussit toujours pas à égaler ses rivales. Les acheteurs se paient souvent un véhicule de ce genre pour l'apparence, bien entendu, mais surtout, pour le prestige.

CONCURRENTS

Acura ZDX, BMW X5, BMW X6, Cadillac SRX, Land Rover LR4, Lexus RX, Lincoln MKX, Mercedes-Benz Classe M, Porsche Cayenne, Volkswagen Touareg, Volvo XC90

IMPRESSIONS DE L'AUTEUR

Agrément de conduite :	4 / 5
Fiabilité :	4 / 5
Sécurité :	4 / 5
Qualités hivernales :	4 / 5
Espace intérieur :	3.5 / 5
Confort :	4 / 5

RETOUCHES À L'AVANT

Le FX continue de séduire avec ses lignes dynamiques. Son look évoque vraiment celui d'une voiture sport et l'effet est encore plus saisissant lorsque le FX repose sur des jantes de 21 pouces. Pas mal pour un design qui remonte à 2003 ! Il n'y a pas à dire : Infinity a été novateur en ce qui a trait au style du FX. Après quelques retouches esthétiques en 2009, voilà que le constructeur récidive cette année en jouant un peu avec l'avant du véhicule. Rien de majeur, mais les designers ont apportés quelques subtils changements, question d'améliorer la présentation. À l'intérieur, le tableau de bord reflète le style insufflé à tous les nouveaux produits du constructeur. La partie centrale est similaire à celle de son petit frère, l'EX. Cependant, tout

est fonctionnel et simple à utiliser. Avec ses lignes, le FX n'est certes pas le plus spacieux. On a suffisamment d'espace à l'arrière, mais on s'y sent moins à l'aise lorsque trois passagers prennent place. En fait, c'est le toit plongeant qui réduit le dégagement à la tête. Pour ce qui est de l'espace de chargement, la possibilité de coucher les sièges à plat ajoute au côté pratique, mais le plancher haut et le hayon plus étroit amputent légèrement son volume.

TOUJOURS PAS DE FX37

Dans le cas du FX, les choix sont assez simples. Tout comme dans le cas de ses principaux rivaux, on peut choisir entre un modèle plus raisonnable, à moteur V6, et un autre plus bestial, à moteur V8. C'est le FX35 qui joue le rôle du plus sage. On retrouve sous le capot un V6 de 3,5 litres développant 303 chevaux pour un couple de 262 lb-pi. Ce moteur, qui intègre la technologie de calage variable des soupapes, est celui qui équipe la majeure partie des FX vendus ici. Alors que le FX est proposé en Europe avec un V6 de 3,7 litres depuis sa refonte d'il y a deux ans, on aurait cru à la venue rapide de cette mécanique, mais il semble que ce ne sera toujours pas pour 2012. Toujours pas de FX37 pour 2012!

Les amateurs de puissance seront servis par le bestial FX50 équipé d'un moteur V8 de 5,0 litres développant 390 chevaux, soit 87 de plus que dans le cas du FX35. Tout comme le V6, ce moteur est couplé à une transmission automatique à sept rapports. Cette dernière améliore non seulement les prestances du moteur, mais elle favorise également l'économie de carburant.

Peu importe le moteur, conduire le FX se révèle un réel plaisir. Le tout débute par une excellente visibilité à l'avant et un volant sport au diamètre réduit, qui donne l'impression de diriger le véhicule du bout des doigts. Chaussée de roues de bonnes tailles, le FX affiche un aplomb inébranlable, même en conduite plus sportive. Sur piste, le FX pourrait laisser derrière plusieurs voitures, élément assez rare pour un véhicule utilitaire. Sa conduite emballante est certainement l'élément principal qui nous fait l'apprécier autant. Puisque chez Infiniti, la plupart des produits vendus sont équipés du rouage intégral, le FX l'offre de série au Canada et c'est tant mieux. Le véhicule s'accrochera mieux au pavé sous diverses conditions, élément qui lui procure un avantage par rapport à d'autres véhicules sport. Peut-on aller jusqu'à le qualifier de bolide quatre saisons? Tout à fait.

Certains diront que «VUS» et «bolide sport» sont en fait des antagonistes. Nous dirons pour notre part que le FX marie les gènes de l'un et de l'autre. Une combinaison réussie!

Sylvain Raymond

Photos : Infiniti

INFINITI FX

Catégorie	Multisegment
Échelle de prix	52 800 $ à 64 550 $ (2011)
Garanties	4 ans/100 000 km, 6 ans/110 000 km
Assemblage	Tochigi, Japon
Cote d'assurance	pauvre

CHÂSSIS - 50	
Emp/lon/lar/haut	2 885/4 859/1 928/1 680 mm
Coffre	702 à 1 756 litres
Réservoir	90 litres
Nombre coussins sécurité / ceintures	6 / 5
Suspension avant	indépendante, double triangulation
Suspension arrière	indépendante, multibras
Freins avant / arrière	disque / disque
Direction	à crémaillère, ass. variable
Diamètre de braquage	11,2 m
Pneus avant / arrière	265/45R21 / 265/45R21
Poids	2 075 kg
Capacité de remorquage	1 588 kg (3 500 lb)

COMPOSANTES MÉCANIQUES	
35	
Cylindrée, soupapes, alim.	V6 3,5 litres 24 s atmos.
Puissance / Couple	303 chevaux / 262 lb-pi
Tr. base (opt) / rouage base (opt)	A7 / Int
0-100 / 80-120 / 100-0 km/h	7,5 s / 5,8 s / 40,2 m
Type ess. / ville / autoroute	Super / 13,3 / 9,3 l/100 km
50	
Cylindrée, soupapes, alim.	V8 5,0 litres 32 s atmos.
Puissance / Couple	390 chevaux / 369 lb-pi
Tr. base (opt) / rouage base (opt)	A7 / Int
0-100 / 80-120 / 100-0 km/h	5,7 s / 4,6 s / 40,8 m
Type ess. / ville / autoroute	Super / 14,7 / 10,2 l/100 km

FEU VERT

- Style toujours réussi
- Bonnes performances
- Habitacle soigné
- Deux excellents moteurs

FEU ROUGE

- Visibilité arrière
- Espace de chargement réduit
- Consommation élevée

DU NOUVEAU EN 2012

Aucun changement majeur

http://www.infiniti.ca/

Plus d'informations dans la section statistiques en dernière partie du Guide

COMME UNE ALLEMANDE

La sportivité automobile à la sauce japonaise n'a pas toujours eu bonne presse. Techniquement, on ne peut guère reprocher quoi que ce soit aux Acura, Lexus ou Infiniti destinées à promouvoir l'adrénaline. Pourtant, aucune n'éveille ce sentiment de contrôle que ressent le pilote d'une BMW, d'une Porsche ou d'une Audi lorsqu'il fait corps avec la route. Présentement, la seule Japonaise en mesure de nous donner des sensations de conduite qui se rapprochent de celles que nous offrent les Allemandes demeure l'Infiniti G.

CONCURRENTS
Acura TL, Audi A4,
BMW Série 3,
Cadillac CTS,
Lexus IS,
Mercedes-Benz Classe C,
Volvo S60

IMPRESSIONS DE L'AUTEUR	
Agrément de conduite :	4.5/5
Fiabilité :	5/5
Sécurité :	4/5
Qualités hivernales :	3/5
Espace intérieur :	3.5/5
Confort :	3.5/5

La gamme G chez Infiniti est l'une des plus complètes de l'heure. On y retrouve une berline, un coupé et un cabriolet, chacun présentant des caractéristiques propres. Voyons-y de plus près… Une G, c'est tout d'abord un moteur. Peu importe le nombre de portes ou la présence ou non d'un toit, le V6 de 3,7 litres (G37) fait flèche de tout bois. Comme pour compliquer la vie des journalistes automobiles, et sans doute celle des mécaniciens, cet enjoué 3,7 litres présente trois puissances légèrement différentes, selon le modèle. Ce moteur affiche une verve bienvenue et ne manque jamais de souffle. En plus, toute augmentation de l'angle du pied droit entraîne un bel accroissement du nombre de décibels !

PLAISIRS ABORDABLES

Depuis l'année dernière, Infiniti propose, uniquement pour la berline, un autre moteur : un V6 de 2,5 litres (G25). Nécessairement moins puissant, il permet à la marque japonaise d'offrir une G à un prix très abordable, tout en venant jouer dans les plates-bandes de BMW avec sa 323i. Bien que ce moulin présente une écurie en déficit de plus de cent chevaux par rapport au 3,7 litres, les performances demeurent convaincantes bien que moins enivrantes. La consommation d'essence super est bien entendu moins élevée pour ce moteur, mais pas autant qu'on serait porté à le croire.

Que le moteur soit un 2,5 ou un 3,7, la transmission est une automatique à sept rapports. Dans tous les modèles essayés depuis quelques années, son comportement est sans reproches et son mode Sport n'est pas de la frime. Une boîte manuelle à six rapports est aussi proposée mais uniquement pour accompagner le 3,7 litres. La course du levier est courte et très « mécanique » tandis que l'embrayage est facile à moduler. Une autre réussite !

L'acheteur a aussi la possibilité d'opter pour un rouage intégral (berline et coupé) et ce, même avec le moteur de 2,5 litres, ce qui est tout à l'honneur d'Infiniti. Ce système, baptisé ATTESA-ETS (pour Advanced Total Traction Engineering System for

Catégorie	Berline, Cabriolet, Coupé
Échelle de prix	36 390 $ à 58 300 $
Garanties	4 ans/100 000 km, 6 ans/110 000 km
Assemblage	Tochigi, Japon
Cote d'assurance	n.d.

All-Terrain- Electronic Torque Split) anticipe les pertes de traction et compense immédiatement en envoyant le couple aux roues qui en possèdent le moins. Sur une surface normale, presque tout le couple est dirigé aux roues arrière. Les versions dotées de ce système portent le suffixe « x » dans leur appellation. Les modèles qui ne reçoivent pas le rouage intégral sont obligatoirement des propulsions (roues arrière motrices).

FREINER LES ARDEURS

Sur la route, autant la berline que le coupé sont très agréables à piloter. Le cabriolet ne jouit pas d'un châssis aussi rigide, mais ce n'est pas mou au point de déranger la conduite de tous les jours. Il faudrait être sur une piste pour vraiment voir une différence. La direction s'avère très précise et son retour d'information est excellent. Les suspensions sont de toute évidence axées vers une conduite sportive, mais elles ne se montrent pas trop dures pour les humains. Les freins sont très puissants et lors d'un freinage d'urgence, le non-initié pourrait être surpris par la vigueur de la ceinture à le serrer contre le siège et par la facture lors de la réparation de ces mêmes freins. D'ailleurs, selon plusieurs propriétaires, la longévité des freins semble un concept très abstrait pour la G…

Là où elle perd des plumes face à une BMW Série 3, c'est au niveau des systèmes de sécurité. Alors que l'Allemande laisse un peu le pilote s'amuser avant d'intervenir, la G devient autoritaire. Heureusement, il est possible de désactiver ces systèmes, une bénédiction en hiver quand la voiture est embourbée. Aussi, à haute vitesse sur une route un peu bosselée, une Série 3 fait montre d'une plus grande stabilité. D'une grande classe et d'une beauté indéniable, les différentes G sont plutôt faciles à vivre au quotidien. La position de conduite idéale se trouve en un rien de temps, le volant se prend bien en main et les sièges sont confortables. Les sièges avant devrais-je préciser… À l'arrière de la berline, ce n'est quand même pas trop mal, surtout si on mesure 5'6" ou moins. Dans le coupé, ils sont inconfortables et dans le cabriolet, ridicules. C'est comme le coffre : les dimensions sont correctes dans la berline, réduites dans le coupé et infinitésimales dans le cabriolet, lorsque le toit est remisé.

Depuis l'année dernière, Infiniti propose une G37 IPL. La puissance et le couple du 3,7 litres sont un peu rehaussés, tandis que la carrosserie affiche des attributs plus sportifs. Est-ce que ces ajouts valent les 6 ou 7 000 $ demandés? Il faut cependant savoir que la série G d'Infiniti n'est pas trop dure sur le portefeuille et il est possible de trouver un modèle sous la barre de 50 000 $. Mais il est aussi possible, sans trop se forcer, d'en trouver un à bien plus! Et, bon point, la cote de fiabilité d'Infiniti est beaucoup plus élevée que celle des Allemandes…

Alain Morin

Photos : Sylvain Raymond

CHÂSSIS - G25X TI BERLINE

Emp/lon/lar/haut	2 850/4 750/1 773/1 453 mm
Coffre	382 litres
Réservoir	76 litres
Nombre coussins sécurité / ceintures	6 / 4
Suspension avant	indépendante, double triangulation
Suspension arrière	indépendante, multibras
Freins avant / arrière	disque / disque
Direction	à crémaillère, ass. variable
Diamètre de braquage	11,2 m
Pneus avant / arrière	P225/55R17 / P225/55R17
Poids	n.d.
Capacité de remorquage	n.d.

COMPOSANTES MÉCANIQUES

G25 berline	
Cylindrée, soupapes, alim.	V6 2,5 litres 24 s atmos.
Puissance / Couple	218 chevaux / 187 lb-pi
Tr. base (opt) / rouage base (opt)	A7 / Prop (Int)
0-100 / 80-120 / 100-0 km/h	9,0 s / 7,1 s / 41,1 m
Type ess. / ville / autoroute	Super / 10,6 / 7,3 l/100km
G37 cabriolet	
Cylindrée, soupapes, alim.	V6 3,7 litres 24 s atmos.
Puissance / Couple	325 chevaux / 267 lb-pi
Tr. base (opt) / rouage base (opt)	A7 (M6) / Prop
0-100 / 80-120 / 100-0 km/h	6,3 s / 5,2 s / 41,1 m
Type ess. / ville / autoroute	Super / 12,9 / 8,4 l/100 km
G37 berline	
Cylindrée, soupapes, alim.	V6 3,7 litres 24 s atmos.
Puissance / Couple	328 chevaux / 269 lb-pi
Tr. base (opt) / rouage base (opt)	A7 / Int (Prop)
0-100 / 80-120 / 100-0 km/h	5,6 s / 5,4 s / 37,8 m
Type ess. / ville / autoroute	Super / 11,7 / 7,8 l/100 km

G37 coupé

V6 3,7 l, 330 ch, 270 lb-pi - 0-100: 5,8 s - 12,4/7,9 l/100 km

G37 Coupe IPL

V6 3,7 l, 348 ch, 276 lb-pi - 0-100: n.d. - 11,0/7,4 l/100 km

- Élégance confirmée
- Moteur 2,5 litres étonnant
- Direction précise
- Fiabilité reconnue
- Prix étudiés

- Places arrière utopiques (coupé et cabrio)
- Longévité des freins problématique
- Portières lourdes (coupé)
- Coffre ridicule (cabrio)
- Espaces de rangement peu nombreux

DU NOUVEAU EN 2012

Aucun changement majeur

http://www.infiniti.ca/

Plus d'informations dans la section statistiques en dernière partie du Guide

LE CRÉNEAU INGRAT

La gamme Infiniti est peut-être composée de cinq modèles, mais, en réalité, il s'agit essentiellement d'une marque à trois véhicules puisque les EX, FX et les différentes variantes de la G représentent la très grande majorité des ventes de la division de luxe de Nissan. Cependant, la refonte complète de la M l'an dernier permet maintenant à la marque Infiniti d'espérer se tailler une plus grande part du marché dans le créneau de la voiture haut de gamme, alors que les modèles M37 et M56 sont aujourd'hui rejoints par une variante à motorisation hybride.

CONCURRENTS
Acura RL, Audi A6,
BMW Série 5, Cadillac STS,
Jaguar XF, Lexus GS,
Mercedes-Benz Classe E,
Volvo S80

IMPRESSIONS DE L'AUTEUR		
Agrément de conduite :	■■■■□	4/5
Fiabilité :	■■■■□	4/5
Sécurité :	■■■■■	5/5
Qualités hivernales :	■■■■□	4/5
Espace intérieur :	■■■■□	4/5
Confort :	■■■■□	4/5

Plutôt que d'emprunter une technologie hybride développée par Toyota, comme Nissan l'a fait avec la Altima hybride, la M d'Infiniti propose plutôt sa propre version de l'hybridation. Ce nouveau modèle reçoit la désignation technique M35h. En fait, son moteur est une version modifiée du V6 de 3,5 litres, qui équipait autrefois la G35, auquel on a jumelé un moteur électrique de 50 kilowatts. Cette motorisation développe une puissance totale de 350 chevaux, mais surtout un couple plus important, en raison de la contribution instantanée du moteur électrique. Cela permet à la nouvelle venue de déclasser la M37 au chapitre des performances, sans toutefois s'approcher vraiment de celles livrées par la plus puissante M56 et son V8 de 5,6 litres. Le choix du modèle hybride signifie cependant que la voiture est une simple propulsion, et que le coffre sera amputé du quart par rapport à la M régulière, en raison de la présence de l'ensemble de batteries qui alimente le moteur électrique. Heureusement, la consommation de carburant devrait être nettement meilleure, puisque le constructeur annonce des cotes de 7,5 1/100 km en ville et de 6,1 sur route.

UN HABITACLE TRÈS ZEN

Avec ses appliqués d'aluminium et en bois de frêne, la M propose un environnement très luxueux et une qualité de finition soignée. Cependant, contrairement aux marques de luxe allemandes qui proposent des systèmes de télématique avancés, la M fait plutôt *old school* avec sa myriade de boutons de contrôle. Son côté zen est assuré par le mode Forest Air du système de chauffage/climatisation, censé reproduire ce que l'on ressent en marchant dans la forêt en variant constamment le flot d'air. Toutefois, cette fonction s'est avérée plus agaçante que rafraîchissante.

Mis à part le modèle à motorisation hybride, la M se décline avec deux moteurs: un V6 ou un V8. Les deux sont disponibles soit avec le rouage intégral, soit avec le groupe sport, mais jamais les

deux ne sont combinés. Bien que le V8 livre 420 chevaux et 417 lb-pi de couple, le V6 s'avère plus qu'adéquat avec ses 330 chevaux et son couple de 270 lb-pi. Sur les routes sinueuses, la M37 se montre d'ailleurs plus à l'aise et plus « joueuse » que la M56, pénalisée par son poids plus élevé. En accélérant à pleine puissance, le V8 de la M56 livre une poussée linéaire et soutenue, mais pas explosive. On sait que les 420 chevaux sont à l'œuvre sous le capot parce que le décor défile rapidement, mais on n'a pas cette sensation d'une accélération à tout casser.

TROP, C'EST COMME PAS ASSEZ...

La M adopte également la même tendance lourde développée pour les autres modèles de la marque, puisqu'elle est littéralement truffée de systèmes électroniques identifiés par des acronymes à trois lettres. La liste est longue et la plupart de ces dispositifs ont été conçus afin de réduire le stress associé à la conduite selon Infiniti. Par exemple, on peut compter non seulement sur le BSW (Blind Spot Warning), qui nous prévient de la présence d'un autre véhicule dans l'angle mort, mais également sur le BSI (Blind Spot Intervention) qui vous empêchera d'entrer en collision avec le véhicule qui roule dans votre angle mort en vous alertant d'abord avec une série de signaux lumineux, puis auditifs, avant d'appliquer les freins sur le côté opposé pour guider votre M jusqu'au retour dans sa voie. Heureusement, tous ces dispositifs électroniques d'aide à la conduite peuvent être désactivés à la seule pression d'un bouton sur le volant par les conducteurs qui sont en mesure de regarder là où ils vont lorsqu'ils sont au volant.

En ce qui a trait au style, celui de la M peut presque être qualifié d'« organique », puisqu'il partage une certaine similitude avec le look de la G, en affichant des lignes très ondoyantes qui lui permettent de se démarquer dans le paysage automobile.

Infiniti a connu beaucoup de succès en défiant les marques allemandes qui sont bien établies dans le créneau des voitures de luxe d'entrée de gamme, mais la M s'inscrit dans une catégorie supérieure où l'image de marque prend plus d'importance dans la décision d'achat. Il est clair que la M sait adroitement se défendre pour ce qui est des qualités dynamiques, et que son échelle de prix lui donne un net avantage par rapport à ses rivales directes en provenance de BMW et de Mercedes-Benz. Mais s'il est assez simple de figurer sur la liste des candidates potentielles, il s'avère plus difficile de devenir la voiture choisie parmi toutes les autres : malheureusement, le processus de sélection des acheteurs de véhicules appartenant à ce créneau n'est pas toujours rationnel.

Gabriel Gélinas

Photos: Marc Lachapelle

Catégorie	Berline
Échelle de prix	52 400 $ à 73 400 $
Garanties	4 ans/100 000 km, 6 ans/110 000 km
Assemblage	Tochigi, Japon
Cote d'assurance	n.d.

CHÂSSIS - M HYBRID	
Emp/lon/lar/haut	2 900/4 945/1 845/1 515 mm
Coffre	320 litres
Réservoir	67 litres
Nombre coussins sécurité / ceintures	6 / 5
Suspension avant	indépendante, double triangulation
Suspension arrière	indépendante, multibras
Freins avant / arrière	disque / disque
Direction	à crémaillère, ass. variable électrique
Diamètre de braquage	11,2 m
Pneus avant / arrière	P245/50R18 / P245/50R18
Poids	1 877 kg
Capacité de remorquage	n.d.

COMPOSANTES MÉCANIQUES	
M Hybrid	
Cylindrée, soupapes, alim.	V6 3,5 litres 24 s atmos.
Puissance / Couple	302 chevaux / 258 lb-pi
Tr. base (opt) / rouage base (opt)	A7 / Prop
0-100 / 80-120 / 100-0 km/h	n.d. / n.d./ n.d.
Type ess. / ville / autoroute	Super / 7,5 / 6,1 l/100 km
Moteur électrique	
Puissance / Couple	67 chevaux / 199 lb-pi
Batterie	n.d.
Type	Lithium-ion (Li-ion)
Énergie	346 V
Temps de charge	n.d.
37, 37x AWD, 37 Sport	
Cylindrée, soupapes, alim.	V6 3,7 litres 24 s atmos.
Puissance / Couple	330 chevaux / 270 lb-pi
Tr. base (opt) / rouage base (opt)	A7 / Prop (Int)
0-100 / 80-120 / 100-0 km/h	6.5 s / 4.7 s / 37.7 m
Type ess. / ville / autoroute	Super / 11,4 / 7,6 l/100 km
56, 56x AWD, 56 Sport	
Cylindrée, soupapes, alim.	V8 5,6 litres 32 s atmos.
Puissance / Couple	420 chevaux / 417 lb-pi
Tr. base (opt) / rouage base (opt)	A7 / Prop (Int)
0-100 / 80-120 / 100-0 km/h	5,6 s (est) / 4,5 s (est) / n.d.
Type ess. / ville / autoroute	Super / 12,9 / 8 l/100 km

- Style évocateur
- Qualité de la finition intérieure
- Disponibilité du rouage intégral
- Moteurs performants

- Systèmes de sécurité intrusifs
- Dossiers arrière non rabattables
- Options coûteuses
- Relatif manque de prestige

DU NOUVEAU EN 2012

Nouveau modèle hybride, nouvelles couleurs

http://www.infiniti.ca/

Plus d'informations dans la section statistiques en dernière partie du Guide

TOUJOURS VIVANT

On croyait qu'Infiniti Canada allait laisser tomber son QX56. Après tout, la première génération de ce véhicule n'avait trouvé que 1 623 preneurs au pays, et ce, en six ans. Pourtant, Infiniti a remis ça l'an dernier avec un modèle plus monstre encore.

Il est monstre, cet utilitaire pleine grandeur. Il est plus long (il fait 5,3m) et plus large (il fait 2 m) qu'à peu près tout ce qui se fait dans la catégorie des Cadillac Escalade, Land Rover et Lexus LX, exception faite du Lincoln Navigator (toujours vivant, celui-là ?). En ce qui a trait au design, la boîte carrée d'autrefois a cependant été reléguée au placard, au profit d'un style plus en rondeurs et plus agréable au regard.

Infiniti a aussi décidé de rehausser le confort de son véhicule. Le QX a voulu se différencier de ses cousins Nissan en adoptant une architecture inspirée du Nissan Patrol. Conséquence : le nouveau châssis est très rigide et il assure un comportement nettement plus civilisé, qui donne ce petit quelque chose auquel on est en droit de s'attendre de la part d'un véhicule de plus de 70 000 $. Un bémol toutefois : la suspension (la double triangulation est conservée) a été ajustée afin que tout le monde à bord se sente porté sur un nuage. Vous vous en doutez, les journalistes automobile que nous sommes auraient préféré plus ferme pour aborder les virages avec assurance (là, ça s'écrase). Le problème aurait pu être réglé avec un sélecteur faisant passer les éléments suspenseurs de confo à sport, au lieu de quoi, Infiniti y va d'un contrôle hydraulique qui, relié aux amortisseurs, permet en manœuvres le transfert d'un liquide de gauche à droite. Le but est de réduire l'inclinaison de la carrosserie, mais honnêtement, le roulis n'est pas neutralisé pour autant.

DE LA PUISSANCE POUR ÉBRANLER LA MASSE

Pour ébranler ces presque 2 700 kilos de masse, il en faut, de la puissance. Pas de problème, le V8 de 5,6 litres (emprunté à la grande berline M56) en donne. Avec son injection directe et sa technologie VVEL, ce moteur est moderne, doux et, fort de ses 400 chevaux et 413 lb-pi, permet des décollages d'une belle suavité.

En reprises sur l'autoroute, le QX56 nous surprend avec encore de la vigueur sous le pied droit. L'automatique sept rapports fait dans la transparence et on ne ressent pas le besoin de se servir de son mode manuel. L'appétit en carburant ? Nous avons enregistré une moyenne de 13,6 litres sur autoroute, ce qui n'est pas si mal pour un presque autobus. Mais bien sûr, ça se corse en ville.

CONCURRENTS
Cadillac Escalade,
Land Rover Range Rover,
Lexus LX,
Lincoln Navigator

IMPRESSIONS DE L'AUTEUR	
Agrément de conduite :	3.5/5
Fiabilité :	4/5
Sécurité :	4.5/5
Qualités hivernales :	4.5/5
Espace intérieur :	4.5/5
Confort :	4.5/5

Catégorie	VUS
Échelle de prix	73 000 $
Garanties	4 ans/100 000 km, 6 ans/110 000 km
Assemblage	Kyushu, Japon
Cote d'assurance	n.d.

Hors route, il est faux de penser que le QX56 peut se démener autant qu'un Jeep. Certes, il arbore un sélecteur quatre roues motrices, mais reste qu'il est trop large et trop long pour les petits sentiers non battus. Qui plus est, aucune plaque ne vient protéger ses organes vitaux et sa suspension souffre d'un trop grand débattement pour être en mesure de débrouiller efficacement à travers les obstacles. Par contre, la capacité de remorquage demeure élevée (8 500 livres), même s'il s'agit là de 400 livres de moins qu'à la génération précédente.

CONFORT INDÉNIABLE

Dans l'habitacle, l'insonorisation et les matériaux sont de qualité, l'assemblage est soigné et les sièges avant, aussi larges que confortables, sont de surcroît chauffants et ventilés. Le confort est indéniable et si vous ne trouvez pas là une position de conduite qui vous convienne, c'est que vous devez vous poser de sérieuses questions sur votre état de santé. Les places en deuxième rangée offrent un excellent dégagement à la tête et aux jambes. On peut opter pour des sièges capitaine encore plus douillets, mais leur présence fait perdre une place. Étrangement, les places sur la banquette du fond sont étroites et étriquées. On se serait attendu à plus de la part d'un si grand véhicule.

Les banquettes se replient facilement pour accorder un espace cargo fort généreux — le mot est faible —, mais le seuil de chargement est élevé. Certes, on aime cette position de conduite plus haute que nature — avec une garde au sol de 234mm, le capot arrive aux épaules ! —, mais monter à bord de ce véhicule tient de l'acrobatie, sans oublier qu'il faut s'agripper à une poignée bien mal positionnée. Un peu plus et on devra faire appel au légendaire escabeau…

Les technologies de dernière heure ne manquent pas à bord du QX56 et elles sont faciles à apprivoiser. On aime le volant chauffant et électriquement ajustable. On aime le système Around View qui projette à l'écran les images comme si elles étaient vues des airs. On aime également le chic des phares au xénon adaptatifs, la paresse que concèdent le hayon et la banquette électriques, ainsi que la simplicité du démarrage sans clé. Ce régulateur intelligent, qui s'ajuste à toutes les gammes de vitesse (sauf en arrêt d'urgence), nous plaît tout autant. Enfin, on aime cet avertisseur d'angles morts qui signale les problèmes à l'aide d'un discret, mais efficace, voyant sous les rétroviseurs.

Seul élément détestable : l'alerte de changement de voie qui, heureusement, se désactive. Sinon, un avertisseur sonne dans l'habitacle chaque fois qu'on franchit la ligne sans clignotant. Et avec un véhicule d'une telle largeur, on les franchit souvent, ces lignes…

Nadine Filion

Photos : Infiniti

CHÂSSIS - 56 4RM

Emp/lon/lar/haut	3 075/5 290/2 030/1 925 mm
Coffre	470 à 2 693 litres
Réservoir	98 litres
Nombre coussins sécurité / ceintures	6 / 7
Suspension avant	indépendante, double triangulation
Suspension arrière	indépendante, double triangulation
Freins avant / arrière	disque / disque
Direction	à crémaillère, ass. variable
Diamètre de braquage	12,7 m
Pneus avant / arrière	P275/60R20 / P275/60R20
Poids	2 654 kg
Capacité de remorquage	3 855 kg (8 498 lb)

COMPOSANTES MÉCANIQUES

56 4RM

Cylindrée, soupapes, alim.	V8 5,6 litres 32 s atmos.
Puissance / Couple	400 chevaux / 413 lb-pi
Tr. base (opt) / rouage base (opt)	A7 / 4x4
0-100 / 80-120 / 100-0 km/h	7,5 s / 6,0 s (est) / 44,0 m (est)
Type ess. / ville / autoroute	Super / 15,7 / 10,3 l/100 km

FEU VERT

- Silhouette contemporaine
- Assez vaste pour… 56 personnes ?
- Conduite inspirante
- Motorisation puissante et moderne
- Habitacle de luxe

FEU ROUGE

- Troisième banquette à l'étroit (!)
- *Off-road*? Vous voulez rire…
- Ça prend presque un escabeau
- Suspension décidément trop « nuage »

DU NOUVEAU EN 2012

Aucun changement majeur

http://www.infiniti.ca/

Plus d'informations dans la section statistiques en dernière partie du Guide

UN PAS DANS LA BONNE DIRECTION

Jaguar semble décidément se chercher depuis les 20 dernières années. La compagnie affiche des chiffres de vente décevants, particulièrement au Québec, et le constructeur n'a toujours pas réussi à rajeunir son image et sa clientèle. Sous le joug du constructeur indien Tata depuis sa vente par Ford, les dirigeants croient fermement que Jaguar a maintenant les moyens de renverser la vapeur et de redorer son blason. La meilleure façon d'y arriver, c'est par l'offre de produits attrayants et la XF est sans doute celle qui représente le mieux les nouvelles aspirations du constructeur.

Introduite en 2008 et succédant à la Jaguar S-Type, la XF marque une certaine rupture avec le passé et c'est tant mieux. Jaguar ne peut plus se permettre d'être un souvenir d'antan et doit plaire à une nouvelle génération. Afin d'y arriver, la XF offre tout d'abord un style beaucoup plus moderne dont la griffe porte la signature du designer Ian Callum, le même qui nous a présenté la magnifique XK. Il faut avouer que le tout est réussi. La voiture offre un design moins classique, plus dynamique et surtout, très actuel. Pour 2012, on note quelques améliorations cosmétiques. On a ajouté deux bandes de lumière de type DEL qui font office de phares de jours alors que la grille est encastrée un peu plus profondément dans la carrosserie. Le fascia comporte aussi quelques changements, notamment un séparateur en chrome encastré dans les prises d'air.

À l'arrière, on constate également quelques modifications. Les feux utilisent maintenant des bandes DEL alors que les échappements sont maintenant plus rectangulaires. La bande chromée qui traverse la voiture est aussi un peu plus fine pour 2012. Voilà des changements subtils, mais qui donnent un peu plus de maturité à la voiture.

CONCURRENTS

Acura RL, Audi A6, BMW Série 5, Cadillac STS, Infiniti M, Lexus GS, Mercedes-Benz Classe E, Volvo S80

IMPRESSIONS DE L'AUTEUR	
Agrément de conduite :	4 / 5
Fiabilité :	3 / 5
Sécurité :	4 / 5
Qualités hivernales :	3 / 5
Espace intérieur :	4 / 5
Confort :	4 / 5

PUISSANTE ET SURPUISSANTE

Sous le capot, la XF hérite de série d'un moteur V8 de 5,0 litres d'une puissance de 385 chevaux. Ce moteur transmet son couple aux roues arrière grâce à l'excellente boîte automatique à six rapports ZF. Il y a là amplement de puissance pour cette berline sport qui affiche un poids minimal grâce à sa carrosserie entièrement composée d'aluminium, un élément unique à la XF dans son créneau. Le 0-100 km/h se boucle en quelque 5,7 secondes, soit un temps plus qu'acceptable.

Les amateurs de sportivité peuvent se tourner vers la seconde version, la XFR, un peu plus bestiale, autant en termes de performance que de style. Elle dispose du même moteur V8 de 5,0 litres, mais cette fois, les ingénieurs lui ont greffé un compresseur volumétrique, ce qui porte sa puissance à 510 chevaux. Cet avantage de 125 chevaux sur la version régulière permet de retrancher près d'une seconde au 0-100/km, mais c'est surtout le couple supplémentaire qui rend la voiture intéressante, particulièrement lors des manœuvres de dépassement. La XFR n'intéresse pas qu'en raison de ses performances plus vigoureuses, mais son style, également retravaillé en 2012, vaut à lui seul la facture supplémentaire. Difficile ne pas apprécier la prestance plus marquée de cette « R », avec son carénage frontal plus agressif et ses jantes uniques. Au chapitre du style, cette dernière rivalise sans gêne avec les BMW Série5, Mercedes-Benz Classe E ou Audi A6 de ce monde.

DES NOUVEAUTÉS... POUR D'AUTRES MARCHÉS

La XF dispose de quelques nouveautés technologiques cette année, notamment un moteur diesel turbocompressé de 2,2 litres, une transmission à huit rapports ainsi qu'un système « Start and Stop », qui améliorent tous la consommation de la voiture. Malheureusement pour nous, ces éléments ne seront pas proposés en Amérique du Nord. On demeure tributaires des États-Unis dans ce genre de décision.

L'autre facteur qui n'aide pas la cause de la XF est l'absence d'un rouage intégral, peu importe la version. Ce type de motorisation représente un fort pourcentage des ventes des modèles concurrents et Jaguar ne peut passer à côté de cette tendance. Le constructeur le sait et c'est pourquoi on travaille présentement sur le dossier. Il est donc plus que probable que d'ici deux ans, la traction intégrale se retrouve au menu de la XF et des autres produits du constructeur.

À l'intérieur, les designers ont aussi apporté une touche de modernisme. Exit les boiseries et le style classique, le tout est beaucoup plus actuel en raison de l'utilisation de matériaux plus contemporains, comme les garnitures en aluminium brossé. Pour 2012, on retrouve de nouveaux sièges plus confortables, alors que l'instrumentation entièrement numérique reçoit un nouvel écran couleur qui affiche les différentes informations de l'ordinateur de bord. On apprécie aussi le bouton de démarrage situé sur la console centrale, tout comme le sélecteur de la transmission en métal massif et rond, qui se déploie de la console une fois le moteur lancé.

Pas facile de rivaliser dans le créneau des voitures de luxe. Plusieurs constructeurs traditionnels tentent de s'y frayer un chemin, mais il faut beaucoup plus qu'une voiture pour y arriver. Dans le cas de Jaguar, le constructeur jouit d'un avantage indéniable avec un nom qui évoque déjà le prestige en raison de son riche passé. Il ne lui reste qu'à se moderniser et la XF est un pas dans la bonne direction.

Sylvain Raymond

Photos : Jaguar

Catégorie	Berline
Échelle de prix	62 800 $ à 85 300 $ (2011)
Garanties	4 ans/80 000 km, 4 ans/80 000 km
Assemblage	Coventry, Angleterre
Cote d'assurance	n.d.

CHÂSSIS - PREMIUM LUXURY

Emp/lon/lar/haut	2 909/4 961/1 819/1 460 mm
Coffre	500 à 923 litres
Réservoir	70 litres
Nombre coussins sécurité / ceintures	6 / 5
Suspension avant	indépendante, double triangulation
Suspension arrière	indépendante, double triangulation
Freins avant / arrière	disque / disque
Direction	à crémaillère, ass. variable
Diamètre de braquage	11,5 m
Pneus avant / arrière	P245/40R19 / P245/40R19
Poids	1 780 kg
Capacité de remorquage	750 kg (1 653 lb)

COMPOSANTES MÉCANIQUES

Luxury, Premium Luxury	
Cylindrée, soupapes, alim.	V8 5,0 litres 32 s atmos.
Puissance / Couple	385 chevaux / 380 lb-pi
Tr. base (opt) / rouage base (opt)	A6 / Prop
0-100 / 80-120 / 100-0 km/h	5,7 s / 4,4 s / 39,5 m
Type ess. / ville / autoroute	Super / 13,1 / 8,2 l/100 km

XFR	
Cylindrée, soupapes, alim.	V8 5,0 litres 32 s surcomp.
Puissance / Couple	510 chevaux / 461 lb-pi
Tr. base (opt) / rouage base (opt)	A6 / Prop
0-100 / 80-120 / 100-0 km/h	4,9 s / 3,5 s / 39,5 m
Type ess. / ville / autoroute	Super / 14,1 / 9,3 l/100 km

FEU VERT

- Style dynamique
- Boîte automatique ZF
- Carrosserie en aluminium
- Habitacle luxueux

FEU ROUGE

- Grosses cylindrées uniquement
- Fiabilité toujours incertaine
- Consommation élevée (Super)
- Rouage intégral non offert

DU NOUVEAU EN 2012

Parties avant et arrière redessinées, quelques changements dans l'habitacle

http://www.jaguar.ca/

Plus d'informations dans la section statistiques en dernière partie du Guide

ÉTONNANTE MÉTAMORPHOSE

Entièrement redessinée l'an dernier, l'actuelle Jaguar XJ marque un clivage évident avec les modèles de la génération antérieure par son style avant-gardiste qui reprend le concept d'une berline aux allures de coupé. Cette idée a d'abord été lancée par Mercedes-Benz avec sa CLS et reprise depuis par plusieurs autres voitures comme la Audi A7. Si la partie avant assure une certaine filiation avec la XF, la partie arrière propose plutôt une signature visuelle inspirée par la Citroën C6. L'effet est tout à fait frappant, surtout dans le cas des versions à empattement allongé.

CONCURRENTS
Audi A8,
BMW Série 7,
Lexus LS,
Maserati Quattroporte,
Mercedes-Benz Classe CLS,
Mercedes-Benz Classe S

IMPRESSIONS DE L'AUTEUR		
Agrément de conduite :	■■■■	4 / 5
Fiabilité :	■■■■■	5 / 5
Sécurité :	■■■■	4 / 5
Qualités hivernales :	■■■	3 / 5
Espace intérieur :	■■■■	4 / 5
Confort :	■■■■	4 / 5

La XJ a de la gueule et nous serions de mauvaise foi si nous reprochions aux designers d'avoir manqué d'audace. Il faut cependant reconnaître que l'appréciation du style d'une voiture est une considération très subjective et que la XJ ne plaira peut-être pas à tous. Il n'y a pas que la carrosserie qui soit aussi expressive, puisque le look haute couture s'illustre également du côté de l'intérieur, où les placages de bois donnent beaucoup de chaleur à un habitacle qui demeure à caractère intimiste, même si l'espace est abondant. Notons toutefois que si le dégagement accordé pour les jambes aux places arrière est tout à fait convenable, ça se gâte un peu pour le dégagement de la tête en raison de la ligne de toit, et que la forme de la lunette, de même que la hauteur du couvercle du coffre, gêne la visibilité vers l'arrière. Parmi les autres bémols, on se doit de mentionner que le système de télématique n'est malheureusement pas parmi les plus avancés sur le plan technique, et que la sélection des diverses fonctions demande que l'on quitte la route des yeux un peu trop longtemps et un peu trop souvent. Rien de trop prudent, quoi…

385, 470 ET 510 CHEVAUX

Un seul V8 d'une cylindrée de 5,0 litres est au programme, mais il est décliné en trois versions. Les modèles XJ et XJL (à empattement allongé) reçoivent la version atmosphérique de 385 chevaux, alors que les modèles XJ et XJL Supercharged sont animés par une version suralimentée par un compresseur développant 470 chevaux. Au sommet de la pyramide, on retrouve les XJ et XJL Supersport, avec une puissance portée à 510 chevaux, histoire de concurrencer directement les marques rivales allemandes qui ont toutes au moins une berline de 500 chevaux dans leur arsenal. Les performances en accélération sont tout à fait convenables avec le modèle de base et deviennent presque explosives dans le cas des modèles Supersport qui peuvent abattre le 0-100 km/h en moins de cinq secondes. On peut cependant émettre un bémol au sujet de la boîte automatique qui n'est pas très

Catégorie	Berline
Échelle de prix	88 000 $ à 131 000 $ (2011)
Garanties	4 ans/80 000 km, 4 ans/80 000 km
Assemblage	Coventry, Angleterre
Cote d'assurance	n.d.

JAGUAR XJ

rapide et souligner également que la traction intégrale n'est pas au programme, les XJ demeurant de simples propulsions. Par contre, les modèles Supercharged et Supersport sont dotés d'un différentiel actif, qui permet d'envoyer plus de couple à la roue arrière extérieure en virage, afin d'aider la voiture à bien s'inscrire dans la courbe.

Bien que la XJ ne propose pour l'instant que des moteurs V8, Jaguar développerait présentement, selon nos sources, un nouveau V6, qui serait principalement destiné à la XF, mais qui pourrait éventuellement se retrouver également sous le capot de la XJ en 2013 ou 2014. Avec ce V6, la consommation de carburant s'en trouverait améliorée. De plus, ce moteur serait jumelé à la boîte automatique à huit rapports qui a été développée à l'intention des modèles Jaguar à motorisation diésel qui sont disponibles en Europe.

Sur la route, la rigidité du châssis des XJ inspire confiance, et il est surprenant de constater à quel point cette voiture a évolué en ce qui concerne son comportement routier. Autrefois, les Jaguar mettaient surtout l'accent sur le luxe et le confort, mais la tenue de route laissait à désirer. Aujourd'hui, on a carrément l'impression que les ingénieurs ont voulu renverser la vapeur, puisque la tenue de route est nettement améliorée et que la direction est d'une précision que l'on ne connaissait pas auparavant. En fait, on peut même dire que les suspensions sont peut-être un peu trop fermes, ce qui affecte inversement le confort en certaines circonstances, comme à la croisée de joints de dilatation par exemple.

SUR LA BONNE VOIE

Pour ce qui est d'une autre considération d'ordre pratique, précisons que la métamorphose de la marque ne s'exprime pas seulement par le style avant-gardiste adopté par la XJ, mais se transpose également sur d'autres aspects non négligeables comme la fiabilité à long terme. À ce chapitre, l'édition 2011 du sondage J.D. Power mesurant la fiabilité après trois ans d'usage, donc des modèles 2008 aux États-Unis, nous indique que Jaguar se classe au troisième rang sur 35 marques et que la marque anglaise n'est devancée que par Lincoln et Lexus. Un score remarquable, qui aidera sans aucun doute à redorer l'image de la marque qui a longtemps souffert d'une fiabilité atroce dans le passé.

Avec la XJ, Jaguar revient en quelque sorte aux sources, car cette voiture a de la gueule et son comportement routier se montre à la hauteur des attentes des acheteurs de la catégorie, deux qualités qui faisaient cruellement défaut aux modèles de la génération antérieure.

Gabriel Gélinas

Photos: Jaguar

CHÂSSIS - XJ L SUPERCHARGED	
Emp/lon/lar/haut	3 157/5 247/1 894/1 448 mm
Coffre	520 litres
Réservoir	82 litres
Nombre coussins sécurité / ceintures	8 / 5
Suspension avant	indépendante, double triangulation
Suspension arrière	indépendante, double triangulation
Freins avant / arrière	disque / disque
Direction	à crémaillère, ass. variable
Diamètre de braquage	12,7 m
Pneus avant / arrière	P245/40ZR20 / P275/35ZR20
Poids	1 961 kg
Capacité de remorquage	n.d.

COMPOSANTES MÉCANIQUES	
XJ, XJ L	
Cylindrée, soupapes, alim.	V8 5,0 litres 32 s atmos.
Puissance / Couple	385 chevaux / 380 lb-pi
Tr. base (opt) / rouage base (opt)	A6 / Prop
0-100 / 80-120 / 100-0 km/h	5,7 (const) / 4,2 (est) / 40,0 m
Type ess. / ville / autoroute	Super / 13,1 / 8,2 l/100 km
Supercharged	
Cylindrée, soupapes, alim.	V8 5,0 litres 32 s surcomp.
Puissance / Couple	470 chevaux / 424 lb-pi
Tr. base (opt) / rouage base (opt)	A6 / Prop
0-100 / 80-120 / 100-0 km/h	5,2 s / 3,6 s / 37,7 m
Type ess. / ville / autoroute	Super / 14,1 / 9,3 l/100 km
Supersport	
Cylindrée, soupapes, alim.	V8 5,0 litres 32 s surcomp.
Puissance / Couple	510 chevaux / 461 lb-pi
Tr. base (opt) / rouage base (opt)	A6 / Prop
0-100 / 80-120 / 100-0 km/h	4,9 (const) / 3,3 (est) / 37,7 m
Type ess. / ville / autoroute	Super / 14,1 / 9,3 l/100 km

- Style avant-gardiste
- Moteurs performants
- Très bon confort
- Fiabilité améliorée

- Consommation élevée
- Visibilité vers l'arrière
- Absence de rouage intégral
- Image de marque à reconstruire

DU NOUVEAU EN 2012

Aucun changement majeur

http://www.jaguar.ca/

Plus d'informations dans la section statistiques en dernière partie du Guide

SUPER BOLIDE

Depuis plusieurs années, les voitures portant la griffe Jaguar sont bien souvent associées à des modèles aux lignes classiques, attirant une clientèle plus âgée. Contrairement à plusieurs autres constructeurs de luxe, Jaguar n'a toujours pas réussi à moderniser son image. La XK est probablement la seule qui donne des airs de jeunesse à Jaguar, notamment en raison de son style à faire rêver. Voilà une « Jag » qui fait définitivement tourner les têtes.

Issue de la Jaguar XK120, premier modèle sport de Jaguar construit vers la fin des années quarante, la XK se décline en version coupé et cabriolet. Le cabriolet propose un peu plus d'exotisme et plaira sans doute aux amateurs de soleil. Son toit souple apporte certes une touche plus classique, mais la présence d'un toit rigide rétractable, comme chez la concurrence, permettrait à la XK décapotable de conserver tout son éclat et sa personnalité. Au chapitre des exclusivités, la XK dispose d'une carrosserie entièrement en aluminium, ce qui lui assure une légèreté incomparable et une excellente rigidité.

DES LIGNES MAGNIFIQUES

En posant les yeux sur la XK, on oublie rapidement qu'il s'agit d'une voiture issue d'un constructeur ayant perdu du lustre au fil des années. Son style nous donne simplement envie de prendre le volant et d'aller faire une balade. D'ailleurs, plusieurs croiront que vous êtes au volant d'une Aston Martin tellement le design est similaire à première vue. On voudra presque leur laisser croire la chose, mais on se réjouira d'avoir économisé plusieurs dizaines de milliers de dollars en optant pour une Jaguar, plutôt que pour une voiture du constructeur britannique. Pourquoi tant de similitude? Simplement parce que Ian Callum, designer en chef chez Jaguar, a également œuvré chez Aston Martin à l'époque où les deux constructeurs étaient dans le giron de Ford.

CONCURRENTS

Aston Martin Vantage,
BMW Série 6,
Chevrolet Corvette,
Mercedes-Benz Classe SL,
Porsche 911

IMPRESSIONS DE L'AUTEUR

Agrément de conduite :	■■■■□	4 / 5
Fiabilité :	■■■□□	3 / 5
Sécurité :	■■■■□	4 / 5
Qualités hivernales :	■■■□□	3 / 5
Espace intérieur :	■■■□□	3 / 5
Confort :	■■■■□	4 / 5

Pour 2012, la XK et son dérivé plus sportif, la XKR, reçoivent quelques améliorations esthétiques de milieu de cycle. On a revu le pare-chocs avant, la grille ainsi que les jantes. L'élément le plus notable touche les phares qui reçoivent cette année une bande de lumières DEL en guise de phares de jour, apportant une belle touche de modernisme. L'arrière reçoit également quelques retouches, mais rien pour rendre la XK 2011 obsolète.

UNE NOUVELLE BOMBE EST NÉE

Peu de changement sous le capot en 2012. Les XK coupé et cabriolet reçoivent un moteur V8 de 5,0 litres, produisant une puissance de 385 chevaux. Une excellente boîte automatique à six rapports de

marque ZF est proposée de série avec ce moteur. La seconde mécanique est offerte sous le capot des XKR coupé et cabriolet. On a droit au même moteur V8 de 5,0 litres, mais cette fois, en version suralimentée. Sa puissance est alors portée à 510 chevaux. Cette puissance supplémentaire permet à la XKR de franchir le 0-100 km/h en environ 4,8 secondes, soit près d'une seconde de moins que la XK régulière.

La grande nouveauté cette année est l'arrivée d'une troisième version, soit la XKR-S. C'est là la plus puissante Jaguar jamais produite et j'ajouterais qu'il s'agit également de la plus extravertie que le constructeur nous ait présentée depuis des lunes. Cette dernière reçoit un traitement visuel distinct, notamment à l'avant en raison d'un carénage avant beaucoup plus agressif intégrant des prises d'air latérales ainsi que sur le capot. Plus légère, elle dispose de nombreuses composantes en fibre de carbone, comme son aileron arrière. Difficile également de ne pas remarquer les jantes de 20 pouces laissant paraître les étriers de freins, tout peint en rouge. De tous les éléments destinés à rehausser son caractère, c'est sans doute le choix de couleurs plus éclatées qui la mettent le plus en évidence. Voilà une Jaguar qui devrait brasser les conventions établies chez ce constructeur, tout comme chez la clientèle. Et c'est tant mieux.

UN PEU PLUS PUISSANTE

La XKR-S reçoit elle aussi le même moteur V8 de 5,0 litres suralimenté, mais les ingénieurs y ont apportés quelques modifications. Un échappement moins restrictif, comportant un système de dérivation permettant de moduler sa sonorité, donne une véritable bombe de 550 chevaux, capable de boucler le 0-100 km/h en un peu plus de 4,3 secondes.

Sur la route, chaque XK propose une personnalité propre. La version de base se comporte beaucoup plus comme une voiture de grand tourisme et favorise avant tout le confort. La XKR affiche un comportement résolument plus sportif et la sonorité du moteur s'avère un pur plaisir à entendre. Voilà sans doute le modèle qui offre le plus bel équilibre, tant au chapitre du style que des performances. Quant à la nouvelle XKR-S, c'est véritable bolide qui plaira aux amateurs d'exclusivités et de performances. On retrouve à bord de cette version une panoplie de modifications et de systèmes destinés à améliorer le comportement dynamique de la voiture. Voilà sans doute la plus aboutie des Jaguar en termes de sportivité.

La XK est ses dérivés plus sportifs est certainement l'un des véhicules les plus intéressants du constructeur. Bien souvent mise de côté ou sous-estimée par les amateurs, elle réussira peut-être à faire oublier le passé de la marque et sa fiche de fiabilité souvent entachée.

Sylvain Raymond

Photos: Jaguar

Catégorie	Cabriolet, Coupé
Échelle de prix	96 500$ à 114 000$ (2011)
Garanties	4 ans/80 000 km, 4 ans/80 000 km
Assemblage	Coventry, Angleterre
Cote d'assurance	n.d.

CHÂSSIS - R CABRIOLET

EEmp/lon/lar/haut	2 752/4 794/1 892/1 329 mm
Coffre	330 litres
Réservoir	70 litres
Nombre coussins sécurité / ceintures	4 / 2
Suspension avant	indépendante, double triangulation
Suspension arrière	indépendante, bras inégaux
Freins avant / arrière	disque / disque
Direction	à crémaillère, ass. variable
Diamètre de braquage	11,0 m
Pneus avant / arrière	P245/40ZR19 / P275/35ZR19
Poids	1 800 kg
Capacité de remorquage	n.d.

COMPOSANTES MÉCANIQUES

Coupe, Cabriolet	
Cylindrée, soupapes, alim.	V8 5,0 litres 32 s atmos.
Puissance / Couple	385 chevaux / 380 lb-pi
Tr. base (opt) / rouage base (opt)	A6 / Prop
0-100 / 80-120 / 100-0 km/h	5,6 s / n.d. / 37,4 m
Type ess. / ville / autoroute	Super / 13,5 / 9,0 l/100 km

R Coupe, R Cabriolet	
Cylindrée, soupapes, alim.	V8 5,0 litres 32 s surcomp
Puissance / Couple	510 chevaux / 461 lb-pi
Tr. base (opt) / rouage base (opt)	A6 / Prop
0-100 / 80-120 / 100-0 km/h	5,1 s / 3,8 s / 37,4 m
Type ess. / ville / autoroute	Super / 14,1 / 9,1 l/100 km

XKR-S	
Cylindrée, soupapes, alim.	V8 5,0 litres 32 s surcomp
Puissance / Couple	550 chevaux / 501 lb-pi
Tr. base (opt) / rouage base (opt)	A6 / Prop
0-100 / 80-120 / 100-0 km/h	4,4 s / 3,0 s (est) / n.d.
Type ess. / ville / autoroute	Super / 18,9 / 8,6 l/100 km

- Style exotique
- Boîte automatique ZF
- Sonorité du moteur
- Conduite enivrante (XKR/XKR-S)
- Carrosserie en aluminium

- Places arrière étriquées
- Fiabilité toujours incertaine
- Consommation élevée (Super)
- Valeur de revente

DU NOUVEAU EN 2012

Parties avant et arrière modifiées, nouveau modèle XKR-S

http://www.jaguar.ca/

Plus d'informations dans la section statistiques en dernière partie du Guide

JEEP COMPASS

RESTER SUR SA FAIM

On peut tout avoir, mais pas nécessairement en même temps. On peut gagner deux millions de dollars… mais répartis sur 50 ans. On peut aussi conduire un Jeep, mais sans la consommation en carburant et le gros prix d'étiquette. Toutefois, dans un cas comme dans l'autre, on reste sur sa faim.

Lancés il y a cinq ans, les petits jumeaux Jeep ont eu droit à une mise à niveau l'an dernier. Les changements ont davantage paru du côté du Compass, qui a pris les airs élégants du Grand Cherokee. La refonte est réussie: finie la grille droite, on l'a remplacé par un autre qui descend en angle, pour une allure plus harmonieuse. Quant au Patriot, nous cherchons encore ce qui a changé de son apparence extérieure…

Dans l'habitacle, on constate que les matériaux ont pris du galon. Les commandes de climatisation ont gagné en rondeur, pour une manipulation plus facile. L'impression générale demeure toutefois celle d'un véhicule dont la finition et l'insonorisation restent moyennes. Par exemple, on passe son temps à essayer de remonter des fenêtres qui sifflent, alors qu'elles sont pourtant bien fermées. Que voulez-vous, on ne peut pas faire de miracles avec un prix qui débute sous les 17 000 $ au moment d'écrire ces lignes.

Le volant n'est toujours pas télescopique, les cadrans n'ont pas changé d'un iota, pas plus, d'ailleurs, que ce levier de vitesse (pour la CVT) qui passe trop facilement en mode « low traction ». Et les sièges n'ont pas gagné en rembourrage. Remarquez, ils ne sont pas inconfortables, mais disons qu'on s'assied dessus plutôt que dedans. À la banquette, les places sont dures, mais au moins le dossier accepte de s'incliner. Toujours pas de grande technologie, que des gadgets connus depuis plusieurs années – et souvent, que pour les versions Limited. On peut certes se passer de l'avertisseur

CONCURRENTS

Ford Escape, Honda CR-V, Hyundai Tucson, Jeep Patriot, Kia Sportage, Mitsubishi Outlander, Nissan Rogue, Subaru Forester, Suzuki Grand Vitara, Toyota RAV4

IMPRESSIONS DE L'AUTEUR

Agrément de conduite :	3.5 / 5
Fiabilité :	3 / 5
Sécurité :	4 / 5
Qualités hivernales :	3.5 / 5
Espace intérieur :	3.5 / 5
Confort :	3 / 5

d'angle mort et de la caméra de recul, mais le démarrage sans clé aurait été apprécié.

L'intérieur n'a rien d'emballant, mais au moins, tout est fonctionnel et facile à apprivoiser. Le dégagement est fort respectable pour un véhicule compact, la banquette se rabat aisément, le cargo est généreux, la position de conduite élevée plaît beaucoup, les entrées et sorties n'ont rien d'une acrobatie et les petites dimensions permettent de se faufiler agilement dans la circulation.

PAS SANS L'INTÉGRALE

Personnellement, je ne passerais pas un hiver dans un tel véhicule

sans traction intégrale. Cette dernière offre le verrouillage 50-50, question de prévenir plutôt que de guérir. Cela dit, je serais prête à débourser davantage pour le 4x4 Freedom Drive II, désormais proposé tant sur le Compass que sur le Patriot. Plutôt inventif, ce système se sert de la transmission CVT pour simuler une boîte de transfert, en plus d'ajouter des plaques de protection. Avec un ratio de 19:1, c'est certes moins que les 30:1 du bon vieux Wrangler, mais ça donne plus de *oumph* que le rapport régulier de 14:1. C'est parfait pour les aventuriers urbains qui ont envie de se balader dans les bois et qui rencontreront sans doute leurs limites bien avant que le véhicule ne montre les siennes. Le hic, c'est que pour profiter du Freedom Drive II, il faut faire avec la CVT. Mon oreille n'aime pas les révolutions du quatre cylindres (2,4 litres pour 172 chevaux) qui braille tant que la pédale est enfoncée. C'est peu raffiné et les accélérations sont laborieuses, comme si elles étaient essoufflées avant même de partir. Une frugale consommation en carburant ne suffit pas à nous consoler, mais le mode manuel, disponible sur certaines versions, améliore l'expérience. On préfère la boîte manuelle cinq rapports? Il faut alors faire sans traction intégrale. C'est ce que nous disions: on peut tout avoir, mais pas en même temps.

Un dernier mot quant à la motorisation: on aurait aimé plus de douceur, d'autant plus qu'en route, les reprises sont sèches et superficielles. Notez qu'un moteur quatre cylindres de 2,0 litres pour 158 chevaux est offert sans frais. Toutefois, bien peu s'en prévalent. Aussi, la suspension à multibras à l'arrière sautille même sur les plus petites aspérités du bitume, mais comme c'est un Jeep, on lui pardonne… presque. Sauf qu'en ajoutant une direction qu'il faut constamment corriger sur l'autoroute, cette courte mais haute silhouette sur patte se fait plus ou moins stable. N'essayez pas les vitesses illégales, vous risquez pas mal plus que des contraventions.

COMPASS OU PATRIOT?

Au-delà du design extérieur, qu'est-ce qui distingue le Compas du Patriot? Bien peu. Les habitacles sont identiques, les fiches techniques aussi, sauf pour des différences de poids, de meilleurs angles de départ/arrivée pour le Patriot ainsi que des phares antibrouillards de série et des roues de 17 pouces pour le Compass (16 pouces max pour le Patriot).

Qu'on opte pour le Compass ou le Patriot, notre préférence va aux variantes North, qui offrent le groupe électrique, le télédéverrouillage, la climatisation, les rétros chauffants et l'ajustement en hauteur du siège conducteur. La proposition est efficace et si ce n'est pas la grande qualité, ni la grande excitation à bord, il s'agit tout de même d'une bonne valeur pour l'argent investi. Pas surprenant d'ailleurs que cette variante North constitue 80 % des ventes au Canada.

Nadine Filion

JEEP COMPASS

Photos: Denis Duquet

Catégorie	VUS
Échelle de prix	18 895 $ à 28 295 $ (2011)
Garanties	3 ans/60 000 km, 5 ans/100 000 km
Assemblage	Belvidere, Illinois, É-U
Cote d'assurance	bonne

CHÂSSIS - COMPASS NORTH 2RM (2.0)

Emp/lon/lar/haut	2 634/4 448/1 811/1 651 mm
Coffre	584 à 1 593 litres
Réservoir	51 litres
Nombre coussins sécurité / ceintures	6 / 5
Suspension avant	indépendante, jambes de force
Suspension arrière	indépendante, multibras
Freins avant / arrière	disque / disque
Direction	à crémaillère, assistée
Diamètre de braquage	10,9 m
Pneus avant / arrière	P215/60R17 / P215/60R17
Poids	1 394 kg
Capacité de remorquage	454 kg (1 000 lb)

COMPOSANTES MÉCANIQUES

Compass, Patriot	
Cylindrée, soupapes, alim.	4L 2,0 litres 16 s atmos.
Puissance / Couple	158 chevaux / 141 lb-pi
Tr. base (opt) / rouage base (opt)	M5 / Tr
0-100 / 80-120 / 100-0 km/h	11,2 s / 9,8 s / 45,6 m
Type ess. / ville / autoroute	Ordinaire / 9,0 / 7,3 l/100 km

Compass, Patriot	
Cylindrée, soupapes, alim.	4L 2,4 litres 16 s atmos.
Puissance / Couple	172 chevaux / 165 lb-pi
Tr. base (opt) / rouage base (opt)	M5 / Tr (Int)
0-100 / 80-120 / 100-0 km/h	10,3 s / 8,8 s / 45,6 m
Type ess. / ville / autoroute	Ordinaire / 9,9 / 7,5 l/100 km

JEEP PATRIOT

FEU VERT

- Les utilitaires les moins chers du marché
- Frugale consommation en carburant
- Fonctionnel

FEU ROUGE

- Boîte manuelle impossible avec l'intégrale
- Les limites (puissance et tenue de route) viennent vite
- Finition, confort et insonorisation moyens

DU NOUVEAU EN 2012

4x2 maintenant offert avec l'ensemble North

http://www.jeep.ca/

Plus d'informations dans la section statistiques en dernière partie du Guide

LE MEILLEUR DES MONDES

Ces lignes, l'auteure de cet article les rédige au retour d'une excursion dans boue avec un Jeep Grand Cherokee et quelques concurrents de ce dernier. Une tendance s'est dessinée: les utilitaires s'en vont aux opposés – le confort d'un côté, les capacités hors route de l'autre. Sauf en ce qui a trait au Grand Cherokee: il reste l'un des rares à réunir ces deux atouts.

Le Ford Explorer a perdu sa boîte de transfert et le Honda Pilot n'en a jamais eu. Et ça se voit dans leurs capacités hors routes moindres. Les Nissan Pathfinder et Toyota 4Runner sont toujours sur des châssis autonomes de type échelle, mais le confort et la stabilité qu'ils offrent en souffrent, surtout sur l'asphalte. Mais voilà que le Jeep Grand Cherokee, entièrement revu l'an dernier, allie assurance sur route et grandes capacités hors des sentiers. Avec en prime, un habitacle de luxe comme on les aime – surtout pour la variante Overland à 50 000 $.

L'utilitaire a dû en faire, du chemin. Car avant cette quatrième génération, on n'avait guère de paroles tendres pour celui qui a pourtant pavé la voie aux véhicules tout-terrain. On lui reprochait de s'être assis sur ses lauriers et de ne plus être à la hauteur du chic d'autrefois. La donne vient de changer.

Nous critiquions le plastique rêche? Aujourd'hui, nous disons adieu au revêtement peu agréable au toucher et bonjour au doux cuir moka souligné de surpiqûres crème. La cabine n'a plus rien de froid ou de fade: les chaudes boiseries y sont pour quelque chose. Vrai que l'instrumentation est difficile à lire et que la planche centrale plaquée noire remonte à l'époque de Mathusalem, mais l'ambiance est enveloppante et l'ensemble est de très bon ton.

Et dire que nous trouvions que le Grand Cherokee manquait le bateau, en matière de technologies et d'équipements… Cette année,

CONCURRENTS

Ford Explorer,
Nissan Pathfinder,
Toyota 4Runner

IMPRESSIONS DE L'AUTEUR

Agrément de conduite:	■■■■	4/5
Fiabilité:	■■■■	3.5/5
Sécurité:	■■■■	4/5
Qualités hivernales:	■■■■■	4.5/5
Espace intérieur:	■■■■	4/5
Confort:	■■■■■	4.5/5

une mise à niveau a corrigé le tir, particulièrement dans l'Overland où tout monte à bord. Et quand je dis «tout», je pense à ce grand toit panoramique (qui fait toutefois entendre des craquements inquiétants), au démarrage sans clé (enfin!), au hayon électrique (on n'en attendait pas moins), à ces sièges avant chauffants et ventilés, et à cette deuxième rangée chauffante. Même le volant réchauffe les paumes. Certes, la troisième rangée de sièges brille par son absence, même si elle est offerte par la concurrence. En contrepartie, le Grand Cherokee propose un dégagement aux jambes sans compromis.

V6, LE SAUVEUR

Si nous avions autrefois souligné l'insonorisation très moyenne de cet

utilitaire, nous avons cette fois remarqué le silence à bord, seulement troublé par le ronron du V8 de 5,7 litres lorsqu'on pousse celui-ci jusque dans ses retranchements. Avec ses 360 chevaux et ses 390 lb-pi, ce moteur peut remorquer jusqu'à 3 266 kg (7 200 lb). Il est évidemment gourmand, mais nous l'encensons quand même pour ses puissantes accélérations – un V8, ça reste un V8. Une variante SRT8 doit joindre sous peu la gamme 2012 avec son V8 Hemi de 6,4 litres pour 465 chevaux.

Personnellement, je préfère le V6 de 3,6 litres (290 chevaux, 260 lb-pi) pour sa consommation plus raisonnable, et ce, même s'il pèse 200 kg de plus que la moyenne. Comme dans la Chrysler 300, ce V6 Pentastar est un exemple de douceur et de linéarité. Il développe sa puissance (fort suffisante) en souplesse et c'est sans rechigner qu'il a sauvé, lors de notre excursion boueuse, deux concurrents coincés dans la neige et dans les eaux.

Cette année, l'automatique ajoute un sixième cinq rapport en attendant (on ne sait trop quand) la boîte à huit rapports sur laquelle Chrysler bosse. Cette transmission fait son boulot en toute transparence, donnant rarement envie d'utiliser le mode manuel. Ce dernier reste d'ailleurs l'un des plus plaisants à manier.

Autrefois, on reprochait au Grand Cherokee une direction qui manquait de précision, ce à quoi le Jeep d'aujourd'hui répond d'une nouvelle maîtrise et d'une résistance qui sont les bienvenues. Le tout est nettement moins surassisté qu'auparavant et heureusement, continue d'être d'un court rayon de braquage (11,3 mètres), pratique entre deux obstacles. Sur les sentiers de gravier, le système quatre roues motrices garde le véhicule sur la bonne voie.

LE ROI DE LA JUNGLE

Les puristes du hors-route crieront peut-être au scandale, mais le Jeep Grand Cherokee a délaissé l'essieu rigide (une première) au profit de la suspension indépendante qui accepte, sur les versions les plus étoffées, de s'ajuster en hauteur. C'est là un élément fort pratique. Conséquence de ce changement : finies les balades où la caisse s'épanche en virage, exit les amortisseurs qui rebondissent désagréablement. La tenue de route est passée dans la modernité, gommant les mauvais bitumes tout en demeurant confortable en situation hors route.

Ce dernier point ne change heureusement pas : les capacités de l'utilitaire, lorsqu'équipé du Quadra Trac II, sont rehaussées par sélecteur de terrain (neige, boue, roc…) et aujourd'hui comme autrefois, le Grand Cherokee peut affronter les pires conditions sans coup férir. De moins en moins d'utilitaires peuvent se targuer d'en faire autant. Mais justement, les consommateurs en veulent-ils vraiment autant ?

Nadine Filion

Photos : Marc Lachapelle

Catégorie	VUS
Échelle de prix	37 495 $ à 55 000 $ (est)
Garanties	3 ans/60 000 km, 5 ans/100 000 km
Assemblage	Détroit, Michigan, É-U
Cote d'assurance	n.d.

JEEP GRAND CHEROKEE

CHÂSSIS - OVERLAND

Emp/lon/lar/haut	2 916/4 821/1 938/1 763 mm
Coffre	1 028 à 1 934 litres
Réservoir	95 litres
Nombre coussins sécurité / ceintures	6 / 5
Suspension avant	indépendante, bras inégaux
Suspension arrière	indépendante, multibras
Freins avant / arrière	disque / disque
Direction	à crémaillère, ass. variable
Diamètre de braquage	11,3 m
Pneus avant / arrière	P265/50R20 / P265/50R20
Poids	2 200 kg
Capacité de remorquage	2 268 kg (5 000 lb)

COMPOSANTES MÉCANIQUES

Laredo, Laredo X, Limited, Overland	
Cylindrée, soupapes, alim.	V6 3,6 litres 24 s atmos.
Puissance / Couple	290 chevaux / 260 lb-pi
Tr. base (opt) / rouage base (opt)	A5 / Int
0-100 / 80-120 / 100-0 km/h	10,4 s / 8,0 s / 44,4 m
Type ess. / ville / autoroute	Ordinaire / 13,0 / 8,9 l/100 km
Laredo X, Limited, Overland	
Cylindrée, soupapes, alim.	V8 5,7 litres 16 s atmos.
Puissance / Couple	360 chevaux / 390 lb-pi
Tr. base (opt) / rouage base (opt)	A6 / Int
0-100 / 80-120 / 100-0 km/h	8,7 s / 7,0 s / n.d.
Type ess. / ville / autoroute	Ordinaire / 15,7 / 10,6 l/100 km
SRT8	
Cylindrée, soupapes, alim.	V8 6,4 litres 16 s atmos.
Puissance / Couple	465 chevaux / 465 lb-pi
Tr. base (opt) / rouage base (opt)	A6 / Int
0-100 / 80-120 / 100-0 km/h	4,8 s / n.d. / 35,4 m
Type ess. / ville / autoroute	Super / 19,6 / 13,1 l/100 km

FEU VERT

- Véritables capacités hors route
- Confort sur la route
- Habitacle de luxe – comme on s'y attend
- L'une des plus belles silhouettes du marché

FEU ROUGE

- Pas de troisième banquette
- Rangement correct, sans plus
- Boîte automatique cinq rapports – en attendant

DU NOUVEAU EN 2012

Nouveau modèle SRT8, direction électro-hydraulique avec le V6, transmission automatique à six rapports avec V8

http://www.jeep.ca/

Plus d'informations dans la section statistiques en dernière partie du Guide

ÉTRANGE PHÉNOMÈNE

Il en va des véhicules comme des humains: certains, même s'ils ont tout pour réussir, échouent lamentablement alors que d'autres, au contraire, pour qui les choses devraient mal tourner, parviennent pourtant à triompher. Prenons le cas du Jeep Wrangler. Après sa carrière militaire (1941 – 1945), il aurait très bien pu sombrer dans l'oubli. Après tout, que faire d'un véhicule pas très beau, d'un inconfort absolu et au moteur à peine plus puissant que celui d'une montre-bracelet?

C'était sans compter sur le sens de l'humour de la vie, celle-là qui nous joue des tours, parfois pendables, mais toujours inoubliables. Comment expliquer autrement le fait que, 70 ans plus tard, le Jeep, tel qu'on le connaissait à l'époque, soit encore parmi nous? Oh, il s'est considérablement raffiné avec les années – il n'aurait d'ailleurs pas pu devenir plus rustre – mais son style général, son comportement routier et sa robustesse font qu'il est devenu une icône. J'imagine que si une personne vivant en 1945 traversait le temps tout d'un coup et débarquait en 2011, le seul véhicule qu'elle reconnaîtrait serait le Jeep. Ça a quelque chose de rassurant, non?

CONCURRENTS
Nissan Xterra, Toyota FJ Cruiser

IMPRESSIONS DE L'AUTEUR	
Agrément de conduite:	3/5
Fiabilité:	1.5/5
Sécurité:	4/5
Qualités hivernales:	4.5/5
Espace intérieur:	3.5/5
Confort:	2.5/5

Le Wrangler, on le devine, est construit sur un châssis de camion. Tout, dans ce véhicule, est destiné à améliorer les capacités en hors route. Simplement monter à bord demande une gymnastique peu élégante, surtout les premières fois. « Pourquoi ne pas y ajouter des marchepieds? », demanderez-vous. Parce qu'installer de tels appendices sous un Wrangler contreviendrait ignoblement aux règles élémentaires de la conduite hors route qui exigent le meilleur dégagement au sol possible.

LE RAFFINEMENT, VERSION JEEP

Dans l'habitacle, malgré le raffinement des dernières années, il subsiste toujours un relent de passé. Certes, on y trouve désormais, dans certaines versions du moins, un GPS, la radio satellite et les essuie-glaces intermittents. Mais les portières sans ressorts, l'absence de repose-pied à gauche, les places arrière inconfortables et une visibilité arrière des plus pauvres nous rappellent les origines militaires du petit véhicule.

Les suspensions n'ont que faire de votre dos et s'accommodent assez mal des trous et des bosses qui recouvrent notre réseau routier. C'est mieux qu'auparavant, remarquez. Désormais, il faut au moins cinq kilomètres avant de nécessiter une visite chez le chiro. Avant, ça en prenait deux! La direction semble provenir d'un paquebot, le rayon de braquage se mesure en milles nautiques plutôt qu'en mètres et les bruits éoliens sont omniprésents. Et comme si ce n'était pas suffisant, la qualité des matériaux s'avère des plus sommaires. Il y a quelques années, Jeep dévoilait une version Unlimited de son Wrangler, aux places arrière plus accueillantes. Cette version est chaudement recommandée si vous prévoyez voyager avec des amis… et si vous voulez conserver vos bonnes relations avec ceux-ci !

Jusqu'à cette année, le Wrangler était doté d'un moteur plus porté sur la consommation que sur les performances. En effet, le V6 de 3,8 litres dont les origines remontent, si ma mémoire est bonne, à la guerre de Sécession, buvait comme une navette spatiale au décollage. Sur l'autoroute, il était possible, à 100 km/h, sans vent ni pente à monter, de maintenir une moyenne de 12,0 l/100 km. En ville et en hors route, c'était beaucoup plus. Mais au moment où vous lisez ces lignes, il y a de fortes chances que le V6 3,6 litres Pentastar soit déjà implanté dans le Wrangler. Dans ce cas, il fera 283 chevaux et 260 lb-pi de couple, soit pratiquement autant que dans le Grand Cherokee où il officie déjà. Dans ce véhicule, ce nouveau moteur s'avère très doux et sa puissance est livrée de façon linéaire. Malgré les chiffres affichés, on ne sent pas que le Grand Cherokee est surpuissant. Il faut dire qu'il fait plus de 2 200 kilos. Le Wrangler, de son côté, fait environ 200 kilos de moins et cela devrait influencer les performances et la consommation qui, dans le Grand Cherokee, demeure quand même assez élevée.

AMENEZ-EN DES BANCS DE NEIGE !

Malgré tout le mal qu'on pourrait en dire, le Wrangler demeure le 4x4 le plus compétent, toutes catégories confondues. Pour les initiés, rappelons que l'angle d'approche pour les unités munies de pneus de 18 pouces est de 44,4 degrés, l'angle de départ est de 40,7 degrés, tandis que l'angle ventral fait tourner le rapporteur d'angles à 20,9 degrés. Le ratio du boîtier de transfert du système Rock-Trac, le plus performant, est de 4.0 :1. Certes, certains Land Rover peuvent en faire tout autant que le Wrangler en hors route, mais les gens sont généralement plus enclins à aller jouer dans la boue et les roches avec un véhicule de 30 000 $ qu'avec un de 100 000 $. Et puis l'hiver, c'est toujours un plaisir de foncer dans les bancs de neige, peu importe le prix de la monture !

Le Wrangler, Unlimited ou pas, demeure, pour plusieurs, un véhicule coup de cœur. Les femmes, surtout, semblent l'apprécier au plus haut point. Il est difficile d'expliquer pourquoi, mais j'imagine qu'il représente pour plusieurs l'évasion et une certaine vision du romantisme. Après tout, à son volant, on sent que rien ne pourra modifier sa course et qu'il ne nous laissera jamais tomber. Il faut souligner en terminant la version Mojave qui, malgré son nom désertique, se débrouillera fort bien dans la neige lui aussi.

Alain Morin

Photos : Jeep et Denis Duquet

DONNÉES 2011

Catégorie	VUS
Échelle de prix	21 595 $ à 32 995 $ (2011)
Garanties	3 ans/60 000 km, 5 ans/100 000 km
Assemblage	Toledo, Ohio, É-U
Cote d'assurance	moyenne

CHÂSSIS - RUBICON UNLIMITED

Emp/lon/lar/haut	2 946/4 684/1 877/1 801 mm
Coffre	1 314 à 2 458 litres
Réservoir	85 litres
Nombre coussins sécurité / ceintures	2 / n.d.
Suspension avant	essieu rigide, multibras
Suspension arrière	essieu rigide, multibras
Freins avant / arrière	disque / disque
Direction	à crémaillère, ass. variable
Diamètre de braquage	12,6 m
Pneus avant / arrière	LT255/75R17 / LT255/75R17
Poids	2 023 kg
Capacité de remorquage	1 588 kg (3 500 lb)

COMPOSANTES MÉCANIQUES

Données 2012 préliminaires	
Cylindrée, soupapes, alim.	V6 3,6 litres 24 s atmos.
Puissance / Couple	283 chevaux / 260 lb-pi
Tr. base (opt) / rouage base (opt)	M6 (A5) / 4x4
0-100 / 80-120 / 100-0 km/h	n.d. / n.d. / n.d.
Type ess. / ville / autoroute	Ord. / 13,0 / 8,9 l/100 km (est)

FEU VERT

- Style inimitable
- Spécialiste du hors route
- Version Unlimited plus conviviale
- V6 3,6 litres prometteur
- Un grand romantique…

FEU ROUGE

- Confort rudimentaire
- Tenue de route hypothétique
- Direction assez vague, merci
- Consommation élevée (3,8)
- Finition sommaire

DU NOUVEAU EN 2012

V6 3,6 litres remplace le 3,8

http://www.jeep.ca/

Plus d'informations dans la section statistiques en dernière partie du Guide

UNE FAMILLE COMPLÈTE

Il y a quelques années, lorsque Kia a annoncé une remplaçante à sa fantomatique Spectra, on savait dès lors que la future compacte dépasserait en tout point la voiture existante. Tout d'abord, la marque coréenne venait d'engager un des designers les plus hot de l'heure, Peter Schreyer – la Audi TT, c'est lui! –, et la qualité de ses produits avait progressé de manière fulgurante. Mais même avec les meilleurs ingrédients, la sauce peut ne pas prendre...

Ne soyez pas inquiets, elle a pris cette sauce! Il y a deux ans, Kia a dévoilé la berline Forte aux lignes pour le moins modernes, mélangeant sobriété et angles vifs. La phase suivante consistait à tirer un coupé de cette berline, la Forte Koup, encore plus impressionnante. Puis, dans l'élan, est arrivée la Forte5, une familiale fort bien tournée qui a ajouté une polyvalence bienvenue à la gamme. Même si les trois voitures partagent des gènes évidents ainsi qu'un châssis et des mécaniques très similaires, Kia a réussi à donner suffisamment de personnalité à chacune d'elles pour que le commun des mortels soit en mesure de les différencier sans problème.

À CONCURRENCE FÉROCE, ADVERSAIRE CORIACE

Pour réussir dans le créneau des compactes, envahi par les Toyota Corolla, Mazda3, Honda Civic et Chevrolet Cruze, il faut cependant plus qu'une belle gueule. La Kia Forte, peu importe le nombre de portières ou la forme du coffre, reçoit un quatre cylindres de 2,0 litres de 156 chevaux (versions LX et EX) tandis que la SX a droit à un 2,4 litres développant 173 chevaux. Le 2,0 litres n'est pas une bombe, mais il saura satisfaire les besoins de la plupart des gens, d'autant plus que depuis l'année dernière, il est associé d'office à une transmission à six rapports, en version manuelle comme en automatique.

CONCURRENTS

Chevrolet Cruze, Dodge Caliber, Ford Focus, Honda Civic, Hyundai Elantra, Mazda3, Mitsubishi Lancer, Nissan Sentra, Suzuki SX-4, Toyota Corolla, Volkswagen Golf

IMPRESSIONS DE L'AUTEUR

Agrément de conduite :	4/5
Fiabilité :	3.5/5
Sécurité :	4/5
Qualités hivernales :	4/5
Espace intérieur :	3.5/5
Confort :	4/5

De toute évidence, le 2,4 litres, sans donner des ailes à la Forte, lui injecte une dose de vitalité appréciable. Encore une fois, les transmissions sont à six rapports, pour le plus grand bonheur des portefeuilles lors des pleins. Les oreilles ne sont pas en reste puisque tous ces rapports permettent de maintenir le niveau sonore à un stade très correct. Il faut souligner l'excellent travail de la transmission automatique. Quant à la manuelle, l'embrayage est invariablement trop mou, au point d'oublier qu'il y a, quelque part dans sa course, un point de friction. Et le levier de vitesses semble planté dans du beurre chaud tandis que sa précision tient de l'art abstrait. Bref, c'est complètement raté.

Catégorie	Berline, Coupé, Hatchback
Échelle de prix	15 995 $ à 24 795 $ (2011)
Garanties	5 ans/100 000 km, 5 ans/100 000 km
Assemblage	Hwasung, Corée du sud
Cote d'assurance	n.d.

Peu importe le moteur, la consommation d'essence, selon Kia, est passablement retenue. Cependant, quelques tests hebdomadaires réalisés en plein hiver ont démontré des chiffres un peu moins optimistes. Mais cela n'a pas vraiment d'importance étant donné que la même remarque s'applique à TOUTES les voitures de TOUTES les marques.

Belle gueule, mécanique intéressante, mais qu'en est-il du châssis ? Encore une fois, Kia a bien fait ses devoirs. Dès les premiers tours de roue, on sent qu'on a affaire à du solide. Pourtant, cela n'a pas empêché au moins un de nos exemplaires d'émettre quelques craquements au niveau du tableau de bord. Mais comme il faisait moins 20 degrés, nous serons plus conciliants. Profitons de cette frisquette allusion pour mentionner que sur une berline testée dans des conditions aussi hivernales qu'inhumaines, le lave-glace a refusé de fonctionner, tout gelé qu'il était.

DUR, DUR D'ÊTRE FORTE !

On ne peut pas dire que les suspensions de la Forte soient inconfortables, mais elles sont définitivement plus rigides que celles de l'Elantra, la cousine de chez Hyundai devenue ennemie. À ce chapitre, la version Koup nous a paru être celle qui brassait le plus nos squelettes. La direction est vive et précise, mais il est dommage que les versions dotées du 2,4 litres soient handicapées par un effet de couple assez marqué en accélération vive (les roues avant tirent chacune de leur côté). La tenue de route est enjouée et on se prend rapidement à pousser la Forte, qu'elle soit berline, coupé ou familiale, dans les courbes les plus serrées.

L'espace habitable est correct pour la catégorie, tout comme les matériaux qu'on y trouve. Ce n'est pas le Klondike, mais ce n'est pas, non plus, le pont Champlain. Les sièges sont plutôt confortables et la visibilité vers l'arrière passe de « médiocre » pour la Koup, à « pas trop mal » pour la berline et à « bonne » pour la Forte5. Si les places arrière de la berline et de la familiale peuvent accommoder deux adultes de 5' 6" sans trop de problèmes, ces derniers devront faire preuve d'un peu plus de concessions dans le cas du coupé… En ce qui a trait au coffre, il est évident que la familiale rafle le premier prix. Dans la berline et le coupé, il demeure de bonnes dimensions, mais la petitesse de son ouverture n'invite pas au déménagement.

La Kia Forte est réussie à plus d'un point de vue. Sa carrosserie d'enfer, ses moteurs modernes, les transmissions désormais toutes à six rapports – mais de grâce, éloignez-vous de la manuelle ! – et la qualité de la finition en font un choix judicieux. De plus, les diverses configurations proposées vont chercher un public très vaste. Il ne manque plus qu'une version plus musclée. Quoi, on peut rêver !

Alain Morin

Photos : Alain Morin

CHÂSSIS - SX BERLINE

Emp/lon/lar/haut	2 650/4 530/1 775/1 460 mm
Coffre	415 litres
Réservoir	52 litres
Nombre coussins sécurité / ceintures	6 / 5
Suspension avant	indépendante, jambes de force
Suspension arrière	semi-indépendante, poutre de torsion
Freins avant / arrière	disque / disque
Direction	à crémaillère, assistée
Diamètre de braquage	10,3 m
Pneus avant / arrière	P215/45R17 / P215/45R17
Poids	1 339 kg
Capacité de remorquage	n.d.

COMPOSANTES MÉCANIQUES

LX, EX	
Cylindrée, soupapes, alim.	4L 2,0 litres 16 s atmos.
Puissance / Couple	156 chevaux / 144 lb-pi
Tr. base (opt) / rouage base (opt)	M6 (A6) / Tr
0-100 / 80-120 / 100-0 km/h	9,3 s / 6,6 s / 43,2 m
Type ess. / ville / autoroute	Ordinaire / 8,2 / 5,7 l/100 km

SX	
Cylindrée, soupapes, alim.	4L 2,4 litres 16 s atmos.
Puissance / Couple	173 chevaux / 168 lb-pi
Tr. base (opt) / rouage base (opt)	M6 (A6) / Tr
0-100 / 80-120 / 100-0 km/h	9,1 s / 6,6 s / 42,1 m
Type ess. / ville / autoroute	Ordinaire / 9,2 / 6,2 l/100 km

FEU VERT

- Style définitivement réussi
- Tenue de route amusante (Koup)
- Assemblage bien fignolé
- Moteur 2,4 litres bien adapté
- Excellente garantie

FEU ROUGE

- Suspensions assez dures
- Embrayage et levier de vitesse raté (manuelle)
- Visibilité arrière pénible (sauf Forte5)
- Moteurs bruyants
- Ouverture du coffre très petite

DU NOUVEAU EN 2012

Aucun changement majeur

http://www.kia.ca/

Plus d'informations dans la section statistiques en dernière partie du Guide

DUR COUP POUR SES RIVALES

Il y a une vingtaine d'années, les Japonais faisaient flèche de tout bois. Leurs automobiles étaient jolies (pas toutes, mais une bonne partie !), frugales et fiables. Les Nord-Américains n'en avaient que pour ces petites Asiatiques, si faciles à vivre. Depuis quelques années, et pour diverses raisons, les Japonais se cherchent et, avant qu'ils retrouvent leur statut de leader, les Coréens ont foncé dans la porte grande ouverte.

Les Coréens ont été les premiers à offrir une garantie de base de 5 ans/100 000 km, signe que la fiabilité de leurs produits s'améliorait. Ensuite, ils ont rehaussé de plusieurs crans la qualité des matériaux utilisés et de leur assemblage. Pour asséner le coup de grâce à la concurrence, Kia et Hyundai (les deux compagnies coréennes sont associées) ont embauché des stylistes de renom. Par exemple, chez Kia, on est allé chercher Peter Schreyer, auteur de la New Beetle et la Audi TT.

PROPENSION POUR LE PÉCHÉ

La Kia Optima, qui remplace la défunte-avant-même-de-mourir Magentis (et qui s'appelait déjà Optima sur tous les autres marchés, une question de droits sur la propriété du nom détenu par GM), est un pur produit Schreyer. Aussi attirante que le péché, la Optima présente des lignes qui semblent coupées au couteau, mais qui demeurent passablement classiques. Sa très proche cousine de chez Hyundai, la Sonata, possède aussi un look d'enfer, mais je ne crois pas qu'elle vieillira aussi bien que la Optima. On s'en reparle dans quatre ou cinq ans… Quoi qu'il en soit, la Optima fait désormais paraître bien tristes les Honda Accord, Toyota Camry et autres Chevrolet Malibu.

CONCURRENTS

Chevrolet Malibu, Chrysler 200, Ford Fusion, Honda Accord, Hyundai Sonata, Mazda6, Nissan Altima, Suzuki Kizashi, Toyota Camry

IMPRESSIONS DE L'AUTEUR

Agrément de conduite :	4 / 5
Fiabilité :	4 / 5
Sécurité :	4 / 5
Qualités hivernales :	4 / 5
Espace intérieur :	4.5 / 5
Confort :	3 / 5

L'excellence se poursuit à l'intérieur et ce n'est pas pour rien que la Optima s'est mérité une place parmi les dix meilleurs habitacles de l'industrie selon le réputé Ward's Auto. Le tableau de bord est à la fois esthétique et ergonomique grâce, entre autres, à la partie centrale, tournée vers le conducteur. Le gros volant se prend bien en main et la position de conduite se trouve aisément (dans mon cas, à tout le moins). Les sièges m'ont beaucoup plu avec leur cuir perforé, mais je les ai trouvés durs et peu confortables sur une longue distance. À noter que seule la version de base (LX) reçoit des sièges en tissu. Les deux modèles plus cossus (EX Luxe et SX) ont quant à eux droit à des sièges chauffants ET ventilés. Il faut croire que le raffinement gagne les classes populaires !

La chaîne audio Infinity des modèles les plus dispendieux est un plaisir à écouter, ce qui nous change des radios de Dollarama offertes dans certaines créations japonaises. Au moment de nos essais, le système UVO, un système télématique ressemblant un peu au Sync de Ford, n'était pas encore disponible au Canada. Les jauges, bien en face du conducteur, sont faciles à consulter le jour et encore plus la nuit. Cependant, j'aurais aimé que les boutons du volant et de la portière soient plus lumineux. C'est un peu comme si quelqu'un chez Kia avait voulu économiser de l'énergie de bout de chandelle…

Les passagers prenant place à l'arrière se trouveront sans doute assis trop bas. La ligne de la ceinture de caisse (la jonction horizontale entre les glaces latérales et les portières) relevée vers l'arrière donne l'impression d'être assis dans un bain. Mais il y a une raison à cette assise basse : la ligne de toit arquée. Un homme de 5' 6" comme votre journaliste automobile préféré (en tout cas, celui de sa mère…) ne se sent pas trop compressé, mais ceux qui sont le moindrement plus grands, oui ! Les dossiers s'abaissent de façon 60/40 mais, malheureusement, ne forment pas un fond plat avec le coffre. Quant à ce dernier, il est très grand et son ouverture s'avère de bonnes dimensions. Cependant, même si la Sonata, la cousine rivale chez Hyundai est moins longue, son coffre peut contenir 27 litres supplémentaires.

RÉGULIER OU TURBO ?

Pour permettre à la Optima d'avancer, Kia fait appel aux mêmes motorisations que chez Hyundai, soit uniquement des quatre cylindres. L'offre débute par un 2,4 litres développant 200 chevaux, ce qui n'est pas rien ! Baptisé GDI (Gasoline Direct Injection), ce moteur très moderne autorise une puissance et un couple élevés (186 lb-pi à 4 250 tours/minute) tout en consommant avec parcimonie. Outre la version de base dotée d'office d'une boîte manuelle à six rapports, toutes les autres possèdent une automatique à six rapports au fonctionnement sans reproche. On y trouve un mode manuel, mais comme la boîte change les rapports au moment où elle le croit nécessaire, je ne vois pas son intérêt, surtout dans une voiture qui privilégie la sportivité. Lors de notre semaine d'essai, notre Optima demandait 9,4 litres tous les 100 kilomètres, ce qui est bien, mais plus élevé que ce que Kia promet.

Le deuxième moteur, un 2,0 litres turbocompressé, fait dans les 274 chevaux. Mais c'est surtout le couple de 269 lb-pi obtenu entre 1 750 et 4 500 tours/minutes qui impressionne le plus. Les accélérations et les reprises sont franches, pratiquement sans effet de couple, et on sent qu'on a du cheval sous le pied droit, et pas de la picouille. Ce moteur est associé à la boîte automatique à six rapports qui fait, encore ici, un excellent boulot. Ce modèle

est même livré avec des palettes derrière le volant pour changer les rapports. La consommation d'essence, régulière même s'il s'agit d'un moteur turbocompressé, est à peine plus élevée que celle du 2,4 litres et les performances sont enlevantes.

Sur le volant, peu importe la variante, on retrouve un bouton « Eco » qui permet une conduite plus écologique. Mais comme ce mode optimise le moteur et la transmission pour un maximum d'économie, on repassera pour les performances.

Si vous avez le cœur vert, Kia propose aussi une version hybride. Bien entendu, ce système est directement dérivé de celui de la Hyundai Sonata, même si sa programmation est un peu différente. La consommation est un tantinet plus élevée que celle de cette dernière mais l'agrément de conduite est plus relevé. Un essai de quelques minutes n'a toutefois pas permis de constater une grosse différence entre les deux voitures. Après un essai plus exhaustif, nous vous tiendrons au courant sur notre site www.guideautoweb.com. Une chose toutefois est sûre : alors que la Sonata Hybrid est passablement différente de la Sonata régulière, il faut avoir l'œil pour savoir si on a affaire la Kia Hybrid.

PROCHE PARENT

Le châssis, à l'instar des groupes motopropulseurs, a beau être le même que celui de la Sonata, les ingénieurs ont modifié les réglages des suspensions pour en arriver à un comportement plus dynamique. C'est ainsi qu'on se retrouve avec une Optima au châssis très rigide et aux suspensions (MacPherson à l'avant

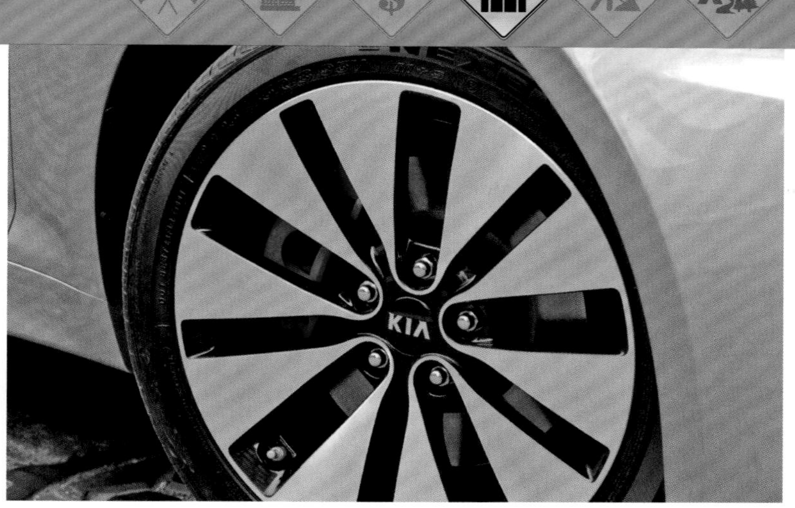

Catégorie	Berline
Échelle de prix	21 995 $ à 33 695 $ (2011)
Garanties	5 ans/100 000 km, 5 ans/100 000 km
Assemblage	Hwasung, Corée du sud
Cote d'assurance	n.d.

CHÂSSIS - SX	
Emp/lon/lar/haut	2 795/4 845/1 830/1 455 mm
Coffre	437 litres
Réservoir	70 litres
Nombre coussins sécurité / ceintures	6 / 5
Suspension avant	indépendante, jambes de force
Suspension arrière	indépendante, multibras
Freins avant / arrière	disque / disque
Direction	à crémaillère, ass. électrique
Diamètre de braquage	10,9 m
Pneus avant / arrière	P225/45R18 / P225/45R18
Poids	1 535 kg
Capacité de remorquage	n.d.

COMPOSANTES MÉCANIQUES	
LX, EX	
Cylindrée, soupapes, alim.	4L 2,4 litres 16 s atmos.
Puissance / Couple	200 chevaux / 186 lb-pi
Tr. base (opt) / rouage base (opt)	M6 (A6) / Tr
0-100 / 80-120 / 100-0 km/h	8,9 s / 6,7 s / 42,0 m (est)
Type ess. / ville / autoroute	Ordinaire / 8,7 / 5,8 l/100 km
SX	
Cylindrée, soupapes, alim.	4L 2,0 litres 16 s turbo
Puissance / Couple	274 chevaux / 269 lb-pi
Tr. base (opt) / rouage base (opt)	A6 / Tr
0-100 / 80-120 / 100-0 km/h	7,5 s / 5,4 s / 40,0 m (est)
Type ess. / ville / autoroute	Ordinaire / 9,2 / 5,8 l/100 km
Hybrid	
Cylindrée, soupapes, alim.	4L 2,4 litres 16 s atmos.
Puissance / Couple	206 chevaux / 195 lb-pi
Tr. base (opt) / rouage base (opt)	A6 / Tr
0-100 / 80-120 / 100-0 km/h	n.d. / n.d./ n.d.
Type ess. / ville / autoroute	Ordinaire / 5,6 / 4,7 l/100 km
Moteur élect seulement	40 chevaux / 151 lb-pi

et multibras à l'arrière) assez fermes. Certains pourraient même les trouver trop dures, mais les amateurs de conduite dynamique vont adorer. La direction fait preuve de précision et de vivacité, mais au prix d'une certaine lourdeur, pour ne pas dire d'une lourdeur certaine, surtout à basse vitesse.

Lancer la voiture dans les courbes devient rapidement un réel plaisir. Ce n'est certes pas une Porsche Boxster ou une BMW Série 3 mais pour une Coréenne, c'est du nouveau ! Lors du lancement de la Optima, Kia avait invité les journalistes à en faire l'essai sur le circuit routier de Homestead en Floride. Lorsque poussée, la voiture s'est comportée de belle façon, surtout après avoir désactivé l'extraordinairement intrusif système de contrôle de la stabilité latérale. Je n'ai pu faire l'essai d'une Optima dans la neige, mais j'appréhende déjà les réactions de ce système qu'on peut, fort heureusement, neutraliser.

Nous ne pouvons prédire le succès de la Kia Optima sur notre marché. Cependant, il est indéniable qu'elle vient de porter un coup dur à la concurrence en commandant un prix beaucoup moins élevé que ce qu'on serait en droit de penser au premier regard. De plus, même si la fiabilité n'est pas encore connue, on peut s'attendre à ce qu'elle se situe, au pire, dans la moyenne. La voie vers le succès est grande ouverte et Kia a visiblement la pédale à fond.

Alain Morin

- Beauté indécente (question de goût, bien sûr)
- Habitacle réussi
- Comportement routier solide
- Bon choix de moteurs
- Excellente garantie

- Suspensions un tantinet dures
- Direction lourde
- Sièges plus ou moins confortables
- Fiabilité inconnue
- Système de contrôle de stabilité très intrusif

DU NOUVEAU EN 2012

Version hybride sera présentée à l'automne 2011

http://www.kia.ca/

Plus d'informations dans la section statistiques en dernière partie du Guide

Photos: Alain Morin

UNE REFONTE SPECTACULAIRE

Il est indéniable que les modèles Rio et Rio 5 avaient de plus en plus de difficultés à se faire justice sur un marché compétitif. Si on a quelque peu tardé à remanier cette sous-compacte, c'est parce que le constructeur coréen devait développer de nouveaux produits dans des catégories où il n'était absolument pas compétitif. C'est ainsi que la tristounette Magentis a été remplacée par l'impressionnante Optima. Dans le cas de la Rio, l'attente valait la peine, puisque la nouvelle génération de cette dernière est fort spectaculaire.

Mais il y a un temps d'hésitation entre l'arrivée de cette nouvelle venue et l'abandon du modèle actuel. Ce dernier est certes moins compétitif qu'il ne l'était auparavant, mais ce sera sans doute l'occasion pour plusieurs de réaliser de belles aubaines : autant la berline que la hatchback seront bradées afin d'écouler les inventaires avant l'arrivée de la nouvelle génération. Voici donc un bref aperçu de la version actuelle que nous identifierons comme étant un modèle 2011 1/2…

CONCURRENTS
Honda Fit,
Hyundai Accent,
Nissan Versa,
Toyota Yaris

IMPRESSIONS DE L'AUTEUR	
Agrément de conduite :	3/5
Fiabilité :	4/5
Sécurité :	3.5/5
Qualités hivernales :	3/5
Espace intérieur :	3.5/5
Confort :	3/5

PUISSANCE MITIGÉE, SILHOUETTE DÉPASSÉE

Lors de son lancement, la berline Rio avait reçu un accueil mitigé quant à sa silhouette. Ses lignes étaient quelconques et les stylistes s'étaient contentés de proposer une voiture générique destinée à se vendre davantage pour son prix que pour son esthétique. Heureusement, la Rio5 cinq portes proposait une silhouette plus moderne et plus agressive. L'habitacle était de même acabit, avec le tableau de bord sans aucun relief et sans aucune caractéristique particulière. Par contre, la finition était bonne, les commandes à la portée de la main et les cadrans indicateurs faciles à lire. Bref, rien pour déranger l'acheteur à la recherche d'un véhicule à prix abordable.

La mécanique était de même mouture avec un moteur quatre cylindres de 1,6 litre produisant 110 chevaux. Pas surprenant que les accélérations et les reprises soient correctes, sans plus. Et inutile d'insister sur la tenue de route : elle était sans surprises et dans la moyenne de la catégorie. Somme toute, une voiture du genre « moyen de transport » qui n'offre rien de spectaculaire, mais qui fait son travail de façon correcte. Mais elle se mesurerait difficilement à sa remplaçante, ça, c'est certain !

ÉLÉGANCE ET TECHNOLOGIE

Si les voitures produites dans le passé par ce constructeur possédaient une silhouette soit caricaturale, soit anonyme, elles sont, de nos jours, parmi les véhicules les plus élégants et les plus modernes au chapitre du design. Et la nouvelle Rio ne fait pas exception.

Ces deux nouveaux modèles ont été conçus aux studios de design de Kia à Irvine en Californie. Avec son avant plongeant, sa grille de calandre très caractéristique, de même que sa partie arrière relevée, la berline propose une silhouette très dynamique. Pour lui donner encore plus de *punch* sur le plan visuel, les stylistes californiens font appel à des parois latérales sculptées, à des passages de roues en relief et à une fenestration qui épouse la ligne du toit pour donner plus d'élan à l'ensemble. Quant à la Rio 5, la partie avant est identique à celle de la berline, tandis qu'à l'arrière, son hayon incliné vers l'avant et ses feux horizontaux lui donnent une allure des plus modernes.

La planche de bord est très élaborée pour une voiture de cette catégorie. Par exemple, le moyeu du volant accueille les commandes de la téléphonie mains libres, du système audio et du régulateur de croisière. Sur les versions les plus luxueuses, ce volant est gainé de cuir. Comme c'est maintenant la norme ou presque, la climatisation est l'affaire de trois gros boutons placés sous l'écran de navigation bordé, de part et d'autre, de pavés de commande afin de gérer de multiples fonctions du véhicule. On retrouve également, sous les boutons de commandes de la climatisation, quatre languettes servant à engager la climatisation, le désembueur arrière et la recirculation de l'air.

Mais il semble que les améliorations les plus impressionnantes se situent au niveau de la mécanique. En effet, le moteur poussif de la version précédente a été remplacé par un autre moteur quatre cylindres de 1,6 litre, produisant 138 chevaux, soit 28 de plus. Aux yeux de certains, ce gain peut sembler relativement modeste. Mais compte tenu du poids relativement faible de cette voiture, ce nombre d'équidés fera sentir sa présence. Par ailleurs, cette augmentation de la puissance ne se fait pas au détriment de la consommation: ce moteur est doté de l'injection directe et du système Stop and Go (Arrêt-départ) qui permet de réduire considérablement l'usage de carburant. Selon les dires des ingénieurs de a compagnie, les Rio et Rio5 sont non seulement les plus puissantes de leur catégorie, mais également celles qui consomment le moins. Ce moteur est livré de série avec une boîte manuelle à six rapports tandis qu'une transmission automatique possédant le même nombre de vitesses est offerte en option. Pour accueillir cette nouvelle motorisation, les ingénieurs ont conçu une nouvelle plate-forme dotée de suspension indépendante à l'avant comme à l'arrière. Bref, de modèles en queue de peloton, la Rio fait maintenant partie des douées de la catégorie des sous-compactes.

Denis Duquet

Photos: Kia

DONNÉES 2011	
Catégorie	Hatchback
Échelle de prix	13 695 $ à 18 795 $ (2011)
Garanties	5 ans/100 000 km, 5 ans/100 000 km
Assemblage	Sohari, Corée du Sud
Cote d'assurance	bonne

CHÂSSIS - 5 EX	
Emp/lon/lar/haut	2 500/3 990/1 695/1 470 mm
Coffre	448 à 1 405 litres
Réservoir	45 litres
Nombre coussins sécurité / ceintures	2 / 5
Suspension avant	indépendante, jambes de force
Suspension arrière	semi-indépendante, poutre de torsion
Freins avant / arrière	disque / tambour
Direction	à crémaillère, assistée
Diamètre de braquage	10,1 m
Pneus avant / arrière	P175/70R14 / P175/70R14
Poids	1 059 kg
Capacité de remorquage	n.d.

COMPOSANTES MÉCANIQUES	
Cylindrée, soupapes, alim.	4L 1,6 litre 16 s atmos.
Puissance / Couple	110 chevaux / 107 lb-pi
Tr. base (opt) / rouage base (opt)	M5 (A4) / Tr
0-100 / 80-120 / 100-0 km/h	10,1 s / 8,3 s / 40,0 m
Type ess. / ville / autoroute	Ordinaire / 7,1 / 5,8 l/100 km

FEU VERT

- Nouvelle génération impressionnante (2012)
- Silhouette élégante (2012)
- Moteur techniquement avancé (2012)
- Tableau de bord moderne (2012)
- Choix de deux modèles

FEU ROUGE

- Version 2011 vieillotte
- Fiabilité inconnue (2012)
- Arrivée tardive du modèle 2012

DU NOUVEAU EN 2012

Nouveau modèle sera présenté durant l'année

http://www.kia.ca/

Plus d'informations dans la section statistiques en dernière partie du Guide

PAS UNE SEULE RIDE

Elle ne vieillit pas mal du tout, cette Kia Rondo. Lancée en 2006, sa sympathique bouille n'a toujours pas de ride et son rapport qualité-prix continue d'être des plus intéressant. Ajoutez à cela une conduite sans stress — quoique sans grand caractère non plus — et vous voilà au volant d'un véhicule familial encore dans le coup, même après six ans sur le marché.

Sans extravagance aucune, le design en forme de haricot de la Kia Rondo demeure harmonieux encore aujourd'hui. Ça a le mérite d'être reposant dans un paysage automobile où chacun essaie de se démarquer, souvent sans trop de succès.

Dès ses débuts, elle a su plaire avec son aspect fonctionnel et ses petites dimensions qui lui permettent de se faufiler aisément dans la circulation. Encore aujourd'hui, on encense ses rangements bien aménagés, son excellente visibilité tout autour, la qualité de son assemblage et de son insonorisation ainsi que son levier de transmission posé en podium et qui tombe facilement sous la main. Le tableau de bord est simple, mais complet, et facile à apprivoiser. Tout au plus, on pourrait reprocher aux commandes d'être trop éloignées du conducteur. On aime aussi ces portières qui évitent l'ouverture coulissante (un trait de moins emprunté à la mini-fourgonnette) et ce dégagement avant et au centre, tant aux jambes qu'aux têtes, plus généreux que ce qu'offre la concurrence.

Certes, au fil du temps, ces plastiques durs dans l'habitacle et ce revêtement de tissu rêche ont perdu au change de la concurrence qui s'affine. Et m'est avis que ce sera encore pire avec les Chevrolet Orlando et Ford C-Max qui viendront troubler les plates-bandes. Les sièges de la Rondo gagneraient également à être mieux rembourrés pour davantage de confort. On déplore également que la troisième rangée ne soit encore offerte que dans les variantes plus dispendieuses, celles qui franchissent les 25 000 $. Cela dit, cette troisième rangée est la plus étriquée de la catégorie et avant de vous y commettre, vérifiez que ses occupants sont assez souples pour pouvoir y contempler leurs genoux de près. Heureusement, les options comme les sièges chauffants, le régulateur de vitesse et les commandes audio au volant se font rapidement accessibles dans l'échelle des versions.

CONCURRENTS
Chevrolet HHR,
Mazda5,
Toyota Matrix

IMPRESSIONS DE L'AUTEUR	
Agrément de conduite :	3 / 5
Fiabilité :	4 / 5
Sécurité :	3.5 / 5
Qualités hivernales :	3.5 / 5
Espace intérieur :	4 / 5
Confort :	3.5 / 5

Sinon, la Kia Rondo continue d'être une bonne proposition pour ceux qui ont occasionnellement besoin de transporter sept

passagers — la Mazda5 n'en accueille que six, rappelez-vous. Les entrées et sorties sont facilitées par une garde au sol peu élevée, les banquettes se rabattent facilement et lorsqu'elles sont en position couchée, le cargo dépasse les 2 000 litres.

CONDUITE RELAXE, MAIS SANS PIQUANT

Assemblée sur la plateforme de l'ancienne Optima/Magentis, la Rondo propose un comportement routier un brin sec, mais quand même confortable. N'y cherchez pas de grands traits de caractère, cependant. Même que derrière le volant, on oublie vite qu'on conduit. On est toutefois rappelé à l'ordre quand la silhouette, plus haute que large, laisse place à une stabilité qu'il ne faut pas trop malmener. La suspension s'écrase légèrement en virage et la direction, sans être floue, ne transmet pas la plus grande connectivité qui soit. Je le répète, on oublie vite qu'on conduit et sans ce stress, l'attention s'égare vers d'autres horizons. On prendrait un peu plus de piquant, ici.

Aussi, les motorisations ne sont pas les plus puissantes en ville. De fait, la différence entre le quatre cylindres (2,4 litres, 175 chevaux) et le V6 (2,7 litres, 192 chevaux) est encore moins perceptible que ce que racontent les chiffres. Entre vous et moi, il y a sur le marché des quatre cylindres qui développent davantage que le V6 de la Rondo. Mais il reste que personnellement, j'opterais quand même pour les variantes V6, ne serait-ce que pour l'automatique cinq rapports (un rapport de plus qu'avec le quatre cylindres de 2,4 litres). Ce duo plus puissant fait davantage dans la douceur et dans la souplesse et si les accélérations ne sont pas dithyrambiques, le bon étagement de la transmission ne vient pas nuire au momentum. En prime, ça ne consomme guère plus sur l'autoroute que le petit moteur. Un détail : les deux boîtes automatiques proposent le mode manuel, mais aucune Rondo n'offre la transmission manuelle, contrairement à la Mazda5. Dommage, parce que dans cette catégorie de véhicules familiaux où, souvent, c'est l'économie qui prime, ça aurait permis d'afficher un prix d'étiquette encore moindre.

À L'AUBE D'UNE NOUVELLE GÉNÉRATION

L'année 2013 (ou la suivante) devrait voir arriver une nouvelle Rondo et ce, même si la fourgonnette n'est plus offerte aux États-Unis depuis 2010. Cette prochaine génération devrait illustrer les pas de géant accomplis par le constructeur, comme avec tous les autres véhicules coréens lancés ces dernières années. D'ici là, la Rondo n'a pas à rougir de ce qu'elle offre encore : on aime beaucoup sa garantie complète de cinq ans/100 000 km, l'une des plus généreuses au Canada. D'ailleurs, nos amis de Protégez-Vous l'ont nommée l'un des meilleurs choix en 2009. C'était non seulement au détriment de la Mazda5, mais c'était aussi la toute première fois qu'un véhicule coréen était ainsi honoré…

Nadine Filion

Photos: Kia

Catégorie	Multisegment
Échelle de prix	19 995 $ à 27 195 $ (2011)
Garanties	5 ans/100 000 km, 5 ans/100 000 km
Assemblage	Gwangju-Si, Corée du sud
Cote d'assurance	bonne

CHÂSSIS - EX V6 LUXE 7 PLACES

Emp/lon/lar/haut	2 700/4 545/1 820/1 700 mm
Coffre	185 à 2 083 litres
Réservoir	60 litres
Nombre coussins sécurité / ceintures	6 / 7
Suspension avant	indépendante, jambes de force
Suspension arrière	indépendante, multibras
Freins avant / arrière	disque / disque
Direction	à crémaillère, assistée
Diamètre de braquage	10,8 m
Pneus avant / arrière	P225/50R17 / P225/50R17
Poids	1 686 kg
Capacité de remorquage	907 kg (1 999 lb)

COMPOSANTES MÉCANIQUES

LX, EX	
Cylindrée, soupapes, alim.	4L 2,4 litres 16 s atmos.
Puissance / Couple	175 chevaux / 169 lb-pi
Tr. base (opt) / rouage base (opt)	A4 / Tr
0-100 / 80-120 / 100-0 km/h	10,2 s / 8,8 s / 39,7 m
Type ess. / ville / autoroute	Ordinaire / 10,6 / 7,5 l/100 km
EX-V6	
Cylindrée, soupapes, alim.	V6 2,7 litres 24 s atmos.
Puissance / Couple	192 chevaux / 184 lb-pi
Tr. base (opt) / rouage base (opt)	A5 / Tr
0-100 / 80-120 / 100-0 km/h	9,0 s / 7,6 s / 39,7 m
Type ess. / ville / autoroute	Ordinaire / 11,5 / 7,7 l/100 km

- Encore une bonne proposition qualité/prix
- Silhouette qui vieillit bien
- Pratico-pratique
- Conduite sans stress
- Garantie cinq ans / 100 000 km

- Sièges qui pourraient être plus confortables
- 3ᵉ rangée étriquée — et ne monte que sur les versions $$
- Pas de boîte manuelle
- Conduite sans piment

DU NOUVEAU EN 2012

Aucun changement majeur

http://www.kia.ca/

Plus d'informations dans la section statistiques en dernière partie du Guide

EN ATTENDANT LE FUTUR

Quand une catégorie complète est en perte de vitesse, deux cas de figure viennent bien souvent se présenter. Il y a ceux qui tentent d'intéresser la clientèle soit avec une silhouette plus originale que la moyenne, comme la Honda Odyssey, ou encore un habitacle particulièrement polyvalent, comme c'est le cas avec le Dodge Grand Caravan. Par contre, d'autres constructeurs demeurent toujours en lice dans la catégorie, mais préfèrent jouer de prudence. C'est le cas de la Kia Sedona.

Si vous aimez les fourgonnettes aux allures excentriques, comme la Nissan Quest par exemple, mieux vaut chercher ailleurs. Parce que la Sedona propose une silhouette semblable à celle des fourgonnettes commercialisées il y a de cela une décennie, tout au moins. Ce n'est pas que le véhicule soit laid, mais il est quelque peu obsolète en ce qui a trait à la présentation extérieure. On a beau utiliser des blocs optiques modernes et du chrome pour épicer quelque peu son apparence, rien à faire: la silhouette reste vétuste. À la décharge des stylistes coréens, l'ensemble demeure élégant et quand même bien équilibré. De plus, les porte-à-faux sont très réduits, comme le veut la tendance actuelle sur les modèles au design plus moderne. À défaut de nous offrir une fourgonnette qui ressemble à un vaisseau du futur, on s'est appliqué à proposer un bon rapport qualité/prix en plus d'augmenter le niveau d'équipement.

RETOUR EN ARRIÈRE

Quand on se met dans le contexte de cette folle course à laquelle participent tous les constructeurs pour nous proposer des tableaux de bord de plus en plus élaborés et de plus en plus design, s'installer au volant d'une Sedona nous ramène quelques années en arrière. En effet, ce n'est pas que la présentation soit mauvaise, mais le stylisme des commandes, leur disposition, les formes des pièces en plastique utilisées pour la planche de bord sont tous d'une époque antérieure. Cela dit, malgré leur allure dépassée, on se doit de souligner la qualité de ces matériaux et leur assemblage très précis.

CONCURRENTS
Chrysler Town & Country,
Dodge Grand Caravan,
Honda Odyssey,
Nissan Quest,
Toyota Sienna,
Volkswagen Routan

IMPRESSIONS DE L'AUTEUR	
Agrément de conduite :	3.5 / 5
Fiabilité :	4 / 5
Sécurité :	4 / 5
Qualités hivernales :	3.5 / 5
Espace intérieur :	4 / 5
Confort :	4 / 5

En fait, on retrouve la première génération des consoles centrales allongées qui ont évolué de nos jours de façon assez spectaculaire chez les fourgonnettes, alors que le levier des vitesses est dorénavant accroché à la paroi de la planche de bord. Ici, il est presque au milieu de la console. Cette position est éminemment pratique et le levier est toujours à la portée de la main. Par contre, son design

Catégorie	Fourgonnette
Échelle de prix	27 995 $ à 39 995 $ (2011)
Garanties	5 ans/100 000 km, 5 ans/100 000 km
Assemblage	Sohari, Corée du Sud
Cote d'assurance	excellente

CHÂSSIS - EX	
Emp/lon/lar/haut	3 020/5 130/1 985/1 820 mm
Coffre	912 à 4 007 litres
Réservoir	75 litres
Nombre coussins sécurité / ceintures	6 / 7
Suspension avant	indépendante, jambes de force
Suspension arrière	indépendante, multibras
Freins avant / arrière	disque / disque
Direction	à crémaillère, assistée
Diamètre de braquage	12,1 m
Pneus avant / arrière	P235/60R17 / P235/60R17
Poids	2 087 kg
Capacité de remorquage	1 587 kg (3 498 lb)

COMPOSANTES MÉCANIQUES	
Cylindrée, soupapes, alim.	V6 3,5 litres 24 s atmos.
Puissance / Couple	271 chevaux / 248 lb-pi
Tr. base (opt) / rouage base (opt)	A6 / Tr
0-100 / 80-120 / 100-0 km/h	8,9 s / 6,7 s / 47,0 m
Type ess. / ville / autoroute	Ordinaire / 11,5 / 8,0 l/100 km

reste quelque peu dépassé, tout comme la majorité des commandes audio et de la climatisation. L'écran d'affichage du système de navigation possède, de chaque côté, des boutons de commandes comme sur les modèles actuels. Mais la présentation n'est pas la même, et ce qui était très moderne il y a quelques années nous rappelle déjà des modes passées. Comme je l'ai mentionné précédemment, si on passe par-dessus ces éléments, ce véhicule propose des commandes simples et faciles d'utilisation tandis que le cadran principal est très facile de consultation. Il faut également mentionner les commandes placées en périphérie du moyeu du volant.

Pour le reste de l'habitacle, celui-ci est accueillant, les espaces de rangement sont légion tandis que les sièges sont confortables à défaut d'offrir un bon support. De plus, il est facile de transformer l'habitacle pour augmenter la capacité de chargement qui est très grande. Pour ce faire, il suffit de faire basculer la troisième rangée de sièges dans le plancher. Et ce sera certainement la configuration la plus utilisée puisque cette troisième rangée est non seulement difficile d'accès, mais assez peu confortable. Toujours au chapitre des sièges, ceux à l'avant sont chauffants sur la quasi-totalité des modèles, à l'exception de la version la plus économique. La climatisation est de série tout comme les serrures et les vitres à commande électrique. Sur les modèles plus luxueux, le hayon arrière est motorisé. Et il est même possible de commander, en option, un pédalier réglable motorisé.

CHANGEMENTS EN CONTINU

Dans le monde de la production automobile, tous les manufacturiers effectuent ce qu'on appelle les changements en continu. Il s'agit de modifications à la mécanique, au niveau de l'équipement ou encore en matière de couleurs, sans pour autant annoncer ces changements. C'est ce qui est arrivé sur la Sedona l'an dernier alors que le moteur V6 de 3,8 litres produisant 244 chevaux a été remplacé par un moteur plus moderne. Ce V6 de 3,5 litres génère 271 chevaux et il est associé à une boîte automatique à six rapports. Non seulement les performances sont meilleures, mais il en va de même pour l'économie de carburant.

Malgré ces améliorations, la Sedona offre un comportement routier relativement sans surprise et sans éclat non plus. La direction est quelque peu vague tandis que la caisse penche en virage, mais sans risquer la perte de contrôle. Il faut également souligner que la plupart des systèmes d'aide électronique au pilotage sont offerts, et ce, même sur le modèle le moins équipé.

Il est difficile de connaître l'avenir de ce modèle, mais si le designer en chef Peter Schreyer se décide à concocter une fourgonnette aux allures moderne, la concurrence n'a qu'à bien se tenir.

Denis Duquet

Photos: Kia

FEU VERT
- Moteur plus puissant
- Habitacle confortable
- Bonne garantie
- Multiples espaces de rangement
- Sécurité bien cotée

FEU ROUGE
- Roulis en virage
- Valeur de revente problématique
- Avenir incertain
- Silhouette rétro

DU NOUVEAU EN 2012

Aucun changement majeur

http://www.kia.ca/

Plus d'informations dans la section statistiques en dernière partie du Guide

À NE PAS IGNORER

Kia a le vent dans les voiles. Les produits de la marque coréenne montrent une qualité sans cesse améliorée, la fiabilité suit une courbe ascendante et le style des carrosseries est franchement réussi. Qui plus est, ils sont dans l'air du temps. D'ailleurs, les véhicules qui ne se vendent pas se font montrer la porte assez rapidement. Cette année, par exemple, le Borrego, un très bon VUS pur et dur, mais qui était arrivé sur le marché quelques années trop tard, n'est plus de la partie. Désormais, le plus imposant véhicule de Kia est le Sorento.

Le Sorento a été entièrement revu en 2010 pour l'année-modèle 2011. La génération précédente roulait sur un châssis de camion (comme le Borrego) mais, lors de la refonte, les ingénieurs lui ont préféré une plate-forme monocoque. Ce type de châssis, qui assure un meilleur confort et un silence de roulement accru, fait en revanche chuter la capacité de remorquage. Alors que l'ancien modèle pouvait tirer jusqu'à 5 000 livres, le nouveau ne peut remorquer que 3 500 livres avec le V6. Il faut cependant savoir que la plupart des gens ne cherchent pas à traîner leur maison lorsqu'ils vont en voyage. Si leurs besoins sont plus élevés, ils devront se tourner vers d'autres marques. Jusqu'à l'année dernière, il y avait toujours le Borrego, mais les choses ont changé.

UNE BONNE OPTION

Deux moteurs sont proposés au consommateur. Déjà, après seulement une année, le quatre cylindres de 2,4 litres gagne l'injection directe. En fait, il s'agit du même moteur que celui de l'Optima. Même si les données officielles n'ont pas encore été dévoilées au moment de mettre sous presse, nous pouvons présumer que sa puissance sera sensiblement la même que dans la berline (200 chevaux et 186 lb-pi de couple). La version précédente possédait 175 chevaux et 169 lb-pi de couple. Puisque le véhicule pèse presque 1800 kilos, les 25 chevaux et les 17 lb-pi de couple, même s'ils sont livrés plus haut dans les tours, seront assurément les bienvenus. Ce nouveau moteur ne sera associé qu'à la transmission automatique à six rapports.

CONCURRENTS
Ford Explorer,
Jeep Grand,
Cherokee,
Nissan Pathfinder,
Subaru Tribeca,
Toyota 4Runner

IMPRESSIONS DE L'AUTEUR	
Agrément de conduite :	4 / 5
Fiabilité :	4 / 5
Sécurité :	5 / 5
Qualités hivernales :	4 / 5
Espace intérieur :	4 / 5
Confort :	3.5 / 5

Par contre, la manuelle à six rapports est toujours offerte mais avec l'ancienne version du 2,4. C'est donc dire que Kia propose deux versions de son quatre cylindres. La version de base propose la manuelle et la traction (roues avant motrices). Les quelques personnes qui retiendront cette option ne le feront pas par choix…

À n'en pas douter, le V6 de 3,5 litres est le choix par excellence. Beaucoup plus puissant, il permet des performances enjouées. Bien entendu, il consomme davantage. Ce moteur est souple et ne s'arrime qu'à l'automatique à six rapports. La version de base peut recevoir la traction mais, même si nous n'avons pas pu faire l'essai de cette variante, il y a de fortes chances que l'effet de couple soit très présent dans les roues lors d'accélérations intempestives.

Même si le Sorento 2012 n'a plus les «jambes» pour suivre un 2010 dans un champ bien boueux, il propose toujours un rouage intégral dont le différentiel central est autobloquant. Nul doute que ce système satisfera 98 % des utilisateurs, tout en étant beaucoup plus moderne que le 4x4 qu'il remplace.

À l'intérieur, conducteur et passagers profitent d'une bonne habitabilité, bien que les malheureux occupants de la troisième et dernière rangée, optionnelle dans certains modèles V6, ne partageront assurément pas notre avis ! On y est assis très bas et juste accéder à ces places demande une gymnastique que bien peu peuvent réussir avec élégance. En plus, lorsqu'ils sont relevés, ces sièges diminuent incroyablement l'espace de chargement. La deuxième rangée de sièges est beaucoup plus conviviale, sauf la place centrale, aussi dure qu'une rondelle de hockey bien gelée.

CONTEMPORAIN

Le tableau de bord a beaucoup gagné en raffinement et est maintenant fabriqué avec des matériaux de qualité. Son style n'est pas des plus original, mais il est fonctionnel et s'aligne sur ce qu'offrent les autres constructeurs. Au niveau de l'ergonomie, un seul détail m'a agacé : le bouton de l'essuie-glace arrière est situé au tableau de bord plutôt que sur le même levier que la commande des essuie-glaces avant, ce qui s'avère moins pratique. Mais on s'y fait. Le système audio Infinity aussi m'a irrité. Je n'ai pas beaucoup d'oreille, mais sa sonorité m'est apparue franchement mauvaise. En fait, j'ai réussi à équilibrer le son dans l'habitacle en déplaçant, grâce à l'écran tactile, le centre vers l'arrière et vers ma droite.

Au chapitre de la conduite, le Sorento se comporte comme le VUS intermédiaire qu'il est : gros, pas très sportif, mais confortable. Les suspensions seront un peu trop fermes au goût de certains, mais cela donne le sentiment de conduire un véhicule solide. Autre avantage non négligeable : la fermeté des suspensions limite le roulis en virages. La direction m'est apparue un peu trop légère à mon goût, mais sa précision était correcte.

Le Kia Sorento, outre son style très contemporain qui respecte l'image de marque de Kia, offre une garantie des plus intéressante. Pour plusieurs, cet argument suffit pour signer en bas du contrat. Souhaitons-leur d'avoir assez de sous pour se procurer le V6 !

Alain Morin

Photos: Kia

Catégorie	Multisegment
Échelle de prix	23 995 $ à 40 895 $ (2011)
Garanties	5 ans/100 000 km, 5 ans/100 000 km
Assemblage	La Grange, Georgie, États-Unis
Cote d'assurance	n.d.

CHÂSSIS - LX V6	
Emp/lon/lar/haut	2 700/4 670/1 885/1 745 mm
Coffre	1 047 à 2 052 litres
Réservoir	68 litres
Nombre coussins sécurité / ceintures	6 / 5
Suspension avant	indépendante, jambes de force
Suspension arrière	indépendante, multibras
Freins avant / arrière	disque / disque
Direction	à crémaillère, assistée
Diamètre de braquage	10,9 m
Pneus avant / arrière	P235/65R17 / P235/65R17
Poids	1 684 kg
Capacité de remorquage	1 588 kg (3 500 lb)

COMPOSANTES MÉCANIQUES	
LX	
Cylindrée, soupapes, alim.	4L 2,4 litres 16 s atmos.
Puissance / Couple	175 chevaux / 169 lb-pi
Tr. base (opt) / rouage base (opt)	M6 (A6) / Tr
0-100 / 80-120 / 100-0 km/h	9,8 s / 8,0 s / 43,4 m
Type ess. / ville / autoroute	Ordinaire / 10,6 / 7,4 l/100 km
LX TI, EX TI	
Cylindrée, soupapes, alim.	4L 2,4 litres 16 s atmos.
Puissance / Couple	200 chevaux / 186 lb-pi
Tr. base (opt) / rouage base (opt)	A6 / Int
0-100 / 80-120 / 100-0 km/h	n.d. / n.d. / n.d.
Type ess. / ville / autoroute	Ordinaire / 9,9 / 7,4 l/100 km
V6	
Cylindrée, soupapes, alim.	V6 3,5 litres 24 s atmos.
Puissance / Couple	276 chevaux / 248 lb-pi
Tr. base (opt) / rouage base (opt)	A6 / Tr (Int)
0-100 / 80-120 / 100-0 km/h	8,6 s / 6,0 s / 43,4 m
Type ess. / ville / autoroute	Ordinaire / 11,1 / 7,9 l/100 km

FEU VERT

- Style au goût du jour
- Nouveau 2,4 GDI
- Rouage intégral intéressant
- Comportement routier très correct
- Qualité générale de l'assemblage

FEU ROUGE

- Suspension un tantinet sèche
- Moteur 2,4 de base rapidement essoufflé
- Boîte manuelle peu intéressante
- Troisième rangée décorative
- Ergonomie imparfaite

DU NOUVEAU EN 2012

Moteur 2,4 litres GDI, système UVO ajouté aux versions EX

http://www.kia.ca/

Plus d'informations dans la section statistiques en dernière partie du Guide

MONSIEUR COOL

La Soul a connu un succès indéniable lors de son arrivée sur le marché en 2009. C'était la première fois que le grand public connaissait un tel engouement pour un véhicule de ce constructeur. La silhouette fort ludique de ce VUS compact tombait dans l'œil des gens. Alors que le Cube de Nissan donnait dans la caricature, le Soul était suffisamment *funky* pour être différent, mais sans jamais dépasser les bornes. Et cette année, on améliore ce produit de façon intelligente. La concurrence a de bonnes raisons de s'inquiéter.

Une autre raison qui explique ce succès, c'est que cette petite Coréenne en offrait juste assez au chapitre du comportement routier et des performances. Il est vrai que le moteur de base, un malingre quatre cylindres de 1,6 litre, n'était là que pour offrir un prix intéressant. Le groupe propulseur le plus populaire, un moteur 2,0 litres, proposait juste assez pour être accepté sans rechigner. Mais conscient qu'il fallait en offrir un peu plus, cette année, on a modernisé les deux groupes propulseurs.

CONCURRENTS
Nissan cube,
Suzuki SX-4,
Toyota Matrix

IMPRESSIONS DE L'AUTEUR	
Agrément de conduite :	4 / 5
Fiabilité :	4.5 / 5
Sécurité :	4 / 5
Qualités hivernales :	3.5 / 5
Espace intérieur :	3.5 / 5
Confort :	4 / 5

LA MAGIE DE L'INJECTION DIRECTE

Au cours des quatre ou cinq dernières années, plusieurs constructeurs nous ont proposé de nouveaux modèles dotés de moteurs de cylindrée inférieure à ce qui était proposé sur le même véhicule antérieurement. Pourtant, la puissance était supérieure et l'économie de carburant réduite d'autant. La raison de ces progrès est bien simple : ces moteurs sont tous dotés d'un système à injection directe.

Il est donc normal que les ingénieurs de Kia aient fait appel à cette solution technique lorsqu'est venu le temps de rajeunir et de moderniser le moteur de la Soul. Grâce à la magie de l'injection directe, le moteur 1,6 litre produit dorénavant 138 chevaux, soit un gain de 13 équidés par rapport à la version précédente. Et cette fois, ce moteur peut être couplé en option à une transmission automatique, alors qu'il était est impossible de le faire précédemment. Et peu importe que l'on opte pour la boîte manuelle offerte de série ou l'automatique disponible en option, les deux sont à six rapports. Bien entendu, le moteur le plus populaire continuera certainement d'être le 2,0 litres, dont la puissance est dorénavant de 160 chevaux, un gain de 13 % par rapport à la version précédente.

Catégorie	Multisegment
Échelle de prix	15 995 $ à 23 995 $ (2011)
Garanties	5 ans/100 000 km, 5 ans/100 000 km
Assemblage	Gwangju-Si, Corée du sud
Cote d'assurance	n.d.

Non seulement le Soul sera plus agréable à conduire en raison du rendement supérieur de ses moteurs, mais ses nouvelles transmissions sont également plus modernes et plus efficaces. Un autre élément qui viendra ajouter au plaisir de conduire. Il faut également souligner que les ingénieurs responsables du développement de cette nouvelle cuvée ont profité de l'occasion pour réviser plusieurs éléments de la suspension afin d'améliorer la tenue de route, mais également pour réduire considérablement les vibrations et les infiltrations sonores dans l'habitacle. L'utilisation de produits insonorisants à des endroits précis a permis également d'atténuer le niveau des décibels dans l'habitacle. La version plus sportive est également dotée d'une suspension nouvellement calibrée afin d'optimiser le comportement routier sans pour autant hausser la fermeté des amortisseurs et des ressorts. Le plaisir est augmenté d'autant et le confort n'est pas diminué, bien au contraire.

UN LOOK PARTICULIER

Mais ce qui a fait le grand succès de ce véhicule, c'est sa silhouette vraiment unique et son habitacle très design. Il aurait été mal avisé que les stylistes décident de réviser la carrosserie du tout au tout. Quand on a un atout dans son jeu, on mise dessus et on ne le transforme pas trop. On a sagement décidé d'apporter quelques subtiles modifications, afin de donner plus d'élégance à l'ensemble sans tomber dans la décoration à gogo. L'élément le plus important est sans doute les blocs optiques dotés de diodes électroluminescentes qui servent de phares de jour. Aussi, la grille de calandre est plus accentuée, tandis que d'autres retouches, dont un capot plus bombé, sont autant d'améliorations. À l'arrière, les feux sont toujours verticaux, mais le design a été modifié. Plusieurs autres petites retouches à la carrosserie permettent d'affiner la silhouette et bien entendu, cette voiture conserve sa fenestration bien particulière.

Un autre élément qui a convaincu nombre d'acheteurs par le passé, c'est l'habitacle spacieux, facile d'accès et très polyvalent. En plus, le tableau de bord avait une allure jeune et moderne, en plus d'offrir une bonne ergonomie. On a conservé tous ces ingrédients, en plus d'ajouter quelques petits détails encore plus actuels, dont un affichage électroluminescent, et d'apporter des modifications aux commandes de la console flottante. Enfin, le système audio est plus performant que jamais, notamment sur les modèles plus luxueux.

Bref, on a réussi cette modernisation avec beaucoup de doigté. On a conservé les éléments qui faisaient la force de ce modèle et on les a améliorés et raffinés. Rien n'est parfait, bien entendu. La tenue de route est correcte, mais on ne peut la qualifier de sportive. Toutefois, les gens n'achètent pas cette voiture pour faire du sport, mais bien pour vaquer à leurs occupations quotidiennes. Dans ce cadre, le caractère ludique du Soul leur permet d'agrémenter ces tâches.

Denis Duquet

Photos : Kia

CHÂSSIS - 2.0 4U LUX

Emp/lon/lar/haut	2 550/4 120/1 785/1 661 mm
Coffre	546 à 1 511 litres
Réservoir	48 litres
Nombre coussins sécurité / ceintures	6 / 5
Suspension avant	indépendante, jambes de force
Suspension arrière	semi-indépendante, poutre de torsion
Freins avant / arrière	disque / disque
Direction	à crémaillère, assistée
Diamètre de braquage	10,5 m
Pneus avant / arrière	P235/45R18 / P235/45R18
Poids	1 305 kg
Capacité de remorquage	n.d.

COMPOSANTES MÉCANIQUES

1.6 L	
Cylindrée, soupapes, alim.	4L 1,6 litre 16 s atmos.
Puissance / Couple	138 chevaux / 122 lb-pi
Tr. base (opt) / rouage base (opt)	A6 / Tr
0-100 / 80-120 / 100-0 km/h	11,5 s (est) / 9,0 s (est) / n.d.
Type ess. / ville / autoroute	Ordinaire / 8,4 / 6,9 l/100 km

2.0 4u, 2.0 4u SX, 2.0 4u Lux	
Cylindrée, soupapes, alim.	4L 2,0 litres 16 s atmos.
Puissance / Couple	160 chevaux / 143 lb-pi
Tr. base (opt) / rouage base (opt)	M6 (A6) / Tr
0-100 / 80-120 / 100-0 km/h	9,0 s (est) / 8,0 s (est) / n.d.
Type ess. / ville / autoroute	Ordinaire / 8,7 / 7,1 l/100 km

FEU VERT

- Moteurs plus puissants
- Transmissions six rapports
- Habitacle polyvalent
- Système audio ludique
- Excellente garantie

FEU ROUGE

- Fiabilité inconnue des moteurs
- Visibilité arrière moyenne
- Seuil de chargement élevé
- Pneumatiques moyens

DU NOUVEAU EN 2012

Moteur 1,6 GDI, quelques révisions esthétiques, trois nouvelles couleurs

http://www.kia.ca/

Plus d'informations dans la section statistiques en dernière partie du Guide

C'EST DU SÉRIEUX

Le Kia Sportage de première génération s'était fait connaître par des publicités télévisées humoristiques et très réussies, mais le premier contact avec cet utilitaire-sport compact coréen avait pour effet de nous ramener à l'époque des Lada Niva, tellement ce véhicule était en retard sur le plan technique. Mais les Coréens ont appris vite, très vite même. Le Sportage actuel est à des années-lumières du tout premier modèle, et c'est pourquoi il a reçu le titre de « Meilleur nouvel utilitaire de l'année » du Guide de l'Auto en 2011.

Pour l'année-modèle 2012, la gamme Sportage s'élargit avec l'arrivée du nouveau modèle Turbo, dont le prix a été fixé à 36 995 $ avant l'ajout d'options, soit 15 000 $ de plus que le prix du modèle de base. Il s'agit là d'un montant que l'on s'explique mal, puisqu'il est comparable à celui du Sorento, l'utilitaire de plus grande taille du même constructeur, et pas très loin de celui du BMW X1. Il n'y a pas à dire, les gens de Kia ne manquent pas de culot. Mais si Hyundai peut tenter l'aventure en essayant de vendre sa Equus à un prix supérieur à 63 000 $, pourquoi ne pas faire de même et bousculer aussi les conventions chez Kia ?

En ce qui concerne les performances de cet utilitaire, il est clair que le modèle Turbo ne manque pas d'arguments : puissance chiffrée à 260 chevaux, boîte automatique à six rapports avec mode manuel, suspension sport, tout cela jumelé à une garantie avantageuse. Les clients se bousculeront-ils aux portes des concessionnaires pour autant ? Rien n'est moins sûr, car à ce prix, on entre dans une autre sphère de considérations, celle où l'image de marque joue souvent un plus grand rôle dans la décision d'achat. C'est ce qui pose problème dans le cas de Kia.

CONCURRENTS

Chevrolet Equinox, Ford Escape, Honda CR-V, Hyundai Tucson, Jeep Compass, Jeep Patriot, Mitsubishi Outlander, Nissan Rogue, Toyota RAV4, Volkswagen Tiguan

IMPRESSIONS DE L'AUTEUR	
Agrément de conduite :	4 / 5
Fiabilité :	3 / 5
Sécurité :	4 / 5
Qualités hivernales :	4 / 5
Espace intérieur :	4 / 5
Confort :	4 / 5

UNE BELLE GUEULE

Depuis l'arrivée de l'Allemand Peter Schreyer à la tête du département de design, les modèles Kia ont beaucoup progressé au niveau du style, au point où l'on peut affirmer que les véhicules de la marque ont maintenant une signature visuelle commune, ce qui n'était pas le cas auparavant. Aussi, dans le cas du Sportage, il est évident que les designers ont voulu lui donner une allure plus masculine que celle du modèle de génération précédente. Vu de profil, l'élément le plus frappant est sans aucun doute la ceinture de caisse très élevée, de même que le vitrage réduit, ce qui nous rappelle que Peter Schreyer s'est sans doute inspiré de « sa » Audi TT,

puisqu'il oeuvrait auparavant chez ce constructeur allemand. Le look est donc assez réussit, mais la carrosserie du Sportage présente aussi les défauts de ses qualités dans la mesure où la visibilité vers l'arrière et sur les côtés demeure perfectible. Par ailleurs, soulignons que le Kia Sportage s'est mérité une distinction importante en remportant la palme de sa catégorie dans le célèbre concours international de design Red Dot, concours qui vise à reconnaître les produits de consommation faisant preuve du meilleur design.

La petite surface du vitrage signifie également que l'habitacle nous donne l'impression d'être à l'étroit. Heureusement, ce n'est là qu'une impression, car l'habitabilité du Sportage est en fait très bonne, tout comme son volume de chargement qui se situe d'ailleurs parmi les meilleurs de la catégorie. Les cadrans sont très lisibles et l'assemblage est soigné, mais certains plastiques utilisés pour la réalisation de la planche de bord sont plutôt bas de gamme. Dommage.

SPORTIF, MAIS PAS TROP

Mis à part le modèle Turbo qui est animé par un 4 cylindres suralimenté de 2,0 litres, les autres versions du Sportage font appel au 4 cylindres de 2,4 litres, qui équipe également d'autres modèles en provenance de Kia et de Hyundai, et qui développe 176 chevaux. Il est possible d'opter pour le rouage intégral, ce qui signifie obligatoirement la sélection de la boîte automatique à six rapports. Avec cette configuration, le Sportage s'avère très agréable à conduire et fait preuve d'une bonne stabilité en toutes circonstances. Ce n'est pas le plus puissant ou le plus rapides des véhicules de la catégorie, mais c'est tout à fait correct compte tenu de sa vocation.

Le comportement routier offre un bon compromis entre confort et tenue de route grâce à des suspensions qui sont plus fermes sur le Sportage que sur le Tucson de Hyundai, qui est en quelque sorte son véhicule jumeau. Il nous faut toutefois faire part de deux bémols, soit la piètre qualité de la monte pneumatique d'origine et le fait que la direction soit un peu lente et lourde à la fois. Mais dans l'ensemble, le Sportage est un produit de qualité qui fait preuve d'un bon agrément de conduite.

Mis à part une valeur de revente qui souffre encore de la mauvaise réputation des modèles antérieurs de la marque coréenne, on peut souligner également le fait que la fiabilité à long terme demeure un autre point à améliorer chez Kia. En effet, l'édition 2011 du sondage J.D. Power portant sur la fiabilité des véhicules après 3 ans d'usage, donc des modèles 2008, nous révèle que Kia se place au 20e rang sur 35 marques, alors que Hyundai se classe au 10e rang. C'est signe qu'il reste des progrès à faire.

Gabriel Gélinas

Photos : Marc Lachapelle

Catégorie	VUS
Échelle de prix	21 995 $ à 36 995 $ (2011)
Garanties	5 ans/100 000 km, 5 ans/100 000 km
Assemblage	Gwangju-Si, Corée du sud
Cote d'assurance	n.d.

CHÂSSIS - EX TI

Emp/lon/lar/haut	2 640/4 440/1 855/1 645 mm
Coffre	740 à 1 547 litres
Réservoir	55 litres
Nombre coussins sécurité / ceintures	6 / 5
Suspension avant	indépendante, jambes de force
Suspension arrière	indépendante, multibras
Freins avant / arrière	disque / disque
Direction	à crémaillère, ass. variable électrique
Diamètre de braquage	10,6 m
Pneus avant / arrière	P235/55R18 / P235/55R18
Poids	1 525 kg
Capacité de remorquage	909 kg (2 004 lb)

COMPOSANTES MÉCANIQUES

LX, EX	
Cylindrée, soupapes, alim.	4L 2,4 litres 16 s atmos.
Puissance / Couple	176 chevaux / 168 lb-pi
Tr. base (opt) / rouage base (opt)	M6 (A6) / Tr (Int)
0-100 / 80-120 / 100-0 km/h	11,2 s / 8,4 s / 41,7 m
Type ess. / ville / autoroute	Ordinaire / 10,0 / 7,1 l/100 km

SX	
Cylindrée, soupapes, alim.	4L 2,0 litres 16 s turbo
Puissance / Couple	260 chevaux / 269 lb-pi
Tr. base (opt) / rouage base (opt)	A6 / Int
0-100 / 80-120 / 100-0 km/h	9,0 (est) / 7,0 (est) / 41,7 m
Type ess. / ville / autoroute	Ordinaire / 9,7 / 7,2 l/100 km

- Style réussi
- Garantie avantageuse
- Bonne habitabilité
- Bon volume de chargement

- Visibilité perfectible
- Fiabilité à parfaire
- Modèle turbo très cher
- Direction lourde

DU NOUVEAU EN 2012

Quelques ajouts d'équipement selon les séries, amortisseurs dynamiques ajoutés aux modèles LX

http://www.kia.ca/

Plus d'informations dans la section statistiques en dernière partie du Guide

MÉTAMORPHOSE EN VUE

La Gallardo est une véritable bête qui peut se montrer sublime et caractérielle à la fois. Si l'on se trouve en état d'apothéose devant l'Italo-Allemande en raison de ses performances éclatantes et du son presque guttural de son V10 atmosphérique, on est déçu un peu lorsque l'on est confronté à un bilan de fiabilité plutôt aléatoire.

CONCURRENTS
Aston Martin DB9,
Audi R8,
Chevrolet Corvette,
Ferrari F458 Italia,
Lexus LFA,
Porsche 911

IMPRESSIONS DE L'AUTEUR	
Agrément de conduite :	4 / 5
Fiabilité :	3 / 5
Sécurité :	3 / 5
Qualités hivernales :	2 / 5
Espace intérieur :	2 / 5
Confort :	3 / 5

À ce chapitre, je peux vous préciser que mon expérience personnelle avec deux exemplaires de la Gallardo, qui ont roulé dans le cadre du Challenge Trioomph, n'a ne s'est pas révélée être des meilleures. Notre première voiture a dû recevoir non pas un, mais bien deux nouveaux moteurs en raison de problèmes électroniques, alors que la seconde a également fait l'objet d'un changement de moteur pour des raisons mécaniques. Conséquemment, nous nous devons de qualifier la fiabilité de ce modèle comme étant aléatoire.

UNE CONDUITE TYPÉE

Malgré ces impairs, la Gallardo impressionne grandement par son comportement routier très typé sur circuit. Sur la grande majorité des modèles, le V10 atmosphérique livre sa puissance par l'entremise d'une boîte robotisée appelée e-gear, qui est couplée à un rouage intégral. Avec 552 chevaux livrés aux quatre roues, l'accélération initiale de la Gallardo est saisissante, tout comme la sonorité à la fois gutturale et très évocatrice du moteur. Sur le circuit du mont Tremblant, la direction de la Gallardo s'avère plus lourde que celle de la Audi R8 5.2, malgré le fait que ces deux voitures soient semblables sur le plan technique. Après tout, elles sont toutes deux des intégrales animées par des moteurs V10 montés en position centrale. La présence du rouage intégral signifie également que la Gallardo présente une tendance légèrement plus marquée vers le sous-virage. Avec la boîte robotisée e-gear, les changements de rapports se font sans même que le conducteur n'ait à lever le pied de l'accélérateur et chaque rétrogradation commande automatiquement une montée du régime moteur au neutre avant l'enclenchement du rapport inférieur. Le principal défaut de cette boîte robotisée est que les paliers de commande de passage des vitesses demeurent fixes et ne suivent pas le mouvement du volant. Cela gêne un peu le passage au rapport supérieur en sortie de courbe, puisqu'il faut obligatoirement déplacer sa main droite pour aller actionner le palier.

En matière de style, la Gallardo est une voiture qui a de la gueule et qui ne sera jamais confondue avec une voiture d'une autre

Catégorie	Coupé, Roadster
Échelle de prix	198 000 $ à 280 000 $ (2011)
Garanties	2 ans/illimité, 2 ans/illimité
Assemblage	Sant'Agata, Italie
Cote d'assurance	n.d.

marque tellement sa silhouette est taillée au couteau. En fait, son look s'apparente davantage à celui d'un avion furtif que d'une automobile. Même si la Gallardo n'adopte pas les portières en élytre qui sont le propre de la Murcielago, elle demeure une authentique Lamborghini.

Afin de maintenir l'intérêt pour la Gallardo, Lamborghini a produit plusieurs nouvelles variantes au cours des dernières années. Ainsi, les versions Superleggera (Super Légère, en italien) ont été ajoutées au catalogue, de même que les plus récentes Gallardo Tricolore, sur laquelle on retrouve une bande décoratrice, représentant les trois couleurs du drapeau italien, disposée sur toute la longueur de la voiture afin d'évoquer le 150e anniversaire de l'unification de l'Italie. Il y a également la Gallardo Bicolore qui, comme son nom l'indique, est dotée d'une peinture deux tons : le toit et la partie arrière de la voiture sont de couleur noire, contrastant ainsi avec l'une des cinq couleurs disponibles pour la carrosserie. Sur le plan technique, la Bicolore n'est pas dotée du rouage intégral, mais est plutôt une propulsion, tout comme le modèle spécial Balboni, qui rend hommage à l'un des célèbres pilotes d'essai de la marque.

DE LA GALLARDO À LA CABRERA

Règle générale, lorsqu'un constructeur se met à lancer des éditions spéciales ou des versions plus typées de modèles existants, cela signifie que les jours du modèle en question sont comptés. C'est probablement ce scénario qui a cours actuellement avec la Gallardo, lancée en 2003 et restylée en 2008.

C'est qu'elle a du mal à affronter la plus récente Ferrari 458 Italia, sans compter qu'elle doit maintenant de subir les assauts de la nouvelle McLaren MP4-12C. C'est pourquoi la nouvelle génération du modèle s'appellera Cabrera, un nom choisi par Stefan Winkelmann, l'actuel président de la marque, ce qui respecte la tradition établie chez le constructeur de Sant'Agata, soit celle de nommer les voitures en l'honneur de célèbres taureaux. Dans ce cas-ci, le nom Cabrera ne désigne pas un taureau en particulier, mais bien une célèbre lignée de taureaux de combat. Voilà un nom particulièrement à propos, quand on tient compte de la récente tendance qui veut que plusieurs modèles différents soient développés à partir d'une même voiture. Comme elle devra livrer bataille à son éternelle rivale en provenance de chez Ferrari, la Cabrera devrait être animée par un V10 atmosphérique développant 600 chevaux, qui sera jumelé au rouage intégral. De plus, le style de sa carrosserie devrait établir un lien direct avec la nouvelle Aventador, tout en faisant un usage étendu de pièces réalisées en plastique renforcé de fibre de carbone, afin de réduire le poids de la voiture. En espérant qu'elle soit fiable…

Gabriel Glinas

Photos: Lamborghini

CHÂSSIS - GT COUPÉ	
Emp/lon/lar/haut	2 560/4 386/1 900/1 165 mm
Coffre	110 litres
Réservoir	90 litres
Nombre coussins sécurité / ceintures	4 / 2
Suspension avant	indépendante, bras inégaux
Suspension arrière	indépendante, multibras
Freins avant / arrière	disque / disque
Direction	à crémaillère, ass. variable
Diamètre de braquage	11,5 m
Pneus avant / arrière	P235/35ZR19 / P295/30ZR19
Poids	1 340 kg
Capacité de remorquage	n.d.

COMPOSANTES MÉCANIQUES	
LP 560-4, LP 560-4 Spyder	
Cylindrée, soupapes, alim.	V10 5,2 litres atmos.
Puissance / Couple	552 chevaux / 398 lb-pi
Tr. base (opt) / rouage base (opt)	M6 (A6) / Int
0-100 / 80-120 / 100-0 km/h	3,7 s / 3,5 s (est) / n.d.
Type ess. / ville / autoroute	Super / 20,1 / 12,2 l/100 km
LP 570-4 Superleggera	
Cylindrée, soupapes, alim.	V10 5,2 litres 40 s atmos.
Puissance / Couple	570 chevaux / 398 lb-pi
Tr. base (opt) / rouage base (opt)	M6 (A6) / Int
0-100 / 80-120 / 100-0 km/h	3,4 s / 3,3 s (est) / n.d.
Type ess. / ville / autoroute	Super / 22,2 / 10,0 l/100 km

- Moteurs V10 performants
- Boîte automatisée rapide
- Style très évocateur
- Disponible en intégrale ou propulsion

- Sous-virage marqué sur circuit
- Direction lourde
- Prix très élevés
- Fiabilité aléatoire

DU NOUVEAU EN 2012

Aucun changement majeur

http://www.lamborghini.ca/

Plus d'informations dans la section statistiques en dernière partie du Guide

LE BÉBÉ DE LA FAMILLE

Dans une famille, les aînés ont souvent droit à toutes les attentions. Ils sont plus grands, plus forts et excellent dans les sports ou sur le plan académique. Puis il y a le plus jeune, celui qui dérange tout le temps, qui passe en dernier et qui tente de se faire remarquer en disant des énormités lorsqu'il y a des visiteurs. Le LR2 est un peu comme ce petit dernier, mais puisque c'est un VUS de luxe, il est poli et bien élevé.

Force est d'admettre que le LR2 vit dans l'ombre des grands LR4, Range Rover et Range Rover Sport, et bientôt l'Evoque, qui sera une des vedettes de la famille à son arrivée sur le marché. C'est que ce LR2 fait office de modèle d'entrée de gamme. Il est plus petit, moins puissant et sa silhouette reste plutôt discrète. Autrefois, il s'appelait le Freelander et ce n'était pas un véhicule tellement intéressant. Lors de sa refonte en 2008, on a décidé de faire oublier le passé en lui donnant la nouvelle appellation LR2 (même s'il porte le nom de Freelander 2 dans plusieurs contrées). Mais peu importe sa désignation, il demeure un authentique Land Rover et possède les indéniables qualités propre à sa famille en matière de conduite hors route.

CONCURRENTS
Acura RDX,
Audi Q5,
BMW X3,
Infiniti EX,
Mercedes-Benz Classe GLK,
Volvo XC60

IMPRESSIONS DE L'AUTEUR	
Agrément de conduite :	4 / 5
Fiabilité :	3 / 5
Sécurité :	4 / 5
Qualités hivernales :	4 / 5
Espace intérieur :	4 / 5
Confort :	4 / 5

COMME LES GRANDS FRÈRES

Les LR4 et Range Rover, pour ne nommer que ces deux modèles, sont en mesure de franchir des obstacles que peu d'autres VUS peuvent dompter. Leurs étonnantes capacités hors route sont le fait de leur rouage intégral ultra sophistiqué. Évidemment, le LR2 est moins bien pourvu que ses grands frères à ce chapitre, car il ne possède ni gamme basse (LO), ni suspension ajustable en hauteur. En fait, son rouage intégral Haldex est plus simple, mais il reste que son efficacité a fait ses preuves, d'autant plus qu'il est associé au système de gestion Terrain Response, qui fait honneur à la réputation de la marque. Ce système permet au conducteur d'adapter le comportement du véhicule en fonction du type de sol sur lequel il circule. Les modes « tarmac » (asphalte), « herbe », « terre », « neige », « boue », « racines » et « sable » sont préprogrammés pour optimiser l'efficacité du rouage intégral. Le Terrain Response fait interagir les freins ABS, le système de contrôle de la stabilité, la transmission et l'accélérateur pour offrir le maximum de traction en tout temps. Il y a aussi le système d'aide à la descente, qui gère tous les paramètres ci-haut mentionnés, pour permettre au véhicule de descendre des pentes en toute sécurité. Le conducteur n'a qu'à relâcher les freins et le système s'occupe du

reste. Ces aides électroniques à la conduite permettent à presque tout le monde de circuler dans les sentiers sans problème.

L'HÉRITAGE DE FORD

Il est fort possible que le LR2 bénéficie d'un nouveau moteur dans le futur, mais pour l'instant, les ingénieurs sont surtout occupés à peaufiner l'Evoque, qui fait ses débuts cette année. Ce Land Rover continue donc d'être un héritier de l'époque Ford. On se souvient que l'entreprise américaine était aussi propriétaire de Volvo, et pour diminuer les coûts de fabrication, on avait utilisé, pour le LR2, le châssis et la mécanique de la berline Volvo S80. Bien entendu, cette plate-forme a été sérieusement revue et rigidifiée. Mais on aurait pu trouver pire…

En fait, si la plate-forme est adéquate, le moteur a toutefois de la difficulté à suivre la parade. Le six cylindres en ligne de 3,2 litres n'est pas le plus récent et, surtout, pas le plus puissant. Ses 230 chevaux et 234 livres-pied de couple paraissent adéquats à première vue, mais ils peinent à la tâche lorsqu'on leur demande de déplacer près de 2000 kilos. Il faut donc planifier les dépassements. Et malgré la présence d'une boîte automatique à six rapports, la consommation dépasse les 14 l/100 km en ville. Ouch !

L'habitacle est correct, mais on ne peut s'empêcher de trouver des points communs avec certains modèles Ford, notamment en ce qui a trait au volant et à quelques commandes. Heureusement, la qualité des matériaux est bonne et la finition très relevée. Mais une petite mise à niveau serait nécessaire et la simplification des boutons et des commandes serait grandement appréciée.

Comme il se doit, tous les systèmes d'aide au stationnement, de connectivité ou de confort trouvent leur place à bord du LR2. Les sièges sont très accueillants et l'espace ne manque pas, même à l'arrière. Et comme tous les autres produits de la marque, l'insonorisation s'avère très poussée. Toutefois, on ne peut qualifier le LR2 de véhicule sportif, même si son comportement routier est des plus adéquats. Et comme pour tout Land Rover qui se respecte, le roulis en virage est important.

Même si la tradition de la marque demeure excellente, la fiabilité demeure toujours un point d'interrogation majeur lorsqu'il est question de Land Rover. Mais selon certaines publications qui surveillent la fiabilité des véhicules moteurs, celle du LR2 est dans la moyenne. Mais il reste encore beaucoup de progrès à faire en cette matière et le constructeur a du pain sur la planche s'il désire redorer son blason à ce niveau. D'ailleurs, lorsque les chroniqueurs automobiles se rencontrent, ils ont toujours une anecdote à raconter concernant leurs derniers déboires au volant d'un Land Rover.

Jean Léon

Photos: Land Rover

LAND ROVER LR2

Catégorie	VUS
Échelle de prix	46 220 $ à 50 200 $ (2011)
Garanties	4 ans/80 000 km, 4 ans/80 000 km
Assemblage	Halewood, Angleterre
Cote d'assurance	n.d.

CHÂSSIS - HSE	
Emp/lon/lar/haut	2 660/4 500/2 195/1 740 mm
Coffre	755 à 1 670 litres
Réservoir	70 litres
Nombre coussins sécurité / ceintures	7 / 5
Suspension avant	indépendante, jambes de force
Suspension arrière	indépendante, jambes de force
Freins avant / arrière	disque / disque
Direction	à crémaillère, assistée
Diamètre de braquage	11,3 m
Pneus avant / arrière	P235/60R18 / P235/60R18
Poids	1 930 kg
Capacité de remorquage	1 585 kg (3 494 lb)

COMPOSANTES MÉCANIQUES	
Base	
Cylindrée, soupapes, alim.	6L 3,2 litres 24 s atmos.
Puissance / Couple	230 chevaux / 234 lb-pi
Tr. base (opt) / rouage base (opt)	A6 / Int
0-100 / 80-120 / 100-0 km/h	9,7 s / 8,3 s / 38,5 m
Type ess. / ville / autoroute	Super / 14,1 / 9,1 l/100 km

FEU VERT

- Silhouette élégante
- Bonne habitabilité
- Excellentes capacités en hors route
- Finition relevée
- Confort assuré

FEU ROUGE

- Moteur d'une autre époque
- Consommation élevée
- Fiabilité inquiétante
- Dépréciation prononcée
- Ergonomie à revoir

DU NOUVEAU EN 2012

Aucun changement majeur

http://www.landrover.com/

Plus d'informations dans la section statistiques en dernière partie du Guide

L'AUTHENTIQUE VUS

Lorsqu'on parle des véhicules produits par Land Rover, on mentionne immédiatement les modèles les plus huppés et les plus luxueux. Cependant, il ne faut jamais perdre de vue que cette compagnie a débuté à la fin des années 40 en produisant des véhicules ultra robustes, ultra dépouillés et capables d'en découdre avec les pires conditions routières.

Au fil des années, ceux-ci se sont embourgeoisés et de nos jours, chaque fois qu'on prononce le nom de la marque, on ne pense plus nécessairement à la conduite hors route. Pourtant, s'il est vrai que le luxe a quelque peu pris le contrôle, l'entreprise n'a jamais cessé de produire des véhicules qui, s'ils nous dorlotent par un habitacle cossu, possèdent toujours des capacités de conduite hors route supérieures à la moyenne.

CONCURRENTS
Acura MDX, BMW X5,
Infiniti FX, Lexus RX,
Mercedes-Benz Classe M,
Porsche Cayenne,
Volkswagen Touareg,
Volvo XC90

IMPRESSIONS DE L'AUTEUR	
Agrément de conduite :	4 / 5
Fiabilité :	3 / 5
Sécurité :	4 / 5
Qualités hivernales :	4.5 / 5
Espace intérieur :	4 / 5
Confort :	4 / 5

Si les Range Rover sont destinés aux biens nantis qui veulent aller tirer au pigeon d'argile dans le champ d'à côté, les Land Rover ont essentiellement une vocation de tout-terrain. Qu'il s'agisse du LR2, plus petit, ou du LR4, beaucoup plus haut, leurs capacités en conduite hors route sont impressionnantes. Soulignons au passage que ces nomenclatures sont réservées pour notre marché, car autant en Europe que partout ailleurs sur la planète, le LR2 s'appelle le Freelander 2 tandis que le LR4 est nommé Discovery 4. À vous de décider laquelle vous plaît le plus. Une chose est certaine, les produits Land Rover sont très populaires sur notre marché, ce qui porte à croire que ces identifications sont efficaces.

CONÇU POUR LE TRAVAIL

Le luxe de l'habitacle et la longue liste d'équipement de série font partie intégrante du LR4. Toutefois, sa silhouette n'a certainement pas été dessinée pour gagner des concours d'élégance. Mais puisque la forme suit la fonction, on lui trouve un petit quelque chose d'exotique, un cachet particulier qui plaît aux amateurs du genre. On remarque immédiatement que sa fenestration est très importante, que le pavillon est légèrement surélevé et que la porte arrière est articulée du côté droit. Bien entendu, le seuil des portières est relativement élevé en raison d'une garde au sol conçue pour la conduite hors route.

Certes, l'habitacle est luxueux, mais il ne faut pas passer sous le silence son aspect pratique. Mais avant de parler de la planche de bord, soulignons que les places arrière bénéficient d'un bon dégagement pour la tête en raison d'un toit surélevé. Cela permet également de loger des objets un peu plus grands. À l'avant, c'est

Catégorie	VUS
Échelle de prix	59 990 $ (2011)
Garanties	4 ans/80 000 km, 4 ans/80 000 km
Assemblage	Solihull, Angleterre
Cote d'assurance	moyenne

confortable, tout comme la seconde rangée de sièges. Par contre, la troisième rangée est presque inutilisable. Et on peut sentir les origines britanniques du mécanisme qui sert à la déployer: croyez-moi, si vous tentez l'aventure, vous terminerez en tempêtant, c'est garanti. De plus, si jamais vous réalisez l'exploit de la mettre en place, vous perdrez une bonne partie de l'espace de chargement du coffre à bagages.

Au fil des années, les concepteurs des véhicules Land Rover ont trouvé le moyen de simplifier la disposition des commandes et leur fonctionnement. Auparavant, on avait l'impression de se prêter à un test d'intelligence tant il était complexe de savoir à quoi servait tel ou tel bouton. La plupart du temps, notre jugement était erroné et on appuyait sur la mauvaise touche. Cette fois-ci, c'est clair, simple et tout est à la portée de la main. De plus, le moyeu du volant dispose de nombreuses touches de commande en périphérie. Il y en a même qui sont multifonctionnelles et qui permettent de procéder à plusieurs réglages. On se croirait presque en Formule 1. À cause du volant, bien sûr!

ÇA PASSE PARTOUT

Un jour, lors d'une réunion de spécialistes de conduite tout-terrain, plusieurs s'étaient arrêtés devant un obstacle qu'ils jugeaient presque infranchissable. Arrive un propriétaire de LR4 qui déclara, après avoir examiné la chose très rapidement: « Ça passe, et facilement. » Il prit place à bord de son véhicule, régla le système de gestion du rouage intégral « Terrain Response » constitué d'un gros bouton placé sur la console centrale — il suffit de sélectionner le pictogramme qui convient aux conditions du terrain — et ajusta le niveau du véhicule avec la suspension pneumatique. Ensuite, notre homme partit, franchit l'obstacle comme si de rien n'était et impressionna grandement les personnes présentes désormais plus convaincues que jamais de l'efficacité hors route d'un Land Rover.

Mais il s'agit d'un véhicule lourd qui pèse plus de 2 tonnes. Il lui faut donc un groupe propulseur capable d'offrir des performances dignes de son rang. Cette puissance sera également sollicitée pour négocier les sentiers boueux et rocailleux. Ce moteur V8 de 5,0 litres produit 375 chevaux et 375 lb-pi de couple, ce qui est amplement suffisant. Par contre, le fait de déplacer cette masse est très onéreux en matière de consommation de carburant: généralement plus de 17 l/100 km. Ouch!

Si vous avez les moyens de payer les factures d'essence et, naturellement, le véhicule lui-même, vous l'apprécierez si vous l'utilisez en sentiers hors route. En condition routière normale, c'est un gros véhicule qui accuse un fort roulis dans les virages et qui doit être conduit en tenant compte des caractéristiques générales d'un gros VUS.

Denis Duquet

Photos: Land Rover

CHÂSSIS - LR4 V8	
Emp/lon/lar/haut	2 885/4 839/2 176/1 938 mm
Coffre	1 260 à 2 476 litres
Réservoir	87 litres
Nombre coussins sécurité / ceintures	6 / 5
Suspension avant	indépendante, double triangulation
Suspension arrière	indépendante, double triangulation
Freins avant / arrière	disque / disque
Direction	à crémaillère, ass. variable
Diamètre de braquage	11,5 m
Pneus avant / arrière	P255/55R19 / P255/55R19
Poids	2 567 kg
Capacité de remorquage	3 247 kg (7 158 lb)

COMPOSANTES MÉCANIQUES	
LR4 V8	
Cylindrée, soupapes, alim.	V8 5,0 litres 32 s atmos.
Puissance / Couple	375 chevaux / 375 lb-pi
Tr. base (opt) / rouage base (opt)	A6 / Int
0-100 / 80-120 / 100-0 km/h	8,4 s / 7,0 s / 42,0 m (est)
Type ess. / ville / autoroute	Super / 17,1 / 11,6 l/100 km

FEU VERT

- Capacités hors route impressionnantes
- Moteur puissant
- Habitacle confortable
- Construction robuste
- Bonne capacité de remorquage

FEU ROUGE

- Consommation impressionnante
- Roulis en virage
- Faible valeur de revente
- Siège de la troisième rangée peu utile
- Fiabilité à prouver

DU NOUVEAU EN 2012

Aucun changement majeur

http://www.landrover.com/

Plus d'informations dans la section statistiques en dernière partie du Guide

LA RÉFÉRENCE

Comme c'est souvent le cas, le véhicule qui créé une catégorie est généralement considéré comme la référence, même plusieurs décennies après son lancement. C'est le cas du Range Rover, qui continue de rouler sa bosse plus de 41 ans après sa création. Bien entendu, il y a eu plusieurs moutures de ce modèle et la plus récente est survenue en 2001. Il s'agit d'ailleurs du modèle le plus populaire dans l'histoire de la marque. Par contre, la mécanique est l'une des plus modernes que l'on puisse trouver dans cette catégorie.

Au Québec et au Canada, le Range Rover est essentiellement considéré comme un véhicule de luxe. Pourtant, ce constructeur a dépensé beaucoup d'argent, au fil des années, pour démontrer et vanter les mérites de la conduite en tout terrain de ce modèle. C'est effectivement un costaud qui est capable d'en prendre. D'ailleurs, dans plusieurs pays, c'est le véhicule à tout faire, alors que plusieurs personnes s'en servent pour leur travail comme pour leurs loisirs.

PASSEZ AU SALON

D'abord, quelques mots sur l'habitacle. Quand on vend un véhicule tout près de 100 000 $ (ou plus), il faut offrir à la clientèle plus qu'une capacité impressionnante à franchir des obstacles et une carrosserie relativement carrée. En conséquence, lorsqu'on prend place dans un Range Rover, on trouve des sièges en cuir et des appliqués en bois sur le tableau de bord. Et dès qu'on peut placer un morceau de cuir quelque part, on le fait. Et compte tenu des dimensions extérieures, l'habitabilité ne fait pas défaut et on peut prendre ses aises sans heurter le voisin d'à côté. Il en est de même de la seconde rangée tandis que l'utilisation de la troisième, comme chez tous les véhicules, doit se limiter à de courts trajets. De plus, ces sièges, une fois déployés, viennent empiéter sur l'espace réservé aux bagages. Si vous voulez partir à la campagne avec vos amis, mieux vaut se limiter à quatre occupants. Ce sera plus confortable et vous pourrez transporter tous vos bagages.

CONCURRENTS
Cadillac Escalade, Infiniti QX, Lexus LX, Lincoln Navigator, Mercedes-Benz Classe G, Mercedes-Benz Classe GL

IMPRESSSIONS DE L'AUTEUR	
Agrément de conduite :	4/5
Fiabilité :	3/5
Sécurité :	4/5
Qualités hivernales :	4.5/5
Espace intérieur :	4/5
Confort :	4/5

Autrefois, on s'y perdait avec les commandes et il était difficile de savoir ce qui activait quoi. On voulait actionner les essuie-glaces et les fenêtres s'abaissaient. On voulait engager la climatisation et c'est la radio qui jouait. Bref, c'était démentiel et la plupart des boutons de commande semblaient avoir été empruntés à des appareils électroménagers. Heureusement, la tutelle de BMW, Ford et Tata au cours des âges a permis de simplifier les choses et de donner une logique à la plupart des commandes et à leur disposition.

Catégorie	VUS
Échelle de prix	94 290 $ à 112 280 $ (2011)
Garanties	4 ans/80 000 km, 4 ans/80 000 km
Assemblage	Solihull, Angleterre
Cote d'assurance	n.d.

Mais on ne fait rien comme les autres chez ce constructeur. Prenez le volant par exemple, dont le moyeu possède, dans sa périphérie, de multiples touches de commandes. On lui trouve des boutons multifonctions qui rappellent un peu un *joystick*. Soulignons au passage que la finition est excellente et la qualité des matériaux très relevée. À ce prix, on s'attend à cela.

AMENEZ-EN DES OBSTACLES !

On parle du luxe et du raffinement de l'habitacle, mais il ne faut pas perdre de vue que nous avons affaire à un authentique tout-terrain capable de passer partout. La carrosserie en aluminium permet d'alléger le poids et de compenser pour le centre de gravité élevé. Quant à la fenestration importante, elle favorise une bonne vision pour conduire dans des sentiers presque impraticables. De plus, le rouage intégral est l'un des plus sophistiqués qui soient et le châssis est très costaud. On pourra pousser la conduite hors route sans risque d'endommager la plate-forme. En ce qui a trait au système Terrain Response, il suffit d'appuyer sur un bouton placé sur la console pour l'activer. Sur chacun de ces boutons, un pictogramme identifie le type de conditions routières que l'on devrait rencontrer. À ce moment-là, l'ordinateur de bord recalcule les paramètres de la suspension, du *mapping* du moteur et de la hauteur de la garde au sol par le biais d'amortisseurs pneumatiques. Les trois différentiels seront également réglés afin d'optimiser la traction. Et si vous vous retrouvez seul au volant sans avoir quelqu'un pour vous guider dans des situations difficiles, des caméras placées en des endroits stratégiques seront d'une grande assistance.

Tout cela est certes impressionnant. Par contre, les accessoires à commande électronique risquent de vous mettre dans l'embarras s'ils viennent à cesser de fonctionner. Et comme la fiabilité de ce modèle n'est pas parmi les meilleures, on souhaite bonne chance aux aventuriers. Il faut également des moteurs puissants pour déplacer une masse de plus de 2 500 kilogrammes. À ce chapitre, le Range Rover est bien pourvu. Le moteur de base est un V8 de 5,0 produisant 375 chevaux, associé à une transmission automatique à six rapports dont le fonctionnement est impeccable. Si cela ne vous suffit pas, il y a la version Supercharged qui, grâce à la magie de la suralimentation, est dotée d'un moteur développant la bagatelle de 510 chevaux. Soyez assurés que la consommation de l'un et l'autre de ces moteurs est fort élevée. On vous aura prévenu.

Malgré une fiabilité inégale, ce costaud demeure la référence chez les VUS de luxe. Et si vous voulez savoir pourquoi, allez faire un tour hors route avec un spécialiste de la compagnie. Vous en serez convaincu.

Denis Duquet

Photos: Land Rover

CHÂSSIS - LR V8 SUPERCHARGED

Emp/lon/lar/haut	2 880/4 972/1 956/1 877 mm
Coffre	994 à 2 099 litres
Réservoir	104 litres
Nombre coussins sécurité / ceintures	6 / 5
Suspension avant	indépendante, jambes de force
Suspension arrière	indépendante, double triangulation
Freins avant / arrière	disque / disque
Direction	à crémaillère, ass. variable
Diamètre de braquage	11,6 m
Pneus avant / arrière	P255/50R20 / P255/50R20
Poids	2 672 kg
Capacité de remorquage	3 500 kg (7716 lb)

COMPOSANTES MÉCANIQUES

LR V8

Cylindrée, soupapes, alim.	V8 5,0 litres 32 s atmos.
Puissance / Couple	375 chevaux / 375 lb-pi
Tr. base (opt) / rouage base (opt)	A6 / Int
0-100 / 80-120 / 100-0 km/h	7,6 s / n.d. / n.d.
Type ess. / ville / autoroute	Super / 17,5 / 11,6 l/100 km

LR V8 Supercharged

Cylindrée, soupapes, alim.	V8 5,0 litres 32 s surcomp.
Puissance / Couple	510 chevaux / 461 lb-pi
Tr. base (opt) / rouage base (opt)	A6 / Int
0-100 / 80-120 / 100-0 km/h	6,2 s / n.d. / n.d.
Type ess. / ville / autoroute	Super / 18,1 / 11,7 l/100 km

- Sans égal en hors route
- Moteurs puissants
- Habitacle ultra luxueux
- Bonne habitabilité
- Tableau de bord plus convivial

- Consommation éhontée
- Fiabilité à démontrer
- Prix très, très corsés
- Dépréciation rapide
- Coûts d'entretien élevés

DU NOUVEAU EN 2012

Aucun changement majeur

http://www.landrover.com/

Plus d'informations dans la section statistiques en dernière partie du Guide

LE LAND ROVER LE PLUS EFFICACE ?

Afin de profiter de l'engouement envers les VUS compacts de luxe qui sévit depuis quelques années, le constructeur anglais Land Rover, maintenant sous le joug de l'indien Tata avec Jaguar, introduit cette année sa toute dernière création : le Range Rover Evoque, un VUS qui pourra rivaliser avec l'Audi Q5, le Mercedes-Benz GLK, le BMW X3 et le Volvo XC60. Histoire d'attirer l'attention des acheteurs, le constructeur mise principalement sur le style, sur sa renommée et sur les légendaires capacités hors route de ses véhicules.

La tendance actuelle est à la production de véhicules verts, et même si l'Evoque ne dispose pas d'une motorisation hybride, il demeure sans aucun doute le véhicule le plus écologique que le constructeur ait jamais construit. Sa conception entière tend à minimiser son impact sur l'environnement, notamment en raison de l'utilisation d'éléments recyclés dans la conception de plusieurs composantes. Par exemple, le panneau de toit à l'intérieur est fait entièrement de bouteilles d'eau de plastique recyclées, tout comme une partie du tissu qui recouvre les sièges. Les ingénieurs ont aussi misé sur la légèreté du véhicule, afin de le rendre plus économe. Tout comme les autres Range Rover, la carrosserie du Evoque est entièrement composée d'aluminium, alors que les différents panneaux sont rivetés plutôt que soudés, assurant une rigidité accrue et surtout, une légèreté exemplaire.

L'Evoque est construit à partir de la plate-forme du Land Rover LR2, mais les similitudes entre les deux modèles s'arrêtent là. Ils ne partagent pratiquement aucune composante, contrairement à ce que l'on aurait pu croire initialement. Au chapitre des dimensions, il est 105 mm moins haut que le LR2 et 428 mm plus court que le Range Rover Sport.

CONCURRENTS

Audi Q5,
BMW X3,
Mercedes-Benz classe GLK,
Volvo XC60

IMPRESSIONS DE L'AUTEUR

Agrément de conduite : ■■■■	4 / 5
Fiabilité :	NOUVEAU MODÈLE
Sécurité : ■■■■	4 / 5
Qualités hivernales : ■■■■	4 / 5
Espace intérieur : ■■■	3 / 5
Confort : ■■■■	4 / 5

UN COUPÉ SPORT VERSION VUS

Il faut avouer qu'au premier coup d'œil, l'Evoque s'avère moderne et drôlement réussi. On le sent athlétique et prêt à bondir en tout temps, notamment en raison de ses roues de grandes dimensions — 20 pouces sur certaines versions — qui ornent les flancs. Son style dynamique lui est aussi conféré par sa ligne de toit qui plonge à l'arrière, créant des zones vitrées réduites, surtout pour ce qui est de la lunette arrière. On comprend que la visibilité en soit affectée, mais depuis quelques années, on priorise le design plutôt que la fonctionnalité. Le style vend et les gens semblent s'accommoder de compromis. À l'avant, on retrouve la grille typique à Land Rover, alors que les phares apportent une belle touche de modernité avec leur bande de lumières LED qui font office de phares de jour.

L'Evoque est proposé en deux configurations — coupé ou cinq portes —, ce qui le distingue de ses concurrents. Un coupé sport version VUS? Eh oui. Cette option, qui risque d'en intéresser plus d'un, donne à l'Evoque un format unique dans son segment. Il faut avouer que ce coupé offre tout un style, même s'il perd quelque peu en ce qui a trait à l'aspect pratique. Il est aussi un peu moins haut (30 mm) que la version cinq portes, ce qui ajoute à son style compact accru. Si vous avez une jeune famille, il est toutefois préférable de se tourner vers la version à cinq portes, beaucoup plus fonctionnelle et tout aussi stylisée. Le constructeur a su pratiquement faire disparaître les deux portes arrière.

Les deux versions sont également proposées avec divers ensembles thématiques (Pure, Dynamic, Prestige) apportant un traitement esthétique différent et procurant, par le fait même, des personnalités distinctes. Par exemple, dans la version Dynamique, les bas de caisses sont peints selon la carrosserie. Bref, l'Evoque est une belle réussite au chapitre du style.

UN HABITACLE SOIGNÉ

Puisqu'il porte l'appellation Range Rover, l'Evoque fait partie de la noblesse chez Land Rover et il se distingue du LR2 par son niveau de luxe supérieur. À bord, on retrouve le même environnement typique des autres modèles et on n'a pas l'impression d'être au volant d'un modèle dégarni. On apprécie le modernisme du tableau de bord et son efficacité, tout comme l'écran tactile qui facilite le contrôle de plusieurs fonctions. Puisque les compagnies Land Rover et Jaguar sont de plus en plus liées intimement, certains éléments de Jaguar trouvent leur chemin à bord du Evoque, notamment la commande rotative de la transmission qui se déploie de la console une fois le véhicule mis en fonction.

Le Range Rover Evoque n'est proposé qu'avec une seule mécanique, soit un moteur quatre cylindres de 2,0 litres turbocompressé, qui développe une bonne puissance, soit 240 chevaux pour un couple de 251 lb-pi. Ce moteur, qui est marié de série à une boîte automatique à six rapports, trouve ici une première application chez le constructeur et ce moteur est tout sauf inintéressant. Sa cylindrée réduite permet une économie de carburant plus qu'appréciable, alors que sa technologie d'injection directe y contribue également, tout en produisant une puissance accrue.

Le secret de ce moteur est sans contredit sa turbocompression, élément qui lui procure la puissance nécessaire afin de déplacer

sans gêne l'Evoque. Chez Ford, on parle d'Ecoboost, chez Land Rover, on n'a pas trouvé de terme marketing aussi intéressant. Avec sa taille réduite et sa légèreté, l'Evoque offre une consommation plus que raisonnable, soit un peu plus de 9,0 l/100 km en moyenne, tant qu'on reste poli avec l'accélérateur, bien sûr. Cette motorisation représente bien la nouvelle tendance, soit des cylindrées réduites, mariées à la turbocompression.

Sur la route, le petit quatre cylindres livre des performances surprenantes. Certes, on n'obtient pas le *punch* d'un V6, mais la puissance est constante et linéaire. Le couple est livré à bas régime sans délai, ce qui s'avère normalement plus difficile avec un moteur turbocompressé. Enfoncez l'accélérateur et l'Evoque bouclera le sprint du 0-100 km/h en environ 7,6 secondes. La transmission automatique appuie bien les prestations du moteur. Les changements sont doux et sans hésitation, alors que le sixième rapport maintient une révolution relativement basse, ce qui se révèle, en temps normal, moins facile avec les moteurs de plus petites cylindrées. Un mode sport permet une conduite un peu plus dynamique, alors que les leviers situés derrière le volant vous permettront de gérer les rapports à votre guise. Quant à ses capacités de remorquage, les chiffres ne sont pas annoncés, mais le tout devrait être comparable aux autres modèles de la gamme.

DIGNE DU NOM

Puisqu'il porte l'emblème d'une longue lignée de modèles réputés pour leurs capacités hors route, l'Evoque ne peut en faire moins. Il dispose donc d'un rouage intégral de série baptisé « Terrain

Catégorie	VUS
Échelle de prix	n.d.
Garanties	4 ans / 80 000 km, 4 ans / 80 000 km
Assemblage	Halewood, Angleterre
Cote d'assurance	n.d.

CHÂSSIS - PRESTIGE 5 PORTES

Emp/lon/lar/haut	2 660/4 355/2 125/1 635 mm
Coffre	550 à 1 350 litres
Réservoir	70 litres
Nombre coussins sécurité / ceintures	n.d. / 5
Suspension avant	indépendante, jambes de force
Suspension arrière	indépendante, jambes de force
Freins avant / arrière	disque / disque
Direction	à crémaillère, ass. variable électrique
Diamètre de braquage	11,3 m
Pneus avant / arrière	n.d. / n.d.
Poids	1 670 kg
Capacité de remorquage	n.d.

COMPOSANTES MÉCANIQUES

Coupé, 5 portes

Cylindrée, soupapes, alim.	4L 2,0 litres turbo
Puissance / Couple	240 chevaux / 251 lb-pi
Tr. base (opt) / rouage base (opt)	A6 / Int
0-100 / 80-120 / 100-0 km/h	7,6 s (const) / n.d. / n.d.
Type ess. / ville / autoroute	n.d. / n.d. / n.d. l/100 km

Response ». Une commande vous permettra de sélectionner, selon les conditions, différents modes représentés par des pictogrammes (neige, sable, hors route…), assurant au véhicule une conduite et une traction optimale. Certes, peu d'acheteurs iront parcourir le sentier du Rubicon avec leur Evoque, mais le véhicule vous donnera l'assurance de pouvoir affronter toutes les conditions.

Afin que les capacités hors sentier n'affectent pas trop le confort sur route, l'Evoque peut être équipé d'une suspension baptisée Magnetic Ride. Ce système ajuste, à un rythme de plusieurs milliers de fois à la seconde, la fermeté de l'amortisseur selon les conditions de la route, maximisant ainsi le confort des occupants et les performances de l'Evoque. Ce système se compose d'amortisseurs comportant un fluide contenant des particules magnétiques. Un courant électrique fait ensuite réagir les particules dans l'amortisseur, faisant varier sa fermeté. Cette technologie permet un temps de réaction beaucoup plus rapide que les systèmes similaires, qui modulent le niveau de fluide dans l'amortisseur.

Le Range Rover Evoque dispose de plusieurs arguments convaincants. Il s'agit d'un véhicule qui permettra certainement au constructeur d'augmenter son volume de vente et de rivaliser dans un segment hautement populaire. Espérons toutefois que la fiabilité sera au rendez-vous.

Sylvain Raymond

FEU VERT

- Style réussi
- Modèle coupé et cinq portes
- Consommation raisonnable
- Bonnes capacités en toute condition

FEU ROUGE

- Fiabilité à prouver
- Visibilité arrière
- Espace cargo plus limité

DU NOUVEAU EN 2012

Nouveau modèle

Photos: Land Rover

http://www.landrover.com/

Plus d'informations dans la section statistiques en dernière partie du Guide

GÉNÉRATEUR DE STANDING

Le summum du chic automobile, pour les choyés qui sillonnent les rues de Westmount ou d'Outremont et passent leurs fins de semaine dans leur villa du lac Memphrémagog ou Massawippi, c'est encore un Range Rover. Et pas n'importe lequel: le Range Rover Sport, plus racé, moins carré et pas mal moins cher que ses frères. D'autant plus qu'il profite des mêmes moteurs et qu'il est finalement aussi confortable et presque aussi spacieux. Cet utilitaire de luxe britannique de grande lignée fait passer ses rivaux germaniques les plus en vue pour des parvenus. Mais pour se moquer, il suffit de souligner la réputation de fiabilité plutôt consternante de la marque. Ce que fera spontanément tout bon aristocrate.

CONCURRENTS
Audi Q7,
BMW X5,
Infiniti FX,
Mercedes-Benz Classe M,
Porsche Cayenne,
Volvo XC90

IMPRESSIONS DE L'AUTEUR	
Agrément de conduite:	4/5
Fiabilité:	2.5/5
Sécurité:	4.5/5
Qualités hivernales:	4/5
Espace intérieur:	4.5/5
Confort:	4/5

Lancée en 2006 comme alter ego plus sportif, plus accessible et plus urbain du vénérable Range Rover, la version Sport a frappé dans le mille. Ses ventes au Québec ont été presque cinq fois supérieures à celles de son grand frère l'an dernier, en hausse de 37,1 %. Il a même devancé le Porsche Cayenne, son premier rival, de près du tiers. Pas mal pour une série à sa sixième année chez un constructeur qui est passé entre les mains de trois propriétaires différents en moins de vingt ans.

POUR TOUS LES TYPES D'ASCENSION

Parlant de franchissement, l'empattement du Range Rover Sport est certes plus court de 135 mm que celui du grand « Range », mais ça le rend finalement plus agile sans imposer grand sacrifice. En fait, on risque essentiellement de frotter le bas de sa robe longue ou de son pantalon d'habit sur les puits des roues qui empiètent sur les portières arrière. Ce, même avec la suspension pneumatique réglée au plus bas, ce qui réduit la garde au sol de 227 à 172 mm. Ces chiffres sont inférieurs aux cotes homologues du Range Rover qui sont de 283 et 232 mm, mais l'ascension du Kilimandjaro n'a jamais été dans le cahier des charges du modèle Sport. En bon Land Rover, il se débrouille très bien en sentiers hors route où l'on peut jouer sur les cinq programmes du rouage intégral Terrain Response, selon les conditions affrontées.

À l'avant, l'espace est abondant et les sièges impeccablement sculptés. Le poste du conducteur offre une vue imprenable et un accès sans reproche aux outils essentiels à la conduite, avec une facilité de réglage à l'avenant. Les places arrière sont du même calibre et un adulte peut même prendre place au centre et s'y trouver à l'aise pendant plus de trente secondes, grâce à une assise correctement découpée. Chose rarissime. En fait, le volume total derrière les

Catégorie	VUS
Échelle de prix	73 200 $ à 88 980 $ (2011)
Garanties	4 ans/80 000 km, 4 ans/80 000 km
Assemblage	Solihull, Angleterre
Cote d'assurance	n.d.

places avant est de 2 013 litres contre 2 099 pour le grand frère et sa soute arrière de 958 litres est à peine moins vaste, malgré la ligne de toit fuyante et l'angle plus prononcé du hayon qui le rendent nettement plus svelte.

Si le Range Rover Sport déçoit, c'est pour le côté brouillon et le graphisme banal de ses systèmes sur l'écran tactile. Il semble déclassé en termes de technologie, même si l'essentiel y est. Les seules options offertes sont le régulateur de vitesse automatique, le groupe « visibilité » (caméras périphériques, commutation automatique des feux de route et phares orientables), un différentiel arrière autobloquant électronique et une chaîne DVD pour l'arrière. La note grimpe de quelques milliers de dollars si on les coche toutes, mais on est loin des factures corsées des rivaux allemands. Même en choisissant le modèle Autobiography, qui se distingue par une grille de calandre couleur titane, un becquet d'aluminium, des bas de caisse de couleur assortie et des jantes à dix rayons.

DÉVOREUR DE BITUME ET D'HYDROCARBURES

De toute manière, le meilleur du Range Rover Sport, c'est la conduite, autant pour le comportement stable, sûr et prévisible que pour les performances. Surtout si on a les moyens de s'offrir la version Supercharged, propulsée par l'excellent V8 compressé de 5,0 litres et 510 chevaux qu'ont développé les ingénieurs de Jaguar pour leurs camarades. Land Rover est d'ailleurs trop modeste pour les prouesses sportives du Sport Supercharged. Il le donne pour 6,2 secondes dans le sprint 0-100 km/h alors qu'il a facilement stoppé le chronomètre de notre appareil en 5,5 secondes.

Le Sport Supercharged bondit également de 60 à 100 km/h en 4,01 secondes et de 80 à 120 km/h en 4,85 secondes, pour des dépassements rapides et sûrs. Ces déferlements n'aident évidemment pas la cause de ce glouton patenté aux yeux des écolos, lui dont les cotes de consommation ville/route sont de 18,1/11,7 l/100 km. C'est nettement plus que les 16,2/8,8 du Porsche Cayenne Turbo, qui est de puissance et de taille comparables, mais plus léger de quelque 470 kg.

Mais les chiffres ne disent pas tout le plaisir que semble prendre ce V8 tout en muscle à faire galoper un utilitaire du dimanche de près de trois tonnes, à savourer son joyeux rugissement en pleine accélération. Le reste du temps, il se contente d'un gros ronronnement de baryton, bien secondé par une boîte automatique dont on commande prestement les changements de rapports avec les manettes blotties derrière la jante du volant. Perché haut, bien calé dans le cuir épais, commandes bien en main, on ne se lasse jamais de le conduire. Le truc est d'oublier ou de ne pas avoir à se soucier de ce que coûtera le prochain plein de carburant.

Marc Lachapelle

Photos : Marc Lachapelle

CHÂSSIS - LR V8 SUPERCHARGED

Emp/lon/lar/haut	2 745/4 783/1 932/1 789 mm
Coffre	958 à 2 013 litres
Réservoir	88 litres
Nombre coussins sécurité / ceintures	6 / 5
Suspension avant	indépendante, double triangulation
Suspension arrière	indépendante, double triangulation
Freins avant / arrière	disque / disque
Direction	à crémaillère, ass. variable
Diamètre de braquage	11,6 m
Pneus avant / arrière	P275/40R20 / P275/40R20
Poids	2 590 kg
Capacité de remorquage	3 500 kg (7716 lb)

COMPOSANTES MÉCANIQUES

LR V8	
Cylindrée, soupapes, alim.	V8 5,0 litres 32 s atmos.
Puissance / Couple	375 chevaux / 375 lb-pi
Tr. base (opt) / rouage base (opt)	A6 / Int
0-100 / 80-120 / 100-0 km/h	7,6 s / n.d. / n.d.
Type ess. / ville / autoroute	Super / 16,9 / 11,2 l/100 km

LR V8 Supercharged	
Cylindrée, soupapes, alim.	V8 5,0 litres 32 s surcomp.
Puissance / Couple	510 chevaux / 461 lb-pi
Tr. base (opt) / rouage base (opt)	A6 / Int
0-100 / 80-120 / 100-0 km/h	6,2 s / n.d. / n.d.
Type ess. / ville / autoroute	Super / 18,1 / 11,7 l/100 km

- Performances réjouissantes
- Comportement impeccable
- Grand confort
- Excellente visibilité
- Bonnes places arrière

- Moteurs gloutons
- Fiabilité douteuse
- Écran moyennement lisible
- Hayon lourd
- Écran à bagages bon marché

DU NOUVEAU EN 2012

Aucun changement majeur

http://www.landrover.com/

Plus d'informations dans la section statistiques en dernière partie du Guide

QUAND LE LUXE SE FAIT HYBRIDE

Une Prius sportive ? Une Matrix déguisée en hybride ? Elle est un peu tout ça, la nouvelle Lexus CT 200h. Silhouette sexy, dimensions intelligentes, habitacle polyvalent et très confortable, économie d'essence, bon niveau d'équipements pour 31 000 $... Dommage qu'on ait misé sur la transmission CVT, ce qui vient considérablement dénaturer l'expérience.

Sous ses airs de « sportback » campée sur quatre roues, avec son museau rehaussé de la signature DEL, son toit à la longue ligne fuyante, ses hanches prononcées et son design bien proportionné, on retrouve... la plateforme CM de Toyota, soit celle des Corolla, Matrix, Scion xB, Lexus HS 250 hybride et... Prius. On dit que pour la CT 200h (CT pour Creative Touring et non pour « compacte »), cette architecture a hautement été révisée. Il reste que l'empattement et la largeur sont les mêmes que pour les compactes de Toyota. Par contre, pas de multibras ou de poutre de torsion pour la suspension arrière. On mise plutôt sur la double triangulation (comme pour l'autre hybride HS 250h), ce qui libère un cargo large et non entravé : au minimum 405 litres, c'est très bien. Certes, les batteries dissimulées derrière la banquette font que le seuil de chargement est élevé. On doit alors oublier les hautes boîtes. Sinon, rien ne vient indiquer qu'il s'agit là d'une voiture hybride, mis à part un très discret logo aux flancs.

IL Y A COMMUNICATION... ET COMMUNICATION

Cette suspension « double whishbone » est l'une des plus fermes chez Lexus. Elle réagit un brin trop aux cahots et ça résonne sourdement dans l'habitacle, envoyant des soubresauts dans les sièges. Dommage, parce qu'on sait qu'il y a moyen de conserver une belle sportivité tout en gommant les aspérités du bitume — Mercedes le fait d'ailleurs très bien avec sa Classe C. Mais bon, va-t-on se plaindre qu'une Lexus nous offre une bonne communication avec la route ?

CONCURRENTS
Aucun concurrent

IMPRESSIONS DE L'AUTEUR	
Agrément de conduite :	3/5
Fiabilité :	NOUVEAU MODÈLE
Sécurité :	4/5
Qualités hivernales :	2.5/5
Espace intérieur :	3.5/5
Confort :	4.5/5

Tant qu'à parler de communication, le freinage ne laisse rien deviner de son système de récupération d'énergie. Il est franc et efficace. La tenue de route est solide et équilibrée, mais il faut dire que la voiture n'est pas un poids plume (1 840 kilos) et que son capot et son hayon d'aluminium assurent une bonne répartition de masse. Tout au plus, un peu de mouvement de caisse se fait sentir en virages serrés.

Évidemment, qui dit petite voiture dit généralement bonne vision tout autour et maniement aisé dans la circulation. C'est également le cas pour cette CT 200h. Les petites prennent dans le vent ? Pas ici : la silhouette élancée de la voiture ne donne pas prise aux bourrasques. Par contre, la basse garde au sol (145 mm) fait que ça passe tout juste dans la tempête de neige. À ce chapitre, regrettons la non-désactivation du contrôle de traction — si on le faisait, dit Lexus, le patinage excessif endommagerait le moteur électrique relié aux roues. Ne rêvez pas à une traction intégrale pour compenser : ça ajouterait du poids à l'ensemble et il faudrait repenser la disposition des organes mécaniques.

EN TOUTE FRUGALITÉ

La direction (transmise par un gros volant fort agréable au creux de la paume) est évidemment électrique. Si elle est surassistée à petite vitesse, elle se précise quand même avec la vélocité, surtout si on place la molette, érigée au centre de la console, à la position « sport ». Les autres modes disponibles sont « normal », « eco » et « 100 % électrique », mais ce dernier tient davantage de la pensée positive (c'est-à-dire s'il y a assez de jus dans les batteries et si on ne roule pas trop vite). Vous vous doutez que notre préférence va au mode « sport », qui réduit l'apport du système de stabilité et accorde davantage de réponse sous le pied droit. L'indicateur de charge bleuté — pas instinctif à déchiffrer, celui-là ! — se transforme alors, comme par magie, en traditionnel tachymètre rougeoyant et dans ce mode, malgré une conduite qui n'avait rien « d'hybride », nous avons réussi en périphérie de Calgary une bonne moyenne de 6,3 l/100 km (Lexus annonce un combiné de 4,8 l/100 km en mode normal).

C'est d'ailleurs là-dessus que la CT 200h se vante : bienfaits hybrides obligent, elle se dit la plus économique en carburant de tout le marché du luxe. Ses concurrentes, les Audi A3, Mercedes Classe B, BMW Série 1 et Volvo C30, consomment au moins 2 l/100 km de plus sur autoroute et... deux fois plus en ville. Luxe, vous avez dit ? Oui, la CT 200h l'est, d'un luxe sympathique et pas suranné. En version de base, on lui reconnaît une belle liste d'équipements de série : ajustement électrique du siège conducteur (avec support lombaire, s'il vous plaît), climatisation automatique bi-zone, Bluetooth, radio satellite, sièges avant et rétroviseurs chauffants, commandes audio au volant, phares antibrouillard, aileron intégré au hayon, etc. Et pas besoin de payer davantage pour la clé intelligente, elle est de série.

Sauf qu'il n'y a pas de passage des vitesses au volant, pas même de mode manuel pour faire passer la pilule « CVT ». Je juge cette omission impardonnable, surtout que le dispositif est offert sur ladite CT au Japon. Personnellement, je me priverais de quelques-unes des gâteries ci-haut pour pouvoir mieux contrôler la petite puissance — vous a-t-on dit que c'est le quatre cylindres

Atkinson (1,8 litre) de la Prius qui s'installe sous le capot? De concert avec le moteur électrique, c'est à peine 134 chevaux qui sont produits (oui, comme pour la Prius). On rêve déjà d'une version plus vigoureuse, d'autant que la concurrence fait dans les 200 chevaux — et plus.

Revenons à notre CVT. Comme la plupart des boîtes du genre, il faut s'habituer à des révolutions qui résonnent tant et aussi longtemps que l'accélérateur reste enfoncé (la pédale dispose d'ailleurs d'une fâcheuse petite course qui nous met tout de suite « dans le tapis »). Certes, une transmission à variation continue sur une hybride, c'est de mise, mais sur une hybride qui se veut cool et peut-être un peu sportive? Grossière erreur! D'autant qu'ici, la boîte met une bonne seconde à comprendre qu'on lui demande de s'ébranler.

Sur papier, Lexus assure un 0-100 km/h sous les 10 secondes, mais un test maison nous a plutôt donné presque 12 secondes. C'est lent, ça brise l'entrain et ça fait perdre tout dynamisme. La seule façon de combler un tel préjudice aurait été un mode manuel, que la main droite d'ailleurs cherche constamment. Dire que Honda propose une belle boîte manuelle pour son hybride CR-Z... Ça aurait valu la peine que Toyota/Lexus se penche là-dessus, lui qui est le maître de la propulsion essence-électricité (la CT 200h est la neuvième hybride à se joindre au groupe).

BELLE DEHORS, BONNE DEDANS

Sinon, que de bons mots pour l'habitacle qui accueille ses

Catégorie	Hatchback
Échelle de prix	30 950 $ (2011)
Garanties	4 ans/80 000 km, 6 ans/110 000 km
Assemblage	Kyushu, Japon
Cote d'assurance	bonne

CHÂSSIS - 200H	
Emp/lon/lar/haut	2 600/4 320/1 765/1 440 mm
Coffre	405 litres
Réservoir	45 litres
Nombre coussins sécurité / ceintures	8 / 5
Suspension avant	indépendante, jambes de force
Suspension arrière	indépendante, double triangulation
Freins avant / arrière	disque / disque
Direction	à crémaillère, ass. électrique
Diamètre de braquage	11,2 m
Pneus avant / arrière	P205/55R16 / P205/55R16
Poids	1 840 kg
Capacité de remorquage	non recommandé

COMPOSANTES MÉCANIQUES	
200h	
Cylindrée, soupapes, alim.	4L 1,8 litre 16 s atmos.
Puissance / Couple	98 chevaux / 105 lb-pi
Tr. base (opt) / rouage base (opt)	CVT / Tr
0-100 / 80-120 / 100-0 km/h	9,8 s / n.d. / n.d.
Type ess. / ville / autoroute	Ordinaire / 4,5 / 4,8 l/100 km

occupants avant avec les sièges les mieux conçus et les plus confortables qu'il m'ait été donné d'essayer cette année. Le cuir (optionnel) est souple et de qualité, mais le matériel de base, un Nuluxe dit écologique, est tout aussi agréable au toucher. Les plastiques sont haut de gamme, l'assemblage est serré et on aime cette console séparatrice qui s'étire doucement en angle. Seule la variante Techno (presque 40 000 $) propose ce Remote Touch qu'on apprécie pour sa facilité d'utilisation.

Il est toujours surprenant de trouver à bien se loger dans une compacte et la CT 200h ne fait pas exception — à l'avant, du moins. À l'arrière, deux adultes de moins de six pieds trouvent leur compte dans des sièges confortablement moulés, mais leurs genoux sont à l'étroit. Plus grands que ça, ils risquent le torticolis. Plus nombreux que ça, on oublie ! Mes 5'7" et 120 livres n'ont pu se loger entre deux collègues de bonne taille. Seuls les gens nés dans l'actuel millénaire peuvent prétendre à cette cinquième place.

J'ai mentionné que je n'avais que de bons mots pour l'habitacle, mais je dois tout de même adresser un petit reproche : dans la cabine, le bruit de la route et du gravier qui vole dans les ailes résonne malheureusement. On aurait pris un peu plus d'insonorisation. Après tout, c'est une Lexus.

Nadine Filion

FEU VERT

- Fort jolie silhouette
- Bon niveau d'équipements, même de série
- Espace habitacle très respectable
- Beaucoup plus frugale que la concurrence

FEU ROUGE

- Insonorisation moyenne
- Contrôle de traction qui ne se désactive pas
- La puissance d'une Prius
- CVT – sans mode manuel, de surcroît

Photos: Lexus

DU NOUVEAU EN 2012

Nouveau modèle

http://www.lexus.ca/

Plus d'informations dans la section statistiques en dernière partie du Guide

TOUT EN CONFORT

Même si sa silhouette est fort discrète, cette Lexus est l'une des plus populaires de la marque. Son prix de vente relativement abordable fait en sorte que bien des acheteurs choisissent de se payer un peu de luxe. Pour plusieurs, le simple fait de dire qu'ils conduisent une Lexus est une chose pour laquelle on se permet de débourser un peu plus, même si l'on sait que la plate-forme de base de cette berline est une Toyota Camry. Mais bon, ce n'est pas une tare en soi. En fait, c'est l'assurance de compter sur une voiture solidement construite et qui, en plus, propose un habitacle confortable et une finition sans faille.

Il est vrai que suite aux multiples rappels, la réputation presque irréprochable des voitures de cette marque n'est plus la même. Pourtant, il faut prendre ces rappels avec un gain de sel quand on sait pourquoi ces voitures doivent retourner chez un concessionnaire. Souvent, il est presque question de défauts hypothétiques qu'on tente de corriger. C'est dire à quel point ce constructeur est devenu paranoïaque au sujet de la fiabilité de ses voitures. Cela dit, cette voiture n'est pas simplement qu'une berline à vocation plus économique transformée en bagnole de luxe à l'aide de simples accessoires. Il faut aller en profondeur et se constater les multiples modifications et améliorations qui ont été apportées à ce véhicule afin d'en faire une Lexus authentique.

CONCURRENTS
Acura TL, Cadillac CTS, Chrysler 300, Ford Taurus, Hyundai Genesis, Lincoln MKZ, Mercedes-Benz Classe C, Nissan Maxima, Toyota Avalon

IMPRESSIONS DE L'AUTEUR	
Agrément de conduite :	3/5
Fiabilité :	4/5
Sécurité :	4/5
Qualités hivernales :	3.5/5
Espace intérieur :	4/5
Confort :	4.5/5

SI LA FINITION VOUS INTÉRESSE

Je connais des automobilistes qui ne se préoccupent que de la tenue de route, des performances ou encore du système audio de leur voiture. Tout le reste ne les intéresse pas. La voiture consomme trop ? Pas grave. L'assemblage est fort inégal et les plastiques durs ? Aucun problème. Par contre, d'autres sont plutôt tatillons à ce sujet. Et c'est généralement la raison pour laquelle ces personnes se procurent une Lexus. Indépendamment du design, du confort des sièges et de l'aménagement général, une chose prime chez les voitures construites par Lexus : l'incroyable qualité de la finition. On a beau chercher, on a beau regarder tous les détails avec une loupe, c'est généralement impeccable. Les interstices entre les éléments sont microscopiques, tout au plus, tandis que la qualité des matériaux et leur assemblage sont sans faille. D'ailleurs, dès qu'on prend place à bord d'une Lexus, même s'il s'agit d'une version plus économique, on a cette impression de luxe et de confort.

Le confort d'abord. Les sièges sont souples et accueillants, mais n'offrent malheureusement pas beaucoup de support latéral.

Catégorie	Berline
Échelle de prix	42 150 $ (2011)
Garanties	4 ans/80 000 km, 6 ans/110 000 km
Assemblage	Kyushu, Japon
Cote d'assurance	bonne

CHÂSSIS - 350	
Emp/lon/lar/haut	2 775/4 855/1 820/1 450 mm
Coffre	416 litres
Réservoir	70 litres
Nombre coussins sécurité / ceintures	10 / 5
Suspension avant	indépendante, jambes de force
Suspension arrière	indépendante, jambes de force
Freins avant / arrière	disque / disque
Direction	à crémaillère, ass. variable
Diamètre de braquage	11,2 m
Pneus avant / arrière	P215/55R17 / P215/55R17
Poids	1 635 kg
Capacité de remorquage	n.d.

COMPOSANTES MÉCANIQUES	
ES350	
Cylindrée, soupapes, alim.	V6 3,5 litres 24 s atmos.
Puissance / Couple	268 chevaux / 248 lb-pi
Tr. base (opt) / rouage base (opt)	A6 / Tr
0-100 / 80-120 / 100-0 km/h	6,9 s / 4,7 s / 41,0 m
Type ess. / ville / autoroute	Ordinaire / 10,9 / 7,2 l/100 km

FEU VERT

- Moteur bien adapté
- Excellente finition
- Consommation raisonnable
- Insonorisation sans faille
- Sièges confortables

FEU ROUGE

- Roulis en virage
- Direction engourdie
- Options onéreuses
- Risques d'endormissement
- Silhouette discrète

DU NOUVEAU EN 2012

Aucun changement majeur

http://www.lexus.ca/

Plus d'informations dans la section statistiques en dernière partie du Guide

Quant au volant, sa présentation est très discrète pour ne pas dire terne. Possible que les stylistes responsables du design de l'habitacle aient tenté de ne pas choquer qui que ce soit. Tout dans la présentation est discret quand ce n'est pas un tantinet vieillot. Prenez la console centrale verticale, son apparence est correcte, mais on aurait pu faire beaucoup mieux. Il est vrai que la disposition des commandes est bonne, que l'écran de navigation est facile à consulter et que le levier des vitesses tombe bien sous la main, mais tout est d'une présentation ultra sobre. Comme sur toutes les Lexus, les cadrans indicateurs sont électroluminescents et leur consultation est très facile.

Par contre, en fait d'espace, les places arrière sont tributaires de la générosité des occupants des sièges avant. Détail désolant toutefois, le dossier ne se replie pas afin d'offrir plus d'espace pour des objets encombrants. Cette solution a sans doute été adoptée pour améliorer la rigidité de la caisse, une caractéristique qui doit faire partie de toutes les voitures de luxe qui se respectent.

LE CONFORT DANS LES BOUCHONS

L'an dernier, dans ce même ouvrage, je soulignais le fait que cette voiture possède un moteur dont les performances étaient bien adaptées au type de conduite généralement adoptée par ses propriétaires, soit de respecter les limites de vitesse affichées. Ce moteur V6 de 3,5 litres produit 268 chevaux et il est associé à une boîte de vitesses automatique à six rapports d'une grande douceur de fonctionnement. Quant à la direction, elle pourrait offrir plus de feedback de la route, mais son assistance variable est bien dosée. Quoi qu'il en soit, il est évident que cette voiture s'adresse aux personnes qui veulent s'entourer de confort sans réhypothéquer leur maison, à des gens désireux de piloter une automobile silencieuse qui ne surprendra pas son conducteur dans les virages. De plus, la climatisation fonctionne très bien, le système audio est bon, autant d'éléments qui permettront au propriétaire de cette voiture de supporter les multiples bouchons de circulation dans un confort plus que relatif.

En fait, le caractère quasiment soporifique de cette voiture en fait une automobile fort bien adaptée à ceux qui doivent circuler en ville à très basse vitesse ou être immobilisés pendant de longues minutes avant que la route ne se dégage. On pourrait presque parler de spécialisation.

Somme toute, lorsqu'on la compare au modèle dont elle est dérivée, le rapport qualité/prix est tout de même excellent compte tenu de l'équipement fort complet et du prestige de la marque. Pour plusieurs, toutes ces raisons sont bonnes.

Denis Duquet

Photos : Lexus

MODÈLE 2011

ARRIVERA, ARRIVERA PAS?

Je ne sais pas si c'est pour nous faire passer pour des menteurs ou si c'est à cause du tsunami ou d'une autre excuse tout aussi importante, mais la GS devait arriver sur notre continent au début de l'année 2011. Promis, juré! Puis au fil des mois, ce modèle s'est montré invisible et nous l'attendons toujours. La nouvelle version devrait donc être dévoilée à la fin de cette année, ce que l'on espère vivement, puisqu'il y a déjà plusieurs mois que nous l'attendons…

Heureusement, il y a des indices qui ne trompent pas: la division Lexus organise, par exemple, de petites rencontres avec l'ingénieur en chef et quelques journalistes triés sur le volet. Aussi bien vous le dire immédiatement, je ne fais pas partie des journalistes jugés dignes d'intérêt. Ou encore, le Guide de l'auto n'est pas assez important pour Lexus. Quoi qu'il en soit, si la nouvelle GS n'arrive pas sur le marché d'ici la fin de 2011, cela devrait être au début du prochain millésime.

Donc, en attendant, les modèles reconduits pour 2012 ne subissent aucun changement. Déjà l'an dernier, on avait procédé par élimination et non pas par améliorations. On s'était contenté d'éliminer les modèles GS350 et GS460 pour ne conserver que les GS350 AWD et le GS450h. Ce duo nous revient cette année, sans aucune modification, puisqu'il sera remplacé en cours d'année par des versions plus modernes. À moins qu'une fois de plus, on tergiverse. Ce qui me surprendrait beaucoup, d'autant plus que ce modèle est en perdition au chapitre des ventes. Pensez-y, quand avez-vous croisé une GS sur la route pour la dernière fois?

UNE SILHOUETTE RÉUSSIE

Je ne sais pas ce que nous réserve la prochaine édition de la GS, mais la version actuelle est l'une des plus élégantes Lexus sur le marché. Sa silhouette est à la fois classique et dynamique, et la proportion des masses est fort bien équilibrée. De plus, la ligne de toit fuyant ainsi que cet arrière très court donne un petit air sportif à ce modèle. Nous sommes loin de l'approche mortuaire de certains modèles Lexus, qui semblent n'intéresser que des acheteurs octogénaires. Il faut dire également qu'à ses débuts, la GS voulait faire concurrence aux berlines sport allemandes.

MODÈLE 2011

CONCURRENTS

Acura RL, Audi A6, BMW Série 5, Infiniti M, Lincoln MKS, Mercedes-Benz Classe E, Volvo S80

IMPRESSIONS DE L'AUTEUR	
Agrément de conduite:	4/5
Fiabilité:	5/5
Sécurité:	4/5
Qualités hivernales:	4/5
Espace intérieur:	3.5/5
Confort:	4/5

La présentation intérieure est de la même cuvée: c'est simple et dépouillé, mais ça a un petit quelque chose d'européen, d'un peu plus original. Comme il se doit sur toute Lexus qui se respecte, la finition et la qualité des matériaux sont d'un niveau supérieur. Les sièges sont moelleux, garnis de cuir très fins, mais encore une fois, un peu plus de support latéral serait apprécié, d'autant plus que le comportement routier de cette Lexus nous incite à adopter une conduite un peu plus sportive.

Cette fois, avec ce modèle, on semble avoir trouvé un bon équilibre entre la silhouette plus dynamique de la voiture et une présentation intérieure sobre, mais qui possède tout de même une petite touche d'excentricité. De plus, l'écran à affichage par diodes électroluminescentes est assez grand et se consulte facilement. Avis aux amateurs d'audio, le système a été développé avec la collaboration de la compagnie Mark Levinson et les résultats sont positifs. Soulignons, par ailleurs, que l'habitabilité n'est pas le point fort de cette voiture et le dégagement pour la tête aux places arrière est assez limité.

DEUX CHOIX

Avec la disparition, l'an dernier, du modèle à moteur V8 et de la version GS350 à traction avant, l'acheteur aura plus de facilité à se décider, puisque seulement deux modèles demeurent au catalogue. Le premier est propulsé par un moteur V6 de 3,5 litres produisant 303 chevaux et un couple de 274 lb-pi. Il est associé à une transmission automatique à six rapports qui distribue la puissance aux quatre roues. Le système de rouage intégral est adéquat et son fonctionnement est très transparent. Cette voiture est toutefois une propulsion à la base et la majorité du couple est dirigée aux roues arrière. En certaines circonstances, la répartition peut être de 50/50.

Même s'il s'agit d'un moteur V6, les accélérations et les reprises sont convaincantes, mais la transmission est quelque peu paresseuse lors du passage de certains rapports, notamment de la deuxième à la troisième vitesse. En plus, la direction est vraiment trop assistée, ce qui réduit l'agrément de conduite. Dommage, puisque cette berline tient bien la route et demeure relativement neutre dans les virages.

Si vous voulez réduire la consommation de carburant, diminuer la production de gaz à effet de serre et vous procurer l'un des coffres à bagages les plus petits de la catégorie, il y a la version hybride de la GS. On retrouve également un moteur V6 de 3,5 litres, dont la puissance est cette fois de 253 chevaux. Il est associé à un moteur électrique qui porte la puissance totale à 340 chevaux. La combinaison de ces deux moteurs crée une voiture passablement rapide, dont le comportement routier est similaire à celui de la version à moteur thermique. Toutefois, lorsqu'on pousse la voiture dans les virages, on sent le poids de la batterie sur l'essieu arrière.

Mais peu importe, puisque d'ici peu, la nouvelle génération de la GS sera parmi nous. C'est du moins ce que l'on espère sinon, on va encore passer pour des menteurs.

Denis Duquet

MODÈLE 2011

Photos : Lexus

DONNÉES 2011

Catégorie	Berline
Échelle de prix	54 650 $ à 71 750 $ (2011)
Garanties	4 ans/80 000 km, 6 ans/110 000 km
Assemblage	Tahara, Japon
Cote d'assurance	n.d.

CHÂSSIS - 450H

Emp/lon/lar/haut	2 850/4 825/1 820/1 425 mm
Coffre	292 litres
Réservoir	65 litres
Nombre coussins sécurité / ceintures	8 / 5
Suspension avant	indépendante, double triangulation
Suspension arrière	indépendante, multibras
Freins avant / arrière	disque / disque
Direction	à crémaillère, ass. variable électrique
Diamètre de braquage	11,2 m
Pneus avant / arrière	P245/40ZR18 / P245/40ZR18
Poids	1 875 kg
Capacité de remorquage	n.d.

COMPOSANTES MÉCANIQUES

350 TI	
Cylindrée, soupapes, alim.	V6 3,5 litres 24 s atmos.
Puissance / Couple	303 chevaux / 274 lb-pi
Tr. base (opt) / rouage base (opt)	A6 / Int
0-100 / 80-120 / 100-0 km/h	7,2 s / 6,4 s / 37,0 m
Type ess. / ville / autoroute	Ordinaire / 11,6 / 8,0 l/100 km

450h	
Cylindrée, soupapes, alim.	V6 3,5 litres 24 s atmos.
Puissance / Couple	253 ch (340 total) / 267 lb-pi
Tr. base (opt) / rouage base (opt)	CVT / Prop
0-100 / 80-120 / 100-0 km/h	6,0 s / 4,6 s / 39,1 m
Type ess. / ville / autoroute	Ordinaire / 8,7 / 7,8 l/100 km

FEU VERT

- Excellent comportement routier
- Silhouette fort élégante
- Habitacle luxueux
- Version hybride
- Rouage intégral efficace

FEU ROUGE

- Modèle en sursis
- Faible diffusion
- Habitabilité très moyenne
- Coffre petit
- Direction trop assistée

DU NOUVEAU EN 2012

Nouveau modèle sera dévoilé en cours d'année

http://www.lexus.ca/

Plus d'informations dans la section statistiques en dernière partie du Guide

UNE GROSSE BOÎTE DE LUXE

Il est gros et il boit comme un trou sans fond. Il s'impose partout où il passe et son allure est démodée. Qui ça? Oncle Roger? Mais non! Tonton Roger ne mérite pas tant de compliments. Je parlais du Lexus GX460, autrefois connu sous l'appellation GX470.

Chez Lexus, la partie numérique du nom d'un véhicule reflète sa cylindrée. Par exemple, la ES350 reçoit un V6 de 3,5 litres. Je serais porté à ajouter que Lexus mêle ses propres cartes en donnant une appellation plutôt farfelue à ses modèles hybrides, mais ça, c'est une autre histoire. Toujours est-il que l'an dernier, le GX a vu sa cylindrée passer de 470 à 460. Est-ce donc à dire que le GX a perdu de sa superbe avec le temps?

Ça dépend de ce qu'on entend par superbe. Si on parle de physique, il existe des véhicules plus modernes et davantage au goût du jour. Après tout, le GX460 est une version plus cossue du Toyota 4Runner qui ne donne pas non plus dans le très délicat. La garde au sol du Lexus, comme nous le verrons plus loin, peut être une bénédiction dans certains cas, mais elle amène son lot de problèmes aux gens dont les jambes sont plus courtes que la moyenne! Accéder à bord demande alors une gymnastique souvent peu esthétique.

DE LA GRANDE QUALITÉ

Dans l'habitacle, nom Lexus oblige, on n'y a pas été avec le dos de la cuillère morte, comme on dit chez les entraîneurs du Canadien. Les cuirs fins côtoient les boiseries triées sur le volet (et sur le volant!) et les rares plastiques affichent une grande qualité. On a rarement vu une Lexus mal assemblée et le GX ne fait pas exception. Le conducteur fait face à une instrumentation complète et bien agencée.

Les sièges sont invitants et même après plusieurs heures de route, ils demeurent tout aussi confortables. La deuxième rangée est agréable

CONCURRENTS
Acura MDX, Audi Q7, BMW X5, Cadillac Escalade, Land Rover LR4, Lincoln Navigator, Mercedes-Benz Classe GL, Volvo XC90

IMPRESSIONS DE L'AUTEUR	
Agrément de conduite:	3/5
Fiabilité:	4.5/5
Sécurité:	5/5
Qualités hivernales:	4.5/5
Espace intérieur:	4/5
Confort:	4.5/5

à vivre, sauf peut-être, la place centrale, plus dure. Le GX460 est un gros véhicule et les ingénieurs de Lexus ont eu l'idée d'y incorporer une troisième rangée de sièges. Si le Toyota 4Runner n'en propose pas, il doit y avoir une raison et on la découvre quand on voit ce que les gens de Lexus ont fait avec cette rangée. Dans le genre ridicule, c'est dur à battre, surtout quand on parle d'un véhicule d'au moins 70 000 $. Disons simplement que ça peut dépanner, point.

Le coffre est très grand, mais certaines personnes pourraient ne pas apprécier le sens de l'ouverture du hayon puisque les pentures sont placées à droite. C'est une question de goût ou d'habitude. Mais tous s'entendent pour louanger le fait que la vitre ouvre séparément du

Catégorie	VUS
Échelle de prix	60 700 $ à 77 700 $ (2011)
Garanties	4 ans/80 000 km, 6 ans/110 000 km
Assemblage	Tahara, Japon
Cote d'assurance	n.d.

hayon. C'est très pratique, surtout quand on veut transporter des objets longs comme des madriers. Le seuil de chargement est très élevé, on s'en doute, et il n'existe aucune possibilité de rangement sous le plancher.

MOINS, C'EST PARFOIS MIEUX

Nous nous demandions, plus tôt, si le GX avait perdu de sa superbe en devenant un 460 après avoir été un 470. Pas du tout, au contraire! Le V8 de 4,6 litres développe plus de chevaux et de livres-pied que le moteur qu'il remplace. Et, selon Toyota, il est plus économique. Remarquez que ce n'était pas très difficile de faire un moulin moins gourmand! Vous vous doutez bien, cependant, que «plus économique» pour un véhicule de plus de 2 300 kilos ne veut pas vraiment dire économique... Au moins, les performances sont relevées.

Le couple élevé est relayé aux quatre roues grâce à une transmission automatique à six rapports qui a l'excellente idée de se faire oublier. Le rouage intégral provient de chez Torsen et s'avère extraordinairement compétent, même dans la version de base. Ceux qui, pour à peine 8 000 $ supplémentaires, optent pour le groupe Ultra Premium ont même droit à un rouage encore plus sophistiqué puisqu'il propose le «Sélecteur Tout Terrain», qui permet de choisir le type de sol sur lequel on roule. Mais, sélecteur ou pas, il y a fort à parier que personne, ou à peu près, n'exploitera jamais la moitié du potentiel du GX. Pour ceux que ça intéresse, mentionnons que l'angle d'attaque est de 28 degrés et que celui de départ est de 25. C'est surtout le boîtier de transfert qui permet de passablement démultiplier les rapports de la transmission et qui fait du véhicule un véritable bulldozer.

Sur la route, le GX est loin d'être un parangon de sportivité. Certes, il avance avec célérité, mais la moindre courbe fait ressortir un vilain roulis. Les transferts de poids sont exacerbés par des suspensions favorisant le confort plutôt que la tenue de route. La direction n'offre aucun retour d'information et on a toujours l'impression d'avoir le temps de réciter un rosaire entre le moment où on tourne le volant et celui où les roues commencent à virer. Malgré tout, conduit dans les règles de l'art, le GX emmène ses passagers à bon port, en toute sécurité. En effet, le nombre de coussins gonflables et de technologies visant à préserver l'intégrité des occupants avant et pendant un accident est très élevé! Et puis, le fait de savoir qu'on a, sous nous, un véritable châssis de camion a un petit quelque chose de rassurant. Tout comme le fait de savoir qu'on ne se retrouvera pas au garage à tout moment, la fiabilité de Lexus étant considérée comme au-dessus de la moyenne.

Alain Morin

Photos : Alain Morin

CHÂSSIS - 460 ULTRA PREMIUM

Emp/lon/lar/haut	2 790/4 805/1 885/1 875 mm
Coffre	692 à 1 525 litres
Réservoir	87 litres
Nombre coussins sécurité / ceintures	6 / 7
Suspension avant	indépendante, double triangulation
Suspension arrière	essieu rigide, ressorts elliptiques
Freins avant / arrière	disque / disque
Direction	à crémaillère, assistée
Diamètre de braquage	11,6 m
Pneus avant / arrière	P265/60R18 / P265/60R18
Poids	2 326 kg
Capacité de remorquage	2 948 kg (6 499 lb)

COMPOSANTES MÉCANIQUES

460 Premium, 460 Ultra Premium

Cylindrée, soupapes, alim.	V8 4,6 litres 32 s atmos.
Puissance / Couple	301 chevaux / 329 lb-pi
Tr. base (opt) / rouage base (opt)	A6 / Int
0-100 / 80-120 / 100-0 km/h	9,2 s / 7,1 s / 42,0 m
Type ess. / ville / autoroute	Ordinaire / 14,1 / 9,8 l/100 km

FEU VERT

- Moteur bien adapté
- Excellente finition
- Consommation raisonnable
- Insonorisation sans faille
- Sièges confortables

FEU ROUGE

- Roulis en virage
- Direction engourdie
- Options onéreuses
- Risques d'endormissement
- Silhouette discrète

DU NOUVEAU EN 2012

Aucun changement majeur

http://www.lexus.ca/

Plus d'informations dans la section statistiques en dernière partie du Guide

HYBRIDE ET SOPORIFIQUE

En général, les voitures de la famille Lexus sont des véhicules qui proposent avant tout une finition impeccable, un habitacle bien fignolé et une fiabilité de bon aloi. À part de rares exceptions, ce sont des voitures qui ne privilégient pas l'agrément de conduite. Qu'en est-il de la HS250h ?

De prime abord, on serait porté à croire que cette compacte dérivée de l'Avensis européenne serait un excellent compromis entre la tenue de route, une conduite plus inspirante et les avantages du rouage hybride. Je m'en veux quelque peu d'avoir volé le punch avec un titre qui dit tout. D'ailleurs, au premier regard, on a une bonne idée de ce qui nous attend au chapitre de la conduite.

CONCURRENTS
Aucun concurrent

IMPRESSIONS DE L'AUTEUR		
Agrément de conduite :	■■■	3 / 5
Fiabilité :	■■■■	4 / 5
Sécurité :	■■■■	4 / 5
Qualités hivernales :	■■■	3 / 5
Espace intérieur :	■■■	3 / 5
Confort :	■■■▌	3.5 / 5

POUR NE PAS CHOQUER

Il est certain que les personnes affectées au design de cette voiture s'en sont tenues à un conservatisme prudent. Rien dans cette silhouette n'attire l'attention, ne choque ou tente de séduire. Bref, c'est sobre, voire soporifique. Même la silhouette de la Toyota Corolla est plus dynamique. On n'a absolument pas tenté de lui donner des allures de voiture à moteur hybride comme c'est le cas avec la très populaire Prius par exemple. Même si ce modèle est apparu l'an dernier sur notre marché, on a l'impression qu'il roulait quelque part dans le monde il y a quatre ou cinq ans tant son design fait appel à des éléments utilisés sur d'autres voitures il y a quelques années. Mais à défaut de nous inspirer par son élégance, on se doit de souligner la présence de porte-à-faux très réduit, de blocs optiques modernes et de roues en alliages très réussies. Les stylistes ont également fait appel à une petite baguette de chrome en bas de caisse afin de donner un peu plus d'impact visuel à l'ensemble.

Il semble que les gens qui ont dessiné l'extérieur de la voiture et ceux qui ont produit l'habitacle ne se soient jamais adressés la parole. C'est que la planche de bord de cette intermédiaire se veut beaucoup plus avant-gardiste que l'extérieur du véhicule. Les cadrans à affichage électroluminescent sont de bonnes dimensions et de consultation très facile. Quant à l'énorme console centrale qui déborde entre les sièges avant, elle empiète quelque peu sur l'espace pour les jambes, mais sa présentation est réussie. Mais que dire de ces vastes surfaces de plastique qui recouvrent la partie supérieure du tableau de bord et qui semblent être faits de matériau bon marché ? C'est assez désolant à voir, à mon avis.

Pour nous rappeler que nous avons affaire à une voiture très élaborée sur le plan mécanique, les vitesses sont commandées par un

Catégorie	Berline
Échelle de prix	39 900 $ à 48 750 $ (2011)
Garanties	4 ans/80 000 km, 6 ans/110 000 km
Assemblage	n.d.
Cote d'assurance	n.d.

petit levier monté sur la planche de bord, placé tout juste à la gauche des commandes audio. Ce genre de « joystick » est sans doute la voie de l'avenir, mais sa manipulation me laisse totalement indifférent. Par contre, au centre inférieur de la console, on a placé une espèce de souris dotée d'une manette de commandes sur la partie supérieure et d'un bouton sélecteur sur le côté gauche de ce promontoire. C'est par son intermédiaire que l'on peut gérer bien des éléments, la navigation par exemple. Il est relié à un écran à affichage DEL placé sur la partie supérieure de la planche de bord. Il m'a fallu un certain temps avant d'arriver à manipuler adéquatement cette manette, qui m'est apparue beaucoup trop sensible, surtout lorsque le véhicule est en mouvement.

Pour terminer ce tour de l'habitacle, il faut souligner que les sièges, recouverts de cuir, s'avèrent fort confortables, à défaut d'offrir un bon support latéral. Les places arrière sont correctes, mais les dossiers ne se rabattent pas, puisque les piles du rouage hybride sont placées derrière.

L'ENDORMISSEMENT NOUS GUETTE

En ce qui a trait à la mécanique, la fiche technique est sans surprise, puisqu'on a emprunté la motorisation de la Toyota Camry hybride. Comme sur ce modèle, on retrouve un moteur quatre cylindres de 2,4 litres de cycle Atkinson associé à un moteur électrique. Les deux sont couplés à une transmission à rapports continuellement variables, ce qui porte la puissance totale à 187 chevaux. Mais le rapport poids/puissance n'est pas tellement avantagé, puisque cette berline fait facilement osciller la balance à plus de 1 700 kilos. Ce qui explique qu'il faut presque 10 secondes pour boucler le 0-100 km/h.

Et même si on vous vante les mérites d'une conduite toute électrique pendant un certain laps de temps, je vous souhaite bonne chance ! La plupart du temps, un message vous indique que la batterie n'est pas suffisamment chargée ou que nous avons appuyé trop fortement sur l'accélérateur. Bref, la majorité du temps, on roule en mode thermique. Malgré tout, et grâce au système d'arrêt du moteur lorsque le véhicule est immobilisé, on a réussi une consommation moyenne aux alentours de 6 l/100 km, ce qui est correct pour une berline de cette catégorie.

Mais, la plus grande lacune de ce véhicule bien exécuté et bien élaboré sur le plan mécanique, c'est l'absence totale d'agrément de conduite et de *feedback* de la route. Tant et si bien que les risques d'endormissement au volant ne sont pas à ignorer. Même si elle ne fait pas partie de la même catégorie, la nouvelle CT200h est un véhicule nettement plus intéressant à tous les points de vue… et moins dispendieux.

Denis Duquet

Photos : Marc Lachapelle

CHÂSSIS - HS250H LUXE PREMIUM	
Emp/lon/lar/haut	2 700/4 695/1 785/1 505 mm
Coffre	343 litres
Réservoir	55 litres
Nombre coussins sécurité / ceintures	6 / 5
Suspension avant	indépendante, jambes de force
Suspension arrière	indépendante, double triangulation
Freins avant / arrière	disque / disque
Direction	à crémaillère, assistée
Diamètre de braquage	11,4 m
Pneus avant / arrière	P225/45R18 / P225/45R18
Poids	1 710 kg
Capacité de remorquage	n.d.

COMPOSANTES MÉCANIQUES	
Cylindrée, soupapes, alim.	4L 2,4 litres 16 s atmos.
Puissance / Couple	187 chevaux / 138 lb-pi
Tr. base (opt) / rouage base (opt)	CVT / Tr
0-100 / 80-120 / 100-0 km/h	9,7 s / 6,8 s / n.d.
Type ess. / ville / autoroute	Ordinaire / 5,6 / 5,9 l/100 km

FEU VERT

- Finition impeccable
- Moteur hybride éprouvé
- Insonorisation poussée
- Sièges confortables
- Économie de carburant

FEU ROUGE

- Silhouette anonyme
- Coffre arrière limité
- Dossiers arrière fixes
- Suspension trop souple
- Agrément de conduite nul

DU NOUVEAU EN 2012

Aucun changement majeur

http://www.lexus.ca/

Plus d'informations dans la section statistiques en dernière partie du Guide

VIRTUOSES EN QUÊTE D'INSPIRATION

Lexus a consacré des masses de matière grise et de yens au développement de la deuxième génération de sa série IS, surtout pour qu'elle égale la référence incontestée de sa catégorie: la Série 3 de BMW. Svelte, raffinée et puissante, l'aspirante s'est rapprochée de la cible sans toutefois l'atteindre. La berline IS F a tiré une salve encore plus forte avec son V8 de 416 chevaux trois ans plus tard. Elle a impressionné et marqué des points, mais la forteresse allemande a résisté encore une fois. Au fil des années, des versions décapotables et d'autres à rouage intégral sont apparues, mais la famille IS marque le pas alors que la concurrence force le rythme. À quand le prochain bond vers l'avant?

CONCURRENTS
Acura TL, Audi A4, BMW Série 3, Cadillac CTS, Infiniti G, Mercedes-Benz Classe C, Volvo S60

IMPRESSIONS DE L'AUTEUR	
Agrément de conduite:	3.5/5
Fiabilité:	4.5/5
Sécurité:	4/5
Qualités hivernales:	4/5
Espace intérieur:	3.5/5
Confort:	4/5

Ce ne sont certes pas les moyens qui manquent chez Lexus. La marque de prestige du groupe Toyota l'a démontré avec éclat avec la première LS qui a transformé à jamais le marché du luxe automobile, il y a plus de vingt ans, en établissant de nouvelles normes de qualité, de raffinement et de fiabilité. Or, l'automobile n'est pas une science exacte, mais plutôt un art mystérieux où la technique n'est qu'un des ingrédients essentiels. Et les bolées de chez Lexus n'ont pas encore percé les secrets des sorciers de Munich, alors que leurs concurrents d'Ingolstadt et de Munich s'en rapprochent. Même Cadillac avec ses CTS.

UNE ASPIRANTE DOUÉE

Tous les espoirs étaient pourtant permis à la berline IS actuelle lorsqu'elle est apparue en 2006. Elle était belle, racée, puissante, superbement finie et plus spacieuse que sa devancière, dont c'était la principale lacune. Avec son V6 de 3,5 litres et ses 306 chevaux, cette nouvelle IS 350 bouclait le 0-100 km/h en 5,74 secondes. Elle était agile, équilibrée et précise, même sur un circuit, comme nous avions pu le vérifier au premier contact lors des essais annuels de l'AJAC cette année-là.

En conduisant aussitôt après la BMW 330i qui allait ravir à la Japonaise le titre de berline sportive de l'année, on pouvait toutefois mesurer l'écart qui séparait encore les deux, au-delà des chiffres et des points. Et pas seulement parce que l'Allemande était dotée d'une des excellentes boîtes manuelles de BMW et la IS 350 d'une automatique à 6 rapports, qui n'était pas de la plus grande vivacité. La différence était dans l'intangible, dans la fluidité de la conduite et dans les sensations, autant celles qui filtraient par le volant que par les réflexes nets de la suspension, la sonorité ravissante du six cylindres en ligne, sa souplesse et ses reprises instantanées. Même nombre de cylindres et même gabarit à peu de chose près, pour un résultat très différent.

Catégorie	Berline, Cabriolet
Échelle de prix	32 900 $ à 69 850 $ (2011)
Garanties	4 ans/80 000 km, 6 ans/110 000 km
Assemblage	Tahara, Japon
Cote d'assurance	moyenne

CHÂSSIS - F

Emp/lon/lar/haut	2 730/4 660/1 815/1 415 mm
Coffre	311 litres
Réservoir	64 litres
Nombre coussins sécurité / ceintures	8 / 5
Suspension avant	indépendante, double triangulation
Suspension arrière	indépendante, multibras
Freins avant / arrière	disque / disque
Direction	à crémaillère, ass. variable
Diamètre de braquage	11,0 m
Pneus avant / arrière	P225/40R19 / P255/35R19
Poids	1 715 kg
Capacité de remorquage	n.d.

COMPOSANTES MÉCANIQUES

IS250	
Cylindrée, soupapes, alim.	V6 2,5 litres 24 s atmos.
Puissance / Couple	204 chevaux / 185 lb-pi
Tr. base (opt) / rouage base (opt)	M6 (A6) / Prop (Tr, Int)
0-100 / 80-120 / 100-0 km/h	7,8 s / 6,1 s / n.d.
Type ess. / ville / autoroute	Super / 11,6 / 7,6 l/100 km

IS350	
Cylindrée, soupapes, alim.	V6 3,5 litres 24 s atmos.
Puissance / Couple	306 chevaux / 277 lb-pi
Tr. base (opt) / rouage base (opt)	A6 / Int (Prop)
0-100 / 80-120 / 100-0 km/h	5,7 s / 4,0 s / 40,0m
Type ess. / ville / autoroute	Super / 11,5 / 7,9 l/100 km

IS-F	
Cylindrée, soupapes, alim.	V8 5,0 litres 32 s atmos.
Puissance / Couple	416 chevaux / 371 lb-pi
Tr. base (opt) / rouage base (opt)	A8 / Prop
0-100 / 80-120 / 100-0 km/h	5,2 s / 4,6 s / 37,9 m
Type ess. / ville / autoroute	Super / 13 / 8,5 l/100 km

FEU VERT

- Silence de roulement
- Comportement sûr et précis
- Fabrication soignée
- Grande fiabilité
- Variété de modèles

FEU ROUGE

- Sièges avant moyens
- Suspension ferme
- Direction peu sensible
- Places arrière serrées
- Coffre limité (décapotable)

DU NOUVEAU EN 2012

Aucun changement majeur

http://www.lexus.ca/

Plus d'informations dans la section statistiques en dernière partie du Guide

VICTOIRE SANS SUITE

La joute a repris trois ans plus tard, dans le même contexte, cette fois avec la IS F, version mutante et profondément transformée de cette même berline. Loin de pâlir de la comparaison directe avec la BMW M3 et la Mercedes-Benz C 63 AMG, la IS F s'était bien défendue au point de décrocher la palme chez les voitures de sport et performance de plus de 50 000 $. Elle avait coiffé la C 63 par un seul point, grâce à un avantage de quelques milliers de dollars pour le prix, mais également grâce à la meilleure cote de consommation du groupe. La M3 était plus cher de 20 000 $.

Malgré les excellentes performances (0-100 km/h en 5,17 secondes) d'un V8 dont la sonorité se métamorphose en concert rock à 3 600 tr/min, une tenue de route solide et les vertus habituelles d'une Lexus, la IS F ne s'est pas imposée. Ce serait peut-être différent si Lexus l'équipait enfin d'une boîte manuelle ou alors d'une boîte à double embrayage automatisé qui permettrait au V8 d'exprimer sa fougue avec encore plus de vigueur et d'aiguiser le contrôle de l'accélérateur sur la tenue de route en conduite sportive et sur les circuits.

EN ROUE LIBRE

Les IS sont des voitures réussies, agréables et raffinées, qui ne semblent pas trouver leur public, malgré la réputation de la marque. Le volant sport à trois rayons, gainé de cuir, est superbe et le poste de commande taillé autour du conducteur.

Le sillon en zigzag du sélecteur de vitesses est par contre inutile, avec un mode manuel et des manettes au volant. Toutes sont à l'aise et impeccablement maniables en conduite urbaine, grâce à un diamètre de braquage exceptionnel. Sur l'autoroute, elles affichent un excellent silence de roulement et se révèlent stables et solides en tenue de cap, sauf pour une sensibilité occasionnelle aux vents obliques.

Lexus continue de les mettre à jour, pour la forme sans doute, parce que le cœur ne semble pas tellement y être. La plus récente variation est la berline IS 350 AWD à rouage intégral, lancée l'an dernier. Compétente elle aussi, entre autres sur des chaussées enneigées où elle se conduit et se contrôle à l'accélérateur, comme il se doit. Son V6 jadis brillant traîne cependant un peu la patte maintenant, devancé en puissance, en souplesse et en frugalité par plusieurs des nouveaux moteurs à injection directe de la concurrence. Vivement la prochaine génération et le bond en avant qu'on est en droit d'attendre de ce géant surdoué.

Marc Lachapelle

Photos: Lexus

LA VOITURE FANTÔME

Malgré le titre évocateur de cet article, je vous assure que la Lexus LF-A existe vraiment, puisque je fais partie d'un groupe privilégié de journalistes automobile qui a eu l'occasion de la piloter… Ça s'est passé sur le circuit de Homestead en Floride, où j'ai eu la chance de conduire deux exemplaires de cette Lexus aux performances absolument démentielles.

Si je qualifie la Lexus LF-A de voiture fantôme, c'est en raison du fait que la production est limitée à seulement 500 exemplaires. Ceux-ci seront produits au cours des années modèles 2011 et 2012 à l'usine de Motomachi, au Japon, par une équipe de 1 540 techniciens, au rythme d'une voiture par jour. De ce nombre, dix voitures seront allouées au marché canadien à raison de cinq par année. Il y a fort à parier que certains acheteurs, qu'ils soient d'ici ou d'ailleurs, ne conduiront jamais ou alors très peu leur LF-A, préférant la conserver au garage comme un investissement. Tout cela signifie que si jamais vous apercevez une LF-A sur les routes du Québec, vous devez vous dire que c'est votre jour de chance et courir acheter un billet de loterie…

TECHNOLOGIE DE POINTE

Sur le plan technique, la LF-A est à la fine pointe avec son châssis réalisé à 65 % en fibres de carbone et à 35 % en aluminium. Cette configuration a été adoptée en cours de développement, le premier prototype ayant été réalisé sur un châssis tout d'alu, afin de réduire le poids de la voiture. Par ailleurs, le choix de la fibre de carbone comme matériau de base pour la réalisation du châssis de la LF-A ramenait Toyota à ses origines… En effet, la marque qui allait un jour devenir un géant de l'automobile construisait, à ses débuts, des machines à tisser le textile. Ironiquement, les ingénieurs de Toyota ont développé une nouvelle machine circulaire pour tisser et tresser la fibre de carbone nécessaire à la confection de nombreux éléments du châssis de la LF-A.

CONCURRENTS
Audi R8,
Ferrari F458 Italia,
Lamborghini Gallardo,
Lotus Evora,
Mercedes-Benz Classe SLR,
Nissan GT-R

IMPRESSIONS DE L'AUTEUR		
Agrément de conduite :	■■■■■	5/5
Fiabilité :	DONNÉES INSUFFISANTES	
Sécurité :	DONNÉES INSUFFISANTES	
Qualités hivernales :		NULLES
Espace intérieur :	■■■□□	3/5
Confort :	■■■□□	3/5

L'habitacle de la LF-A est un mélange de high tech et des traditionnelles touches de luxe qui font l'apanage de la marque. Ainsi, la LF-A n'est pas dotée d'un bloc d'instruments conventionnels, mais plutôt d'un écran qui reproduit en images le tachymètre qui se retrouve ainsi présenté de différentes façons selon la sélection par le conducteur de l'un des quatre modes de conduite, soit « automatique », « normal », « sport » et « chaussée mouillée ». Les sièges sport moulants sont recouverts d'un cuir de très grande

Catégorie	Coupé
Échelle de prix	375 000 $ (2011, US)
Garanties	4 ans/80 000 km, 6 ans/110 000 km
Assemblage	Motomachi, Japon
Cote d'assurance	n.d.

CHÂSSIS - LF-A

Emp/lon/lar/haut	2 605/4 505/1 895/1 220 mm
Coffre	n.d.
Réservoir	73 litres
Nombre coussins sécurité / ceintures	5 / 2
Suspension avant	indépendante, double triangulation
Suspension arrière	indépendante, multibras
Freins avant / arrière	disque / disque
Direction	à crémaillère, ass. variable électronique
Diamètre de braquage	12,2 m
Pneus avant / arrière	P265/35ZR20 / P305/30ZR20
Poids	1 480 kg
Capacité de remorquage	n.d.

COMPOSANTES MÉCANIQUES

LF-A

Cylindrée, soupapes, alim.	V10 4,8 litres 40 s atmos.
Puissance / Couple	552 chevaux / 354 lb-pi
Tr. base (opt) / rouage base (opt)	A6 / Prop
0-100 / 80-120 / 100-0 km/h	3,7 s / 3,0 s (est) / n.d.
Type ess. / ville / autoroute	Super / n.d.

qualité et la LF-A est également équipée de série d'un système de son performant ainsi que d'un système de navigation.

UN SON D'ENFER...

Dès la sortie des puits, la LF-A annonce un essai exceptionnel. Les 552 chevaux s'expriment avec autorité et le V10 monte rapidement en régime en route vers sa limite de révolutions de 9000 tours/minute avec ce hurlement propre à la LF-A. Je dois mentionner qu'au cours de ma carrière, j'ai eu l'occasion de conduire plusieurs Ferrari, Lamborghini, et d'autres sportives de haut calibre comme la nouvelle Audi R8 GT, mais aucune de ces voitures n'arrive à émuler la sonorité d'un moteur de F1 aussi fidèlement que la LF-A. C'est que les ingénieurs ont porté une attention particulière à cet aspect en peaufinant le développement du moteur et de l'échappement tout en intégrant des passages avec membranes entre le compartiment moteur et l'habitacle, justement afin de bonifier l'expérience auditive. À 9000 tours/minute, le son du V10 qui hurle, alors que je file sur la ligne droite du circuit de Homestead, est tout simplement hallucinant, les ingénieurs de Lexus ayant réussi à reproduire la sonorité propre à moteur de F1 d'une façon que personne n'a été en mesure de faire jusqu'à présent. De plus, ce V10 passe du ralenti à sa limite de révolutions de 9000 tours/minute au neutre en seulement six dixièmes de seconde, et le régime moteur semble chuter presque aussi rapidement. Le résultat, c'est qu'en jouant avec l'accélérateur au neutre, on en vient à produire le même *wap-wap-wap* qu'un véritable moteur de course. La puissance maximale de 552 chevaux est atteinte à 8700 tours/minute et le couple maximal de 354 livres-pied est obtenu à 6800 tours/minute. Le poids de la Lexus LF-A étant de 1 480 kilos, celle-ci bénéficie donc d'un meilleur rapport poids/puissance que la Ferrari 599 GTB Fiorano.

La boîte est une manuelle Aisin à six vitesses, qui est contrôlée électroniquement au moyen de paliers localisés sur la colonne de direction. Celui de gauche, qui commande le rétrogradage, requiert un peu plus d'effort que celui de droite, qui lui commande le passage au rapport supérieur. La boîte passe les vitesses en 200 millièmes de seconde, lorsque le mode «sport» est sélectionné. C'est un peu lent, compte tenu du fait que Ferrari prévoit un temps de passage en 60 millièmes de seconde pour la nouvelle 458 Italia. C'est un des deux points faibles de la LF-A, l'autre étant la direction à assistance électrique qui pourrait donner davantage de feedback.

Véritable tour de force sur le plan technique, la LF-A est une voiture d'anthologie. Son seul problème est son prix stratosphérique, surtout lorsque la LF-A est comparée à la GT-R de Nissan, dont les performances ne sont pas toutes égales à celles de la Lexus, mais dont le prix est six fois moindre...

Gabriel Gélinas

FEU VERT

- Performances spectaculaires
- Fabuleux son du V10
- Exclusivité assurée
- Technologie de pointe

FEU ROUGE

- Prix stratosphérique
- Design singulier de l'habitacle
- La verra-t-on vraiment sur la route?

DU NOUVEAU EN 2012

Aucun changement majeur

http://www.lexus.ca/

Plus d'informations dans la section statistiques en dernière partie du Guide

Photos: Lexus

DISCRÈTE OPULENCE

Malgré les déboires récents de la compagnie Toyota, le prestige de la marque Lexus (c'est que Lexus appartient à Toyota) ne semble pas avoir été affecté. Il faut cependant avouer qu'auprès de la population générale, la renommée de la marque ne semble appartenir qu'aux modèles les plus huppés, dont la LS, véritable vitrine du luxe à la japonaise.

Quand la version de base d'un modèle débute à plus de 80 000 $, on n'a pas affaire à un véhicule bas de gamme. Et quand la livrée la plus dispendieuse fait aisément dans les 140 000 $, on tombe dans le superlatif. La gamme LS débute donc avec la LS460, la version du pauvre riche. S'ensuit une LS460 à rouage intégral, puis une LS460 L à rouage intégral et à empattement allongé. Enfin, Lexus a mis à peu près tout ce qu'on peut imaginer de technologie dans l'hybride LS600h L, offerte uniquement — cela va de soi ! — avec l'empattement allongé.

Peu importe le modèle, la carrosserie affiche une sobriété raffinée, bien qu'on soit loin de l'esthétisme recherché d'une BMW Série 7, d'une Audi A8 ou encore d'une Jaguar XJ. Je trouve qu'elle ressemble plus à une Mercedes-Benz Classe S. Par contre, les lignes de la LS raviront la personne (en moyens, bien entendu) désirant l'anonymat, comme les dirigeants d'entreprises qui ressentent une petite gêne à l'idée de stationner leur BMW 750Li à côté de la Yaris de la directrice générale ! Une LS, c'est chic, ça paraît bien et ça fait moins suer les voisins. À noter que la 600h L a droit à une partie avant différente et, ma foi, fort impressionnante avec ses blocs optiques à quatre phares chacun. Le coffre est vaste et on retrouve une trappe à skis, fort pratique, à défaut d'avoir droit à des dossiers qui s'abaissent. Dans la version hybride, le coffre est amputé de plusieurs litres à cause de l'ensemble de batteries placé derrière le dossier.

CONCURRENTS

Audi A8,
BMW Série 7,
Jaguar XJ,
Mercedes-Benz Classe S

IMPRESSIONS DE L'AUTEUR

Agrément de conduite :	4/5
Fiabilité :	4.5/5
Sécurité :	5/5
Qualités hivernales :	4/5
Espace intérieur :	4.5/5
Confort :	5/5

CONFORT EXTRÊME

Quiconque prend place dans l'habitacle d'une LS pour la première fois ne peut être qu'impressionné par la qualité évidente des matériaux et le soin maniaque apporté à leur assemblage. Les cuirs, les boiseries et les rares plastiques se marient avec bonheur et élégance. Les sièges avant font preuve d'un confort savamment étudié, la position de conduite est parfaite — s'il fallait qu'elle ne le soit pas, avec autant d'ajustements possibles ! — et les grandes jauges électroluminescentes entièrement numériques en mettent plein la vue. Avant de prendre la route, ne reste qu'un détail : apprendre la fonction de chacun des boutons et des acronymes qui les accompagnent. D'ailleurs, le

Guide du propriétaire fait 608 pages… sans compter le tome à part qui traite du système de navigation et de l'audio !

Les places arrière pourraient faire, à elles seules, l'objet d'une thèse de doctorat, surtout dans les versions allongées qui ont le bonheur de recevoir un siège de type Lay-Z-Boy offert en option. Les sièges sont chauffants, ventilés, masseurs, vibromasseurs même, mémorisés, ajustables, etc. Toujours est-il que le siège Lay-Z-Boy (ottoman) permet à son occupant de s'étirer de tout son long, mais à condition qu'il n'y ait personne devant lui et qu'il ne soit pas très grand.

PARCE QU'ON N'A PAS LE CHOIX

Parler de la mécanique d'une Lexus LS, c'est un peu comme publier un Guide de la rose en février, ça ne sert pas à grand-chose. Je dirais même que c'est une pure perte de temps, mais puisque les éditeurs ne tiennent jamais compte de l'avis des connaisseurs de roses… Dans les versions que j'ose qualifier de régulières, on retrouve un V8 de 4,6 litres développant 380 chevaux. Associé à une boîte automatique à huit — oui, 8 ! — rapports au fonctionnement transparent, il procure à la voiture des performances très correctes, même si ses concurrentes sont plus véloces. Mais je parierais que les gens attirés par la LS ne le sont pas par un comportement olé olé. Ils sont donc bien servis… Si la livrée de base est une propulsion, la plupart des gens lui préfèrent toutefois le rouage intégral, qui ajoute à la sécurité et à la traction durant la blanche saison.

La LS600h L, elle, reçoit une motorisation hybride. Le V8 de 5,0 litres, combiné à un moteur électrique, développe la respectable puissance de 438 chevaux, qui rend ce mastodonte écologique plus rapide que la version à essence. La transmission est une CVT (à rapports continuellement variables) qui est un charme à vivre. Grâce à un différentiel central à glissement limité Torsen (comme sur les LS460 AWD), elle expédie l'imposante cavalerie aux quatre roues. Plus puissante que la version à moteur thermique, cette hybride a l'immense avantage de consommer au moins deux litres de moins tous les 100 km. Elle propose même un mode Eco qui semble couper la moitié de la puissance et un mode EV qui permet de rouler en mode électrique pendant plus longtemps.

Sur la route, il ne faut pas se surprendre si l'endormissement nous gagne. Le silence de coffre-fort de l'habitacle, les suspensions qui s'affranchissent de tous les trous et bosses, la direction qui manque de précision et, surtout, de retour d'information, tout contribue à nous faire oublier qu'il y a de la vie à l'extérieur. Au fond, c'est peut-être tout ce que désirent les propriétaires de LS…

Alain Morin

Photos: Alain Morin

LEXUS LS

Catégorie	Berline
Échelle de prix	83 100 $ à 121 750 $ (2011)
Garanties	4 ans/80 000 km, 6 ans/110 000 km
Assemblage	Tahara, Japon
Cote d'assurance	n.d.

CHÂSSIS - 600H L

Emp/lon/lar/haut	3 090/5 150/1 875/1 480 mm
Coffre	330 litres
Réservoir	84 litres
Nombre coussins sécurité / ceintures	8 / 5
Suspension avant	indépendante, multibras
Suspension arrière	indépendante, multibras
Freins avant / arrière	disque / disque
Direction	à crémaillère, ass. variable
Diamètre de braquage	11,0 m
Pneus avant / arrière	P245/45R19 / P245/45R19
Poids	2 360 kg
Capacité de remorquage	n.d.

COMPOSANTES MÉCANIQUES

460 , 460 TI, 460 L TI	
Cylindrée, soupapes, alim.	V8 4,6 litres 32 s atmos.
Puissance / Couple	380 chevaux / 367 lb-pi
Tr. base (opt) / rouage base (opt)	A8 / Prop (Int)
0-100 / 80-120 / 100-0 km/h	7,3 s / 5,7 s / 42,6 m
Type ess. / ville / autoroute	Super / 13,5 / 8,7 l/100 km

600h L	
Cylindrée, soupapes, alim.	V8 5,0 litres 32 s atmos.
Puissance / Couple	438 chevaux / 385 lb-pi
Tr. base (opt) / rouage base (opt)	CVT / Int
0-100 / 80-120 / 100-0 km/h	6,5 s / 4,7 s / 46,5 m
Type ess. / ville / autoroute	Super / 10,6 / 9,1 l/100 km

FEU VERT

- Prestige intact
- Confort inouï
- Habitacle supra silencieux
- Finition de haut calibre
- Fiabilité reconnue

FEU ROUGE

- Absence de vitalité
- Version hybride très chère
- Direction de pédalo
- Systèmes de contrôles trop intrusifs
- Entretien de type $$$$

DU NOUVEAU EN 2012

Aucun changement majeur

http://www.lexus.ca/

Plus d'informations dans la section statistiques en dernière partie du Guide

ACHETEUR CHERCHE VÉHICULE EXCLUSIF

Les gens qui se procurent des véhicules de luxe veulent habituellement se payer du bon temps et beaucoup de confort, mais aussi une certaine exclusivité. Compte tenu de leur prix prohibitif, ces véhicules ne sont pas légion. Ils frappent l'imaginaire et les gens se tournent sur leur passage, qu'ils trouvent la voiture jolie ou pas.

Ce pourrait être une excuse pour vous procurer la plus grosse des Lexus, la LX570, dont le nombre de nouveaux acheteurs demeure très limité. Et vous pourriez joindre l'utile à l'agréable, car ce véhicule est en mesure de transporter beaucoup de gens ainsi qu'une foule de bagages, et son rouage intégral vous permettra de vous rendre à votre chalet dans le Nord, même lors d'une grosse tempête de neige.

Il se pourrait toutefois que plusieurs acheteurs éventuels soient quelque peu déçus en apprenant que ce véhicule a des origines relativement prolétariennes, puisqu'on a emprunté la plate-forme et la mécanique de cette voiture au Toyota Land Cruiser, qui n'est pas commercialisé sur notre marché. Il est un peu ironique que l'on ait choisi la base d'un modèle jugé indigne de notre marché pour être le fer de lance de Lexus dans la catégorie des VUS de luxe.

COMME UN YACHT DE LUXE

Si vous écoutez un tant soit peu les émissions portant sur les gens riches et célèbres, il y a toujours cet épisode où l'on visite un yatch de luxe, valant plusieurs millions de dollars et appartenant à un propriétaire anonyme. Règle générale, la silhouette du bateau ne nous intéresse pas, mais on s'émerveille toujours devant les boiseries de la salle de séjour, les installations fastueuses du poste de pilotage et j'en passe. C'est un peu le même phénomène qui se produit avec le Lexus LX 570. Lorsqu'on prend place dans l'habitacle, on a l'impression d'être aux commandes d'un gros porteur. Ce n'est pas nécessairement joli, mais c'est résolument impressionnant. L'élément visuel le plus important est cette console centrale dominée par un écran d'affichage de bonnes dimensions, encadré par deux buses de ventilation assez grosses. Par la suite, c'est une cascade de boutons visant à gérer le système de navigation, le système audio et la climatisation. Comme toute Lexus qui se respecte, les cuirs les plus fins et les bois exotiques s'associent pour donner une atmosphère de luxe. Comme il se doit sur le modèle dans cette catégorie de prix chez Lexus, la chaîne audio est fournie par la compagnie Mark Levinson, qui jouit d'une réputation fort enviable parmi les audiophiles. Cependant, plusieurs d'entre eux ont critiqué cette marque pour s'être « vendue », justement, au marché de l'automobile.

CONCURRENTS
Cadillac Escalade,
Infiniti QX,
Land Rover Range Rover,
Lincoln Navigator,
Mercedes-Benz Classe G,
Mercedes-Benz Classe GL

IMPRESSIONS DE L'AUTEUR		
Agrément de conduite :	■■■□□	3/5
Fiabilité :	■■■■□	4/5
Sécurité :	■■■■□	4/5
Qualités hivernales :	■■■■□	4/5
Espace intérieur :	■■■■□	4/5
Confort :	■■■■□	4/5

Catégorie	VUS
Échelle de prix	89 950 $ (2011)
Garanties	4 ans/80 000 km, 6 ans/110 000 km
Assemblage	Araco, Japon
Cote d'assurance	n.d.

La finition est bien entendue impeccable, les sièges avant sont confortables, malgré un manque de support latéral tandis que la seconde rangée de sièges dorlote ses occupants. La troisième rangée est une autre histoire alors qu'il est non seulement difficile d'y accéder mais qu'elle se révèle bien peu accueillante pour les personnes de grande taille. Soulignons que ce troisième siège se replie de chaque côté de la cabine à l'aide de moteurs électriques. C'est peut-être spectaculaire à voir, mais cela empiète beaucoup sur l'espace réservé aux bagages. D'autant plus que les sièges intermédiaires ne se replient pas dans le plancher, mais se contentent plutôt de basculer vers l'avant.

La silhouette est beaucoup moins intéressante. Sa taille est certes impressionnante, mais le design laisse à désirer. On peut tout au moins souligner que la timidité des lignes compense pour les dimensions de la caisse. Les stylistes ont adopté une présentation toute en rondeurs, sans doute dans le but d'affiner la silhouette. La seule excentricité est ce renflement de bas de caisse qui vient se placer juste au-dessus de marchepied. Pour le reste, c'est platement générique.

SURPRENANTE !

De toute évidence, un véhicule de ce poids, possédant ces dimensions et doté d'un centre de gravité relativement élevé n'a pas été conçu pour participer à des gymkhanas ou à des épreuves de ce genre. Grâce à son gros moteur V8 de 5,7 litres de 383 chevaux, le conducteur peut compter sur de bonnes performances et de bonnes reprises. D'ailleurs, il faut moins de 8 secondes pour boucler le 0-100 km/h. Toutefois, ces performances ont un coût, et c'est au niveau de la consommation de carburant que l'on est pénalisé. Si vous conduisez seul et en accélérant avec parcimonie, vous réaliserez une moyenne d'environ 17 litres au 100 km. Invitez vos amis à partir en balade et la consommation augmentera davantage. Attachez une remorque à la LX — sa capacité de remorquage est de 7 000 livres — et vous allez recevoir une carte de souhaits de la part du président de Pétro Canada.

Si la tenue de route est correcte en conduite de tous les jours, ce véhicule est toutefois sensible aux vents latéraux. Mais là où il brille, c'est lorsqu'on prend la clé des champs. Les ingénieurs ont concocté un système de rouage intégral à commande électronique vraiment efficace. Par contre, on peut se demander qui osera patauger dans la boue et les cailloux avec un véhicule de tel encombrement et d'un tel prix. Mais si jamais vous vous aventurez hors route et que les choses se détériorent, le LX a le potentiel pour vous extirper de cette mauvaise situation.

Denis Duquet

Photos : Lexus

CHÂSSIS - 570	
Emp/lon/lar/haut	2 850/4 990/1 970/1 920 mm
Coffre	430 à 2 560 litres
Réservoir	93 litres
Nombre coussins sécurité / ceintures	10 / 8
Suspension avant	indépendante, double triangulation
Suspension arrière	indépendante, multibras
Freins avant / arrière	disque / disque
Direction	à crémaillère, ass. variable
Diamètre de braquage	12,8 m
Pneus avant / arrière	P285/50R20 / P285/50R20
Poids	2 660 kg
Capacité de remorquage	3 175 kg (6 999 lb)

COMPOSANTES MÉCANIQUES	
570	
Cylindrée, soupapes, alim.	V8 5,7 litres 32 s atmos.
Puissance / Couple	383 chevaux / 403 lb-pi
Tr. base (opt) / rouage base (opt)	A6 / Int
0-100 / 80-120 / 100-0 km/h	7,6 s / 5,7 s / 42,6 m
Type ess. / ville / autoroute	Super / 17,0 / 11,4 l/100 km

FEU VERT

- Finition sans faille
- Excellente fiabilité
- Rouage intégral efficace
- Bonne capacité de remorquage
- Insonorisation très poussée

FEU ROUGE

- Faible diffusion
- Consommation très élevée
- Sensible au vent latéral
- Direction engourdie
- Troisième rangée de sièges à revoir

DU NOUVEAU EN 2012

Nouveau modèle sera lancé en cours d'année

http://www.lexus.ca/

Plus d'informations dans la section statistiques en dernière partie du Guide

UN CLASSIQUE DU GENRE

Non seulement le Lexus RX a été le premier véhicule multisegment de luxe, mais il continue d'être une référence plus d'une décennie après son arrivée sur le marché. Il y a eu quelques refontes en cours de route, mais les stylistes ont conservé cette silhouette si caractéristique tandis que les designers chargés de redessiner le tableau de bord se sont payés un peu plus d'innovations.

Et même s'il existe des modèles plus cossus, plus luxueux et même plus performants, le RX continue de posséder une cote de respect que tous les concurrents lui envient. Les gens intéressés par une qualité de finition irréprochable et une fiabilité de bon aloi se tournent vers cette Lexus toujours bien perçue de la part des BCBG. Ses performances sont correctes, mais ce n'est pas la raison de sa popularité. Dans cette catégorie, les acheteurs qui désirent plus de performances se tournent vers d'autres marques.

UN COCON TOUT CONFORT

Une Lexus, tant au chapitre de la présentation extérieure que de ses performances, est supplantée par la plupart de ses concurrentes. Par contre, lorsqu'on prend place à bord, on éprouve une impression de raffinement et de luxe que l'on retrouve rarement ailleurs. Ce n'est pas une question de prix, mais de qualité des matériaux et d'agencement des textures. Il faut se l'admettre: la finition impeccable est le propre de tous les modèles de cette marque. Si vous avez accès à un de ces véhicules, tentez de trouver un défaut dans la finition et la qualité d'assemblage. Je vous souhaite bonne chance… Mais il y a plus que cela. Les sièges sont éminemment confortables et fabriqués à partir de cuir très fin. Toutefois, confort ne veut pas nécessairement dire support latéral, et si jamais le pilote se met à conduire de façon agressive sur une route tout en courbes, les passagers glisseront d'un côté comme de l'autre. Soulignons au passage que les places arrière sont moyennement accueillantes, mais que la place centrale est à éviter. Cette banquette voit son dossier séparé en trois sections. Au moins, la section centrale aussi inconfortable que pratique. Celle-ci est relativement étroite et peut être abaissée afin de laisser passer des objets longs tout en permettant aux deux autres occupants de profiter d'un bon confort.

CONCURRENTS

Acura MDX, Audi Q7, BMW X5, Cadillac SRX, Infiniti FX, Lincoln MKX, Mercedes-Benz Classe M, Volkswagen Touareg, Volvo XC90

IMPRESSIONS DE L'AUTEUR

Agrément de conduite :	3 / 5
Fiabilité :	4.5 / 5
Sécurité :	4 / 5
Qualités hivernales :	4 / 5
Espace intérieur :	3.5 / 5
Confort :	4.5 / 5

Depuis la dernière refonte, la pièce de résistance de ce véhicule est ce tableau de bord qui fait preuve de beaucoup d'audace, particulièrement si on tient compte du conservatisme des autres modèles. La console principale est de forme triangulaire avec sa pointe dirigée vers le passager. Si la forme est différente, l'agencement des

commandes est sensiblement le même qu'ailleurs, avec les pavés de sélection du système audio placés immédiatement sous les buses de ventilation centrale. Le levier de passage des rapports doit serpenter entre les encoches afin d'éviter tout changement inopiné. Sur la console horizontale placée entre les deux sièges, on retrouve le contrôleur Touch Remote qui permet de gérer différentes fonctions un peu à la manière d'une souris d'ordinateur. C'est peut-être génial, mais il faut un bon temps pour s'y habituer : cette souris est très sensible et il est difficile de positionner au bon endroit la flèche indicatrice sur l'écran. De plus, manipuler cette commande tout en conduisant nous oblige à quitter la route des yeux, ce qui s'avère rarement une bonne idée.

THERMIQUE OU HYBRIDE

L'acheteur qui s'intéresse aux modèles RX peut choisir le RX350, une version dotée d'un moteur thermique, un V6 de 3,5 litres de 275 chevaux. Celui-ci est couplé à une boîte automatique à six rapports, d'une grande douceur de fonctionnement. Cependant, cette boîte est relativement paresseuse et les passages de rapports s'effectuent avec un certain délai. Le rouage intégral de série fait du bon travail, mais spécifions qu'il s'agit d'un système « toutes routes » et non pas « tout-terrain ».

Il y a aussi le RX450h à moteur hybride. Dans ce cas, on retrouve le même moteur V6, mais associé à un moteur électrique aux roues avant et à un autre aux roues arrière, afin d'offrir un véhicule quatre roues motrices. Une transmission à rapports continuellement variables dotée d'un mode séquentiel de passage de vitesse permet de transmettre la puissance aux quatre roues.

Dans les deux modèles, le niveau d'équipement est très relevé et il est difficile de trouver à redire à ce niveau. La différence de prix entre la version à moteur thermique et celle à moteur hybride s'explique en grande partie par le coût plus élevé de la mécanique de ce dernier, notamment en raison des batteries, qui servent à alimenter les moteurs électriques. Les deux modèles partagent une caractéristique commune, soit un agrément de conduite fortement atténué. L'insonorisation très poussée de ce véhicule ainsi que le manque de *feedback* de la direction donnent l'impression de piloter un cocon insonorisé sur la route. Ce qui est d'autant plus irritant, c'est que le roulis en virage est prononcé, et ce, même si on se contente de respecter les limites de vitesse affichée.

Bref, c'est surtout son prestige, la qualité de sa finition ainsi qu'une conduite sans surprise qui font de la RX toujours l'une des favorites de cette catégorie.

Denis Duquet

Photos : Marc Lachapelle

LEXUS RX

Catégorie	VUS
Échelle de prix	47 050 $ à 59 550 $ (2011)
Garanties	4 ans/80 000 km, 6 ans/110 000 km
Assemblage	Kyushu, Japon
Cote d'assurance	n.d.

CHÂSSIS - 450H	
Emp/lon/lar/haut	2 740/4 770/1 885/1 720 mm
Coffre	1 132 à 2 273 litres
Réservoir	73 litres
Nombre coussins sécurité / ceintures	10 / 5
Suspension avant	indépendante, jambes de force
Suspension arrière	indépendante, jambes de force
Freins avant / arrière	disque / disque
Direction	à crémaillère, ass. électrique
Diamètre de braquage	11,4 m
Pneus avant / arrière	P235/60R18 / P235/60R18
Poids	2 110 kg
Capacité de remorquage	1 587 kg (3 498 lb)

COMPOSANTES MÉCANIQUES	
350	
Cylindrée, soupapes, alim.	V6 3,5 litres 24 s atmos.
Puissance / Couple	275 chevaux / 257 lb-pi
Tr. base (opt) / rouage base (opt)	A6 / Int
0-100 / 80-120 / 100-0 km/h	8,2 s / 6,2 s / 42,0 m
Type ess. / ville / autoroute	Ordinaire / 11,5 / 8,0 l/100 km
450h	
Cylindrée, soupapes, alim.	V6 3,5 litres 24 s atmos.
Puissance / Couple	295 chevaux / 234 lb-pi
Tr. base (opt) / rouage base (opt)	A6 / Int
0-100 / 80-120 / 100-0 km/h	8,0 s / 6,1 s / 44,1 m
Type ess. / ville / autoroute	Super / 6,3 / 7,1 l/100 km

FEU VERT

- Finition irréprochable
- Version hybride
- Insonorisation exemplaire
- Durabilité impressionnante
- Confortable

FEU ROUGE

- Direction engourdie
- Faible visibilité arrière
- Roulis en virage
- Options onéreuses
- Agrément de conduite très mitigé

DU NOUVEAU EN 2012

Aucun changement majeur

http://www.lexus.ca/

Plus d'informations dans la section statistiques en dernière partie du Guide

INVISIBLE MALGRÉ LE CLINQUANT

Cette grande berline qui entame sa quatrième année fut la première à hériter de ce grand sourire chromé plus ou moins carnassier et la première à profiter du V6 Ecoboost à double turbo. La MKS est confortable, spacieuse, stable et on peut lui ajouter la majorité des systèmes et accessoires en vogue. Malgré cela, elle ne fait pas trembler les spécialistes allemands ou japonais du luxe et n'est sans doute la cause d'aucune insomnie chez sa rivale américaine de toujours.

Le porte-étendard de Lincoln est construit sur une version de la plate-forme P2 de Volvo dont Ford a pu disposer alors qu'elle possédait cette marque. La MKS est la presque jumelle de la Ford Taurus. Ce n'est certes pas un mal puisque les deux sont élaborées de cette architecture saine dont le constructeur de Dearborn a finalement su extraire le meilleur, y compris en termes de sécurité active et passive, chromosomes suédois obligent.

PERMUTATIONS MÉCANIQUES

La MKS est une traction dont Lincoln tire aussi des versions à rouage intégral. D'abord lancée avec un V6 de 3,7 litres et 273 chevaux, elle fut la première à profiter du V6 Ecoboost de 3,5 litres à injection directe et double turbo. Un moteur qui lui fournit 355 chevaux et surtout un couple de 350 lb-pi à seulement 1 500 tr/min, jumelé exclusivement au rouage intégral.

Avec un poids identique pour les deux versions à quatre roues motrices, l'avantage en performance du modèle Ecoboost est très marqué. Il expédie le 0-100 km/h en 5,75 secondes alors que la MKS à V6 atmosphérique le boucle en 7,4 secondes. La MKS de base, plus légère de 68 kg, est sans doute un peu plus véloce.

Ironiquement, la version Ecoboost est la plus frugale des trois grâce à l'injection directe et au couple. Ses cotes ville/route officielles sont effectivement de 12,5 et 8,1 l/100 km alors que la MKS intégrale à V6 atmosphérique est cotée à 12,9 et 8,8 l/100 km et la traction V6 à 12,5 / 8,3 l/100 km.

CONCURRENTS

Acura RL, Audi A6, BMW Série 5, Cadillac DTS, Cadillac STS, Infiniti M, Jaguar XF, Lexus GS, Mercedes-Benz Classe E, Volvo S80

IMPRESSIONS DE L'AUTEUR

Agrément de conduite :	3.5/5
Fiabilité :	4/5
Sécurité :	4.5/5
Qualités hivernales :	4.5/5
Espace intérieur :	4/5
Confort :	4/5

NOTE SALÉE SANS LES ÉPICES

Le seul inconvénient du moteur Ecoboost est la prime exigée à l'achat. Pour quelques milliers de dollars de plus, il est livré avec une ribambelle d'accessoires destinés à bonifier le confort et l'esthétique plutôt que le rendement. On peut ensuite ajouter le groupe « décor », qui inclut des jantes chromées de 20 pouces, des sièges de cuir chauffants à toutes les places et ventilés à l'avant, un volant gainé de cuir et une série d'embellissements.

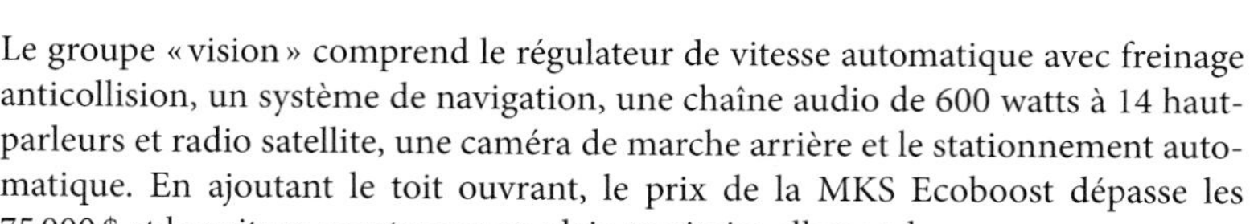

Le groupe « vision » comprend le régulateur de vitesse automatique avec freinage anticollision, un système de navigation, une chaîne audio de 600 watts à 14 haut-parleurs et radio satellite, une caméra de marche arrière et le stationnement automatique. En ajoutant le toit ouvrant, le prix de la MKS Ecoboost dépasse les 75 000 $ et la voiture se retrouve en plein territoire allemand.

Ma collègue Nadine Filion souhaitait l'an dernier dans ces pages que le V6 Ecoboost soit offert comme une option autonome sur la MKS. Mais à quoi bon acheter une Lincoln alors que la Taurus SHO offre une version plus puissante du même moteur dans une variation plus affûtée de la même plate-forme, pour un prix de base moindre que celui de la MKS intégrale atmosphérique ? Le luxe a des raisons que la raison ignore.

DES DEVOIRS BIEN FAITS

À défaut d'être étonnante ou spectaculaire, la finition de l'habitacle est soignée, les matériaux ont un bel aspect et l'écran est net et clair. On est par contre encore coincés avec un levier unique pour clignotants et essuie-glaces à la gauche et il y a encore beaucoup trop de boutons plats et identiques à la console centrale. De même, il faut encore enfoncer un bouton sur le sélecteur pour passer au point mort ce qui demeure incompréhensible et dangereux.

La MKS est heureusement épargnée pour l'instant des nouveaux systèmes MyFord Touch et Sync qui connaissent des ratés. Le régulateur de vitesse automatique est superbe et le stationnement automatique optionnel se révèle facile à utiliser et d'une maestria étonnante. Les places arrière sont confortables et accueillantes avec une assise haute qui offre un bon maintien aux cuisses. L'espace est par contre juste pour les pieds et oubliez la place centrale dépourvue d'appuie-tête. Le dossier arrière est malheureusement fixe et la trappe derrière l'accoudoir est au mieux un passe-skis et certainement pas assez grande pour une planche à neige. Le coffre est grand, mais son ouverture est trop serrée. La conduite est fluide et agréable à défaut d'être sportive. La MKS sous-vire légèrement en amorce de courbe, mais pivote aussitôt. Un essai hivernal a permis d'apprécier les vertus du rouage intégral sur la neige, mais surtout la motricité bien répartie entre les roues avant et arrière qui permet de maintenir un équilibre en virage impeccable en dosant simplement l'accélérateur. Le couple et la souplesse de l'EcoBoost y sont pour beaucoup.

La MKS n'égale pas la somme de ses parties, aussi intéressantes qu'elles soient. Il lui manque le caractère qui permet à une berline de luxe de se démarquer. Or c'est la raison d'être de ces voitures et la justification première de leur facture corsée. Pour l'instant, ce n'est guère plus qu'une Taurus en tenue de soirée dont les garanties sont plus généreuses.

Marc Lachapelle

Photos: Lincoln

Catégorie	Berline
Échelle de prix	49 050 $ à 54 650 $ (2011)
Garanties	4 ans/80 000 km, 6 ans/110 000 km
Assemblage	Chicago, Illinois, É-U
Cote d'assurance	n.d.

CHÂSSIS - TI

Emp/lon/lar/haut	2 868/5 184/2 172/1 565 mm
Coffre	521 litres
Réservoir	72 litres
Nombre coussins sécurité / ceintures	6 / 5
Suspension avant	indépendante, jambes de force
Suspension arrière	indépendante, multibras
Freins avant / arrière	disque / disque
Direction	à crémaillère, assistée
Diamètre de braquage	12,2 m
Pneus avant / arrière	P255/45R19 / P255/45R19
Poids	1 944 kg
Capacité de remorquage	454 kg (1 000 lb)

COMPOSANTES MÉCANIQUES

TA, TI	
Cylindrée, soupapes, alim.	V6 3,7 litres 24 s atmos.
Puissance / Couple	273 chevaux / 270 lb-pi
Tr. base (opt) / rouage base (opt)	A6 / Tr (Int)
0-100 / 80-120 / 100-0 km/h	7,4 s / 6,3 s / 40,0 m
Type ess. / ville / autoroute	Ordinaire / 12,9 / 8,8 l/100 km

TI EcoBoost	
Cylindrée, soupapes, alim.	V6 3,5 litres 24 s turbo
Puissance / Couple	355 chevaux / 350 lb-pi
Tr. base (opt) / rouage base (opt)	A6 / Int
0-100 / 80-120 / 100-0 km/h	7,0 s / 5,4 s / 40,0 m
Type ess. / ville / autoroute	Ordinaire / 12,5 / 8,1 l/100 km

FEU VERT

- Position de conduite impeccable
- Moteur Ecoboost
- Places arrière et coffre vastes
- Confort de roulement

FEU ROUGE

- Vue limitée vers l'arrière
- Surenchère de boutons plats
- Levier unique pour clignotants et essuie-glaces
- Point mort verrouillé

DU NOUVEAU EN 2012

Aucun changement majeur

http://www.lincolncanada.com/

Plus d'informations dans la section statistiques en dernière partie du Guide

LE CHIC HORS NORME

La division Lincoln a le vent dans les voiles. Alors qu'on prévoyait sa disparition il y a un peu moins de cinq ans, celle-ci est en constante progression et, mieux encore, sa gamme de modèles est plus diversifiée que jamais.

Auparavant, dès qu'on prononçait le nom Lincoln, on avait en tête l'acheteur type : un homme avec un médaillon, des cheveux bouclés et un faux col roulé. De nos jours, on imagine plutôt le consommateur de Lincoln comme étant une personne branchée, qui apprécie les nouveaux gadgets électroniques et qui ne recule pas devant des véhicules dont l'apparence est quelque peu hors-norme.

C'est pour cette clientèle qu'on a créée la MKT. Sa silhouette, qui s'apparente à celle d'un VUS — ou à celle d'un corbillard selon certains —, a dérangé bien des gens lors de sa sortie, il y a quelques années. Bruno Sacco, ancien responsable du design chez Mercedes-Benz, m'avait dit un jour que si un nouveau véhicule dérangeait par son apparence, c'est qu'il était généralement en avant de son temps et qu'il connaîtrait probablement une belle carrière. Deux ans après son arrivée, on s'est habitué à cette présentation extérieure pour le moins différente et on a fini par accepter cette imposante grille de calandre. Mais cette Lincoln hors-norme est plus qu'une affaire d'apparence.

LA QUALITÉ AU RENDEZ-VOUS

Il n'y a pas si longtemps encore, les constructeurs américains se plaisaient à nous présenter de nouveaux véhicules dont la silhouette était originale avec de surcroît, une fiche technique intéressante. Malheureusement, la qualité de l'assemblage et des matériaux laissait souvent à désirer, alors que le la fiabilité mécanique décevait même s'il s'agissait pourtant de véhicules relativement dispendieux.

CONCURRENTS

Acura MDX, Audi Q7, BMW X5, Buick Enclave, Land Rover LR3, Mercedes-Benz Classe R, Volvo XC90

IMPRESSIONS DE L'AUTEUR

Agrément de conduite :	4 / 5
Fiabilité :	4 / 5
Sécurité :	5 / 5
Qualités hivernales :	4 / 5
Espace intérieur :	4 / 5
Confort :	4 / 5

On a heureusement abandonné cette façon de faire et la MKT en est un bel exemple. La qualité d'assemblage est impeccable, la finition sans faute et lorsqu'on prend place derrière le volant, on a l'impression de conduire une voiture de luxe et non pas une Ford déguisée en Lincoln. Et contrairement à de nombreux constructeurs nippons qui se copient les uns les autres, la présentation de la planche de bord est fort originale. Comme seule matière à critique, j'aurais aimé que le moyeu du volant à quatre branches soit un peu moins volumineux. Par contre, cela a permis d'y loger de nombreuses commandes. Ce modèle est justement doté du système de commande vocale Sync, qui devient un élément quasiment incontournable pour autant qu'on prenne le soin de le maîtriser et de bien articuler.

Catégorie	Multisegment
Échelle de prix	51 600 $ à 55 000 $
Garanties	4 ans/80 000 km, 6 ans/110 000 km
Assemblage	Oakville, Ontario, Canada
Cote d'assurance	n.d.

Toujours au chapitre de l'habitacle, le confort est impressionnant. Bien que très moelleux, les sièges offrent un support latéral convenable. De plus, selon les modèles et les options, ils sont chauffants et climatisés à la fois. Ce gros VUS six places possède même un petit réfrigérateur entre les deux sièges de la seconde rangée. Par contre, même si ces sièges semblent accueillants, la troisième rangée est réservée à des personnes de petite taille dont le seuil de résistance à la douleur est élevé.

CHOISIR ENTRE BIEN ET MIEUX

L'acheteur peut choisir entre deux moteurs V6. Bien qu'il s'agisse de la plus grosse des Lincoln, aucun moteur V8 ne se trouve sous le capot. Pour les personnes qui se contentent d'accélérations correctes et qui privilégient surtout la consommation de carburant, le moteur V6 de 3,7 litres et d'une puissance de 268 chevaux fera l'affaire. Malgré un poids de plus de 2 tonnes, le MKT et son moteur atmosphérique boucle le 0-100 km/h en moins de huit secondes tandis que sa consommation moyenne est cotée à 13 l/100 km.

Voilà pour l'option régulière. Si vous voulez avoir des performances supérieures, il vous est possible d'opter pour le moteur EcoBoost. Il s'agit d'un autre V6 dont la cylindrée est de 3,5 litres, et la présence de deux turbos permet d'obtenir des accélérations dignes d'un moteur V8, tout en consommant comme un moteur V6. Il est vrai qu'en usage normal, la consommation du moteur EcoBoost est plus ou moins semblable à celle de la version 3,7 litres. Mais osez utiliser les 355 chevaux et ça devient une tout autre affaire. Soulignons au passage que ces deux moteurs consomment de l'essence ordinaire et que leur boîte automatique à six rapports est fort efficace.

Malgré ses imposantes dimensions, cette Lincoln se débrouille assez bien sur la grande route et nous surprend agréablement sur les routes secondaires. Bien entendu, en circulation urbaine, sa taille constitue un handicap. Par ailleurs, son système de stationnement automatisé est d'une étonnante efficacité et ce mécanisme fonctionne même dans les côtes. Toujours en ce qui a trait à la conduite, le MKT est doté de plusieurs les éléments électroniques facilitant de pilotage. Soulignons, entre autres, le détecteur de proximité, un radar de détection latérale ainsi que le régulateur de croisière adaptatif.

Bref, c'est un véhicule qui fait tout et qui propose beaucoup de confort et d'espace tout en assurant une tenue de route plus que correcte. Soulignons que la transmission intégrale de série effectue également du très bon travail. C'est probablement pour toutes ces qualités que la compagnie a décidé de fabriquer une version Town Car destinée à servir de limousine.

Denis Duquet

Photos: Lincoln

CHÂSSIS - TI ECOBOOST

Emp/lon/lar/haut	2 995/5 273/2 177/1 712 mm
Coffre	507 à 2 149 litres
Réservoir	70 litres
Nombre coussins sécurité / ceintures	6 / 6
Suspension avant	indépendante, jambes de force
Suspension arrière	indépendante, multibras
Freins avant / arrière	disque / disque
Direction	à crémaillère, ass. variable électrique
Diamètre de braquage	12,6 m
Pneus avant / arrière	P255/45R20 / P255/45R20
Poids	2 276 kg
Capacité de remorquage	907 kg (1 999 lb)

COMPOSANTES MÉCANIQUES

TI

Cylindrée, soupapes, alim.	V6 3,7 litres 24 s atmos.
Puissance / Couple	268 chevaux / 267 lb-pi
Tr. base (opt) / rouage base (opt)	A6 / Int
0-100 / 80-120 / 100-0 km/h	7,7 s / 6,1 s / 48,0 m
Type ess. / ville / autoroute	Ordinaire / 13,1 / 9,3 l/100 km

TI EcoBoost

Cylindrée, soupapes, alim.	V6 3,5 litres 24 s turbo
Puissance / Couple	355 chevaux / 350 lb-pi
Tr. base (opt) / rouage base (opt)	A6 / Int
0-100 / 80-120 / 100-0 km/h	7,0 s / 5,3 s / 48,0 m
Type ess. / ville / autoroute	Ordinaire / 13,1 / 9,2 l/100 km

FEU VERT

- Moteurs bien adaptés
- Habitacle ultra luxueux
- Transmission intégrale
- Assistance électronique au pilotage
- Utilise du carburant ordinaire

FEU ROUGE

- Dimensions encombrantes
- Certaines commandes complexes
- Moteur EcoBoost parfois gourmand
- Pneus 20 pouces onéreux à remplacer
- Troisième rangée de sièges plutôt symbolique

DU NOUVEAU EN 2012

Aucun changement majeur

http://www.lincolncanada.com/

Plus d'informations dans la section statistiques en dernière partie du Guide

BON VIEUX CONFORT

Le Lincoln MKX, c'est connu, est un Ford Edge endimanché. C'est ce que lui reprochaient les amateurs de Lincoln, peu enclins à s'afficher au volant d'un vulgaire Ford. À l'automne 2010, leur souhait de voir ce véhicule retravaillé a été exaucé, en grande partie du moins. Le MKX est toujours construit autour de la plateforme et des mécaniques du Edge, mais avec l'arrivée de la nouvelle génération, c'est beaucoup moins flagrant.

CONCURRENTS
Acura MDX, Audi Q7,
BMW X5, Cadillac SRX,
Infiniti FX, Land Rover LR4,
Lexus RX, Mercedes-Benz Classe M,
Volkswagen Touareg, Volvo XC90

IMPRESSIONS DE L'AUTEUR	
Agrément de conduite :	3/5
Fiabilité :	3.5/5
Sécurité :	5/5
Qualités hivernales :	4/5
Espace intérieur :	4/5
Confort :	4.5/5

Qu'on aime le style ou non, le MKX reprend désormais l'imposante grille des autres modèles Lincoln. Les ailes avant sont très prononcées et le capot affiche une imposante nervure centrale. La partie arrière est moins affirmée, plus raffinée même, diront certains. Selon moi, c'est la plus jolie pièce du véhicule. Le toit panoramique optionnel Vista (qui coûte plus de 2 000 $ et qui empêche la pose de rails de toit), est immense et aussi beau de l'extérieur qu'agréable à utiliser. Dommage qu'il soit si dispendieux. Si les roues de 18 pouces ajoutent au dynamisme, imaginez celles de 20 pouces! Imaginez aussi combien ça doit faire mal au cœur lorsqu'on frôle de trop près un trottoir ou qu'on doive remplacer les pneus…

L'habitacle a aussi connu des modifications pour le moins radicales. Le tableau de bord a été revu de A à Z et fait appel à une technologie qu'on a vue pour la première fois sur la Ford Fusion Hybrid, appelée Smart Gauges. Si l'odomètre, imposant et bien placé au centre, fait encore appel à une réelle aiguille pour indiquer la vitesse, les écrans de 4,2 pouces (10,7 cm) ACL placés de chaque côté de cet important cadran sont virtuels et il est possible de choisir l'information désirée (compte-tours, jauge à essence, température du moteur, autonomie, consommation, etc.). Je ne suis pas un amateur de gadget et dès que j'ai trouvé l'information désirée, je n'y ai plus touché, ignorant ainsi plusieurs possibilités. C'est le prix à payer pour être technologiquement attardé…

SI AU MOINS LE MYLINCOLN TOUCH ÉTAIT OPTIONNEL…

Associé au système Sync développé par Microsoft qui permet de commander une foule de paramètres vocalement, on retrouve maintenant le MyLincoln Touch. Ce système ultra-moderne permet, selon la brochure de vente de «commander le fonctionnement du véhicule intuitivement du bout des doigts et avec des commandes simples. Les systèmes de divertissement, de téléphone, de navigation et de chauffage/climatisation sont commandés vocalement ou à partir de l'écran tactile couleur ACL de 8 pouces… », bla, bla, bla. Et ça continue de plus belle : « Des commandes à 5 fonctions au volant, semblables à celles des téléphones cellulaires et des lecteurs MP3, permettent de commander ces deux écrans (NDLR : de chaque côté de l'odomètre) et rendent le système très convivial — en vous permettant de garder les mains sur le volant et les yeux sur la route… » Malgré tout le respect que je porte aux gens qui ont conçu le MyLincoln Touch (My Ford Touch chez Ford) et à ceux qui ont pondu ce qu'on retrouve dans la brochure, je me permettrai quelques bémols…

Tout d'abord, l'extrait qui dit « intuitivement du bout des doigts » me laisse songeur. Certes, on retrouve désormais des touches à effleurement très esthétiques et agréables à manipuler. Sauf que les doigts — les miens en tout cas — sont habitués de toucher à de vrais boutons qui sont faciles à repérer. Les commandes du MKX sont toutes semblables et petites. Il faut donc toujours quitter la route des yeux pour voir où on met le doigt. On retrouve aussi, pour le volume de la radio — d'excellente qualité, en passant — et du ventilateur, des commandes sur lesquelles il faut glisser le doigt. Après avoir sacré un peu les premières fois, on s'habitue rapidement à la pression à appliquer et à la vitesse à adopter pour qu'elles fonctionnent correctement. Cependant, le fait qu'elles demeurent de marbre lorsqu'on porte de gros gants a de quoi laisser pantois.

Passons ensuite à la partie où on dit que les commandes « rendent le système très convivial ». Je ne connais pas la définition de convivial chez Ford mais elle n'est assurément pas la même que pour moi. Je ne suis pas une référence dans le domaine de la technologie, certes, et tout ce qui prend plus deux étapes me laisse démuni. Je n'ai jamais été capable de brancher tout seul mon BlackBerry ou mon iPod à ce foutu système. Mon fils de 24 ans, autrement plus dégourdi que moi (technologiquement parlant…), a réussi après avoir « gossé » quelques minutes. J'imagine toutefois que l'acheteur potentiel de Lincoln n'est pas un jeune de 24 ans… Je ne dis pas que ce système ne fonctionne pas adéquatement. Je dis que *je* n'ai pas été capable de le faire fonctionner adéquatement. J'ai l'impression que Ford a donné carte blanche et un budget illimité aux ingénieurs de Microsoft. Ce qui fait qu'aujourd'hui, on se retrouve avec un pont suspendu à huit voies de chaque côté pour traverser une rigole entre deux villages de 200 habitants…

LA GROSSE VIE

Si on ne tient pas compte du démoniaque MyLincoln Touch, la vie à bord d'un MKX s'avère des plus agréables. Le confort est

princier, le silence de roulement est tel qu'on le sentiment de piloter un coffre-fort et les espaces de rangement sont nombreux et pratiques, ce que les traîneux de mon espèce adorent. Si les sièges avant sont gentils pour les corps qu'ils supportent, on ne peut malheureusement pas en dire autant de ceux qu'on trouve à l'arrière. Ils ne sont pas inconfortables, mais puisque leur assise est très basse, on a toujours les cuisses trop hautes. En fait, j'ai trouvé qu'on était mieux assis à la place centrale. Les dossiers s'abaissent de façon 60/40 et permettent d'agrandir un coffre qui, sans être le plus grand de la catégorie, n'est pas, non plus, le plus petit.

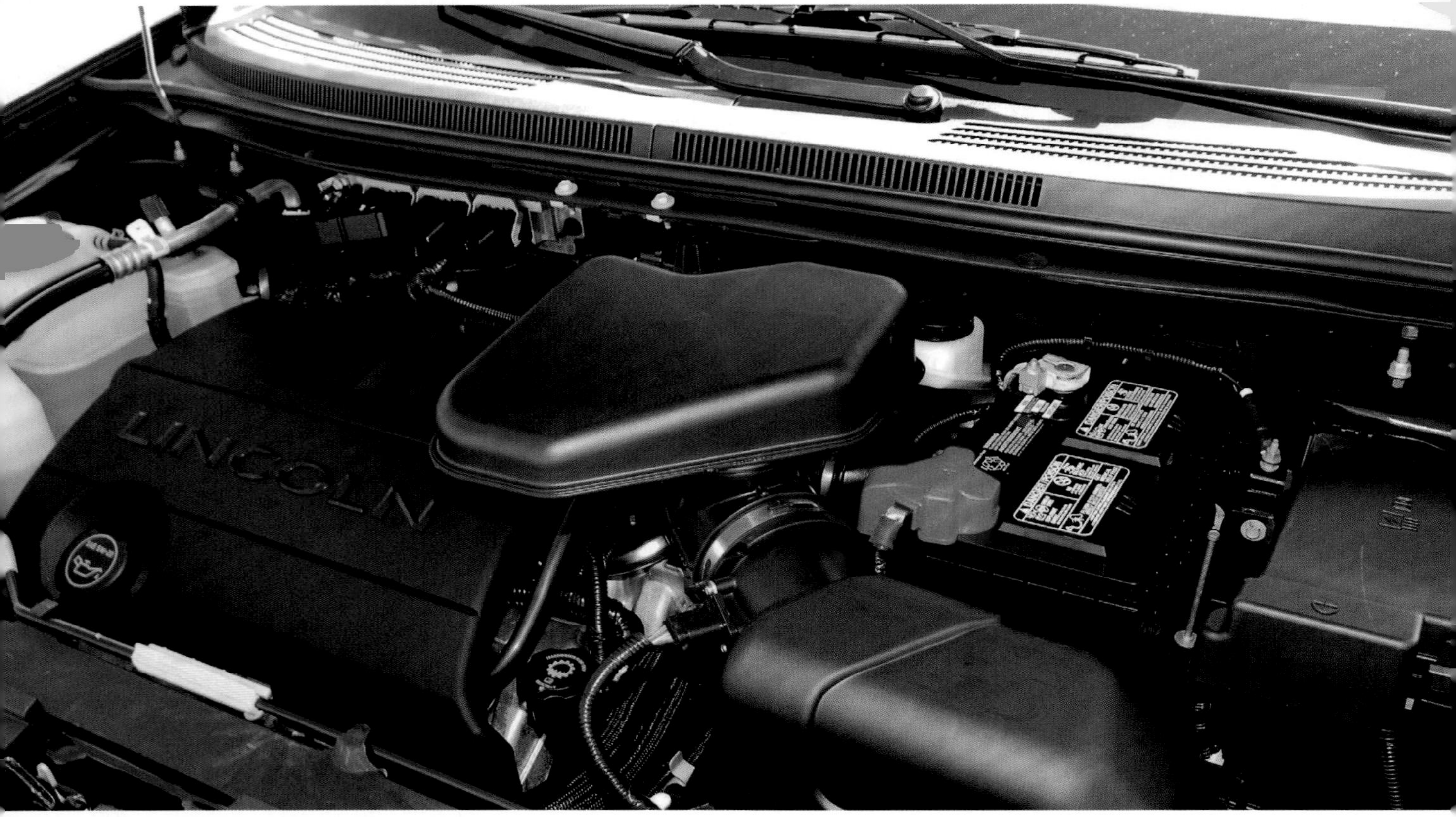

ET LA MÉCANIQUE, ELLE ?

Le Ford Edge propose deux moteurs, soit un V6 de 3,5 litres et un autre V6, de 3,7 litres celui-là. Dans le MKX, on retrouve uniquement ce dernier, ce qui démarque encore davantage le Lincoln du prolétaire Ford. Peu importe le logo sur la calandre, la puissance est la même, soit 305 chevaux et 280 lb-pi de couple. Même si c'est amplement suffisant, je crois que quelques équidés supplémentaires sous le capot du MKX auraient fait bien plaisir aux propriétaires de Lincoln, question de flatter leur égo un peu.

Ce moteur en aluminium, très moderne, procure des accélérations très décentes, génératrices d'un beau grondement malheureusement étouffé par d'innombrables couches de matériel isolant. La transmission est une automatique à six rapports qui relaie le couple aux quatre roues.

Catégorie	Multisegment
Échelle de prix	48 150 $ (2011)
Garanties	4 ans/80 000 km, 6 ans/110 000 km
Assemblage	Oakville, Ontario, Canada
Cote d'assurance	passable

CHÂSSIS - TI 3.7L	
Emp/lon/lar/haut	2 824/4 742/2 222/1 709 mm
Coffre	915 à 1 942 litres
Réservoir	76 litres
Nombre coussins sécurité / ceintures	6 / 5
Suspension avant	indépendante, jambes de force
Suspension arrière	indépendante, multibras
Freins avant / arrière	disque / disque
Direction	à crémaillère, ass. variable
Diamètre de braquage	12,0 m
Pneus avant / arrière	P245/60R18 / P245/60R18
Poids	2 063 kg
Capacité de remorquage	907 kg (1 999 lb)

COMPOSANTES MÉCANIQUES	
TI	
Cylindrée, soupapes, alim.	V6 3,7 litres 24 s atmos.
Puissance / Couple	305 chevaux / 280 lb-pi
Tr. base (opt) / rouage base (opt)	A6 / Int
0-100 / 80-120 / 100-0 km/h	8,1 s / 5,8 s / 42,1 m
Type ess. / ville / autoroute	Ordinaire / 12,2 / 8,8 l/100 km

Les Américains ont droit à une version traction (roues avant motrices) mais pas nous, et nous ne nous en plaindrons pas ! Malgré le rouage intégral, il faudrait toutefois beaucoup plus qu'un simple brin de folie pour suivre un Jeep Wrangler dans les bois… Lors de nos essais hivernaux, nous avons obtenu une moyenne de 13,5 l/100 km, ce qui est passablement plus que ce qui est avancé par Ford. Il faut dire que nous avions parcouru plusieurs centaines de kilomètres sur des routes estriennes recouvertes tantôt de neige, tantôt de glace, tantôt de gadoue. La joie, quoi…

On aura compris que le MKX, ne serait-ce qu'à cause de son écusson Lincoln et de ses dimensions, n'est pas un véhicule très sportif. Il est aussi très lourd et ça se sent dans les courbes ou lors de freinages appuyés. Certes, pour le prendre en défaut, il faut vraiment pousser au-delà de la raison, mais sa direction peu précise qui s'empote davantage lorsqu'on la brusque, ses sièges qui n'offrent que bien peu de support latéral et son système de contrôle de la stabilité latérale qui laisse trop peu de place aux excentricités font qu'on apprend à respecter le MKX pour ce qu'il est : un véhicule très confortable, silencieux et performant. Lorsque la situation l'exige, il est toutefois possible de désactiver entièrement les divers systèmes de contrôle, en passant, bien entendu, par un des nombreux menus des écrans ACL. Il faut croire que quelqu'un chez Ford/Lincoln a pris les bons vieux boutons en grippe !

Alain Morin

- Lignes originales
- Confort indéniable
- Silence de roulement impressionnant
- Performances très correctes
- Technologie appréciée des uns

- Grand diamètre de braquage
- Capacité de remorquage juste (3 500 livres)
- Consommation décevante
- Pneus 20 pouces très dispendieux
- Technologie trop poussée pour d'autres

DU NOUVEAU EN 2012

Aucun changement majeur

http://www.lincolncanada.com/

Plus d'informations dans la section statistiques en dernière partie du Guide

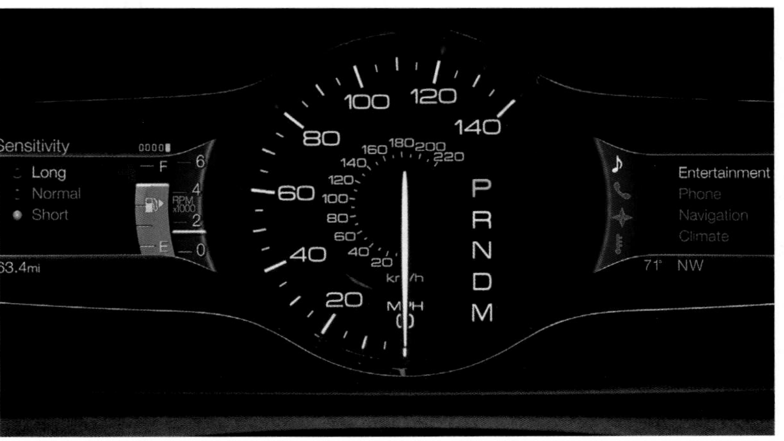

Photos : Alain Morin

DANS LA BONNE VOIE

Lorsque la compagnie Ford a décidé de revigorer sa division Lincoln, la MKZ a été l'un des premiers véhicules à annoncer les couleurs de la nouvelle philosophie de la marque. À vrai dire, il s'agissait presque d'un modèle expérimental.

Elle a débuté sa carrière en tant que Lincoln Zephyr avant de devenir la MKZ, afin de respecter la nouvelle nomenclature du constructeur. Puis, pendant trois années, cette berline intermédiaire a connu de nombreuses modifications, tant au chapitre de sa mécanique que de sa présentation. Le plus important changement visuel était cette grille de calandre qui rappelle les modèles MKT et MKS.

Parmi les autres améliorations apportées au fil des ans, on se doit de souligner un rayon de braquage beaucoup plus court, qui améliore substantiellement sa manœuvrabilité. Les matériaux de l'habitacle ont eux aussi été bonifiés de façon remarquable. Et on a fait beaucoup pour dissocier cette Lincoln de la Ford Fusion dont elle est dérivée.

UN LUXE AUTHENTIQUE

Si, pendant des années, les voitures des divisions plus luxueuses des constructeurs américains n'arrivaient pas à se tailler une place intéressante sur ce marché pourtant lucratif, c'est que les responsables de l'habitacle ne comprenaient pas que les acheteurs potentiels voulaient autre chose qu'une automobile déguisée en voiture de luxe. Trop souvent, on se contentait de quelques modifications, de moquettes plus épaisses et de sièges plus moelleux pour tenter de convaincre les gens qu'une Lincoln, par exemple, était supérieure à la Ford dont elle était dérivée.

Les choses ont dramatiquement changé et cette MKZ en est un bel exemple. Non seulement la qualité de l'assemblage est égale ou

CONCURRENTS

Acura TL, Cadillac CTS, Chrysler 300, Hyundai Genesis, Lexus ES, Mercedes-Benz Classe C, Nissan Maxima, Toyota Avalon, Volvo S60

IMPRESSIONS DE L'AUTEUR

Agrément de conduite :	4/5
Fiabilité :	4/5
Sécurité :	4/5
Qualités hivernales :	4/5
Espace intérieur :	3/5
Confort :	4/5

même supérieure à ce que la concurrence nipponne ou germanique nous offre, mais le design est typiquement américain. Et je suis loin de m'en plaindre : l'originalité et l'authenticité sont des éléments que l'on se doit d'apprécier. De plus, chez Ford comme chez Lincoln, on a réussi à développer des matériaux qui sont relativement économiques à produire, mais qui donnent l'impression d'être de vraies matières haut de gamme.

Il faut également mentionner que le tableau de bord est de consultation facile, que les commandes sont aisément accessibles et que le vaste cadran à affichage par diodes électroluminescentes est d'une parfaite grandeur. Quant aux graphiques utilisés autant pour les

Catégorie	Berline
Échelle de prix	40 050 $ à 43 850 $ (2011)
Garanties	4 ans/80 000 km, 6 ans/110 000 km
Assemblage	Hermosillo, Mexique
Cote d'assurance	n.d.

informations que pour la navigation par satellite, ils se décryptent facilement. Bien entendu, le système de reconnaissance vocale Sync est de la partie, et avec un peu d'habitude, on réalise qu'on peut difficilement s'en passer. Par contre, sachez qu'il faut passer par une période d'apprentissage qui risque d'en frustrer plusieurs.

Les sièges avant sont confortables, mais ils pourraient offrir un peu plus de support latéral. Quant à la banquette arrière, son assise est assez longue pour permettre aux gens de grande taille de s'y trouver à l'aise, bien que le dégagement pour les jambes reste plutôt limité.

PLUS QUE DU LUXE

Même si certains reprochent à la MKZ d'être moins compétitive que certains modèles de la concurrence, force est d'admettre qu'il s'agit d'un véhicule doté de caractéristiques routières intéressantes. Il est faux de croire que les voitures de luxe nord-américaines se contentent d'une cabine luxueuse tout en restant en retrait par rapport aux voitures japonaises quant à la tenue de route et à la conduite.

Tout comme la Ford Fusion dont elle est dérivée, la MKZ associe une suspension confortable à une tenue de route équilibrée. Le moteur V6 de 3,5 litres de la version régulière accomplit de l'excellent travail et oeuvre de concert avec une transmission automatique à six rapports qui fait la barbe à celles proposées sur des modèles concurrents. La transmission intégrale, elle aussi fort efficace, est optionnelle.

Depuis l'automne dernier, il est possible d'obtenir une version hybride de ce même modèle. Cette fois, ce n'est pas un moteur V6 qui ronronne sous le capot, mais un 4 cylindres de 2,5 litres de cycle Atkinson, associé à un moteur électrique, le tout produisant au total 191 chevaux. Il est important de souligner que ce groupe propulseur hybride, le même que celui proposé par la Ford Fusion, est l'un des meilleurs sur le marché en raison de sa souplesse d'opération, de sa facilité à rouler uniquement en mode électrique et de son comportement routier général. En fait, il est difficile de différencier les deux modèles au niveau de la conduite, si ce n'est que de la consommation de carburant inférieure à 6 litres aux 100 km, de l'arrêt du moteur lorsque la voiture est immobilisée et des cadrans indicateurs appropriés pour une voiture hybride.

Malgré toutes ces qualités, le public semble peu s'intéresser à ce modèle, même en version hybride. Les acheteurs de ce type de voitures préfèrent opter pour des modèles dont la silhouette indique à leur entourage qu'il s'agit d'une voiture plus écologique. Ce n'est pas le cas de la MKZ dont l'apparence extérieure est en tout point semblable à la version dotée du moteur traditionnel. Malgré tout, cette berline intermédiaire mérite d'être sur la liste des personnes intéressées par cette catégorie de voitures et de prix.

Denis Duquet

Photos: Lincoln

CHÂSSIS - HYBRIDE

Emp/lon/lar/haut	2 728/4 821/2 035/1 445 mm
Coffre	334 litres
Réservoir	66 litres
Nombre coussins sécurité / ceintures	7 / 5
Suspension avant	indépendante, bras inégaux
Suspension arrière	indépendante, multibras
Freins avant / arrière	disque / disque
Direction	à crémaillère, ass. variable
Diamètre de braquage	11,4 m
Pneus avant / arrière	P225/50R17 / P225/50R17
Poids	1 705 kg
Capacité de remorquage	454 kg (1 000 lb)

COMPOSANTES MÉCANIQUES

Hybride	
Cylindrée, soupapes, alim.	4L 2,5 litres 16 s atmos.
Puissance / Couple	156 chevaux / 136 lb-pi
Tr. base (opt) / rouage base (opt)	CVT / Tr
0-100 / 80-120 / 100-0 km/h	8,0 s / 6,0 s (est) / 41,7 m (est)
Type ess. / ville / autoroute	Ordinaire / 4,6 / 5,4 l/100 km

TA, TI	
Cylindrée, soupapes, alim.	V6 3,5 litres 24 s atmos.
Puissance / Couple	263 chevaux / 249 lb-pi
Tr. base (opt) / rouage base (opt)	A6 / Tr (Int)
0-100 / 80-120 / 100-0 km/h	7,8 s / 5,2 s / 41,7 m
Type ess. / ville / autoroute	Ordinaire / 12,6 / 8,3 l/100 km

FEU VERT

- Excellente tenue de route
- Habitacle luxueux
- Version hybride
- Mécanique fiable
- Insonorisation impressionnante

FEU ROUGE

- Réputation de la marque
- Écusson Lincoln à revoir
- Faible diffusion
- Commandes vocales parfois rébarbatives
- Places arrière moyennes

DU NOUVEAU EN 2012

Aucun changement majeur

http://www.lincolncanada.com/

Plus d'informations dans la section statistiques en dernière partie du Guide

LIGHT IS RIGHT

« Light is right » pourrait se traduire, très librement, par « La légèreté, c'est bien ». Cette maxime a toujours régi les créations d'Anthony Colin Bruce Chapman, le génial ingénieur fondateur de la marque Lotus en 1948. Selon Chapman, une voiture ne devait pas être seulement puissante, elle devait surtout être légère. Donc, maniable.

Les récentes Lotus Elise et Exige respectaient ce principe à la lettre. Cependant, plusieurs clients désiraient quelque chose d'un peu plus confortable (les Elise et Exige étaient reconnues pour leurs suspensions de marteau). C'est ainsi que l'Evora est née. Et sa naissance arrive à point nommé… À cause des réglementations américaines au niveau de la sécurité et de la décision de Toyota de ne plus fournir son quatre cylindres 2ZZ, Lotus a dû cesser la vente de ses deux amusants biplaces en Amérique.

HEUREUSEMENT, L'EVORA EST LÀ

En juillet 2008, Lotus dévoilait sa nouvelle création : l'Evora. Superbement sculptée et dotée d'un V6 Toyota de 3,5 litres, elle promettait des sensations de conduite hors du commun. Promesses tenues.

Ce V6, monté en position centrale arrière, développe 276 chevaux, ce qui peut paraître, à l'amateur de données superlatives, un peu chiche. Mais dans une voiture de moins de 1400 kilos, ça déplace ! Entre ce V6 et les roues arrière, on retrouve une transmission manuelle à six rapports dont le maniement du levier pourrait être un peu plus inspiré.

Le châssis tout en aluminium comprend des sous-châssis avant et arrière boulonnés et collés à l'époxy. En plus d'être moins dispendieuse à réparer (la vie sur les pistes de course est souvent ingrate…), cette technique assure une rigidité exceptionnelle. Et

CONCURRENTS
Audi TT,
BMW Z4,
Mercedes-Benz Classe SLK,
Nissan GT-R,
Porsche Cayman

IMPRESSIONS DE L'AUTEUR	
Agrément de conduite :	5/5
Fiabilité :	2.5/5
Sécurité :	4/5
Qualités hivernales :	NULLES
Espace intérieur :	3/5
Confort :	3.5/5

ça se sent dès qu'on prend le volant, aux dimensions parfaites, tout comme la précision de la direction et le retour d'information. Et des freins, mes amis, des freins à vous en arracher la cornée. La tenue de route est tout simplement géniale et, comme seules les grandes créations peuvent le faire, l'Evora sait pardonner les erreurs de pilotage (ou de jugement…), faisant ainsi bien faire paraître son pilote.

UN PETIT « S » QUI CHANGE TOUT !

Ça, c'était pour l'Evora. Il y a quelques mois, Lotus présentait l'Evora S. Le V6 de 3,5 litres, grâce à un compresseur Harrop HTV 1320, passe à 345 chevaux. Oui, ça pousse dans le dos quand on enfonce l'accélérateur ! Mais, il manque un tout petit quelque chose : du son. Même si le système d'échappement de l'Evora S possède une soupape qui lui permet, à plus de 4 700 tours/minute, de laisser passer les gaz plus facilement, mes oreilles, formées aux gros V8 américains, n'ont pas été impressionnées.

La transmission est toujours une manuelle à six rapports, mais ces derniers sont plus rapprochés que ceux de la boîte de l'Evora tout court. Et comme sur cette dernière, le maniement du levier n'est pas des plus aisés. Notons que « S » ou pas, les amateurs de pointe-talon s'amuseront comme des petits fous à freiner tout en donnant des « coups de gaz », tant le pédalier est bien disposé. Et si Lotus avait pu trouver le moyen d'installer un repose-pied à gauche, ç'aurait été la perfection. Mais, à cause de la configuration du châssis, cet ajout semble impossible.

Trois niveaux de contrôle de la traction et de la stabilité latérale sont proposés au pilote. Sur la route, le mode « Normal » est tout indiqué et les différents systèmes de sécurité veillent au grain. Le mode « Sport » sera davantage utilisé sur une piste de course. En plus de repousser la ligne rouge de 6800 à 7200 tours/minute, il permet de jolies dérobades du train arrière et il intervient avant la catastrophe. Enfin, le dernier mode permet de désactiver tous les systèmes. Pour pilotes professionnels seulement !

LA MAÎTRESSE ET L'ÉPOUSE

Après la piste, il faut bien retourner à la maison… Même si l'Evora et l'Evora S sont des parangons de confort par rapport aux Elise et Exige, leur utilisation quotidienne demande certains ajustements. L'entrée et la sortie de la voiture ne sont pas toujours élégantes, surtout à cause des seuils de portes très larges. Il n'y a pas de porte-gobelets, les espaces de rangement se limitent au siège du passager ou à la petite plage située derrière les sièges. Au fait, Lotus propose une version 2+2 de son Evora. Mais les places arrière sont tellement petites que je ne vois pas qui pourrait y prendre place. Même les sacs d'épicerie se plaindraient ! L'odomètre est difficile à lire puisqu'il est gradué en tranches de 30 km/h, les bruits de roulement sont omniprésents, de même que quelques bruits de caisse. La visibilité vers l'arrière est atroce, mais heureusement, une caméra arrière vient sauver la situation.

Malgré tout, on ne peut que tomber en amour avec l'Evora et l'Evora S. Dociles comme des chatons en conduite urbaine, elles ne se dévoilent vraiment qu'une fois lâchées sur une piste. Cependant, le légendaire manque de fiabilité des produits anglais s'est tristement manifesté lors de notre essai d'une Evora S. Après avoir banalement étouffé le moteur, le témoin d'anomalie (*check engine*) s'est allumé et nous sommes retournés chez le concessionnaire cahin-caha. Malgré cela, on me donnerait une Evora S et je la prendrais quand même. Je suis bon, c'est dans ma nature…

Alain Morin

Photos : Alain Morin

LOTUS EVORA

Catégorie	Coupé
Échelle de prix	74 000 $ à 88 000 $
Garanties	3 ans/60 000 km, 3 ans / 60 000 km
Assemblage	Hethel, Angleterre
Cote d'assurance	n.d.

CHÂSSIS - S

Emp/lon/lar/haut	2 575/4 342/1 848/1 223 mm
Coffre	170 litres
Réservoir	60 litres
Nombre coussins sécurité / ceintures	2 / 2
Suspension avant	indépendante, leviers triangulés
Suspension arrière	indépendante, leviers triangulés
Freins avant / arrière	disque / disque
Direction	à crémaillère, assistée
Diamètre de braquage	10,1 m
Pneus avant / arrière	P225/40ZR18 / P255/35ZR19
Poids	1 382 kg
Capacité de remorquage	non recommandé

COMPOSANTES MÉCANIQUES

Base	
Cylindrée, soupapes, alim.	V6 3,5 litres 24 s atmos.
Puissance / Couple	276 chevaux / 258 lb-pi
Tr. base (opt) / rouage base (opt)	M6 / Prop
0-100 / 80-120 / 100-0 km/h	5,1 s / 4,0 s / 37,5 m
Type ess. / ville / autoroute	Super / 13,1 / 8,7 l/100 km
S	
Cylindrée, soupapes, alim.	V6 3,5 litres 24 s surcomp.
Puissance / Couple	345 chevaux / 295 lb-pi
Tr. base (opt) / rouage base (opt)	M6 / Prop
0-100 / 80-120 / 100-0 km/h	4,4 s / 3,7 s / 36,5 m
Type ess. / ville / autoroute	Super / 13,8 / 9,0 l/100 km

FEU VERT

- Lignes enivrantes
- Tenue de route superlative
- Direction parfaite
- Consommation retenue
- Exclusivité assurée

FEU ROUGE

- Absence de repose-pied
- Aucun porte-gobelets
- Levier de vitesse imprécis
- Coûts d'achat et d'entretien très $$$$$
- Fiabilité à prouver

DU NOUVEAU EN 2012

Nouveau modèle Evora S

http://www.lotuscars.com/

Plus d'informations dans la section statistiques en dernière partie du Guide

TROIS MODÈLES POUR LE TRIDENT

La gamme Maserati est actuellement composée de la berline Quattroporte et des coupés Gran Turismo et Gran Cabrio, et toutes ces voitures sont déclinées en deux ou trois variantes selon les modèles. Mais la marque au trident a des visées ambitieuses, puisque de nouveaux modèles inédits se pointeront à l'horizon dans un avenir rapproché.

Pour Sergio Marchione, l'actuel PDG de Fiat et de Chrysler, il est important de profiter des synergies entre les marques reliées par cette alliance, et c'est pourquoi Maserati pourrait emprunter des technologies chez Ferrari, Jeep, Chrysler et Fiat afin d'élaborer ses nouveaux modèles. On élabore là-dessus plus loin dans ce texte, mais pour l'instant intéressons-nous à la Gran Cabrio, la plus séduisante voiture du trio actuel de la marque au trident.

C'est une véritable opération de séduction à l'italienne qui est proposée par la Gran Cabrio dont l'habitacle est drapé des cuirs les plus fins et dont le style de la planche de bord est plus chaleureux que celui des rivales allemandes. Toutefois, si le souci de la qualité semble très présent, le degré de finition n'a pas la rigueur allemande d'une Audi, même si les matériaux sont de grande qualité. Quatre personnes peuvent prendre place à son bord et même si les places arrière sont relativement étroites, en raison du prolongement de la console centrale jusqu'à l'arrière de l'habitacle, le dégagement pour les jambes est tout de même bon. Pour les passagers prenant place à l'arrière, l'accès à bord ainsi que la descente de la voiture sont facilités par les sièges avant coulissants à commande électrique. Le principal bémol de ce modèle est le volume du coffre, qui s'avère vraiment minuscule sur la Gran Cabrio et toujours très petit sur la Gran Turismo. Pas le choix, il faut apprendre à voyager léger au volant d'un coupé Maserati. Il faudra également prévoir de voyager à deux seulement, puisque le coffre ne peut pas loger les bagages de quatre personnes. Au Salon de l'Auto de Genève, Maserati présentait en première mondiale une nouvelle version Sport de son cabriolet Gran Cabrio équipée du V8 de 4,7 litres et de 440 chevaux emprunté à la Gran Turismo MC Stradale, un modèle plus performant et plus léger du coupé Maserati.

CONCURRENTS

Audi A8,
BMW Série 7,
Jaguar XJ,
Mercedes-Benz Classe CLS,
Mercedes-Benz Classe S

IMPRESSIONS DE L'AUTEUR

Agrément de conduite :	3 / 5
Fiabilité :	3 / 5
Sécurité :	3 / 5
Qualités hivernales :	1 / 5
Espace intérieur :	3 / 5
Confort :	4 / 5

Par rapport au coupé Gran Turismo, le Gran Cabrio affiche 100 kilos de plus à la pesée en raison des nombreux renforts ajoutés au châssis afin de le rigidifier pour compenser la perte de l'élément structurel qu'est le toit. Fidèle à une certaine tradition, le

Gran Cabrio adopte une capote en toile, repliable en trente secondes, plutôt qu'un toit rigide rétractable. Le poids demeure l'élément le plus pénalisant chez le Gran Cabrio dont le degré de sportivité est en retrait par rapport à la concurrence allemande. Pourtant, la sonorité du moteur évoque les grands opéras italiens, particulièrement à bord du cabriolet où l'absence du toit permet de mieux apprécier le son du V8 qu'au volant du coupé Gran Turismo.

LA PROCHAINE QUATTROPORTE EN 2012

Tous les modèles actuels de la marque au trident partagent la même plate-forme, soit celle de la berline Quattroporte. Cela explique en partie pourquoi les coupés et cabriolets ont des dimensions aussi imposantes. Toutefois, cette situation pourrait évoluer dans un avenir rapproché, alors que la marque italienne s'apprête à renouveler l'ensemble de sa gamme. Ainsi, la nouvelle Quattroporte sera dévoilée vers la fin de 2012 et devrait faire un grand usage d'aluminium afin d'alléger la voiture, Maserati empruntant la technologie développée par Ferrari et son partenaire Alcoa. Cette nouvelle voiture pourrait également recevoir de nouveaux moteurs, dont une version modifiée et turbocompressée du V6 Pentastar qui serait dotée de la technologie MultiAir de Fiat. La traction intégrale pourrait également s'ajouter à la gamme. Les voitures adopteront la boîte automatique à huit rapports développée par l'équipementier ZF, afin de bonifier la consommation. La suspension arrière sera également revue afin d'augmenter le volume du coffre de 20 %.

Par ailleurs, si l'on se fie aux nombreuses photos-espion qui sont apparues en 2011, Maserati pourrait également lancer une version « format réduit » de sa Quattroporte dès 2013 afin de concurrencer directement la Classe E de Mercedes-Benz ou la Série 5 de BMW. Pour 2014, Maserati envisage également le lancement d'un utilitaire sport élaboré sur la plate-forme du Grand Cherokee de Jeep. Ce nouveau modèle pourrait être produit à l'usine Jefferson North de Détroit, sur la même ligne de fabrication que le Jeep, dont il serait dérivé. Mais il est également possible que l'ancienne usine Bertone à Turin serve pour la production de ce nouvel utilitaire, qui serait principalement destiné au marché chinois ainsi qu'à l'ensemble des marchés où ce type de véhicule a encore la cote.

Un utilitaire sport Maserati ? Si Porsche le fait et engrange des profits spectaculaires avec le Cayenne, pourquoi la marque italienne se priverait-elle de tenter sa chance ? Bref, il s'en passe des choses du côté de la marque au trident, et l'avenir s'annonce porteur sur des marchés où la marque n'avait auparavant qu'une présence très limitée.

Gabriel Gélinas

Photos : Maserati

Catégorie	Berline
Échelle de prix	135 000 $ à 165 400 $ (est)
Garanties	4 ans/80 000 km, 4 ans/80 000 km
Assemblage	Modène, Italie
Cote d'assurance	n.d.

CHÂSSIS - GT COUPÉ	
Emp/lon/lar/haut	3 064/5 097/1 885/1 423 mm
Coffre	450 litres
Réservoir	90 litres
Nombre coussins sécurité / ceintures	6 / 4
Suspension avant	indépendante, bras inégaux
Suspension arrière	indépendante, bras inégaux
Freins avant / arrière	disque / disque
Direction	à crémaillère, assistée
Diamètre de braquage	12,3 m
Pneus avant / arrière	n.d. / n.d.
Poids	1 880 kg
Capacité de remorquage	n.d.

COMPOSANTES MÉCANIQUES	
Quattroporte, Gran Turismo	
Cylindrée, soupapes, alim.	V8 4,2 litres 32 s atmos.
Puissance / Couple	400 chevaux / 339 lb-pi
Tr. base (opt) / rouage base (opt)	A6 (Séquentielle) / Prop
0-100 / 80-120 / 100-0 km/h	5,6 s / n.d. / n.d.
Type ess. / ville / autoroute	Super / 16,3 / 10,1 l/100 km
Quattroporte S	
Cylindrée, soupapes, alim.	V8 4,7 litres 48 s atmos.
Puissance / Couple	430 chevaux / 361 lb-pi
Tr. base (opt) / rouage base (opt)	A6 / Prop
0-100 / 80-120 / 100-0 km/h	5,4 s / n.d. / n.d.
Type ess. / ville / autoroute	Super / 16,8 / 10,0 l/100 km
Quattroporte GT S, Gran Cabrio	
Cylindrée, soupapes, alim.	V8 4,7 litres 48 s atmos.
Puissance / Couple	440 chevaux / 362 lb-pi
Tr. base (opt) / rouage base (opt)	A6 (Séquentielle) / Prop
0-100 / 80-120 / 100-0 km/h	4,9 s / n.d. / n.d.
Type ess. / ville / autoroute	Super / 17,4 / 10,2 l/100 km
Gran Turismo MC Stradale, Gran Cabrio Sport	
Cylindrée, soupapes, alim.	V8 4,7 litres 48 s atmos.
Puissance / Couple	450 chevaux / 376 lb-pi
Tr. base (opt) / rouage base (opt)	A6 (Séquentielle) / Prop
0-100 / 80-120 / 100-0 km/h	5,2 s / n.d. / n.d.
Type ess. / ville / autoroute	Super / n.d.

FEU VERT

- Grande élégance
- Moteurs performants
- Exclusivité assurée
- Habitacle luxueux

FEU ROUGE

- Finition parfois inégale
- Poids élevé
- Volume du coffre (Gran Turismo et GranCabrio)
- Prix élevés

DU NOUVEAU EN 2012

Gran Cabrio équipée du V8

http://www.maseratiquebec.com/

Plus d'informations dans la section statistiques en dernière partie du Guide

FAIRE COMME LES AUTRES

Les grands décideurs des compagnies automobiles semblent parfois laisser leurs émotions l'emporter sur leur jugement. C'est probablement ce qui est arrivé dans le cas de la Maybach. Sans raison apparente, Mercedes-Benz a décidé de commercialiser une marque encore plus prestigieuse que la sienne. Pourquoi cette décision ?

La réponse est bien simple : deux autres constructeurs allemands possèdent dorénavant des marques de prestige. À Stuttgart, où se trouve le siège social de Mercedes-Benz, on s'est donc senti obligé de faire de même. Après tout, la marque la plus prestigieuse d'Allemagne a vu BMW devenir propriétaire de Rolls Royce alors que Bentley passait sous le joug de Volkswagen. Pour ne pas être en reste, on a décidé de ressusciter l'une des marques les plus prestigieuses — sinon la plus prestigieuse — d'avant-guerre : la Maybach.

ÉTRANGES DÉCISIONS

La marque Maybach est aujourd'hui plus connue que lors de sa renaissance, en 2002, mais compte tenu de sa faible diffusion, encore peu de gens savent que cette ligne était l'une des plus prestigieuses de la première moitié du 20e siècle. Elle portait le nom de son fondateur, Wilhelm Maybach, qui en plus de produire ses propres voitures, était un collaborateur de la première heure de Gottlieb Daimler. Le légendaire triangle sur le capot était immédiatement reconnu comme étant ce qui se faisait de mieux, aussi bien en matière de mécanique que de qualité de fabrication et de performances.

La logique de départ était bonne : il suffisait de faire renaître cette marque en offrant, encore une fois, ce qui se faisait de mieux pour concurrencer les compagnies rivales. Mais si le gâteau n'a pas levé, c'est simplement parce que ces nouvelles venues étaient trop étroitement dérivées des voitures de la classe S de Mercedes-Benz. En effet, on utilise une version allongée de la plate-forme de cette berline et les moteurs de la Classe S servent de base aux deux groupes propulseurs offerts sur la Maybach. S'il est vrai que Bentley et Rolls-Royce font appel à des composantes utilisées sur d'autres voitures des groupes BMW ou Volkswagen, il reste que les modèles mis sur le marché sont suffisamment différents pour que le public ne leur en fasse pas le reproche.

CONCURRENTS

Bentley Mulsanne,
Mercedes-Benz Classe S,
Rolls-Royce Phantom

IMPRESSIONS DE L'AUTEUR		
Agrément de conduite :	■■■□□	3 / 5
Fiabilité :	■■■■□	4 / 5
Sécurité :	■■■■■	5 / 5
Qualités hivernales :	■■■■□	4 / 5
Espace intérieur :	■■■■■	5 / 5
Confort :	■■■■■	5 / 5

SOPHISTICATION PERSONNALISÉE

Malgré tout, ce n'est pas le luxe et la sophistication qui font défaut. L'acheteur a le choix absolu quant à la sélection des matériaux, du cuir, des teintes et de l'aménagement de l'habitacle. Même chose

Catégorie	Berline
Échelle de prix	387 000 $ à 1 405 000 $ (2011)
Garanties	4 ans/illimité, 4 ans/illimité
Assemblage	Sindelfingen, Allemagne
Cote d'assurance	n.d.

au chapitre des couleurs de la carrosserie : on peut créer des nuances exclusives, si l'acheteur le désire.

Présentement, le catalogue Maybach comprend les modèles 57 et 62, qui sont également offerts en versions S (pour Spezial), plus puissantes que les modèles de base. Quant à la dénomination des modèles, on aurait pu être plus créatif. La Maybach 57 est ainsi nommée parce que sa longueur est de 574 cm, tandis que, vous l'aurez deviné, la longueur de la 62 est de 617 cm. De là à faire une association automatique entre le machisme des hommes et la longueur de leur appareil reproducteur, il n'y a qu'un pas que nous ne voulons pas franchir, mais il reste que cette association entre dimensions et puissance a été notée par plusieurs et largement ridiculisée.

DES MASTODONTES

Il est certain qu'un véhicule d'un tel encombrement n'est pas un poids léger. Quand on songe à tout l'attirail électronique nécessaire pour assurer la sécurité sur les routes et le confort dans l'habitacle ainsi qu'aux matériaux insonorisants appliqués presque partout, on se surprend peu que la Maybach fasse dans les trois tonnes.

Pour déplacer cette masse, on fait appel à un moteur V12 turbocompressé disponible en deux différentes cylindrées. Les versions 57 et 62 sont propulsées par un moteur de 5,5 litres qui offre une puissance de 543 chevaux. Curieusement, il est associé à une transmission automatique à cinq rapports, ce qui est un peu décevant compte tenu du prix de la voiture et de la sophistication mécanique de l'ensemble. À titre de comparaison, la Rolls Royce Ghost est dotée d'une transmission automatique à huit rapports. Quant aux modèles 57S et 62S, le moteur V12 turbo est d'une cylindrée de 6,0 litres pour 630 chevaux. Ce même moteur équipe la version Landaulet, produite en très petite série, et qui se démarque par une partie arrière dotée d'une capote repliable. Bien entendu, on compare les Maybach à un jet privé qui roulerait sur les autoroutes tant son confort, son silence de roulement et ses performances sont supérieures. En fait, ce sont surtout les occupants des places arrière qui peuvent profiter des avantages de cette voiture puisque sa conduite est, à vrai dire, plutôt ennuyante. Malgré la puissance des moteurs, le raffinement des suspensions et la rigidité de la plate-forme, le conducteur est totalement déconnecté de la route et de l'environnement.

Au cours des dernières années, la faible popularité de cette marque a été la source de bien des rumeurs concernant l'abandon de la division Maybach par Mercedes-Benz. Ce serait toutefois une tache à la réputation de la marque et il serait plus simple de travailler à développer des voitures totalement distinctes, en matière de présentation intérieure et extérieure à tout le moins.

Denis Duquet

Photos: Maybach

CHÂSSIS - 62S	
Emp/lon/lar/haut	3 827/6 171/2 151/1 573 mm
Coffre	442 litres
Réservoir	110 litres
Nombre coussins sécurité / ceintures	7 / 4
Suspension avant	indépendante, double triangulation
Suspension arrière	indépendante, multibras
Freins avant / arrière	disque / disque
Direction	à billes, assistée
Diamètre de braquage	13,4 m
Pneus avant / arrière	P275/45R20 / P275/45R20
Poids	2 875 kg
Capacité de remorquage	n.d.

COMPOSANTES MÉCANIQUES	
57, 62	
Cylindrée, soupapes, alim.	V12 5,5 litres 36 s turbo
Puissance / Couple	543 chevaux / 664 lb-pi
Tr. base (opt) / rouage base (opt)	A5 / Prop
0-100 / 80-120 / 100-0 km/h	5,4 s / 3,2 s / 39,2 m
Type ess. / ville / autoroute	Super / 21,1 / 12,9 l/100 km
57S, 62S, Landaulet	
Cylindrée, soupapes, alim.	V12 6,0 litres 36 s turbo
Puissance / Couple	630 chevaux / 738 lb-pi
Tr. base (opt) / rouage base (opt)	A5 / Prop
0-100 / 80-120 / 100-0 km/h	5,2 s / 3,2 s / 39,2 m
Type ess. / ville / autoroute	Super / 20,7 / 12,8 l/100 km

FEU VERT

- Exclusivité assurée
- Personnalisation poussée
- Moteurs puissants
- Confort superlatif
- Tenue de route rassurante

FEU ROUGE

- Image de marque à refaire
- Consommation hors normes
- Boîte automatique à cinq rapports
- Conduite endormante
- Dimensions encombrantes

DU NOUVEAU EN 2012

Aucun changement majeur

http://www.maybachusa.com/

Plus d'informations dans la section statistiques en dernière partie du Guide

MINI ET MADE IN JAPAN

Prise isolément, la Mazda2 est une intéressante petite voiture. Mais lancée contre la plus substantielle Ford Fiesta ou encore contre la nouvelle et très abordable Hyundai Accent, elle perd des plumes en termes d'espace et de puissance. Dommage, parce de toutes les sous-compactes, c'est elle la plus intéressante à conduire.

C'est qu'elle est petite, la Mazda2. Elle est 12 cm plus courte et 3 cm moins large que la pas-très-grande Fiesta. Il s'agit en fait de l'une des plus menues voitures cinq places du marché et ça se sent dans le dégagement intérieur, au compartiment à bagages notamment. Heureusement, la banquette qui se rabat à plat sauve la donne. Il est évidemment possible de prendre place à l'arrière, mais ceux qui le font en sont quittes pour se regarder les genoux de près. Mais bon, c'est l'apanage de toutes les sous-compactes.

La Mazda2 est arrivée sur le marché en même temps que la Ford Fiesta, ce qui lui a tout de suite donné une rivale de taille. Une rivale d'ailleurs assemblée au Mexique, ce qui diminue considérablement les coûts de production et de transport (la Mazda2 est construite au Japon). Elle nous est aussi arrivée sur fond de crise financière, alors que tous les constructeurs se battaient à grands coups de mesures incitatives pour trouver preneurs à leurs véhicules. D'où cette improbable — et pourtant vraie — réalité, qui veut que la Mazda3, une compacte plus grosse et plus puissante, s'arrache pour un paiement mensuel similaire à celui de la Mazda2.

C'EST POURTANT BIEN

Pour toutes ces raisons, la sous-compacte de Mazda demeure dans l'ombre de ses rivales. C'est dommage, parce que cette petite possède non seulement une agréable agilité, mais ses organes mécaniques font aussi montre d'une belle réactivité. Sur piste, elle brille

CONCURRENTS
Ford Fiesta, Honda Fit, Hyundai Accent, Kia Rio/Rio5, Nissan Versa, Suzuki Swift+, Toyota Yaris

IMPRESSIONS DE L'AUTEUR	
Agrément de conduite :	4 / 5
Fiabilité :	3.5 / 5
Sécurité :	3.5 / 5
Qualités hivernales :	3.5 / 5
Espace intérieur :	3.5 / 5
Confort :	3.5 / 5

face aux autres en se démenant plus solidement et plus sportivement, malgré cette poutre de torsion qui, soit dit en passant, est le lot de la catégorie. Elle colle mieux que les autres en virage, sa direction à crémaillère communique avec précision (parce qu'elle n'a pas cédé à la pression « électrique ») et son freinage est dynamique malgré les tambours à l'arrière.

Bref, la Mazda2 donne l'impression d'un kart bien campé qui se faufile aisément dans la circulation, sensation rehaussée par une excellente vision aux quatre coins. Certes, sa puissance est à l'image de ses dimensions : petite, avec à peine 100 chevaux sous le capot, alors que d'autres, comme la Fiesta, profitent de 20 % plus

de vigueur. Mais elle se fait légère, la Mazda2 (1 051 kg, au moins 125 kilos de moins que la Fiesta). Et s'il manque un petit quelque chose lors des accélérations intempestives et en montée abrupte, reste qu'en conduite normale, ça se reflète positivement sur les performances du quatre cylindres de 1,5 litre, qu'on prend plaisir à moduler du pied droit, surtout avec la boîte manuelle cinq vitesses.

Tout en souplesse et en précision, cette dernière boîte est plaisante à manier, avec son levier monté à la console qui tombe sous la main. Une mise en garde aux conducteurs débutants s'impose cependant: le point de friction est haut et court, ce qui fait qu'on étouffe souvent. Ceux qui reprochent à la Mazda2 de se contenter d'une optionnelle boîte automatique de quatre rapports peuvent se calmer: cette transmission n'est pas un handicap, loin de là. Même qu'elle se cherche moins que la boîte à six rapports de la Fiesta.

Un mot sur la consommation en carburant: fidèle à la tradition Mazda, la 2 n'est pas la plus frugale de la catégorie. La Fiesta par exemple, malgré ses 20 chevaux supplémentaires, annonce une moyenne de 4,9 l/100km sur l'autoroute (boîte manuelle), contre 5,6 l/100km pour la Mazda2.

TROP PEU

En matière de design, on dit que tout est affaire de goût, mais personnellement, je dois admettre que je ne suis pas une adepte du style de la Mazda2, aussi sympathique soit-il. Dans l'habitacle, le volant n'est pas télescopique, mais c'est à l'image de ce qui se fait en général dans la catégorie. Il est donc malvenu de ma part de m'en plaindre. Par contre, là où la Mazda2 perd définitivement au change, c'est avec un tableau de bord qu'on a voulu simple et sobre, mais qui se révèle en fait fade et sombre. Le bon côté de la chose: rien n'est compliqué, tout est efficace et s'apprivoise en un rien de temps. La qualité des matériaux (bien que de base) et le bon assemblage sont au rendez-vous. On peut tout au plus reprocher à cette voiture son insonorisation moyenne. À vitesse réglementaire d'autoroute, les bruits du vent et des pneus sur le bitume nous donnent l'impression de rouler à 120 km/h.

Un dernier reproche – après tout, on critique ceux qu'on aime bien, non – qu'on peut adresser à la Mazda2: elle a voulu s'amener bien équipée pour moins de 14 000 $ – pensez groupe électrique de série et sécurité complète. Pour un peu plus de sous, on peut ajouter le régulateur de vitesse, les contrôles audio au volant, les miroirs chauffants. Mais on ne pourra jamais se payer, à bord de la Mazda2, des sièges chauffants, un revêtement de cuir, le démarrage sans clé ou la connectivité Sync. C'est fort regrettable, d'autant plus que ces gâteries viennent agrémenter la Fiesta ou encore la Mazda3…

Nadine Filion

Photos: Gilles Olivier

MAZDA 2

Catégorie	Hatchback
Échelle de prix	13 995 $ à 19 280 $ (2011)
Garanties	3 ans/80 000 km, 5 ans/100 000 km
Assemblage	Hiroshima, Japon
Cote d'assurance	n.d.

CHÂSSIS - GS	
Emp/lon/lar/haut	2 489/3 950/1 694/1 476 mm
Coffre	377 à 787 litres
Réservoir	43 litres
Nombre coussins sécurité / ceintures	4 / 5
Suspension avant	indépendante, jambes de force
Suspension arrière	indépendante, barres de torsion
Freins avant / arrière	disque / tambour
Direction	à crémaillère, assistée
Diamètre de braquage	9,8 m
Pneus avant / arrière	185/55R15 / 185/55R15
Poids	1 051 kg
Capacité de remorquage	n.d.

COMPOSANTES MÉCANIQUES	
GX, GS, Édition Yozora	
Cylindrée, soupapes, alim.	4L 1,5 litre 16 s atmos.
Puissance / Couple	100 chevaux / 98 lb-pi
Tr. base (opt) / rouage base (opt)	M5 (A4) / Tr
0-100 / 80-120 / 100-0 km/h	11,9 s / 10,9 s / 42,2 m
Type ess. / ville / autoroute	Ordinaire / 7,2 / 5,6 l/100 km

FEU VERT
- L'une des sous-compactes les plus intéressantes à conduire
- Groupe électrique de série
- Sécurité complète
- Bonne vision tout autour
- Se faufile aisément dans la circulation

FEU ROUGE
- Dégagement serré aux genoux à l'arrière
- Petite motorisation de 100 chevaux
- Petit coffre
- Insonorisation moyenne
- Pas de volant télescopique

DU NOUVEAU EN 2012

Aucun changement majeur

http://www.mazda.ca/

Plus d'informations dans la section statistiques en dernière partie du Guide

Voiture économique

SKYACTIV : À L'AUBE D'UNE ÈRE NOUVELLE

La 3 est le modèle le plus populaire chez Mazda. Cette voiture propose une conduite plus sportive que la plupart des autres modèles de cette catégorie et son habitacle semble emprunté à une voiture qui se vend beaucoup plus cher. Et il faut également ajouter la présence de la Mazda 3 Sport, une familiale aussi agréable à conduire que la berline, mais offrant toute la fonctionnalité de ses cinq portes. Sans oublier la sportive MazdaSpeed3 et son moteur de 263 chevaux. Toutefois, cette année, la concurrence s'avère beaucoup plus relevée.

Au cours des 12 derniers mois, les Chevrolet Cruze, Ford Focus, Honda Civic, Hyundai Elantra et Volkswagen Jetta ont été lancés. Autant d'adversaires désireuses de mettre fin à l'hégémonie de cette Mazda en tête de liste des meilleurs véhicules de sa catégorie. L'arrivée de ces concurrentes explique pourquoi ce constructeur a procédé à des changements esthétiques relativement mineurs, puisqu'il s'agit de la troisième année de ce modèle sur notre marché. Mais il y a plus encore : c'est la première voiture Mazda à faire appel à la technologie Skyactiv qui permet de réduire la consommation de carburant d'environ 20 %.

CONCURRENTS

Chevrolet Cruze, Dodge Caliber, Ford Focus, Honda Civic, Hyundai Elantra, Kia Forte, Mitsubishi Lancer, Nissan Sentra, Suzuki SX-4, Toyota Corolla, Toyota Matrix, Volkswagen Golf

IMPRESSIONS DE L'AUTEUR

Agrément de conduite :	4.5 / 5
Fiabilité :	4 / 5
Sécurité :	4 / 5
Qualités hivernales :	3.5 / 5
Espace intérieur :	3.5 / 5
Confort :	4 / 5

SKYACTIV : QU'EST-CE QUE C'EST ?

Le constructeur d'Hiroshima ne fait jamais les choses comme les autres. Alors que la majorité des manufacturiers travaillent à développer une motorisation hybride ou, à tout le moins, possèdent les droits d'utilisation des brevets d'autres fabricants automobiles, chez Mazda on a décidé de revenir à la case départ et de faire appel à une technologie toute nouvelle afin de réduire la consommation de carburant de ses voitures. Elle aurait pu elle aussi se contenter d'abaisser la consommation moyenne de sa gamme de produits avec un moteur hybride, mais les acheteurs des autres modèles Mazda auraient quand même roulé avec des voitures qui consomment plus. C'est là que la technologie Skyactiv entre en jeu. Soulignons, avant de passer aux quelques explications techniques, que cette technologie sera appliquée sur la quasi-totalité des modèles de la marque au cours des mois et des années à venir. Mais pour débuter, on a décidé de l'introduire sur la 3, le modèle le plus demandé, et on annonce une diminution de la consommation du moteur à essence de l'ordre de 22 %.

Pour atteindre cet objectif fort ambitieux, les ingénieurs ont effectué une révision du moteur et de son fonctionnement. Dans le cas du moteur à essence, ils ont augmenté le taux de compression de 12:1 pour l'Amérique. Cela a permis d'accroître le couple du moteur. Par ailleurs, ils ont fait appel à un alésage plus petit et une course plus longue, afin d'évacuer les gaz d'échappement plus rapidement et réduire la surcharge thermique dans la chambre de combustion. L'utilisation de l'injection directe permet également de réduire la consommation. Enfin, les ingénieurs ont développé un système d'échappement 4-2-1 afin d'optimiser le rendement.

De plus, un calage variable des soupapes d'échappement permet également de diminuer la consommation. Détail intéressant, un moteur diesel 2,0 litres sera également commercialisé plus tard en Amérique. Le fait d'utiliser un bas taux de compression permet de faire appel à des composantes plus légères qui sont souvent interchangeables avec celles du moteur à essence. Par ailleurs, ces deux moulins ont tellement de similitudes qu'ils sont produits sur la même chaîne d'assemblage. Ils utilisent entre autres des vilebrequins, des pistons et des bielles plus légers, tandis que le bloc-moteur en aluminium apporte également une réduction de poids.

Dans le système Skyactiv, c'est la transmission automatique qui est la pièce de résistance. La boîte manuelle est plus légère, plus raffinée et plus simple sur le plan mécanique, mais elle n'apporte pas de solutions techniques innovatrices. En fait, les ingénieurs ont amélioré le passage des rapports et rendu les synchronisations plus douces. Et c'est la boîte de la MX-5 qui a servi de référence.

En ce qui a trait à la transmission automatique, on a voulu combiner la douceur des boîtes CVT et la rapidité de celles à double embrayage. Les ingénieurs ont concerté leurs efforts sur le convertisseur de couple, qui possède dorénavant quatre plaques de pression au lieu d'un système hydraulique entièrement révisé, en plus de placer le module électronique de contrôle dans le carter même. Cette application permet une réaction très rapide de la transmission, tandis que le convertisseur de couple est doté d'un amortisseur interne qui absorbe l'énergie provoquée lors du verrouillage de celui-ci.

J'ai eu l'opportunité de conduire un prototype équipé de ce moteur 2,0 litres à essence, et ce, aussi bien avec la boîte manuelle qu'avec la boîte automatique. Si je n'avais pas su que c'était un moteur de nouvelle technologie, je n'aurais jamais pu voir la différence. C'est le même moteur souple, silencieux et doté de bonnes performances qui propose maintenant une réduction de la consommation de carburant. Pour l'instant, je n'ai pas été en

mesure d'effectuer des tests sur des modèles de production et de vérifier les avancés de Mazda en fait de consommation. Le constructeur parle d'une réduction d'au moins 20 %, ce qui porterait la consommation moyenne du Mazda3 à moteur Skyactiv aux environs de 6 l/100 km.

QUELQUES MODIFICATIONS AU PASSAGE

Les responsables de la mise en marché de ce constructeur ont profité de l'arrivée de cette nouvelle technologie sous le capot pour se permettre quelques subtiles modifications. Rien de majeur, que de petits changements qui permettent de rajeunir quelque peu la silhouette et d'améliorer la présentation de l'habitacle. La partie avant a été légèrement modifiée. On a raffiné les angles de la calandre à cinq points, remplacé les phares antibrouillard rectangulaires par des phares circulaires et les stylistes ont fait appel à de multiples détails afin d'améliorer le coefficient aérodynamique de la voiture. Soulignons que les modèles dotés de la motorisation Skyactiv ont un coefficient de traînée de 0,27 Cx pour la berline, tandis que pour les modèles dotés de la motorisation traditionnelle, il est de 0,29 Cx, ce qui est tout de même excellent. Selon les modèles, des plaques sont placées sous le véhicule pour favoriser l'écoulement d'air.

Dans l'habitacle toutefois, une foule de modifications, surtout au niveau des affichages du centre d'information et des cadrans indicateurs, améliorent leur lisibilité. Dans certains cas, des éléments autrefois au fini aluminium sont dorénavant noirs, tandis que des composantes argentées ont été placées en des endroits stratégiques

pour faciliter la localisation de ces commandes. Par contre, l'habitabilité et la disposition des sièges et des espaces de rangement n'ont pas été modifiées.

UNE GAMME COMPLÈTE

Quelqu'un qui entrera dans la salle de démonstration d'un concessionnaire Mazda trouvera de nombreuses options parmi lesquelles choisir. En tout premier lieu, il pourra opter pour un des deux modèles dotés de la technologie Skyactiv avec ce moteur 2,0 litres de 155 chevaux consommant moins que le moteur 2,0 litres traditionnel. Alors que le 2,0 litres Skyactiv sera livré avec une boîte manuelle ou automatique à six rapports, le modèle « régulier » offre un choix entre deux transmissions à cinq rapports. Pour compléter ce tableau, les modèles équipés du quatre cylindres de 2,5 litres produisant 167 chevaux sont couplés de série à une boîte manuelle à six rapports tandis que l'automatique à cinq rapports est optionnelle. Pour terminer ce tour du garage, le modèle Mazdaspeed est animé par une version turbocompressée d'un moteur 2,3 litres produisant 263 chevaux et uniquement livrée avec une boîte manuelle à six rapports.

Peu importe le modèle choisi, la tenue de route est agréable et le comportement en virage reste prévisible. De plus, cette voiture possède des réactions plus nerveuses, ce qui est fort apprécié. Ceux qui opteront pour les modèles Skyactiv bénéficieront du même agrément de conduite, mais paieront moins cher à la pompe.

Denis Duquet

Photos: Mazda

Catégorie	Berline, Hatchback
Échelle de prix	16 295 $ à 29 695 $ (2011)
Garanties	3 ans/80 000 km, 5 ans/100 000 km
Assemblage	Hiroshima, Japon
Cote d'assurance	passable

CHÂSSIS - GX BERLINE	
Emp/lon/lar/haut	2 640/4 590/1 755/1 470 mm
Coffre	335 litres
Réservoir	55 litres
Nombre coussins sécurité / ceintures	6 / 5
Suspension avant	indépendante, jambes de force
Suspension arrière	indépendante, jambes de force
Freins avant / arrière	disque / disque
Direction	à crémaillère, assistée
Diamètre de braquage	10,4 m
Pneus avant / arrière	P205/55R16 / P205/55R16
Poids	1 295 kg
Capacité de remorquage	n.d.

COMPOSANTES MÉCANIQUES	
GX, GX Sport, GS	
Cylindrée, soupapes, alim.	4L 2,0 litres 16 s atmos.
Puissance / Couple	148 chevaux / 135 lb-pi
Tr. base (opt) / rouage base (opt)	M5 (A5) / Tr
0-100 / 80-120 / 100-0 km/h	9,9 s / 7,0 s / 45,7 m
Type ess. / ville / autoroute	Ordinaire / 8,1 / 5,9 l/100 km
SkyActiv	
Cylindrée, soupapes, alim.	4L 2,0 litres 16 s atmos.
Puissance / Couple	155 chevaux / 148 lb-pi
Tr. base (opt) / rouage base (opt)	M6 (A6) / Tr
0-100 / 80-120 / 100-0 km/h	n.d. / n.d. / n.d.
Type ess. / ville / autoroute	Ordinaire / n.d. / 4,9 l/100 km
GS Sport, GT, GT Sport	
Cylindrée, soupapes, alim.	4L 2,5 litres 16 s atmos.
Puissance / Couple	167 chevaux / 168 lb-pi
Tr. base (opt) / rouage base (opt)	M6 (A5) / Tr
0-100 / 80-120 / 100-0 km/h	8,4 s / 7,5 s / 40,5 m
Type ess. / ville / autoroute	Ordinaire / 10,1 / 6,9 l/100 km
MazdaSpeed3	
Cylindrée, soupapes, alim.	4L 2,3 litres 16 s turbo
Puissance / Couple	263 chevaux / 280 lb-pi
Tr. base (opt) / rouage base (opt)	M6 / Tr
0-100 / 80-120 / 100-0 km/h	6,9 s / 4,8 s / 38,0 m
Type ess. / ville / autoroute	Super / 11,5 / 8,0 l/100 km

FEU VERT

- Technologie Skyactiv
- Silhouette encore plus élégante
- Habitacle confortable
- Comportement routier sportif
- Mazdaspeed

FEU ROUGE

- Absence de rouage intégral
- Certaines commandes à revoir
- Fiabilité à déterminer (Skyactiv)
- Confusion possible dans les modèles

DU NOUVEAU EN 2012

Quelques retouches esthétiques, technologie SkyActiv

http://www.mazda.ca/

Plus d'informations dans la section statistiques en dernière partie du Guide

UNE ÉVOLUTION TROP TIMIDE

La Mazda5 avait besoin de plus qu'une simple évolution, mais transformation. Malheureusement, le constructeur n'a pas vu les choses de cet œil. Dommage, parce que la concurrence prend du galon avec les Chevrolet Orlando et Ford C-Max. Il est définitivement révolu, le temps où la fourgonnette compacte de Mazda occupait presque à elle seule ce segment du marché.

Pour 2012, celle qui représente les deuxièmes ventes en importance au Canada pour la marque a droit à un nouveau moteur. Rien de nouveau sous le soleil, cependant: au lieu du quatre cylindres de 2,3 litres, c'est le 2,5 litres qui propulse déjà les Mazda3, Mazda6 et CX-7 qui vient s'installer sous le capot. Le résultat s'avère plus doux sous le pied droit, mais il reste qu'on ne trouve pas là un dynamisme d'enfer. La puissance augmente d'à peine 4 chevaux, pour s'établir à 157. Le couple fait un brin mieux: en hausse de 15 lb-pi, à 163.

C'est une boîte manuelle six vitesses qui est offerte de base, un rapport de plus qu'avant. Ses passages sont courts et instinctifs, avec juste la bonne résistance pour faire croire à un peu de sportivité. Pour cette raison, on peut considérer la Mazda5 la plus intéressante fourgonnette à piloter du marché – jusqu'à présent, du moins. Il faut cependant faire avec de hautes révolutions à vitesse d'autoroute. Presque 3000 tr/min à 120 km/h, c'est agaçant. L'optionnelle automatique cinq rapports, plus douce et bien étagée, ne gagne aucun rapport pour 2012 et offre encore le passage manuel. Avec elle, nous avons enregistré sur autoroute une moyenne de 8 l/100 km, nez à nez avec l'ancien quatre cylindres.

Outre sa motorisation, la «nouvelle» Mazda5 n'a guère changé. La direction est encore précise et son effort augmente comme il se doit. Le freinage (quatre disques aux roues) est franc et efficace. La suspension mise sur la même architecture qu'avant (des multibras à l'arrière), mais on en a révisé les ajustements avec, pour intention, une meilleure stabilité. Peut-être aurait-il fallu réviser encore davantage, car lors d'une manœuvre d'évitement sur l'autoroute, nous avons presque perdu le contrôle du véhicule, un événement exagéré pour les circonstances. Leçon à tirer : la Mazda5 est une fourgonnette et on serait fou de la prendre pour autre chose.

CONCURRENTS
Dodge Journey, Kia Rondo

IMPRESSIONS DE L'AUTEUR		
Agrément de conduite :	■■■□□	3 / 5
Fiabilité :	NOUVEAU MODÈLE	
Sécurité :	■■■□□	3 / 5
Qualités hivernales :	■■■□□	3 / 5
Espace intérieur :	■■■□□	3 / 5
Confort :	■■■□□	3 / 5

En matière de look extérieur, les modifications ne sont pas aussi flagrantes que nous l'aurions souhaité et il faut regarder à deux fois pour les remarquer. Mais il faut dire que le constructeur avait peu de marge pour recréer sa fourgonnette, notamment parce

qu'il lui fallait apposer sa calandre « sourire béat ». Bonne nouvelle : cette grille fait non seulement plus moderne, elle oblige le capot à se relever, en plus d'y tirer des lignes de caractère. Par contre, sur les flancs, on a tenté des stries ondulantes pour plus de muscle, mais c'est trop discret pour donner le change. Un dernier bon mot, cette fois pour les phares arrière : s'ils ont perdu leur DEL, ils ont le mérite de mieux se ranger à la ligne centrale du hayon.

PAS DE RÉVOLUTION

Pas de changements majeurs à l'intérieur non plus. Le grand plateau noir reste d'un ennui consommé. Certes, on a fait disparaître un des trois cadrans stériles pour mieux afficher l'information dans une ligne lumineuse, plus contemporaine. On continue, toutefois, de reprocher à ce mince tableau de renseignements d'être peu avenant à consulter. Et il y a toujours ces plastiques durs de facture très moyenne et ces pédales qui cognent en relâchement parce qu'elles manquent de retenue. En plus, il n'y a plus de système de navigation et il n'y a toujours pas de démarrage sans clé. Un peu de modernité n'aurait pas fait de mal…

Quand on n'avance pas, on recule, tout le monde le sait. Et ça se ressent dans une insonorisation qui laisse toujours à désirer ou encore dans le toit ouvrant qui n'est plus offert de série sur la version GT. Sinon, la Mazda5 demeure une proposition honnête. Les entrées et sorties sont facilitées par une basse garde au sol, le dégagement accordé aux occupants est généreux et deux adultes de taille moyenne se trouveront relativement confortables à la troisième rangée. Parce qu'elle conserve les mêmes dimensions, la Mazda5 continue de se faufiler aisément dans la circulation. La polyvalence est également au rendez-vous avec la deuxième banquette qui se rabat (50/50) facilement à plat, accordant alors un raisonnable 426 litres d'espace. Quand on rabat les fauteuils capitaine, c'est presque 900 litres qui sont disponibles. Le hic, c'est que lorsque toutes les places sont occupées, le cargo ne dispose que de 112 litres, encore moins qu'une Mazda Miata…

Six places à bord, c'est une place de plus que pour la majorité des voitures, mais c'est quand même une place de moins que pour la plupart des fourgonnettes. Dommage que Mazda ne propose pas ici la banquette centrale à trois places qu'elle offre sur d'autres marchés. Pour ce qui est du prix, il faut oublier les 19 995 $ annoncés au lancement de la première génération. Pour 2012, le prix d'étiquette débute à 21 800 $, mais ça comprend la climatisation.

Mazda aurait dû payer à sa 5 une vraie refonte. Au lieu de quoi, sa discrétion risque de lui coûter cher devant une concurrence qui n'a pas peur de montrer les dents.

Nadine Filion

Photos : Denis Duquet

Catégorie	Fourgonnette
Échelle de prix	21 795 $ à 24 395 $
Garanties	3 ans/80 000 km, 5 ans/100 000 km
Assemblage	Hiroshima, Japon
Cote d'assurance	bonne

CHÂSSIS - GT	
Emp/lon/lar/haut	2 750/4 585/1 750/1 615 mm
Coffre	112 à 857 litres
Réservoir	60 litres
Nombre coussins sécurité / ceintures	6 / 6
Suspension avant	indépendante, jambes de force
Suspension arrière	indépendante, multibras
Freins avant / arrière	disque / disque
Direction	à crémaillère, ass. variable électrique
Diamètre de braquage	11,2 m
Pneus avant / arrière	P205/50R17 / P205/50R17
Poids	1 551 kg
Capacité de remorquage	n.d.

COMPOSANTES MÉCANIQUES	
GS, GT	
Cylindrée, soupapes, alim.	4L 2,5 litres 16 s atmos.
Puissance / Couple	157 chevaux / 163 lb-pi
Tr. base (opt) / rouage base (opt)	M6 (A5) / Tr
0-100 / 80-120 / 100-0 km/h	9,8 s (est) / 9,0 s (est) / 40,2 m
Type ess. / ville / autoroute	Ordinaire / 9,7 / 6,8 l/100 km

FEU VERT

- Boîte manuelle offerte
- Excellente visibilité
- Bonne polyvalence
- Climatiseur de série

FEU ROUGE

- Style encore trop discret
- Puissance juste
- Tableau de bord d'un ennui consommé
- Insonorisation moyenne
- À quand la 7e place ?
- Tenue de route qui a ses limites

DU NOUVEAU EN 2012

Nouveau modèle

http://www.mazda.ca/

Plus d'informations dans la section statistiques en dernière partie du Guide

DERNIER TOUR DE PISTE

De toutes les berlines intermédiaires, la Mazda6 est assurément l'une des plus agréables à conduire. Sportive, raffinée et fort jolie, elle est apparue en 2003 en tant que modèle 2004. Dès ses débuts, elle remportait la première place des voitures familiales, prix décerné par l'Association des journalistes automobile du Canada (AJAC). L'année suivante, la familiale faisait de même dans sa catégorie. Deux autres premières places à l'AJAC allaient ponctuer sa carrière.

CONCURRENTS
Chevrolet Malibu, Dodge Avenger, Ford Fusion, Honda Accord, Hyundai Sonata, Kia Optima, Nissan Altima, Subaru Legacy, Suzuki Kizashi, Toyota Camry, Volkswagen Passat

IMPRESSIONS DE L'AUTEUR	
Agrément de conduite :	4.5/5
Fiabilité :	4/5
Sécurité :	5/5
Qualités hivernales :	4/5
Espace intérieur :	4/5
Confort :	4/5

Pourtant, elle n'a jamais réussi à s'affirmer au chapitre des ventes. Même si la nouvelle génération, dévoilée en 2008 et portant le millésime 2009, a su rallier plus d'acheteurs à sa cause, la fin approche pour cette berline enjouée. Mais comme la peau de l'ours bouge encore, concentrons-nous sur le présent.

ÉGALE À ELLE-MÊME

Avec ses ailes avant bombées et copiées de la très réussie RX-8, la Mazda6 présente une silhouette à la fois agressive et fluide. Et, chose plus rare qu'il n'y paraît, la partie arrière s'harmonise très bien avec l'avant, surtout en ce qui a trait aux modèles munis du V6 et dotés d'un échappement double chromé. Bien qu'elle soit dérivée de la très réussie Ford Fusion (ou est-ce l'inverse?), la 6 possède suffisamment de caractère pour mener sa propre carrière. D'ailleurs, si on ne leur disait pas, bien des gens ne se douteraient jamais que ces deux voitures possèdent une architecture commune.

L'habitacle est également réussi et dès qu'on s'installe derrière le volant – télescopique et inclinable, peu importe la version –, on sent l'hormone sportive monter. Ledit volant se prend bien en main et juste derrière, des jauges orangées et bleues sont du plus bel effet, surtout la nuit venue. Un peu moins de compliments, cependant, pour le système de chauffage/ventilation, qui peine à fournir à la demande avec cinq adultes à bord. Mais à peu près tous les produits japonais affichent ce manque d'enthousiasme. Si les places avant sont confortables et assurent un bon dégagement, celles situées en arrière sont un peu moins avenantes, surtout à cause de la ligne plongeante du toit. Les plus grands devront apprendre à vivre avec un plafond à la hauteur du cuir chevelu.

Quant à la mécanique, on retrouve deux moteurs. Un quatre cylindres de 2,5 litres développe 170 chevaux et un V6 de 3,7 litres se fait propriétaire d'une écurie de 272 chevaux. Même si on est impressionné par la débauche d'équidés du V6, à mon avis, le quatre cylindres fait parfaitement l'affaire. Il n'est certainement pas surpuissant,

Catégorie	Berline
Échelle de prix	23 995 $ à 37 440 $ (2011)
Garanties	3 ans/80 000 km, 5 ans/100 000 km
Assemblage	Flat Rock, Michigan, É-U.
Cote d'assurance	passable

et même si Mazda ne dévoile pas la capacité de remorquage de ses voitures, il est évident qu'il peinerait dans les côtes en tirant un poids élevé. Cependant, pour les besoins quotidiens, ce quatre fait le travail. Le V6 s'avère, de toute évidence, plus déluré et les accélérations sont accompagnées par un agréable grondement. Une fois, les astres s'étant alignées, j'ai pu faire l'essai de Mazda6 équipées des deux moteurs une semaine après l'autre et dans des conditions semblables. À la fin de la première semaine, le V6 avait commandé 10,8 l/100 km tandis que la semaine suivante, le quatre cylindres avait eu besoin de 9,7. Ce dernier moteur a beau être moins gourmand que le V6, il demeure que pour un quatre cylindres, il consomme beaucoup.

Le 2,5 se marie d'office à une transmission manuelle à six rapports. De cette boîte, j'ai retenu deux choses. Primo, elle est bizarrement étagée puisqu'à 100 km/h, le moteur révolutionne à 2 650 tours/minute, ce qui est beaucoup trop élevé pour un rapport qui, normalement, devrait servir d'« overdrive ». Deuxio, les amateurs de talon-pointe n'auront pas à se tordre trop le pied droit pour satisfaire leurs bas instincts routiers. On retrouve aussi une boîte automatique à cinq rapports, dont il y a bien peu à redire. Le V6, de son côté, ne se marie qu'avec une automatique à six rapports au fonctionnement sans reproches.

Une Mazda6, c'est sur la route que ça s'apprécie ! Tout d'abord, notons que même avec le V6, pourtant très puissant, l'effet de couple est très bien maîtrisé. Les suspensions des livrées GT pourraient être un peu trop fermes pour certains conducteurs, mais elles combleront les amateurs de performance. Celles des versions régulières offrent un excellent compromis entre tenue de route et confort. Il y a deux ans, j'avais noté une pédale de frein dure et peu communicatrice, autant sur le quatre cylindres que le V6. La dernière Mazda6 essayée (V6 GT) présentait toutefois une pédale très bien dosée.

BIENTÔT LA NOUVELLE 6

Mais voilà, le cygne est à la veille de chanter pour la 6. La prochaine berline intermédiaire de Mazda ne sera plus construite en Amérique, mais bien au Japon. Elle sera inspirée du concept Shinari, d'une rare élégance. Bien entendu, beaucoup de détails de ce véhicule vu pour la première fois en terre nord-américaine au Salon de Los Angeles en novembre 2010 ne résisteront pas à la production en chaîne. Mais on peut s'attendre à du beau, comme c'est souvent le cas chez Mazda. Côté mécanique, on ne sait pas encore grand-chose, mais il est assuré que la technologie SkyActiv trouvera son chemin jusque sous le capot de la berline intermédiaire, de même qu'un moteur diesel.

Au revoir, la 6 !

Alain Morin

Photos : Alain Morin

CHÂSSIS - GT

Emp/lon/lar/haut	2 790/4 940/1 840/1 470 mm
Coffre	469 litres
Réservoir	70 litres
Nombre coussins sécurité / ceintures	6 / 5
Suspension avant	indépendante, double triangulation
Suspension arrière	indépendante, multibras
Freins avant / arrière	disque / disque
Direction	à crémaillère, ass. variable
Diamètre de braquage	10,8 m
Pneus avant / arrière	P235/45R18 / P235/45R18
Poids	1486 kg
Capacité de remorquage	n.d.

COMPOSANTES MÉCANIQUES

GS, GT	
Cylindrée, soupapes, alim.	4L 2,5 litres 16 s atmos.
Puissance / Couple	170 chevaux / 167 lb-pi
Tr. base (opt) / rouage base (opt)	M6 (A5) / Tr
0-100 / 80-120 / 100-0 km/h	9,4 s / 8,0 s / 42,3 m
Type ess. / ville / autoroute	Ordinaire / 10,4 / 6,9 l/100km

GS V6, GT V6	
Cylindrée, soupapes, alim.	V6 3,7 litres 24 s atmos.
Puissance / Couple	272 chevaux / 269 lb-pi
Tr. base (opt) / rouage base (opt)	A6 / Tr
0-100 / 80-120 / 100-0 km/h	7,3 s / 5,8 s / 42,3 m
Type ess. / ville / autoroute	Ordinaire / 12,1 / 8,0 l/100km

FEU VERT

- Esthétique encore dans le coup
- Sensations de conduite prononcées
- Bon mariage 2,5 et automatique
- Très bon confort (GS)
- Court rayon de braquage

FEU ROUGE

- La retraite va bientôt sonner
- Consommation assez élevée
- Suspensions un tantinet dures (GT)
- Places arrière pour les moins de six pieds
- Système chauffage un peu juste

DU NOUVEAU EN 2012

Aucun changement majeur

http://www.mazda.ca/

Plus d'informations dans la section statistiques en dernière partie du Guide

DES CHOIX DIFFICILES

Lorsque vient le temps de magasiner un VUS compact, le Mazda CX-7 n'est pas celui qui vient spontanément en tête quand on cherche un bon prix. C'est que ce n'est pas le plus abordable, si on le compare à ses rivaux, mais en revanche, il séduit les acheteurs en raison de son style dynamique et de sa conduite emballante. Il hérite en fait des mêmes gènes « Zoom Zoom », propres à tous les véhicules Mazda, à tel point qu'on pourrait le qualifier de voiture sport haute sur pattes.

Ayant subi une légère refonte esthétique il y a deux ans, le Mazda CX-7 n'offre rien de nouveau pour 2012. Il propose toujours les mêmes éléments de style des autres modèles du constructeur, notamment à l'avant : une grille imposante et le désormais célèbre « sourire Mazda » avec ses deux prises d'air latéral en guise de fossettes. Du reste, le CX-7 conserve ses lignes ultras dynamiques que lui procurent son pare-brise fortement incliné et sa ligne de toit plongeante.

DEUX MOTEURS, DES CHOIX DÉCHIRANTS

Depuis son introduction en 2007, le CX-7 propose un fougueux moteur quatre cylindres turbocompressé de 2,3 litres, développant une puissance de 244 chevaux. Ce moteur, que l'on retrouve notamment à bord de la MazdaSpeed3, est véritablement le cœur de la conduite « Zoom Zoom » du CX-7. Marié à une boîte automatique à six rapports, ce moteur livre des performances de premier plan que peu de rivaux peuvent égaler. C'est là le réel attrait du CX-7 et c'est pour cette raison que plusieurs succombent à ses charmes. Tant qu'à posséder un VUS, aussi bien en avoir un qui procure des émotions au volant.

Sachant que le CX-7 à moteur turbo était loin d'être accessible à la masse en raison de son prix de base relativement élevé, le constructeur propose, depuis deux ans, une version plus abordable et comprenant une mécanique distincte. Cette version démocratisée reçoit sous le capot un moteur de quatre cylindres de 2,5 litres développant 161 chevaux pour un couple équivalent. Jumelé à une boîte automatique à cinq rapports, au lieu de six dans le cas du modèle turbo, ce moteur livre des performances intéressantes. Mais c'est surtout son économie de carburant qu'on apprécie, avec en moyenne un 2,0 l/100 km de moins que le CX-7 turbocompressé. L'économie est d'autant plus marquée que ce moteur se nourrit à l'essence ordinaire plutôt que super, un élément apprécié lors des visites à la station-service.

CONCURRENTS

Chevrolet Equinox, Dodge Nitro, Ford Edge, Honda CR-V, Hyundai Santa Fe, Jeep Liberty, Mitsubishi Outlander, Toyota RAV4, Volkswagen Tiguan

IMPRESSIONS DE L'AUTEUR

Agrément de conduite :	4/5
Fiabilité :	3/5
Sécurité :	4/5
Qualités hivernales :	4/5
Espace intérieur :	3.5/5
Confort :	4/5

Catégorie	Multisegment
Échelle de prix	26 495 $ à 36 690 $ (2011)
Garanties	3 ans/80 000 km, 5 ans/100 000 km
Assemblage	Hiroshima, Japon
Cote d'assurance	passable

On pourrait croire alors que cette version représente le meilleur choix des deux, mais ce n'est pas tout à fait le cas. Malheureusement, le rouage intégral est réservé aux versions équipées du moteur suralimenté et il faut se contenter d'un CX-7 à traction dans le cas du quatre cylindres de 2,5 litres. Puisque le réel attrait d'un VUS est notamment sa capacité à se déplacer aisément en toute condition, cette version devient moins attrayante. C'est d'ailleurs une décision étrange de la part de Mazda, qui nous a habitués à d'innombrables possibilités dans les choix d'un modèle. Pourtant, cette fois, on fait face à des choix difficiles.

UNE FINITION SOIGNÉE

La compagnie Mazda est réputée pour ses habitacles bien finis et le CX-7 ne fait pas exception. On apprécie la qualité d'assemblage et l'ergonomie de la planche de bord. Les différentes commandes sont bien présentées et tombent sous la main. Tout est simple et on n'a pas besoin de se plonger dans le manuel d'instructions pour tout comprendre. Les designers ont souligné la sportivité du CX-7 avec un volant gainé de cuir et doté d'une bonne prise en main, des sièges fermes procurant un bon niveau de maintien et l'ajout de garnitures au fini métallisé. Si les passagers avant profitent de bons dégagements, ceux assis à l'arrière seront un peu plus à l'étroit. La ligne du toit plongeante limite également l'espace à la tête et comme vous l'imaginez, ce style ampute aussi quelque peu l'espace de chargement. Une fois au volant, on se retrouve rapidement à l'aise grâce aux nombreux ajustements du siège et à la colonne de direction télescopique qui favorise une bonne position de conduite. Le large pare-brise incliné et le capot plongeant vers l'avant apportent au conducteur une bonne visibilité. Cet élément est moins évident à l'arrière en raison du toit plongeant et la dimension réduite de la lunette.

Ceux qui cherchent un véhicule à vocation plus familiale, mais qui ne désirent pas nécessairement mettre de côté le plaisir de conduite apprécieront le CX-7. Au volant, on a beaucoup plus l'impression de conduire une voiture qu'un VUS. Voilà l'élément favorisé par les ingénieurs et le tout est bien rendu. Le CX-7, avec son moteur turbo, se révèle un véritable bolide que l'on conduit du bout des doigts. La suspension indépendante appuie bien la vocation du véhicule et contrôle tout effet de roulis en virage. Bien entendu, cette version s'avère un peu plus ferme que plusieurs modèles concurrents et certains pourraient ne pas aimer. C'est une question de goût, encore une fois.

Quant à la version à moteur atmosphérique, on retrouve tout l'ADN du CX-7 avec un peu moins de vigueur. Le véhicule demeure agréable à conduire sans être trop anémique. Il est dommage de ne pas pouvoir obtenir en option le rouage intégral. C'est le seul élément qu'on peut véritablement lui reprocher.

Sylvain Raymond

Photos: Mazda

CHÂSSIS - GT 4RM

Emp/lon/lar/haut	2 750/4 682/1 872/1 645 mm
Coffre	848 à 1 658 litres
Réservoir	62 litres
Nombre coussins sécurité / ceintures	6 / 5
Suspension avant	indépendante, jambes de force
Suspension arrière	indépendante, multibras
Freins avant / arrière	disque / disque
Direction	à crémaillère, ass. variable
Diamètre de braquage	11,4 m
Pneus avant / arrière	P235/55R19 / P235/55R19
Poids	1 818 kg
Capacité de remorquage	907 kg (1 999 lb)

COMPOSANTES MÉCANIQUES

GX 2RM

Cylindrée, soupapes, alim.	4L 2,5 litres 16 s atmos.
Puissance / Couple	161 chevaux / 161 lb-pi
Tr. base (opt) / rouage base (opt)	A5 / Tr
0-100 / 80-120 / 100-0 km/h	11,0 s / 9,8 s / n.d.
Type ess. / ville / autoroute	Ordinaire / 10,4 / 7,2 l/100 km

GS 4RM, GT 4RM

Cylindrée, soupapes, alim.	4L 2,3 litres 16 s turbo
Puissance / Couple	244 chevaux / 258 lb-pi
Tr. base (opt) / rouage base (opt)	A6 / Int
0-100 / 80-120 / 100-0 km/h	8,7 s / 6,8 s / 41,2 m
Type ess. / ville / autoroute	Super / 12,2 / 8,7 l/100 km

FEU VERT

- Conduite emballante
- Rouage intégral efficace
- Style réussi
- Habitacle soigné

FEU ROUGE

- Espace cargo limité
- Essence super (moteur turbo)
- Rouage intégral non offert dans toutes les versions

DU NOUVEAU EN 2012

Aucun changement majeur

http://www.mazda.ca/

Plus d'informations dans la section statistiques en dernière partie du Guide

LE GRAND FRÈRE QU'ON RESPECTE

Il vieillit bien, ce CX-9. Malgré la forte concurrence des Honda Pilot, Toyota Highlander, Ford Flex – et vous remarquerez qu'on passe sous silence le trio de GM –, l'utilitaire sept places de Mazda conserve le haut du pavé. Pourvu qu'on soit prêt à y mettre le prix.

Parlons-en tout de suite, du prix. Le Mazda CX-9 a beau s'amener bien équipé (sièges chauffants et Bluetooth), il demande néanmoins plusieurs milliers de dollars de plus que trois des concurrents nommés en introduction. Et lorsqu'on s'arrête aux versions plus luxueuses de tout ce beau monde (c'est-à-dire 50 000 $ en montant), le CX-9 perd davantage de plumes.

Hormis ces critiques financières et technologiques, le CX-9 gagne à être connu pour sa conduite plus sportive que celle de ses rivaux, de même que pour son habitacle élégant, sobre et bien ficelé. Évidemment, il ne s'agit pas d'un CX-7 aux tendances plus « vroum vroum », mais il reste que le « grand frère », même s'il se fait plus mature et réfléchi, a quand même un petit quelque chose de surprenant pour un véhicule de cette taille.

CONCURRENTS

Buick Enclave, Chevrolet Traverse, Ford Flex, GMC Acadia, Honda Pilot, Hyundai Veracruz, Nissan Murano, Subaru Tribeca, Toyota Highlander

IMPRESSIONS DE L'AUTEUR

Agrément de conduite :	4 / 5
Fiabilité :	3 / 5
Sécurité :	4 / 5
Qualités hivernales :	4 / 5
Espace intérieur :	4.5 / 5
Confort :	4.5 / 5

PLUS GRAND QU'IL N'Y PARAÎT

Ne vous laissez pas berner par ces courbes musclées, ce pare-brise incliné et cette ligne de toit plongeante qui, visuellement, font passer l'utilitaire pour plus petit qu'il ne l'est : il a bonne taille, ce CX-9. Car dimensions pour dimensions, le CX-9 se fait plus long (jusqu'à 32 cm) que le Pilot et le Highlander. Pour tout dire, il arrive presque nez à nez avec le Flex. Étonnant, n'est-ce pas ? Conséquemment, les places avant et de deuxième rangée offrent du bon dégagement aux jambes – quoiqu'un peu moins aux têtes, silhouette en sourcil oblige. La troisième rangée est évidemment restreinte, mais les adultes de taille moyenne n'y souffrent pas de claustrophobie, surtout si les occupants devant avancent généreusement leur banquette (jusqu'à 12 cm : quand même !). Le CX-9 peut donc se targuer d'être un vrai « sept passagers », non pas un 5 + 2. Ajoutons que l'accès à ces places arrière relève d'un jeu d'enfant, grâce à des sièges qui se replient facilement. L'espace cargo est parmi les plus vastes, puisque les 2 851 litres (banquettes rabattues) sont plus généreux que pour le Pilot, le Highlander et même le Flex.

À l'avant, les sièges sont confortables et de bon maintien, surtout dans leur livrée de cuir moelleux et le conducteur y trouve rapidement une bonne position de conduite. Le poste de pilotage n'a pas l'ostentation de certains autres, mais il a tout de même le mérite de se laisser facilement apprivoiser, puisque contrairement à d'autres, il ne souffre pas d'une surenchère de commandes. Au contraire, le système de navigation (optionnel) est instinctif à utiliser, tout comme les contrôles audio et de climatisation. Un seul bémol: la ligne d'informations au haut de la planche de bord n'est pas aisée à consulter. Le regard farfouille pour la consommation et le niveau de soufflerie. Pendant qu'on y est, critiquons un peu ces sièges chauffants qui manquent cruellement d'intensité. Aussi, cette lunette arrière, mince et haut perchée, handicape les manœuvres de recul. Et la caméra de recul n'est malheureusement pas de série pour toutes les versions, tout comme le hayon électrique, d'ailleurs.

PLUS FERME ET PLUS AGILE

Cela dit, le détecteur de véhicules dans les angles morts, l'une des seules avancées technologiques que se permet le CX-9 (avec le démarrage sans clé sur la variante GT) a le mérite d'être fonctionnel et peu dérangeant. Le fait qu'on n'ait pas envie de le désactiver à la première occasion est d'ailleurs bon signe.

Certes, le Mazda CX-9 n'a pas la technologie moderne du Ford Flex – pensez Sync, moteur Ecoboost à injection directe, stationnement automatisé, frigo dans la console arrière, etc. –, mais il demeure que sur la route, le CX-9 est celui qui se montre le plus agile de la catégorie. Son agilité se veut d'ailleurs très assurée et ce, malgré une garde au sol de 204 mm. Celui ou celle qui doit transporter son lot de passagers ou de marchandise, mais qui ne veut pas compromettre son plaisir de conduire, apprécie le peu de roulis de caisse en virages sinueux.

En prime, le V6 de 3,7 litres développe ses 273 chevaux avec douceur, raffinement et linéarité. Le 0-100 km/h se fait sous les huit secondes, c'est mieux que le Flex de base et le Pilot. Signe que l'automatique six rapports avec mode manuel est bien étagée: on ne sent jamais le besoin de se mêler de sa course alors, ne crions pas au scandale si les palettes ne montent pas au volant.

Qui plus est, l'utilitaire pèse moins que la moyenne et sa suspension est plus ferme que flexible (trop ferme, diront certains… mais pas nous!). La traction intégrale (à répartition active, jusqu'à 50% du couple à l'arrière) travaille efficacement, de façon imperceptible et le freinage est énergique. On aime la variante GT qui roule sur des 20 pouces. Enfin, la direction (à crémaillère, car on continue heureusement de bouder l'électrique) est précise et hautement connectée avec la route.

Bref, le CX-9 est un grand véhicule confortable et logeable qui se démène sur route en procurant au conducteur un plaisir évident. Plus que la moyenne, en fait, et certains trouveront que ça vaut le coût, finalement.

Nadine Filion

Photos: Mazda

MAZDA CX-9

Catégorie	Multisegment
Échelle de prix	36 395 $ à 45 595 $ (2011)
Garanties	3 ans/80 000 km, 5 ans/100 000 km
Assemblage	Ujina, Japon
Cote d'assurance	n.d.

CHÂSSIS - GT TI	
Emp/lon/lar/haut	2 875/5 101/1 936/1 728 mm
Coffre	487 à 2 851 litres
Réservoir	76 litres
Nombre coussins sécurité / ceintures	7 / 7
Suspension avant	indépendante, jambes de force
Suspension arrière	indépendante, multibras
Freins avant / arrière	disque / disque
Direction	à crémaillère, ass. variable
Diamètre de braquage	11,4 m
Pneus avant / arrière	P245/50R20 / P245/50R20
Poids	2 062 kg
Capacité de remorquage	1 588 kg (3 500 lb)

COMPOSANTES MÉCANIQUES	
GS TA, GS TI, GT TI	
Cylindrée, soupapes, alim.	V6 3,7 litres 24 s atmos.
Puissance / Couple	273 chevaux / 270 lb-pi
Tr. base (opt) / rouage base (opt)	A6 / Tr (Int)
0-100 / 80-120 / 100-0 km/h	7,9 s / 6,8 s / 39,8 m
Type ess. / ville / autoroute	Ordinaire / 14,0 / 9,6 l/100 km

FEU VERT

- Belle silhouette musclée
- Cache bien ses grandes dimensions
- Un vrai sept passagers
- Et il reste de la place pour les bagages…
- Habitacle confortable et bien insonorisé
- V6 doux et de bonne puissance

FEU ROUGE

- N'a pas la modernité du Ford Flex
- Pas de variante hybride comme chez Toyota
- Les manœuvres en stationnement sont un défi
- Pas la plus frugale consommation en carburant

DU NOUVEAU EN 2012

Aucun changement majeur

http://www.mazda.ca/

Plus d'informations dans la section statistiques en dernière partie du Guide

LE ROADSTER QUI REFUSE DE GROSSIR

Lorsque Mazda a dévoilé ce modèle il y a plus de deux décennies, le but de ses concepteurs était de nous proposer un petit cabriolet deux portes offrant un agrément de conduite élevé et une silhouette inspirée des voitures sport britanniques des années 60. Le succès fut immédiat et ce roadster est devenu le plus vendu dans l'histoire de l'automobile. Il faut féliciter Mazda de ne pas être tombé dans le même piège que la majorité de ces concurrents : l'embonpoint.

CONCURRENTS
MINI Cooper Cabriolet

IMPRESSIONS DE L'AUTEUR		
Agrément de conduite :	■■■■■	5 / 5
Fiabilité :	■■■■	4 / 5
Sécurité :	■■■■	4 / 5
Qualités hivernales :	■■▌	2.5 / 5
Espace intérieur :	■■▌	2.5 / 5
Confort :	■■■	3 / 5

À quelques millimètres près, cette petite Mazda deux places a conservé ses dimensions d'origine. On a résisté à la tentation de la rendre plus longue, plus large et plus puissante, ce qui aurait entraîné une augmentation de la facture et sans doute une diminution de l'agrément de conduite. Mais avant de poursuivre dans l'évaluation de cette voiture, il est important de souligner les caractéristiques de cette catégorie. En effet, ce type de voitures privilégie l'agrément de conduite, l'agilité et la précision de la direction, au détriment d'un certain confort et sans rechercher les performances absolues.

ÉLÉGANCE ET INTIMITÉ

Dès la première génération, la MX-5 — qui se nommait Miata à l'époque — séduisait les gens par sa silhouette. La proportion de ses formes, son nez arrondi, son arrière relativement large, tous les éléments visuels en faisaient une voiture d'une incroyable élégance. De plus, c'est un des rares cabriolets dont la silhouette est tout aussi élégante que le toit rétractable soit en place ou pas. À ce sujet, il est possible de nos jours de commander cette Mazda en deux configurations de toit. La première est dotée d'un toit souple qui se replie et se remet en place en un tournemain. Mazda commercialise également une version à toit rétractable rigide. Cette option permet d'offrir une meilleure insonorisation de l'habitacle et facilite la conduite hivernale. Il est également très facile à remiser ou à déployer. Les ingénieurs de Mazda ont concocté un mécanisme qui permet de remiser le toit verticalement derrière les sièges des occupants. De cette façon, on n'enlève rien au coffre à bagages, relativement petit, soit dit en passant (150 litres).

Bien entendu, une fois le toit replié, l'accès à bord est grandement facilité. Par contre, lorsqu'il est déployé, une certaine agilité s'avère nécessaire pour prendre place à bord. Cela dit, même des personnes de grande taille peuvent s'asseoir sans difficulté et sans inconfort majeur. Par contre, si vous aimez prendre vos aises dans un habitacle, mieux vaut chercher ailleurs. L'espace est relativement

Catégorie	Roadster
Échelle de prix	28 995 $ à 39 995 $ (2011)
Garanties	3 ans/80 000 km, 5 ans/100 000 km
Assemblage	Hofu, Japon
Cote d'assurance	bonne

exigu et conducteur comme passager se frottent souvent les épaules. Naturellement, les commandes sont faciles à atteindre et l'ergonomie générale peut être considérée comme bonne. Et pour les nostalgiques des vieilles voitures anglaises, les deux cadrans indicateurs sont toujours à chiffres blancs sur fond noir.

UN PILOTAGE CLASSIQUE

De nos jours, lorsqu'on parle de voitures sport, on s'imagine un tonitruant moteur V8, parfois turbocompressé, dont le nombre d'équidés sous le capot dépasse les 500 chevaux. Mais à une certaine époque, les voitures sport, généralement d'origine britannique, étaient de petites dimensions, avec un moteur de petite cylindrée, dont les performances étaient relativement moyennes. Par contre, c'était la précision de la direction, la qualité générale de la tenue de route et l'implication du conducteur qui dominaient. La MX-5 respecte cet héritage. Ses dimensions sont toujours identiques tandis que son poids est relativement modeste à 1 145 kg. Deux versions du même moteur sont au catalogue. Les deux partagent la même cylindrée, 2,0 litres, et la version la moins puissante produit 158 chevaux. C'est le moteur qui est couplé à la boîte automatique à six rapports. Peu importe le niveau d'équipement, les versions équipées de la boîte manuelle à cinq rapports voient la puissance de ce moteur portée à 167 chevaux. En fait, même si ce détail peut sembler superflu aux yeux des puristes, il s'agit d'une propulsion.

Les versions à boîte de vitesses automatique sont beaucoup plus intéressantes qu'elles ne l'étaient il y a de cela plusieurs années. La combinaison de ce petit moteur quatre cylindres avec une transmission automatique rendait la voiture anémique. À tel point qu'on avait littéralement abandonné cette option. De nos jours, les choses sont meilleures. La voiture reste relativement nerveuse et les temps d'accélération sont pratiquement identiques à quelques millièmes près que celles réalisées avec la boîte manuelle.

Il n'en demeure pas moins que la force de cette Mazda, c'est l'agrément de conduite. Il ne faut pas compter sur la puissance brute du moteur pour obtenir des performances, il faut jouer du levier de vitesse et rétrograder pour sortir d'un virage avec plus de vélocité. Sur certaines voitures, de telles opérations sont fastidieuses et peu agréables. Dans le cas qui nous concerne, c'est tout le contraire. Le pédalier permet le pointe-talon tandis que le la course du levier de vitesse est d'une incroyable précision. Ce levier est doté d'un contrepoids pour favoriser les passages des rapports qui sont fort bien étagés. Somme toute, cette voiture ne s'adresse pas au m'as-tu-vu, mais bien aux personnes qui apprécient une conduite de précision.

Denis Duquet

Photos : Mazda

CHÂSSIS - GT	
Emp/lon/lar/haut	2 330/4 032/1 720/1 245 mm
Coffre	150 litres
Réservoir	48 litres
Nombre coussins sécurité / ceintures	4 / 2
Suspension avant	indépendante, bras inégaux
Suspension arrière	indépendante, multibras
Freins avant / arrière	disque / disque
Direction	à crémaillère, ass. variable
Diamètre de braquage	9,4 m
Pneus avant / arrière	P205/45R17 / P205/45R17
Poids	1 145 kg
Capacité de remorquage	non recommandé

COMPOSANTES MÉCANIQUES	
GX, GS, GT automatique	
Cylindrée, soupapes, alim.	4L 2,0 litres 16 s atmos.
Puissance / Couple	158 chevaux / 140 lb-pi
Tr. base (opt) / rouage base (opt)	A6 / Prop
0-100 / 80-120 / 100-0 km/h	8,3 s / 7,9 s / 37,8 m
Type ess. / ville / autoroute	Ordinaire / 9,7 / 7,1 l/100 km
GX, GS, GT manuelle	
Cylindrée, soupapes, alim.	4L 2,0 litres 16 s atmos.
Puissance / Couple	167 chevaux / 140 lb-pi
Tr. base (opt) / rouage base (opt)	M5 (GX) M6 / Prop
0-100 / 80-120 / 100-0 km/h	8,3 s / 7,9 s / 37,8 m
Type ess. / ville / autoroute	Ordinaire / 9,7 / 7,1 l/100 km

FEU VERT

- Silhouette enjôleuse
- Toit rigide rétractable
- Mécanique robuste
- Tenue de route saine
- Direction précise

FEU ROUGE

- Habitacle intimiste
- Suspension relativement ferme
- Coffre petit
- Utilisation hivernale limitée
- Certains modèles onéreux

DU NOUVEAU EN 2012

Aucun changement majeur

http://www.mazda.ca/

Plus d'informations dans la section statistiques en dernière partie du Guide

MODÈLE 2011

LA PETITE SE REFAIT UNE BEAUTÉ

On dit souvent que le marché des États-Unis dicte ce qui se passe chez nous au Canada, mais il arrive que certains constructeurs osent défier cette quasi-norme. C'est le cas de Mercedes-Benz, qui a introduit en 2005 la Classe B, une voiture qui devenait le véhicule à l'étoile d'argent le plus abordable. On croyait qu'avec l'intérêt marqué des Canadiens pour les petites voitures, la Classe B apporterait un volume de vente suffisant pour justifier l'opération.

Plusieurs années plus tard, le pari semble gagné, car le constructeur a non seulement obtenu un niveau de vente raisonnable, surtout dans les premières années, mais il s'apprête à introduire plus tard cette année la seconde génération de la Classe B, modèle qui cette fois sera également vendu chez nos voisins du Sud. Avec la hausse du prix du carburant, les véhicules compacts auront de plus en plus la cote et plusieurs apprécieront d'être en mesure de se payer un tel véhicule avec, en prime, un logo prestigieux. L'avenir de cette voiture semble donc très prometteur.

Si vous êtes intéressé par la génération actuelle, sachez que la Classe B changera pour 2012 du tout au tout. Il pourrait être intéressant de vous procurer le modèle actuel si vous bénéficiez d'un rabais substantiel ou si vous craquez littéralement pour le look qu'il exhibe présentement. Sinon, mieux vaut attendre la nouvelle mouture, non seulement très réussie esthétiquement, mais aussi beaucoup plus avancée technologiquement.

MODÈLE 2011

CONCURRENTS
Audi A3, Volkswagen Golf

IMPRESSIONS DE L'AUTEUR	
Agrément de conduite :	3.5 / 5
Fiabilité :	3 / 5
Sécurité :	5 / 5
Qualités hivernales :	3.5 / 5
Espace intérieur :	3.5 / 5
Confort :	4 / 5

MOINS MINIVAN, PLUS FAMILIALE

En apercevant la nouvelle Classe B 2012, on note inévitablement un changement de configuration. La génération actuelle se présente sous les traits d'une petite minifourgonnette, un peu comme la Mazda5 ou encore la Kia Rondo… mais pour les plus nantis. Toutefois, cette configuration ne semble pas coller à tous et plusieurs auraient souhaité un style un peu plus inspirant. C'est encore plus vrai si le constructeur souhaite percer aux États-Unis. Voilà pourquoi la nouvelle Classe B s'apparentera davantage à une familiale à hayon. Cela ajoute inévitablement au dynamisme de la voiture et rend le modèle un peu plus désirable pour la masse.

De plus, il n'est pas exclu que le constructeur décline sa nouvelle Classe B en d'autres configurations, notamment un coupé, un cabriolet, une berline ou un VUS compact. Pourquoi pas? Mercedes-Benz pourrait ainsi rivaliser avec les autres constructeurs, des modèles telle la Série 1 de BMW.

DE NOUVEAUX MOTEURS

À l'extérieur, la Mercedes-Benz Classe B s'apparente beaucoup plus à une voiture, non seulement à cause de son tout nouveau style, mais aussi grâce à sa hauteur réduite de 43 mm. Elle est aussi plus large de 9 mm et plus longue de 86 mm, ce qui change radicalement ses proportions. Avec son centre de gravité plus bas et son empattement à la hausse, la nouvelle Classe B devrait afficher un comportement beaucoup plus dynamique. Ajoutez des jantes de bonne taille, un ensemble sport optionnel et vous obtenez une voiture qui aura non seulement le comportement, mais aussi l'attitude. Tout un changement par rapport à la génération actuelle.

La Classe B 2012 profite aussi de plusieurs changements sous le capot. La B180 hérite tout d'abord d'un moteur à injection directe de 1,6 litre développant 122 chevaux pour un couple de 148 lb-pi. Le moteur à considérer sera sans doute le quatre cylindres de 2,0 litres de la B200, bénéficiant aussi de l'injection directe, ce dernier développant une puissance plus intéressante de 156 chevaux. Deux moteurs diesel sont aussi au menu, mais malheureusement, il y a fort à parier qu'ils ne seront pas offerts au Canada. Dommage, car une telle motorisation en aurait certainement intéressé plus d'un.

Une autre preuve que la Classe B bénéficiera de plusieurs nouvelles technologies de pointe : elle sera équipée d'une nouvelle boîte manuelle à six rapports et une autre automatique à sept rapports à double embrayage, rien de moins. Voilà qui maximisera certainement l'économie de carburant du véhicule, surtout qu'un système « Start/Stop » sera aussi proposé, ce dernier stoppant automatiquement le moteur lorsque le véhicule est à l'arrêt. Le constructeur mise également sur un excellent coefficient de trainée afin de réduire la consommation du véhicule.

À l'intérieur, la Classe B adopte le style insufflé à la Classe C, beaucoup plus classique et sophistiqué. Le prix à payer pour une telle élégance : une visibilité un peu moins intéressante. Mais que voulez-vous, style et efficacité vont rarement de pair. Les dimensions accrues de la voiture réussiront certainement à minimiser l'impact de son nouveau style au niveau de l'espace de chargement. Bien entendu, la Classe B 2012 profite de nombreux systèmes et équipements de sécurité, éléments qui font maintenant légions dans les autres modèles du constructeur. Elle propose notamment un système de détection d'angles morts, d'un régulateur de vitesse avec radar et d'un système d'avertissement pré-collision.

Mercedes-Benz a introduit la Classe B au Canada afin de fidéliser une clientèle plus jeune et générer au passage un volume de vente intéressant dans le créneau des compactes de luxe. Avec cette seconde génération, le constructeur déploie beaucoup plus d'efforts et il prend les moyens pour s'imposer dans une gamme qui risque de devenir très populaire d'ici quelques années.

Sylvain Raymond

MODÈLE 2011

Photos : Mercedes-Benz

DONNÉES 2011

Catégorie	Familiale
Échelle de prix	29 900 $ à 32 400 $
Garanties	4 ans/80 000 km, 4 ans/80 000 km
Assemblage	Rastatt, Allemagne
Cote d'assurance	moyenne

CHÂSSIS - B200 TURBO

Emp/lon/lar/haut	2 778/4 273/2 040/1 604 mm
Coffre	544 à 1 530 litres
Réservoir	54 litres
Nombre coussins sécurité / ceintures	6 / 5
Suspension avant	indépendante, jambes de force
Suspension arrière	semi-indépendante, essieu parabolique
Freins avant / arrière	disque / disque
Direction	à crémaillère, ass. variable électrique
Diamètre de braquage	11,9 m
Pneus avant / arrière	P215/45R17 / P215/45R17
Poids	1 395 kg
Capacité de remorquage	non recommandé

COMPOSANTES MÉCANIQUES

B200	
Cylindrée, soupapes, alim.	4L 2,0 litres 16 s atmos.
Puissance / Couple	134 chevaux / 136 lb-pi
Tr. base (opt) / rouage base (opt)	M5 (CVT) / Tr
0-100 / 80-120 / 100-0 km/h	10,1 s / 8,4 s / 40,4 m
Type ess. / ville / autoroute	Ordinaire / 9,2 / 6,7 l/100 km

B200 Turbo	
Cylindrée, soupapes, alim.	4L 2,0 litres 16 s turbo
Puissance / Couple	193 chevaux / 206 lb-pi
Tr. base (opt) / rouage base (opt)	M6 (CVT) / Tr
0-100 / 80-120 / 100-0 km/h	7,6 s / 5,8 s / 40,4 m
Type ess. / ville / autoroute	Super / 10,2 / 6,9 l/100km

FEU VERT

- Nouveau style plus dynamique
- Consommation améliorée
- Plusieurs systèmes de sécurité

FEU ROUGE

- Pas très sportive (2011)
- Insonorisation déficiente (2011)
- Options dispendieuses

DU NOUVEAU EN 2012

Nouveau modèle sera présenté en cours d'année

http://www.mercedes-benz.ca/

Plus d'informations dans la section statistiques en dernière partie du Guide

THÉORIE DE... LA SIMPLE ÉVOLUTION

La dernière refonte de la berline de Classe C remonte à 2007 et elle avait été impressionnante. Cette fois, pas de changement spectaculaire, seules quelques retouches esthétiques ainsi que des modifications apportées au chapitre des groupes propulseurs. Selon Mercedes-Benz il s'agit quand même de la plus importante révision intérimaire de ce modèle, puisqu'on a remplacé plus de 2000 pièces dans la voiture.

Peu modifiée de profil, la voiture a vu les principaux changements être apportés à l'avant, avec de nouveaux feux de route, un capot en aluminium et une grille de calandre revue. Toujours à l'avant, selon les modèles, la grille de calandre est différente: la première est constituée de plusieurs languettes horizontales et l'étoile d'argent trône sur le dessus du capot, tandis que dans le cas de la deuxième, beaucoup plus élégante, elle accueille l'étoile d'argent en son centre. Les modifications arrière sont relativement plus modestes. Le pare-chocs est davantage intégré au diffuseur arrière et les feux accueillent dorénavant des diodes électroluminescentes.

Dans l'habitacle, c'est nettement plus évolutif que spectaculaire. On remarque, en tout premier lieu, le nouveau volant. Celui-ci possède une partie inférieure plane sur les modèles C300 et C350. Quelques retouches ont été effectuées sur les cadrans indicateurs qui deviennent plus faciles à consulter. Les buses de ventilation sont également nouvelles. Celles placées aux extrémités sont circulaires et celles logées au centre sont rectangulaires. De plus, les appliques en bois sont plus larges et rappellent ce qu'on trouve dans la berline de Classe E.

DE NOUVEAUX MOTEURS

Le plus important dans cette nouvelle génération de berline de la

CONCURRENTS

Acura TL, Audi A4, BMW Série 3, Cadillac CTS, Infiniti G, Lexus ES, Lexus IS, Lincoln MKZ, Volvo S60

IMPRESSIONS DE L'AUTEUR

Agrément de conduite :	4 / 5
Fiabilité :	3.5 / 5
Sécurité :	5 / 5
Qualités hivernales :	4 / 5
Espace intérieur :	4 / 5
Confort :	4 / 5

Classe C est l'arrivée de deux nouveaux groupes propulseurs et la réduction de la consommation des moteurs déjà au catalogue. Ces deux nouveaux groupes propulseurs comprennent, en premier lieu, un moteur quatre cylindres de 1,8 litre qui est offert sur la version à roues motrices arrière. Doté de l'injection directe, ce quatre cylindres turbocompressé produit 201 chevaux et 229 lb-pi de couple. Mercedes-Benz annonce un temps d'accélération de 7,2 secondes. La transmission automatique, la seule disponible sur tous les modèles, est la 7 G-Tronic qui, comme son nom l'indique, est une transmission à sept rapports. L'autre nouveau moteur est un V6 de 3,5 litres, également à injection directe, et il produit 101 chevaux de plus que le quatre cylindres. Toujours selon Mercedes-Benz, ce moteur permettrait de boucler le 0-100 km/h en 6,0 secondes.

Bien entendu, il ne faut pas oublier la version C63 AMG équipée du même moteur V8 6,3 litres que précédemment. Par contre, la transmission 7G-Tronic est remplacée par la boîte AMG SPEEDSHIFT à sept rapports et possède le mode « Race Start ». Ceux qui opteront pour le groupe Performance bénéficieront d'un moteur produisant 30 chevaux supplémentaires et d'une vitesse de pointe de 280 km/h.

La liste des options est presque infinitésimale. Il est toutefois intéressant de souligner que le mécanisme « Attention Assist » est de série. Ce système informe le conducteur s'il risque de s'assoupir au volant et lui conseille de s'arrêter pour se dégourdir les jambes et se réveiller.

Le système de navigation par satellite a gagné en efficacité et en rapidité. Cette nouvelle génération est plus raffinée, plus esthétique et plus complète. La C250 et son nouveau moteur quatre cylindres sont un atout aux yeux de plusieurs.

LE COUPÉ MAINTENANT

C'est pour concurrencer la série 3 de BMW et l'Infiniti G37, pour ne nommer que ces deux-là, que Mercedes-Benz nous propose le coupé de Classe C, qui se décline en trois versions: C250, C350 et AMG 6,3.

Sa silhouette se démarque fortement de la berline et sa seule apparence évoque un caractère plus sportif. C'est que les stylistes ont adopté un capot allongé et une partie arrière très courte. Les porte-à-faux avant et arrière sont très réduits. Le capot est plongeant et sa partie supérieure est relevée, ce que les stylistes appellent le « Power Bulge » ou « Dôme de puissance » en traduction libre. Comme le veut la tendance actuelle, les phares avant débordent sur les ailes et possèdent, dans leur partie inférieure, des diodes électroluminescentes qui sont du plus bel effet. Les parois latérales exhibent des passages de roues en relief, un bas de caisse sculpté et une ligne de point de fuite sur en leur partie supérieure. On se doit de souligner également la présence de rétroviseurs extérieurs de grandes dimensions.

À quelques détails près, les planches de bord de la berline et du coupé sont identiques. Le coupé propose toutefois une applique qui traverse le tableau de bord de l'extrémité gauche de la console verticale jusqu'à la buse de ventilation, complètement à droite. D'ailleurs, il est possible de choisir différent finis pour ces appliques : aluminium brossé, laque noire piano, blanc laqué ou bois. Enfin, tous les

coupés de Classe C sont équipés de série d'un toit ouvrant panoramique de très grande dimension.

Les sièges à réglage électrique sont nouveaux et possèdent un appuitête intégré. Leurs rebords sont suffisamment importants pour nous soutenir dans les virages. Les places arrière sont constituées de deux sièges individuels qui possèdent les mêmes caractéristiques que les baquets avant. D'autre part, la position de conduite est excellente.

SURPRENANT MOTEUR QUATRE CYLINDRES

Le Coupé classe C offre trois groupes propulseurs. Le C350 est doté d'un moteur V6 de 3,5 litres produisant 302 chevaux. Par contre, il ne faut pas ignorer l'autre moteur disponible sur les versions régulières, soit le 4 cylindres turbocompressé de 1,8 litres de la C 250.

S'il est vrai que ses 201 chevaux affichent un déficit de 99 chevaux par rapport au moteur V6, il ne faut pas se laisser berner par les chiffres. Malgré cette puissance inférieure, une version propulsée par ce quatre cylindres est en mesure de boucler le 0-100 km/h en 7,3 secondes, soit 1,2 seconde de plus que la version à moteur V6. Ce petit moteur est plus léger, assure une meilleure répartition des masses et offre un surprenant agrément de conduite. Sur la route, ses accélérations et ses reprises sont adéquates pour la plupart des conducteurs. Ces deux moteurs sont associés à une boîte automatique à sept rapports qui a fait ses preuves depuis plusieurs années. Quant aux performances de la version AMG 6.3, elles sont dans une classe à part.

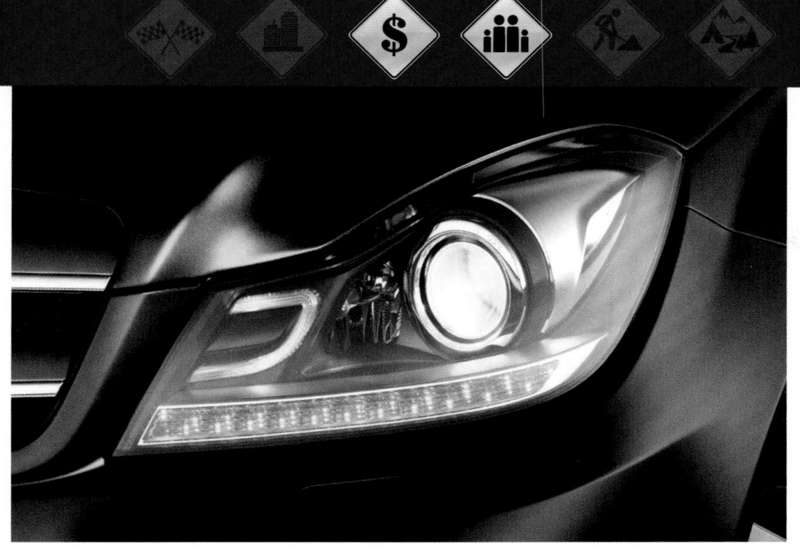

Catégorie	Berline, coupé
Échelle de prix	36 700$ à 65 000$ (2011)
Garanties	4 ans/80 000 km, 4 ans/80 000 km
Assemblage	Sindelfingen, Allemagne
Cote d'assurance	moyenne

CHÂSSIS - BERLINE C63 AMG

Emp/lon/lar/haut	2 765/4 726/2 020/1 438 mm
Coffre	354 litres
Réservoir	66 litres
Nombre coussins sécurité / ceintures	7 / 5
Suspension avant	indépendante, multibras
Suspension arrière	indépendante, multibras
Freins avant / arrière	disque / disque
Direction	à crémaillère, ass. variable
Diamètre de braquage	11,7 m
Pneus avant / arrière	P235/40R18 / P255/35R18
Poids	1 780 kg
Capacité de remorquage	n.d.

COMPOSANTES MÉCANIQUES

C250 (données préliminaires)	
Cylindrée, soupapes, alim.	4L 1,8 litre turbo
Puissance / Couple	201 chevaux / 228 lb-pi
Tr. base (opt) / rouage base (opt)	A7 / Prop
0-100 / 80-120 / 100-0 km/h	n.d. / n.d. / n.d.
Type ess. / ville / autoroute	Super / n.d. / n.d.

C300 4Matic	
Cylindrée, soupapes, alim.	V6 3,0 litres 24 s atmos.
Puissance / Couple	228 chevaux / 221 lb-pi
Tr. base (opt) / rouage base (opt)	A7 / Int
0-100 / 80-120 / 100-0 km/h	7,3 s / n.d. / n.d.
Type ess. / ville / autoroute	Super / 11,8 / 7,9 l/100 km

C350, C350 4Matic	
Cylindrée, soupapes, alim.	V6 3,5 litres 24 s atmos.
Puissance / Couple	302 chevaux / 273 lb-pi
Tr. base (opt) / rouage base (opt)	A7 / Prop (Int)
0-100 / 80-120 / 100-0 km/h	n.d. / n.d. / n.d.
Type ess. / ville / autoroute	Super / n.d. / n.d.

C63 AMG	
Cylindrée, soupapes, alim.	V8 6,2 litres 32 s atmos.
Puissance / Couple	451 chevaux / 443 lb-pi
Tr. base (opt) / rouage base (opt)	A7 / Prop
0-100 / 80-120 / 100-0 km/h	5,1 s / 3,8 s / 38,4 m
Type ess. / ville / autoroute	Super / 16,9 / 10,3 l/100 km

- Silhouette sportive (coupé)
- Choix de moteurs
- Versions AMG
- Excellent comportement routier
- Finition impeccable
- Sécurité active et passive

- Carburant super obligatoire
- Certaines options onéreuses
- Places arrière moyennes
- Pas de 4Matic sur le coupé

DU NOUVEAU EN 2012

Modèle coupé, restylage de la berline, nouveaux moteurs 1,8 turbo, V6 3,5

http://www.mercedes-benz.ca/

Plus d'informations dans la section statistiques en dernière partie du Guide

ÉQUILIBRÉ EN PLUS

Le groupe « Tenue de route dynamique » est de série sur la C350 et optionnel sur la C250. Il permet aux amortisseurs de modifier leur fermeté selon les conditions instantanées de la conduite. La direction est plus directe et la réponse de l'accélérateur plus vive, tandis que les passages de rapports sont beaucoup plus rapides. Il suffit d'appuyer sur le bouton du tableau de bord pour se retrouver au volant d'une voiture au comportement nettement plus sportif. Mais peu importe le modèle que vous choisissez, cette voiture possède une plate-forme d'une rigidité extrême et sa suspension assure une tenue de route impeccable. J'ai eu l'occasion de conduire ce coupé sur plusieurs centaines de kilomètres, sur des routes variées, ondulées et sinueuses, et il m'a été impossible de la prendre en défaut.

Mercedes-Benz a fait d'énormes progrès en fait d'impression de conduite au fil des dernières années. Auparavant, la voiture était efficace, tenait la route, mais l'agrément de conduite se faisait attendre. Quant à la version AMG 6.3, son fabuleux moteur permet de bénéficier de performances et d'agrément de conduite supérieurs aux deux autres versions.

Une refonte plus évidente aurait été appréciée, mais cette Mercedes demeure une voiture qui possède des qualités indéniables.

Denis Duquet

Photos : Mercedes-Benz

AU NOM DE L'OPULENCE

Les grands coupés CL sont comme le tigre de Sibérie: ils vivent dans les hauteurs, on les voit rarement et ils n'ont à peu près aucun ennemi naturel. Racés et longs sur pattes, leurs mouvements habituels sont plutôt lents et fluides, mais lorsqu'ils se mettent en mouvement, c'est pour bondir et atteindre des vitesses étonnantes en trois battements de cils. Longues, lourdes, puissantes et dotées de tous les raffinements et technologies imaginables, les CL n'existent que pour le luxe pur, consommé sans remords et sans retenue. Plaisirs des yeux, plaisirs des sens et satisfaction béate du fauve repu.

CONCURRENTS
Bentley Continental,
BMW Série 6,
Jaguar XK

IMPRESSIONS DE L'AUTEUR	
Agrément de conduite :	4/5
Fiabilité :	4/5
Sécurité :	4.5/5
Qualités hivernales :	4/5
Espace intérieur :	4/5
Confort :	4.5/5

On croirait à tort que les coupés CL ne sont que des versions à deux portières des berlines de Classe S. Les deux séries partagent évidemment leurs éléments structurels de base, quelques moteurs, de nombreuses composantes et la plupart des technologies dont ils sont pourvus. Les berlines peuvent cependant être véritablement utiles alors que les coupés CL n'existent que pour le bon plaisir de leur maître (ou maîtresse) et son invité(e) privilégié(e).

PRIORITÉS CLAIRES

C'est à peine si leurs créateurs ont accordé un moment d'attention au confort et à l'agrément des éventuels passagers arrière alors qu'il s'agit d'un souci primordial dans le cas des Classe S. À preuve, le dégagement pour les jambes est supérieur de 0,8 cm à l'avant dans le coupé CL 550 4Matic mais inférieur de 25,6 cm à l'arrière, si on compare avec la berline S 550 4Matic. Les places arrière sont quand même plus spacieuses que dans la génération précédente du CL, même pour un adulte de taille supérieure à la moyenne, mais l'accès y est toujours ardu pour les moins agiles.

C'est différent à l'avant, où l'accueil est digne d'une suite princière. On devrait parler du confort sybaritique d'un yacht plutôt que d'un jet privé, parce que l'espace n'est pas compté dans le premier. Les coupés CL, qui s'étendent sur plus de 5 mètres d'un pare-chocs à l'autre, sont plutôt l'équivalent automobile moderne des Riva Super Aquarama, ces embarcations en acajou au chic incomparable, lourdes et puissantes, dont les vedettes de cinéma raffolaient pour accoster avec style au Festival de Cannes. Riches boiseries, cuir mur à mur et gros moteurs qui rugissent.

Le capot est à l'avant pour les coupés CL et on n'y trouve qu'un seul moteur à la fois, mais quel moteur ! Et ça vaut pour chacun des quatre modèles. Le CL 550 4Matic, par exemple, est le seul à profiter d'un rouage intégral, ce qui en fait évidemment le meilleur choix pour une utilisation continue en terre québécoise. Les amateurs de ski devront toutefois composer avec l'absence d'un passe-ski dans un coffre tout de même accessible et d'une bonne longueur. Le CL 550, donc, amorce sa deuxième année avec son V8 à double turbo et injection directe de 4,6 litres qui produit 429 chevaux soit 17 de plus que la version qui anime la CLS 550. Gros couple à tout régime, sonorité magnifique en accélération et grande douceur pour un V8. Il est jumelé à la boîte automatique à 7 rapports.

Performance et sportivité montent de quelques crans avec la CL 63 AMG qui est dotée d'un autre V8 biturbo à injection directe qui fait 5,5 litres et 536 chevaux, avec mode d'arrêt-redémarrage et boîte de vitesses AMG à 7 rapports et embrayage automatisé. Là encore, c'est 18 chevaux de plus que pour la CLS 63 AMG, mais le CL 63 AMG a quand même 265 kilos de plus à propulser. Et la puissance grimpe à 571 chevaux si on choisit le groupe performance AMG optionnel, qui ajoute aussi un volant, des moulures en fibre de carbone et des jantes de 20 pouces en alliage forgé et supprime la bride électronique qui limite normalement la vitesse de pointe à 250 km/h.

Les CL 600 et CL 65 AMG sont propulsées par des V12 biturbo de 5,5 et 6,0 litres qui produisent respectivement 510 et 621 chevaux et un couple maxi phénoménal de 612 lb-pi à 1 800 tr/min et 738 lb-pi à 2 300 tr/min. Ils sont jumelés à la même boîte automatique à 5 rapports soignée par la division AMG. Les quatre coupés CL peuvent boucler le 0-100 km/h en moins de 5 secondes malgré leur poids. Le plus lourd est le CL 65 AMG qui fait 2 275 kg donc un peu plus de deux tonnes et demie.

NÉANMOINS AGILES

Les coupés CL ne font pas leur poids en conduite et sont maniables en ville, grâce à un diamètre de braquage assez court pour leur taille. Leur suspension demi-active ABC (*automatic body control*) fonctionne aussi impeccablement. Nettement mieux qu'auparavant, à vrai dire. La sensation de roulement est encore un peu artificielle, mais le contrôle du roulis en virage est mieux dosé, plus naturel. L'ABC ne se contente plus de se raffermir autant que nécessaire pour empêcher le moindre roulis en surchargeant du même coup le pneu avant extérieur au virage.

Redessinés avec bonheur l'an dernier, les CL alignent une panoplie inégalée de systèmes électroniques d'aide à la conduite de toute nature, conformément à leur statut au sommet de la pyramide chez Mercedes-Benz. Le seul rival sérieux du CL 65 AMG est sans doute le coupé Bentley Continental Supersports dont la puissance est identique et le prix comparable. Pour le reste, ces grands fauves se contentent de leur étroit créneau, un territoire qui leur est acquis.

Marc Lachapelle

Photos: Mercedes-Benz

Catégorie	Coupé
Échelle de prix	135 900 $ à 243 000 $
Garanties	4 ans/80 000 km, 4 ans/80 000 km
Assemblage	Stuttgart, Allemagne
Cote d'assurance	n.d.

CHÂSSIS - CL63 AMG

Emp/lon/lar/haut	2 955/5 106/2 139/1 426 mm
Coffre	490 litres
Réservoir	90 litres
Nombre coussins sécurité / ceintures	9 / 4
Suspension avant	indépendante, multibras
Suspension arrière	indépendante, multibras
Freins avant / arrière	disque / disque
Direction	à crémaillère, ass. variable
Diamètre de braquage	11,6 m
Pneus avant / arrière	P255/35R20 / P275/35R20
Poids	2 135 kg
Capacité de remorquage	n.d.

COMPOSANTES MÉCANIQUES

CL550 4Matic	
Cylindrée, soupapes, alim.	V8 4,6 litres turbo
Puissance / Couple	429 chevaux / 516 lb-pi
Tr. base (opt) / rouage base (opt)	A7 / Int
0-100 / 80-120 / 100-0 km/h	4,9 s / 4,1 s (est) / n.d.
Type ess. / ville / autoroute	Super / 13,7 / 8,7 l/100 km
CL600	
Cylindrée, soupapes, alim.	V12 5,5 litres 36 s turbo
Puissance / Couple	510 chevaux / 612 lb-pi
Tr. base (opt) / rouage base (opt)	A5 / Prop
0-100 / 80-120 / 100-0 km/h	4,6 s / 3,8 s (est) / n.d.
Type ess. / ville / autoroute	Super / 17,8 / 10,9 l/100 km
CL63 AMG	
Cylindrée, soupapes, alim.	V8 5,5 litres 36 s turbo
Puissance / Couple	536 chevaux / 590 lb-pi
Tr. base (opt) / rouage base (opt)	A7 / Prop
0-100 / 80-120 / 100-0 km/h	4,5 s / n.d. / n.d.
Type ess. / ville / autoroute	Super / 14,3 / 9,5 l/100 km
CL65 AMG	
Cylindrée, soupapes, alim.	V12 6,0 litres 36 s turbo
Puissance / Couple	621 chevaux / 738 lb-pi
Tr. base (opt) / rouage base (opt)	A5 / Prop
0-100 / 80-120 / 100-0 km/h	4,4 s / n.d. / n.d.
Type ess. / ville / autoroute	Super / 17,5 / 10,9 l/100 km

FEU VERT

- Silhouette élégante
- Visibilité quasi parfaite
- Motorisation exceptionnelle
- Confort et silence remarquables
- Luxe et finition hors-pair

FEU ROUGE

- Prix pharaoniques
- Poids et encombrement substantiels
- Consommation élevée
- Absence de passe-skis
- Rouage intégral limité au CL 550

DU NOUVEAU EN 2012

Aucun changement majeur

http://www.mercedes-benz.ca/

Plus d'informations dans la section statistiques en dernière partie du Guide

LES DIVAS FONT PEAU NEUVE

Le doyen des constructeurs s'amuse sans doute de voir se multiplier les modèles inspirés de sa série CLS qui fit une entrée spectaculaire au milieu de la dernière décennie. Mariant les lignes profilées d'un coupé aux qualités pratiques d'une berline, cette voiture a lancé la catégorie des «coupés à quatre portières» maintenant peuplée de nombreux imitateurs. Mercedes-Benz nous présente cette année une nouvelle CLS qui vient leur servir une réplique aussi musclée sur le fond qu'audacieuse par la forme.

CONCURRENTS
Aston Martin Rapide,
Audi A8,
BMW Série 7,
Jaguar XJ,
Maserati Quattroporte,
Porsche Panamera

IMPRESSIONS DE L'AUTEUR		
Agrément de conduite :	■■■■□	4 / 5
Fiabilité :	■■■■□	4 / 5
Sécurité :	■■■■■	5 / 5
Qualités hivernales :	■■■□□	3 / 5
Espace intérieur :	■■■■□	4 / 5
Confort :	■■■■□	4 / 5

La deuxième génération de cette pionnière devait rester fidèle à son code génétique et à l'esprit de la première CLS, tout en étant surprenante et novatrice. C'est l'esquisse d'Hubert Lee, le jeune chef styliste d'origine coréenne du studio californien, qui a été retenue. Sa CLS se reconnaît à l'arc qui file de la pointe des phares aux ailes arrière galbées et à ses flancs sculptés. La calandre est droite comme celle de la SLS et porte la grande étoile des sportives de la marque. Cette nouvelle silhouette est presque baroque au premier coup d'œil, mais on s'y fait rapidement avec une CLS devant soi.

Les deux modèles actuels sont reconduits, mais leur appellation n'a plus de lien avec la cylindrée des moteurs. Les CLS 550 et CLS63 AMG sont effectivement propulsés par de nouveaux V8 turbo compressés de 4,6 et 5,5 litres. Ces propulsions seront rejointes à l'automne par une CLS 550 4Matic, qui deviendra la première quatre roues motrices de cette série. Une CLS 63 AMG à rouage intégral devrait suivre dans deux ans.

LUXE SOBRE ET CLASSIQUE

L'habitacle a été dessiné par les stylistes allemands. Le tableau de bord est d'ailleurs dans le style classique de la marque, mais la présentation est plus riche et sportive que dans les Classe E dont les CLS partagent à nouveau l'architecture fondamentale. Elles dégagent toutefois une impression de plus grande solidité qui s'explique entre autres par un pourcentage d'acier à haute résistance qui est passé de 45 à 70% dans la fabrication de la coque.

La carrosserie a gagné quelques millimètres qui suffisent néanmoins à la rendre plus spacieuse. Les places avant sont accueillantes et les sièges bien taillés, mais l'espace est juste pour un duo de taille moyenne à l'arrière. Ces deux-là devront aussi pencher la tête en entrant avec cette ligne de toit fuyante. Le dossier arrière scindé se replie pour allonger un coffre de forme et de volume déjà très corrects.

Catégorie	Berline
Échelle de prix	109 900 $
Garanties	4 ans/80 000 km, 4 ans/80 000 km
Assemblage	Stuttgart, Allemagne
Cote d'assurance	n.d.

L'aluminium satiné des buses d'aération et autres moulures ajoute une touche de classe au tableau de bord. Le luxe est traditionnel avec les boiseries en noyer classiques de la CLS 550. En net contraste, la CLS 63 AMG se présente comme la pure bête de conduite qu'elle est, avec le fini optionnel en laque noire façon piano, le volant AMG à jante d'alcantara, les cadrans à fond noir et le repose-pied en aluminium. Dans les deux modèles, l'ergonomie est typique des Mercedes actuelles avec une abondance de boutons et la logique tortueuse des nombreux menus de contrôle.

MOTEURS D'ANTHOLOGIE

Les CLS 550 et CLS 63 AMG sont animées par des versions distinctes d'un nouveau V8 à double arbre à cames, double turbo et injection directe. Celui de la première fait 4,6 litres de cylindrée et livre 402 chevaux à 5,000 tr/min et 443 lb-pi de couple à 1 800 tr/min. Jumelé à une boîte automatique à 7 rapports, il propulse la CLS 550 vers 100 km/h en 5,2 secondes. Un dixième de plus pour la 4Matic, plus lourde de 110 kilos. La vitesse de pointe est de 210 km/h pour les deux.

Le V8 de la CLS63 est assemblé à la main – comme toujours chez AMG – et tire 518 chevaux à 5 250 tr/min et 516 lb-pi de couple à 1 700 tr/min de ses 5,5 litres. Ces cotes passent à 550 chevaux et 590 lb-pi avec « l'ensemble performance AMG » qui hausse la pression des turbos et s'accompagne d'étriers rouges pour les freins, du volant sport AMG, d'une suspension sport réglable, de jantes d'aluminium forgé et d'un couvre-moteur en fibre de carbone. Il ajoute aussi un mode « départ-canon » qui réduit le chrono 0-100 km/h de 4,4 à 4,3 secondes et pour couronner le tout, la vitesse de pointe grimpe de 250 à 300 km/h.

DE BELLES BÊTES

La sonorité de ces deux moteurs est fabuleuse en accélération et malgré toute cette cavalerie, leur consommation est nettement meilleure avec une réduction de 25 % pour la CLS 550 et de 27,8 % pour la CLS 63.

Mieux encore, la tenue de route des deux modèles est parfaitement à la hauteur de leurs performances. Leur freinage aussi, c'est tout dire. Aplomb et contrôle total sont les caractéristiques qui viennent en tête, même sur le ruban entortillé et truffé d'ondulations de la célèbre « Highway 1 » au nord de San Francisco. Seuls reproches : d'abord des modes « Sport + » qui rendent la CLS 63 trop nerveuse pour la route et sont à réserver au pilotage sur circuit. Ensuite ses freins plus gros, qui sont plus brusques et difficiles à moduler en conduite normale que ceux de la CLS 550.

On peut certes s'offrir les mêmes nouveaux moteurs turbocompressés dans certains coupés et berlines de Classe E, mais les CLS occupent un créneau unique en termes de style, de comportement et de performance. Elles attendent leurs rivales les plus ambitieuses de pneu ferme.

Marc Lachapelle

Photos : Marc Lachapelle

CHÂSSIS - CLS63 AMG

Emp/lon/lar/haut	2 874/4 996/2 075/1 406 mm
Coffre	520 litres
Réservoir	80 litres
Nombre coussins sécurité / ceintures	10 / 4
Suspension avant	indépendante, multibras
Suspension arrière	indépendante, multibras
Freins avant / arrière	disque / disque
Direction	à crémaillère, assistée
Diamètre de braquage	11,3 m
Pneus avant / arrière	P255/35R19 / P285/30R19
Poids	1 870 kg
Capacité de remorquage	n.d.

COMPOSANTES MÉCANIQUES

CLS550 4Matic	
Cylindrée, soupapes, alim.	V8 4,6 litres 32 s turbo
Puissance / Couple	402 chevaux / 443 lb-pi
Tr. base (opt) / rouage base (opt)	A7 / Int
0-100 / 80-120 / 100-0 km/h	n.d. / n.d. / n.d.
Type ess. / ville / autoroute	Super / n.d.

CLS63 AMG	
Cylindrée, soupapes, alim.	V8 5,5 litres 32 s turbo
Puissance / Couple	518 chevaux / 516 lb-pi
Tr. base (opt) / rouage base (opt)	A7 / Prop
0-100 / 80-120 / 100-0 km/h	4,4 s / 3,8 s (est) / n.d.
Type ess. / ville / autoroute	Super / 13,6 / 8,6 l/100 km

- Fabuleux moteurs turbocompressés
- Consommation réduite
- Tenue de route précise et stable
- Silhouette unique et marquante

- Places arrière serrées
- Levier unique pour clignotants et essuie-glaces
- Embrayage parfois rude (CLS 63 AMG)
- Parfois un petit bruit

DU NOUVEAU EN 2012

Nouveau modèle

http://www.mercedes-benz.ca/

Plus d'informations dans la section statistiques en dernière partie du Guide

NOUVEAUX MOTEURS ET BÊTES DE RACE

Mercedes-Benz n'a pas raté son coup avec la Classe E actuelle. En moins de deux ans, elle a vendu plus d'un demi-million d'exemplaires de cette série qui demeure la pierre angulaire de sa gamme. C'est beaucoup sur un total qui frôle les 11 millions sur six décennies. Loin de lever le pied, la marque germanique ajoute cette année de nouveaux moteurs plus efficaces et performants pour la plupart des modèles, en plus de présenter une version sérieusement remaniée des versions ultraperformantes E 63 AMG. Et on nous les offre maintenant avec le choix entre deux carrosseries : berline ou familiale.

Les berlines de Classe E sont les plus populaires avec les trois quarts des ventes. Ajoutez les familiales et vous en êtes à 80 %. Les coupés et décapotables, présentés dans le texte suivant, comptent pour le reste. Les Classe E ont facilement devancé leurs rivales directes, les Audi A6 et BMW Série 5 au Québec l'an dernier. Or, avec une A6 remodelée et une nouvelle M5 qui arrive bientôt, pas question de rester en roue libre chez Mercedes-Benz.

CONCURRENTS

Acura RL, Audi A6, BMW Série 5, Infiniti M, Jaguar XF, Lexus GS, Lincoln MKS, Volvo S80

IMPRESSIONS DE L'AUTEUR

Agrément de conduite :	4.5/5
Fiabilité :	4/5
Sécurité :	4.5/5
Qualités hivernales :	4/5
Espace intérieur :	4/5
Confort :	4.5/5

NOUVEAUX MOTEURS : JUSTE DU BON

Les versions E 350 de la berline et de la familiale héritent ainsi du V6 de 3,5 litres d'abord apparu sur le nouveau roadster SLK. Ce moteur tout alliage est plus doux et sa sonorité plus réjouissante puisque ses cylindres sont maintenant disposés à 60 degrés, l'angle idéal pour un V6. La puissance passe de 268 à 302 chevaux et le couple de 258 à 273 lb-pi. Nouveau moteur également pour la berline E 550 4Matic : un V8 dont la cylindrée de 4,6 litres est inférieure aux 5,5 litres du précédent. La puissance grimpe néanmoins de 382 à 402 chevaux et le couple de 391 à 443 lb-pi grâce à une paire de turbos et de refroidisseurs d'air savamment intégrés. Sonorité et souplesse sont telles qu'on ne s'ennuie aucunement des anciens moteurs.

Surtout que ces nouveaux V6 et V8 plus performants et plus agréables consomment 10 % moins que leurs prédécesseurs grâce à l'injection directe et à une version remaniée de la boîte de vitesses automatique à 7 rapports. En termes de frugalité, la championne de la famille demeure toutefois la berline E 350 Bluetec. Pas de rouage intégral pour elle, par contre, et pas encore de diesel pour la familiale.

Les E 350 et E 550 profitent également de nouveaux volants, d'un affichage multicolore au tableau de bord, de phares de jour à diodes (DEL) et de prises pour appareils multimédias et lecteurs numériques maintenant installés sur la console centrale. On peut

également s'offrir les sièges ventilés à l'avant en option, de même qu'une boîte escamotable qui permet de transporter de petits objets ou des colis dans le coffre de la berline, sans qu'ils s'abîment durant le trajet.

DE BELLES ET BONNES BÊTES

Ce sont toutefois les nouvelles E 63 AMG qui sont les plus excitantes, autant pour les amateurs de performance et de conduite sportive que pour les ingénieurs de la division AMG qui les ont conçues. Il faut maintenant employer le pluriel puisque deux versions de la E 63 AMG sont désormais au catalogue chez nous. Une familiale vient rejoindre la berline E 63 AMG qui était offerte depuis 2007. Cette appellation est d'ailleurs trompeuse désormais, puisqu'elle ne correspond plus à la cylindrée du moteur qui niche sous leur capot.

Le cœur de ces nouvelles E 63 est un V8 de 5,5 litres à double turbo qui remplace le fabuleux V8 atmosphérique de 6,2 litres. Ce nouveau groupe livre 518 chevaux à 5 250 tr/min mais surtout 516 lb-pi de couple dès 1 700 tr/min, alors que le précédent produisait ses 518 chevaux à 6 800 tr/min et 465 lb-pi de couple à 5 200 tr/min. Ses cotes grimpent à 550 chevaux et 590 lb-pi avec le groupe « performance AMG » qui hausse la pression maximale des turbos de 1,0 à 1,3 bar (14,5 — 18,9 lb/po^2). Il supprime aussi la bride électronique, ce qui hausse la vitesse de pointe de 250 km/h à plus de 300 km/h. En prime, la consommation a chuté d'environ 20 % grâce à l'injection directe et au dispositif d'arrêt-redémarrage automatique. Mieux encore, sans avoir les accents métalliques du V8 de 6,2 litres, le rugissement du nouveau V8 en pleine accélération est un pur plaisir.

Selon les données du constructeur, la berline expédie le 0-100 km/h en 4,3 secondes et la familiale en 4,4 secondes avec le mode « départ de course » de la boîte séquentielle à 7 rapports et embrayage multidisque. Ces chronos passeraient à 4,2 et 4,3 secondes avec le groupe performance qui comprend aussi un couvre-moteur en fibre de carbone, un volant drapé d'alcantara, des étriers rouges pour les freins et un mince aileron en fibre de carbone pour la berline.

En conduite, la berline E 63 AMG paraît immédiatement plus agile que sa sœur la familiale et la CLS 63 AMG, qui sont plus lourdes d'une centaine de kilos. Leur suspension réglable offre un roulement très convenable en mode « Confort » et les modes « Sport » et « Sport + » font une différence qu'on apprécie en conduite sportive. La berline se débrouille très honnêtement sur circuit, un des objectifs de ses concepteurs. Les passionnés de chez AMG attendent d'ailleurs avec impatience la nouvelle M5. Qui sait, nous y gagnerons peut-être bientôt une version à rouage intégral de la E 63 AMG pour affronter celle des Bavarois.

Marc Lachapelle

Photos: Marc Lachapelle

Catégorie	Berline, Familiale
Échelle de prix	62 500 $ à 106 900 $ (2011)
Garanties	4 ans/80 000 km, 4 ans/80 000 km
Assemblage	Stuttgart, Allemagne
Cote d'assurance	moyenne

CHÂSSIS - E350 4MATIC BERLINE

Emp/lon/lar/haut	2 874/4 868/2 071/1 465 mm
Coffre	540 litres
Réservoir	80 litres
Nombre coussins sécurité / ceintures	05-Sep
Suspension avant	indépendante, multibras
Suspension arrière	indépendante, multibras
Freins avant / arrière	disque / disque
Direction	à crémaillère, ass. variable
Diamètre de braquage	11,3 m
Pneus avant / arrière	P245/40R18 / P245/40R18
Poids	1830 kg
Capacité de remorquage	n.d.

COMPOSANTES MÉCANIQUES

E350 BlueTEC	
Cylindrée, soupapes, alim.	V6 3,0 litres 24 s turbo
Puissance / Couple	210 chevaux / 400 lb-pi
Tr. base (opt) / rouage base (opt)	A7 / Prop
0-100 / 80-120 / 100-0 km/h	6,8 s / n.d. / n.d.
Type ess. / ville / autoroute	Diesel / 9,7 / 6,1 l/100 km
E350, E350 4Matic	
Cylindrée, soupapes, alim.	V6 3,5 litres 24 s atmos.
Puissance / Couple	302 chevaux / 273 lb-pi
Tr. base (opt) / rouage base (opt)	A7 / Int
0-100 / 80-120 / 100-0 km/h	n.d. / n.d. / n.d.
Type ess. / ville / autoroute	Super / n.d.
E550 4Matic	
Cylindrée, soupapes, alim.	V8 4,6 litres 32 s turbo
Puissance / Couple	402 chevaux / 443 lb-pi
Tr. base (opt) / rouage base (opt)	A7 / Prop Int
0-100 / 80-120 / 100-0 km/h	4,2 / n.d. / n.d.
Type ess. / ville / autoroute	Super / n.d.
E63 AMG	
Cylindrée, soupapes, alim.	V8 5,5 litres 32 s turbo
Puissance / Couple	518 chevaux / 516 lb-pi
Tr. base (opt) / rouage base (opt)	A7 / Prop
0-100 / 80-120 / 100-0 km/h	n.d. / n.d. / n.d.
Type ess. / ville / autoroute	Super / n.d.

- Versions E 63 AMG spectaculaires
- Motorisation exceptionnelle
- Grand confort
- Superbes phares
- Sécurité exemplaire

- Quand même lourdes
- Freinage peu progressif
- Un levier pour clignotants et essuie-glaces
- Pas de sonars de stationnement (familiale)
- Compatibilité téléphones limitée

DU NOUVEAU EN 2012

Nouveau V6 3,5 litres, nouveau V8 4,6 litres

http://www.mercedes-benz.ca/

Plus d'informations dans la section statistiques en dernière partie du Guide

LA TECHNOLOGIE À LA RESCOUSSE

Chez ce prestigieux constructeur, qui a célébré l'an dernier ses 125 ans d'existence, on ne s'assoit jamais sur ses lauriers. Nous en avons la preuve avec ces deux modèles, pourtant récents, qui bénéficient malgré tout cette année de moteurs plus propres qui consomment moins, et qui offrent également des performances supérieures. Ces changements ont été dictés par de nouvelles règles européennes en fait de normes antipollution et de consommation de carburant.

Avant de parler de ces deux modèles, il est important de souligner que Mercedes-Benz traite toujours les versions coupé et cabriolet avec beaucoup d'attention. En fait, on semble consacrer plus de soin au développement de ces modèles qui intéressent des clients ayant généralement des exigences un peu plus spécifiques que les acheteurs de berline ou de familiale.

LA MAGIE DE L'INJECTION DIRECTE

Comme sur les modèles de la Classe C, les nouveaux moteurs utilisés font dorénavant appel à l'injection directe. Cette technologie permet d'augmenter la puissance et de réduire la consommation de carburant. Les deux modèles qui nous intéressent proposent à leurs clients potentiels des moteurs identiques. Les E350 sont dorénavant équipés d'un moteur V6 de 3,5 litres qui produit maintenant 302 chevaux tout en proposant une consommation moyenne de carburant de près de 8 l/100 km. Ce sont les chiffres donnés pour la version européenne qui possède le système «start/go» qui coupe le moteur à l'arrêt et le relance dès qu'on lève le pied du frein. On peut donc s'attendre, sur notre continent, à une consommation tournant davantage autour de 9,0 ou 10,0 l/100 km, ce qui reste tout de même digne de mention. Comme sur tous les autres modèles équipés de ce moteur, la boîte automatique à sept rapports est de retour. Et en matière de performances, on peut s'attendre à un temps d'accélération de 6,3 secondes pour boucler le 0-100 km/h.

CONCURRENTS

Audi A5,
Infiniti G,
Lexus IS,
Volvo C70

IMPRESSIONS DE L'AUTEUR

Agrément de conduite :	4.5/5
Fiabilité :	3.5/5
Sécurité :	4.5/5
Qualités hivernales :	3.5/5
Espace intérieur :	3.5/5
Confort :	4.5/5

Quant aux versions E550, on a droit cette année à un tout nouveau moteur dont la cylindrée est dorénavant de 4,6 litres, contrairement aux 5,5 litres de la cuvée précédente. L'injection directe de carburant et la turbocompression permettent d'obtenir une puissance de 402 chevaux, une augmentation tout de même substantielle de 26 chevaux. Les gens qui opteront pour ce moteur peuvent s'attendre à une consommation de carburant d'environ 11 l/100 km. En plus de consommer moins, ce moteur procure des performances supérieures, car il ne lui faut que 5,2 secondes pour boucler le 0-100 km. C'est sans doute ce que l'on appelle le progrès.

Catégorie	Cabriolet, Coupé
Échelle de prix	60 900 $ à 79 800 $
Garanties	4 ans/80 000 km, 4 ans/80 000 km
Assemblage	Stuttgart, Allemagne
Cote d'assurance	moyenne

CHÂSSIS - E350 CABRIOLET	
Emp/lon/lar/haut	2 760/4 698/2 015/1 412 mm
Coffre	390 litres
Réservoir	66 litres
Nombre coussins sécurité / ceintures	9 / 4
Suspension avant	indépendante, multibras
Suspension arrière	indépendante, multibras
Freins avant / arrière	disque / disque
Direction	à crémaillère, ass. variable
Diamètre de braquage	11,0 m
Pneus avant / arrière	P235/40R18 / P235/40R18
Poids	1 765 kg
Capacité de remorquage	n.d.

COMPOSANTES MÉCANIQUES	
E350	
Cylindrée, soupapes, alim.	V6 3,5 litres 24 s atmos.
Puissance / Couple	302 chevaux / 273 lb-pi
Tr. base (opt) / rouage base (opt)	A7 / Int
0-100 / 80-120 / 100-0 km/h	n.d. / n.d. / n.d.
Type ess. / ville / autoroute	Super / n.d.
E550	
Cylindrée, soupapes, alim.	V8 4,6 litres 32 s turbo
Puissance / Couple	402 chevaux / 443 lb-pi
Tr. base (opt) / rouage base (opt)	A7 / Prop Int
0-100 / 80-120 / 100-0 km/h	n.d. / n.d. / n.d.
Type ess. / ville / autoroute	Super / n.d.

MERCEDES-BENZ CLASSE E COUPÉ / CABRIOLET

FEU VERT

- Moteurs moins gourmands
- Performances musclées (V8)
- Silhouettes classiques
- Habitacle confortable
- Sécurité garantie

FEU ROUGE

- Places arrière moyennes
- Portières lourdes
- Coffre moyen (cabriolet)
- Fiabilité inégale
- Certaines options coûteuses

DU NOUVEAU EN 2012

Nouveau V6 3,5 litres, nouveau V8 4,6 litres

http://www.mercedes-benz.ca/

Plus d'informations dans la section statistiques en dernière partie du Guide

SÉCURITÉ ET CONFORT

Lorsque le constructeur de Stuttgart avait dévoilé précédemment la berline de Classe E, on avait beaucoup insisté sur la panoplie d'éléments destinés à réduire la fatigue du conducteur et des multiples systèmes d'aide au pilotage afin d'éviter les accidents. C'est ainsi que les sièges ont été redessinés pour offrir un meilleur support et permettre au pilote de demeurer au volant plus longtemps sans éprouver de fatigue. Et si jamais on dépasse les normes, un système de détection d'endormissement avertit le conducteur qu'il doit prendre un repos. Il y a bien entendu ce système Distronic Plus qui gère la distance programmée entre votre voiture et celle qui vous précède. Et si jamais vous êtes distrait ou endormi, le système intervient et freine s'il en déduit que vous ne réagissez pas. En fait, la liste des options de luxe, de performances et de sécurité est tellement longue, que cela prendrait tout le texte pour les décrire. Ces deux modèles se partagent la plupart des mêmes accessoires.

Les stylistes de ce constructeur ont toujours eu la main heureuse avec les modèles cabriolets et coupés. Plusieurs d'entre eux sont d'ailleurs devenus des classiques du genre. Il est peut-être trop tôt pour qualifier ainsi ces deux modèles, mais j'avoue avoir un faible pour ce coupé dont les lignes sont agressives, mais fort bien équilibrées. Le cabriolet est un peu plus conventionnel, mais il faut ajouter qu'on a choisi un toit souple au lieu d'un toit rigide rétractable. À quoi ça aurait servi de produire deux voitures de deux portes dont la silhouette serait pratiquement la même ? On a donc préféré la toile qui ajoute une petite touche classique à l'ensemble.

En ce qui a trait à la conduite, la documentation du constructeur parle d'agilité. C'est vrai en partie, mais c'est une agilité propre à une grosse voiture. En effet, ces deux modèles sont à leur meilleur sur une autoroute, alors qu'on roule à grande de vitesse ou encore lorsqu'on profite de son excellente tenue de route pour aborder de petits chemins secondaires parsemés de courbes. Mais là encore, tout se fait avec douceur et prestance. Le roulis de caisse est minimal, les accélérations et reprises assez bonnes tandis que la boîte automatique à sept rapports est toujours aussi efficace. Par contre, celle-ci prend parfois un peu de temps à passer les rapports.

Somme toute, avec l'arrivée de ces nouveaux moteurs, il sera encore plus intéressant de se procurer l'un ou l'autre de ces modèles, car leurs performances ont été améliorées et leur consommation de carburant réduite. Pour le reste, c'est le même raffinement et le même luxe propres à ce constructeur.

Denis Duquet

Photos : Mercedes-Benz

UN VÉRITABLE LIVRE D'HISTOIRE...

Il a connu le disco, l'arrivée au pouvoir de Margaret Thatcher et la fin des cassettes huit pistes. On l'a vu à la guerre, avec le pape et souvent au cinéma. Aujourd'hui, au lieu de profiter d'une retraite bien méritée, il continue quand même de se présenter au travail, même si c'est avec moins d'assiduité qu'auparavant. Voici le Mercedes-Benz Classe G, arrivé sur le marché en... 1979!

Défiant les lois les plus élémentaires du marketing et même de la logique, le Geländewagen (si ça ne vous dérange pas, nous l'appellerons simplement « G ») est reconduit année après année, sans changements. Sa silhouette n'est pas plus carrée qu'à la belle époque, mais elle semble l'être davantage dans ce monde où les angles sont de plus en plus adoucis. En fait, même s'il paraît immense, ce congélateur vitré est moins long qu'un Hyundai Santa Fe. Il est aussi moins large et plus haut, ce qui vient complètement modifier les perspectives. Il faut aussi mentionner que son coefficient de friction de l'air se rapproche davantage de celui d'un barrage hydro-électrique que de celui d'un véhicule moderne. Il n'y a qu'à regarder le pare-brise et la calandre, presque verticaux. Les côtés ultra plats n'aident en rien à lui donner un air actuel. Mais puisque bon an, mal an, il se trouve des gens pour se procurer un G, on peut comprendre Mercedes-Benz de ne pas vouloir s'en départir. Après tout, les matrices sont payées depuis des décennies!

GROS DEHORS, PETIT EN DEDANS

L'habitacle est de la même philosophie: le présent rentré de force dans le passé. Après tout, en 1979, il n'y avait pas de coussins gonflables, pas de systèmes GPS, ni de porte-verres, tous des éléments devenus aujourd'hui indispensables à notre survie. Il a bien fallu les incorporer et ça ne s'est pas toujours fait sans heurts... Un des éléments qui rappelle le plus les véhicules d'il y a plus de trente ans, c'est l'habitabilité: alors qu'on penserait entrer dans une immense cathédrale vide, on se retrouve plutôt dans un garde-manger. Malgré tout, le G respecte la tradition Mercedes-Benz en offrant un habitacle luxueux, raffiné et doté de tous les gadgets modernes.

CONCURRENTS

Cadillac Escalade,
Infiniti QX,
Land Rover Range Rover,
Lexus LX,
Lincoln Navigator

IMPRESSIONS DE L'AUTEUR

Agrément de conduite:	2.5/5
Fiabilité:	3/5
Sécurité:	5/5
Qualités hivernales:	4/5
Espace intérieur:	3.5/5
Confort:	4/5

Cette année, le G perd la moitié de ses déclinaisons. En effet, l'an dernier on retrouvait le G550 et le puissant G55 AMG, mais ce dernier n'est plus offert. Il s'agissait d'ailleurs d'une version extrême, qui n'avait pas vraiment sa place aux côtés des créations infiniment plus modernes que sont les SL AMG, C AMG et, surtout, SLS AMG. Mais il y avait – et il y aura toujours – des gens pour se balader dans un véhicule hors norme, tant au niveau de l'esthétique et des données techniques que du prix.

Catégorie	VUS
Échelle de prix	115 000 $ (2011)
Garanties	4 ans/80 000 km, 4 ans/80 000 km
Assemblage	Graz, Autriche
Cote d'assurance	n.d.

Reste donc le G550 avec son V8 de 5,5 litres. Ce moteur est déjà amplement suffisant et il permet au G d'abattre le 0-100 km/h en moins de 10 secondes, ce qui est très rapide compte tenu de son poids de pachyderme. Il faut dire que le G est construit sur un châssis de camion et que tous ses éléments mécaniques sont optimisés pour une solidité à toute épreuve. Après tout, il ne faut pas oublier qu'il a d'abord été conçu, au milieu des années 70, pour une utilisation militaire intensive.

Depuis quelques années, la transmission est passée à l'ère moderne en proposant sept rapports. De quoi aider à faire diminuer la consommation qui se situe quand même à près de 20 l/100 km... en conduite de tous les jours. Imaginez en ville ! Oh, et bien sûr, il ne boit que du super...

Alors qu'on s'attendrait à un 4x4 pur et dur, on constate que le G fait appel à un rouage intégral 4Matic. Ce système est éprouvé, et s'il ne peut suivre un ancien G dans la boue ou le sable, il demeure suffisamment performant pour la grande majorité des gens qui ne l'utiliseront sans doute jamais ailleurs qu'en milieu urbain. La capacité de remorquage étonne avec ses petits 750 kilos (1 650 livres)... comme un Hyundai Santa Fe ! Et son coffre contient à peine plus que son adversaire coréen. Oh, j'allais oublier : un G peut faire un demi-tour, mais ça lui prend un stationnement de centre d'achats pour y arriver.

PASSÉ SIMPLE

S'élancer dans de belles glissades du train arrière et contrôler le véhicule à l'accélérateur demeure, pour l'amateur de performances, une image empreinte d'émotion. Mais ce n'est pas avec le G qu'on peut être ému... Un centre de gravité gravement élevé, des suspensions à essieu rigide autant à l'avant qu'à l'arrière, un châssis de camion et une direction à billes des moins précises et qui n'offre aucun retour d'information nous ramènent aux années 70. Peut-être que certains y voient un charme suranné. La plupart n'y voient qu'un véhicule dépassé. Seul le prix est très contemporain. Mais à bien au-delà de 100 000 $, un Lexus LX570 ou un Land Rover Range Rover deviennent des alternatives alléchantes.

Depuis quelques années, on s'attend à voir le G nous quitter. Mais, comme nous le mentionnions plus tôt, il ne coûte pratiquement plus rien à Mercedes de l'offrir. Et tant qu'il y aura des gens pour en acheter, même s'ils sont de moins en moins nombreux, l'auguste fabricant allemand serait bien fou de s'en départir. Et puis, dans un monde où tout change trop vite, il reste le seul véhicule dont les pneus sont bien ancrés dans un passé sécurisant.

Alain Morin

Photos : Mercedes-Benz

CHÂSSIS - G550	
Emp/lon/lar/haut	2 850/4 662/2 007/1 931 mm
Coffre	480 à 2 250 litres
Réservoir	96 litres
Nombre coussins sécurité / ceintures	4 / 5
Suspension avant	essieu rigide, ressorts hélicoïdaux
Suspension arrière	essieu rigide, ressorts hélicoïdaux
Freins avant / arrière	disque / disque
Direction	à billes, assistée
Diamètre de braquage	13,3 m
Pneus avant / arrière	P265/60R18 / P265/60R18
Poids	2 500 kg
Capacité de remorquage	750 kg (1 653 lb)

COMPOSANTES MÉCANIQUES	
G550	
Cylindrée, soupapes, alim.	V8 5,5 litres 24 s atmos.
Puissance / Couple	382 chevaux / 391 lb-pi
Tr. base (opt) / rouage base (opt)	A7 / Int
0-100 / 80-120 / 100-0 km/h	9,7 s / 7,7 s / 47,1 m
Type ess. / ville / autoroute	Super / 18,7 / 13,8 l/100 km

FEU VERT

- Moteur bien adapté
- Hors route solide
- Finition Mercedes-Benz
- Exclusivité assurée
- Habitacle luxueux

FEU ROUGE

- Lignes supra carrées
- Véhicule commandité par Shell
- Comportement routier d'une autre époque
- Rapport prix/modernité exécrable
- Espace habitable restreint

DU NOUVEAU EN 2012

Abandon du modèle G55 AMG

http://www.mercedes-benz.ca/

Plus d'informations dans la section statistiques en dernière partie du Guide

L'UN CONSOMME, L'AUTRE MOINS...

Pour 2012, le GL de Mercedes-Benz ne sera proposé qu'en deux modèles, le GL450 à moteur V8 à essence étant retiré du catalogue. Cela signifie que l'acheteur devra maintenant faire un choix entre le GL550 et son V8 à essence de 5,5 litres avec sa consommation moyenne supérieure à 17 l/100 km ou le GL350 BlueTec à moteur V6 diésel turbocompressé, qui consomme nettement moins, soit aux alentours de 12 l/100 km en moyenne. Le bon choix s'impose...

Élaboré sur la plate-forme de la Mercedes-Benz de Classe R, le GL est un mastodonte de plus de 2500 kilos dont le gabarit et le volume d'espace intérieur sont largement supérieurs au ML de la même marque. Pour rouler avec armes et bagages ainsi que plusieurs passagers à bord sur de longues distances, le GL à moteur diésel est l'un des meilleurs choix que l'on puisse faire. J'ai mesuré une consommation sur autoroute de 10,5 l/100 km, ce qui est comparable à la consommation d'une voiture de taille intermédiaire. Une caractéristique qui s'avère plus qu'intéressante, surtout quand on tient compte du fait que le GL est un utilitaire de très grande taille équipé d'un rouage intégral.

CONCURRENTS
Audi Q7,
Cadillac Escalade,
Infiniti QX,
Land Rover Range Rover,
Lexus LX,
Lincoln Navigator

IMPRESSIONS DE L'AUTEUR		
Agrément de conduite :	■■■■□	4/5
Fiabilité :	■■■■□	4/5
Sécurité :	■■■■□	4/5
Qualités hivernales :	■■■■■	5/5
Espace intérieur :	■■■■■	5/5
Confort :	■■■■□	4/5

PAS JUSTE UNE HISTOIRE DE CONSOMMATION

Mais si le choix du moteur turbodiésel s'impose presque de lui-même en vertu de sa plus faible consommation et de son respect de l'environnement, ce n'est pas le seul argument qui fait pencher la balance en faveur de sa sélection. En effet, ce V6 turbocompressé livre un étonnant couple de 400 lb-pi et dote le GL350 BlueTec d'une force d'accélération étonnante, même si elle est inférieure à celle du GL550 et de son moteur V8 à essence. Le couple de ce dernier est chiffré à 391 lb-pi, mais sa puissance est de 382 chevaux contre 210 pour le V6 turbodiésel. Bref, vous l'aurez compris, le moteur turbodiésel s'avère une bien meilleure option et on se demande pourquoi certains acheteurs choisissent encore le GL550, qui ne devance le GL350 BlueTec qu'au chapitre des performances en accélération. Le GL550 se permet un chrono de 6,5 secondes pour le sprint de 0 à 100 km/h, alors que le V6 turbodiésel le fait en 9,5 secondes. Mais je pense que vous conviendrez avec moi que, dans le cas d'un utilitaire de plus de deux tonnes, les chronos d'accélération ne figurent pas exactement en tête de liste des priorités des acheteurs...

Sur le plan technique, le procédé BlueTEC ajoute l'injection d'une solution d'urée dans le flot des gaz d'échappement afin de réduire les émissions polluantes et d'assurer la conformité du moteur aux

Catégorie	VUS
Échelle de prix	70 500 $ à 88 900 $ (2011)
Garanties	4 ans/80 000 km, 4 ans/80 000 km
Assemblage	Tuscaloosa, Alabama, É-U
Cote d'assurance	bonne

normes antipollution qui entreront en vigueur en 2015. Ce procédé permet de réduire les émissions d'oxyde d'azote de 80 %, mais nécessite un remplissage du réservoir de 32 litres contenant la solution d'urée, qui est injectée dans le système d'échappement lors des visites à l'atelier pour les inspections prévues aux 20,000 kilomètres.

En virages, le GL s'avère performant au point où l'on a tendance à oublier qu'il s'agit d'un mastodonte de 2,4 tonnes tellement la stabilité est bonne et son comportement routier un véritable charme. La direction est précise, les suspensions sont bien calibrées et offrent un excellent compromis entre confort et tenue de route à peu près partout, sauf sur les routes très dégradées. Bref, le GL surprend par une agilité inattendue pour un utilitaire de ce gabarit et de ce poids.

Même la conduite hors route s'avère des plus faciles avec la présence d'un dispositif permettant d'augmenter la garde au sol du véhicule. Un autre système permet de contrôler automatiquement la vitesse en descente. Outre la consommation excessive du GL à moteur V8 à essence, il faut également composer avec certains autres défauts, dont un freinage qui est difficile à doser ainsi qu'un gabarit hors normes qui complique les manoeuvres de stationnement.

Le bon côté de la médaille, c'est que les dimensions du GL font en sorte que l'habitabilité se révèle excellente. Les places avant sont très confortables et c'est le même scénario pour celles de la deuxième rangée. Ça se gâte un peu pour ce qui est de l'accès et de l'espace accordé aux passagers qui prennent place à la troisième rangée, mais c'est là un constat qu'il est possible de formuler au sujet de tous les véhicules de cette catégorie. La qualité des matériaux et de la finition est très bonne et la planche de bord fait preuve d'un certain conservatisme propre à la marque allemande. Cependant, des appliqués de bois, sur le volant et la console centrale notamment, donnent une touche de chaleur à l'habitacle. La position de conduite est très bonne, comme la visibilité dans tous les axes.

LA RELÈVE EN 2013

Il y a fort à parier que la nouvelle génération du GL sera présentée pour l'année-modèle 2013, puisque des prototypes ont été aperçus en cours d'évaluation, non pas sur les routes publiques, mais bien sur le célèbre et mythique circuit du Nurburgring. Voilà qui en dit long sur la volonté des ingénieurs de la marque de développer un utilitaire doté d'une bonne tenue de route. Il faut également s'attendre à ce que le V6 turbo-diésel reprenne du service, mais le GL500 pourrait recevoir le nouveau V8 biturbo de 4,7 litres dont la puissance sera probablement supérieure à 400 chevaux. Une histoire à suivre…

Gabriel Gélinas

Photos : Mercedes-Benz

CHÂSSIS - GL350 BLUETEC 4MATIC	
Emp/lon/lar/haut	3 075/5 099/2 170/1 840 mm
Coffre	260 à 2 300 litres
Réservoir	100 litres
Nombre coussins sécurité / ceintures	6 / 7
Suspension avant	indépendante, double triangulation
Suspension arrière	indépendante, multibras
Freins avant / arrière	disque / disque
Direction	à crémaillère, ass. variable
Diamètre de braquage	12,1 m
Pneus avant / arrière	P275/50R20 / P275/50R20
Poids	2 545 kg
Capacité de remorquage	3 402 kg (7 500 lb)

COMPOSANTES MÉCANIQUES	
GL350 BlueTEC 4Matic	
Cylindrée, soupapes, alim.	V6 3,0 litres 24 s turbo
Puissance / Couple	210 chevaux / 400 lb-pi
Tr. base (opt) / rouage base (opt)	A7 / Int
0-100 / 80-120 / 100-0 km/h	9,5 s / n.d. / n.d.
Type ess. / ville / autoroute	Diesel / 12,4 / 8,8 l/100 km
GL550 4Matic	
Cylindrée, soupapes, alim.	V8 5,5 litres 24 s atmos.
Puissance / Couple	382 chevaux / 391 lb-pi
Tr. base (opt) / rouage base (opt)	A7 / Int
0-100 / 80-120 / 100-0 km/h	6,5 s / 5,4 s / 39,9 m
Type ess. / ville / autoroute	Super / 17,1 / 11,9 l/100 km

FEU VERT

- Motorisation diésel performante et efficace
- Très bon niveau de confort
- Excellente habitabilité
- Bonne tenue de route

FEU ROUGE

- Consommation du V8 essence
- Freinage difficile à doser
- Gabarit imposant
- Prix élevés

DU NOUVEAU EN 2012

Modèle GL450 abandonnée

http://www.mercedes-benz.ca/

Plus d'informations dans la section statistiques en dernière partie du Guide

AUSSI SPORTIF QU'UTILITAIRE !

Il y a quelques années, lorsque le marché des véhicules utilitaires pleine grandeur a commencé à battre de l'aile, les gens ont jeté leur dévolu sur une autre catégorie: les VUS compacts de luxe. Ces derniers ne proposent pas autant d'espace intérieur, mais ils offrent tout autant de confort et, surtout, une image qui n'est pas à dédaigner.

De son côté, Mercedes commercialise un véhicule esthétiquement opposé à ses rivaux, les Audi Q5, BMW X3 et autres Acura RDX. Au lieu de présenter des lignes fluides et tout en rondeurs comme le veut la mode automobile actuelle, le GLK est carré comme bloc de béton. Il paraît ainsi plus gros qu'il ne l'est en réalité et les gens rencontrés lors de nos essais le trouvaient beau… ou pas du tout! Par contre, tout le monde a trouvé qu'il semblait résolument robuste et prêt à affronter les pires conditions routières. Ce design a aussi un avantage non négligeable: le hayon étant pratiquement vertical, l'espace de chargement s'en trouve accru, comparativement à d'autres VUS qui ont ployé sous les dictats du design.

UNE CLASSE C, VRAIMENT ?

En regardant le GLK, il est assez difficile de faire la filiation avec la Classe C, qui lui a pourtant fourni sa plate-forme. Dans l'habitacle, ce lien de parenté est plus évident. Outre quelques différences ici et là, le tableau de bord est le même. C'est donc dire qu'on retrouve un peu chrome, beaucoup de noir et énormément de matériaux de belle qualité. Comme dans tout produit Mercedes-Benz, il faut un certain temps pour apprivoiser le fonctionnement du levier du régulateur de vitesse. En plus, ce fichu levier est toujours confondu avec celui des clignotants. L'habitabilité est excellente, autant à l'avant qu'à l'arrière. Cependant, les gens prenant place sur la banquette arrière doivent se contorsionner un peu pour y arriver, gracieuseté de puits de roues proéminents. Toutes les places sont confortables sauf celle du centre à l'arrière, très dure. Le coffre jouit du même niveau de finition que le reste, c'est-à-dire très élevé. Sous son plancher, on retrouve un très pratique bac de rangement. Le dessus du pare-chocs est recouvert d'une bande d'aluminium du plus bel effet. Sera-t-elle aussi esthétique quand les chocs l'auront bossée ?

CONCURRENTS
Acura RDX,
Audi Q5,
BMW X3,
Infiniti EX,
Land Rover LR2,
Volvo XC60

IMPRESSIONS DE L'AUTEUR	
Agrément de conduite :	4.5/5
Fiabilité :	3/5
Sécurité :	5/5
Qualités hivernales :	4.5/5
Espace intérieur :	4/5
Confort :	4/5

Au niveau de la mécanique, l'offre en Amérique du Nord se limite au V6 de 3,5 litres. Ceux qui vivent de l'autre côté du trou d'eau, les chanceux, ont droit à différentes versions diesel. Mais il ne faut

Catégorie	VUS
Échelle de prix	41 300 $ à 43 500 $ (2011)
Garanties	4 ans/80 000 km, 4 ans/80 000 km
Assemblage	n.d.
Cote d'assurance	n.d.

CHÂSSIS - GLK350 4MATIC

Emp/lon/lar/haut	2 755/4 525/1 840/1 698 mm
Coffre	450 litres
Réservoir	66 litres
Nombre coussins sécurité / ceintures	7 / 5
Suspension avant	indépendante, jambes de force
Suspension arrière	indépendante, multibras
Freins avant / arrière	disque / disque
Direction	à crémaillère, ass. variable
Diamètre de braquage	11,5 m
Pneus avant / arrière	P235/45R20 / P235/45R20
Poids	1 940 kg
Capacité de remorquage	1 588 kg (3 500 lb)

COMPOSANTES MÉCANIQUES

GLK350, GLK350 4Matic

Cylindrée, soupapes, alim.	V6 3,5 litres 24 s atmos.
Puissance / Couple	268 chevaux / 258 lb-pi
Tr. base (opt) / rouage base (opt)	A7 / Prop (Int)
0-100 / 80-120 / 100-0 km/h	8,1 s / 6,0 s / 38,9 m
Type ess. / ville / autoroute	Super / 13,0 / 9,3 l/100 km

pas, non plus, nous acharner sur notre triste sort. Le 3,5 litres est très puissant et très souple, ce qui est une bonne nouvelle compte tenu du poids quand même élevé du GLK. Une seule transmission est au programme, soit une excellente automatique à sept rapports. Elle entraîne les roues arrière ou les quatre roues grâce au rouage intégral 4Matic. Ce rouage a fait ses preuves et, en temps normal, il envoie 55 % du couple aux roues arrière. Il ne permet assurément pas au GLK de suivre un Jeep Wrangler ou même un Mercedes Classe G dans un sentier très difficile. Mais il y a bien des chances que les propriétaires d'un GLK ne traversent jamais que quelques centimètres de boue pour se rendre au chalet. Je ne sais pas combien d'unités à roues arrière motrices seulement sont vendues annuellement au Canada, mais il s'agit assurément d'un très petit nombre. Lors de notre semaine d'essai, notre GLK a consommé 11,1 l/100 km, ce qui constitue une excellente nouvelle, même si nous ne l'avons pas poussé très longtemps à ses limites. L'autre côté de la médaille : il carbure au super seulement.

BIEN DÉVELOPPÉ

De toute évidence, le GLK a fait l'objet d'un bon programme de développement. Son châssis est d'une rigidité extraordinaire et les suspensions qui y sont accrochées font preuve d'un excellent compromis entre le sport et le confort. Car dans le cas du GLK, le terme « sport » dans l'expression « utilitaire sport » n'est pas usurpé. Lors d'un parcours en slalom, le véhicule ne présentait pas le roulis habituellement associé aux VUS, à cause de leur centre de gravité généralement élevé. La direction est précise, juste assez assistée, et procure un bon retour d'informations. Cette direction est telle qu'on a l'impression de conduire un bloc de béton, ce qui est le cas d'à peu près toutes les Mercedes. Les différents systèmes de contrôle de la traction sont assez autoritaires, mais ils agissent sans bruit. Les freins s'avèrent très puissants et l'effort sur la pédale ne souffre d'aucun commentaire négatif.

Mercedes-Benz se distingue aussi par le niveau de sécurité élevé de ses véhicules. Dans le GLK, on compte pas moins de sept coussins gonflables. Mais la sécurité, ce sont aussi des phares qui éclairent bien et une tenue de route bien solide, ce qui est l'apanage du GLK.

Le GLK ne connaît aucun changement notable en 2012, ce qui prouve qu'il est parfait comme il est. Bien entendu, puisque nous avons affaire à un produit allemand, il faut y aller mollo avec les options, qui s'avèrent parfois peu utiles et qui sont souvent facturées au gros prix. Sans oublier les coûts d'entretien et de réparation… D'un autre côté, on peut se dire qu'avec un véhicule comme le GLK, la solidité sera encore au rendez-vous dans dix ou quinze ans !

Alain Morin

Photos: Mercedes-Benz

- Style qui ne laisse pas indifférent
- Confort certifié
- Excellente tenue de route
- Habitacle invitant
- Bon niveau d'équipement

- Poids très élevé
- Prix de certaines options étonnant
- Essence super seulement
- Levier régulateur de vitesse aberrant
- Pas de diesel offert

DU NOUVEAU EN 2012

Aucun changement majeur

http://www.mercedes-benz.ca/

Plus d'informations dans la section statistiques en dernière partie du Guide

LE DOYEN DES VUS DE LUXE EST REVISITÉ

Lorsque qu'il est question de VUS de luxe, difficile de passer à côté du Mercedes-Benz de Classe ML. C'est qu'il a littéralement créé le segment lors de son arrivée en 1997, lui qui a été suivi de près par le Lexus RX. Alors qu'il s'en est vendu plus de 1,2 million d'unités dans le monde, voilà que le constructeur introduit pour l'année 2012 la troisième génération de sa Classe ML, un modèle qui devrait certainement permettre au constructeur de demeurer dans la course. Au menu: un VUS aux lignes plus modernes et surtout, des mécaniques qui permettent une économie de carburant accrue.

CONCURRENTS
Acura MDX, Audi Q7, BMW X5, Cadillac SRX, Infiniti FX, Lexus RX, Lincoln MKX, Porsche Cayenne, Volkswagen Touareg, Volvo XC90

IMPRESSIONS DE L'AUTEUR		
Agrément de conduite:	■■■■	4/5
Fiabilité:		Nouveau modèle
Sécurité:	■■■■▌	4.5/5
Qualités hivernales:	■■■■▌	4.5/5
Espace intérieur:	■■■■	4/5
Confort:	■■■■	4/5

STYLE AMG DE SÉRIE

À l'extérieur, ce nouveau venu n'a rien pour rendre la précédente génération trop obsolète. On reconnaît toujours son style typique, mais cette fois, il présente un design encore plus moderne et sophistiqué. L'avant profite d'un nouveau carénage comportant une grille plus imposante et arborant, en son centre, le large emblème du constructeur. Comme le veut la tendance actuelle, le ML propose de nouvelles bandes de lumière composées de DEL dans la partie supérieure des phares et au centre des prises d'air. Le tout est très élégant, particulièrement la nuit. L'arrière conserve son épais pilier C, élément clé du design de ce modèle, alors que les feux ont été retravaillés. En fait, on lui trouve maintenant quelques éléments de design empruntés à son petit frère le GLK. Le tout lui va à ravir.

On apprécie le style plus sportif que lui procure l'ensemble AMG. Ce dernier ajoute en effet quelques composantes qui rehaussent le caractère sportif du véhicule. On retrouve notamment un carénage plus agressif, des ensembles aérodynamiques latéraux et des jantes de 19 pouces à cinq rayons. Plusieurs pensent peut-être déjà au dilemme auquel ils devront faire face: embellir le véhicule avec de tels ajouts ou économiser en composant toutefois avec un style moins éclaté? Ces lecteurs peuvent toutefois se rassurer: en ce qui a trait au ML 2012, Mercedes-Benz à décidé de nous gâter puisque que le tous les modèles canadiens reçoivent de série l'ensemble AMG. Une bonne nouvelle pour les amateurs du genre, sauf pour ceux qui comptaient miser sur le «package» AMG pour s'offrir un ML qui se distingue des autres. Il reste néanmoins à ces individus la possibilité de se rabattre sur l'ensemble Sport, qui apporte des jantes distinctives de 20 pouces et une suspension pneumatique.

LE MOTEUR DIESEL, UN CHOIX LOGIQUE

Cette troisième génération amène plusieurs changements au niveau mécanique. Tout d'abord, il faut savoir qu'uniquement deux versions seront offertes cet automne. Le ML 350 retrouve sa place dans la gamme avec un nouveau moteur V6 de 3,5 litres sous son capot. Ce moteur, initialement monté à bord de la SLK 2012, comporte plusieurs améliorations technologiques, notamment l'injection directe. Ce nouveau V6 est non seulement plus puissant avec ses 302 chevaux (contre 268 pour l'ancien moteur), mais il permet de surcroît des économies de carburant plus qu'appréciables : selon le constructeur, cet engin est 12 % moins gourmand. Il est marié à l'unique transmission offerte, soit une automatique à sept rapports. Bien entendu, tous les ML vendus chez nous proposent un rouage intégral 4MATIC de série.

Avec près de 80 % des ventes au Canada, la plus populaire des versions est sans contredit le ML 350 BlueTEC à moteur diesel. Il va donc de soi que ce dernier soit à nouveau offert en 2012 avec, cette fois, un moteur turbocompressé de 3,0 litres remanié qui développe 240 chevaux pour un couple étonnant de 455 lb-pi dès les 1 600 tr/min. Comment expliquer un tel taux de pénétration pour un moteur diesel ? C'est très simple : l'économie de carburant est au rendez-vous et, contrairement à la concurrence, le prix d'achat n'est majoré que d'un peu plus de 1 500 $. Ce moteur s'avère donc un choix on ne peut plus logique.

Du reste, une version à moteur V8 sera commercialisée au début de 2012, alors que la version AMG équipée du nouveau V8 de 5,5 litres biturbo sera, quant à elle, proposée un peu plus tard en cours d'année. Quant au ML 250 BlueTEC équipé d'un quatre cylindre diesel, il faudra en faire notre deuil, ce dernier n'étant plus proposé en Amérique du Nord. Dommage, car avec une consommation annoncée de 6,0 l/100 km, plusieurs auraient bien aimé se vanter de posséder un VUS presque aussi économe qu'une voiture sous-compacte.

Cette année, cette nouvelle mouture reçoit quelques retouches à bord aussi. Elle conserve toutefois son excellente finition et une attention aux détails marquée. Quiconque montera à bord appréciera son raffinement. L'instrumentation revue comporte un nouvel affichage couleur, alors que le volant est également changé. La partie centrale du tableau de bord reprend maintenant l'ergonomie de celle qu'on trouve à bord des autres nouveaux modèles Mercedes-Benz. Toutefois, la console centrale, qui comporte notamment la mollette de contrôle du système multifonction, nous apparaît un peu simpliste. L'impact visuel n'est pas aussi intéressant que dans le reste de l'habitacle. Du

reste, les sièges demeurent confortables, même lors d'une longue randonnée. Tous les occupants profitent de bons dégagements et la visibilité à bord est excellente. Malgré un style plus moderne, les stylistes ont su conserver une bonne fenestration, un élément maximisant la visibilité dans le ML, chose que vos enfants apprécieront certainement.

UNE BÊTE DE REMORQUAGE

Si vous êtes à la recherche d'un VUS de luxe capable de remorquer des charges assez importantes (une roulotte ou un bateau par exemple), sachez que le ML est plus qu'apte au travail. Ce dernier surprend avec une capacité de remorquage de 7700 lb (3500 kg), soit une capacité supérieure au BMW X5 avec ses 6000 lb (2722 kg) et au Lexus RX, qui fait mauvaise figure à ce chapitre avec une capacité de seulement 3500 lb (1588 kg). Avis aux intéressés.

Au volant, ce nouveau venu offre une conduite beaucoup plus axée sur le confort que ce que nous proposent BMW ou Audi. Oubliez la sportivité extrême, l'emphase est mise sur la douceur de roulement. Poussez un peu plus et la direction électrique se raffermit et devient un peu plus communicative. On apprécie aussi le système CURVE qui ajoute des barres stabilisatrices transversales au niveau des essieux avant et arrière qui compensent le roulis de la carrosserie en virage. Le VUS colle ainsi mieux à la route et se comporte beaucoup plus comme une voiture. Quant aux motorisations, le V6 turbo diesel surprend tout d'abord par sa sonorité, loin de celle des moteurs diesel du passé. En fait, il est pratiquement

inaudible. On apprécie le couple du moteur développé à bas régime et sa grande souplesse. Ajoutez une consommation réduite, qui devrait demeurer plus que raisonnable même en remorquage ou lorsque chargé (une caractéristique typique des moteurs diesel) et vous obtenez probablement le meilleur de tous les mondes. Le seul bémol de ce moteur touche ses reprises à plus grande vitesse. À régime plus élevé, le moteur offre moins de « pep » et il faut prévoir un peu plus à l'avance nos manœuvres de dépassement. Le V6 de 3,5 litres avec ses 302 chevaux offre une puissance supérieure à celle de ses rivaux. Ce moteur est bien adapté et on apprécie sa fougue plus marquée à plus haut régime.

Mercedes-Benz a eu la bonne idée de ne pas « bourrer » inutilement le ML de nombreux gadgets destinés à la conduite en sentiers. D'ailleurs, peu de gens iront jouer dans la boue avec un tel véhicule. Toutefois, on offre, pour les intéressés, un ensemble hors-route comportant un différentiel autobloquant. Ces versions héritent également d'une commande supplémentaire à bord qui permet de sélectionner l'un des six modes de rouage. Bien entendu, le ML propose une panoplie d'équipements destinée à assurer votre sécurité. Tous les gadgets que l'on retrouvait initialement à bord de la plus dispendieuse des berlines du constructeur, la Classe S, sont maintenant offertes à bord du ML 2012.

Mercedes-Benz à une fois de plus haussé la barre dans le créneau des VUS de luxe. Son arme secrète ? Son choix de modèles et surtout, son moteur diesel, proposé à un prix plus que concurrentiel. Voilà un élément que la concurrence aura de la difficulté à égaler.

Sylvain Raymond

Photos : Sylvain Raymond

Catégorie	VUS
Échelle de prix	57 400 $ à 58 900 $ (2011)
Garanties	4 ans/80 000 km, 4 ans/80 000 km
Assemblage	Tuscaloosa, Alabama, É-U
Cote d'assurance	bonne

CHÂSSIS - ML350 BLUETEC 4MATIC

Emp/lon/lar/haut	2 915/4 804/2 141/1 796 mm
Coffre	690 à 2 010 litres
Réservoir	93 litres
Nombre coussins sécurité / ceintures	6 / 5
Suspension avant	indépendante, double triangulation
Suspension arrière	indépendante, double triangulation
Freins avant / arrière	disque / disque
Direction	à crémaillère, ass. variable électrique
Diamètre de braquage	11,8 m
Pneus avant / arrière	P255/50R19 / P255/50R19
Poids	2 175 kg
Capacité de remorquage	3 500 kg (7 700 lb)

COMPOSANTES MÉCANIQUES

ML350 BlueTEC 4Matic

Cylindrée, soupapes, alim.	V6 3,0 litres 24 s turbocompressé
Puissance / Couple	240 chevaux / 455 lb-pi
Tr. base (opt) / rouage base (opt)	A7 / Int
0-100 / 80-120 / 100-0 km/h	n.d. / n.d. / n.d.
Type ess. / ville / autoroute	Diesel / 11,1 / 8,0 l/100 km

ML350 4Matic

Cylindrée, soupapes, alim.	V6 3,5 litres 24 s atmos.
Puissance / Couple	302 chevaux / 273 lb-pi
Tr. base (opt) / rouage base (opt)	A7 / Int
0-100 / 80-120 / 100-0 km/h	n.d. / n.d. / n.d.
Type ess. / ville / autoroute	Super / 12,7 / 9,2 l/100 km

FEU VERT

- Motorisation diesel abordable
- Nouveau style réussi
- Bonne visibilité à bord
- Excellente capacité de remorquage

FEU ROUGE

- Direction légère (basse vitesse)
- Console centrale un peu terne
- Version 250 BlueTEC non offerte au Canada

DU NOUVEAU EN 2012

Nouveau modèle

http://www.mercedes-benz.ca/

Plus d'informations dans la section statistiques en dernière partie du Guide

LA BONNE AFFAIRE DONT VOUS NE VOUDREZ PAS

Mi-fourgonnette, mi-familiale, mi-utilitaire, la Classe R de Mercedes n'a jamais vraiment réussi, depuis son lancement en 2006, à se faire une niche. Il s'en vend peu au pays et pourtant, le véhicule est peut-être la meilleure affaire à faire chez Mercedes. Mais, vous n'en voudrez sans doute pas.

Malgré son lifting de 2010, qui lui a notamment procuré la nouvelle — et plus agressive — calandre Mercedes, la Classe R n'a pas gagné en popularité. Il semble, en effet, que vous n'en vouliez pas… Trop « minivan » ? Pas assez masculine ? Pourtant, pour 2012, la variante équipée du V6 à essence prend du galon. En effet, on fait nouvellement monter l'organe de 3,5 litres qui vient d'honorer la SLK, ce qui signifie que l'injection directe est désormais de la partie, tout comme 302 chevaux et un couple de 273 lb-pi (une hausse de 34 chevaux et de 15 lb-pi). Comme le veut la tendance, le constructeur annonce, malgré l'augmentation de la puissance, une réduction de la consommation d'essence (de 10 %).

Mais de ce V6 à essence, vous n'en voudrez pas. Comme la plupart des (rares) acheteurs de Classe R, vous préférerez le R350 diesel (ou carrément un ML, voire un GL, mais ça, c'est une autre histoire). Certes, la puissance du V6 de 3,0 litres turbo BlueTEC est peu élevée (210 chevaux), mais le couple, mes amis, le couple : 400 lb-pi sous la cravate, ça déménage, même s'il s'agit de faire bouger une masse de presque deux tonnes et demie. En tout temps, la boîte automatique passe ses sept rapports de façon incognito et il faut vraiment être masochiste pour sentir le besoin de se mêler de sa course (dans ce cas-là, on peut activer les palettes au volant). Sans surprise, la consommation est plus frugale qu'avec le V6 à essence. On peut même parcourir un millier de kilomètres d'autoroute sur un seul plein de gazole.

CONCURRENTS
Acura MDX,
Audi Q7,
BMW X5,
Buick Enclave,
Lincoln MKT,
Volvo XC90

IMPRESSIONS DE L'AUTEUR	
Agrément de conduite :	3.5/5
Fiabilité :	3/5
Sécurité :	5/5
Qualités hivernales :	4/5
Espace intérieur :	4.5/5
Confort :	4.5/5

Avec ce BlueTEC, les accélérations sont linéaires, progressives et même si le 0-100km/h demande une demi-seconde de plus qu'avec le V6 à essence (8,9 secondes contre 8,4 secondes), ça décolle puissamment, sans soubresauts et c'est sans même s'en rendre compte qu'on file à 150 km/h sur l'autoroute. Quand il faut arrêter tout ça, on a le bonheur d'une pédale facile à doser et d'un système de freinage très efficace : le 100-0 km/h demande à peine 40 mètres, pas plus que la petite Classe B.

Si on ne se rend pas compte de la vitesse à laquelle on file, c'est aussi parce que l'habitacle de la Classe R est une tombe. Une

tombe d'insonorisation, de confort, de sobriété, de matériaux bien choisis et bien assemblés, jusque dans les moindres détails. Imaginez: même la boîte à gants est tapissée... C'est du Mercedes partout là-dedans, indéniablement. Et indéniablement, on se bat encore pour apprivoiser les commandes au bloc central toujours aussi sombre ou pour engager le clignotant (qu'on confond trop souvent avec le levier du régulateur de vitesse). Non, mais, ça fait dix ans qu'on critique la chose, quand est-ce que Mercedes va régler le problème?

La Classe R, c'est aussi la plus américaine des Mercedes qui soient, côté conduite – une autre raison pour laquelle vous n'en voudrez donc pas. La suspension (à double triangulation à l'arrière) est la moins germanique de la famille et elle se fait presque souple sur les cahots québécois. Mais c'est de bonne guerre pour assurer le grand confort à bord. Là où c'est toutefois plus dérangeant, c'est au niveau de la direction: on dirait presque une électrique, tant ça manque de précision. Autre défaut qui pourrait faire que vous ne voudrez pas de cette Classe R: les angles morts vers l'arrière. Ils ne sont pas réduits: ils sont nuls. C'est perturbant dans la circulation, ça l'est encore plus en manœuvres de recul. D'autant plus que garer 5,2 mètres, ça demande de la dextérité. La contrepartie: un rayon de braquage étonnement agile pour un véhicule de cette taille.

MÊME SI...

Qui dit imposantes dimensions extérieures, dit habitacle spacieux. C'est le cas ici, surtout aux première et deuxième rangées, où règne le grand confort. Un conseil: choisissez la variante six places, parce qu'elle offre des sièges capitaine en deuxième rangée plus confortables que la banquette proposée dans la version sept passagers. À la banquette du fond, il faut faire avec une ligne de toit plongeante, ce qui handicape le dégagement aux têtes.

Pour 2012, le système Comand avec navigation devient de série pour la Classe R et les groupes d'options ont été revus pour plus de générosité. Mais, vous n'en voudrez toujours pas. Même si les portières arrière, parmi les plus larges de l'industrie, facilitent les entrées et les sorties. Vous n'en voudrez pas, même si un grand toit panoramique illumine tout le monde à bord, jusqu'à l'arrière. Et vous n'en voudrez pas non plus, même si l'espace cargo, une fois les deux rangées rabattues, atteint presque 2400 litres.

Vous n'en voudrez pas, de cette simili-fourgonnette/familiale, parce que si vous en aviez voulu, vous l'auriez déjà dans votre cour ou votre garage. Plutôt, vous reluquez sans doute le tout nouveau ML, voire le GL aux styles beaucoup plus marqués et à la conduite moins anesthésiée. Allez, ne niez pas : on vous connaît...

Nadine Filion

Photos: Marc Lachapelle

Catégorie	Multisegment
Échelle de prix	55200$ à 56200$ (2011)
Garanties	4 ans/80000 km, 4 ans/80000 km
Assemblage	Tuscaloosa, Alabama, É-U
Cote d'assurance	n.d.

CHÂSSIS - R350 BLUETEC 4MATIC

Emp/lon/lar/haut	3215/5157/2183/1675 mm
Coffre	314 à 2385 litres
Réservoir	80 litres
Nombre coussins sécurité / ceintures	9 / 7
Suspension avant	indépendante, double triangulation
Suspension arrière	indépendante, multibras
Freins avant / arrière	disque / disque
Direction	à crémaillère, ass. variable
Diamètre de braquage	12,6 m
Pneus avant / arrière	P255/50R19 / P255/50R19
Poids	2335 kg
Capacité de remorquage	1588 kg (3500 lb)

MERCEDES-BENZ CLASSE R

COMPOSANTES MÉCANIQUES

R350 BlueTEC 4Matic	
Cylindrée, soupapes, alim.	V6 3,0 litres 24 s turbo
Puissance / Couple	210 chevaux / 400 lb-pi
Tr. base (opt) / rouage base (opt)	A7 / Int
0-100 / 80-120 / 100-0 km/h	8,9 s / 7,0 s / 40,0 m
Type ess. / ville / autoroute	Diesel / 11,5 / 8,2 l/100 km

R350 4Matic	
Cylindrée, soupapes, alim.	V6 3,5 litres 24 s atmos.
Puissance / Couple	302 chevaux / 273 lb-pi
Tr. base (opt) / rouage base (opt)	A7 / Int
0-100 / 80-120 / 100-0 km/h	8,4 s / n.d. / 40,0 m
Type ess. / ville / autoroute	Super / 14,4 / 10,5 l/100 km

FEU VERT

- Habitacle sans reproche
- Grand toit panoramique
- Confort à bord
- Une tombe d'insonorisation
- Moteur diésel puissant et frugal

FEU ROUGE

- Dimensions embarrassantes dans les stationnements
- Cargo limité (toutes banquettes relevées)
- Style fourgonnette qui ne marche pas

DU NOUVEAU EN 2012

Nouveau V6 3,5 litres

http://www.mercedes-benz.ca/

Plus d'informations dans la section statistiques en dernière partie du Guide

DÉMUNIS S'ABSTENIR

Parmi les voitures qui ont fait la réputation de Mercedes-Benz à travers la planète, la Classe S est assurément l'une des plus importantes. Rarement a-t-on vu une gamme aussi relevée, autant au niveau du luxe que du nombre de versions mécaniques. Et dire qu'en Amérique du Nord, nous n'avons droit qu'à une parcelle de ce qui est offert en Europe!

Lors de la récente récession, le marché de la voiture de luxe n'a pas connu beaucoup de répit. Certes, les constructeurs ont dû s'adapter un peu, réduire certains prix ou augmenter la dotation de base de certains modèles, mais, en gros, la récession a coulé sur leur dos comme de l'eau sur le dos d'un canard.

ENFIN, UNE CLASSE S DIESEL

Toujours est-il que Mercedes-Benz continue d'offrir une Classe S et se permet même d'ajouter un modèle, la S350 BlueTEC 4Matic. Eh oui, un diesel! Mais attention. Pas un de ces vieux diesels qui pue, qui pète et qui rouspète au démarrage. Même si nous n'avons pas encore pu en faire l'essai (elle ne débarquera qu'à l'automne 2011), on voit mal un moteur affligé de ces maux dans une berline aussi prestigieuse que la Classe S. Et puis, Mercedes a prouvé depuis longtemps son savoir-faire en matière de diesel. La mécanique devrait, selon toute logique, être la même que celle qui équipe déjà les Classe E, GL, M et R. Rappelons que la technologie BlueTEC est parmi les plus propres actuellement proposées. Cette Classe S quasiment verte avait été présentée sans trop de fla-fla au Salon de l'auto de Détroit en janvier 2011. Contrairement à ce que peut laisser penser l'appellation, le moteur est un V6 de 3,0 litres. Le rouage est intégral. Outre la S350, on retrouve les modèles habituels… si le terme «habituel» peut s'appliquer dans le cas d'une voiture dont le prix de base est de plus de 100 000 $! Et cette voiture de base est la S400 HYBRID qui devrait avoir beaucoup de difficultés à s'imposer face à la nouvelle S350. L'avantage de ces deux modèles, c'est qu'ils aideront Mercedes-Benz à présenter une consommation corporative (norme CAFE, Corporate Average Fuel Economy) plus basse. Cette Classe S hybride a été la première à offrir, de série, des batteries lithium-ion.

On commence à jaser de performances avec la S550 4Matic, offerte avec l'empattement régulier ou long. Cette année, cette dernière a droit à un nouveau V8 de 4,6 litres à injection directe de 429 chevaux et 516 livres-pied de couple. C'est suffisant pour

CONCURRENTS
Audi A8,
Bentley Continental,
BMW Série 7,
Jaguar XJ,
Lexus LS,
Maserati Quattroporte

IMPRESSIONS DE L'AUTEUR	
Agrément de conduite :	3.5/5
Fiabilité :	3.5/5
Sécurité :	5/5
Qualités hivernales :	4/5
Espace intérieur :	4.5/5
Confort :	5/5

entraîner avec fougue les 2095 kilos de la voiture. La transmission automatique à sept rapports relaie le couple aux quatre roues grâce au sophistiqué rouage intégral 4Matic.

Si une S550 4Matic ne représente pas un défi pour votre portefeuille, la S600 devrait vous intéresser… À plus de 180 000 $, cette berline mue par un V12 biturbo de 510 chevaux et 612 livres-pied de couple livrés dès les 1 800 tours/minute, vous offrira des performances dignes des plus grandes sportives. Sa consommation aussi est digne de ces plus grandes sportives… Cependant, la S600, offerte uniquement avec les roues arrière motrices, se veut beaucoup plus une GT, capable de vitesses très élevées sur les longues autobahns allemandes sans limites de vitesse. Ici, au Québec, nos lois, nos routes et notre mentalité ne nous permettent pas de profiter d'une telle voiture.

Restent les modèles préparés par AMG. La S63 AMG, avec son V8 biturbo et à injection directe de 5,5 litres imprime à ses 2 170 kilos une surprenante vélocité. Bien entendu, la consommation est à mille lieues de celle d'une smart, mais, par rapport à l'ancien moteur atmosphérique, elle a diminué considérablement. Contrairement à la S600, la S63 AMG peut tâter de la piste sans avoir à rougir devant quelque berline sportive que ce soit. Les suspensions sont plus fermes et les freins plus agressifs. Enfin, à bien au-delà des 200 000 $, trône la S65 AMG, une brute de 621 chevaux et 738 lb-pi de couple. Cette voiture d'exception peut en découdre avec les plus grandes sportives de l'heure, mais elle demeure plus un monument à la technologie et au statut social qu'une voiture de course.

MOYENNANT UN LÉGER SUPPLÉMENT…

Techniquement, on l'a vu, l'offre de Mercedes-Benz pour sa Classe S dépasse quasiment l'entendement. Mais peu importe le modèle choisi, il y a des invariables. Comme le confort, toujours préservé, quelle que soit la qualité du revêtement, une bénédiction au Québec ! L'habitacle est vaste comme une cathédrale et le niveau de luxe est très relevé. Quant à la qualité des matériaux et de leur assemblage, inutile d'ajouter qu'il est digne du prix demandé! Et si jamais les nombreux coloris et matériaux offerts par Mercedes ne vous satisfaisaient pas, la série Designo vous offre d'autres possibilités, moyennant, bien entendu, quelques sous…

Aussi, depuis déjà quelques années, Mercedes s'est donné le mandat d'offrir un niveau de sécurité maximal dans ses voitures et la Classe S ne fait pas exception. Même qu'elle est en avance ! Toutefois, faire la nomenclature de ces caractéristiques exigerait un Guide de l'auto 2012 Tome 2. On doit cependant retenir qu'elles sont nombreuses, au point et… généralement très dispendieuses, puisque la plupart sont offertes en option. Et les options chez un constructeur allemand, ça coûte cher !

Alain Morin

Photos : Mercedes-Benz

Catégorie	Berline
Échelle de prix	108 200 $ à 236 100 $
Garanties	4 ans/80 000 km, 4 ans/80 000 km
Assemblage	Stuttgart, Allemagne
Cote d'assurance	n.d.

MERCEDES-BENZ CLASSE S

CHÂSSIS - S550 4MATIC

EEmp/lon/lar/haut	3 035/5 096/2 120/1 479 mm
Coffre	560 litres
Réservoir	83 litres
Nombre coussins sécurité / ceintures	8 / 5
Suspension avant	indépendante, multibras
Suspension arrière	indépendante, multibras
Freins avant / arrière	disque / disque
Direction	à crémaillère, ass. variable
Diamètre de braquage	11,8 m
Pneus avant / arrière	P255/45R18 / P255/45R18
Poids	2 075 kg
Capacité de remorquage	n.d.

COMPOSANTES MÉCANIQUES

S350 BlueTEC 4Matic

Cylindrée, soupapes, alim.	V6 3,0 litres 24 s turbo
Puissance / Couple	240 chevaux / 455 lb-pi
Tr. base (opt) / rouage base (opt)	A7 / Int
0-100 / 80-120 / 100-0 km/h	7,1 s / n.d. / n.d.
Type ess. / ville / autoroute	Diesel / n.d. / n.d. l/100 km

S400 Hybrid

Cylindrée, soupapes, alim.	V6 3,5 litres 24 s atmos.
Puissance / Couple	295 chevaux / 284 lb-pi
Tr. base (opt) / rouage base (opt)	A7 / Prop
0-100 / 80-120 / 100-0 km/h	7,2 s / 6,0 s / 41,4 m
Type ess. / ville / autoroute	Super / 11,2 / 7,9 l/100 km

S550 4Matic / S550 4Matic allongée
V8 4,6 l, 429 ch / 516 lb-pi - 0-100 : 5,0 s. - 12,8/8,1/100 km/h
V8 4,6 l, 429 ch / 516 lb-pi - 0-100 : 5,0 s. - 13,4/8,4/100 km/h

S600
V12, 5,5 l, 510 ch / 612 lb-pi - 0-100 :4,6 s - 17,9/10,8 l/100 km

S63 AMG
V8 5,5 l, 536 ch / 590 lb-pi - 0-100 : 4,5 s - 14,0/9,2 l/100 km

S65 AMG
V12, 6,0 l, 621 ch / 738 lb-pi - 0-100 : 4,4 - 17,7/10,5 l/100 km

FEU VERT

- Confort catégorie A1
- Modèles AMG très olé olé
- Nouvelle version diesel
- Niveau de sécurité élevé
- Prestige assuré

FEU ROUGE

- Prix offensants
- Coûts d'entretien très élevés
- Conduite un peu endormante (sauf AMG)
- Consommation toujours aberrante (S600 et S65 AMG)
- Faible valeur de revente

DU NOUVEAU EN 2012

Nouveau modèle S350, nouveau V8 5,5 litres, V12 6,0 litres plus puissant

http://www.mercedes-benz.ca/

Plus d'informations dans la section statistiques en dernière partie du Guide

LA SPORTIVE TOUT CONFORT

L'arrivée de la récente SLS AMG, aujourd'hui proposée en modèle coupé et cabriolet, a permis à la marque allemande d'offrir de nouveaux modèles à vocation plus sportive. Malgré cela, la SL a toujours sa place dans la gamme du constructeur allemand en vertu de ses qualités de grande routière, mais également parce que la SL est l'une des voitures les plus marquantes de l'histoire de l'automobile.

La désignation SL de la voiture signifie Sport Leicht en allemand, ce qui se traduit par Sport Légère en français. Ces deux caractéristiques étaient très certainement présentes sur la toute première SL, qui a été créée en 1954 suite aux recommandations de Max Hoffmann, l'importateur américain de la marque allemande à l'époque. Mais aujourd'hui, les SL sont plus axées sur le confort que la sportivité, et le poids toujours en hausse de ces modèles au fil des générations est devenu un facteur limitatif pour la dynamique de la conduite.

SPORT LEICHT ? PAS VRAIMENT...

Sur la route, tous les modèles de la gamme des SL sont handicapés par un poids très élevé qui se situe soit juste en dessous ou juste au-dessus des deux tonnes, selon la motorisation retenue. Dans les virages, on constate rapidement que les SL n'apprécient pas les enchaînements ainsi que les transitions rapides au même point qu'une authentique sportive. La qualité première de la SL étant d'assurer le confort du conducteur et du passager, les suspensions sont calibrées avec des réglages plus souples qui s'accommodent nettement mieux des routes dégradées qui sont notre lot au Québec. Toutefois, elles qui ne mettent pas nécessairement le conducteur en confiance lorsque celui-ci tente de pousser la voiture à la limite.

CONCURRENTS
Aston Martin Vantage,
Bentley Continental,
BMW Série 6,
Chevrolet Corvette,
Ferrari F458 Italia,
Jaguar XK, Porsche 911

IMPRESSIONS DE L'AUTEUR		
Agrément de conduite :	■■■■□	4 / 5
Fiabilité :	■■■■□	4 / 5
Sécurité :	■■■■■	5 / 5
Qualités hivernales :	■■■□□	3 / 5
Espace intérieur :	■■■□□	3 / 5
Confort :	■■■■□	4 / 5

Bien que l'on ne puisse plus qualifier les SL actuelles d'authentiques sportives, force est d'admettre que ce sont des voitures Grand Tourisme très réussies. Elles offrent à la fois les attributs d'un coupé et d'un roadster, puisque ce modèle est doté d'un toit rigide rétractable, tout comme la SLK qui a inauguré ce style en 1997. Avec le toit en place, l'habitacle est bien insonorisé et le confort est souverain. Le repli du toit dans le coffre signifie cependant que l'on doit composer avec un volume d'espace cargo plus limité, mais la conduite à ciel ouvert est tout aussi confortable en raison d'un excellent contrôle du flot d'air.

La tenue de route est toujours saine, les réactions de la voiture demeurent prévisibles en tout temps, et la puissance de freinage est très bonne. De plus, les SL sont littéralement truffées de tous les systèmes électroniques d'aide à la conduite développés par Mercedes-Benz. Et parce que sécurité est une préoccupation constante des ingénieurs de la marque, on retrouve dans la SL un arceau de sécurité qui se déploie en une fraction de seconde si les capteurs détectent que la voiture risque de se retourner lors d'un accident. Pour l'année 2012, les modèles à moteur V12, soit les SL600 et SL 65 AMG, ont été retirés du catalogue, laissant seulement deux modèles pourvus de moteurs V8 au programme, soit la SL550 et la SL63 AMG. En fait, le retrait des moteurs V12 laisse entrevoir que la refonte complète de la SL est imminente…

LA NOUVELLE GÉNÉRATION

L'année 2012 saluera l'arrivée de la nouvelle génération de la SL dont le style de la carrosserie sera calqué sur celui de la SLS AMG ainsi que sur celui de la plus récente SLK qui a connu son lancement en cours d'année 2011. Et même si le modèle sera entièrement renouvelé, il faut cependant s'attendre à ce que le design conserve un petit côté conservateur, histoire de ne pas brusquer la clientèle si fidèle au coupé-cabriolet haut de gamme de la marque. L'empattement sera allongé afin d'augmenter légèrement le volume d'espace de l'habitacle et la calandre sera plus haute, afin de permettre à la voiture de se conformer aux normes européennes en ce qui a trait à la protection accordée aux piétons en cas d'impact. Les phares en forme de « L » du modèle actuel seront remplacés par des phares plus conventionnels et de forme rectangulaire, comme sur la SLS AMG, alors qu'à l'arrière, les feux surdimensionnés émuleront ceux du coupé CLS. Il est par ailleurs acquis que le toit rigide rétractable restera au programme, mais il sera bonifié pat l'ajout du système appelé Magic Sky Control, inauguré sur la SLK, qui permet de régler le degré de transparence ou d'opacité selon les conditions d'ensoleillement.

On serait également porté à croire que les ingénieurs de Mercedes-Benz ont pris acte de la qualité aléatoire des routes québécoises, puisque la suspension de la nouvelle SL, appelée Magic Ride Control, est une évolution de la suspension active ABC (Active Body Control). En fait, les ingénieurs ont ajouté à ce dernier dispositif une caméra qui scrute la surface de la route pour identifier nids-de-poule et autres irrégularités de la chaussée. Ces données sont ensuite transmises à l'ordinateur de bord, qui sera ainsi en mesure de régler l'amortissement en une fraction de seconde.

En attendant la nouvelle mouture, l'actuelle SL poursuit sa route en proposant à son conducteur une expérience hors du commun, soit celle de rouler à la fois au volant d'un coupé et d'un cabriolet, tout en appréciant un niveau de luxe et de confort inégalé dans cette catégorie.

Gabriel Gélinas

Photos : Mercedes-Benz

WWW.GUIDEAUTOWEB.COM/MERCEDES/SL/

MERCEDES-BENZ CLASSE SL

Catégorie	Roadster
Échelle de prix	126 000 $ à 152 600 $ (2011)
Garanties	4 ans/80 000 km, 4 ans/80 000 km
Assemblage	Bremen, Allemagne
Cote d'assurance	n.d.

CHÂSSIS - SL63 AMG	
Emp/lon/lar/haut	2 560/4 605/2 069/1 295 mm
Coffre	288 litres
Réservoir	80 litres
Nombre coussins sécurité / ceintures	5 / 2
Suspension avant	indépendante, multibras
Suspension arrière	indépendante, multibras
Freins avant / arrière	disque / disque
Direction	à crémaillère, ass. variable électrique
Diamètre de braquage	11,0 m
Pneus avant / arrière	P255/35R19 / P285/30R19
Poids	1 995 kg
Capacité de remorquage	n.d.

COMPOSANTES MÉCANIQUES	
SL550	
Cylindrée, soupapes, alim.	V8 5,5 litres 24 s atmos.
Puissance / Couple	382 chevaux / 391 lb-pi
Tr. base (opt) / rouage base (opt)	A7 / Prop
0-100 / 80-120 / 100-0 km/h	5,4 s / 5,1 s / 37,0 m
Type ess. / ville / autoroute	Super / 15,6 / 9,7 l/100 km
SL63 AMG	
Cylindrée, soupapes, alim.	V8 6,2 litres 32 s atmos.
Puissance / Couple	518 chevaux / 465 lb-pi
Tr. base (opt) / rouage base (opt)	A7 / Prop
0-100 / 80-120 / 100-0 km/h	5,1 s / 3,4 s / 38,3 m
Type ess. / ville / autoroute	Super / 17,9 / 10,6 l/100 km

FEU VERT

- Choix de moteurs
- Version AMG performante
- Très bonne tenue de route
- Habitacle confortable

FEU ROUGE

- Prix très élevés
- Volume du coffre (toit remisé)
- Consommation élevée
- Dimensions encombrantes

DU NOUVEAU EN 2012

Aucun changement majeur. SL65 AMG non offerte en 2012

http://www.mercedes-benz.ca/

Plus d'informations dans la section statistiques en dernière partie du Guide

LA TROISIÈME FOIS EST LA BONNE

Mon premier contact avec la SLK remonte à 1996. Il s'agissait alors de la première génération de ce petit bolide. Mieux encore, c'était un modèle de préproduction habillé d'un beau jaune industriel. La silhouette était réussie et le toit rigide s'escamotait dans le coffre, ce qui, à l'époque, était une intéressante nouveauté.

Ceux qui ont essayé la SLK de l'époque lui ont surtout reproché son petit moteur quatre cylindres turbocompressé de 2,3 litres, dont les performances étaient, tout au plus, moyennes. Aussi, on reprochait à ce dernier d'émettre une sonorité peu agréable, qui rappelait la « cacanne ». Certaines mauvaises langues l'avaient même qualifié de « moteur de Pinto », ce qui était loin d'être un compliment. Mais malgré ce handicap, la voiture a connu un certain succès commercial.

Mais de toute évidence, le manque de sportivité de la voiture a fait perdre des ventes à Mercedes-Benz. Le modèle de remplacement, arrivé en 2004, était donc beaucoup plus puissant, plus nerveux et, par conséquent, plus sportif. On avait même concocté une version AMG, offerte avec un moteur V8. Les stylistes avaient eu le coup de crayon beaucoup plus agressif pour cette version. Ils avaient opté pour un museau plongeant, inspiré des voitures de Formule Un de l'époque. Le toit rigide rétractable, une caractéristique qui n'était plus exclusive à ce modèle, mais qui restait toujours fort appréciée, avait toutefois été conservé.

Les succès ont été encore plus importants. Malgré cela, une légère révision de ce modèle est survenue en 2009, afin d'harmoniser sa partie avant avec le design corporatif. C'est maintenant au tour de la troisième génération de la SLK d'être introduite en tant que modèle 2012. Celle-ci propose une toute nouvelle silhouette, des modifications à la motorisation et un nouveau toit rétractable unique en son genre.

CONCURRENTS
Audi TT, BMW Z4, Porsche Boxster, Porsche Cayman

IMPRESSIONS DE L'AUTEUR	
Agrément de conduite :	4.5/5
Fiabilité :	NOUVEAU MODÈLE
Sécurité :	5/5
Qualités hivernales :	3.5/5
Espace intérieur :	3.5/5
Confort :	4.5/5

LE DESIGN SLS

Il n'y a pas si longtemps encore, dans la gamme Mercedes, c'était le coupé/roadster SL qui servait d'inspiration au SLK. Mais les choses ont changé depuis l'arrivée de la mythique SLS et c'est ce dernier modèle qui a fortement influencé les stylistes qui ont dessiné la nouvelle SLK, notamment pour la partie avant. Celle-ci est dotée d'une grille de calandre alvéolée et traversée horizontalement par une bande chromée intégrant en son centre l'étoile d'argent. Le capot ondulé plonge vers l'avant, pour créer cette présentation désormais propre à la marque.

Toujours en accord avec la SLS et la légendaire 190 SL 1950, on retrouve une grille d'évacuation d'air placée sur le haut des ailes avant. Une petite bande de chrome vient la mettre en évidence. Les passages de roues en relief, la partie arrière élargie et un diffuseur arrière plus imposant donnent une allure plus musclée et plus sportive. On ne peut plus l'accuser d'être une voiture de garçon coiffeur. Le tableau de bord s'inspire lui aussi de la SLS. Les stylistes ont opté pour des buses de ventilation circulaires. Les deux cadrans indicateurs sont également d'inspiration rétro avec leurs chiffres noirs sur fond blanc. Entre les deux, on retrouve un centre d'information à affichage numérique et la console centrale de notre voiture d'essai était en aluminium brossé. Bref, tout s'inspire de la SLS.

Comme sur les versions précédentes, le toit ouvrant rigide s'active en quelques secondes au simple toucher d'un bouton. Il sera également possible de commander le toit panoramique Magic Sky, exclusif à cette voiture. Au simple toucher d'un bouton monté sur le pavillon, le toit s'obscurcit ou devient translucide, selon nos besoins et nos caprices. Pour certains acheteurs, ce sera certainement la raison de leur choix.

Disponible depuis avril dernier, la SLK 350 est proposée avec un nouveau moteur V6. Ce moteur de 3,5 litres est à injection directe et sa puissance est de 302 chevaux. Il assure une réduction de la consommation de carburant de 10 % par rapport au moteur V6 précédent et sa moyenne est de 7,1 litres aux 100 km. Quant à la SLK 250, elle sera disponible en novembre 2011. Celle-ci est dotée d'un moteur quatre cylindres turbo de 1,8 litre à injection directe produisant 204 chevaux, et sa consommation moyenne sera de 6,2 litres aux 100 km. Ces deux moteurs sont associés à une boîte automatique à sept rapports qui est sans reproche. Pour sa part, la SLK 55 AMG et son puissant moteur V8 arriveront dans les salles de démonstration en novembre prochain.

GAUCHE, DROITE ET ON RECOMMENCE!

Mercedes-Benz a choisi l'île de Ténériffe dans l'archipel des Canaries pour nous présenter ses nouveautés. Cela peut sembler romantique, voire onirique, de prime abord, cependant, cette île est très montagneuse et les routes prennent parfois des allures de sentiers pour les mules tant elles sont abruptes et étroites. Heureusement qu'on a intercalé des portions de routes régulières et des sections d'autoroutes sur notre trajet afin de nous permettre d'apprécier la voiture dans son ensemble et pas seulement dans les montées et dans les courbes.

Un rayon de braquage relativement court m'a permis de négocier sans problème les multiples routes en lacets que nous avons empruntées. De plus, lors des descentes, les freins n'ont donné aucun signe d'échauffement et la pédale a toujours été progressive. Soulignons, au passage, la nouvelle technologie Torque Vectoring Brake. Ce système applique le frein sur la roue arrière intérieure au virage. Lorsque le système de stabilité détecte un risque de sous-virage, la fonction Torque Vectoring Brake engage le frein. Cette manœuvre permet de stabiliser le véhicule sans pourtant altérer son dynamisme, et de le diriger dans la courbe avec précision.

Il faut l'admettre, la conduite a été fort agréable, en grande partie en raison des qualités routières de la voiture. Nous devons également ajouter que la position de conduite est bonne, tandis que les sièges se font confortables et offrent un bon support latéral. Par contre, les personnes de grande taille devront choisir entre l'inclinaison du dossier ou le dégagement optimal pour les jambes. En effet, lorsqu'on recule le siège au maximum, il est pratiquement impossible d'incliner le dossier. Par ailleurs, les cadrans indicateurs sont plus lisibles en raison de chiffres nettement plus contrastés.

Ce parcours sinueux et montagneux nous a toutefois permis de découvrir que le moteur de la SLK 250 manquait un peu de nervosité en sortie de virage. Il a fallu passer du mode « Économique » à « Sport » pour avoir des accélérations dignes de ce nom. Une autre solution était de passer en mode manuel et de changer les rapports à l'aide des palettes montées sur le volant. Dans les deux cas, les performances de ce quatre cylindres étaient adéquates. Il

faut également souligner que ce moteur est doté d'un accentueur de sonorité, qui l'empêche désormais de sonner comme une « cacanne » lors des accélérations. Ce n'est pas trop exagéré, mais juste ce qu'il faut.

Le V6 a affronté les pentes raides sans coup férir, et ce, même en mode « Économique ». Les performances de ce moteur sont relevées et il est alors possible de tirer un meilleur parti de cette plate-forme. Celle-ci est fort rigide et même lorsque le toit est baissé, la voiture s'avère solide comme un roc. La tenue de route est impeccable et l'agrément de conduite est relevé. Son caractère sportif prend nettement plus de place aujourd'hui, ce qui n'empêche pas la SLK de proposer un heureux compromis entre sportivité et confort. Mais tout n'est pas parfait, naturellement. Le système de navigation a connu des ratés à quelques reprises tandis que le toit rigide accapare plus du tiers du coffre une fois qu'il est abaissé.

Mais peu importe le modèle choisi, c'est une voiture qui ne décevra pas. De plus, il est bon de savoir que les versions SLK 350 importées au Canada proposent de série le groupe d'apparence AMG et le *Dynamic Handling Package* qui est une suspension active. Et, peu importe le modèle choisi, cette SLK de troisième génération est réussie à tous les points de vue.

Denis Duquet

Photos : Marc Lachapelle

Catégorie	Roadster
Échelle de prix	59 900 $ à 84 800 $
Garanties	4 ans/80 000 km, 4 ans/80 000 km
Assemblage	Bremen, Allemagne
Cote d'assurance	passable

CHÂSSIS - SLK350

Emp/lon/lar/haut	2 430/4 103/2 012/1 298 mm
Coffre	335 litres
Réservoir	60 litres
Nombre coussins sécurité / ceintures	8 / 2
Suspension avant	indépendante, jambes de force
Suspension arrière	indépendante, multibras
Freins avant / arrière	disque / disque
Direction	à crémaillère, ass. variable
Diamètre de braquage	10,5 m
Pneus avant / arrière	P225/40R18 / P245/35R18
Poids	1 490 kg
Capacité de remorquage	n.d.

COMPOSANTES MÉCANIQUES

SLK250

Cylindrée, soupapes, alim.	4L 1,8 litre 16 s turbo
Puissance / Couple	201 chevaux / 229 lb-pi
Tr. base (opt) / rouage base (opt)	M6 (A7) / Prop
0-100 / 80-120 / 100-0 km/h	n.d. / n.d. / n.d.
Type ess. / ville / autoroute	Super / n.d.

SLK350

Cylindrée, soupapes, alim.	V6 3,5 litres 24 s atmos.
Puissance / Couple	302 chevaux / 273 lb-pi
Tr. base (opt) / rouage base (opt)	M6 (A7) / Prop
0-100 / 80-120 / 100-0 km/h	5,6 s / n.d. / n.d.
Type ess. / ville / autoroute	Super / n.d.

SLK55 AMG

Cylindrée, soupapes, alim.	V8 5,5 litres 24 s atmos.
Puissance / Couple	355 chevaux / 376 lb-pi
Tr. base (opt) / rouage base (opt)	A7 / Prop
0-100 / 80-120 / 100-0 km/h	n.d. / n.d. / n.d.
Type ess. / ville / autoroute	Super / 14,8 / 9,0 l/100 km

FEU VERT

- Silhouette réussie
- Moteurs bien adaptés
- Excellente tenue de route
- Toit à densité variable
- Prestige en progrès

FEU ROUGE

- Multiples options
- Hésitations de la boîte de vitesses
- Fiabilité inconnue
- Habitabilité moyenne
- Toit rigide empiétant dans le coffre

DU NOUVEAU EN 2012

Nouveau modèle

http://www.mercedes-benz.ca/

Plus d'informations dans la section statistiques en dernière partie du Guide

À LA POURSUITE DE LA POLICE…

L'indicateur de vitesse affiche 240 km/h et la SLS AMG est tout à fait stable alors que je file sur l'autoroute mexicaine qui relie Puebla à Oaxaca. Je roule derrière une Dodge à moteur HEMI de la *Policia Federal* du Mexique qui nous ouvre la route, gyrophares en action. C'est dans ce contexte on ne peut plus particulier que j'ai pris contact avec la SLS AMG de Mercedes-Benz…

Le Mexique est l'un des pays où Mercedes-Benz a réussi l'un des plus grands exploits de la marque en sport automobile: une victoire à la célèbre *Carrera Panamericana* de 1952 remportée avec un doublé des célèbres 300 SL W194 Gullwing, réalisé par les tandems Karl Kling et Hans Klenk ainsi que Hermann Lang et Erwin Grupp. La *Carrera Panamericana*, c'était huit étapes pour un total de 3100 kilomètres parcourus de Tuxtla Guitterez au Chiapas jusqu'à Ciudad Juarez dans le Nord du Mexique. Une course éprouvante, qui fait maintenant partie de la légende du sport automobile. Imaginée par le ministre des Transports mexicain en 1950, cette épreuve démentielle allait célébrer le parachèvement de la route reliant le Mexique du Nord au Sud. Les concurrents sont venus de partout: Juan Manuel Fangio, Alberto Ascari, Giovanni Bracco et plusieurs autres pilotes célèbres y ont participé, représentant des marques telles que Ferrari, Lancia, Jaguar, Maserati, Chrysler, Buick, Lincoln et j'en passe… Plus de cinquante ans plus tard, j'ai eu le privilège de revivre une partie de cette aventure et de rouler sur ces routes mythiques au volant de la nouvelle SLS AMG, alors que notre petit groupe de journalistes était escorté par des policiers qui semblaient tout autant passionnés que nous ce jour-là…

Avec ses portières de type «Gullwing», la SLS AMG affiche une gueule de star. Mais ce type de configuration présente certains problèmes, puisque le seuil est relativement élevé et qu'il faut obligatoirement saisir la poignée intérieure de la portière et commencer à la fermer avant de s'asseoir. Tout ça parce qu'une fois bien assis dans le siège, la poignée est hors de portée. La position de conduite est plutôt basse, ce qui est parfait pour une voiture à vocation sportive, et les sièges offrent un excellent soutien latéral. La qualité des matériaux utilisés pour la réalisation de l'habitacle est sans reproches, comme la qualité de finition d'ailleurs, et les appliqués d'aluminium ou de fibre de carbone offerts en option rehaussent davantage l'aspect luxueux de la SLS AMG.

CONCURRENTS

Aston Martin DB9, Audi R8, BMW Série 6, Ferrari California, Lamborghini Gallardo, Lexus LFA, Maserati Gran Turismo, Nissan GT-R

IMPRESSIONS DE L'AUTEUR	
Agrément de conduite:	5/5
Fiabilité:	DONNÉES INSUF.
Sécurité:	5/5
Qualités hivernales:	2/5
Espace intérieur:	3/5
Confort:	4/5

Au démarrage, le V8 de 6,2 litres et 563 chevaux prend vie avec une sonorité assez basse et plus qu'évocatrice. À plein régime, le son s'approche de celle d'une voiture de course NASCAR, alors qu'au freinage, l'action sur le palier commandant le rétrogradage de la boîte double-embrayage à sept vitesses provoque automatiquement la montée en régime du moteur avec un blip bien senti. Après mon essai au Mexique, j'ai également eu l'occasion de conduire la SLS AMG au Québec, et je ne compte plus les fois où j'ai baissé les vitres juste pour entendre le son du moteur en passant les vitesses, puis en rétrogradant dans le tunnel Ville-Marie… Côté sensations, la SLS AMG ne donne pas sa place.

RAPIDE ET PRÉCISE

Sur les routes secondaires, la SLS AMG fait preuve d'un aplomb remarquable et semble littéralement collée à la route. Sa direction très précise, sa caisse extrêmement rigide et sa répartition des masses — qui est étonnante pour une voiture à moteur central avant puisqu'elle se chiffre à 47 % sur l'avant et 53 % sur l'arrière — permettent d'inscrire facilement la voiture sur la trajectoire idéale.

Le freinage est puissant et autoritaire, surtout avec les disques en composite de céramique qui sont offerts en option à un coût de 14 200 $, soit le prix d'une voiture de taille compacte… Il faut vraiment rouler à des vitesses largement supérieures aux limites permises pour s'approcher des limites de la voiture, ce qui n'est pas du tout à conseiller sur les routes publiques. C'est pourquoi mon collègue Marc Lachapelle est parti en mission au volant de la SLS AMG, mission qui consistait à la pousser à la limite en bouclant plusieurs tours du circuit de Sanair. Il nous parle d'une voiture dont l'antidérapage rattrape le moindre décrochage du train arrière un peu trop sèchement, mais il précise également qu'en le désactivant complètement (ESP OFF), il pouvait faire déraper l'arrière à volonté en découvrant du même coup que la SLS est très délicate à piloter à la limite.

Affichant 1 620 kilos à la pesée, la SLS AMG est construite sur un châssis de type space frame entièrement réalisé en aluminium qui ne pèse que 241 kilos. C'est la première voiture de la marque qui a été entièrement développée par la division AMG qui, jusque-là, se contentait de produire des moteurs plus performants, des éléments de suspension, des systèmes de freinage et des kits aérodynamiques pour plusieurs modèles Mercedes-Benz.

La SLS marque donc une transition importante pour la division AMG, qui a non seulement conçu et développé le coupé équipé de portières de type « Gullwing », mais également le modèle roadster de la SLS avec portières conventionnelles qui sera présenté en première mondiale au Salon de l'Auto de Francfort en septembre 2011.

Gabriel Gélinas

Photos: Marc Lachapelle

Catégorie	Coupé
Échelle de prix	198 000 $ (2011)
Garanties	4 ans/80 000 km, 4 ans/80 000 km
Assemblage	n.d.
Cote d'assurance	n.d.

CHÂSSIS - 6.3 AMG	
Emp/lon/lar/haut	2 680/4 638/2 078/1 262 mm
Coffre	176 litres
Réservoir	85 litres
Nombre coussins sécurité / ceintures	8 / 2
Suspension avant	indépendante, multibras
Suspension arrière	indépendante, multibras
Freins avant / arrière	disque / disque
Direction	à crémaillère, assistée
Diamètre de braquage	11,9 m
Pneus avant / arrière	265/35R19 / 295/30R20
Poids	1 620 kg
Capacité de remorquage	non recommandé

COMPOSANTES MÉCANIQUES	
6.3 AMG	
Cylindrée, soupapes, alim.	V8 6,2 litres 32 s atmos.
Puissance / Couple	563 chevaux / 479 lb-pi
Tr. base (opt) / rouage base (opt)	A7 / Prop
0-100 / 80-120 / 100-0 km/h	4,5 s / 3,4 s / 35,7 m
Type ess. / ville / autoroute	Super / 15,6 / 10,3 l/100 km

- Allure spectaculaire
- Moteur puissant
- Très bonne tenue de route
- Exclusivité assurée

- Visibilité problématique
- Accès à bord difficile
- Prix élevé

DU NOUVEAU EN 2012

Aucun changement majeur.
Version roadster sera dévoilée vers la fin 2011

http://www.mercedes-benz.ca/

Plus d'informations dans la section statistiques en dernière partie du Guide

DE SURPRISE EN SURPRISE

En 2001, profitant de la vague rétro qui avait déjà laissé sur nos rivages les Chrysler PT Cruiser, Plymouth Prowler et Volkswagen New Beetle, la compagnie BMW décidait de dévoiler une toute nouvelle Mini. Mais contrairement à Volkswagen avec sa New Beetle, Mini pouvait compter sur une pléthore de modèles anciens qui pouvaient être remis au goût du jour. C'est ainsi qu'après la Mini Cooper, on a eu droit à la Mini Cooper décapotable, à la Mini Cooper S, à la Mini Cooper John Cooper Works, à la Mini Clubman et, enfin, à la Mini Cooper Countryman. Et il ne faudrait pas oublier la Mini E, une version tout électrique vendue de façon presque secrète.

Le plus beau dans cette histoire, c'est que toutes ces versions sont encore offertes aujourd'hui. Et si on se fie aux concepts dévoilés dans les différents Salons de l'auto à travers le globe, la Mini Cooper Coupe et la Mini Cooper Rocketman devraient voir bientôt les chaînes de production. Décidément, on a l'imagination maxi chez Mini !

AMENEZ-EN DES VERSIONS!

Cependant, à force d'étirer l'élastique, il finira bien par se briser dans les mains des décideurs. Au fur et à mesure que les nouveautés sont dévoilées, on s'éloigne de la Mini qui souffle ses onze chandelles cette année. Déjà que cette dernière était plus imposante que la «vraie» Mini, il faut désormais l'étirer dans tous les sens pour lui permettre de survivre. Après la Mini régulière, on a dévoilé la Clubman, une version allongée comprenant deux portières du côté droit et une seule de l'autre côté. Au moins, cette Clubman réglait un des problèmes criants de la version régulière, soit le manque d'espace de chargement et de dégagement aux jambes pour ceux qui osaient s'aventurer sur la banquette arrière.

CONCURRENTS
Audi A3,
BMW Série 1,
Volvo C30

IMPRESSIONS DE L'AUTEUR		
Agrément de conduite :	■■■■□	4 / 5
Fiabilité :	■■■□□	3 / 5
Sécurité :	■■■■□	4 / 5
Qualités hivernales :	■■■□□	3 / 5
Espace intérieur :	■■■□□	3 / 5
Confort :	■■■□□	3 / 5

La grande nouveauté cette année chez Mini, la Countryman, compte quatre portières et peut même, dans sa livrée ultime, être dotée d'un rouage intégral. Pour bien faire voir que la voiture peut aller jouer là où toutes les autres Mini s'enliseraient, les designers l'ont dotée d'une carrosserie qui semble avoir été injectée de botox ici et là. Pour certains c'est réussi tandis que pour d'autres, c'est la déchéance totale. Comme on dit, des goûts, on ne discute pas…

Par contre, je dois avouer que la Countryman m'est apparue comme la plus confortable de toutes les Mini essayées au fil des années. Son empattement plus long permet un peu plus de temps

Catégorie	Cabriolet, Familiale, Hatchback
Échelle de prix	21 950 $ à 42 900 $ (2011)
Garanties	4 ans/80 000 km, 4 ans/80 000 km
Assemblage	Oxford, Angleterre
Cote d'assurance	moyenne

avant que les roues arrière tombent dans le même nid-de-poule que celles d'en avant, une bénédiction chez nous! Toutefois, c'est aussi la Mini la moins sportive, car il faut préciser que même une Mini de base donne à son pilote des sensations de go-kart. Alors, imaginez les versions S et John Cooper Works, ultimes interprétations d'une voiture de course pour la route.

Toujours est-il que la Countryman présente une direction un zeste moins vive que les autres versions et des suspensions un peu moins rigides. Et comme le centre de gravité est plus élevé — n'oublions pas que nous avons affaire à un véhicule qui peut recevoir un rouage intégral —, on sent un tantinet plus de roulis en virages. Cependant, il faudrait vraiment pousser au-delà de la logique pour être gêné par le comportement de cette voiture. Si le rouage intégral n'est pas retenu lors de l'achat, les roues avant feront tout le boulot. Sinon, il s'agit de la seule Mini qui n'ait pas peur d'affronter les tempêtes de neige!

BIEN, MIEUX ET WOW!

La Countryman, comme la Mini et la Clubman, reçoit d'office un quatre cylindres de 1,6 litre développant 121 chevaux. C'est déjà un peu juste dans une livrée régulière, alors imaginez quand on l'installe dans une voiture pesant 155 kilos de plus. Ce n'est pas, non plus, l'indigence totale, mais on a le pied droit qui démange à l'occasion. Heureusement, les ingénieurs ont prévu le coup et proposent un autre 1,6 litre, mais turbocompressé, de 181 chevaux. Ce n'est toujours pas suffisant pour s'inscrire en NHRA, mais ça se déménage avec plus d'aplomb. Bien entendu, les amateurs de performance opteront pour une John Cooper Works, livrable uniquement avec la Mini tout court et la Mini Clubman. Alors là, mes amis, une écurie de 208 chevaux dans une voiture de moins de 1 300 kilos, ça vous emmène au septième ciel en moins de temps qu'il n'en faut pour crier « Merde, une police fait du radar! »

Une Mini de base se transige, au moment d'écrire ces lignes, à partir de 22 000 $ environ, ce qui semble, de prime abord, plutôt correct. Mais si vous désirez monter un peu dans la hiérarchie, il vous faudra descendre proportionnellement dans votre compte de banque. Par exemple, à l'autre bout du spectre, une Mini Cabriolet JCW vaut 43 000 $. Pour une voiture peu pratique — mais infiniment charmante, j'en conviens —, c'est corsé. Entre ces deux extrêmes, il y a une Mini pour tous les goûts et tous les budgets. Et comme l'offre devrait encore se bonifier d'ici un an ou deux, on risque de se retrouver avec une Mini Limousine. Ce n'est d'ailleurs pas une farce. Mini a profité du Salon de l'auto de Shanghai pour dévoiler la Mini Goodwood, un concept truffé de matériaux d'une extraordinaire qualité et fini selon les standards de Rolls-Royce qui, incidemment, appartient aussi à BMW...

Alain Morin

Photos : Marc Lachapelle

CHÂSSIS - CABRIOLET JOHN COOPER WORKS	
Emp/lon/lar/haut	2 467/3 729/1 892/1 414 mm
Coffre	170 à 660 litres
Réservoir	50 litres
Nombre coussins sécurité / ceintures	4 / n.d.
Suspension avant	indépendante, jambes de force
Suspension arrière	indépendante, multibras
Freins avant / arrière	disque / disque
Direction	à crémaillère, ass. électrique
Diamètre de braquage	10,7 m
Pneus avant / arrière	P205/45R17 / P205/45R17
Poids	1 275 kg
Capacité de remorquage	n.d.

COMPOSANTES MÉCANIQUES	
Classique, Clubman, Countryman	
Cylindrée, soupapes, alim.	4L 1,6 litre 16 s atmos.
Puissance / Couple	121 chevaux / 114 lb-pi
Tr. base (opt) / rouage base (opt)	M6 (A6) / Tr (int)
0-100 / 80-120 / 100-0 km/h	8,3 s / 10,2 s / 40,2 m
Type ess. / ville / autoroute	Super / 7,3 / 5,6 l/100 km
S	
Cylindrée, soupapes, alim.	4L 1,6 litre 16 s turbo
Puissance / Couple	181 chevaux / 177 lb-pi
Tr. base (opt) / rouage base (opt)	M6 (A6) / Tr
0-100 / 80-120 / 100-0 km/h	7,1 s / 4,5 s / 37,7 m
Type ess. / ville / autoroute	Super / 7,7 / 5,6 l/100 km
John Cooper Works	
Cylindrée, soupapes, alim.	4L 1,6 litre 16 s turbo
Puissance / Couple	208 chevaux / 192 lb-pi
Tr. base (opt) / rouage base (opt)	M6 / Tr
0-100 / 80-120 / 100-0 km/h	6,8 s / 5,8 s / 36,9 m
Type ess. / ville / autoroute	Super / 7,7 / 5,6 l/100 km

FEU VERT

- Charme indéniable
- Version Countryman polyvalente
- Conduite agile
- Modèles S performants
- Modèles JCW très performants

FEU ROUGE

- Prix élitistes
- Coûts d'entretien tout aussi élitistes
- Moteur de base un peu chiche
- Suspensions de brique (JCW)
- Quelques commandes peu intuitives

DU NOUVEAU EN 2012

Modèle coupé sera dévoilé en cours d'année

http://www.mini.ca/

Plus d'informations dans la section statistiques en dernière partie du Guide

UN PARI AUDACIEUX

Il ne faut pas s'en cacher, la compagnie Mitsubishi pourrait connaître plus de succès tant au Canada qu'ailleurs sur la planète. Si ce n'était de quelques modèles phares appréciés du public, les affaires seraient encore plus délicates. Pour retrouver le chemin de la popularité, la direction de ce constructeur a préféré relever le défi de la voiture électrique. C'est ainsi que la i-MiEV est née. Soulignons au passage que cette appellation signifie Mitsubishi Intelligent Electric Vehicle.

CONCURRENTS

Nissan Leaf

IMPRESSIONS DE L'AUTEUR

Agrément de conduite :	3.5/5
Fiabilité :	Nouveau modèle
Sécurité :	3.5/5
Qualités hivernales :	3.5/5
Espace intérieur :	3.5/5
Confort :	3.5/5

Nous en avons vu des prototypes dans plusieurs Salons automobiles internationaux et les gens était assez incrédules lorsque la direction de ce constructeur a annonçé qu'elle commercialiserait cette automobile électrique. Pourtant, la i-Miev sera vraiment distribuée au pays et nous avons même eu la chance de la conduire sur les routes du Québec.

UNE ALLURE DE CITADINE

Alors que plusieurs constructeurs de voitures électriques tentent de leur donner des silhouettes futuristes, les stylistes de Mitsubishi ont joué la carte de la voiture urbaine. En effet, avec sa carrosserie toute en hauteur, elle permet à quatre personnes de prendre place à bord en bénéficiant d'un généreux dégagement pour la tête. Par contre, la caisse est relativement étroite et deux costauds assis à l'avant risquent de se frotter les coudes. Il reste que cette étroitesse est appréciée lorsqu'on se faufile dans la circulation.

Dans l'habitacle, l'ensemble est assez dépouillé et les commandes sont simples et faciles d'accès. En fait, cela se résume à trois boutons verticaux pour la climatisation et ceux de la radio. En passant, cette radio Clarion doit avoir été conçue par un spécialiste de décryptage de la CIA tant ses commandes ne sont pas intuitives. Par ailleurs, les plastiques sont durs et me semblent quelque peu légers. Et puisqu'il est question de légèreté, le rembourrage des sièges est plutôt mince et l'assise un peu courte pour les cuisses si vous êtes grands. Par contre, ils sont confortables, même si leur support latéral pourrait être meilleur. Quant aux places arrière, le dégagement pour la tête est exceptionnel et celui pour les jambes plutôt moyen.

LE SILENCE DE LA ROUTE

Je dois avouer avoir eu des doutes quant au comportement général de cette petite Nippone écolo. Avec un rayon d'action annoncé de 135 km et une vitesse de pointe de 130 km/h, il était facile de conclure que la i-Miev allait avoir de la difficulté à suivre le trafic. Ce fut une agréable surprise, car non seulement cette petite citadine affiche des performances tout de même nerveuses, mais en plus sa conduite est archi simple. Vous n'avez qu'à enclencher la boîte de vitesses (c'est plutôt un contrôleur de moteur) à « D » et vous êtes en route. En fait, le pilote a le choix entre trois modes. Le premier est le « D » qui fait appel au maximum de la puissance. Les capacités de régénération d'énergie à l'aide des freins est moins efficace cependant. Ce mode est recommandé pour une conduite mixte ville/ autoroute. Par contre, la position « Eco » du levier de vitesse réduit la puissance et les accélérations afin d'optimiser la durée de la pile. La récupération de l'énergie au freinage est moyenne. Enfin, la position « B » permet d'utiliser toute la puissance du moteur et la régénération est la plus efficace. Mitsubishi la recommande pour la conduite urbaine et des routes secondaires.

En conduite, il est facile de maintenir l'aiguille de consommation d'électricité dans la zone verte sans nuire à la circulation automobile. Mais lorsqu'on lève le pied, la voiture ralentit d'elle-même et il faut être vigilant dans la circulation. Quant à la tenue de route, elle s'avère correcte, mais on ne peut s'attendre à mieux de la part d'une voiture aussi haute et étroite chaussée de pneumatiques si peu larges merci. Et en raison de cette silhouette verticale, la voiture est sensible aux vents latéraux.

Un dernier mot à propos de la conduite. Il faut toujours tenir compte de l'autonomie de cette voiture afin de ne pas tomber en manque d'énergie loin de la maison. Et il faut également faire attention à ne pas avoir le pied pesant et conduire avec discipline. Une conduite trop nerveuse entraîne une baisse rapide des réserves de la batterie.

PARLONS ARGENT

Pour l'instant, les prix des véhicules à propulsion électrique, qu'ils soient 100 % à piles ou avec rayon d'action étendu avec moteur thermique, ne sont pas de nature à placer ces voitures sur la liste des aubaines. La i-Miev est offerte en deux versions, allant de 32 998 $ à 35 998 $. C'est un peu cher pour une micro voiture. Mais il ne faut pas oublier les subventions gouvernementales à l'achat. Elles sont de 8 230 $ en Ontario et de 7 769 $ au Québec. De plus, le Québec offre de payer la moitié des coûts d'installation d'un chargeur à domicile, et ce, jusqu'à concurrence de 1 000 $.

Somme toute, son prix est élevé, son rayon d'action limite les déplacements tandis que les bornes de recharge ailleurs que chez soi sont assez clairsemées. Mais on ne paie plus d'essence et au Québec, c'est l'endroit où le coût d'une recharge est le moins cher. Et une utilisation quotidienne s'est révélée assez simple.

Denis Duquet

Photos : Mitsubishi

Catégorie	Hatchback
Échelle de prix	32 998 $ à 35 998 $
Garanties	5 ans/100 000 km, 10 ans/160 000 km
Assemblage	Mizushima, Japon
Cote d'assurance	n.d.

CHÂSSIS - PREMIUM

Emp/lon/lar/haut	2 550/3 650/1 585/1 615 mm
Coffre	368 à 1 416 litres
Réservoir	aucun
Nombre coussins sécurité / ceintures	6 / 4
Suspension avant	indépendante, jambes de force
Suspension arrière	semi-indépendante, multibras
Freins avant / arrière	disque / tambour
Direction	à crémaillère, ass. variable électrique
Diamètre de braquage	9,4 m
Pneus avant / arrière	P145/65R15 / P175/60R15
Poids	1 180 kg
Capacité de remorquage	non recommandé

COMPOSANTES MÉCANIQUES

Moteur électrique	
Puissance / Couple	66 chevaux / 14 0 lb-pi
Disposition	Moteur arrière (49 kW)
Batterie	
Type	Lithium-ion (Li-ion)
Énergie	16 kWh / 330 V
Temps de charge	22,5 heures 120 V/10A
	6 heures 240 V/15A
Autonomie	135 km
0-100 / 80-120 / 100-0 km/h	13,4 s / 12,0 s (est) / n.d.

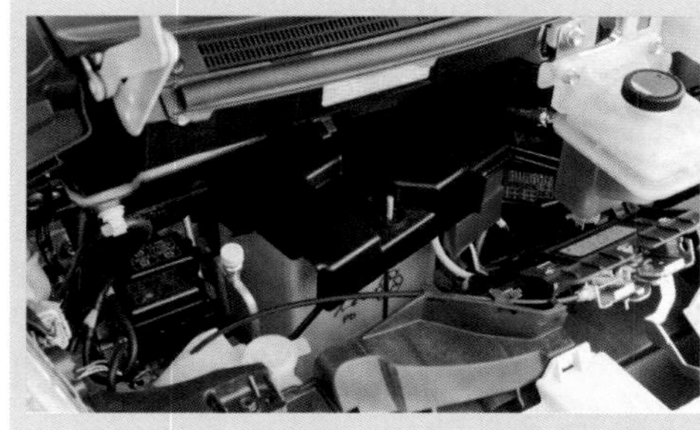

FEU VERT

- Moteur électrique bien adapté
- Zéro pollution
- Bonne habitabilité
- Tenue de route correcte
- Recharge simple

FEU ROUGE

- Rayon d'action limité
- Prises de recharges éparses
- Sensible aux vents latéraux
- Corde de recharge trop courte

DU NOUVEAU EN 2012

Nouveau modèle

http://www.mitsubishi-motors.ca/

Plus d'informations dans la section statistiques en dernière partie du Guide

PETIT OISEAU PERD DES PLUMES

C'est fou ce que les choses changent vite. La Mitsubishi Lancer était une des compactes préférées à son lancement, il y a cinq ans. On l'aimait surtout pour ce zeste de sportivité qui n'appartenait auparavant qu'à la Mazda3. Malheureusement, elle a perdu bien des plumes face à la compétition qui s'est affinée.

Première plume qui, selon la rumeur, tomberait sous peu: l'Evo telle qu'on la connaît. Mitsubishi soutient que la performante demeure pour 2012, mais règles d'émissions et variance du marché obligent, attendez-vous bientôt à une Evo de nouvelle philosophie. Toutes les idées sont lancées, entre autres, celle qui veut que le constructeur japonais puiserait à même son porte-folio électrique pour concocter quelque chose d'à la fois sport et vert.

En attendant que ça change (ou pas), peut-on se contenter de la Lancer Ralliart? Presque. Les variantes quatre et cinq portes (*sportback*) sous la houlette Ralliart reprennent le quatre cylindres de 2,0 litres de l'Evo, mais le turbo est alors simple et non double. Elle offre donc moins de puissance: 237 chevaux au lieu de 291. Ça fait certes une différence dans la vivacité sous le pied droit, mais l'écart le plus marqué réside dans la traction intégrale qui, si elle est d'une belle efficacité pour la Ralliart, ne redistribue pas la puissance de gauche à droite. C'est qu'il fallait justifier les milliers de dollars de plus demandés pour l'Evo, non?

ENTRE MANUELLE, AUTOMATIQUE ET CVT

Pendant qu'on est dans la Ralliart, laissez-nous vous rappeler que sa seule boîte est une automatique à double embrayage, une TwinClutch partagée avec l'Evo. Le passage des six rapports au volant (qu'on aime) répond vite en reprises, mais la boîte met un

CONCURRENTS
Chevrolet Cruze, Dodge Caliber, Ford Focus, Honda Civic, Hyundai Elantra, Kia Forte, Mazda3, Nissan Sentra, Subaru Impreza, Suzuki SX-4, Toyota Corolla, Volkswagen Jetta

IMPRESSIONS DE L'AUTEUR		
Agrément de conduite:	■■■■□	4 / 5
Fiabilité:	■■■■□	4 / 5
Sécurité:	■■■■■	5 / 5
Qualités hivernales:	■■■■□	4 / 5
Espace intérieur:	■■■□□	3 / 5
Confort:	■■■■□	4 / 5

temps au démarrage à comprendre qu'elle doit s'ébranler. Oh, pas une éternité, juste quelques fractions, mais c'est assez pour qu'on ait envie que ça déménage plus vite.

Ne cherchez pas de manuelle pour la Ralliart. Seule la Lancer «ordinaire» y a droit. Et en fait de boîte manuelle, on a affaire à une cinq vitesses (à quand une sixième?) qui, si elle se passe facilement, n'a pas la précision et la souplesse de celles de Mazda ou Honda. Ne boudez pas trop vite l'optionnelle CVT. D'abord, c'est le choix à faire, côté économie en carburant. Personnellement, je trouve que Mitsubishi est l'un des rares constructeurs à savoir y faire en matière de transmissions à variation continue (avec Subaru). Et ce, surtout lorsque les commandes des six rapports virtuels montent au volant (malheureusement, que pour la Lancer GT).

Plateforme d'Evo oblige, tant les Lancer Ralliart que les Lancer ordinaires sont montées sur des plates-formes aux tendances sportives. C'est ce qui les différencie de la concurrence. Sans surprise, les versions Sportback ont un derrière qui chasse plus que les berlines, à moins qu'on ne les charge. Et on peut certes en faire rentrer, du cargo, avec un max de 1 490 litres, banquette rabattue. C'est cependant moins généreux chez la berline versus la concurrence, puisque le coffre n'héberge que 348 litres. Y'a des compactes qui accueillent 20 % plus que ça, comme la Chevrolet Cruze. Aussi, les Sportback ont beau être 15 mm plus longues que les berlines Lancer, les dimensions intérieures ne changent pas. Conséquences: les genoux sont serrés à la banquette. Et sachez que la berline Lancer de base refuse toujours qu'on rabatte sa banquette. C'est impardonnable, à une époque où l'on compte sur les doigts d'une seule main les voitures qui souffrent de pareille obstination.

L'ATOUT

Mais au moins, on retrouve le plus grand atout de la Lancer, toutes versions confondues: sa tenue de route, à la fois solide et sportive. Plus on débourse et plus on a droit à une suspension (multibras à l'arrière) ferme, rehaussée de barres stabilisatrices de plus grand diamètre. Cette version est appelée à se dandiner sur notre cher réseau routier, mais c'est le prix à payer pour que ça colle au bitume (ça, et des roues de 18 pouces). Aussi, la direction est d'une incroyable précision et la voiture se place exactement là où on l'enligne, dans un bel équilibre de châssis. Certes, on prendrait davantage que les 148 chevaux du quatre cylindres de base (2,0 litres). Ils sont dans la bonne moyenne de la catégorie, mais ils sont produits dans une superficialité d'accélérations qui nous fait désirer plus de profondeur. Malheureusement, pour résoudre ce problème, il n'y a plus les GTS avec moteur de 2,4 litres pour 168 chevaux: ces variantes ont disparu au cours de la dernière année. Il faut donc se rabattre sur l'Evo ou, si le portefeuille se braque, sur la Ralliart qui délie de belle façon ses 237 chevaux. Sachez que c'est cependant une trentaine de moins que pour les Subaru WRX et MazdaSpeed3.

Un dernier point: l'habitacle de la Lancer commence à dater. Les commandes sont simplistes et les revêtements ont perdu au change des nouveaux plastiques qu'amène la concurrence. Sinon, ce qui reste et qu'on aime encore, c'est cette allure européenne aux flancs découpés, amorcée d'une calandre en nez de requin qui, avouons, vieillit bien. Et enfin, on aime cette garantie de 10 ans/160 000 km sur le groupe motopropulseur, sauf sur les Ralliart et Evo. Ne vous demandez pas pourquoi…

Nadine Filion

Photos: Mitsubishi

Catégorie	Berline, Hatchback
Échelle de prix	15 998 $ à 51 798 $ (2011)
Garanties	3 ans/60 000 km, 5 ans/100 000 km
Assemblage	Mizushima, Japon
Cote d'assurance	pauvre

CHÂSSIS - RALLIART

Emp/lon/lar/haut	2 635/4 570/1 760/1 490 mm
Coffre	283 litres
Réservoir	55 litres
Nombre coussins sécurité / ceintures	6 / 5
Suspension avant	indépendante, jambes de force
Suspension arrière	indépendante, multibras
Freins avant / arrière	disque / disque
Direction	à crémaillère, assistée
Diamètre de braquage	10,0 m
Pneus avant / arrière	P215/45R18 / P215/45R18
Poids	1 570 kg
Capacité de remorquage	n.d.

COMPOSANTES MÉCANIQUES

DE, SE, GT	
Cylindrée, soupapes, alim.	4L 2,0 litres 16 s atmos.
Puissance / Couple	148 chevaux / 145 lb-pi
Tr. base (opt) / rouage base (opt)	M5 (CVT) / Tr
0-100 / 80-120 / 100-0 km/h	9,1 s / 6,8 s / n.d.
Type ess. / ville / autoroute	Ordinaire / 8,4 / 5,9 l/100 km

Ralliart, Sportback Ralliart	
Cylindrée, soupapes, alim.	4L 2,0 litres 16 s turbo
Puissance / Couple	237 chevaux / 253 lb-pi
Tr. base (opt) / rouage base (opt)	A6 / Int
0-100 / 80-120 / 100-0 km/h	6,2 s / 4,2 s / 39,6 m
Type ess. / ville / autoroute	Super / 12,2 / 8 l/100 km

Evolution GSR, Evolution MR	
Cylindrée, soupapes, alim.	4L 2,0 litres 16 s atmos.
Puissance / Couple	291 chevaux / 300 lb-pi
Tr. base (opt) / rouage base (opt)	M5 / Int
0-100 / 80-120 / 100-0 km/h	5,6 s / 3,9 s / 35,2 m
Type ess. / ville / autoroute	Super / 12,7 / 8,9 l/100 km

FEU VERT

- Toujours sexy, la Lancer
- Belle tenue de route sportive
- Garantie 10 ans/160 000km
- Espace cargo important
- AWD efficace

FEU ROUGE

- Le démarrage sans clé que pour les versions $$
- Banquette arrière non rabattable (version de base)
- Volant non télescopique
- Genoux à l'étroit à l'arrière

DU NOUVEAU EN 2012

Aucun changement majeur

http://www.mitsubishi-motors.ca/

Plus d'informations dans la section statistiques en dernière partie du Guide

LE PLUS GROS VÉHICULE DE MITSUBISHI!

Le Mitsubishi Outlander est parmi nous depuis les débuts de la marque japonaise en nos terres nordiques, soit en 2003. Puis, en 2008, débarquait la génération actuelle, dérivée de la très populaire berline Lancer. Les espoirs les plus fous étaient alors permis et tout à fait légitimes. D'autant plus que l'an dernier, Mitsubishi donnait des armes à la version la plus huppée de son VUS compact en lui greffant un rouage intégral très sophistiqué.

Cependant, on est en droit de se demander où s'en va Mitsubishi en Amérique. Certes, la i-MiEV, cette citadine électrique, s'attire tous les regards, mais la gamme du constructeur aux trois diamants s'étiole de plus en plus. L'an dernier, la berline intermédiaire Galant tirait sa révérence sans faire de bruit et cette année, le coupé et le cabriolet Eclipse ainsi que le VUS intermédiaire Endeavor «s'éclipsent» à leur tour. Reste donc la Lancer, offerte heureusement en plusieurs configurations, l'Outlander et le RVR, un autre VUS compact. Ces deux derniers sont d'ailleurs construits autour de la plate-forme de la Lancer. Cette proximité de produits est assez difficile à comprendre, surtout quand on voit que Mitsubishi manque cruellement de produit dans plusieurs catégories…

Mais cette étrange mise en marché ne fait pas de l'Outlander un véhicule moins intéressant pour autant. Tout d'abord, l'Outlander n'est vraiment pas laid. C'est une question de goût, remarquez, mais la plupart des gens rencontrés le trouvent franchement beau. Dans l'habitacle, on est tout d'abord surpris par l'espace disponible. C'est franchement grand! On est aussi surpris par la simplicité de la planche de bord qui, si elle était correcte en 2008, s'avère maintenant trop discrète. Les plastiques font quelquefois dans le bas de gamme et l'ensemble manque de raffinement, toujours selon les critères de 2012.

CONCURRENTS

Chevrolet Equinox, Dodge Nitro, Ford Escape, Honda CR-V, Hyundai Santa Fe, Jeep Liberty, Mazda CX-7, Nissan Rogue, Subaru Forester, Suzuki Grand Vitara, Toyota RAV4, Volks Tiguan

IMPRESSIONS DE L'AUTEUR

Agrément de conduite :	4 / 5
Fiabilité :	4 / 5
Sécurité :	5 / 5
Qualités hivernales :	4 / 5
Espace intérieur :	4 / 5
Confort :	4 / 5

DU BON… ET DU BRICOLAGE

Les sièges avant sont moyennement confortables, mais ceux de la deuxième rangée sont aussi durs que le cœur d'un douanier américain. Quant à la troisième rangée, offerte uniquement avec les modèles V6, elle tient plus du bricolage d'enfant aveugle et manchot que du banc. Et en plus, elle élimine le très pratique bac de rangement qui loge sous le plancher des modèles à cinq places. À noter que le hayon ouvre en deux parties, à la manière de Land Rover. La partie inférieure se rabat et le haut s'ouvre comme un hayon standard. C'est pratique et efficace et n'émet aucun craquement suspect, même en hiver.

Côté mécanique, Mitsubishi fait appel à un quatre cylindres de 2,4 litres. Ce moteur n'est pas le plus dégourdi et une vingtaine ou une trentaine de chevaux supplémentaires ne seraient pas de refus. D'autant plus qu'on l'a mâté à une transmission de type CVT, dont l'un des principaux défauts est de faire allègrement grimper les tours/minute. On a donc l'impression, en accélération franche, que le moteur peine, même si ce n'est pas le cas. Deux propriétaires d'Outlander doté de ce moteur m'ont confié être parfaitement satisfaits de leur monture. C'est ce qui compte, non ?

Le V6 demeure donc le moulin de choix. Plus puissant et associé à une transmission automatique à six rapports, il offre des performances plus relevées et s'avère plus agréable à vivre. Mais, en revanche, il consomme davantage.

ROUAGE INTÉGRAL RÉUSSI

Outre la version de base qui est mue par les roues avant seulement, toutes les autres sont dotées d'un rouage intégral… qui varie selon la livrée! Car le modèle XLS, qui trône en haut de la gamme, a droit au rouage intégral S-AWC (Super-All Wheel Control), dérivé de celui de la Lancer Evolution, mais en moins… évolué. Ce rouage possède un différentiel avant actif, ce qui implique que le couple est transféré à la roue avant qui possède le plus de traction. Bien entendu, le transfert s'effectue aussi d'en avant en arrière. Le conducteur peut aussi choisir entre différents types de sols (tarmac et neige) pour améliorer encore l'adhérence. Enfin, le mode « Lock » permet d'envoyer 50 % du couple à l'arrière et autant à l'avant où chacune des roues reçoit le même pourcentage. Toutefois, ce rouage ne permet pas de faire du 4x4 pur et dur. Mais il permet de se rendre au chalet même sur des routes passablement défoncées. Et avant de l'oublier, précisons qu'il est possible de rouler, la plupart du temps, en mode traction, ce qui permet d'économiser des litres d'essence.

L'Outlander se fait davantage aimer sur la route que dans une salle de démonstration. Son châssis est solide et les suspensions indépendantes qui s'y arriment profitent d'un bon compromis entre le confort et la tenue de route. J'irais même jusqu'à dire que la version XLS est sportive! Oh, ce n'est pas un Porsche Cayenne, mais le Mitsubishi est très agréable à conduire rapidement. Certains pourraient trouver les suspensions un peu trop sèches, mais elles ne m'ont jamais dérangé. La direction est précise et son assistance est juste parfaite… dans le XLS. C'est un peu moins marqué dans les autres versions.

Le Mitsubishi Outlander de deuxième génération est parmi nous depuis déjà cinq ans. En 2010, on a doté la version la plus cossue de technologies plus évoluées, mais il faudrait que la marque aux trois diamants revitalise aussi les variantes moins dispendieuses.

Alain Morin

Photos : Mitsubishi

Catégorie	VUS
Échelle de prix	25 498 $ à 34 498 $ (2011)
Garanties	5 ans/100 000 km, 10 ans/160 000 km
Assemblage	Mizushima, Japon
Cote d'assurance	passable

MITSUBISHI OUTLANDER

CHÂSSIS - ES 4RM

Emp/lon/lar/haut	2 670/4 665/1 800/1 680 mm
Coffre	1 025 à 2 056 litres
Réservoir	60 litres
Nombre coussins sécurité / ceintures	6 / n.d.
Suspension avant	indépendante, jambes de force
Suspension arrière	indépendante, multibras
Freins avant / arrière	disque / disque
Direction	à crémaillère, assistée
Diamètre de braquage	10,6 m
Pneus avant / arrière	P215/70R16 / P215/70R16
Poids	1 600 kg
Capacité de remorquage	680 kg (1 499 lb)

COMPOSANTES MÉCANIQUES

ES 2RM, ES 4RM

Cylindrée, soupapes, alim.	4L 2,4 litres 16 s atmos.
Puissance / Couple	168 chevaux / 167 lb-pi
Tr. base (opt) / rouage base (opt)	CVT / Tr (Int)
0-100 / 80-120 / 100-0 km/h	9,8 s / 7,5 s / 43,0 m
Type ess. / ville / autoroute	Ordinaire / 9,1 / 7,0 l/100 km

LS 4RM, XLS 4RM

Cylindrée, soupapes, alim.	V6 3,0 litres 24 s atmos.
Puissance / Couple	230 chevaux / 215 lb-pi
Tr. base (opt) / rouage base (opt)	A6 / Int
0-100 / 80-120 / 100-0 km/h	8,8 s / 7,6 s / 40,3 m
Type ess. / ville / autoroute	Ordinaire / 11,0 / 7,9 l/100 km

FEU VERT

- Style toujours d'actualité
- V6 suffisamment puissant
- Habitacle spacieux
- Comportement routier très correct
- Garantie sérieuse

FEU ROUGE

- Tableau de bord très ordinaire
- Sièges plus ou moins confortables
- Troisième rangée ridicule
- Grand rayon de braquage
- V6 glouton

DU NOUVEAU EN 2012

Aucun changement majeur

http://www.mitsubishi-motors.ca/

Plus d'informations dans la section statistiques en dernière partie du Guide

PAS À SON MEILLEUR

Il n'a rien de parfait, ce Mitsubishi RVR. En fait, il croule sous des défauts qu'on pardonnait peut-être dans les années 1990, mais qu'on n'excuse plus aujourd'hui. Pourtant, il reste intéressant à conduire. Mais pas au point de tout justifier, quand même.

Soyons un peu langue sale, d'accord? Le Mitsubishi RVR a beau vouloir se faire passer pour un utilitaire compact, il a davantage l'air d'une Toyota Matrix soufflée à l'hélium. Le design est trop urbain pour être costaud et l'arrière, qui rappelle celui d'une fourgonnette, ne communique pas avec le reste du véhicule. Personnellement, je n'accorde une belle note qu'à la calandre musclée, qui se fait juste assez menaçante pour qu'on remarque le véhicule sur la route.

Justement, parlons-en, de la route. Le RVR (pour Recreational Vehicle Runner) a beau miser sur une suspension arrière à multibras, on dirait plutôt qu'on a affaire à une poutre de torsion, tellement ça tressaute. On les aime fermes, nos suspensions, mais ici, ça l'est tellement que ça en devient inconfortable. Sur les cahots, le véhicule brasse et produit, en prime, un désagréable bruit d'amortisseurs qui résonne dans l'habitacle.

Voilà qui nous amène à notre prochaine grande critique: l'insonorisation. L'habitacle souffre d'une piètre isolation, ce qui laisse exagérément passer les bruits de vent au pare-brise et le bruit sourd des pneus sur le bitume. Et pas besoin de filer à vive allure pour les entendre, ces bruits… Le quatre cylindres de 2,0 L, ce moteur « mondial » emprunté à la Lancer, produit ici aussi 148 chevaux et 145 lb-pi de couple. Mais en comparaison, le Nissan Juke, bien moins lourd, développe 180 chevaux.

CONCURRENTS

Jeep Compass, Jeep Patriot, Kia Soul, MINI Countryman, Nissan Juke

IMPRESSIONS DE L'AUTEUR

Agrément de conduite :	3.5/5
Fiabilité :	NOUVEAU MODÈLE
Sécurité :	4/5
Qualités hivernales :	4/5
Espace intérieur :	4/5
Confort :	3.5/5

Si 148 chevaux, c'est suffisant pour sa sœur, la berline, ça ne l'est pas pour propulser un RVR plus gros et plus lourd de 350 kg. La puissance s'essouffle et les accélérations n'ont aucune profondeur. Pire, un moteur aussi poussif influence négativement la consommation d'essence et au lieu des 7,6 l/100 km promis en combiné (boîte CVT), nous avons plutôt enregistré une moyenne de 9,0 l/100 km sur les autoroutes. Il s'agit d'un bien piètre résultat pour quelque chose qui, selon la très respectable Association des journalistes automobiles du Canada, met 11,5 longues secondes pour accomplir le 0-100 km/h.

Catégorie	VUS
Échelle de prix	19 998$ à 28 498$ (2012)
Garanties	5 ans/100 000 km, 10 ans/160 000 km
Assemblage	Nagoya, Japon
Cote d'assurance	n.d.

QUELQUES QUALITÉS

Le Mitsubishi RVR est un véhicule assemblé sur la plateforme révisée (pour ne pas dire rétrécie) de l'Outlander. Les gènes sportifs sont donc au rendez-vous et la tenue de route solide honore les qualités routières que l'on reconnaît à Mitsubishi. La direction a beau se faire électrique, elle est suffisamment précise pour connecter avec la route de belle façon. Aussi, la traction intégrale (optionnelle) fait coller le véhicule au bitume, en plus de proposer le bienheureux mode verrouillé 50-50. Autrement dit, le RVR est plaisant à piloter et il n'a pas peur des virages serrés, malgré sa garde au sol relativement haute (215 mm).

Le hic, c'est que les versions AWD ne sont possibles qu'avec la transmission à variation continue. Cette CVT se traduit par des envolées bruyantes et moins raffinées que ce qu'elle est capable de faire sur la Lancer. Petite puissance oblige, elle nous force régulièrement à en manier les six rapports virtuels. Heureusement, pour la GT, ce passage manuel monte au volant. La boîte manuelle? Bof. D'une part, elle n'est proposée qu'avec les variantes deux roues motrices et de l'autre, elle n'offre que cinq vitesses, au demeurant mal étagées. À 110 km/h, les révolutions dépassent les 2 500 tr/min, ce qui nous a constamment fait chercher un sixième rapport, en vain.

SANS PANACHE, ÇA CRAINT

On donne à l'habitable une note passable, sans plus. Trop peu rembourrés, les sièges sont recouverts d'un tissu synthétique rêche au toucher. Et pas de cuir offert. Le dégagement aux têtes et aux jambes n'est pas le plus généreux en ville, autant à l'avant qu'à l'arrière. La banquette accepte tout de même de se rabattre (60/40), mais pas de s'avancer ni de se reculer, ce qui aurait pu accorder plus d'espace aux jambes des passagers arrière. La planche de bord est d'une simplicité si ennuyante qu'on a l'impression de se trouver à bord d'une Japonaise des années 1990.

Cela dit, la finition intérieure est soignée, les commandes sont on ne peut plus faciles à apprivoiser et le cargo (maximum 1 402 litres) suffit amplement pour une petite virée chez Ikea. L'équipement de série est intéressant, aussi. Pensez sièges et rétroviseurs chauffants, régulateur de vitesse et climatiseur. Par contre, des gâteries comme le toit panoramique (qui ne s'ouvre pas), le démarrage sans clé, les phares au xénon, les roues de 18 pouces et les essuie-glaces sensibles à la pluie ne viennent qu'avec la GT, offerte à plus ou moins 28 500 $. On aura beau dire que la garantie de 10 ans/160 000 km est la plus charitable de l'industrie, ça reste cher payé pour quelque chose de sous-motorisé et qui manque cruellement de panache face aux Kia Sportage, Hyundai Tucson, Jeep Compass/Patriot, Nissan Juke ou Subaru Impreza. Quelqu'un a-t-il pensé au Kia Soul, aussi? Bref, il n'est pas étonnant d'apprendre qu'il s'est vendu, au Canada, presque trois fois moins de RVR que ce que prévoyait Mitsubishi...

Nadine Filion

Photos : Sylvain Raymond

CHÂSSIS - SE TI

Emp/lon/lar/haut	2 670/4 295/1 770/1 630 mm
Coffre	614 à 1 402 litres
Réservoir	60 litres
Nombre coussins sécurité / ceintures	7 / 5
Suspension avant	indépendante, jambes de force
Suspension arrière	indépendante, multibras
Freins avant / arrière	disque / disque
Direction	à crémaillère, ass. électrique
Diamètre de braquage	10,6 m
Pneus avant / arrière	P215/70R16 / P215/70R16
Poids	1 470 kg
Capacité de remorquage	n.d.

COMPOSANTES MÉCANIQUES

ES TA, SE TI, GT TI

Cylindrée, soupapes, alim.	4L 2,0 litres 16 s atmos.
Puissance / Couple	148 chevaux / 145 lb-pi
Tr. base (opt) / rouage base (opt)	M5 (CVT) / Tr (Int)
0-100 / 80-120 / 100-0 km/h	11,5 s / 9,2 s / 41,6 m
Type ess. / ville / autoroute	Ordinaire / 8,4 / 6,6 l/100 km

FEU VERT

- Sièges chauffants de série
- Grand toit panoramique (GT)
- Solide tenue de route
- Bon espace cargo

FEU ROUGE

- Sous-motorisé
- Insonorisation déficiente
- Sans panache versus la concurrence
- Habitacle très (trop) sobre

DU NOUVEAU EN 2012

Aucun changement majeur

http://www.mitsubishi-motors.ca/

Plus d'informations dans la section statistiques en dernière partie du Guide

OLD SCHOOL

Dans le paysage automobile, rares sont les voitures qui peuvent se targuer d'avoir changé le cours de l'histoire, mais la Z fait définitivement partie du lot. Lancée en 1969, la Z a eu le même impact sur les marques de voitures sport britanniques que les motos japonaises ont eu sur les marques de motocyclettes anglaises, soit l'effet d'un missile…

Aujourd'hui, la Z affiche encore et toujours un look d'enfer. C'est particulièrement vrai dans le cas du coupé Nismo (une contraction de Nissan Motorsport), qui est doté d'un aileron arrière surdimensionné, de jantes en alliage ajourées à cinq branches de 19 pouces, sans parler des échappements doubles. Je peux vous le confirmer: tous les ados vous regarderont passer avec une muette admiration…

PAS JUSTE UNE QUESTION DE LOOK

Plusieurs marques se contentent souvent d'épater la galerie avec un usage intensif d'artifices visuels pour leurs modèles à vocation plus sportive, sans toutefois apporter de modifications au moteur ou au châssis. Nissan, pour sa part, a plutôt opté pour le concept de la valeur ajoutée et a choisi de bonifier la Z Nismo par l'ajout de ressorts et d'amortisseurs ainsi que de barres anti-roulis plus fermes, en plus d'augmenter la puissance du V6 de 3,7 litres à 350 chevaux avec un couple légèrement amélioré (il est de 276 lb-pi plutôt que de 270 sur le coupé Z conventionnel).

Premier constat: avec autant de caoutchouc en contact avec l'asphalte, la Z Nismo colle littéralement à la route et fait preuve d'un aplomb remarquable en virages rapides, notamment grâce à son châssis rigide et bien équilibré. Les pneus surdimensionnés jouent également un rôle important au freinage alors que la décélération est extrêmement rapide, mais malheureusement la pédale de frein s'avère plutôt sensible et difficile à moduler. La voiture s'inscrit facilement en virages, mais elle est également susceptible aux transferts de poids, ce qui nous invite à faire preuve de beaucoup de précision avec la commande des gaz. L'envers de la médaille, c'est que le confort sur revêtement dégradé est plus qu'aléatoire, les pneus larges et les suspensions fermes transmettant tous les chocs à la caisse de la voiture. Cela a eu pour effet de provoquer des bruits de caisse en provenance du hayon arrière sur notre voiture d'essai. C'est sans compter le bruit de roulement, très présent.

CONCURRENTS
Audi TT,
BMW Série 3,
Ford Mustang,
Infiniti G,
Mercedes-Benz Classe SLK,
Porsche Boxster, Porsche Cayman

IMPRESSIONS DE L'AUTEUR		
Agrément de conduite:	■■■■□	4 / 5
Fiabilité:	■■■■□	4 / 5
Sécurité:	■■■■□	4 / 5
Qualités hivernales:	■■□□□	2 / 5
Espace intérieur:	■■■□□	3 / 5
Confort:	■■■□□	3 / 5

Catégorie	Coupé, Roadster
Échelle de prix	40 898 $ à 47 398 $ (2011)
Garanties	3 ans/60 000 km, 5 ans/100 000 km
Assemblage	Tochigi, Japon
Cote d'assurance	passable

CHÂSSIS - 370Z ROADSTER

Emp/lon/lar/haut	2 550/4 246/1 849/1 326 mm
Coffre	119 litres
Réservoir	72 litres
Nombre coussins sécurité / ceintures	6 / 2
Suspension avant	indépendante, double triangulation
Suspension arrière	indépendante, multibras
Freins avant / arrière	disque / disque
Direction	à crémaillère, ass. variable
Diamètre de braquage	10,0 m
Pneus avant / arrière	P225/50R18 / P245/45R18
Poids	1 573 kg
Capacité de remorquage	n.d.

COMPOSANTES MÉCANIQUES

370Z Coupe, 370Z Roadster	
Cylindrée, soupapes, alim.	V6 3,7 litres 24 s atmos.
Puissance / Couple	332 chevaux / 270 lb-pi
Tr. base (opt) / rouage base (opt)	M6 (A7) / Prop
0-100 / 80-120 / 100-0 km/h	6,0 s / 6,4 s / 42,1 m
Type ess. / ville / autoroute	Super / 11,6 / 7,7 l/100 km

Nismo	
Cylindrée, soupapes, alim.	V6 3,7 litres 24 s atmos.
Puissance / Couple	350 chevaux / 276 lb-pi
Tr. base (opt) / rouage base (opt)	M6 / Prop
0-100 / 80-120 / 100-0 km/h	5,6 (est) / 6,0 (est) / n.d.
Type ess. / ville / autoroute	Super / 11,6 / 7,7 l/100 km

PLUS DE MOTEUR, S.V.P.

On apprécie la puissance chiffrée à 350 chevaux, mais on s'aperçoit très rapidement que la cavalerie ne se manifeste pleinement qu'à 7 400 tours/minute, et c'est idem pour le couple maximal qui s'affiche à 5 200 tours/minute. Bref, il faut cravacher ce V6 pour en tirer tout le potentiel de performance et c'est à ce chapitre que la Z commence à montrer de l'âge avec son moteur qui manque à la fois de caractère et de son. Par contre, la Z Nismo est dotée d'une très bonne boîte manuelle à six vitesses qui est équipée de l'ingénieux dispositif SynchroRev Match développé par Nissan. Avec une boîte manuelle, il faut absolument maîtriser la technique du pointe-talon pour augmenter le régime moteur avant de rétrograder tout en freinant sans provoquer de transferts de poids inopportuns lors du freinage. Il s'agit là de la toute première technique qui est enseignée par toutes les écoles de pilotage dont la flotte est composée de voitures à boîtes manuelles, et c'est une technique qui demande beaucoup de pratique avant d'obtenir une maîtrise parfaite. Avec le système SynchroRev match, les ingénieurs de Nissan ont réussi l'exploit de concevoir un dispositif qui ajuste automatiquement le régime moteur avant l'enclenchement du rapport inférieur. Le fonctionnement de ce système est tellement efficace que même un conducteur inexpérimenté aura l'air d'un pilote chevronné, une armée de capteurs et de modules électroniques faisant tout le boulot. Et pour ceux qui maîtrisent déjà le pointe-talon, précisons que le système SynchroRev Match peut être désactivé à la simple pression d'un bouton localisé tout près du levier de vitesse.

L'habitacle de la Z est un curieux mélange de modernité et d'un certain look *old school*. Dans un premier temps, précisons que les sièges offrent un excellent soutien latéral et que le bloc d'instruments s'élève ou s'abaisse avec la colonne de direction, comme sur l'ancienne Porsche 928, ce qui permet d'avoir toujours une lecture optimale des cadrans. À gauche du bloc d'instruments, on retrouve un afficheur numérique pour le niveau d'essence et les différents menus de configuration, alors que des cadrans analogiques sont de mise pour l'indicateur de vitesse et le tachymètre. Idem pour les trois cadrans localisés au sommet de la planche de bord, qui rappellent ceux de la Z de première génération, les deux premiers étant analogues (température et voltmètre), alors que le troisième est une horloge numérique.

Quant au modèle cabriolet, précisons que le style du 370Z Roadster est nettement plus réussi que celui de la version décapotable du modèle précédent, et le toit souple, qui a été retenu pour des considérations de poids, n'empiète pas sur le volume du coffre lorsqu'il est replié.

Avec la Z, le look est au rendez-vous et la tenue de route aussi, mais le moteur a besoin d'un peu plus de tonus pour affronter les nouvelles sportives qui sont plus à la page sur le plan technique.

Gabriel Gélinas

Photos: Marc Lachapelle

FEU VERT

- Puissance de freinage
- Très bonne tenue de route
- Qualité de finition
- Système SynchroRev Match efficace

FEU ROUGE

- Manque de couple et de «son» du V6
- Bruit de roulement prononcé
- Volume de chargement limité
- Plusieurs équipements en option seulement

DU NOUVEAU EN 2012

Modèle Nismo Z

http://www.nissan.ca/

Plus d'informations dans la section statistiques en dernière partie du Guide

EN ATTENDANT LE JOUR NOUVEAU

L'Altima telle que nous la connaissons est parmi nous depuis 2007, soit une éternité en années automobiles. Internet, cet indispensable allié, faisait état d'une nouvelle génération pour 2012, mais puisque rien n'a encore transpiré des autorités de Nissan, nous devrons sans doute attendre encore un an avant d'avoir droit à une nouvelle berline/hybride/coupé intermédiaire.

Quoi qu'il en soit, l'Altima demeure une valeur sûre. Elle qui n'était que berline est devenue, au fil des années et des versions, coupé et même hybride. Même si elle ne fait plus tourner les têtes comme auparavant, on ne peut pas dire que l'Altima soit esthétiquement dépassée. Les quelques améliorations apportées en 2010 ont été bénéfiques. Si la berline se veut élégante, on ne peut vraiment pas dire que le coupé soit en reste. Même que ce dernier réussit encore, quelques années après son lancement, à se faire remarquer !

L'habitacle, par contre, a moins bien vieilli. Même s'il s'avère toujours adéquat et que les matériaux qui le recouvrent sont de meilleure qualité qu'auparavant, le style du tableau de bord est, selon moi, un peu en retrait par rapport à celui de la carrosserie. Les sièges sont très confortables et l'espace est abondant. À l'avant, devrions-nous préciser, car à l'arrière, c'est un peu plus serré, même si nous sommes loin d'être en présence d'une Mitsubishi Eclipse Spyder. Les mêmes remarques s'appliquent au coupé mais, dans son cas, l'accès aux places arrière est carrément problématique. Et une fois rendu, il faut apprendre à voyager léger... et replié. Autant dans la berline que dans le coupé, on peut abaisser les dossiers pour agrandir le coffre — heureusement, dans le cas du coupé ! — sauf dans la version hybride. Dans ce cas, l'ensemble de batteries loge justement entre le dossier du siège arrière et le coffre, ce qui vient bouffer 147 litres par rapport à la version à moteur thermique, pour un total de 286. Mais c'est encore mieux que le coupé avec ses quasi inutiles 232 litres.

CONCURRENTS

Chevrolet Malibu, Dodge Avenger, Ford Fusion, Honda Accord, Hyundai Sonata, Mazda6, Subaru Legacy, Suzuki Kizashi, Toyota Camry

IMPRESSIONS DE L'AUTEUR

Agrément de conduite :	3 / 5
Fiabilité :	4 / 5
Sécurité :	5 / 5
Qualités hivernales :	3 / 5
Espace intérieur :	4 / 5
Confort :	3 / 5

ON RATISSE LARGE

Pas moins de trois moteurs se disputent la place sous le capot de la berline. L'hybride préfère toutefois passer son tour dans le cas du coupé. On retrouve tout d'abord un quatre cylindres de 2,5 litres dont les performances, sans être éclatantes, font parfaitement l'affaire de la plupart des gens. En plus, sa consommation est très raisonnable, une bénédiction par les temps qui courent. La

transmission de base est une manuelle à six rapports. Une automatique de type CVT est livrée en option. Même si cette transmission amène toujours un niveau sonore plus élevé en accélération, Nissan l'a constamment raffinée et aujourd'hui, on peut la recommander sans avoir à sortir de la maison avec une cagoule sur la tête de peur de représailles.

L'autre moteur, autrement déluré, est un V6 de 3,5 litres, appliqué à toutes les sauces chez Nissan. Très puissant, il commande toutefois une ration en essence plus élevée que le 2,5. La seule transmission qui l'accompagne dans sa quête routière est la CVT qui, ici, semble mieux adaptée. C'est sans doute dû au fait que le moteur est plus puissant et qu'il « force » moins en accélération vive. Malgré tout, ce moteur n'offre que 20 chevaux de moins que celui de la Maxima, la grande sœur. Étonnamment, cette dernière s'avère beaucoup moins agréable à conduire.

ET L'HYBRIDE ?

On retrouve également un moteur hybride qui fait beaucoup parler de lui, même s'il connait peu de popularité. Puisque Nissan s'est intéressé très tardivement à la motorisation hybride, on a trouvé une solution simple et efficace : acheter la technologie déjà développée par Toyota ! Mais les rumeurs veulent que la prochaine Altima ait droit à un système hybride maison, sans aucun doute dérivé de celui qui équipe la nouvelle Infiniti M Hybrid. Toujours est-il que le système actuel permet à 158 chevaux de se trouver du travail. Cette écurie est secondée par 40 autres chevaux fournis par le moteur électrique. Il s'agit du système que l'on retrouve dans la Camry, mais révisé un peu par les ingénieurs de Nissan.

Sur la route, l'Altima, autant dans sa version berline que coupé, présente une tenue de route très correcte à défaut d'être vraiment sportive. Il faut dire qu'elle nous est apparue plus solide avec le V6 qu'avec le quatre cylindres, alors que le train avant colle davantage au bitume. Au fil des ans, les ingénieurs ont amélioré les suspensions et il est maintenant possible de rouler sur une route bosselée sans avoir mal au cœur. La direction offre un bon retour d'information, mais au chapitre de la précision, elle se place dans la moyenne, sans plus.

La Nissan Altima actuelle est sur ses derniers milles. Elle est pourtant loin d'être dépassée, mais, dans un domaine où la nouveauté prime souvent sur la fonctionnalité, elle perd des points par rapport aux nouvelles venues que sont les Hyundai Sonata et Kia Optima. Elle est plutôt de la génération des « plus vieilles », comme les Toyota Camry, Ford Fusion et Honda Accord.

Alain Morin

Photos : Nissan

NISSAN ALTIMA

Catégorie	Berline, Coupé
Échelle de prix	23 998 $ à 35 298 $ (2011)
Garanties	3 ans/60 000 km, 5 ans/100 000 km
Assemblage	Smyrna, Tennessee, É-U
Cote d'assurance	passable

CHÂSSIS - 2.5 S BERLINE

Emp/lon/lar/haut	2 775/4 844/1 795/1 474 mm
Coffre	433 litres
Réservoir	76 litres
Nombre coussins sécurité / ceintures	6 / 5
Suspension avant	indépendante, jambes de force
Suspension arrière	indépendante, multibras
Freins avant / arrière	disque / disque
Direction	à crémaillère, ass. variable
Diamètre de braquage	11,0 m
Pneus avant / arrière	P215/60R16 / P215/60R16
Poids	1 437 kg
Capacité de remorquage	454 kg (1 000 lb)

COMPOSANTES MÉCANIQUES

2.5 S Hybride	
Cylindrée, soupapes, alim.	4L 2,5 litres 16 s atmos.
Puissance / Couple	158 chevaux / 162 lb-pi
Tr. base (opt) / rouage base (opt)	CVT / Tr
0-100 / 80-120 / 100-0 km/h	8,0 s / 7,0 s / n.d.
Type ess. / ville / autoroute	Ordinaire / 5,6 / 5,9 l/100 km

2.5 S, 2.5 S Coupe	
Cylindrée, soupapes, alim.	4L 2,5 litres 16 s atmos.
Puissance / Couple	175 chevaux / 180 lb-pi
Tr. base (opt) / rouage base (opt)	M6 (CVT) / Tr
0-100 / 80-120 / 100-0 km/h	8,6 s / 7,1 s / 43,0 m
Type ess. / ville / autoroute	Ordinaire / 9,0 / 6,3 l/100 km

3.5 S, 3.5 SR, 3.5 SR Coupe	
Cylindrée, soupapes, alim.	V6 3,5 litres 24 s atmos.
Puissance / Couple	270 chevaux / 258 lb-pi
Tr. base (opt) / rouage base (opt)	CVT / Tr
0-100 / 80-120 / 100-0 km/h	6,5 s / 4,8 s / 42,0 m
Type ess. / ville / autoroute	Ordinaire / 11,4 / 7,3 l/100 km

- V6 en pleine forme
- Habitacle accueillant
- Coupé attirant
- Modèle hybride intéressant
- Fiabilité reconnue

- Transmission CVT bruyante
- Places arrière exigües (berline)
- Places arrière très exigües (coupé)
- Coffre du coupé pour un cure-dents

DU NOUVEAU EN 2012

Aucun changement majeur

http://www.nissan.ca/

Plus d'informations dans la section statistiques en dernière partie du Guide

SI VOUS AIMEZ LES GROS FORMATS

Pendant des années, il aurait été impensable pour Nissan de produire un VUS de cette grosseur. Non seulement le constructeur traversait une crise financière assez difficile, mais la compagnie ne possédait que le Frontier, une camionnette compacte qui n'aurait jamais fait le poids. Après l'arrivée de la grande Titan, on a donné aux ingénieurs un nouveau défi: concocter un véhicule capable de se comparer aux Chevrolet Suburban et Ford Expedition, tous deux dérivés des grosses camionnettes. C'est ainsi que l'Armada de Nissan est née.

CONCURRENTS
Chevrolet Tahoe,
Ford Expedition,
GMC Yukon,
Toyota Sequoia

IMPRESSIONS DE L'AUTEUR	
Agrément de conduite:	3/5
Fiabilité:	3.5/5
Sécurité:	4/5
Qualités hivernales:	4/5
Espace intérieur:	5/5
Confort:	4/5

Une chose est certaine, cette Nissan n'a rien à envier aux grosses Américaines en ce qui a trait à sa taille. Elle est plus longue que le Ford Expedition ou le Cadillac Escalade et c'est la même chose au chapitre de l'empattement. Il est intéressant de souligner que si on présente Nissan comme un constructeur japonais, beaucoup de ses modèles sont toutefois conçus, développés et fabriqués en Amérique. C'est notamment le cas du Titan, et de l'Armada par la même occasion. Ce qui explique sans doute cette folie des grandeurs au chapitre des dimensions tant à l'extérieur qu'à l'intérieur.

DE LA PLACE, ON EN A!

Règle générale, les acheteurs américains aiment toujours ce qui est plus gros. Par exemple, ils choisiront un téléviseur plus grand de moindre qualité plutôt qu'un modèle plus petit, mais dont l'image est nettement supérieure. C'est la même chose au chapitre de la restauration. On ne se contente pas de vous servir à manger, on remplit de très grosses assiettes. La même chose s'applique lorsqu'il est question de véhicules tout-terrain. Ils ont été initialement développés pour des personnes qui partaient pendant plusieurs jours en forêt et avaient besoin de tout leur équipement de camping et de victuailles nécessaires à leur survie. Bien souvent, ces mêmes personnes remorquaient une embarcation. Les grosses pointures étaient donc préférées, car il était possible d'apporter tous ses bagages, sans devoir réfléchir à ce que l'on devait laisser derrière soi. Et souvent, on pouvait encore prendre ses aises dans le véhicule!

Tout cela est vrai en ce qui concerne l'Armada. D'ailleurs, un concessionnaire de la marque, constatant l'immensité de ce véhicule, a dit en forme de boutade: «Ils devraient offrir une table de ping-pong en option dans le coffre à bagages. Les enfants pourraient y jouer pendant le trajet.» Bref, de l'espace, il y en a aussi bien à l'avant qu'aux places centrales et arrière. Par contre, comme d'habitude, l'accès à la troisième banquette nécessite un peu de souplesse. Règle générale, ces sièges sont occupés par des personnes de petite taille ou encore, par des enfants. Pourtant, si ceux-ci sont très jeunes, ils auront sans doute de la difficulté à ouvrir la portière arrière puisque la poignée est placée à la hauteur de la ceinture de caisse et en position verticale, le long du pilier C.

Pendant ce temps, le pilote fera face à un tableau de bord classique à Nissan. La console centrale, avec son écran de navigation encadré de deux buses de ventilation, superpose les commandes de climatisation et du système audio. Le moyeu du volant a une forme particulière que l'on identifie immédiatement à ce constructeur. Sur chacun des rayons, on trouve les commandes du régulateur de croisière et du système audio. Soulignons également que la qualité des matériaux pourrait être meilleure et, sur le modèle essayé, l'assemblage était plus que perfectible. Il semble que les ouvriers de l'usine de Canton dans le Mississippi aient encore de la difficulté avec l'assemblage des habitacles.

GÉANT HABILE

Quand on prend place à bord de l'Armada, il faut lever la patte très haut et on se sent petit une fois à bord. On a l'impression de conduire une grosse semi-remorque. Cependant, malgré ses imposantes dimensions, ce véhicule s'avère fort agile en conduite urbaine. En effet, il semble tourner sur un dix sous, les manœuvres de stationnement sont relativement aisées, du moins pour un véhicule de cette grosseur. Et le moteur V8 de 5,6 litres fait du bon travail en collaboration avec la boîte automatique à cinq rapports. En outre, le temps de réaction du moteur est très bon, ce qui permet parfois de se faufiler assez facilement dans la circulation. Mais non sans avoir pris le temps de vérifier si on avait le dégagement nécessaire pour effectuer la manœuvre. Cela ne réduit pas les dimensions de ce véhicule, mais il est surprenant de constater son agilité. Sur la grande route, bien entendu, sa forme ainsi que sa grande taille le rendent sensible aux vents latéraux. Soulignons au passage que lorsqu'on roule sur des routes en mauvaises conditions, ce n'est pas le confort du Maxima, mais l'essieu arrière indépendant réussit à amortir la plupart des chocs. Quant au rouage intégral, il est efficace et simple d'utilisation.

Somme toute, le Nissan Armada est un véhicule relativement équilibré et il est déplorable que sa consommation de carburant soit plus élevée que la moyenne de la catégorie. Par exemple, un Chevrolet Suburban propulsé par un moteur de puissance quasi égale, affiche une moyenne de consommation d'environ 3,0 l/100 km de moins. Je crois que les chiffres parlent d'eux-mêmes…

Denis Duquet

Photos: Nissan

Catégorie	VUS
Échelle de prix	55 898 $ (2011)
Garanties	3 ans/60 000 km, 5 ans/100 000 km
Assemblage	Canton, Mississippi, États-Unis
Cote d'assurance	n.d.

CHÂSSIS - PLATINE	
Emp/lon/lar/haut	3 130/5 255/2 001/1 998 mm
Coffre	566 à 2 750 litres
Réservoir	105 litres
Nombre coussins sécurité / ceintures	6 / 7
Suspension avant	indépendante, double triangulation
Suspension arrière	indépendante, double triangulation
Freins avant / arrière	disque / disque
Direction	à crémaillère, ass. variable
Diamètre de braquage	12,4 m
Pneus avant / arrière	P275/60R20 / P275/60R20
Poids	2 652 kg
Capacité de remorquage	4 082 kg (8 999 lb)

COMPOSANTES MÉCANIQUES	
Platine	
Cylindrée, soupapes, alim.	V8 5,6 litres 32 s atmos.
Puissance / Couple	317 chevaux / 385 lb-pi
Tr. base (opt) / rouage base (opt)	A5 / 4x4
0-100 / 80-120 / 100-0 km/h	9,1 s / 8,2 s / 44,3 m
Type ess. / ville / autoroute	Ordinaire / 17,3 / 11,4 l/100 km

FEU VERT

- Habitabilité assurée
- Bonne capacité de remorquage
- Silhouette moderne
- Confort garanti
- Tenue de route sans surprise

FEU ROUGE

- Dimensions hors normes
- Moteur gourmand
- Plastiques bon marché dans l'habitacle
- Modèle en sursis
- Seuils des portières élevés

DU NOUVEAU EN 2012

Aucun changement majeur

http://www.nissan.ca/

Plus d'informations dans la section statistiques en dernière partie du Guide

VERTICALEMENT VÔTRE

S'il est une chose dont on ne peut accuser Nissan, c'est de ne pas essayer. Dans toutes les catégories, cet important constructeur nous arrive avec toutes sortes de propositions, de modèles tous plus différents les uns que les autres. Bref, chez Nissan, on tente sa chance.

Un des gestes les plus audacieux a été le lancement de son modèle cube en Amérique du Nord. Cette voiture aux proportions verticales est un objet-culte au Japon et on a décidé d'en commercialiser la troisième génération sur notre continent. Mais on s'est rapidement rendu comptes que les goûts des Nord-Américains étaient fort différents de ceux des Japonais.

Alors que le Juke semble s'avérer une solution plus intéressante sur notre marché, le cube demeure une exception plus excentrique qu'autre chose. La plupart des gens trouvent la silhouette désopilante. Pourtant, ce véhicule s'est mérité le titre du Design de l'année décerné par la publication américaine Automobile en 2010. Loin de moi de vouloir créer une controverse, mais je crois que la vision de mon ami Robert Cumberford, responsable d'avoir décerné ce prix, n'est plus ce qu'elle était. Il est le premier à admettre que la silhouette n'est pas élégante, mais il explique que dans son esprit, « design » n'équivaut pas nécessairement à « belle silhouette ». En fait, c'est surtout le caractère polyvalent et pratique du cube qui lui a permis d'obtenir cet honneur.

DE LA PLACE EN MASSE

Une chose est certaine : les gens qui se sont procuré ce modèle n'ont aucune inquiétude quant au dégagement pour la tête. Dans l'habitacle, ce n'est pas l'espace qui fait défaut, bien au contraire. Malgré ses dimensions relativement modestes, cette Nissan tout usage propose des places avant très spacieuses et des places arrière correctes, elles aussi. De plus, l'accès à bord est relativement facile

CONCURRENTS
Kia Soul,
Toyota Matrix

IMPRESSIONS DE L'AUTEUR	
Agrément de conduite :	4 / 5
Fiabilité :	3 / 5
Sécurité :	3.5 / 5
Qualités hivernales :	3.5 / 5
Espace intérieur :	4 / 5
Confort :	4 / 5

en raison de la hauteur des sièges. On ne monte pas dans cette voiture et on n'y descend pas non plus : on s'y glisse. Le Kia Soul, qui appartient à cette même catégorie, propose également les mêmes caractéristiques.

Une fois en place dans des sièges moyennement confortables, on découvre une planche de bord relativement avant-gardiste, avec des buses de ventilation verticales, de grandes surfaces de plastiques, un système de commandes par boutons très simplifiés et un volant doté de pastilles de contrôle. Mais si vous voulez mon avis, il semble que les designers aient voulu jouer aux « smattes » en incorporant de petits détails qui n'apportent pas grand-chose de

Catégorie	Multisegment
Échelle de prix	17 598 $ à 21 498 $ (2011)
Garanties	3 ans/60 000 km, 5 ans/100 000 km
Assemblage	Oppama, Japon
Cote d'assurance	n.d.

plus. Par exemple, on retrouve des fentes sur le rebord de la poignée des portières pour ancrer des objets avec un élastique. Avouez qu'il faut le faire. Quant à la qualité des matériaux de l'habitacle, elle est dans la moyenne de la catégorie.

Bien entendu, les espaces de rangement pullulent. Toutefois, malgré sa silhouette s'apparentant à une boîte et suggérant une grande capacité de chargement, cela n'est pas nécessairement le cas une fois tous les sièges occupés. Lorsqu'on ouvre la portière arrière dont les charnières sont placées du côté droit du véhicule, on accède à un compartiment à bagages modeste. Mais si on abaisse les sièges arrière, on bénéficie d'une capacité de chargement de 1645 litres, ce qui est impressionnant. Deux bémols cependant. Tout d'abord, la portière du coffre est très lourde et le plancher de la soute à bagages est trop profond. C'est difficile pour le dos. De plus, lorsqu'on tente d'y placer un objet lourd ou de l'enlever, on a tendance à appuyer nos genoux sur le pare-chocs. Si jamais celui-ci est souillé, vous en serez quitte pour changer de pantalon.

PLUTÔT INSTABLE

Sa silhouette sympathique aux yeux de certains, sa vocation essentiellement urbaine et une motorisation assez économique en fait de consommation de carburant sont autant d'arguments qui font pencher la balance en sa faveur. Par contre, le moteur de 1,8 litre n'est pas un foudre de guerre tandis que la boîte manuelle de série n'est pas trop excitante non plus. Souvent, l'obligation de rouler quotidiennement dans la circulation urbaine incite les gens à opter pour une boîte de vitesse automatique. Dans le cas qui nous occupe, il s'agit d'une transmission CVT à rapports continuellement variables. Même si ce type de boîte de vitesse n'est pas apprécié de tous, celle du cube fait du bon travail.

En ville, cette voiture se fait apprécier en raison de sa maniabilité, de son excellente visibilité périphérique et de ses dimensions relativement faibles. Malheureusement, lorsqu'on décide de rouler sur les routes, la suspension trop souple et le centre de gravité élevé ne font pas bon ménage. La voiture roule et tangue pour autant que vous adoptiez une conduite un peu plus agressive. Et mieux vaut le savoir maintenant, les freins ne sont pas d'une puissance excessive. Bref, si vous roulez sur une route sinueuse au volant d'un cube lourdement chargé, mieux vaut y aller avec prudence. Et la direction est nettement trop assistée.

Bref, cette voiture originale semble ne pas répondre aux attentes du public. Heureusement pour Nissan, son modèle Juke est tout aussi pratique et plus agréable à piloter. Il est doté d'une silhouette originale lui aussi, mais il semble répondre davantage aux goûts nord-américains.

Denis Duquet

Photos : Nissan

CHÂSSIS - 1.8 SL

Emp/lon/lar/haut	2 530/3 980/1 695/1 650 mm
Coffre	323 à 1 645 litres
Réservoir	50 litres
Nombre coussins sécurité / ceintures	6 / 5
Suspension avant	indépendante, jambes de force
Suspension arrière	semi-indépendante, poutre de torsion
Freins avant / arrière	disque / tambour
Direction	à crémaillère, ass. variable électrique
Diamètre de braquage	10,2 m
Pneus avant / arrière	P195/55R16 / P195/55R16
Poids	1 291 kg
Capacité de remorquage	non recommandé

COMPOSANTES MÉCANIQUES

1.8 S, 1.8 SL

Cylindrée, soupapes, alim.	4L 1,8 litre 16 s atmos.
Puissance / Couple	122 chevaux / 127 lb-pi
Tr. base (opt) / rouage base (opt)	M6 (CVT) / Tr
0-100 / 80-120 / 100-0 km/h	10,6 s / 8,7 s / 43,0 m
Type ess. / ville / autoroute	Ordinaire / 7,5 / 6,3 l/100 km

FEU VERT

- Excellente habitabilité
- Prix compétitifs
- Bonne visibilité périphérique
- Mécanique fiable
- Consommation de carburant raisonnable

FEU ROUGE

- Silhouette controversée
- Roulis en virage
- Freins moyens
- Direction surassistée
- Sensibilité aux vents latéraux

DU NOUVEAU EN 2012

Aucun changement majeur

http://www.nissan.ca/

Plus d'informations dans la section statistiques en dernière partie du Guide

NISSAN FRONT

LE NOUVEAU GARDIEN DU TEMPS

Dans le domaine de l'automobile et des VUS, les modes passent vite, et ce qui est parfait aujourd'hui sera peut-être caduc d'ici peu. Si j'étais méchant, je dirais que certains véhicules sont dépassés dès leur apparition sur le marché, mais ce ne serait pas tellement gentil pour le Jeep Liberty. Les camionnettes, de leur côté, sont moins victimes de cette folie du changement. Le Frontier de Nissan en est un bel exemple. En 2005, Nissan donnait enfin à sa vieillissante camionnette intermédiaire la chance de se faire valoir à nouveau en la redessinant entièrement. Mais depuis, c'est le statu quo, ou presque.

Sans doute attirée par cet immobilisme, Suzuki s'est associé à Nissan pour présenter sa camionnette : l'Equator. En fait, il s'agit d'un Frontier dont la partie avant est différente et, ma foi, fort réussie. Si vous n'y voyez pas d'inconvénients, nous ne parlerons cependant que du Nissan, à moins d'avis contraire.

DEUX EMPATTEMENTS, DEUX BOÎTES

Toujours est-il que le Frontier est offert en versions King Cab et cabine double, tandis que l'Equator ne se présente que dans cette dernière configuration. Le King Cab, qui a connu ses heures de gloire dans les années 1980, propose un habitacle plus petit et ce sont les places arrière qui écopent. En effet, les deux strapontins qu'on y retrouve sont des plus inconfortables et l'espace est compté. Par contre, à l'avant, c'est beaucoup mieux, autant dans le King Cab que dans la cabine double, même si on souhaiterait avoir la possibilité de bouger les jambes un peu plus. Le tableau de bord est bien agencé et la plupart des boutons sont suffisamment gros pour être manipulés avec de gros gants. D'un autre côté, la qualité des plastiques laisse un peu à désirer et leur assemblage n'est pas toujours parfait. Les sièges avant, pour leur part, offrent un confort surprenant.

CONCURRENTS

Chevrolet Colorado,
GMC Canyon,
Honda Ridgeline,
Toyota Tacoma

IMPRESSIONS DE L'AUTEUR

Agrément de conduite :	3 / 5
Fiabilité :	4 / 5
Sécurité :	4 / 5
Qualités hivernales :	4.5 / 5
Espace intérieur :	3.5 / 5
Confort :	4 / 5

À l'arrière complètement, le battant est extraordinairement lourd. Si l'acheteur opte pour un King Cab, il aura droit à la caisse longue (6 pieds,) tandis que celui qui choisira la cabine double aura le choix entre une boîte de cinq ou six pieds, selon l'empattement choisi. Le Suzuki Equator, de son côté, n'offre que l'empattement long et donc, la caisse la plus longue.

Au chapitre de la mécanique, Nissan propose deux moteurs. La version de base du King Cab (S, deux roues motrices) doit se contenter d'un quatre cylindres de 2,5 litres destiné aux travaux légers. Sans doute offert uniquement pour avoir la possibilité de se vanter d'offrir une camionnette sous les 25 000 $, ce moteur ne

Catégorie	Camionnette
Échelle de prix	24 398 $ à 41 398 $ (2011)
Garanties	3 ans/60 000 km, 5 ans/100 000 km
Assemblage	Canton, Mississippi, États-Unis
Cote d'assurance	bonne

peut être accouplé avec le rouage 4x4. Toutes les autres versions ont droit au V6 de 4,0 litres, passablement plus puissant et qui peut également remorquer davantage, soit jusqu'à 6 300 livres contre 3 500 pour le quatre cylindres. Cependant (il y a toujours un « cependant »…), ce moteur consomme comme un junkie en rechute. Des transmissions manuelle à six rapports ou automatique à cinq rapports sont au programme selon les versions.

Le système 4x4 est assez simpliste, mais dans une camionnette, ce n'est pas la subtilité qu'on recherche, c'est l'efficacité ! Et le 4x4 du Frontier est très efficace. Ceux qui doivent aller jouer dans la boue ou faire du 4x4 plus sérieux que la moyenne seraient toutefois avisés de choisir la version Pro-4X. Sous ce véhicule, on retrouve des plaques de protection du carter d'huile, du réservoir de carburant et du boîtier de transfert. On remarque aussi des pneus BF Goodrich Rugged Trail plus agressifs, mais qui se tirent quand même bien d'affaire sur la route. Pour ceux que ce genre d'information intéresse, notons que l'angle d'approche est de 32,6 degrés, l'angle de départ est de 23,3 tandis que l'angle ventral est de 20,6. Ces chiffres sont moins relevés que ceux d'un Jeep Wrangler, par exemple, mais ils permettent quand même de belles virées à côté des routes.

SOLIDE, VOUS DITES ?

Puisqu'il est construit sur le châssis de l'immense Titan, le Frontier ne souffre d'aucun complexe au chapitre de la solidité. Les suspensions tapent assez dur, surtout sur les versions à empattement court, mais l'important est préservé : la capacité de charge (*payload*). Selon la version, on peut aller jusqu'à 660 kilos (1 452 livres). Et à ce moment, laissez-moi vous dire que les suspensions sont passablement moins sautillantes !

Le Nissan Frontier est d'une sportivité absolument nulle, malgré ce que laissent penser certaines décalcomanies. La direction, curieusement, fournit un bon retour d'information, mais cela ne la rend pas plus précise. Cela ne rend pas, non plus, le diamètre de braquage plus court.

Il est dommage que Nissan ne publicise pas davantage son Frontier. Pour une entreprise qui se lance cette année dans les véhicules commerciaux avec la gamme NV, on aurait espéré un peu plus de considération envers sa camionnette, même si elle est d'un format de moins en moins prisé en Amérique. En attendant trop longtemps avant de renouveler son Frontier et en laissant le V8 qui consomme trop sous son capot, Nissan est en train de donner raison à tous ceux qui vont acheter des Ford F-150 ou des Chevrolet Silverado…

Alain Morin

SUZUKI EQUATOR

Photos : Nissan et Suzuki

CHÂSSIS - SV 4X4 KING CAB	
Emp/lon/lar/haut	3 200/5 220/1 850/1 770 mm
Longueur de boîte	1 560 mm (61,4 pouces)
Réservoir	80 litres
Nombre coussins sécurité / ceintures	6 / 4
Suspension avant	indépendante, double triangulation
Suspension arrière	essieu rigide, ressorts à lames
Freins avant / arrière	disque / disque
Direction	à crémaillère, ass. variable
Diamètre de braquage	13,2 m
Pneus avant / arrière	P265/70R16 / P265/70R16
Poids	1 943 kg
Capacité de remorquage	2 858 kg (6 300 lb)

COMPOSANTES MÉCANIQUES	
Frontier	
Cylindrée, soupapes, alim.	4L 2,5 litres 16 s atmos.
Puissance / Couple	152 chevaux / 171 lb-pi
Tr. base (opt) / rouage base (opt)	M5 (A5) / Prop
0-100 / 80-120 / 100-0 km/h	11,2 s / 8,5 s / n.d.
Type ess. / ville / autoroute	Ordinaire / 10,7 / 8,6 l/100 km
Frontier, Equator	
Cylindrée, soupapes, alim.	V6 4,0 litres 24 s atmos.
Puissance / Couple	261 chevaux / 281 lb-pi
Tr. base (opt) / rouage base (opt)	A5 / Prop (4x4)
0-100 / 80-120 / 100-0 km/h	9,0 s / 7,4 s / 41,0 m
Type ess. / ville / autoroute	Ordinaire / 14,8 / 10,4 l/100 km

FEU VERT

- Design intéressant
- Châssis très robuste
- Habitacle confortable
- Mécanique fiable
- Version Pro 4X sérieuse

FEU ROUGE

- Consommation du V8 outrageuse
- Battant très lourd
- Finition intérieure frustrante
- Diamètre de braquage d'un train
- Modèle vieillissant

DU NOUVEAU EN 2012

Aucun changement majeur

http://www.nissan.ca/

Plus d'informations dans la section statistiques en dernière partie du Guide

LE MISSILE JAPONAIS FRAPPE ENCORE

On croirait que Nissan le fait exprès. Après de longs mois d'attente et de conjectures alimentées par une fiche technique impressionnante, nous avions dû mener nos premiers essais de la GT-R sans pouvoir évaluer pleinement sa tenue de route et ses performances sur circuit pour l'édition 2009 du Guide. Et voilà qu'il nous est impossible de faire l'essai de la dernière mouture de ce missile nippon qu'on dit pourtant amélioré sur plusieurs points. Une autre occasion ratée de démontrer que la GT-R mérite vraiment d'être comparée aux meilleures sportives, elle dont le prix grimpe et dont les chiffres de vente stagnent.

CONCURRENTS
Audi R8,
BMW Série 6,
Chevrolet Corvette,
Ferrari California,
Lexus LFA,
Porsche 911

IMPRESSIONS DE L'AUTEUR	
Agrément de conduite :	4.5/5
Fiabilité :	4/5
Sécurité :	4.5/5
Qualités hivernales :	N.D.
Espace intérieur :	3.5/5
Confort :	3.5/5

Après ce cafouillage du début qui nous avait empêchés de comparer la GT-R à la brillante Audi R8 dans un match très spécial, sur route et sur circuit, nous avions heureusement pu nous rattraper largement à son volant. Y compris lors des essais annuels de l'AJAC où nous avons pu enchaîner des dizaines de tours sur un parcours d'évaluation qui combine des enchaînements et des virages de tous types, assaisonnés d'un slalom serré et de freinages intenses.

La GT-R avait dévoré ce parcours avec une férocité, un aplomb et une précision incroyables, sans jamais manquer de souffle ou se montrer capricieuse ou imprévisible, même si l'antidérapage était désactivé sur ce circuit tracé à même les pistes d'un aéroport ontarien. Capable d'accélérations longitudinales et latérales assez stupéfiantes, elle s'est montrée d'une efficacité totale. Il fallait toutefois avertir tout passager de se cramponner solidement parce que la balade tenait vraiment du manège le plus étourdissant.

LA BÊTE A SES LIMITES

Nous étions repartis de ces journées d'essai de la Nissan GT-R impressionnés et pris d'une affection réelle pour cette pure bête mécanique qui, sous une silhouette taillée au scalpel, cache un cœur de tigre et des muscles d'étalon. Nous en revenions aussi avec d'étourdissants chronos d'accélération réalisés en désactivant le système d'antidérapage, ce qui laissait grimper le régime du V6 à double turbo à 4 500 tr/min avant un débrayer sec. La GT-R avait alors bondi de 0 à 100 km/h en 3,8 secondes et avalé le quart de mile en 12,0 secondes avec une pointe à 193 km/h. Cette méthode, expliquée par un technicien de Nissan, a été remplacée sur le modèle 2010 par un semblant de mode « départ-canon » qui permettait un régime de 3 000 tr/min en laissant l'antidérapage activé. Nous ne l'avons malheureusement pas testé.

Catégorie	Coupé
Échelle de prix	109 900 $
Garanties	3 ans/60 000 km, 5 ans/100 000 km
Assemblage	Tochigi, Japon
Cote d'assurance	n.d.

On a fait grand cas des bruits d'engrenages, des réactions sèches de sa boîte de vitesses robotisée et de la rudesse de sa suspension en conduite normale, même réglée sur le mode « confort ». Ces choses sont vraies, mais nous persistons à croire qu'un passionné de conduite lui passera certainement ces excès après avoir goûté pleinement ses performances et son comportement à la limite.

Cela dit, il a fallu apporter quelques nuances à cette appréciation après le tournage d'un essai pour l'émission Le Guide de l'auto sur le circuit routier de St-Eustache. La GT-R s'inscrit facilement en virage après un freinage appuyé et un braquage délibéré, mais elle a une tendance au sous-virage si on accélère à fond lorsqu'elle est déjà en appui sur une longue courbe. Pour le reste, férocité intacte avec une pointe familière de brusquerie sur un circuit. Il s'agit, après tout, d'une sportive à moteur avant qui porte 53 % de ses 1 740 kg sur ses roues avant. Il y a des miracles que même un rouage intégral raffiné à répartition électronique du couple comme l'ATTESA ET-S de la GT-R ne peut accomplir, même s'il est solidaire de l'essieu arrière, comme la boîte de vitesses, pour équilibrer les masses. Les lois de la physique sont implacables.

ON REVOIT LA COPIE

Ce modèle phare de Nissan a eu droit à une série de retouches cette année. D'abord son V6 biturbo de 3,8 litres dont la puissance passe de 485 à 530 chevaux et le couple maxi de 434 à 448 lb-pi, selon les cotes officielles, à la faveur de nouveaux réglages de suralimentation, soupapes et injection en plus de tubulures d'admission et d'échappement plus grandes. Et si la consommation a fondu d'un litre aux 100 km, c'est grâce à une série de modifications qui ont réduit le coefficient de traînée (Cx) de 0,27 à 0,26.

Une grille de calandre plus grande réduit la résistance à l'air sous le capot et améliore du même coup le refroidissement des freins à disque avant Brembo dont le diamètre est passé de 381 à 391mm. Le diffuseur arrière en fibre de carbone a aussi été allongé. La version GT-R Black Edition est la seule offerte chez nous. Elle roule sur de nouvelles jantes Rays à six rayons en alu forgé de 20 pouces noires et ultralégères. Et ses sièges avant sont des baquets Recaro.

Cette GT-R revampée ne peut plus se vanter de coûter moitié moins que la 911 Turbo, sa cible principale lors du lancement de la première, puisque Nissan a fixé à 109 900 $ le prix du modèle « Black Edition ». Or, celui de l'icône germanique est de 159 400 $ au moment d'écrire ces lignes.

La GT-R fait peut-être l'indépendante, mais elle n'en demeure pas moins une des grandes sportives de la planète. Améliorée et plus rapide, possiblement. Nous attendrons d'en recueillir la preuve pour vous le confirmer. Or, le temps passe et la concurrence progresse.

Marc Lachapelle

Photos: Nissan

CHÂSSIS - BASE	
Emp/lon/lar/haut	2 780/4 651/1 902/1 371 mm
Coffre	249 litres
Réservoir	74 litres
Nombre coussins sécurité / ceintures	6 / 4
Suspension avant	indépendante, double triangulation
Suspension arrière	indépendante, multibras
Freins avant / arrière	disque / disque
Direction	à crémaillère, ass. variable
Diamètre de braquage	11,2 m
Pneus avant / arrière	P255/40ZR20 / P285/35ZR20
Poids	1 740 kg
Capacité de remorquage	n.d.

COMPOSANTES MÉCANIQUES	
Base	
Cylindrée, soupapes, alim.	V6 3,8 litres 24 s turbo
Puissance / Couple	530 chevaux / 448 lb-pi
Tr. base (opt) / rouage base (opt)	A6 / Int
0-100 / 80-120 / 100-0 km/h	3,8 s (est) / 3,4 (est) / 37,0 m
Type ess. / ville / autoroute	Super / 14,7 / 10,2 l/100 km

FEU VERT

- Accélération et freinage féroces
- Tenue de route époustouflante
- Mécanique forcément solide
- Un vrai mode de démarrage maxi
- Ergonomie de conduite

FEU ROUGE

- Nouveau modèle fantomatique
- Suspension ferme
- Boîte de vitesses parfois rude
- Voiture lourde
- Places arrière étriquées

DU NOUVEAU EN 2012

Carrosserie redessinée, moteur plus puissant, nouvelles couleurs, édition Black

http://www.nissan.ca/

Plus d'informations dans la section statistiques en dernière partie du Guide

LE CRAPAUD QUI N'A PAS ÉTÉ EMBRASSÉ

Grenouille. Barbotte. Super cool. Laideur incroyable. Joke… Autant de qualificatifs, quelquefois diamétralement opposés, qui ont été entendus lors de nos différentes prises en main du Nissan Juke. Il est indéniable que cette automobile, qui se prend pour un VUS, ne fait pas l'unanimité. Mais il est tout aussi indéniable qu'elle possède suffisamment de charme pour attirer les regards. Mais, pour certains, elle est la Pontiac Aztek des années 2010!

Inutile de passer trop de temps à décrire l'indescriptible, les photos en disent suffisamment pour savoir dans quel clan on se case: celui des admirateurs ou celui des détracteurs… Soulignons cependant que la paire d'yeux placée sur le dessus des ailes avant est illuminée le soir. C'est spécial et du plus bel effet!

PLUS PETIT QU'IL EN A L'AIR

Contrairement à ce que les photos peuvent laisser croire, le Juke est petit. Très petit. En fait, il est 170 mm plus court que la Versa hatchback dont il est dérivé. Il est par contre 70 mm plus large et 35 mm plus haut, ce qui lui donne une apparence totalement différente, nonobstant ses parties avant et arrière pour le moins originales. Une telle réduction de longueur n'est pas sans effet secondaire et ce sont les personnes prenant place à l'arrière qui en souffrent le plus. Et les bagages aussi, même s'ils ne se plaignent pas.

À l'avant, malgré le confort des sièges, les « grands six pieds » risquent de sortir du Juke après une longue promenade avec une tonsure… Aussi, plusieurs pourraient ne pas apprécier l'absence d'appui-bras. Le tableau de bord est excentrique à première vue, mais en s'y arrêtant deux minutes, on découvre qu'il est, finalement, assez ordinaire. Dans la partie centrale des versions SL, on retrouve le système I-CON qui constitue l'élément le plus intéressant du tableau de bord. Cet acronyme pour Advanced Integrated

CONCURRENTS
Kia Soul,
MINI Cooper,
Nissan cube,
Scion tC

IMPRESSIONS DE L'AUTEUR		
Agrément de conduite:	■■■■□	4/5
Fiabilité:	■■■■□	4/5
Sécurité:	■■■■□	4/5
Qualités hivernales:	■■■■□	4/5
Espace intérieur:	■■■▌□	3.5/5
Confort:	■■■■□	4/5

Control permet de contrôler le système de chauffage et de climatisation, et surtout, propose trois modes de conduite (D-mode). Nous y reviendrons. La pièce de résistance de l'habitacle demeure la console qui, en y regardant bien, reprend la forme d'une moto sport. C'est beau, mais franchement, si on ne me l'avait pas dit, je n'aurais jamais remarqué la similitude! Soulignons au passage que certains plastiques ont un aspect très ordinaire et que le système de chauffage est peu puissant.

TURBO PAS TRÈS PRESSÉ

Un seul moteur est dévolu au Juke. Il s'agit d'un quatre cylindres 1,6 litre turbocompressé qui, sur papier, promet des performances

Catégorie	Multisegment
Échelle de prix	19 998 $ à 26 648 $ (2011)
Garanties	3 ans/60 000 km, 5 ans/100 000 km
Assemblage	Oppama, Japon
Cote d'assurance	n.d.

enivrantes. Promesses plus ou moins tenues. Les accélérations ne sont pas mauvaises, mais pas exceptionnelles non plus et, avec la transmission CVT, elles sont accompagnées d'un déluge de décibels. Lors de notre première prise en main du Juke, notre consommation moyenne s'élevait à 9,2 l/100 km, ce qui s'avérait décevant compte tenu des chiffres avancés par Nissan. Différentes prises en main nous ont prouvé que la consommation annoncée par Nissan doit avoir été obtenue dans des conditions parfaites…

Le modèle de base reçoit une transmission manuelle à six rapports tandis qu'une CVT est proposée en option. La première, qui sera heureusement peu populaire, possède un embrayage trop mou et un levier trop peu précis. La CVT est beaucoup plus conviviale. Il ne lui manque que des palettes derrière le volant, car son mode manuel répond très bien. D'office, le Juke est mû par les roues avant. À ce moment, la suspension arrière est à poutre de torsion. Il est toutefois possible d'opter pour un rouage intégral et la suspension arrière devient indépendante (multibras).

Le châssis est rigide, les suspensions ne sont pas trop molles et la tenue de route est très correcte. L'arrière s'avère un tantinet plus sautillant avec la suspension à poutre de torsion sur une route bosselée, mais ce n'est pas dramatique. Le roulis en virage est bien maîtrisé et la direction, au demeurant précise, manque cruellement de retour d'information. Malgré tout, le Juke n'est pas très sportif, surtout en livrée traction. En accélération vive, on ressent un certain effet de couple et à vitesse élevée, le train avant s'allège passablement. Dans une courbe prise à vive allure, une bosse inopportune a tôt fait de déstabiliser la voiture. La version à rouage intégral règle une partie de ces problèmes.

Les modèles possédant le I-CON proposent trois modes de conduite : Normal, Sport et Eco. Ces modes influent sur la réponse de l'accélérateur, de la transmission et de la direction. S'il n'y a pas de différence extrême entre les modes Normal et Sport, le mode Eco, par contre, semble enlever la moitié de la puissance du moteur ! Quant au rouage intégral, il est passablement sophistiqué. En plus de diriger jusqu'à 50 % du couple aux roues arrière, ce rouage permet d'expédier tout le couple à la même roue, question d'assurer une traction maximale, un peu à la manière du SH-AWD d'Acura.

Le Nissan Juke, malgré ses qualités, nous semble condamné à une carrière marginale. Ses lignes pour le moins éclatées et son comportement routier somme toute ordinaire ne devraient pas lui assurer beaucoup d'amateurs. En plus, si les versions de base ne sont pas dispendieuses (moins de 20 000 $ au moment d'écrire ces lignes), une variante tout équipée frôle les 30 000 $. Pour une voiture plus petite qu'une Versa, ça commence à être cher…

Alain Morin

Photos : Marc Lachapelle

CHÂSSIS - SV TI

Emp/lon/lar/haut	2 530/4 125/1 765/1 570 mm
Coffre	297 à 1 017 litres
Réservoir	50 litres
Nombre coussins sécurité / ceintures	6 / 5
Suspension avant	indépendante, jambes de force
Suspension arrière	indépendante, multibras
Freins avant / arrière	disque / disque
Direction	à crémaillère, ass. électrique
Diamètre de braquage	11,1 m
Pneus avant / arrière	P215/55R17 / P215/55R17
Poids	1 430 kg
Capacité de remorquage	n.d.

COMPOSANTES MÉCANIQUES

SV TA, SV TI, SL TA, SL TI

Cylindrée, soupapes, alim.	4L 1,6 litre 16 s turbo
Puissance / Couple	188 chevaux / 177 lb-pi
Tr. base (opt) / rouage base (opt)	M6 (CVT) / Tr (Int)
0-100 / 80-120 / 100-0 km/h	8,0 s / 5,7 s / 42,1 m
Type ess. / ville / autoroute	Super / 8,0 / 6,6 l/100 km

FEU VERT

- Lignes différentes
- Mécanique au goût du jour
- Rouage AWD réussi
- Voiture agile
- I-CON intéressant

FEU ROUGE

- Lignes différentes
- Consommation trop élevée
- Espace de chargement restreint
- Autonomie décevante
- Essuie-glaces ne se soulèvent pas (pour déneiger)

DU NOUVEAU EN 2012

Aucun changement majeur

http://www.nissan.ca/

Plus d'informations dans la section statistiques en dernière partie du Guide

LE RÊVE DEVENU RÉALITÉ

On ne peut accuser Nissan de manquer d'audace : depuis le temps qu'on en parle, la voiture 100 % électrique est devenue réalité, et c'est ce constructeur qui l'a commercialisée. Il vous suffira de vous rendre chez votre concessionnaire Nissan pour repartir avec une voiture « zéro pollution ». Ce constructeur n'en est pas à une première près : la première camionnette compacte aurait été commercialisée par cette compagnie, tout comme la première voiture sport japonaise, la Fairlady.

Mais nous voilà au pays du moteur électrique, des piles ion-lithium et d'une voiture tellement silencieuse qu'un mini klaxon doit être installé pour prévenir les piétons de sa présence à une vitesse inférieure à moins de 26 km/h. Et alors qu'on parlait de prix astronomique pour un tel véhicule, force est d'admettre que le prix de vente de cette nouvelle Nissan reste tout de même raisonnable.

CAHIER DE CHARGES RESPECTÉ

Le développement d'une telle voiture aurait pu déraper en matière de conception esthétique et mécanique. Certains stylistes auraient voulu nous proposer une voiture dotée de ligne futuriste que tandis que des ingénieurs auraient aimé nous proposer une motorisation digne des meilleurs récits de science-fiction. Heureusement, rien de tout cela ne s'est avéré. À première vue, on croirait que la Leaf est une voiture comme les autres, simplement dotée d'une silhouette un peu plus originale que la moyenne. Et encore, son design n'est pas basé sur un désir d'excentricité, mais bien d'efficacité aérodynamique. On a davantage l'impression qu'il s'agit d'une Juke à quatre portes avec ses phares avant en relief. C'est la partie arrière qui démarque cette voiture électrique du reste. Cela permet d'obtenir un coefficient de pénétration dans l'air de 0,29 Cx, un résultat plus que respectable.

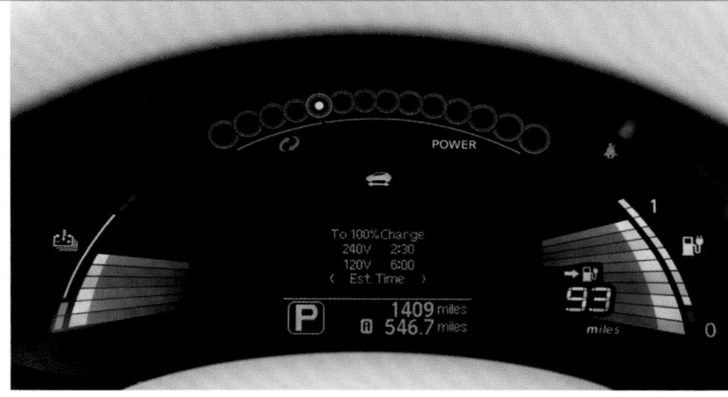

CONCURRENTS

Mitsubishi i-MiEV

IMPRESSIONS DE L'AUTEUR

Agrément de conduite :	4 / 5
Fiabilité :	NOUVEAU MODÈLE
Sécurité :	4 / 5
Qualités hivernales :	3 / 5
Espace intérieur :	3.5 / 5
Confort :	4 / 5

Détail intéressant à souligner, l'absence d'un tuyau d'échappement à l'arrière a facilité la tâche des spécialistes en physique qui ont pu dessiner un pare-chocs plus efficace sur le plan de l'aérodynamisme.

UN PEU DE TECHNO

Il est important de souligner qu'on n'a pas tenté, chez Nissan, de traficoter une voiture déjà en production pour l'électrifier. La plate-forme est propre à cette voiture et cela a permis la disposition de la motorisation électrique, de son bloc d'alimentation et des autres accessoires en des endroits précis et bien choisis. La batterie est placée en position très basse, ce qui abaisse le centre de gravité et permet ainsi d'optimiser la tenue de route.

Contrairement à ce qu'on pourrait croire, la motorisation d'une voiture électrique est relativement simple. Il suffit d'avoir un moteur électrique — cela va de soi —, une pile au lithium-ion en ce qui nous concerne et un système de recharge et de gestion de l'électricité. À ce chapitre, cette voiture est dotée d'un système de recharge rapide en courant continu qui permet de charger la batterie jusqu'à 80 % de sa capacité totale en 30 minutes. Pour effectuer l'opération à la maison à l'aide d'une prise de 240 V, on estime qu'il faudra environ huit heures. Et si vous avez des inquiétudes quant à la longévité de la batterie, son constructeur propose une garantie de huit ans ou 160 000 km. Quant au rayon d'action de la voiture avec une batterie totalement rechargée, elle est de 160 km. Mais le constructeur prend soin de nous informer que cela peut varier selon la température, l'âge de la batterie, son état de charge et de nombreuses autres variantes.

UN ESSAI CONCLUANT

Dans le cadre d'une présentation spéciale organisée au Salon de l'auto de Los Angeles, j'ai eu l'occasion d'effectuer le trajet Los Angeles-Santa Monica-Los Angeles au volant d'une Leaf. L'expérience a été fort concluante.

C'est devant le Centre des congrès de Los Angeles que j'ai pris le volant d'une Leaf pour la première fois. Prêt à lancer la voiture, j'ai jeté un coup d'œil au tableau de bord. L'indicateur de vitesse est logé dans un module superposant la planche de bord et en plein dans mon champ de vision. Juste en dessous, le cadran principal comprend un thermomètre pour la température des piles et une jauge de réserve électrique, affichant le nombre de kilomètres à parcourir. Puis dans la partie supérieure de ce cadran indicateur, on retrouve des anneaux accolés les uns aux autres en forme de demi-lune. Ils servent à indiquer la qualité de notre pilotage. La console centrale est dotée de touches à éclairage bleuté et c'est d'un bel effet. On y retrouve les commandes de la climatisation, l'affichage des données énergétiques de notre conduite et, bien entendu, un écran de navigation.

C'EST UN DÉPART

Comme cette voiture n'a pas de boîte de vitesse à proprement parler, le petit levier de vitesse monté sur le dessus de la console est davantage un commutateur qu'autre chose. On passe en marche avant et *zoom*, on est en route ! Avec ses 207 lb-pi de couple, la voiture démarre rapidement en direction de Santa Monica. Il est environ 14 h et la circulation n'est pas trop lourde. Ce qui surprend en tout premier lieu, c'est la sensation de conduire une voiture « ordinaire ». La direction est précise, l'accélérateur bien dosé et, mieux encore, les freins, bien qu'ils régénèrent l'énergie, n'ont pas ce délai de réponse agaçant comme sur une Toyota Prius par exemple.

Une fois engagé sur l'autoroute, je réalise avec surprise que nous circulons à plus de 80 mph (128 km/h), ce qui est en fait la vitesse du flot de la circulation. Inquiet de trop drainer la batterie, je reviens à 65 MPH (105 km/h), une vitesse que je jugeais plus écologique. Tout en roulant, j'ai découvert que la position de conduite était bonne, la visibilité sans problème et la suspension, bien calibrée. L'indicateur de performance écolo de la conduite permet de trouver rapidement la bonne combinaison vitesse/consommation d'énergie.

Une fois arrivé à Santa Monica, c'est déjà le temps de retourner à Los Angeles. Malgré sa vocation urbaine, la Leaf n'est pas hors de son élément sur la grande route. Elle est stable, silencieuse et capable de suivre la circulation sans aucun problème. En fait, il faut faire attention de ne pas rouler trop vite en raison de manque de feedback auditif. Dans une voiture conventionnelle, le niveau sonore de la mécanique augmente avec la vitesse à l'accélération.

Comme c'est désormais la norme sur de multiples voitures, le moteur s'arrête au feu de circulation. Et dès qu'on appuie sur l'accélérateur, la voiture s'anime. Cette fois, la suspension se révèle un peu raide au passage de quelques trous et bosses. Certainement le fait d'une plate-forme rigide et de pneus à faible résistance de roulement. D'un feu de circulation à l'autre, il faut s'empêcher de se payer des accélérations aussi silencieuses que franches, car on a perdu quelques barres sur l'affichage de la réserve d'énergie.

Quoi qu'il en soit, la Leaf se faufile avec aisance dans la circulation et la nervosité du moteur électrique permet de se glisser sans problème

Catégorie	Hatchback
Échelle de prix	32 780 $ (2011)
Garanties	3 ans/60 000 km, 5 ans/100 000 km
Assemblage	Oppama, Japon
Cote d'assurance	n.d.

CHÂSSIS - SV

Emp/lon/lar/haut	2 700/4 445/1 770/1 549 mm
Coffre	n.d.
Réservoir	aucun
Nombre coussins sécurité / ceintures	6 / 5
Suspension avant	indépendante, jambes de force
Suspension arrière	semi-indépendante, poutre de torsion
Freins avant / arrière	disque / disque
Direction	à crémaillère, ass. variable électrique
Diamètre de braquage	10,4 m
Pneus avant / arrière	P205/55R16 / P205/55R16
Poids	1 530 kg
Capacité de remorquage	non recommandé

COMPOSANTES MÉCANIQUES

Moteur électrique	80 kW
Puissance	107 chevaux
Couple	207 lb-pi
Transmission	Réducteur à un seul rapport
Batterie	Li-ion, 24 kW/h
Autonomie	Environ 160 km
0-100 / 80-120 / 100-0 km/h	12,0 (est) / n.d. / n.d.

entre les autres voitures sur la route. Puis on arrive dans la ville de Los Angeles et la circulation devient plus dense, tant et si bien que nous sommes plus souvent immobilisés qu'autre chose. Avançant à pas de tortue, je réalise que notre conduite est devenue tellement écolo que l'indicateur de performance représenté par les branches d'un arbre affiche plusieurs d'entre elles. En fait, nous avons le temps de voir un autre arbre prendre forme tant notre vitesse est lente.

Au chapitre de la conduite proprement dite, la Leaf, malgré le fait qu'elle soit 100 % électrique, se comporte de façon exemplaire. Puis, finalement, alors qu'il semble impossible que la circulation devienne encore plus lente, nous arrivons au Centre des congrès de Los Angeles, notre point de départ avec plus de 40 milles (64 km) en réserve à la batterie.

Cet essai s'est avéré concluant. La Leaf impressionne non seulement en tant que voiture électrique, mais également comme voiture tout court. Toutefois, compte tenu de son rayon d'action qui se limite à 160 km, il faudra modifier sa façon de gérer ses déplacements motorisés.

Il est évident que ce type de véhicule d'adresse à une clientèle ayant un mode de vie bien précis. D'ailleurs, pour ceux que genre de voiture intéresse, un match comparatif en page 67 de ce Guide la mesure à la Prius de Toyota ainsi qu'à la I-mIev de Mitsubishi. Je vous invite à y jeter un coup d'œil.

Denis Duquet

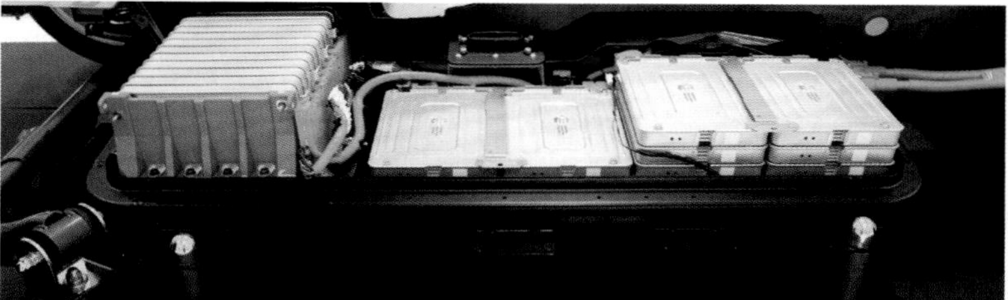

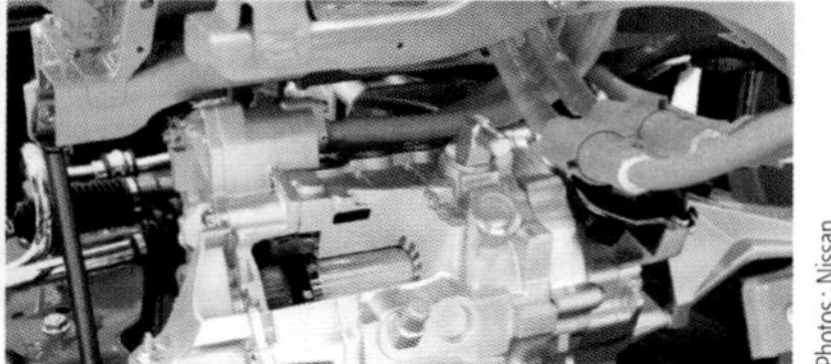

Photos: Nissan

FEU VERT

- Zéro pollution
- Autonomie raisonnable
- Bon comportement routier
- Prix correct
- Habitacle confortable

FEU ROUGE

- Fiabilité inconnue
- Réseau de bornes de recharge embryonnaire
- Pneumatiques durs
- Certaines commandes inusitées
- Valeur de revente à déterminer

DU NOUVEAU EN 2012

Arrivée sur le marché, automne 2011

http://www.nissan.ca/

Plus d'informations dans la section statistiques en dernière partie du Guide

VOITURE CHERCHE CŒUR AIMANT

Vous rappelez-vous « Madame Bertrand », cette chanson de Robert Charlebois, qui racontait l'histoire de personnes à la recherche de l'âme sœur? Ces gens s'adressaient à Jeannette Bertrand qui, à une certaine époque, tenait un courrier du cœur. Si cette chronique existait encore aujourd'hui, il y a fort à parier que les dirigeants de Nissan y enverraient une lettre afin de vanter les mérites de leur Maxima. C'est que cette Maxima cherche à se faire aimer...

CONCURRENTS
Acura TL, Buick Lucerne, Chevrolet Impala, Chrysler 300, Dodge Charger, Ford Taurus, Hyundai Genesis, Lexus ES, Lincoln MKZ, Toyota Avalon, Volvo S60

IMPRESSIONS DE L'AUTEUR	
Agrément de conduite :	3.5/5
Fiabilité :	3.5/5
Sécurité :	4/5
Qualités hivernales :	3.5/5
Espace intérieur :	3.5/5
Confort :	4/5

Si cette élégante berline se fait plutôt anonyme de nos jours, elle fut pourtant, à une certaine époque, le modèle phare de ce constructeur sur notre marché. Elle proposait des qualités intéressantes, comme de bonnes dimensions intermédiaires, un moteur puissant, un équipement relativement complet et un agrément de conduite légèrement supérieur à ce que les autres berlines japonaises de la catégorie nous offraient. Puis, ce délicat équilibre s'est rompu lorsqu'on a tenté de couper la poire en deux en proposant la très compétitive Altima, tout en tentant de laisser à la Maxima sa place prépondérante. Malheureusement pour Nissan, cette politique a eu pour effet de reléguer cette dernière au second plan tandis que la première connaissait un succès impressionnant.

Pour compenser, on a tenté différentes solutions pas toujours couronnées de succès. Mais la dernière mouture est nettement la plus intéressante sur le plan visuel depuis plusieurs années.

BELLE RÉUSSITE

Après plusieurs années de galère, les stylistes ont enfin conçu une voiture dont la silhouette est aussi équilibrée qu'élégante. Elle se distingue par des phares qui semblent fortement dérivés de ceux utilisés sur la 370Z. En forme de boomerang, ils se prolongent sur l'aile, tandis que la partie inférieure déborde également. Cela donne un effet dynamique qui, par la même occasion, allège la silhouette. Et les designers ont décidé de modifier la calandre pour 2012. Celle-ci demeure toujours quasi verticale, mais la forme des trois bandes horizontales qui la traversent a été modifiée. Bien entendu, l'écusson Nissan demeure toujours en plein centre. Pour équilibrer les choses, le pare-chocs conserve, en sa partie inférieure, une prise d'air rectangulaire de même largeur que la calandre. À chaque extrémité du pare-chocs, on retrouve également des prises d'air et de petits feux antibrouillards.

Les passages de roues sont fortement bombés, tandis que la partie centrale des parois est cintrée, toujours dans le but de donner une allure sportive à cette berline qui tente d'imiter un coupé.

Catégorie	Berline
Échelle de prix	39 800 $ (2011)
Garanties	3 ans/60 000 km, 5 ans/100 000 km
Assemblage	Smyrna, Tennessee, É-U
Cote d'assurance	moyenne

CHÂSSIS - 3.5 SV	
Emp/lon/lar/haut	2 776/4 841/1 859/1 468 mm
Coffre	402 litres
Réservoir	76 litres
Nombre coussins sécurité / ceintures	6 / 5
Suspension avant	indépendante, jambes de force
Suspension arrière	indépendante, multibras
Freins avant / arrière	disque / disque
Direction	à crémaillère, ass. variable
Diamètre de braquage	11,4 m
Pneus avant / arrière	P245/45R18 / P245/45R18
Poids	1 621 kg
Capacité de remorquage	454 kg (1 000 lb)

COMPOSANTES MÉCANIQUES	
3.5 SV	
Cylindrée, soupapes, alim.	V6 3,5 litres 24 s atmos.
Puissance / Couple	290 chevaux / 261 lb-pi
Tr. base (opt) / rouage base (opt)	CVT / Tr
0-100 / 80-120 / 100-0 km/h	6,4 s / 4,6 s / 41,2 m
Type ess. / ville / autoroute	Ordinaire / 10,8 / 7,7 l/100 km

Personnellement, j'apprécie la partie arrière avec son couvercle de coffre de forme trapézoïdale en sa partie inférieure, sur lequel on a placé un aileron prononcé sur son rebord supérieur. Cette année, les feux combinés incorporent des DEL. Bref, on a créé un bel équilibre et donné une allure sportive à cette berline. Malheureusement, il est difficile de les admirer, car leur popularité demeure restreinte. Ainsi, on en croise peu sur nos routes.

Dans l'habitacle, la planche de bord reprend la plupart des éléments utilisés sur les autres produits de ce constructeur. L'écran d'affichage DEL est encadré par deux buses de ventilation verticales, tandis qu'à la base de l'écran se trouve un gros bouton de commande qui permet de gérer ses différentes fonctions. On retrouve ensuite des commandes audio et de climatisation relativement conventionnelles. Il faut ajouter que pour 2012, plusieurs modifications de détail ont été apportées, autant au niveau de certaines commandes que de l'éclairage des cadrans indicateurs. En plus, il est possible de choisir parmi des appliqués aux finis divers.

BONNE MOTORISATION, MAIS...

Une chose difficile à critiquer sur cette voiture, c'est la présence de l'incontournable moteur V6 de 3,5 litres dont le rendement et les performances sont presque légendaires. Il transmet ses 290 chevaux aux roues avant par l'intermédiaire d'une transmission de type CVT, l'une des meilleures sur le marché. De plus, par le biais du catalogue des options, il est possible de gérer cette transmission à l'aide de palettes placées derrière le volant.

Par contre, l'agrément de conduite de cette voiture s'avère mitigé, et ce, pour diverses raisons. Il y a d'abord cet effet de couple dans le volant. En forte accélération, la voiture a tendance à « tirer » d'un bord comme de l'autre. Il faut dire que cette caractéristique a été atténuée au fil des années, mais si vous avez le pied droit nerveux, vous n'apprécierez pas. De plus, l'assistance de la direction devrait être revue. Elle est nettement trop assistée à basse vitesse, alors qu'elle devient très ferme presque instantanément dès qu'on accélère. Il faut du temps pour s'y habituer et cela n'ajoute rien à l'agrément de conduite.

C'est dommage, car cette voiture propose tout de même une tenue de route équilibrée. Mais cette qualité est handicapée par un manque de *feedback* de la route qui fait en sorte que les sensations de conduite sont moindres. Ajoutez à cela un prix assez corsé et vous comprenez pourquoi cette élégante berline ne jouit pas d'une grande popularité. Pour plusieurs, l'Infiniti G37 s'avère une meilleure option, marque prestigieuse en prime.

Denis Duquet

- Silhouette élégante
- Bon moteur V6
- Tenue de route équilibrée
- Équipement complet
- Sièges avant confortables

- Qualité de certains matériaux à revoir
- Assistance inégale de la direction
- Places arrière difficiles d'accès
- Habitabilité moyenne à l'arrière
- Échelle de prix peu compétitive

Photos : Nissan

DU NOUVEAU EN 2012

Parties avant et arrière redessinées

http://www.nissan.ca/

Plus d'informations dans la section statistiques en dernière partie du Guide

UN PEU MOINS DISPENDIEUX

Vous êtes sans doute plusieurs à trouver que le Nissan Murano constitue un candidat de choix chez les VUS de type multisegments et vous avez probablement raison. Ce dernier en a séduit plus d'un lors de son introduction en 2003 alors qu'il défiait, à l'époque, les conventions en matière de style. Qui plus est, sa conduite emballante, similaire à celle d'une voiture, le démarquait des autres VUS qui avaient la réputation d'être beaucoup plus lourdauds et donc, moins agiles. Cette année, le Murano conserve ses attraits, en plus d'être offert à un prix plus compétitif.

CONCURRENTS
Chevrolet Traverse, Ford Edge, GMC Acadia, Honda Pilot, Hyundai Veracruz, Lincoln MKX, Mazda CX-9, Subaru Tribeca, Toyota Highlander

IMPRESSIONS DE L'AUTEUR		
Agrément de conduite :	■■■■□	4 / 5
Fiabilité :	■■■■□	4 / 5
Sécurité :	■■■■■	5 / 5
Qualités hivernales :	■■■■□	4 / 5
Espace intérieur :	■■■■□	4 / 5
Confort :	■■■■□	4 / 5

Malheureusement, les ventes du Murano sont en baisse depuis les bonnes années, notamment parce qu'il a vu apparaître une horde de rivaux tout aussi intéressants et bien souvent, offert à prix moindre. Il semble également que son petit frère, le Rogue, ne réussit pas assumer correctement sa fonction, soit disposer des mêmes qualités que le Murano, dans un format plus petit et plus abordable. Face à ce constat, le constructeur a décidé de réagir l'an passé en retranchant environ 4 000 $ du prix de base du Murano. Voilà qui corrige sans doute le principal reproche fait au modèle dans le passé, les acheteurs étant très sensibles au prix et surtout, aux paiements. Le Murano est offert cette année à un prix beaucoup plus compétitif, inférieur à quelques rivaux, dont le Ford Edge.

Dans le cas du Murano, vous avez peu de choix au chapitre des motorisations. Toutes les versions héritent du même groupe motopropulseur, soit l'increvable et plus qu'éprouvé V6 de 3,5 litres qui développe une puissance de 260 chevaux pour un couple de 240 lb-pi. Vous pouvez dormir sur vos deux oreilles, la fiabilité sera au rendez-vous. Pour en rajouter au chapitre de la tranquillité d'esprit, Nissan propose de série, dans tous les Murano, un rouage intégral. Une excellente décision, puisqu'il est difficile de justifier l'achat d'un tel véhicule en version à traction, même si un modèle de ce genre dispose d'un prix de base inférieur et des chiffres de consommation alléchants, des informations que les constructeurs aiment mettre de l'avant dans leurs publicités.

En matière de déclinaisons, nos voisins du Sud peuvent obtenir un Murano en version cabriolet. Eh oui, un Murano équipé d'un toit souple amovible ! Mais comme vous vous en doutez, cette version n'est pas proposée au Canada.

Catégorie	Multisegment
Échelle de prix	34 498 $ à 44 048 $ (2011)
Garanties	3 ans/60 000 km, 5 ans/100 000 km
Assemblage	Kyushu, Japon
Cote d'assurance	n.d.

CHÂSSIS - SV TI	
Emp/lon/lar/haut	2 825/4 823/1 883/1 728 mm
Coffre	895 à 1 812 litres
Réservoir	82 litres
Nombre coussins sécurité / ceintures	6 / 5
Suspension avant	indépendante, jambes de force
Suspension arrière	indépendante, multibras
Freins avant / arrière	disque / disque
Direction	à crémaillère, ass. variable
Diamètre de braquage	11,6 m
Pneus avant / arrière	P235/65R18 / P235/65R18
Poids	1 869 kg
Capacité de remorquage	1 591 kg (3 507 lb)

COMPOSANTES MÉCANIQUES	
S, SL, LE	
Cylindrée, soupapes, alim.	V6 3,5 litres 24 s atmos.
Puissance / Couple	260 chevaux / 240 lb-pi
Tr. base (opt) / rouage base (opt)	CVT / Int
0-100 / 80-120 / 100-0 km/h	8,2 s / 6,5 s / 44,0 m
Type ess. / ville / autoroute	Ordinaire / 11,7 / 8,5 l/100 km

QUELQUES RETOUCHES EN 2011

En ce qui concerne le style du Murano, nous avions mentionné dans le Guide de l'auto 2011 qu'aucun changement esthétique ne serait apporté l'an passé. Le constructeur semble s'être ravisé en cours d'année puisque même si pour 2012, on ne note rien de nouveau, le Murano affiche depuis l'an dernier un peu plus de modernisme. On retrouve de nouveaux feux arrière à LED dont le style s'inspire des voitures sport du constructeur, même constat pour les phares et la grille avant qui ont été retouchés. C'est surtout la partie autour des phares antibrouillards qui se distingue du modèle antérieur. C'est subtil, mais ça se remarque. Du reste, le Murano demeure l'un des plus beaux VUS à circuler sur nos routes. Le constructeur a frappé fort lors de l'introduction du Murano et plusieurs années plus tard, son design demeure plus stylisé que celui de plusieurs concurrents.

À bord, on apprécie la console enveloppante qui dote le Murano d'une bonne ergonomie. L'instrumentation est claire et bien lisible, alors que la partie centrale de la console s'avère typique des autres modèles Nissan. On retrouve le même écran multifonction situé en haut ainsi que les différentes commandes placées juste en dessous, sur un plan incliné, imitant le clavier d'un piano. Les sièges avant s'avèrent confortables et leurs ajustements permettent de trouver rapidement une bonne position de conduite. Les sièges arrière offrent justement assez de dégagement aux jambes, mais leur assise est un peu basse. Trois adultes pourront prendre place à l'arrière en cas de besoin, mais le Murano est principalement destiné à n'en accommoder que deux. À l'arrière, l'espace cargo n'est pas des plus généreux, principalement en raison du style du véhicule et de sa ligne de toit plongeante. Forcément, il est plus difficile de transporter de gros objets.

UNE BÊTE DE ROUTE

Là où le Murano marque le plus de points, c'est au chapitre de la conduite. On a davantage l'impression d'être au volant d'une berline que d'un VUS. Tout d'abord, le volant offre une bonne prise en main et il nous donne l'impression de diriger le véhicule du bout des doigts. Ajoutez à cela une suspension juste assez ferme et vous obtenez un véhicule étonnamment agréable à conduire. Qui plus est, il est stable à haute vitesse, élément plus rare dans le cas des VUS classiques. Certes, le Murano n'est pas destiné au hors route extrême, mais sa garde au sol un peu plus élevée demeure un atout en conditions moins favorables.

Sans être une véritable bombe, le Murano dispose de suffisamment de puissance. La boîte à variation continue de type CVT n'est pas ce qui nous enchante le plus normalement, mais dans le cas de Nissan, ce dernier propose sans doute la plus aboutie des CVT. La programmation de cette dernière émule bien une transmission automatique conventionnelle alors qu'elle maximise l'économie de carburant. Du beau travail.

Sylvain Raymond

Photos: Nissan

FEU VERT
- Style distinct
- Moteur doux et performant
- Rouage intégral efficace
- Boîte CVT efficace

FEU ROUGE
- Espace cargo réduit
- Visibilité arrière plus difficile
- Direction un peu floue

DU NOUVEAU EN 2012

Aucun changement majeur

http://www.nissan.ca/

Plus d'informations dans la section statistiques en dernière partie du Guide

LES TEMPS CHANGENT

Pas besoin de Bob Dylan et sa célèbre chanson « The Times They are a-changin » pour réaliser que le monde automobile est en constante évolution. Le plus bel exemple de cette affirmation est le parcours du Pathfinder. Il est arrivé sur le marché alors que les gens n'en avaient que pour les VUS quatre portes initialement popularisés par le Jeep Cherokee. La première mouture de sa version à quatre portes a été dévoilée au début des années 80 et a bouleversé le marché des utilitaires sport pendant deux décennies, minimum.

CONCURRENTS
Ford Explorer,
Honda Pilot,
Jeep Commander,
Jeep Grand Cherokee,
Toyota 4Runner

IMPRESSIONS DE L'AUTEUR	
Agrément de conduite :	3 / 5
Fiabilité :	3.5 / 5
Sécurité :	4 / 5
Qualités hivernales :	4 / 5
Espace intérieur :	4.5 / 5
Confort :	4 / 5

Comme c'est le cas pour la version actuelle, la première mouture de ce modèle était basée sur un châssis de camionnette qu'on avait habillée de façon plus élégante. Une de ses caractéristiques était la poignée de la portière arrière montée de façon verticale, un élément de design qui a subsisté jusqu'à nos jours. Certains d'entre vous se rappelleront qu'il existait au départ une version deux portes, puis est arrivée la version à quatre portes. La première est disparue depuis fort longtemps, comme sur tous les modèles de cette catégorie d'ailleurs.

Pendant longtemps, le Pathfinder a été le modèle Nissan le plus vendu. Non seulement la population n'en avait que pour ce genre de véhicule, mais l'offre de ce constructeur en matière de berlines et de fourgonnettes n'était pas tellement relevée. Les mécaniques étaient bonnes, mais la conception esthétique laissait fortement à désirer. Quoi qu'il en soit, au fil des années, le Pathfinder a évolué, passant de VUS citadin à un gros costaud arborant fièrement la même calandre que la camionnette Titan, dont il emprunte la plate-forme.

Si l'Armada est le plus gros utilitaire de la famille, le Pathfinder demeure imposant lui aussi. Les occupants bénéficient de beaucoup d'espace et les sièges se révèlent confortables aussi bien à l'avant qu'à la seconde rangée. Par contre, la troisième banquette est non seulement difficile d'accès, mais réservée à des enfants. Et même ceux-ci se plaindront du manque de confort. Soulignons toutefois les multiples espaces de rangement aussi bien dans les portières qu'un peu partout dans l'habitacle et sous le plancher de la soute à bagages.

Quant au chauffeur, il trouvera facilement une bonne position de conduite, même si le volant n'est réglable qu'en hauteur. Une fois de plus, les stylistes de Nissan font appel à des appliqués en aluminium brossé sur les rayons du volant, qui allègent la présentation. Et

Catégorie	VUS
Échelle de prix	37 948 $ à 47 748 $ (2011)
Garanties	3 ans/60 000 km, 5 ans/100 000 km
Assemblage	Smyrna, Tennessee, É-U
Cote d'assurance	passable

puisque la largeur de ces rayons est importante, il est facile d'y placer différentes commandes. Pour le reste, la disposition demeure classique. Comme c'est le cas sur de nombreux modèles de ce constructeur, un gros bouton multifonction permet de gérer plusieurs réglages. Bien entendu, un système de navigation est également disponible.

Les gens qui achètent un véhicule de ces dimensions s'attendent à bénéficier d'un coffre à bagages aux dimensions fort généreuses et c'est le cas. En fait, l'espace est très vaste lorsque la troisième rangée de sièges est repliée dans le plancher, mais un peu juste lorsque celle-ci est déployée. Mais comme on n'acquiert pas un véhicule pour faire souffrir nos semblables, ce siège devrait généralement être remisé. On bénéficie alors de beaucoup d'espace. Rabattez tous les sièges et l'espace est considérable.

UN ASSOIFFÉ QUI TIENT LA ROUTE

Il faut rendre hommage aux ingénieurs qui ont concocté la suspension de ce gros utilitaire. Ils ont abandonné l'essieu arrière rigide du Titan au profit d'une suspension indépendante. Cette configuration se fait apprécier sur mauvaise route et permet d'offrir un comportement routier très équilibré pour un véhicule de ces dimensions. Cependant, il ne faut pas confondre « équilibré » et « sportif ». Avec cette masse dotée d'un centre de gravité élevé, il faut se servir de son jugement, même si le Pathfinder nous surprend agréablement dans les virages. Naturellement, les freins sont efficaces lors d'un premier arrêt d'urgence. Par contre, si vous répétez l'opération, il se peut que les distances s'allongent de façon inquiétante. Il s'agit de la loi de la physique lorsqu'une masse importante est ralentie par friction.

Si vous consultez les publications américaines, vous constaterez que ce Nissan est offert avec un moteur V8 et un moteur V6. Ce fut déjà le cas dans notre pays, mais on a abandonné la vente des modèles à moteur V8. Le seul groupe propulseur disponible est donc le V6 de 4,0 litres associé à une boîte automatique à cinq rapports. Avec une puissance de 266 chevaux, il est surprenant. Son temps d'accélération est de moins de 8,1 secondes pour effectuer le 0-100 km/h, tandis que sa capacité de remorquage est de 6000 livres. Et pas de version à deux roues motrices pour le marché canadien. Le rouage intégral est efficace et simple d'utilisation. On règle ses fonctions à l'aide de boutons sur le tableau de bord. On peut ainsi rouler en deux roues motrices, en quatre roues motrices automatiques, en quatre roues motrices et à quatre roues motrices avec démultiplication.

Le Pathfinder a plusieurs atouts, mais il se peut que vous déchantiez lorsque vous ferez le plein pour une première fois. Le prix à payer est élevé, car ce moteur, lorsqu'on le fait travailler plus que la moyenne, révèle un appétit incommensurable pour les hydrocarbures.

Denis Duquet

Photos: Alain Morin

CHÂSSIS -SV	
Emp/lon/lar/haut	2 850/4 884/1 850/1 845 mm
Coffre	467 à 2 243 litres
Réservoir	80 litres
Nombre coussins sécurité / ceintures	6 / 7
Suspension avant	indépendante, double triangulation
Suspension arrière	indépendante, double triangulation
Freins avant / arrière	disque / disque
Direction	à crémaillère, ass. variable
Diamètre de braquage	12,0 m
Pneus avant / arrière	P265/65R17 / P265/65R17
Poids	2 198 kg
Capacité de remorquage	2 722 kg (6 000 lb)

COMPOSANTES MÉCANIQUES	
S, SV, LE	
Cylindrée, soupapes, alim.	V6 4,0 litres 24 s atmos.
Puissance / Couple	266 chevaux / 288 lb-pi
Tr. base (opt) / rouage base (opt)	A5 / 4x4
0-100 / 80-120 / 100-0 km/h	7,9 s / 10,3 s / 40,1 m
Type ess. / ville / autoroute	Ordinaire / 14,9 / 10,3 l/100 km

FEU VERT
- Excellent rouage 4X4
- Bonne habitabilité
- Comportement routier sans surprise
- Moteur V6 adéquat
- Bonne capacité de remorquage

FEU ROUGE
- Consommation élevée
- Sensibilité au vent latéral
- Freins moyens
- Troisième rangée de sièges symbolique
- Version de base dépouillée

DU NOUVEAU EN 2012

Aucun changement majeur

http://www.nissan.ca/

Plus d'informations dans la section statistiques en dernière partie du Guide

PRESQUE UNE INFINITI

La fourgonnette Quest représente un retour à la case départ pour ce constructeur qui a délaissé ce créneau en 2009 pour le réintégrer en 2011. Comme cela a souvent été le cas dans le passé pour ce modèle, la Quest actuelle se démarque par son style particulier, qui bouscule les conventions de la catégorie, et l'appréciation de son look demeure une question très subjective.

La Quest partage plusieurs éléments avec le Murano ainsi qu'avec la Maxima. Elle est animée par le moteur V6 de 3,5 litres, omniprésent sous le capot des véhicules Nissan, et qui produit 260 chevaux dans le cas de la fourgonnette. La seule transmission disponible est une boîte à variation continue (CVT) appelée XTronic qui s'avère efficace, mais également déconcertante, dans la mesure où ce type de transmission a un comportement qui n'est pas « naturel ».

S'HABITUER À LA CVT

Maintenant, quelques explications. Lors d'une accélération franche, le régime moteur augmente et reste presque fixe à 5000 tours/minute alors que la transmission s'ajuste constamment pour accélérer le véhicule, jusqu'à ce que le conducteur relâche l'accélérateur ou qu'il ait atteint sa vitesse de croisière. Ce n'est qu'à ce moment que le régime moteur se met à baisser. Ce type de comportement de la transmission demande cependant une certaine période d'adaptation, puisqu'elle fonctionne différemment d'une boîte automatique traditionnelle avec cette réactivité bien particulière du groupe motopropulseur.

Sans l'informer de ce qu'était une transmission à variation continue ou la prévenir de son comportement particulier, j'ai demandé à mon épouse de conduire la Quest et de me donner ses impressions. Elles étaient plutôt favorables pour ce qui est de la force d'accélération et du comportement routier, mais elle m'a dit qu'elle préférait la conduite de la Honda Odyssey. Lorsque je lui ai demandé pourquoi, elle n'était pas en mesure de me l'expliquer jusqu'à ce que je lui parle du comportement de la transmission. À ce moment, elle m'a dit : « C'est ça ! C'est la réaction de la transmission qui n'est pas "naturelle". » Cela dit, c'est presque seulement lors d'une accélération maximale que l'on est en mesure de constater ce phénomène, et la plupart des conducteurs ne remarqueront même peut-être jamais que la transmission fonctionne différemment d'une boîte automatique conventionnelle.

CONCURRENTS
Chrysler Town & Country,
Dodge Grand Caravan,
Honda Odyssey,
Kia Sedona,
Toyota Sienna,
Volkswagen Routan

IMPRESSIONS DE L'AUTEUR	
Agrément de conduite :	3/5
Fiabilité :	4/5
Sécurité :	4/5
Qualités hivernales :	4/5
Espace intérieur :	4/5
Confort :	3.5/5

Catégorie	Fourgonnette
Échelle de prix	29 998 $ à 48 498 $ (2011)
Garanties	3 ans/60 000 km, 5 ans/100 000 km
Assemblage	Canton, Mississipi, É-U
Cote d'assurance	passable

CHÂSSIS -SV	
Emp/lon/lar/haut	3 000/5 100/1 970/1 855 mm
Coffre	1 051 à 3 392 litres
Réservoir	76 litres
Nombre coussins sécurité / ceintures	6 / 7
Suspension avant	indépendante, jambes de force
Suspension arrière	indépendante, multibras
Freins avant / arrière	disque / disque
Direction	à crémaillère, ass. variable électrique
Diamètre de braquage	11,0 m
Pneus avant / arrière	P225/65R16 / P225/65R16
Poids	1 997 kg
Capacité de remorquage	1 590 kg (3 505 lb)

COMPOSANTES MÉCANIQUES	
S, SV, SL, LE	
Cylindrée, soupapes, alim.	V6 3,5 litres 24 s atmos.
Puissance / Couple	260 chevaux / 240 lb-pi
Tr. base (opt) / rouage base (opt)	CVT / Tr
0-100 / 80-120 / 100-0 km/h	9,1 s / 5,9 s / 41,0 m
Type ess. / ville / autoroute	Ordinaire / 11,1 / 8,1 l/100 km

Pour ce qui est du comportement routier, la Quest n'est pas aussi performante en tenue de route que la Odyssey de Honda. Elle présente un peu plus de sous-virage et de roulis en courbes, mais son rayon de braquage est relativement court pour la catégorie, ce qui facilite grandement les manœuvres de stationnement et surtout les demi-tours sur les rues en banlieue.

UN HABITACLE PRESQUE SIGNÉ INFINITI

Un essai du modèle haut de gamme, la Quest LE, nous a permis d'apprécier la qualité de la finition de son habitacle. En effet, son impressionnant calibre pourrait facilement le faire passer pour un véhicule de marque Infiniti. Comme il se doit dans un modèle aussi huppé, l'équipement est complet. Il comprend des sièges en cuir, de nombreux accessoires et de grands rangements, mais l'ergonomie reste perfectible, puisque les commandes du système de chauffage/climatisation ainsi que celles du système audio sont localisées au centre du tableau de bord, mais derrière le levier de vitesse. Ainsi, le conducteur doit obligatoirement se pencher la tête pour repérer le bon bouton avant de pouvoir l'actionner. Quant au système DVD, précisons que l'écran est moins grand que celui de l'Odyssey. Tous les modèles de la Quest, même celui d'entrée de gamme, sont toutefois équipés d'une clé intelligente qui peut rester dans votre poche puisque le démarrage se fait au moyen d'un bouton-poussoir sur la planche de bord.

Les places de la deuxième rangée proposent un confort égal à celles de la première, mais l'espace accordé aux passagers de la troisième rangée n'est pas aussi grand que celui proposé par la Honda Odyssey ou encore par les véhicules concurrents de Chrysler. Aussi, la Quest est dotée du plus petit espace cargo de la catégorie et la Quest ne partage pas le mécanisme permettant de replier les sièges de la troisième rangée dans le plancher comme sur Dodge Grand Caravan, Toyota Sienna ou a Honda Odyssey. En fait, Nissan a plutôt opté pour un puits de rangement accessible en tout temps, recouvert de deux panneaux à cet endroit. Le hic, c'est que lorsque l'on veut replier les sièges de la troisième rangée, ou même ceux de la deuxième, on se retrouve avec un plancher qui n'est pas parfaitement plat et un volume d'espace cargo inférieur à celui des concurrentes lorsque cette configuration est adoptée.

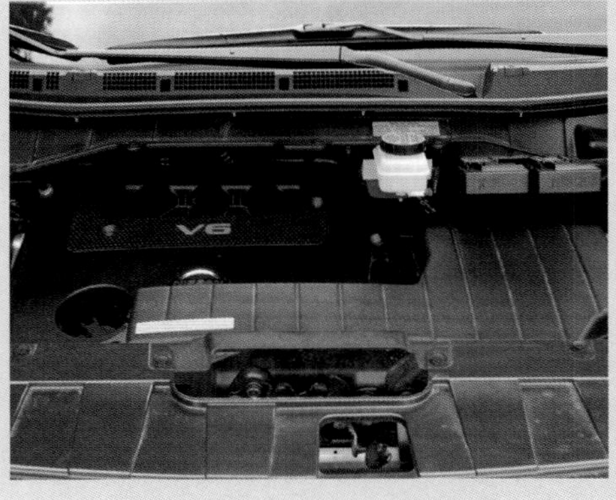

La Quest propose une approche différente avec son style particulier et sa présentation intérieure qui cadre presque dans les standards Infiniti. Elle n'est cependant pas la plus polyvalente, la plupart des autres fourgonnettes damant le pion à Nissan à cet égard. Comme c'est souvent cet aspect qui prime dans le choix d'un véhicule de cette catégorie, il ne faut pas s'attendre à ce que la Quest s'impose pour ce qui est du volume de ventes, malgré ses multiples qualités.

Gabriel Gélinas

Photos : Denis Duquet

FEU VERT

- Lignes distinctives
- Bon niveau de confort
- Qualité de finition
- Moteur réputé

FEU ROUGE

- Espace cargo limité
- Ergonomie perfectible
- Consommation élevée
- Troisième rangée peu confortable

DU NOUVEAU EN 2012

Aucun changement majeur

http://www.nissan.ca/

Plus d'informations dans la section statistiques en dernière partie du Guide

ENCORE DANS LE COUP

Il n'est plus de la première heure. Même que le Nissan Rogue devrait avoir droit à une nouvelle génération dès l'an prochain. Mais il fait encore son travail, malgré la concurrence renouvelée, notamment celle des Coréens. À condition cependant de savoir se contenter de la transmission à variation continue.

Malheureusement, et contrairement à la moitié de ses concurrents (Ford Escape, Hyundai Tucson, Kia Sportage, Jeep Compass/Patriot, Subaru Forester et Volkswagen Tiguan), l'utilitaire compact de Nissan n'offre aucune boîte manuelle: seule une transmission CVT figure au catalogue. Ceux qui connaissent ce type d'organe à courroie et poulies (un peu comme pour notre bonne vieille motoneige) savent que ça signifie du «lirage» de révolutions, tant et aussi longtemps que le pied droit ne relâche pas l'accélérateur. C'est désagréable, bruyant et, de surcroît, ça n'accorde pas des envolées aussi énergiques que ce qui résonne à l'oreille. Une façon de s'en tirer? Opter pour les variantes du Rogue plus haut de gamme, qui s'amènent avec les palettes de changement de vitesse au volant. On peut alors recréer des rapports virtuels afin de soi-même mieux contrôler et délier la puissance.

Sinon, le moteur quatre cylindres de 2,5 litres, avec ses 170 chevaux, fait un boulot honorable, en toute linéarité. La consommation en ville, quand on ne fait pas les fous, est l'une des plus économiques de la catégorie. Côté tenue de route, c'est aussi très correct. La conduite est simple, légère et sans effort. Plateforme de la berline Sentra aidant, on ne ressent pas de roulis incommensurable. Et ce, même si le véhicule dispose d'une garde au sol relativement élevée (211 mm), ce qui a, soit dit en passant, l'avantage d'une position de conduite en «commande» la route, en plus de faciliter les entrées et les sorties à bord.

CONCURRENTS
Chevrolet Equinox, Ford Escape, Honda CR-V, Hyundai Tucson, Jeep Compass / Patriot, Kia Sportage, Mitsubishi Outlander, Subaru Forester, Suzuki Grand Vitara, Toyota RAV4, Volks Tiguan

IMPRESSIONS DE L'AUTEUR	
Agrément de conduite:	3.5/5
Fiabilité:	4/5
Sécurité:	4.5/5
Qualités hivernales:	4/5
Espace intérieur:	4/5
Confort:	3.5/5

Par contre, la suspension (multibras à l'arrière) gagnerait à être révisée pour un peu plus de suavité. Pour l'heure, les tares de notre cher réseau routier provoquent des «bedoums» d'amortisseurs qui retentissent dans l'habitacle et... dans le bas du dos. Autrement dit: sur les cahots québécois, ça brasse et ça se déporte, un Rogue. Et la direction: pas besoin de lire les données techniques du véhicule pour savoir qu'elle est d'architecture électrique, on le devine juste par son manque de communication avec la route. Par contre, ça se traduit par un court braquage, car tant en stationnement que dans la circulation, le Rogue se faufile mieux que d'autres de sa trempe, une impression qui est rehaussée par une excellente vision tout autour.

TROMPE-L'ŒIL

Autre trompe-l'œil : visuellement, la silhouette tout en douceur et en profil du Rogue fait paraître l'utilitaire plus petit qu'il ne l'est en réalité. Et c'est peut-être pour cette raison que son allure plaît tant aux dames. Reste que le « bébé Murano » est en fait plus long que le duo de Jeep Compass/Patriot, voire que l'actuel Ford Escape et le nouveau Hyundai Tucson. Côté cargo, les 818 litres lorsque toutes les places sont occupées, de même que les 1 639 litres, une fois la banquette rabattue, sont certes 20 % moindres que pour le Toyota Rav4, mais ça demeure fort généreux.

D'autres bons mots pour l'habitacle : l'insonorisation est correcte (elle l'est cependant moins, en raison du vent, si l'on file au-delà des limites de vitesse autoroutières). Et si l'instrumentation est très simple (pour ne pas dire simpliste), elle a le mérite d'être facile à apprivoiser, avec ces commandes aisément repérables et maniables. Il manque un peu de rangement à l'avant (par exemple, on ne retrouve pas de porte-gobelet dans les portières), mais l'assemblage est de qualité et les plastiques durs n'ornent que des endroits moins susceptibles d'être effleurés que les autres. Même si le volant ne se fait pas télescopique, la bonne position de conduite se trouve facilement, notamment parce que le siège s'ajuste en hauteur. On espère toutefois que la prochaine génération (qui sera non plus assemblée au Japon, mais sur notre continent, plus particulièrement au Tennessee) proposera enfin les dossiers de banquette qui s'inclinent, pour davantage de confort, de même que le coulissement de ladite banquette, pour encore plus d'espace aux jambes lorsque nécessaire.

ENTRE ROGUE ET JUKE...

Côté équipements, avec le Rogue, on peut se gâter de la traction intégrale, un dispositif offert même sur la variante de base. On peut aussi se payer les sièges chauffants avant, la climatisation automatique, le démarrage sans clé, la radio satellite et le toit ouvrant (pas panoramique, toutefois). On aime par ailleurs que soient de série la communication Bluetooth, les commandes audio au volant et le régulateur de vitesse.

Ou on peut reluquer du côté du Nissan Juke. Certes plus petit, cette espèce de croisement entre une voiture compacte et un utilitaire se fait sportivement plus intéressant à conduire, en plus d'offrir des gizmos pas mal fascinants. Comme la motorisation turbo à injection directe ou, encore, ce tableau de bord qui change au gré des humeurs.

Bref, en attendant le nouveau Rogue et si l'espace restreint n'est pas un problème, le Juke a son mot à dire dans la salle d'exposition de Nissan.

Nadine Filion

Photos: Nissan

Catégorie	VUS
Échelle de prix	23 648 $ à 33 848 $ (2011)
Garanties	3 ans/60 000 km, 5 ans/100 000 km
Assemblage	Kyushu, Japon
Cote d'assurance	moyenne

CHÂSSIS - SV TA	
Emp/lon/lar/haut	2 690/4 655/1 800/1 684 mm
Coffre	818 à 1 639 litres
Réservoir	60 litres
Nombre coussins sécurité / ceintures	6 / 5
Suspension avant	indépendante, jambes de force
Suspension arrière	indépendante, multibras
Freins avant / arrière	disque / disque
Direction	à crémaillère, ass. variable électrique
Diamètre de braquage	11,4 m
Pneus avant / arrière	P225/60R17 / P225/60R17
Poids	1 511 kg
Capacité de remorquage	454 kg (1 000 lb)

COMPOSANTES MÉCANIQUES	
S TA, S TI, SV TA, SV TI, SL TI	
Cylindrée, soupapes, alim.	4L 2,5 litres 16 s atmos.
Puissance / Couple	170 chevaux / 175 lb-pi
Tr. base (opt) / rouage base (opt)	CVT / Tr (Int)
0-100 / 80-120 / 100-0 km/h	8,9 s / 7,7 s / 40,6 m
Type ess. / ville / autoroute	Ordinaire / 9,3 / 7,7 l/100 km

FEU VERT

- Dimensions plus grandes qu'il n'y paraît
- Bon équipement de série
- Bonne garde au sol
- L'un des généreux cargos de la catégorie
- Facile à apprivoiser

FEU ROUGE

- Suspension fort occupée
- Direction (électrique) sans connexion
- La CVT...
- Aucune boîte manuelle au catalogue
- Le Juke est plus palpitant à conduire

DU NOUVEAU EN 2012

Aucun changement majeur

http://www.nissan.ca/

Plus d'informations dans la section statistiques en dernière partie du Guide

LA SPORTIVE SAUVE L'HONNEUR

La vie est souvent injuste, même pour les voitures. Alors que la petite berline Sentra est de plus en plus larguée dans la catégorie des compactes où plusieurs des meneuses sont entièrement renouvelées cette année, c'est sa petite sœur, la berline Versa, qui a droit à ce traitement. Déjà que le modèle précédent la devançait nettement au palmarès des ventes, de mèche avec sa frangine avec hayon. En attendant la relève, le modèle le plus intéressant de cette série est incontestablement la SE-R Spec V, la plus sportive du lot, qui nous a franchement surpris dans un match comparatif contre les meilleures compactes sportives dans l'édition précédente du Guide.

CONCURRENTS
Chevrolet Cruze, Ford Focus, Honda Civic, Hyundai Elantra, Kia Forte, Mazda3, Mitsubishi Lancer, Subaru Impreza, Suzuki SX-4, Toyota Corolla, Volkswagen Jetta

IMPRESSIONS DE L'AUTEUR	
Agrément de conduite :	4/5
Fiabilité :	4/5
Sécurité :	4/5
Qualités hivernales :	4/5
Espace intérieur :	3.5/5
Confort :	3.5/5

Il faut dire que la déconvenue des versions les plus sages de la Sentra face aux Versa est facile à expliquer. Ces dernières sont d'abord moins chères, offrent des places arrière nettement plus spacieuses et un volume cargo supérieur. Surtout les versions avec hayon. Et il n'y a pas de modèle de ce type chez la Sentra. Les Versa, dont les moteurs sont de plus faible cylindrée (1,8 et 1,6 litre) que le 2,0 litres des Sentra, consomment également moins avec la boîte manuelle. La Sentra 2.0 équipée de la transmission à variation continue (TVC) Xtronic est la plus frugale du lot, mais l'option est coûteuse et la TVC n'est pas au goût de tout le monde. Surtout qu'elle n'est guère agréable dans la Sentra. Voilà, en quelques mots, pour les versions 2.0 de la Sentra. La cause est entendue jusqu'à une refonte vraiment sérieuse qui permettra peut-être à une toute nouvelle Sentra de se mesurer à des pointures comme les nouvelles Civic, Cruze, Elantra, Focus et autres.

VERSION SPEC V ÉTONNANTE

Sans faire preuve de cruauté ou d'acharnement, on peut également tirer un trait sur la version SE-R, malgré son prix alléchant. Son moteur de 2,5 litres est avant tout mal servi par la TVC dont il est exclusivement affligé et sa puissance est limitée à 177 chevaux sur ce modèle. La boîte manuelle à 6 rapports et la cavalerie complète de 200 chevaux sont effectivement réservées à la SE-R Spec V, la petite berline sans prétention, qui nous a tant étonnés lors de notre match de sportives de l'an dernier. Face à des références comme les Civic Si, Mazdaspeed3 et Volkswagen GTI, elle s'est défendue plus qu'honnêtement pour causer la surprise du match.

Les différences entre SE-R et Spec V ne s'arrêtent pas au moteur et au rouage. Les amortisseurs de la Spec V, par exemple, sont

différents et abaissent légèrement la carrosserie. Il y a des barres de renforcement à l'avant de son coffre et d'autres derrière le compartiment-moteur pour améliorer la rigidité. Le diamètre des disques de freins avant de la Spec V est de 320 mm au lieu de 297 mm.

L'équipement des SE-R est très complet pour cette catégorie. Elles offrent même un système de navigation avec écran tactile et une caméra de marche arrière si on ajoute le groupe « techno » optionnel (700 $). Les sièges baquets noirs sont bien sculptés et offrent une excellente combinaison de confort et de maintien. Le volant gainé de cuir de la Spec V a des surpiqûres et le pommeau de son levier de vitesse est enveloppé de cuir lui aussi. Les cadrans principaux sont très clairs et le manomètre d'huile installé vers la droite a son utilité, mais certainement pas son voisin, qui affiche les forces longitudinales mouvement.

La SE-R Spec V est très silencieuse sur la route, à vitesse constante. La tenue de cap est bonne et la servodirection électrique raisonnablement sensible et précise pour le genre. L'accélérateur est par contre trop sensible en amorce, l'embrayage accroche sec et haut dans sa course et la pédale de frein est plutôt abrupte et peu progressive. Pas facile de la conduire en douceur en plein trafic.

DE BONNES NOTES POUR L'EFFORT

La Spec V est dotée d'un différentiel autobloquant mécanique qui améliore la motricité en accélération ou en courbe. Ses pneus ont la même taille que ceux de la SE-R mais sont plus mordants. L'adhérence en virage est très bonne, mais la Spec V est désavantagée par son profil haut qui lui fait prendre plus de roulis que ses rivales plus légères et basses.

Avec ses 180 lb-pi de couple, son moteur 2,5 litres génère de bonnes reprises, mais la Spec V n'est pas une sprinteuse aussi forte que ses rivales les plus en vue, malgré une puissance quasi identique sur papier. Elle abat le 0-100 km/h en 8,2 secondes, tandis que le coupé Honda Civic Si s'exécute 7,3 secondes et la GTI en 6,8 secondes avec la boîte à double embrayage robotisé. Et il ne faut pas oublier que la Spec V est une berline de 1 387 kg et que les deux autres n'ont que deux portières et pèsent respectivement 1 313 et 1 376 kilos.

Mais le principal atout de la SE-R Spec V, c'est son prix largement inférieur aux autres compactes sportives de puissance comparable. Elle n'est pas aussi performante que les meilleures et sa tenue de route n'est pas aussi fine, mais c'est une petite voiture sympathique, confortable, spacieuse et très bien équipée. Il faut cependant transporter ses skis ou ses planches à neige ailleurs que dans le coffre dont la paroi avant est fixe et sans ouverture au centre.

Marc Lachapelle

Photos : Nissan

WWW.GUIDEAUTOWEB.COM/NISSAN/SENTRA/

NISSAN SENTRA

Catégorie	Berline
Échelle de prix	15 398 $ à 23 398 $ (2011)
Garanties	3 ans/60 000 km, 5 ans/100 000 km
Assemblage	Aguascalientes, Mexique
Cote d'assurance	moyenne

CHÂSSIS - 2.0 S	
Emp/lon/lar/haut	2 685/4 567/1 791/1 511 mm
Coffre	371 litres
Réservoir	55 litres
Nombre coussins sécurité / ceintures	6 / 5
Suspension avant	indépendante, jambes de force
Suspension arrière	semi-indépendante, poutre de torsion
Freins avant / arrière	disque / tambour
Direction	à crémaillère, ass. variable électrique
Diamètre de braquage	10,8 m
Pneus avant / arrière	P205/55R16 / P205/55R16
Poids	1 320 kg
Capacité de remorquage	454 kg (1 000 lb)

COMPOSANTES MÉCANIQUES	
2.0, 2.0 S, 2.0 SL	
Cylindrée, soupapes, alim.	4L 2,0 litres 16 s atmos.
Puissance / Couple	140 chevaux / 147 lb-pi
Tr. base (opt) / rouage base (opt)	M6 (CVT) / Tr
0-100 / 80-120 / 100-0 km/h	9,6 s / 8,0 s / 41,6 m
Type ess. / ville / autoroute	Ordinaire / 7,6 / 5,7 l/100 km
SE-R	
Cylindrée, soupapes, alim.	4L 2,5 litres 16 s atmos.
Puissance / Couple	177 chevaux / 172 lb-pi
Tr. base (opt) / rouage base (opt)	CVT / Tr
0-100 / 80-120 / 100-0 km/h	8,7 s / n.d. / 40,5 m
Type ess. / ville / autoroute	Ordinaire / 8,7 / 6,5 l/100 km
SE-R Spec V	
Cylindrée, soupapes, alim.	4L 2,5 litres 16 s atmos.
Puissance / Couple	200 chevaux / 180 lb-pi
Tr. base (opt) / rouage base (opt)	M6 / Tr
0-100 / 80-120 / 100-0 km/h	8,2 s / n.d. / 40,5 m
Type ess. / ville / autoroute	Ordinaire / 9,8 / 7,0 l/100 km

FEU VERT

- Moteur souple et assez performant (Spec V)
- Équipement complet pour la catégorie (SE-R)
- Comportement très honnête (Spec V)
- Bons sièges avant (Spec V)

FEU ROUGE

- Embrayage sec (Spec V)
- Accélérateur trop vif en amorce (Spec V)
- Dossier arrière fixe (Spec V)
- Série en fin de parcours

DU NOUVEAU EN 2012

Aucun changement majeur

http://www.nissan.ca/

Plus d'informations dans la section statistiques en dernière partie du Guide

LE GRAND FRONDEUR

On peut accuser la compagnie Nissan de bien des maux, mais une chose est certaine: ce constructeur automobile, qui ne manque pas d'audace, ne s'avoue jamais vaincu. Alors que les Nord-Américains dominaient outrageusement la catégorie des grosses camionnettes, Nissan s'y est aventurée sans réserve. Il ne faut pas se leurrer, même si l'arrivée du Titan sur le marché a été fort spectaculaire, les chiffres de vente ont été quelque peu décevants. Il faut dire que s'attaquer à la forteresse nord-américaine des grosses camionnettes n'était pas une mince tâche.

CONCURRENTS
Chevrolet Silverado,
Ford F-150,
GMC Sierra,
RAM 1500,
Toyota Tundra

IMPRESSIONS DE L'AUTEUR	
Agrément de conduite:	4/5
Fiabilité:	3.5/5
Sécurité:	3.5/5
Qualités hivernales:	3/5
Espace intérieur:	4.5/5
Confort:	4/5

Pourtant, cette camionnette Nissan se démarquait par une silhouette relativement originale et l'habitacle le plus spacieux de la catégorie. En fait, ce constructeur a été l'un des premiers à nous proposer une planche de bord qui semblait davantage conçue pour être placée dans une automobile que dans une camionnette. Malgré tout, les résultats ont été décevants et les ventes ont continué de décliner. Par contre, dans la catégorie mauvaise nouvelle/bonne nouvelle, la plate-forme autonome de cette camionnette a été utilisée sur plusieurs autres produits, notamment sur la camionnette compacte Frontier et sur les nouveaux véhicules commerciaux de la gamme NV.

Deux choses ont vraiment fait mal au Titan lors de son arrivée sur le marché. D'abord, dans cette catégorie, on ne s'adresse pas nécessairement à des gens qui recherchent les dernières tendances ou la dernière silhouette à la mode. Deuxièmement, alors que la plupart de ses concurrents proposaient une version à moteur V6 et une autre avec un gros V8, ce Nissan n'affichait au catalogue qu'un seul moteur: un V8 de 5,6 litres d'une puissance de 317 chevaux. C'était plus ou moins la norme de la catégorie en 2004, année du lancement de ce modèle. Toutefois, les gens ont rapidement été estomaqués par le caractère gourmand de son moteur. Soulignons au passage que le titre de glouton de la catégorie est disputé entre le 5,6 litres de Nissan et le 5,7 litres de Toyota. Tous ces facteurs sont venus effacer les qualités intrinsèques de cette camionnette, même si elle en possède beaucoup.

PASSEZ AU SALON

L'habitabilité n'est pas le point faible de cette camionnette. Bien au contraire, il s'agit de l'une de ses principales caractéristiques, tant à l'avant qu'à l'arrière. Si jamais un des occupants se plaignait d'être à l'étroit, c'est qu'il s'agit certainement d'un joueur de basketball de

Catégorie	Camionnette
Échelle de prix	33 848 $ à 50 548 $ (2011)
Garanties	3 ans/60 000 km, 5 ans/100 000 km
Assemblage	Canton, Mississipi, É-U
Cote d'assurance	passable

la NBA. En effet, il est possible de prendre ses aises sans se gêner. En plus, le siège arrière peut se relever en position verticale, permettant ainsi de placer dans la cabine des objets que l'on veut protéger des intempéries et des voleurs. Plusieurs autres camionnettes à cabine double offrent la même chose, mais l'espace dans le Titan est encore plus généreux. Cela compense en quelque sorte pour la caisse de chargement, légèrement plus petite que la moyenne de la catégorie. Il est possible de choisir parmi trois longueurs de caisse : 5 pieds 7 pouces, 6 pieds 6 pouces ou 7 pieds 3 pouces. En plus, cette camionnette est offerte en deux empattements afin de mieux adapter ce véhicule aux besoins des acheteurs. Le système d'ancrage Utili-Track permet de transporter en toute sécurité plusieurs objets de différentes tailles dans la caisse. On retrouve cinq canaux d'ancrage dans la caisse dans lesquels coulissent des points d'attache que l'on peut également enlever très facilement. Il est aussi possible, selon le modèle choisi, de bénéficier d'une couche protectrice de la surface de la caisse afin d'éliminer les éraflures sur la peinture. Enfin, dernier détail, mais non le moindre, la porte arrière à battant est dotée d'un système d'amortissement qui facilite sa manipulation.

Lors de son arrivée sur le marché, la planche de bord figurait parmi les plus modernes. Au fil des années, les autres constructeurs ont nettement amélioré cet élément de la cabine et le Titan fait aujourd'hui figure de parent pauvre.

UNE SURPRENANTE AGILITÉ

La première chose qui nous surprend lorsqu'on conduit cette camionnette, c'est son agilité par rapport à ses dimensions extérieures. C'est une camionnette qui se conduit pratiquement au doigt et à l'œil et les manœuvres de stationnement sont très faciles. Avec d'autres camionnettes, il faut parfois effectuer un changement de direction en trois points pour se garer. La tenue de route est correcte et le confort de la suspension ne se prête à aucune critique. Par contre, le moteur V8, le seul disponible, est relativement bruyant et cela devient agaçant à la longue. En conduite normale, si on prend la peine d'accélérer avec parcimonie, il sera possible d'obtenir une consommation de carburant frôlant les 15,0 l/100 km. Mais il faut vraiment y aller délicatement. Si vous conduisez sans vous soucier de la consommation de carburant, celle-ci oscillera entre 17 et 20 l/100 km, à condition que vous n'ayez pas une charge à l'arrière ou ne tractez pas une remorque. À ce moment-là, la consommation devient stratosphérique.

Bref, il faut vraiment être mordu de la marque ou aimer prendre ses aises dans une cabine aux dimensions fort généreuses pour se tourner vers cette camionnette, qui a pourtant d'intéressantes choses à offrir.

Denis Duquet

Photos : Nissan

CHÂSSIS - SL 4X4 CAB. DOUBLE

Emp/lon/lar/haut	3 550/5 704/2 019/1 948 mm
Longueur de boîte	1 710 mm (67,3 pouces)
Réservoir	106 litres
Nombre coussins sécurité / ceintures	6 / 5
Suspension avant	indépendante, double triangulation
Suspension arrière	essieu rigide, ressorts à lames
Freins avant / arrière	disque / disque
Direction	à crémaillère, ass. variable
Diamètre de braquage	13,8 m
Pneus avant / arrière	P275/60R20 / P275/60R20
Poids	2 562 kg
Capacité de remorquage	4 128 kg (9 100 lb)

COMPOSANTES MÉCANIQUES

Cylindrée, soupapes, alim.	V8 5,6 litres 32 s atmos.
Puissance / Couple	317 chevaux / 385 lb-pi
Tr. base (opt) / rouage base (opt)	A5 / Prop (4x4)
0-100 / 80-120 / 100-0 km/h	7,8 s / 6,2 s / 44,2 m
Type ess. / ville / autoroute	Ordinaire / 17,4 / 11,8 l/100 km

FEU VERT

- Habitabilité impressionnante
- Ergonomie du tableau de bord
- Moteur robuste
- Bonne tenue de route
- Surprenante agilité

FEU ROUGE

- Dimensions encombrantes
- Consommation très élevée
- Modèle en sursis
- Certains plastiques à revoir
- Valeur de rachat inquiétante

DU NOUVEAU EN 2012

Aucun changement majeur

http://www.nissan.ca/

Plus d'informations dans la section statistiques en dernière partie du Guide

PAS REN« VERSA »NTE, MAIS INTÉRESSANTE

La Nissan Versa berline de nouvelle génération (pour la hatchback, il faudra patienter encore un peu) est nettement mieux que l'ancienne. Et c'est dire, parce que l'ancienne faisait encore du bon boulot. Mais est-ce qu'une carrosserie joliment relookée, une CVT améliorée, un habitacle remanié et l'un des plus spacieux coffres de la catégorie suffiront à supplanter la concurrence ?

Ça suffira si l'on prend en considération le prix de la nouvelle berline Versa. Et c'est ce qui compte dans cette catégorie, non ? Car à 11 798 $, soit une réduction d'un peu plus d'un millier de dollars versus la berline qui tire sa révérence, la Versa quatre portes 2012 devient la voiture moins coûteuse de notre marché. Et comme on a toujours dit que la Versa était davantage une compacte qu'une sous-compacte, eh bien ça fait beaucoup de tôle par dollar.

Néanmoins, quand on prend en considération la technologie de la Ford Fiesta, la vraiment jolie gueule de la Hyundai Accent ou la sportivité incisive de la Mazda2, eh bien la Versa berline 2012 se classe en milieu de peloton. Pour elle, pas de grande innovation, pas de grands élans. Que du traditionnel, à commencer par un habitacle qui semble avoir été conçu par les designers d'intérieurs automobiles du début des années 2000. Certes, les commandes sont faciles à apprivoiser — la radio en haut, les trois roulettes de l'ajustement de la température en bas, un optionnel système de navigation qui peut venir enjoliver tout ça. Mais sans plus. Même que l'insonorisation est moyenne : sur les autoroutes de béton en périphérie de Seattle, il nous était difficile de mener une conversation avec le passager avant. Notez que nous conduisions des Versa de préproduction, la donne pourrait donc changer avec les modèles commercialisés.

CONCURRENTS

Chevrolet Sonic, Ford Fiesta, Honda Fit, Hyundai Accent, Kia Rio/Rio5, Mazda2, Toyota Yaris

IMPRESSIONS DE L'AUTEUR

Agrément de conduite :	3.5/5
Fiabilité :	NOUVEAU MODÈLE
Sécurité :	4/5
Qualités hivernales :	3.5/5
Espace intérieur :	4/5
Confort :	3.5/5

On a aussi trouvé que les plastiques de revêtement étaient durs alors qu'on aurait préféré qu'ils soient moelleux aux endroits les plus fréquentés par le bout des doigts. On a également regretté ce volant emprunté aux modèles Nissan plus luxueux désormais remplacé par quelque chose d'anonymement rond et pas agréable à regarder. À l'instar de la compétition, ce volant n'est pas télescopique et si, ailleurs ça ne dérange pas, ça gêne ici : trop près du tableau de bord, il nous force à continuellement ajuster siège et dossier pour dénicher la bonne position. Mais qui dit « petit prix », dit qu'il fallait bien couper quelque part. Et reste qu'on a quand même de bons mots pour le confort des sièges avant, de bon maintien et rembourrés aux bons endroits. Qui plus est, l'ajustement en hauteur du siège conducteur est de série. Et on aime que les commandes d'ajustement aient quitté l'intérieur des fauteuils pour être de retour là où on les cherche : près de la portière.

ELLE PREND DU MUSCLE

Côté style, la nouvelle berline Versa fait un grand pas. Parent pauvre de la gamme depuis 2007 avec sa mince calandre sans envergure et ses lignes à la « Saturn Ion » (ce qui n'est évidemment pas un compliment), voilà qu'elle prend du muscle là où il faut et que ses glaces arrière s'étirent en goutte d'eau, pour un latéral plus élégant. L'arrière s'est harmonieusement ramassé et à l'avant, la grille prend de mieux. La nouvelle signature visuelle de Nissan donne d'ailleurs davantage de présence à la voiture sur la route. Bref, c'est visuellement réussi. Pour la hatchback ? Il faut attendre la saison des salons automobiles pour voir ce dont elle aura l'air. Les gens de Nissan sont catégoriques : on a fait plus que de simplement couper le coffre arrière à cette hatchback qui doit débarquer en cours d'année. En attendant, on doit vivre avec la bienveillante variante à hayon actuelle.

Au-delà du style et de l'habitacle (nous vous parlerons plus loin de généreuses places arrière et d'un tout aussi généreux coffre), il y a la motorisation. Ici, on garde le quatre cylindres de 1,6 litre, qu'on a cependant remanié de doubles (et non plus simples) injecteurs et de la distribution variable continue. C'est là une façon d'obtenir une meilleure frugalité, sans pour autant investir dans des technos telles l'injection directe. Ce moteur développe 109 chevaux et 107 lb-pi, en hausse de deux chevaux, mais en baisse de 4 lb-pi.

LA CVT MONTE À BORD

Autre moyen de réduire la consommation : délaisser la boîte automatique quatre rapports et annexer une transmission à variation continue. La CVT de Nissan, on la connaît depuis un bon moment (entre autres avec la Versa à hayon et son 1,8 litre de 122 chevaux). On sait donc que sans mode manuel, cette boîte se fait « lireuse » en accélération. Et qu'est-ce que ça donne avec une encore plus petite motorisation ?

Surprise : cette CVT, plus compacte et améliorée d'un nouvel engrenage, offre un ratio final plus étendu, donc une meilleure flexibilité de la puissance, surtout à vitesse d'autoroute. Notre Versa a également enfilé les montées sans rechigner et sans que l'on doive nécessairement enfoncer la pédale au plancher. Qui plus est, les révolutions n'ont pas été aussi bruyantes qu'escomptées, s'accordant même avec les réelles accélérations. Ces dernières, bien qu'elles n'aient toujours pas de « *kickdown* » d'enfer, se font plus libertines que ce à quoi on s'attend de la part de 109 chevaux.

Résultat sur la consommation ? Une réduction annoncée d'un litre (15 %) en combiné ville/autoroute versus l'automatique qui tire sa révérence. Si ça s'avère, c'est majeur. Sachez qu'une boîte manuelle cinq vitesses continue d'être offerte, mais vous n'en voudrez sans doute pas. Non seulement épargne-t-elle à peine 0,3 litre versus l'ancienne boîte manuelle, mais elle se fait 10 % (!) plus gourmande que la CVT.

PLUS MATURE

Sur la route, la Versa berline gagne des galons, attribuables au fait qu'elle quitte la plateforme « B » de la Sentra pour être assemblée, toujours au Mexique, sur une nouvelle « V » (comme pour les Micro/March, malheureusement toujours absentes de notre marché). Conséquence : la Versa s'est contractée de 2 cm en hauteur, tout en conservant la même largeur. Et groupe motopropulseur plus compact aidant, le compartiment-moteur s'est rétréci, au profit de l'espace arrière. En plus, on a réussi à retrancher à l'ensemble quelque 68 kilos.

Ces changements se traduisent par un comportement plus mature, mieux posé et moins sensible aux vents latéraux. Aussi, la poutre de torsion, qui demeure en guise de suspension arrière, est bien contrôlée. Certes, elle est occupée, mais ses amortisseurs ne rebondissent pas indument et la balade est solide, confortable. La direction, toujours une électrique, s'est resserrée et ça fait du bien : ce n'est pas le Klondike, mais on sent davantage de communication avec la route. Le rayon de braquage reste avantageux : à 10,6 mètres, on se faufile aisément dans les stationnements et la

circulation. De surcroît, la vision est excellente tout autour et on prend aisément la mesure des quatre coins. Enfin, le freinage (toujours des tambours à l'arrière) manque un brin de mordant en début de course, mais la manœuvre s'effectue ensuite de façon progressive. Oh, et les pneus de 14 pouces ne sont plus : des 15 pouces sont maintenant de série.

IL MANQUE L'EXOTISME

Si l'empattement n'a pas changé (à 2 601 mm) au passage générationnel, l'habitabilité a été remaniée et on a droit à l'un des plus généreux dégagements aux jambes arrière de la catégorie. Le coffre ? Avec ses 419 litres (7 % de plus qu'auparavant), c'est davantage dans l'ordre d'une compacte que d'une sous-compacte. Même l'autre berline arrivée sur le marché, la Hyundai Accent, avec ses pourtant charitables 389 litres, ne parvient pas à en offrir autant.

La contrepartie de cette Versa plus élancée ? On perd de 2 à 3 cm en dégagement aux têtes. Notez que pour la version de base, la banquette n'accepte plus de se rabattre. Cette dernière variante n'est d'ailleurs livrée qu'avec la boîte manuelle, sans climatisation, sans groupe électrique et sans déverrouillage à distance. L' « affaire à faire » se trouve donc chez la variante SV, qui regroupe tout ça pour moins de 13 800 $ (1 300 $ de plus pour la CVT). Par contre, et même pour la variante « de luxe » SL, pas de revêtement de cuir au menu, pas de sièges chauffants non plus, encore moins de démarrage sans clé. Et c'est là que la Versa pourrait perdre des plumes vis-à-vis d'une concurrence qui s'affine. Car à trop penser « bonne valeur », Nissan en aura peut-être oublié d'ajouter le piment qui fait la différence.

Nadine Filion

Photos: Nadine Filion

Catégorie	Berline, Hatchback
Échelle de prix	11 798 $ à 17 548 $
Garanties	3 ans/60 000 km, 5 ans/100 000 km
Assemblage	Aguascalientes, Mexique
Cote d'assurance	moyenne

CHÂSSIS - 1.6 BERLINE

Emp/lon/lar/haut	2 601/4 455/1 694/1 514 mm
Coffre	419 litres
Réservoir	n.d.
Nombre coussins sécurité / ceintures	6 / 5
Suspension avant	indépendante, jambes de force
Suspension arrière	semi-indépendante, poutre de torsion
Freins avant / arrière	disque / tambour
Direction	à crémaillère, ass. variable électrique
Diamètre de braquage	10,6 m
Pneus avant / arrière	P185/65R15 / P185/65R15
Poids	n.d.
Capacité de remorquage	n.d.

COMPOSANTES MÉCANIQUES

1.6	
Cylindrée, soupapes, alim.	4L 1,6 litre 16 s atmos.
Puissance / Couple	109 chevaux / 107 lb-pi
Tr. base (opt) / rouage base (opt)	M5 (CVT) / Tr
0-100 / 80-120 / 100-0 km/h	n.d. / n.d. / n.d.
Type ess. / ville / autoroute	Ordinaire / 7,8 / 6,2 l/100 km

1.8 S Hayon, 1.8 SL Hayon	
Cylindrée, soupapes, alim.	4L 1,8 litre 16 s atmos.
Puissance / Couple	122 chevaux / 127 lb-pi
Tr. base (opt) / rouage base (opt)	M6 (A4, CVT) / Tr
0-100 / 80-120 / 100-0 km/h	9,5 s / 8,3 s / 41,5 m
Type ess. / ville / autoroute	Ordinaire / 7,9 / 6,3 l/100 km

FEU VERT

- La voiture la moins chère du marché — à date
- Silhouette qui a gagné en élégance
- L'un des plus grands coffres de la catégorie
- La CVT accompagne bien la petite puissance

FEU ROUGE

- Insonorisation moyenne (véhicules de préproduction)
- Banquette qui ne se rabat plus (version de base)
- Encore un peu de patience pour la variante à hayon
- Habitacle inspiré de la dernière décennie

DU NOUVEAU EN 2012

Nouvelle berline. Hatchback inchangé

http://www.nissan.ca/

Plus d'informations dans la section statistiques en dernière partie du Guide

SI L'AVENTURE VOUS INTÉRESSE

De nos jours, les produits qui prétendent être ce qu'ils ne sont pas pullulent sur notre marché. Ils sont fort populaires auprès d'une catégorie d'acheteurs qui préfèrent les pavaner que les utiliser. C'est le cas pour plusieurs voitures avec leur fausse prise d'air, leurs passages de roues élargies ainsi que des bandes décoratives visant à leur donner une allure sportive. Il suffit de les conduire pour découvrir ces imposteurs. Dans le cas qui nous concerne, l'Xterra se contente d'être ce qu'il est : un tout-terrain destiné à répondre aux besoins de gens actifs, qui n'ont pas peur de s'aventurer hors route pour y pratiquer leurs activités favorites.

CONCURRENTS
Dodge Nitro,
Jeep Liberty,
Jeep Wrangler,
Toyota FJ Cruiser

IMPRESSIONS DE L'AUTEUR	
Agrément de conduite :	3 / 5
Fiabilité :	3.5 / 5
Sécurité :	4 / 5
Qualités hivernales :	4 / 5
Espace intérieur :	4 / 5
Confort :	3 / 5

Les ventes de ce modèle ne figurent pas parmi le palmarès des véhicules les plus populaires. Et dans un certain sens, on devrait être heureux de la situation, puisqu'il faut en conclure que les personnes qui acquièrent ce modèle le font pour les bonnes raisons. En effet, le comportement routier, la suspension et la configuration de l'habitacle sont destinés à une utilisation beaucoup plus sportive que touristique.

SALISSEZ-MOI !

Vous connaissez sans doute de ces personnes pour qui la propreté de leur véhicule est presque une maladie. Ces mêmes gens s'affolent dès qu'on prend place à bord avec les pieds boueux ou si un colis laisse des éraflures sur le plancher du coffre. Cette Nissan n'est pas pour ces personnes. Elle est conçue pour être abusée, salie par les pieds boueux des randonneurs et pour accepter des bicyclettes tout-terrain dans la soute à bagages. Mieux encore, si vous faites de l'alpinisme, les piolets, pitons et mousquetons feront certainement la vie dure au plancher du coffre arrière. Bref, autant les matériaux que la configuration de l'intérieur sont destinés à un usage intense de la part de gens qui pratiquent des sports de plein air. D'ailleurs, les matériaux utilisés sont faits pour être pratiquement nettoyés au boyau d'arrosage, c'est tout dire.

Malgré tout, les sièges avant sont confortables, et ce, même lors de longs trajets. Les places arrière sont correctes, mais le dossier relativement plat nuit quelque peu au confort. Soulignons par ailleurs la présence de multiples espaces de rangement. D'ailleurs, la soute à bagages est parsemée de crochets d'ancrage afin de fixer les bagages. Soulignons également la présence d'une trousse de premiers soins, un élément qui faisait partie de la première

Catégorie	VUS
Échelle de prix	33 998 $ à 37 798 $ (2011)
Garanties	3 ans/60 000 km, 5 ans/100 000 km
Assemblage	Smyrna, Tennessee, É-U
Cote d'assurance	n.d.

CHÂSSIS - PRO-4X	
Emp/lon/lar/haut	2 700/4 540/1 850/1 903 mm
Coffre	991 à 1 869 litres
Réservoir	80 litres
Nombre coussins sécurité / ceintures	6 / 5
Suspension avant	indépendante, double triangulation
Suspension arrière	essieu rigide, ressorts à lames
Freins avant / arrière	disque / disque
Direction	à crémaillère, ass. variable
Diamètre de braquage	11,4 m
Pneus avant / arrière	P265/75R16 / P265/75R16
Poids	2 013 kg
Capacité de remorquage	2 268 kg (5 000 lb)

COMPOSANTES MÉCANIQUES	
S, PRO-4X, SV	
Cylindrée, soupapes, alim.	V6 4,0 litres 24 s atmos.
Puissance / Couple	261 chevaux / 281 lb-pi
Tr. base (opt) / rouage base (opt)	M6 (A5) / 4x4
0-100 / 80-120 / 100-0 km/h	7,9 s / 6,2 s / 41,8 m
Type ess. / ville / autoroute	Ordinaire / 14,5 / 10,1 l/100 km

génération de ce modèle. Pour mettre sa présence en évidence, les stylistes ont conservé la bosse extérieure située à la gauche du hayon, qui donne ce caractère macho au véhicule.

Le caractère pratique du Xterra se caractérise également par son toit surélevé à partir du pilier B, afin d'augmenter le dégagement pour la tête et l'espace de chargement. Les stylistes ont donc profité de cette caractéristique pour dessiner un porte-bagages assez unique en son genre comportant un espace de rangement dans sa partie avant qui permet d'y mettre, par exemple, des vêtements souillés, des bottes de marche boueuses et j'en passe. On note également la présence d'une prise pour les pieds à chaque extrémité du pare-chocs arrière.

UN OUTIL PROFESSIONNEL

Tel que décrit précédemment, les ingénieurs affectés au développement de ce véhicule ont concentré leurs efforts pour en faire un tout-terrain vraiment efficace en conduite hors route. La garde au sol est importante, on a conservé l'essieu arrière rigide qui est considéré par plusieurs spécialistes de la conduite hors route comme une nécessité et on a également adopté une boîte de transfert à commande manuelle. Il est vrai que cette combinaison ne transforme pas ce costaud en une bête d'autoroute. Disons que c'est correct, mais il ne faut pas que la surface soit irrégulière et la vitesse élevée. Faute de quoi, le véhicule a tendance à danser la sarabande. Mais quittez la grande route pour vous engager dans un sentier en mauvaises conditions, et vous apprécierez le débattement de la suspension. Et le flou de la direction qu'on lui reproche sur la route asphaltée devient un atout lorsque les choses se gâtent. Quant au rouage intégral, il est relativement sommaire, mais il fait le travail.

Le moteur choisi pour déplacer le Xterra est un V6 de 4,0 litres produisant 261 chevaux. Il s'agit du même moteur utilisé sur la camionnette Frontier avec qui ce 4x4 partage plusieurs des éléments mécaniques. La transmission de base est une boîte manuelle à six rapports très agréable d'utilisation. Pour celles et ceux qui aiment confier ce travail à une boîte automatique, cinq rapports sont à leur disposition et cette boîte est fort efficace. Soulignons que pour plusieurs, la conduite hors route quasiment extrême est plus facile lorsqu'on bénéficie d'une boîte automatique.

Personne ne trouvera à redire à propos du tableau de bord, dont la présentation aurait été moderne au début de ce siècle, mais qui reste tout de même d'une bonne ergonomie et d'utilisation facile. Mais compte tenu de la vocation spécialisée de ce véhicule, il faut avoir la jambe leste pour prendre place à bord. Un autre élément en harmonie avec la vocation vraiment utilitaire de ce véhicule qui s'adresse à des personnes qui vont l'utiliser fréquemment en conduite hors route.

Denis Duquet

Photos : Nissan

FEU VERT

- Châssis robuste
- Moteur bien adapté
- Rouage 4x4 efficace
- Comportement routier correct
- Habitacle très fonctionnel

FEU ROUGE

- Plastiques bon marché
- Seuil de chargement
- Consommation élevée
- Centre de gravité élevé
- Certaines options onéreuses

DU NOUVEAU EN 2012

Aucun changement majeur

http://www.nissan.ca/

Plus d'informations dans la section statistiques en dernière partie du Guide

L'ÂME DE PORSCHE

Au cours de sa riche histoire, ce constructeur allemand de la région de Stuttgart a développé et commercialisé plusieurs modèles de voitures, mais seule la mythique 911 Carrera peut prétendre être l'âme même de la marque. Aujourd'hui déclinée en plus de vingt variantes distinctes, la 911 est plus aboutie que jamais dans son histoire, et aucune autre voiture ne propose autant de variations sur un même thème.

Pour l'acheteur, la décision d'acquérir une 911 Carrera n'est que le début d'un long processus. Déclinée en modèles coupés, cabriolets et Targa, en propulsion ainsi qu'en traction intégrale, en séries GTS, Black Edition, Speedster, ou RS à diffusion limitée, le choix d'une 911 exige un examen attentif de la grille de sélection. Porsche permet également un degré de personnalisation qu'on retrouve très rarement dans le domaine de l'automobile. De plus, le constructeur allemand est passé maître dans l'art de proposer toutes les variantes de sa célèbre 911 Carrera successivement et selon un calendrier bien établi, pour assurer sa présence dans l'actualité.

CONCURRENTS
Aston Martin Vantage, Audi R8, BMW Série 6, Chevrolet Corvette, Jaguar XK, Maserati Gran Turismo, Mercedes-Benz Classe SL, Nissan GT-R

IMPRESSIONS DE L'AUTEUR		
Agrément de conduite :	■■■■■	5 / 5
Fiabilité :	■■■■	4 / 5
Sécurité :	■■■■■	5 / 5
Qualités hivernales :	■■■	3 / 5
Espace intérieur :	■■■	3 / 5
Confort :	■■■	3 / 5

UNE TURBO S DE 530 CHEVAUX

La 911 Turbo S fait partie d'un groupe restreint, soit celui des voitures capables de livrer des performances démentielles tout en offrant une conduite civilisée. Malgré ses accélérations foudroyantes, sa tenue de route incisive et son freinage très puissant, la 911 Turbo S s'avère extrêmement docile en conduite de tous les jours, comme ce fut le cas avec notre voiture d'essai, équipée de la boîte à double embrayage PDK, qui comporte également un mode automatique. En sélectionnant ce mode, la boîte fait elle-même tout le travail. Celle-ci a même été calibrée afin d'assurer la meilleure consommation possible lors de la conduite souple en ville. Le passage des rapports se fait très rapidement, au point où l'on roule à 50 km/h sur le sixième rapport de boîte avec le moteur qui tourne presque au ralenti. Cependant, la boîte PDK s'adapte rapidement au style du conducteur, et si celui-ci accélère vivement, la boîte répond immédiatement à ses demandes, et la voiture décolle avec une force et un aplomb impressionnants. Bref, la voiture se conduit aisément en douceur en ville pour ensuite exploser en puissance lors de l'entrée sur l'autoroute. Le meilleur des deux mondes, quoi ! En virages rapides, la 911 Turbo S est extrêmement fluide dans ses changements de trajectoire et la direction permet d'inscrire la voiture en courbes avec une grande

Catégorie	Cabriolet, Coupé
Échelle de prix	92 115 $ à 281 515 $
Garanties	4 ans/80 000 km, 4 ans/80 000 km
Assemblage	Stuttgart, Allemagne
Cote d'assurance	n.d.

CHÂSSIS - CARRERA 4 GTS

Emp/lon/lar/haut	2 350/4 435/1 852/1 300 mm
Coffre	105 litres
Réservoir	67 litres
Nombre coussins sécurité / ceintures	4 / 4
Suspension avant	indépendante, jambes de force
Suspension arrière	indépendante, multibras
Freins avant / arrière	disque / disque
Direction	à crémaillère, ass. variable
Diamètre de braquage	n.d.
Pneus avant / arrière	P235/35ZR19 / P305/30ZR19
Poids	1 420 kg
Capacité de remorquage	n.d.

COMPOSANTES MÉCANIQUES

Carrera, Carrera 4, Black Edition	
H6 3,6 l, 345 ch, 288 lb-pi	0-100 : 4,9 s - 11,3/7,9 l/100 km
Carrera S, Carrera 4S,	
H6 3,8 l, 385 ch, 310 lb-pi	0-100 : 4,7 s - 11,4/8,1 l/100 km
Carrera 4 GTS,	
H6 3,8 l, 408 ch, 310 lb-pi	0-100 : 4,6 s - 11,3/7,9 l/100 km
Speedster	
H6 3,8 l, 408 ch, 420 lb-pi	0-100 : 4,6 s - 11,2/7,5 l/100 km
GT3 RS	
H6 4,0 l, 500 ch, 460 lb-pi	0-100 : 3,9 s - n.d. l/100 km
Turbo, Turbo Cabriolet	
H6 3,8 l, 500 ch, 480 lb-pi	0-100 : 3,7 s - 13,1/8,4 l/100 km
Turbo S, Turbo S Cabriolet	
H6 3,8 l, 530 ch, 516 lb-pi	0-100 : 3,3 s - 12,7/8,1 l/100 km

GT2 RS	
Cylindrée, soupapes, alim.	H6 3,6 litres 24 s turbo
Puissance / Couple	620 chevaux / 516 lb-pi
Tr. base (opt) / rouage base (opt)	M6 / Prop
0-100 / 80-120 / 100-0 km/h	3,6 s / n.d. / n.d.
Type ess. / ville / autoroute	Super / 13,0 / 8,6 l/100 km

FEU VERT

- Accélérations phénoménales (Turbo S et GT2 RS)
- Stabilité remarquable
- Confort amélioré
- Gamme très complète

FEU ROUGE

- Prix très élevés
- Coûts des options
- Coûts d'utilisation
- Espace cargo limité

DU NOUVEAU EN 2012

Aucun changement majeur. Nouvelle génération sera lancée au début de 2012

http://www.porsche.com/

Plus d'informations dans la section statistiques en dernière partie du Guide

précision. Comme cette version est pourvue d'un rouage intégral, le sous-virage demeure présent, mais bien contrôlé, et la voiture reste toujours très stable. En accélération franche vers la sortie des virages, la 911 Turbo S livre sa puissance de façon linéaire et progressive. D'ailleurs, on se sent très à l'aise d'explorer les limites de cette voiture dans un environnement contrôlé, comme un circuit.

S'il y a un aspect de la voiture qui trahit son âge, c'est le style de la planche de bord et la présentation générale de l'habitacle. À notre époque de systèmes télématiques sophistiqués, la 911 Carrera fait un peu *old school*, avec ses 33 boutons et la localisation un peu aléatoire de certaines commandes, mais ça a le mérite de rester fidèle à une certaine tradition toute germanique.

REFONTE IMMINENTE

Produite en série limitée à 500 exemplaires, la récente GT2 RS est une véritable bombe de 620 chevaux qui fait usage de fibre de carbone pour certains éléments de carrosserie, comme les capots avant et arrière, afin d'alléger la voiture. Cela lui permet d'afficher un rapport puissance/poids phénoménal, chaque cheval-vapeur n'ayant que 2,21 kilos à déplacer. Signalons au passage que l'un des heureux propriétaires d'une GT2 RS est nul autre que Mark Webber, pilote de l'écurie Red Bull en Formule 1.

La dernière variation sur thème de la 911 Carrera, la GT3 RS 4.0, dérivée de la GT3 RSR de compétition, pourrait s'avérer être le chant du cygne du modèle actuel. Comme l'indique sa désignation technique, la cylindrée du moteur six cylindres de type boxer a été portée à 4,0 litres, et comme le moteur adopte également des pistons forgés, des bielles en titane ainsi qu'un vilebrequin emprunté au département de course, la puissance se chiffre à 500 chevaux. Ce modèle spécial, qui ne sera produit qu'à 600 exemplaires, est également doté d'un échappement central double, d'un immense aileron arrière et de sièges en fibre de carbone. L'arrivée, en cours d'année 2011, de ce modèle à diffusion limitée marque la fin du développement de la lignée de la 911 Carrera actuelle — désignée comme la 997 par les ingénieurs de Porsche — et indique qu'une refonte est imminente.

En effet, au cours de l'été 2011, plusieurs photographes-espions ont réussi à saisir en action des prototypes des coupés et cabriolets de la prochaine génération de la 911 Carrera, qui porte le nom de code 991, alors que ceux-ci étaient mis à l'épreuve par les ingénieurs de la marque sur le célèbre circuit du Nürburgring. Selon ces clichés, la prochaine 911 serait plus grande que le modèle actuel et les rumeurs veulent que le moteur du modèle de base développe 345 chevaux. On s'attend à ce la nouvelle 911 Carrera soit présentée au Salon de l'auto de Francfort en septembre.

Gabriel Gélinas

Photos : Marc Lachapelle

LES COYOTES PEUVENT TOUJOURS COURIR

Elle fit sensation comme prototype au Salon de Détroit et s'imposa comme la référence chez les roadsters dès son lancement. C'était il y a quinze ans déjà. Depuis ce jour, Porsche a fabriqué plus de 300 000 copies de la Boxster et du coupé Cayman, né d'une mutation de la même architecture. La concurrence ne cesse de prendre pour cible ce roadster à moteur central qui a réinventé le genre par l'équilibre et la finesse de sa tenue de route. Sans parler des deux coffres qui le rendent merveilleusement pratique. La suite est prévisible. Les rivales se chamaillent entre elles pendant que la Boxster file vers l'horizon. On imaginerait facilement entendre «*meep, meep…*» si ce n'était du hurlement feutré d'un six cylindres à plat qui nous emplit déjà les oreilles.

La Boxster n'a évidemment pas le charisme ou le palmarès incomparable de sa légendaire sœur à moteur arrière, lancée il y a presque un demi-siècle. Elle a toutefois été créée alors que Porsche transformait radicalement ses méthodes de conception, de développement et de fabrication. À maints égards, elle est la preuve la plus manifeste de renaissance de la marque. Bien née, elle n'a cessé de se raffiner depuis. La première génération s'est étalée sur huit ans, la deuxième sur quatre et la troisième en est à sa quatrième année. Chaque fois, les dimensions essentielles de la Boxster sont demeurées les mêmes.

La prochaine devrait toutefois s'allonger pour offrir plus de confort et d'espace, mais pour faire une place au sein de la gamme Porsche à un roadster plus compact. Cette nouvelle Boxster devrait retrouver des versions bonifiées des mêmes six cylindres à plat à injection directe de 2,9 et 3,4 litres, mais également un nouveau quatre cylindres à plat de 2,5 litres turbocompressé, qui offrirait un amalgame exceptionnel de performance et de frugalité.

CONCURRENTS
Audi TT,
BMW Z4,
Mercedes-Benz Classe SLK,
Nissan Z Roadster

IMPRESSIONS DE L'AUTEUR	
Agrément de conduite :	5/5
Fiabilité :	4.5/5
Sécurité :	4/5
Qualités hivernales :	3/5
Espace intérieur :	3/5
Confort :	3/5

LE TEMPS DES VERSIONS SPÉCIALES

Porsche amorce toujours une nouvelle génération avec les modèles qui seront les plus diffusés et profite de l'apogée pour présenter des versions plus ciblées. Des voitures qui s'adressent aux inconditionnels, aux puristes et parfois même aux collectionneurs, mais qui ont également pour mission, de manière plus prosaïque, d'attirer les acheteurs en offrant un équipement plus riche ou une présentation inédite. C'est doublement le cas pour la Boxster S Black

Edition qui vient s'installer au sommet d'une courte pyramide qui compte quatre modèles. Les trois autres sont le modèle de base, doté d'un six-à-plat de 2,9 litres, et les Boxster S et Spyder, qui se partagent le même groupe de 3,4 litres qui propulse la nouvelle venue.

Cette Boxster S Black Edition est d'abord toute de noir parée, comme le suggère son nom. Tout est couleur charbon : carrosserie, capote, sièges, tableau de bord. Tout. On a même peint ou plaqué en noir des pièces comme les embouts d'échappement qui sont habituellement de teinte contrastante. Y compris les jantes d'alliage de 19 pouces, les plus légères chez Porsche, d'abord vues sur la Spyder. La Black Edition dispose du même moteur de 3,4 litres et 320 chevaux que cette dernière et d'un équipement surabondant composé de plusieurs groupes normalement optionnels. La plus noire, la plus chère, la plus puissante (ex aequo) et la mieux équipée des Boxster, certes, mais pas la meilleure en tout.

EXCEPTIONNELLE ET SANS COMPROMIS

Cette distinction revient encore à la Boxster Spyder, qui a certainement de quoi faire sourire, avec sa capote qui s'installe à la main alors que celle des autres Boxster est un modèle d'efficacité, se déployant en une vingtaine de secondes au toucher d'un seul bouton. Même en roulant jusqu'à 60 km/h. Surtout si on songe que la Spyder, plus dépouillée, était la plus chère jusqu'à l'arrivée de la Black Edition.

Nous étions parmi les sceptiques devant ce roadster qui semblait avoir été créé exclusivement pour les Californiens avec garage. Nous avons ensuite conduit cette version allégée, simplifiée et néanmoins plus agile, précise et rapide de la Boxster. On en vient même à voir la capote comme un jeu, sinon un rite initiatique pour mordus de conduite. Chrono en main, nous avons mis exactement cinq minutes de plus à l'installer correctement que les moteurs électriques des autres modèles. La deuxième fois : deux minutes seulement. Et on peut faire beaucoup mieux, surtout que la capote est très résistante et bien conçue.

De toute manière, la tentation sera grande de laisser toujours la Spyder décapotée, tellement elle est belle décoiffée, avec ce capot arrière à double coquille qui lui donne des airs certains de Carrera GT. En conduite, avec ses 80 kilos en moins, elle est incontestablement la plus vive, la plus précise, la plus rapide des quatre, puisqu'elle profite déjà du moteur le plus puissant. C'est une voiture sport remarquable qui s'adresse indéniablement aux puristes et aux passionnés de conduite. Ceux et celles-là ont sans doute le plaisir et le privilège de profiter de la meilleure tenue de route qu'offre actuellement une voiture de série. C'est assurément le cas si vous comparez cette Boxster d'exception à l'exotique de votre choix, que son passeport soit italien, allemand, américain ou britannique.

Marc Lachapelle

Photos : Marc Lachapelle

Catégorie	Roadster
Échelle de prix	56 915 $ à 76 415 $
Garanties	4 ans/80 000 km, 4 ans/80 000 km
Assemblage	Stuttgart, Allemagne
Cote d'assurance	n.d.

CHÂSSIS - S

Emp/lon/lar/haut	2 415/4 342/1 801/1 294 mm
Coffre	280 litres
Réservoir	64 litres
Nombre coussins sécurité / ceintures	4 / 2
Suspension avant	indépendante, jambes de force
Suspension arrière	indépendante, jambes de force
Freins avant / arrière	disque / disque
Direction	à crémaillère, assistée
Diamètre de braquage	11,0 m
Pneus avant / arrière	P235/40ZR18 / P265/40ZR18
Poids	1 355 kg
Capacité de remorquage	non recommandé

COMPOSANTES MÉCANIQUES

Base	
Cylindrée, soupapes, alim.	H6 2,9 litres 16 s atmos.
Puissance / Couple	255 chevaux / 290 lb-pi
Tr. base (opt) / rouage base (opt)	M6 (A7) / Prop
0-100 / 80-120 / 100-0 km/h	5,9 s / 7,6 s / n.d.
Type ess. / ville / autoroute	Super / 11,2 / 7,4 l/100 km
S	
Cylindrée, soupapes, alim.	H6 3,4 litres 16 s atmos.
Puissance / Couple	310 chevaux / 360 lb-pi
Tr. base (opt) / rouage base (opt)	M6 (A7) / Prop
0-100 / 80-120 / 100-0 km/h	5,2 s / 6,4 s / n.d.
Type ess. / ville / autoroute	Super / 11,1 / 7,5 l/100 km
Spyder, Black edition	
Cylindrée, soupapes, alim.	H6 3,4 litres 16 s atmos.
Puissance / Couple	320 chevaux / 370 lb-pi
Tr. base (opt) / rouage base (opt)	M6 (A7) / Prop
0-100 / 80-120 / 100-0 km/h	5,0 s / 6,1 s / n.d.
Type ess. / ville / autoroute	Super / 14,2 / 7,1 l/100 km

- Tenue de route exceptionnelle
- Moteurs envoûtants
- Sportive étonnamment pratique
- Grande fiabilité

- Roulement ferme
- Entretien coûteux
- Cabine étriquée
- Visibilité arrière (Spyder)

DU NOUVEAU EN 2012

Boxster S Black Edition

http://www.porsche.com/

Plus d'informations dans la section statistiques en dernière partie du Guide

DE PLUS EN PLUS ATTRAYANT

Ah, le Porsche Cayenne... Un véhicule hautement décrié par les puristes lors de son introduction. Mais neuf années plus tard, voilà qu'il est davantage apprécié. A-t-il fait oublier son arrivée controversée? Chose certaine, on ne peut reprocher au constructeur de ne pas avoir fait ses devoirs puisque le Cayenne possède, depuis son lancement, tout l'ADN de Porsche, y compris la facture salée. Mais il reste un VUS qui gagne en maturité, année après année.

Entièrement remanié en 2011, le Cayenne adopte des lignes plus réussies que par le passé. Le constructeur a su corriger les principaux irritants afin de le rendre plus homogène et moins tarabiscoté. Il profite d'une allure plus imposante, grâce à des jantes de plus grand format et des ailes surélevées. Mais le nouveau Cayenne compte aussi sur des dimensions plus généreuses, soit 48 mm en longueur alors que l'empattement a également gagné 40,5 mm. C'est principalement l'espace cargo qui a tiré parti de ce nouveau gabarit. À l'extérieur, les phares ont été retravaillés, donnant au véhicule un look plus moderne, grâce à l'ajout de bandes d'ampoules DEL en guise de phares de jours. Le résultat est très chic!

La refonte de l'an passée a probablement été la plus bénéfique pour l'habitacle du Cayenne. En prenant place à bord, on découvre un environnement riche, où le niveau de sophistication surprend à tous coups. Le nombre de boutons et de commandes situés sur la console centrale pourrait dérouter tout amateur. D'ailleurs, le constructeur a eu l'excellente idée de donner à l'ensemble l'ergonomie et le style de la Panamera. Et quel style! On a toutefois conservé les poignées de maintien situées de chaque côté de la console, élément qui fait le pont avec les versions antérieures.

CONCURRENTS

Acura MDX, Audi Q7, BMW X5, Infiniti FX, Land Rover Range Rover Sport, Lexus RX, Mercedes-Benz Classe M, Volkswagen Touareg, Volvo XC90

IMPRESSIONS DE L'AUTEUR

Agrément de conduite : ■■■■□	4 / 5
Fiabilité : ■■■□□	3 / 5
Sécurité : ■■■■■	5 / 5
Qualités hivernales : ■■■■□	4 / 5
Espace intérieur : ■■■■□	4 / 5
Confort : ■■■■□	4 / 5

LE PRESTIGE ABORDABLE

Histoire de plaire à un large public, le Cayenne est offert en différentes saveurs. C'est sans contredit le modèle équipé du moteur V6 de 3,6 litres développant 300 chevaux qui fait le plus d'adeptes. Voilà un Cayenne dont le prix de base est similaire à ce que propose la concurrence et qui vous permet de rouler dans un véhicule griffé du prestigieux logo Porsche à moindres frais. Grâce à sa transmission Tiptronic à huit rapports, ce dernier offre la meilleure économie de carburant. En contrepartie, il ne faut pas vous attendre à des performances de premier plan, mais pour plusieurs, cela s'avère suffisant.

Quand on tient compte du ratio prix/performance, le choix le plus intéressant est sans contredit le Cayenne S équipé d'un V8 de 4,8 litres développant 400 chevaux. Combiné à la boîte à huit rapports, ce moteur permet de boucler le 0-100 km/h en un honnête 6,8 secondes. Pour ceux qui désirent jouer dans les ligues majeures, le Cayenne Turbo avec son V8 biturbo de 500 chevaux vous offre le summum en termes de performance et d'exclusivité cette année chez Porsche. Toutefois, ce modèle est offert à un prix supérieur à 123 000 $, alors que pour 25 000 $ de moins, vous pouvez vous procurer un BMW X5 M équipé d'un V8 de 555 chevaux ou encore un Mercedes ML 63 AMG dont le moteur développe 503 chevaux. Voilà qui donne à réfléchir, sauf si vous tenez absolument à rouler en Porsche !

POUR PLUS DE PUISSANCE

Histoire de compenser la disparition du Cayenne Turbo S, dont les 550 chevaux et le prix exorbitant dépassant les 150 000 $ en faisaient un VUS hors de l'ordinaire, le constructeur propose cette année un ensemble qui se greffe au Cayenne Turbo et qui porte sa puissance à 540 chevaux. Outre quelques ajustements à l'électronique du moteur, ce lot d'options se compose de deux nouveaux turbos plus efficaces dotés d'ailettes en titane et permettant une pression supérieure. Il y a toutefois fort à parier que la version Turbo S sera de retour dans l'alignement d'ici peu.

UN CAYENNE VERT

Pour 2012, le Cayenne hybride demeure au catalogue. Celui-ci présente des performances similaires au Cayenne S pour un prix légèrement supérieur. Au chapitre de la mécanique, il propose un moteur V6 atmosphérique de 333 chevaux qui, jumelé à un moteur électrique de 34 kW, développe une puissance totale de 380 chevaux, libérée instantanément.

Si votre trajet est constitué de plusieurs portions de ville ou de zone de congestion, ce modèle pourrait bien représenter un choix sensé, puisque sa consommation de carburant en ville est bien moindre que celle du Cayenne S : 8,7 l/100 km comparativement à 14,5 l/100 km. Cette technologie hybride est d'ailleurs très performante. Lors de notre essai, nous avons pu atteindre une vitesse d'environ 60 km/h en utilisant uniquement le moteur électrique. Pour 2012, Porsche a apporté quelques modifications à son système hybride. Il est maintenant possible de circuler en mode électrique lors d'un démarrage à froid alors qu'auparavant, il fallait attendre que le moteur ait atteint sa température d'opération. Voilà qui améliore l'efficacité du système hybride en hiver et qui s'avère une amélioration importante pour nous, compte tenu de notre climat.

Malgré sa facture salée et le prix exorbitant des options, peu de VUS offrent une conduite aussi emballante que le Cayenne.

Sylvain Raymond

Photos : Porsche

WWW.GUIDEAUTOWEB.COM/PORSCHE/CAYENNE/

PORSCHE CAYENNE

Catégorie	VUS
Échelle de prix	58 015 $ à 122 115 $
Garanties	4 ans/80 000 km, 4 ans/80 000 km
Assemblage	Leipzig, Allemagne
Cote d'assurance	moyenne

CHÂSSIS - S HYBRIDE

Emp/lon/lar/haut	2 895/4 846/1 939/1 709 mm
Coffre	670 à 1 780 litres
Réservoir	85 litres
Nombre coussins sécurité / ceintures	6 / 5
Suspension avant	indépendante, double triangulation
Suspension arrière	indépendante, multibras
Freins avant / arrière	disque / disque
Direction	à crémaillère, assistée
Diamètre de braquage	11,9 m
Pneus avant / arrière	P255/55ZR18 / P255/55ZR18
Poids	2 240 kg
Capacité de remorquage	3 500 kg (7 716 lb)

COMPOSANTES MÉCANIQUES

Base	
Cylindrée, soupapes, alim.	V6 3,6 litres 24 s atmos.
Puissance / Couple	300 chevaux / 295 lb-pi
Tr. base (opt) / rouage base (opt)	M6 (A8) / Int
0-100 / 80-120 / 100-0 km/h	6,1 s / n.d. / n.d.
Type ess. / ville / autoroute	Super / 15,4 / 9,8 l/100 km
S Hybride	
Cylindrée, soupapes, alim.	V6 3,0 litres 24 s atmos.
Puissance / Couple	333 chevaux / 325 lb-pi
Tr. base (opt) / rouage base (opt)	A8 / Int
0-100 / 80-120 / 100-0 km/h	6,1 s / n.d. / n.d.
Type ess. / ville / autoroute	Ordinaire / 8,7 / 7,9 l/100 km
S	
Cylindrée, soupapes, alim.	V8 4,8 litres 32 s atmos.
Puissance / Couple	400 chevaux / 369 lb-pi
Tr. base (opt) / rouage base (opt)	A8 / Int
0-100 / 80-120 / 100-0 km/h	6,8 s / n.d. / n.d.
Type ess. / ville / autoroute	Super / 14,5 / 10,5 l/100 km
Turbo	
Cylindrée, soupapes, alim.	V8 4,8 litres 32 s turbo
Puissance / Couple	500 chevaux / 516 lb-pi
Tr. base (opt) / rouage base (opt)	A8 / Int
0-100 / 80-120 / 100-0 km/h	5,1 s / n.d. / n.d.
Type ess. / ville / autoroute	Super / 16,2 / 8,8 l/100 km

- Version hybride performante
- Conduite dynamique
- Nombreuses technologies de pointe
- Habitacle soigné

- Toujours pas de moteur diésel
- Prix élevé, surtout les options
- Version V6 moins intéressante
- Multitude de moteurs

DU NOUVEAU EN 2012

Aucun changement majeur

http://www.porsche.com/

Plus d'informations dans la section statistiques en dernière partie du Guide

R POUR RADICALE

Avec la nouvelle Cayman R, Porsche a repris tous les éléments du plan de match de la Boxster Spyder en créant la plus légère et la plus rapide des Cayman. Quand on parle de performance, le rapport poids/puissance fait foi de tout. C'est pourquoi les ingénieurs de Porsche ont réduit le poids de la Cayman R de 55 kilos par rapport à la Cayman S, tout en lui donnant 10 chevaux de plus, pour un total de 330. Le châssis de la Cayman R est également abaissé de 20 mm par rapport à la S et son centre de gravité est plus bas de 22 mm. Ces chiffres peuvent sembler anodins de prime abord, mais, je vous prie de me croire, la Cayman R rehausse la barre d'un cran pour ce qui est de la dynamique.

CONCURRENTS
Audi TT,
BMW Z4,
Lotus Evora,
Nissan Z

IMPRESSIONS DE L'AUTEUR		
Agrément de conduite :	■■■■■	5/5
Fiabilité :	■■■■□	4/5
Sécurité :	■■■■□	4/5
Qualités hivernales :	■■■□□	3/5
Espace intérieur :	■■■□□	3/5
Confort :	■■■□□	3/5

Sur le circuit RennArena de Majorque, dans les îles Baléares, la Cayman R s'est avérée on ne peut plus à l'aise grâce à sa direction parfaitement calibrée et extrêmement communicative. Sans compter qu'avec ses freins en composite de céramique (une option de 9 300 $), l'action au freinage était exceptionnelle. La réponse était immédiate et une très bonne sensibilité de la pédale permettait de moduler la décélération efficacement, alors que le différentiel autobloquant de série permettait des sorties de virages aussi sûres qu'énergiques.

La Cayman R est disponible avec une boîte manuelle conventionnelle à six vitesses, un modèle du genre, avec une course très courte et ultraprécise du levier de vitesses. Mais la nouvelle R est également offerte avec la boîte à double embrayage PDK, qui compte sept rapports. Elle est actionnée soit au moyen du levier ou grâce aux palettes de sélection des rapports au volant, qui reprennent la disposition classique adoptée par tous les constructeurs automobiles : celle de droite commande le passage au rapport supérieur et celle de gauche, le rétrogradage. Heureusement, Porsche a finalement décidé d'abandonner son système de boutons au volant qui était loin d'être intuitif. Les performances en accélération sont meilleures avec la boîte PDK, qui est plus rapide, mais la Cayman R est plus agréable à piloter avec la boîte manuelle traditionnelle.

UNE SILHOUETTE DISTINCTIVE

Avec son aileron arrière fixe et son bouclier avant plus prononcé, vous n'aurez aucune difficulté à différencier la Cayman R d'une simple Cayman ou d'une Cayman S. À l'intérieur, les mesures

Catégorie	Coupé
Échelle de prix	61 215 $ à 79 015 $
Garanties	4 ans/80 000 km, 4 ans/80 000 km
Assemblage	Valmet, Finlande
Cote d'assurance	n.d.

visant à réduire le poids au maximum signifient que la R nous arrive dépourvue de poignées de porte (qui sont remplacées par des tirettes en tissu rouge), de la climatisation (qui peut cependant être ajoutée en option pour 2010 $) ou de la radio (un modèle de base peut être ajouté en option, sans frais). Les sièges sport baquets sont faits d'une seule pièce, en plus d'être très étroits et de n'être ajustables que dans l'axe avant-arrière. Cependant, des sièges plus larges et plus ajustables figurent au catalogue des options pour les plus grands gabarits.

Bien que Porsche ait fait énormément de progrès récemment afin d'améliorer le confort de ses sportives en calibrant leurs suspensions de façon à réduire la sécheresse à l'impact lors de la traversée de saillies et de bosses, il reste à voir comment la Cayman R s'accommodera de nos routes moins que parfaites. Ainsi, pour apprécier pleinement cette nouvelle sportive en tant que voiture de tous les jours, il faudra absolument la considérer comme étant l'équivalent à quatre roues d'une moto sport et savoir qu'il vous faudra composer avec son niveau de confort plus spartiate, afin d'apprécier son niveau de performance. Mais si vous êtes prêt à vous engager dans une relation de ce genre, la conduite d'une Cayman R pourrait bien être l'une des plus belles et plus exaltantes expériences de votre vie.

MOINS RADICALE, MAIS TOUJOURS PERFORMANTE

Moins radicale et moins typée que la version R, la Cayman S s'avère un choix plus avisé pour la conduite de tous les jours. De plus, sa silhouette intègre l'aileron arrière mobile, qui se fait plus discret. Même si elle est un peu plus lourde et moins puissante que la nouvelle R, la Cayman S n'est certainement pas dénuée d'intérêt, bien au contraire, et elle saura hautement satisfaire les ardeurs des conducteurs expérimentés, qui ne manqueront pas d'être impressionnés par l'équilibre et la rigidité de son châssis sans failles. Conduire une Cayman S relève du pur délice, tellement les réactions de la voiture sont à la fois incisives et immédiates. L'osmose entre la voiture et le conducteur se fait de façon instantanée et intuitive, et elle permet littéralement au pilote de sentir parfaitement la route au travers du véhicule.

Même si elle existe dans l'ombre des autres modèles de la marque, la Porsche Cayman a de la gueule. Elle n'a aucune difficulté à livrer des performances enlevantes, ce qui en fait une voiture pour véritables connaisseurs. Les coûts d'utilisation (pneumatiques, plaquettes de frein, entretien) sont certainement élevés, mais la fiabilité est au rendez-vous, puisque le constructeur allemand se classe au quatrième rang, sur trente-cinq marques, dans le plus récent sondage J.D. Power mesurant la fiabilité après trois années d'utilisation. Une sportive performante, qui a de la gueule et qui est fiable, que demander de plus?

Gabriel Gélinas

Photos : Porsche

CHÂSSIS - S

Emp/lon/lar/haut	2 415/4 347/1 801/1 304 mm
Coffre	410 litres
Réservoir	64 litres
Nombre coussins sécurité / ceintures	4 / 2
Suspension avant	indépendante, jambes de force
Suspension arrière	indépendante, jambes de force
Freins avant / arrière	disque / disque
Direction	à crémaillère, ass. variable
Diamètre de braquage	11,1 m
Pneus avant / arrière	P235/40ZR18 / P265/40ZR18
Poids	1 350 kg
Capacité de remorquage	non recommandé

COMPOSANTES MÉCANIQUES

Base	
Cylindrée, soupapes, alim.	H6 2,9 litres 24 s atmos.
Puissance / Couple	265 chevaux / 221 lb-pi
Tr. base (opt) / rouage base (opt)	M6 / Prop
0-100 / 80-120 / 100-0 km/h	5,8 s / 7,8 s / n.d.
Type ess. / ville / autoroute	Super / 11,2 / 7,4 l/100 km

S	
Cylindrée, soupapes, alim.	H6 3,4 litres 24 s atmos.
Puissance / Couple	320 chevaux / 273 lb-pi
Tr. base (opt) / rouage base (opt)	M6 / Prop
0-100 / 80-120 / 100-0 km/h	5,2 s / 6,5 s / n.d.
Type ess. / ville / autoroute	Super / 11,1 / 7,5 l/100 km

R, Black Edition	
Cylindrée, soupapes, alim.	H6 3,5 litres 16 s atmos.
Puissance / Couple	330 chevaux / 273 lb-pi
Tr. base (opt) / rouage base (opt)	M6 (A7) / Prop
0-100 / 80-120 / 100-0 km/h	5,0 s / 4,0 s / n.d.
Type ess. / ville / autoroute	Super / 14,2 / 7,1 l/100 km

FEU VERT

- Excellente tenue de route
- Puissance de freinage
- Moteurs performants (S et R)
- Bonne fiabilité

FEU ROUGE

- Coûts des options
- Coûts d'utilisation
- Visibilité arrière limitée

DU NOUVEAU EN 2012

Modèle Cayman R

http://www.porsche.com/

Plus d'informations dans la section statistiques en dernière partie du Guide

300, 400, 500, ET PLUS...

Lancée en 2010 avec trois modèles à motorisation V8 soit les S, 4S et Turbo, la gamme Panamera compte maintenant sept modèles différents, respectant ainsi la philosophie Porsche qui semble vouloir décliner le plus de variantes possible à partir d'un même modèle afin de combler toutes les niches, même les plus étroites.

Les chiffres 300, 400 et 500 font évidemment référence à la puissance développée par les différents moteurs équipant la Panamera, soit respectivement le récent V6 de 3,6 litres qui a été ajouté à la gamme l'an dernier, le V8 atmosphérique de 4,8 litres, ainsi que sa version turbocompressée. Il existe également un modèle à motorisation hybride, dévoilé au Salon de l'Auto de Genève en 2011, dont la puissance est chiffrée à 380 chevaux. Ce modèle reprend la motorisation du Cayenne hybride, puisqu'il s'agit d'un V6 de 3,0 litres jumelé à un moteur électrique, livrant une puissance équivalente à 46 chevaux, qui est logé entre le moteur thermique et la boîte automatique à huit rapports propre à ce modèle. Le sommet de la pyramide Panamera est désormais occupé par la nouvelle Turbo S, dont le V8 turbocompressé développe 550 chevaux suite aux modifications apportées à l'ordinateur de gestion du moteur, ainsi qu'aux deux turbocompresseurs.

UN V6 ? VRAIMENT ?

C'est donc un choix élargi qui attend l'acheteur quant à la sélection du groupe motopropulseur approprié. C'est que la Panamera est disponible, non seulement avec un grand éventail de moteurs, mais également en propulsion ou en intégrale, ce qui augmente davantage les options offertes. Et bien que l'idée d'une Panamera à moteur V6 puisse rebuter certains acheteurs, ce modèle demeure performant avec un chrono de 6,0 secondes pour le sprint de 0 à 100 km/h. Ces performances ne sont pas à dédaigner, d'autant plus que ce modèle affiche le même comportement routier que ceux qui sont animés par les versions atmosphérique ou turbocompressée du V8. Seule différence : le paysage ne défile pas aussi rapidement lorsque l'accélérateur est enfoncé au maximum. Mon choix personnel se porterait vers la 4S, soit l'intégrale avec V8 atmosphérique de 400 chevaux, dont la puissance est amplement suffisante et dont le rouage intégral est parfaitement adapté à notre climat.

CONCURRENTS
Audi A8,
BMW Série 7,
Jaguar XJ,
Maserati Quattroporte,
Mercedes-Benz Classe S

IMPRESSIONS DE L'AUTEUR		
Agrément de conduite :	■■■■■	5 / 5
Fiabilité :	■■■■	4 / 5
Sécurité :	■■■■■	5 / 5
Qualités hivernales :	■■■■	4 / 5
Espace intérieur :	■■■■	4 / 5
Confort :	■■■■	4 / 5

Lorsqu'ils sont poussés à fond en conduite sportive, tous les modèles de la Panamera font preuve d'une très bonne tenue de route, mais sont handicapés par un poids élevé, qui est égal ou largement

supérieur à 1800 kilos, selon les modèles. La conduite s'en trouve pénalisée dans un enchaînement de virages, alors que la voiture nous rappelle qu'elle est plus une Grand Tourisme qu'une authentique sportive. Sur autoroute, les Panamera font montre d'une grande stabilité, même aux vitesses très élevées qu'il est possible d'atteindre sur les autobahns allemandes. En ces occasions, la conduite ressemble beaucoup à celle d'une BMW Série 7 ou Mercedes-Benz de Classe S.

Avec ses 500 chevaux et 516 lb-pi de couple, il est clair que la Panamera Turbo livre des accélérations fulgurantes, après un léger délai occasionné par la mise en action des deux turbocompresseurs, et que son rouage intégral de série lui permet presque d'arracher le bitume. Sur ce modèle, la boîte à double embrayage PDK est la seule disponible et, lorsque le mode automatique est sélectionné, la boîte passe les rapports très rapidement, au point où l'on peut même se retrouver en train de rouler à seulement 50 km/h sur le sixième rapport. C'est que la programmation de la boîte est axée sur l'économie de carburant en mode automatique, lorsque le conducteur adopte une conduite plus détendue. Le choix de la Turbo S relève plus d'un désir de posséder la plus performante des modèles de la lignée, mais parions également que les acheteurs de ce modèle n'exploiteront que très rarement tout le potentiel de performance de leur voiture au quotidien, bien qu'ils seront souvent tentés de le décrire en détail à leurs amis et connaissances…

UN HABITACLE QUI FERA ÉCOLE

Il faut s'attendre à ce que la planche de bord de la prochaine génération de la 911 Carrera soit fortement inspirée de celle de la Panamera, qui a été conçue en reprenant le thème développé par la super-voiture Carrera GT. Avec la Panamera, Porsche n'a pas retenu l'approche préconisée par Audi, BMW ou Mercedes-Benz et leurs systèmes de télématique. Le constructeur de Stuttgart a plutôt choisi une approche conventionnelle pour l'interface avec ses nombreux systèmes. On retrouve entre 46 et 49 boutons de commande disposés sur le volant, la planche de bord et la console centrale. Ces boutons sont toutefois disposés avec logique, ce qui permet un apprentissage intuitif, et la position de conduite de la Panamera est remarquablement similaire à celle que l'on adopte au volant de la 911 Carrera. Comme c'est toujours le cas avec la marque Porsche, le catalogue d'options et d'accessoires permettant de personnaliser son véhicule est presque infini et il faut faire preuve d'une certaine retenue pour éviter que la facture n'explose.

S'il y a un élément controversé au sujet de la Panamera, c'est son style. Il est clair que les designers ont voulu intégrer autant d'éléments propres à la 911 Carrera, mais le résultat final n'est pas des plus heureux.

Gabriel Gélinas

Photos: Porsche

Catégorie	Berline
Échelle de prix	89 515 $ à 200 115 $
Garanties	4 ans/80 000 km, 4 ans/80 000 km
Assemblage	Leipzig, Allemagne
Cote d'assurance	n.d.

CHÂSSIS - TURBO

Emp/lon/lar/haut	2 920/4 970/1 931/1 418 mm
Coffre	432 à 1 250 litres
Réservoir	100 litres
Nombre coussins sécurité / ceintures	8 / 4
Suspension avant	indépendante, double triangulation
Suspension arrière	indépendante, multibras
Freins avant / arrière	disque / disque
Direction	à crémaillère, ass. variable
Diamètre de braquage	12,0 m
Pneus avant / arrière	P255/45ZR19 / P285/40ZR19
Poids	1 970 kg
Capacité de remorquage	non recommandé

COMPOSANTES MÉCANIQUES

Base

V6 3,6 l, 300 ch, 400 lb/pi - 0-100 : 5,9 s - 13,5/7,3 l/100 km

S hybride

V6 3,0 l, 380 ch, 428 lb-pi - 0 - 100 : 6,0 s - 9,5/5,2 l/100 km (Puissance totale)

S

Cylindrée, soupapes, alim.	V8 4,8 litres 32 s atmos
Puissance / Couple	400 chevaux / 370 lb-pi
Tr. base (opt) / rouage base (opt)	A7 / Prop (Int)
0-100 / 80-120 / 100-0 km/h	5,0 s / 6,1 s / n.d.
Type ess. / ville / autoroute	Super / 12,9 / 8,3 l/100 km

Turbo

Cylindrée, soupapes, alim.	V8 4,8 litres 32 s turbo
Puissance / Couple	500 chevaux / 516 lb-pi
Tr. base (opt) / rouage base (opt)	A7 / Int
0-100 / 80-120 / 100-0 km/h	4,2 s / 5,1 s / 37,5 m
Type ess. / ville / autoroute	Super / 14,1 / 8,6 l/100 km

Turbo S

Cylindrée, soupapes, alim.	V8 4,8 litres 32 s turbo
Puissance / Couple	550 chevaux / 553 lb-pi
Tr. base (opt) / rouage base (opt)	A7 / Int
0-100 / 80-120 / 100-0 km/h	3,8 s / 3,0 s / 37,5 m
Type ess. / ville / autoroute	Super / 17,0 / 8,4 l/100 km

FEU VERT

- Choix de moteurs
- Freinage puissant
- Tenue de route performante
- Disponibilité du rouage intégral

FEU ROUGE

- Prix élevés
- Coût des options
- Visibilité vers l'arrière
- Style controversé

DU NOUVEAU EN 2012

Nouveaux modèles Turbo S et S Hybrid

http://www.porsche.com/

Plus d'informations dans la section statistiques en dernière partie du Guide

POUR LE TRAVAIL... ET POUR LE STYLE!

Dans le monde des camionnettes pleine grandeur, le Ram 1500 fait bonne figure depuis des années et Chrysler ne ménage aucun effort dans son développement afin de rivaliser avec les deux autres constructeurs américains. Au Canada, le Ram est d'ailleurs le deuxième véhicule le plus vendu par Chrysler, tout juste après sa minifourgonnette. La recette de son succès est bien simple: un style qui plaît, une conduite dynamique et des performances de premier plan.

Plusieurs raisons font qu'on choisit de se procurer une marque en particulier lorsque vient d'acheter une camionnette. Si les capacités sont bien souvent un élément qui prime dans la décision, nombreux sont ceux qui apprécient également le style que dégage le véhicule. À ce chapitre, le Ram en convainc plus d'un. Il faut avouer que le Ram a sans doute le look le plus intéressant du lot, ou du moins, le plus sportif. On apprécie son devant imposant qui imite celui d'un semi-remorque et qui donne au véhicule toute sa prestance. Son double échappement à l'arrière — un de chaque côté — ajoute à la sportivité du véhicule. Complétez avec des jantes pouvant aller jusqu'à 20 pouces et dont le design est très réussi, et vous obtenez une camionnette qui fait chavirer bien des cœurs. Pas mal pour un véhicule qui se veut à la base un outil de travail!

Le Ram propose plusieurs fonctionnalités intéressantes, certaines exclusives. On retrouve notamment le système Ram Box, qui intègre dans les flancs des coffres hermétiques permettant de loger divers outils ou équipement, le tout sans amputer l'espace de chargement. Les amateurs de remorquage apprécieront également le connecteur de remorque double (quatre et sept broches) facile d'accès et intégré au pare-chocs, donc, bien protégé.

CONCURRENTS

Chevrolet Silverado,
Ford F-150,
GMC Sierra,
Nissan Titan,
Toyota Tundra

IMPRESSIONS DE L'AUTEUR

Agrément de conduite :	4/5
Fiabilité :	3/5
Sécurité :	3.5/5
Qualités hivernales :	3.5/5
Espace intérieur :	4/5
Confort :	4/5

UN HABITACLE SOIGNÉ

Dans le passé, on a souvent reproché au constructeur ses habitacles ternes ornés de nombreux plastiques bon marché. Il faut avouer que c'était vrai pour plusieurs véhicules, sauf pour le Ram. Depuis sa refonte en 2009, il propose un habitacle fort réussi, notamment en raison de l'utilisation de cuir souple sur les accoudoirs et le tableau de bord, le tout orné de surpiqûres. L'instrumentation est présentée dans un format moderne et simple à lire, alors que la console centrale dispose d'une bonne ergonomie. Les passagers arrière profitent de bons dégagements, mais on aurait apprécié la présence d'un plancher plat, ce qui faciliterait le transport de gros objets.

Le Ram est offert en de multiples déclinaisons : pas moins de neufs versions dont la plus cossue, la Laramie Longhorn, qui s'avère être un véritable bijou. Ajoutez à cela trois types de cabines pour autant de longueur de plateau, et vous obtenez une liste de choix à vous en faire perdre votre latin. Au chapitre des moteurs, on retrouve à la base un V6 de 3,7 litres de 215 chevaux qui équipe les versions à deux roues motrices. Bien entendu, ce sont là des modèles qui sont loin de faire légion sur nos routes. Même constat pour le V8 de 4,7 litres de 310 chevaux, qui n'offre pas d'avantages réels par rapport au troisième moteur. La majorité des acheteurs se tourneront vers le V8 HEMI de 5,7 litres, ce dernier développant une puissance de 390 chevaux pour un excellent couple de 407 lb-pi. Voilà un moteur qui livre des performances sportives et qui vous cloue littéralement au siège en accélération, le tout avec une riche sonorité, bien entendu. La bonne nouvelle cette année, c'est qu'on a ajusté le Ram à la concurrence. Le moteur HEMI est maintenant jumelé à une boîte automatique à six rapports, plutôt qu'à cinq, ce qui maximise les prestations du moteur, tout en réduisant au passage sa consommation. Voilà qui fera l'affaire de plusieurs: la trop grande gourmandise du moteur est un reproche couramment adressé au véhicule et, malgré le système de désactivation des cylindres du moteur HEMI, on obtenait une consommation supérieure à ce que Ford et GM nous proposaient.

UNE SUSPENSION QUI FAVORISE LA TENUE DE ROUTE

Sur la route, on apprécie la conduite dynamique du Ram. Il s'agit d'une camionnette sportive grâce à la puissance et à la sonorité de son V8 HEMI. La direction est précise et procure un bon sentiment de contrôle. On n'a pas l'impression d'être au volant d'un dix roues. La suspension à ressorts hélicoïdaux plutôt qu'à lames, une exclusivité du Ram, offre une tenue de route impressionnante. Le véhicule est stable en tout temps et son sautillement en virage est faible. Toutefois, cette suspension diminue légèrement ses capacités lorsque vient le temps de travailler et la caisse vient à s'affaisser rapidement lorsqu'elle est très chargée.

Si le Ram propose d'excellents chiffres d'accélération et de reprise, le freinage n'obtient pas le dessus sur plusieurs modèles rivaux. Un récent match comparatif entre presque toutes les camionnettes pleine grandeur aura classé le Ram bon dernier à ce chapitre.

Quoi qu'il en soit, cette camionnette dispose de plusieurs attributs intéressants alors que ses capacités de chargement et de remorquage sont similaires à ce que ses principaux rivaux nous offrent. Il y a fort à parier qu'il continuera de voler quelques ventes à ses rivaux, surtout à GM, qui commence à tirer de la patte dans ce créneau.

Sylvain Raymond

Photos : Denis Duquet

Catégorie	Camionnette
Échelle de prix	20 495 $ à 38 765 $ (2011)
Garanties	3 ans/60 000 km, 5 ans/100 000 km
Assemblage	Saltillo, MX
Cote d'assurance	passable

CHÂSSIS - BIG HORN 4X4 CAB. ALLONGÉE (6.3')	
Emp/lon/lar/haut	3 569/5 817/2 017/1 900 mm
Longueur de boîte	1 940 mm (76.3 pouces)
Réservoir	98 litres
Nombre coussins sécurité / ceintures	4 / 6
Suspension avant	indépendante, bras inégaux
Suspension arrière	essieu rigide, multibras
Freins avant / arrière	disque / disque
Direction	à crémaillère, assistée
Diamètre de braquage	13,9 m
Pneus avant / arrière	P275/60R20 / P275/60R20
Poids	2 425 kg
Capacité de remorquage	3 856 kg (8 501 lb)

COMPOSANTES MÉCANIQUES	
ST	
Cylindrée, soupapes, alim.	V6 3,7 litres 12 s atmos.
Puissance / Couple	215 chevaux / 235 lb-pi
Tr. base (opt) / rouage base (opt)	A4 / Prop
Type ess. / ville / autoroute	Ordinaire / 14,8 / 10,0 l/100 km
SLT	
Cylindrée, soupapes, alim.	V8 4,7 litres 16 s atmos.
Puissance / Couple	310 chevaux / 330 lb-pi
Tr. base (opt) / rouage base (opt)	A6 / Prop (4x4)
Type ess. / ville / autoroute	Ordinaire / 16,3 / 11,2 l/100 km
R/T, Big Horn, Sport, Laramie	
Cylindrée, soupapes, alim.	V8 5,7 litres 16 s atmos.
Puissance / Couple	390 chevaux / 407 lb-pi
Tr. base (opt) / rouage base (opt)	A6 / Prop (4x4)
Type ess. / ville / autoroute	Ordinaire / 15,8 / 10,8 l/100 km

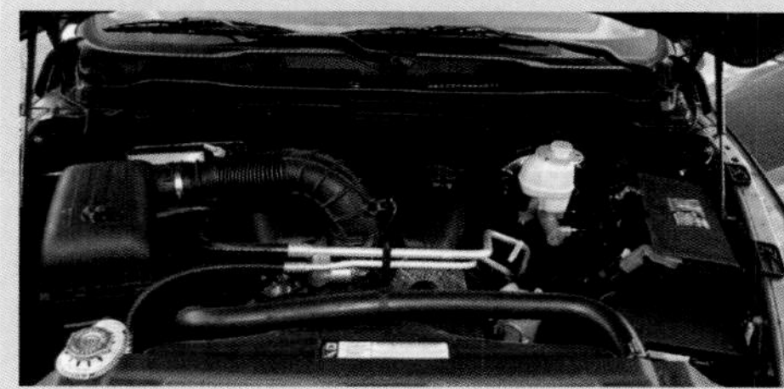

FEU VERT

- Style sportif
- Performance du moteur HEMI
- Finition de l'habitacle
- Nouvelle boîte à six rapports

FEU ROUGE

- Consommation élevée
- Freinage moins efficace
- Suspension mal adaptée à la charge

DU NOUVEAU EN 2012

Transmission à six rapports avec V8, Rambox aussi offert avec boîtes de 76 pouces

http://www.ramtrucks.com/

Plus d'informations dans la section statistiques en dernière partie du Guide

LA DEUXIÈME DU NOM

Au moment de lancer leur nouvelle Ghost, la grande berline venue rejoindre les Phantom l'an dernier, les représentants de Rolls-Royce affirmaient que la marque avait toujours connu ses meilleurs succès avec deux séries distinctes. La suite leur a largement donné raison. Le constructeur britannique a connu une année record en 2010 en vendant 2 711 voitures, soit le double de la précédente marque établie un an plus tôt. La plus grande partie du mérite revient à la Ghost, moins imposante que la Phantom, mais moins chère, résolument moderne et rigoureusement fidèle à l'esprit et aux traditions de Rolls-Royce. Or, une version allongée la Ghost est maintenant disponible et Rolls-Royce a de nouveau pignon sur rue à Montréal après une absence de huit ans. On a évidemment sablé le champagne pour fêter tout ça.

CONCURRENTS
Aston Martin Rapide,
Bentley Continental, BMW Série 6,
Jaguar XJ, Lexus LS,
Maserati Quattroporte,
Mercedes-Benz Classe S,
Porsche Panamera

IMPRESSIONS DE L'AUTEUR	
Agrément de conduite :	4.5/5
Fiabilité :	3.5/5
Sécurité :	4/5
Qualités hivernales :	3.5/5
Espace intérieur :	5/5
Confort :	5/5

Le nom de la Ghost a été annoncé au Salon de Shanghai en 2009. C'est aussi à Shanghai qu'on a présenté une deuxième version de cette jeune série, une Ghost à empattement allongé, le 14 avril 2011. On attendra donc encore un peu la décapotable que nous avaient pourtant promise les initiés lors du lancement mondial de la Ghost, l'an dernier. Ils parlent de « drophead » dans ce cas et il est certain qu'un tel modèle viendra bientôt. La nouvelle Ghost allongée est le sixième modèle lancé par la marque britannique, reprise et relancée par BMW il y a une douzaine d'années sous le nom de Rolls-Royce Motor Cars.

DE SHANGHAI À MONTRÉAL

Si Rolls-Royce a choisi la Chine pour son premier dévoilement mondial d'un nouveau modèle en Asie, c'est parce qu'elle connaît une forte croissance là-bas. Mais son premier marché demeure l'Amérique, pour l'instant du moins. Le 83e concessionnaire sur la planète a d'ailleurs ouvert ses portes à Montréal, un retour au Québec après une absence de huit ans. Rolls-Royce Montréal s'attend à vendre de 25 à 30 voitures annuellement, dont les deux tiers seront vraisemblablement des Ghost.

La nouvelle Ghost est fabriquée sur commande et le rythme de production normal sera atteint en 2012. Avec son empattement allongé de 170 mm, la nouvelle Ghost ressemble plus à la Phantom et ça lui va plutôt bien. Elle mesure 5 569 mm d'un pare-chocs à l'autre, mais c'est encore 271 mm de moins que sa gigantesque frangine en version régulière. Le gain profite exclusivement aux passagers arrière dont le dégagement pour les genoux a carrément doublé. L'immense toit panoramique offert en option sur la Ghost régulière est installé de série sur l'allongée, pour bonifier la clarté et l'ambiance, nous dit-on.

Ce gain en longueur quand même substantiel pour une voiture aussi massive n'a fait augmenter le poids que de 30 kg. Avec le même V12 à double turbo de 6,6 litres et 563 chevaux sous son long capot, la Ghost à empattement allongé mettrait exactement 5 secondes à compléter le sprint 0-100km/h, un dixième de plus que son homonyme. Sa cote de consommation est la même pour la ville, mais augmente d'un dixième pour la route et le cycle mixte en Europe, à 20,6 / 9,6 / 13,7 l/100 km respectivement, mais les cotes canadiennes ne sont pas encore connues.

LUXE INDÉNIABLE ET TALENTS INSOUPÇONNÉS

Le gain en longueur fait également passer le diamètre de braquage de cette deuxième Ghost de 13,4 à 14,0 mètres, ce qui n'est quand même pas rien. Il faudra voir et surtout sentir les effets de ces changements sur le comportement de la Ghost allongée. Chose certaine, les ingénieurs de Rolls-Royce Motor Cars n'ont certainement rien à se reprocher pour les qualités dynamiques de la première du nom. Elle roule avec une douceur et un silence exceptionnels qui ne sont troublés que très légèrement et momentanément par les plus mauvaises fentes et saillies. Le volant d'assez grand diamètre, dont la jante assez mince, drapée de cuir noir et qui porte un moyeu parfaitement rond au centre, est l'élément qui évoque le plus nettement la tradition de Rolls-Royce. La kyrielle de boutons chromés qui permet de contrôler et régler divers systèmes secondaires est également typique et réjouissante, tout comme les trois cadrans à fond blanc, dont celui qui indique la « réserve d'énergie » du moteur. Jamais de compte-tours sur une Rolls-Royce. La position et l'ergonomie de conduite sont sans reproche, comme à peu près tout ce qui sort de chez BMW à Munich.

Parce qu'il faut évidemment toujours se rappeler que les Rolls-Royce sont essentiellement conçues et développées en Bavière. Leur carrosserie autoporteuse est même façonnée au complexe de Dingolfing avant d'être expédiée à l'usine de Goodwood en Angleterre où les artisans prennent le relais. C'est l'opulence qui prime pour les yeux, mais juste derrière ou juste en dessous, la Ghost profite de tous les systèmes les plus pointus, sauf un rouage intégral.Or, une fois toutes ces choses établies et soupesées, l'aspect le plus convaincant de cette immense berline demeure la fusion remarquable de ses performances et de son comportement : le feulement de son V12, ses accélérations fluides, son freinage puissant et progressif et cette agilité qu'on croirait impossible pour une voiture de plus de deux tonnes et demie. Rolls-Royce est visiblement entre bonnes mains et les Ghost en sont les meilleures preuves.

Marc Lachapelle

Photos: Marc Lachapelle

Catégorie	Berline
Échelle de prix	246 500$ à 315 000$
Garanties	4 ans/illimité, 4 ans/illimité
Assemblage	Goodwood, Angleterre
Cote d'assurance	n.d.

CHÂSSIS - GHOST ALLONGÉE	
Emp/lon/lar/haut	3 465/5 569/1 948/1 550 mm
Coffre	490 litres
Réservoir	82 litres
Nombre coussins sécurité / ceintures	n.d. / 5
Suspension avant	indépendante, pneumatique, bras inégaux
Suspension arrière	indépendante, pneumatique, multibras
Freins avant / arrière	disque / disque
Direction	à crémaillère, ass. variable
Diamètre de braquage	14,0 m
Pneus avant / arrière	P255/45R20 / P285/40R20
Poids	2 495 kg
Capacité de remorquage	n.d.

COMPOSANTES MÉCANIQUES	
Ghost, Ghost allongée	
Cylindrée, soupapes, alim.	V12 6,6 litres 48 s turbo
Puissance / Couple	563 chevaux / 575 lb-pi
Tr. base (opt) / rouage base (opt)	A8 / Prop
0-100 / 80-120 / 100-0 km/h	5,0 s / n.d. / n.d.
Type ess. / ville / autoroute	Super / n.d.

FEU VERT

- Qualités dynamiques étonnantes
- Douceur et silence exceptionnels
- Finition et présentation opulentes
- Équipement princier

FEU ROUGE

- Rétroviseurs gênants
- Poids substantiel
- Interface fragmentée
- Plutôt chères

DU NOUVEAU EN 2012

Aucun changement majeur

http://www.rolls-roycemotorcars.com/

Plus d'informations dans la section statistiques en dernière partie du Guide

ROLLS-ROYCE PHANTOM

ON AIME BIEN LES DINOSAURES

Curieusement, les gens semblent toujours apprécier les choses hors normes. Les gros muscles, les gros seins, les grosses fortunes, les horribles lunettes griffées de couturiers célèbres, bref, tout ce qui n'est pas nécessairement beau, mais qui détonne. C'est un peu la même chose dans le cas de la Rolls-Royce Phantom, dont la silhouette semblait être le résultat d'un accouplement entre un corbillard et un gros camion. Pourtant, cette voiture aux allures si caricaturales cartonne chez les riches. Ce qui prouve que ces gens n'ont aucune pudeur à afficher leur mauvais goût.

Mais les amateurs de Rolls vont me dire que je ne comprends rien, que je suis trop pauvre pour apprécier les bonnes choses et que cette voiture est vraiment quelque chose d'élégant, de raffiné et d'extraordinaire en fait d'agrément de conduite. Personnellement, je refuse d'admettre qu'une voiture, aussi jolie soit-elle, pesant deux tonnes et demie et propulsée par un moteur consommant environ 20 l/100 km soit quelque chose de moderne et de transcendantal. Mais puisque peu de gens peuvent se le payer, et que les gens riches et célèbres se les procurent, on en bave d'envie.

MAIS QUAND MÊME…

Mon coup de fiel passé, je dois tout de même admettre que cette voiture est un succès commercial. Alors qu'auparavant cette voiture était presque reléguée aux oubliettes, cette présentation digne d'une bande dessinée a pourtant mis ce modèle au premier plan. Ses flancs plats, sa grille de calandre immense, tout cela s'agencent pour créer quelque chose de presque mythique qu'on le veuille ou non. Et toujours pour aller à contresens, les stylistes l'ont doté de portes arrière de type suicide. Cette dernière décision a probablement été prise afin de permettre aux paparazzis de photographier plus facilement les personnalités et vedettes assises à l'arrière. Soulignons au passage que ces portes se referment avec un bruit que l'on associe généralement à un coffre-fort et ces portes inversées comprennent un espace spécial réservé à un parapluie traité au téflon.

CONCURRENTS
Bentley Mulsanne, Maybach 57 - 62

IMPRESSIONS DE L'AUTEUR	
Agrément de conduite :	4 / 5
Fiabilité :	4 / 5
Sécurité :	4 / 5
Qualités hivernales :	2 / 5
Espace intérieur :	4.5 / 5
Confort :	5 / 5

D'ailleurs, une fois à l'intérieur, on se trouve vraiment isolé du reste de l'univers. Non seulement les matériaux insonorisant sont utilisés avec générosité, mais il faut souligner que les glaces de la voiture sont plus épaisses et jouent un rôle important pour filtrer les bruits. Bien entendu, les seuls éléments qui ne sont pas faits de

Catégorie	Berline, Cabriolet, Coupé
Échelle de prix	540 000 $ à 615 000 $ (2011)
Garanties	4 ans/illimité, 4 ans/illimité
Assemblage	Goodwood, Angleterre
Cote d'assurance	n.d.

cuir dans cet habitacle sont les tapis, très épais et très moelleux, bien sûr. Pour le reste des surfaces verticales, le tableau de bord et les sièges, tout est recouvert de cuir. Vous savez, ce cuir anglais qui provient de vaches qui sont parquées dans des enclos ne possédant aucun fil barbelé afin de ne pas endommager la peau de ces bovins. Ce dernier détail fait d'ailleurs un excellent sujet de conversation lorsque vous invitez quelqu'un à prendre place à bord de votre Rolls et que celui-ci s'extasie sur le luxe des sièges. Bien entendu, les appliqués de bois exotiques sont incontournables. De plus, selon vos goûts et vos caprices, il est possible de commander à peu près n'importe quoi dans cette voiture. Bien entendu, cette luxueuse Britannique est dotée d'une clé intelligente et d'un système de navigation par satellite, tout comme il est possible de le commander sur une Mazda3.

SURPRENANTE!

Avant de lancer le moteur, on contemple le volant qui semble emprunté à une voiture d'une autre époque tant la présentation est rétro. De plus, ses dimensions sont très importantes. L'insonorisation très poussée nous empêche de bien entendre le moteur. Il faut également souligner que ce moteur V 12 de 6,7 litres est très doux et très silencieux. Il provient de BMW et est vraiment bien adapté. Avec sa puissance de 453 chevaux et ses 531 lb-pi de couple, il accomplit de l'excellent travail pour vaincre la gravité et propulser ce mastodonte à 100 km/h, départ arrêté en moins de six secondes. Mais le plus fascinant sur cette voiture, ce ne sont pas ses accélérations impressionnantes, mais plutôt sa tenue de route.

Compte tenu de sa grosseur et de son poids, on a quelque peu l'impression de conduire un coffre-fort sur roues. Mais le plus surprenant, c'est que dès qu'on aborde une courbe, on a la surprise de constater que la voiture tient bien la route. Elle est neutre dans les virages, la direction est précise et presque aucun roulis n'est perceptible. C'est comme si on conduisait un tapis volant tant la suspension absorbe les imperfections de la chaussée. C'est un mélange des genres auxquels nous ne sommes pas habitués. Souvent, c'est trop ferme comme suspension ou encore c'est trop « guimauve » et on a le mal de cœur en un rien de temps. Cette voiture attire les riches par sa silhouette, son luxe et son aménagement intérieur, mais il ne faut pas perdre de vue qu'elle se défend de façon fort honorable sur la route. J'allais oublier, sa consommation est toutefois de plus de 18 l/100 km. Mais quand on a les moyens de se payer une telle voiture, ça importe peu.

Soulignons en terminant que la Phantom est également disponible en version coupé et cabriolet. Ce dernier porte le nom exotique de Dropheade Coupe. Introduit en petite série, son aménagement s'inspire des yachts de luxe.

Jean Léon

ROLLS-ROYCE PHANTOM DROPHEAD COUPÉ

Photos: Rolls-Royce

CHÂSSIS - PHANTOM	
Emp/lon/lar/haut	3 570/5 840/1 990/1 638 mm
Coffre	460 litres
Réservoir	100 litres
Nombre coussins sécurité / ceintures	8 / 5
Suspension avant	indépendante, bras inégaux
Suspension arrière	indépendante, multibras
Freins avant / arrière	disque / disque
Direction	à crémaillère, ass. variable
Diamètre de braquage	13,8 m
Pneus avant / arrière	P255/50R21 / P285/45R21
Poids	2 630 kg
Capacité de remorquage	n.d.

COMPOSANTES MÉCANIQUES	
Phantom, Coupé, Drophead Coupe	
Cylindrée, soupapes, alim.	V12 6,7 litres 48 s atmos.
Puissance / Couple	453 chevaux / 531 lb-pi
Tr. base (opt) / rouage base (opt)	A6 / Prop
0-100 / 80-120 / 100-0 km/h	5,8 s / 5,5 s / 40,0 m
Type ess. / ville / autoroute	Super / 18,7 / 11,4 l/100 km

ROLLS-ROYCE PHANTOM / PHANTOM COUPÉ / DROPEHEAD COUPE

FEU VERT

- Luxe garanti
- Moteur puissant
- Excellente tenue de route
- Finition impeccable
- Prestige assuré

FEU ROUGE

- Consommation hors normes
- Prix prohibitif
- Silhouette caricaturale
- Dimensions gargantuesques

DU NOUVEAU EN 2012

Aucun changement majeur

http://www.rolls-roycemotorcars.com/

Plus d'informations dans la section statistiques en dernière partie du Guide

9-4X

L'ÉPOPÉE SE POURSUIT

Il est quelque peu difficile d'écrire un texte à propos d'une marque de voitures quand on ne sait pas si celle-ci survivra aux prochains mois. Au moment d'écrire ces lignes, Saab publiait communiqué sur communiqué pour nous annoncer l'interruption de la production, la reprise de celle-ci et un autre pour annoncer une fermeture temporaire en attendant de signer de nouveaux documents qui permettraient à un prêteur de renflouer les coffres du constructeur suédois.

Cela dit, il faut rendre hommage aux 13 concessionnaires canadiens — dont quatre sont du Québec — qui ont foi en cette marque et qui ont repris le flambeau. Il ne doit pas être facile de garder le moral. Sincèrement, je fais partie de ceux qui souhaitent de tout cœur que ce constructeur traverse la tourmente avec succès. Les voitures Saab sont bien conçues, offrant une sécurité très poussée, sans oublier que leur mécanique est à la fine pointe en matière d'écologie et de rouage intégral.

9-3 : SOUS-ESTIMÉE

Quand le public développe un préjugé envers un modèle ou une marque en particulier, il devient très difficile de renverser la vapeur. Par le passé, la fiabilité des modèles Saab n'a pas été toujours reluisante. Tant et si bien que tout ce qui est produit de nos jours semble frappé par une tare héréditaire : celle du manque de fiabilité. Pourtant, depuis son arrivée sur le marché il y a maintenant un bon bout de temps, la 9-3 s'est avérée non seulement une voiture offrant de bonnes performances, une excellente sécurité, une tenue de route saine et une fiabilité légèrement supérieure à la moyenne. On lit souvent cela dans des publications spécialisées en matière de fiabilité, mais puisque le nombre de Saab sur le marché est assez mince, il est difficile d'en tirer des conclusions. Mais si on se fie aux propriétaires de modèles récents rencontrés en différentes circonstances, la plupart d'entre eux a dit n'avoir eu aucun ennui mécanique majeur avec cette Suédoise.

9-3

CONCURRENTS

Acura TL, Acura TSX, Audi A4, BMW Série 3, Cadillac CTS, Infiniti G, Lexus IS, Mercedes-Benz Classe C, Volvo C70

IMPRESSIONS DE L'AUTEUR

Agrément de conduite :	5/5
Fiabilité :	3.5/5
Sécurité :	4.5/5
Qualités hivernales :	4/5
Espace intérieur :	4/5
Confort :	4/5

La famille Saab au Canada comprend quatre modèles différents de 9-3. Il y a d'abord la berline, le cabriolet et un modèle familial que l'on appelle Combi. Ce dernier modèle équipé d'une traction intégrale devient le 9-3x. Il faut souligner que les rouages quatre roues motrices de ce constructeur sont parmi les plus sophistiqués à être offerts sur le marché. Il s'agit d'un système Haldex associé à des logarithmes d'une conception très poussée qui peuvent anticiper la

perte de contrôle et agir en conséquence. Comme toutes les voitures de cette marque, l'habitacle est d'une ergonomie exemplaire tandis que les sièges sont confortables et offrent un excellent support latéral. Par contre, certaines commandes, si elles sont faciles à atteindre, ne sont pas toujours simples à utiliser. En plus, le système de climatisation est un véritable dictateur qui n'apprécie pas toujours que l'on préfère le réglage manuel à l'automatique.

Le moteur 2,0 litres turbo est nerveux et sa consommation de carburant est raisonnable. Mais ce qui est le plus impressionnant sur cette voiture, c'est sa tenue en virage. En effet, la géométrie de la suspension est telle que la voiture ne sous-vire pas dans les virages, mais semble pivoter.

TREIZE ANNÉES PLUS TARD

Le seul fait de souligner qu'il a fallu une douzaine d'années pour développer un modèle capable de remplacer la première génération de la 9-5 donne une bonne idée des ennuis qu'a connus ce constructeur. Cette berline aux formes épurées devait arriver sur notre marché l'an dernier, mais le dépôt du bilan de la compagnie, la reprise par des industriels néerlandais, les ennuis financiers de ceux-ci, tout cela a retardé son entrée en scène. Mais, elle est enfin offerte aux automobilistes canadiens.

La 9-5 possède une silhouette très moderne qui retient toutes les caractéristiques visuelles que l'on attribue aux voitures de cette marque. L'habitacle est confortable et spacieux tandis que le tableau de bord conserve la même ergonomie des autres modèles, notamment les commandes intuitives et les cadrans indicateurs sur fond noir. Les sièges avant sont très confortables tandis que les places arrière sont généreuses et ses occupants pourront regarder leurs films favoris sur des écrans vidéo articulés. Cette berline est propulsée par un moteur quatre cylindres 2,0 litres turbocompressé produisant 210 chevaux, également disponible avec une transmission intégrale fort sophistiquée. Soulignons enfin le système Drive Sense, qui permet de régler les paramètres de conduite en tournant un simple bouton.

Cette année, une nouvelle venue vient s'ajouter à la gamme. La 9-4X est sortie des chaînes de production au début de mai 2011 et ce VUS intermédiaire propose une silhouette relativement conservatrice. Ses lignes épurées sont à la fois classiques et modernes à la fois. L'habitacle est très luxueux et propose une foule de raffinements au chapitre du confort, notamment des écrans individuels pour les occupants des places arrière. Le rouage intégral est similaire à celui proposé sur les autres versions et son efficacité ne devrait pas faire de doute.

Bref, la gamme de ce constructeur suédois n'est pas importante, mais elle compense par des véhicules bien de notre époque.

Denis Duquet

9-5 SPORTCOMBI

Photos: Saab

WWW.GUIDEAUTOWEB.COM/SAAB/93/

Catégorie	Berline, Cabriolet, Familiale
Échelle de prix	36 100$ à 58 700$ (2011)
Garanties	4 ans/80 000 km, 5 ans/160 000 km
Assemblage	Trollhättan, Grèce et Graz, Autriche
Cote d'assurance	passable

CHÂSSIS - 9-3 AERO XWD SPORTCOMBI	
Emp/lon/lar/haut	2 675/4 647/1 763/1 496 mm
Coffre	841 à 2 047 litres
Réservoir	61 litres
Nombre coussins sécurité	6
Antipatinage / contrôle stabilité	oui / oui
Suspension avant	indépendante, jambes de force
Suspension arrière	indépendante, multibras
Freins avant / arrière	disque (ABS) / disque (ABS)
Direction	à crémaillère, ass. variable
Diamètre de braquage	11,9 m
Pneus avant / arrière	P235/45R18 / P235/45R18
Poids	1 500 kg
Capacité de remorquage	454 kg (1 000 lb)

COMPOSANTES MÉCANIQUES	
9-3 Base	
Cylindrée, soupapes, alim.	4L 2,0 litres 16 s turbo
Puissance / Couple	210 chevaux / 221 lb-pi
Tr. base (opt) / rouage base (opt)	M6 (A6) / Int
0-100 / 80-120 / 100-0 km/h	8,5 s / 8,0 s / n.d.
Type ess. / ville / autoroute	Super / 11,1 / 7,3 l/100 km
9-3 Aero	
Cylindrée, soupapes, alim.	V6 2,8 litres 24 s turbo
Puissance / Couple	280 chevaux / 273 lb-pi
Tr. base (opt) / rouage base (opt)	M6 (A6) / Int
0-100 / 80-120 / 100-0 km/h	6,4 s (est) / 6,0 s (est) / n.d.
Type ess. / ville / autoroute	Super / 13,3 / 7,7 l/100 km
9-5	
Cylindrée, soupapes, alim.	4L 2,3 litres 16s turbo
Puissance / Couple	260 chevaux / 258 lb-pi
Tr. base (opt) / rouage base (opt)	M5 (A5) / Tr
0-100 / 80-120 / 100-0 km/h	8,3 s / 6,3 s / 40,0 m
Type ess. / ville / autoroute	Super / 11,6 / 7,2 l/100 km

FEU VERT

- Moteurs turbo performants
- Consommation de carburant raisonnable
- Rouage intégral sophistiqué
- Bonne tenue de route

FEU ROUGE

- Avenir fort incertain
- Réseau de concessionnaires embryonnaires
- Faible valeur de revente
- Fiabilité inégale

DU NOUVEAU EN 2012

Aucun changement majeur

http://www.saab.ca/

Plus d'informations dans la section statistiques en dernière partie du Guide

ENTRE SMART ET IQ, QUI SERA LA PLUS BRILLANTE?

Avez-vous noté que les désignations « smart » et « IQ » réfèrent en fait à la même idée? Brillant, cette stratégie marketing, de la part de Toyota. Mais le quatrième modèle à joindre cet automne la gamme Scion (c'est une Toyota en Europe) s'avèrera-t-il aussi... rusé?

Quelques tours de piste à l'Autodrome de Saint-Eustache en milieu d'été ne peuvent suffire à une critique élaborée et consciencieuse de la nouvelle Scion IQ trois portes à hayon. D'abord, il nous aurait fallu rouler sur l'autoroute, question de vérifier si la courte silhouette prend dans le vent, comme le fait la Smart. Mais cette dernière est aussi haute que large, alors que l'IQ est plus large que haute. Si les lois de la physique ne mentent pas, on devrait donc découvrir que l'IQ est plus solide à grande vitesse que sa rivale smart.

Il nous aurait aussi fallu pousser sa motorisation un peu plus que ce qui a été possible sur circuit sinueux. Pour le moment, ce qu'on peut vous dire, c'est que le quatre cylindres de 1,3 litre (contre un trois cylindres de 1,0 litre pour la smart) produit 94 chevaux et 89 lb-pi. Après la fortwo (avec un tiers moins de chevaux), il s'agit là de la deuxième plus petite puissance offerte sur notre marché.

PLUS « NORMALE », MAIS MOINS ASSURÉE

La smart confie la transmission de sa vigueur (aux roues arrière) à une boîte manuelle automatisée, qui crée un phénomène de « chaise berçante » à chaque passage de rapports. L'IQ pour sa part, mise plutôt sur une CVT — sans mode manuel, mais... avec un mode « sport » ! — pour transmettre la puissance aux roues avant. C'est plus linéaire, pour ne pas dire plus « normal ». Mais, pas de surprise : les accélérations sont bruyantes, voire sifflantes. Et elles se font davantage entendre qu'elles ne s'exécutent, malgré de faux rapports virtuels destinés à tromper l'oreille. L'insonorisation de l'habitacle, au demeurant correct, est sérieusement mis à mal lorsqu'on enfonce la pédale au plancher. On a alors l'impression de piloter un moulin à coudre. Un moulin à coudre qui fait quand même le 0-100km/h une seconde et demie plus rapidement qu'avec la smart, disons-le.

CONCURRENTS

Fiat 500, smart Fortwo

IMPRESSIONS DE L'AUTEUR

Agrément de conduite :	3 / 5
Fiabilité :	NOUVEAU MODÈLE
Sécurité :	3 / 5
Qualités hivernales :	2 / 5
Espace intérieur :	3 / 5
Confort :	3 / 5

Quelque 94 chevaux dans une petite bagnole d'à peine un demi-mètre plus long qu'une smart (mais plus lourde : 960 kilos contre 820 kilos), c'est de bonne guerre. Et CVT avec rapports constamment optimaux obligent, ça promet une consommation frugale: 5,5 litres en ville, 4,6 litres sur l'autoroute. En combiné, c'est 6% de moins que pour la smart. Qui a besoin d'une hybride, après ça?

En définitive, est-ce que ça prend plus de puissance sous le capot? Faudrait pas, parce que l'IQ ne pourrait alors l'assumer. Certes, son châssis nous a paru rigide, bien assemblé et la direction (électrique) n'a pas le flou en son centre de la smart (pourtant à crémaillère). Soit dit en passant, on aime le gros volant de la Scion qui se prend fermement en paume. Et on aime que son rayon de braquage, un mètre plus court (comme si c'était possible) que celui de la smart, facilite (un euphémisme...) les manœuvres en stationnement. Mais il reste que la courte voie et l'empattement réduit ne sont pas gage d'un comportement assuré. Au contraire, l'IQ nous a donné l'impression de ne pas suivre le rythme et qu'elle allait imprévisiblement verser, même dans des virages pas si serrés que ça. J'en ai roulé, des kilomètres avec la smart (lisez en page 544) et jamais je n'ai éprouvé cette sensation de déséquilibre, de non-contrôle. Ajoutez une sautillante poutre de torsion en guise de suspension arrière, sans doute l'une des plus bondissantes de l'heure, et vous voilà au volant d'une petite cocotte qui n'a pas la solidité rassurante de la smart (dont l'architecture à la DeDion a cependant le défaut de cogner).

Un essai hivernal de l'IQ s'imposera, aussi. Comme la smart, la Scion pourrait se débrouiller sous zéro... à condition qu'il ne tombe pas des trombes de neige. Sinon, sa garde au sol de 132mm – presque identique à la smart – pourrait bouder les jours de grande tempête.

DES AMIS... AVEC OU SANS JAMBES?

Vous êtes tannés de nous entendre comparer l'IQ avec la smart? Désolée, mais ce n'est pas encore fini. En fait, ça continue de plus belle: la smart a certes l'avantage d'une variante décapotable, mais la petite deux portes de Scion propose quatre places, soit deux de plus. Et c'est un atout majeur.

Pour être bien honnête, il faudrait plutôt dire que l'IQ peut accueillir relativement confortablement trois adultes... et une bête à poil. Ou du bagage. Expliquons: parce qu'on a fait table rase sur la boîte à gants, le passager peut coulisser son siège vers l'avant d'une bonne moitié, en franc décalage avec le conducteur. (Pour le rangement, il y a toujours ce tiroir qui s'extirpe cahin-caha du dessous du siège.) Conséquence: un troisième occupant peut tenir derrière et même si tête et genoux sont à l'étroit, il ne souffrira pas trop le temps d'une courte balade. Encore faudra-t-il oublier, à 100km/h sur l'autoroute, ces poids lourds qui roulent à quelques centimètres des fesses. Et la

présence du premier coussin gonflable de hayon au monde (ce qui fait grimper à 11 le total de coussins à bord de l'IQ) risque de ne pas suffire pour rassurer.

La quatrième place ? Hum. Même si un conducteur de petite taille s'installe à deux pouces de son volant, un passager ne pourra s'insérer derrière lui — à moins de ne pas avoir de jambes. Un enfant pourrait s'y asseoir dans son siège, Fido peut aussi y prendre ses aises. Ou encore, avec ce rabattement 50/50, on peut transporter quelques paquets. Parce qu'une fois la banquette occupée, sachez qu'à peine 38 litres s'offrent au cargo — c'est bon pour un parapluie, tout au plus.

COMBIEN, POUR CETTE MIGNONNE ?

Côté design, les lignes extérieures de l'IQ, qui ont su conserver les airs d'un prototype, sont indéniablement plus sympathiques... que le style intérieur de l'habitacle. Dehors, c'est mignon à souhait, grâce à des proportions impertinentes, à un bas de caisse arrière qui s'élargit, à ce court museau effronté qui cache la petite motorisation (rappelons que la smart, elle, dissimule son moteur sous le plancher cargo).

Dedans, c'est moins exotique que dehors... et que dans la smart. Les sièges de notre version d'essai étaient recouverts d'un tissu à trous qui a bien fait rigoler, mais pas nécessairement pour de bonnes raisons. Minces, question de sauver le plus d'espace possible, les dossiers manquent de maintien latéral. Aussi, le tableau de bord se résume à une ligne de climatisation au centre, surmontée

Catégorie	Hatchback
Échelle de prix	16 760 $
Garanties	3 ans/60 000 km, 5 ans/100 000 km
Assemblage	Toyota City, Japon
Cote d'assurance	n.d.

CHÂSSIS - IQ	
Emp/lon/lar/haut	2 000/3 045/1 680/1 500 mm
Coffre	38 à 168 litres
Réservoir	32 litres
Nombre coussins sécurité / ceintures	11 / 4
Suspension avant	indépendante, jambes de force
Suspension arrière	semi-indépendante, poutre de torsion
Freins avant / arrière	disque / tambour
Direction	à crémaillère, ass. électrique
Diamètre de braquage	7,9 m
Pneus avant / arrière	P175/60R16 / P175/60R16
Poids	960 kg
Capacité de remorquage	non recommandé

COMPOSANTES MÉCANIQUES	
Cylindrée, soupapes, alim.	4L 1,3 litre 16 s atmos.
Puissance / Couple	94 chevaux / 89 lb-pi
Tr. base (opt) / rouage base (opt)	CVT / Tr
0-100 / 80-120 / 100-0 km/h	n.d. / n.d. / n.d.
Type ess. / ville / autoroute	Ordinaire / 5,5 / 4,6 l/100 km

en proéminence d'un système audio qui fait beaucoup trop bon marché pour être convaincant. Devant le conducteur, deux cadrans se positionnent sans envergure, comme s'ils souhaitaient passer incognito. Aussi, on aurait pris un bras de vitesse plus massif et plus déterminant que ce long et mince levier.

La désactivation du dispositif de stabilité et le verrouillage des portières sont presque hors de portée. Quand même, le tout est d'une simplicité facile à apprivoiser. À preuve: les commandes audio au volant ne se manipulent que de deux boutons au pouce gauche. Ça ne pouvait pas être moins compliqué.

Lors de notre court essai de l'IQ, nous ne connaissions toujours pas son prix d'étiquette. Nous estimions donc que 16 500 $ seraient raisonnables pour celle qui se propose en une seule version (une variante électrique est prévue l'an prochain, du moins aux États-Unis), mais bien équipée: climatiseur, régulateur de vitesse, groupe électrique, rétros chauffants, ordinateur de bord.

On aurait dû gager, parce que cette estimation est en plein dans le mille : 16 760 $ que ce sera pour l'IQ. C'est presque 2 000 $ plus cher que la smart fortwo de base, mais ça comprend plus d'équipements. Pour le reste, ça sera une affaire de goût personnel. Et tous ceux qui opteront pour la Scion, que ce soit pour la curiosité, la troisième «vraie» place ou la puissance un brin plus vigoureuse, ils aideront l'IQ à faire lever ce qui ne lève pas depuis l'automne dernier: les ventes de Scion au Canada...

Nadine Filion

Photos: Denis Duquet

FEU VERT

- Mignonne à souhait
- Une troisième «vraie» place
- Rayon de braquage exceptionnel
- Le premier coussin gonflable de hayon au monde

FEU ROUGE

- Comportement routier peu assuré
- La deuxième plus petite puissance du marché...
- Qui veut/peut s'asseoir à la banquette?

DU NOUVEAU EN 2012

Nouveau modèle

http://www.scion.com/

Plus d'informations dans la section statistiques en dernière partie du Guide

UN DÉBUT DIFFICILE

Histoire d'élargir sa clientèle et de se créer un bassin de futurs adeptes du « Toyotarisme », la compagnie Toyota a décidé, en 2003, d'offrir chez nos voisins du Sud une gamme de véhicules plus éclatés et destinés à une clientèle plus jeune. On a aussi opté pour une mise en marché distincte. Afin de conserver intacte l'image et l'aura de Toyota, le constructeur à décidé de faire l'opération sous une nouvelle marque baptisée Scion qui, depuis un an, est offerte au Canada. Du lot de ces nouveaux véhicules, la tC est la petite sportive du groupe.

CONCURRENTS
Honda Civic,
Kia Forte,
Suzuki SX-4

IMPRESSIONS DE L'AUTEUR	
Agrément de conduite : ■■■■□	4/5
Fiabilité :	NOUVEAU MODÈLE
Sécurité : ■■■▌□	3.5/5
Qualités hivernales : ■■■▌□	3.5/5
Espace intérieur : ■■■▌□	3.5/5
Confort :	N.D.

Scion, c'est plus qu'une simple gamme de véhicules. Aux États-Unis, Toyota en a fait une marque branchée, notamment par le biais de communautés en ligne et d'évènements, mais aussi en offrant une panoplie d'équipements permettant de personnaliser les véhicules. Recréer le tout au Canada n'est pas une mince affaire, puisque le constructeur doit bâtir ici cette nouvelle marque de A à Z et la soutenir commercialement. Force est d'admettre qu'après un an au Canada, les chiffres de ventes de modèles Scion n'ont rien d'éclatant. Pourtant, un véhicule comme la petite tC est loin d'être dépourvu d'attraits.

TOUT DE MÊME DU STYLE

Tout d'abord, de par sa configuration, la Scion tC s'avère intéressante, puisqu'il ne reste pratiquement aucun coupé sport abordable sur le marché. La tC permet donc aux amateurs du genre de renouer avec les plaisirs de ce type de véhicule. La tC est aussi très jolie avec ses lignes sportives et quelque peu inusitées par rapport à ce qui se trouve sur nos routes. Elle se démarque du lot, surtout en raison du son choix de coloris variés, plus éclatés que ceux de Mercedes-Benz, par exemple. Son fascia agressif et ses jantes sport ajoutent également au style. Bref, la tC offre un design très réussi et qui risque de ne pas trop se démoder avec le temps, élément qui guette bien souvent les coupés.

Si vous craquez pour la tC, sachez que les choix sont assez simples. Au catalogue, on trouve une seule version équipée d'un moteur quatre cylindres de 2,5 litres développant 180 chevaux pour un couple de 173 lb-pi. C'est en fait le moteur que l'on retrouve à bord de la Toyota Camry et du RAV4. Aucun problème en vue en matière de fiabilité. Ce moteur transmet sa puissance aux roues avant par le biais de deux boîtes de vitesse au choix, une manuelle à six rapports proposée de série ou une automatique à six rapports offerte en

Catégorie	Coupé
Échelle de prix	20 850 $ (2011)
Garanties	3 ans/60 000 km, 5 ans/100 000 km
Assemblage	n.d.
Cote d'assurance	n.d.

option. Sur la route, cette mécanique livre des performances honnêtes qui conviendront à la majeure partie de vos besoins. Le moteur permet une conduite souple et son couple intéressant procure à la tC de bonnes reprises. On apprécie la boîte manuelle parce qu'elle nous donne le plaisir d'être en contrôle du véhicule en tout temps et son embrayage ne demande pas d'avoir des cuisses d'athlète. Moins sportive, mais tout de même efficace, la boîte automatique n'est pas en reste, procurant des changements doux et sans hésitations. Cette dernière maximise aussi l'économie de carburant tout en rendant la conduite plus agréable en ville ou dans la congestion. Bref ici, il s'agit d'une question de goût, puisque ni l'un ni l'autre de ces choix n'est mauvais.

À bord, de la tC, on retrouve un design qui tranche radicalement d'avec les produits Toyota. Même si le tout est plus éclaté, on retrouve cependant le même souci de qualité. On note plusieurs éléments ajoutant au style sportif de la voiture, notamment le volant et les garnitures métallisées. Le tableau de bord se démarque par sa simplicité et sa sobriété. La partie centrale, légèrement orientée vers le conducteur, plaira aux plus jeunes puisqu'elle propose au centre une unité de radio Pioneer dont le style imite celui des modèles vendus dans les boutiques spécialisées. Bien entendu, cette dernière offre une bonne qualité sonore et incorpore les dernières technologies de connectivité, chose normale, puisque les modèles Scion s'adressent aux plus jeunes. Vous pourrez également vous tourner vers la chaîne audio de qualité supérieure de marque Alpine proposée en option, qui transforme la Scion en véritable discothèque. Malgré la taille de la tC, on dispose de bons dégagements à bord, même à la tête. Seuls les passagers arrière profitent d'un peu plus d'intimité. Même constat pour l'espace de chargement qui n'est pas le plus généreux. Reste que la configuration à hayon de la tC ajoute à son aspect pratique.

PAS UNE BOMBE

Avec son couple développé tout de même à haut régime, le quatre cylindres transmet sa puissance aux roues avant sans véritable effet de couple. En conduite plus poussée, la voiture demeure prévisible tout en collant bien à la route. Toutefois, il ne faut pas vous attendre à vous retrouver au volant d'une pure sportive. La tC a le style, mais toute l'attitude. On aurait d'ailleurs apprécié que le constructeur nous en propose une version plus performante ou survitaminée, à la sauce WRX, ce qui aurait permis au constructeur de se doter d'une tout autre image chez les jeunes. Il semble malheureusement que ce ne soit pas dans les plans.

La tC n'est pas une mauvaise voiture. Elle n'est pas la plus emballante des coupés sport, mais elle est certainement la plus sportive des Scion. Elle propose une conduite très agréable, beaucoup plus que certaines autres… Toyota.

Sylvain Raymond

Photos : Alain Morin

CHÂSSIS - BASE	
Emp/lon/lar/haut	2 700/4 420/1 795/1 415 mm
Coffre	416 litres
Réservoir	55 litres
Nombre coussins sécurité / ceintures	4 / 5
Suspension avant	indépendante, jambes de force
Suspension arrière	indépendante, double triangulation
Freins avant / arrière	disque / disque
Direction	à crémaillère, assistée
Diamètre de braquage	11,0 m
Pneus avant / arrière	P225/45R18 / P225/45R18
Poids	1 377 kg
Capacité de remorquage	non recommandé

COMPOSANTES MÉCANIQUES	
Base	
Cylindrée, soupapes, alim.	4L 2,5 litres 16 s atmos.
Puissance / Couple	180 chevaux / 173 lb-pi
Tr. base (opt) / rouage base (opt)	M6 (A6) / Tr
0-100 / 80-120 / 100-0 km/h	8,6 s / 5,9 s / 40,5 m
Type ess. / ville / autoroute	Ordinaire / 8,9 / 6,3 l/100 km

FEU VERT

- Style dynamique
- Conduite plus dynamique
- Système audio performant
- Boite manuelle agréable

FEU ROUGE

- Un seul moteur offert
- Espace de chargement plus limité
- Diffusion réduite

DU NOUVEAU EN 2012

Aucun changement majeur

http://www.scion.com/

Plus d'informations dans la section statistiques en dernière partie du Guide

PLUS ORDINAIRE QUE SON LOOK

Le Scion xB, c'est comme un réfrigérateur. C'est carré, fichtrement pratique dans la maisonnée, assez vaste pour y faire tenir la dinde de Noël... mais désespérément ennuyant, voire inutile, lorsque vient le temps de danser la polka.

Ne vous méprenez pas: je les aime, ces véhicules tout en quadrilatère. Là où les gens regardent le Nissan cube avec un air dubitatif, je m'enthousiasme, ne serait-ce que pour son audace. Depuis sa refonte en 2008, le Scion xB a l'avantage d'être visuellement plus réussi avec une allure plus substantielle, plus futuriste. Mais le design est trompe-l'œil: il cache le fait qu'à l'intérieur, de même que sous le capot, c'est malheureusement très ordinaire.

Ordinaire en termes de matériaux, d'abord. Les plastiques ont certes fait l'effort de la texture et sont d'assemblage serré, mais ils sont durs et jumelés à un tissu de revêtement rêche, désespérément «charcoal». Le tout se solde en un habitacle trop sobre pour ce qu'annoncent les lignes extérieures.

C'est aussi très ordinaire, côté insonorisation. Je sais, ce n'est pas facile d'être une boîte carrée qui fend l'air, mais reste que le bruit des pneus sur le bitume et du gravier qui vole dans les arches est démesuré. Aussi, les portières claquent sans conviction. Et je vous mets au défi de trouver la bonne position de conduite entre ces pédales trop courtes, ce volant (télescopique, enfin!) trop près du tableau de bord et ce siège qui, une fois reculé, nous rend les commandes hors de portée (au demeurant, très faciles à apprivoiser, ces commandes). La vision? Elle serait excellente, si seulement on parvenait à discerner le bout de la calandre et si, à l'arrière, on voyait plus bas par cette vitre de hayon. Une caméra de recul serait la bienvenue, comme pour le cube, mais cette option n'est pas proposée pour le Scion.

CONCURRENTS
Kia Soul,
Nissan Juke,
Suzuki SX-4

IMPRESSIONS DE L'AUTEUR	
Agrément de conduite:	3/5
Fiabilité:	NOUVEAU MODÈLE
Sécurité:	3.5/5
Qualités hivernales:	3.5/5
Espace intérieur:	4/5
Confort:	2.5/5

Il y en a qui critiqueront l'instrumentation du xB, en décalage au centre de la planche de bord. Moi, j'aime. Ainsi tournés vers le conducteur, tous les cadrans sont dans le champ de vision. C'est non seulement sécuritaire, c'est également reposant.

On ne peut qu'encenser l'espace intérieur. Plus large que la concurrence (de presque 7 cm), le xB nous met à l'aise comme un poisson dans... l'aquarium. Le dégagement aux têtes et aux épaules est ample et c'est aussi très respectable aux jambes arrière. Toutefois, ça aurait pu l'être davantage si la banquette s'avançait et se reculait, ce qu'elle ne fait pas (dans le Nissan, oui). Côté cargo, le Scion est plus long que ses rivaux (jusqu'à un tiers de mètre) et il avale son lot de marchandise, que l'on dépose facilement sur un plancher bas, une fois la banquette facilement repliée tout à fait à plat.

ENCORE DE L'ORDINAIRE

Revenons à nos «ordinaires» pour dire que la motorisation — l'ancien quatre cylindres 2,4 litres de la Toyota Camry — commence à se faire vieille. La cote combinée touche presque les 8,5 l/100 km, ce qui s'avère relativement gourmand. À sa décharge, le Scion livre quand même une certaine puissance, soit 158 chevaux et 162 lb-pi. Mais avant de vous emballer pour cette cavalerie, sachez que cette vigueur est handicapée lorsque transigée par la boîte automatique... à quatre rapports. Vous avez bien lu: quatre rapports. Tant les accélérations que les reprises sont poussives et bruyantes, comme si on avait affaire à une boîte CVT (ce n'est pas un compliment, ça). Heureusement, le mode manuel est disponible pour donner un peu de cœur à tout ça.

Toujours dans les «ordinaires», soulignons la suspension arrière qui mise, comme attendu, sur la poutre de torsion. Résultat tout aussi attendu: une balade sèche et bondissante, avec en prime des amortisseurs qui se font trop sentir... et trop entendre. On a droit à des freins à disques tant à l'arrière qu'à l'avant (la concurrence ne peut pas en dire autant), mais le freinage est invalidé par une pédale de trop longue course avant que ça ne morde. La direction — électrique, bien entendu — ne transmet pas les palpitations de la route aussi bien qu'elle le devrait et si elle place le véhicule là où on le souhaite, il reste que ça se fait par le biais d'un volant trop mince en paume pour être agréable.

UNE SEULE VERSION

Côté équipements, Scion a décidé de n'offrir qu'une version de son xB. Il vient tout équipé à 18 270 $ avec boîte manuelle. Pensez climatiseur, régulateur de vitesse, rétros chauffants, commandes audio au volant. On peut opter pour le cuir et les sièges chauffants avant, mais n'espérez pas le démarrage sans clé, le toit ouvrant ou la climatisation automatique, ça ne figure pas au catalogue — ça l'est cependant dans le catalogue de Nissan.

Bref, le Scion xB est pratique, mais il n'a (toujours) rien pour danser la polka.

Nadine Filion

Photos: Marc Lachapelle

Catégorie	Multisegment
Échelle de prix	18 270 $ (2011)
Garanties	3 ans/60 000 km, 5 ans/100 000 km
Assemblage	n.d.
Cote d'assurance	n.d.

CHÂSSIS - BASE	
Emp/lon/lar/haut	2 600/4 250/1 760/1 645 mm
Coffre	283 litres
Réservoir	53 litres
Nombre coussins sécurité / ceintures	6 / 5
Suspension avant	indépendante, jambes de force
Suspension arrière	indépendante, barres de torsion
Freins avant / arrière	disque / disque
Direction	à crémaillère, assistée
Diamètre de braquage	n.d.
Pneus avant / arrière	P205/55R16 / P205/55R16
Poids	1 373 kg
Capacité de remorquage	n.d.

COMPOSANTES MÉCANIQUES	
Base	
Cylindrée, soupapes, alim.	4L 2,4 litres 16 s atmos.
Puissance / Couple	158 chevaux / 162 lb-pi
Tr. base (opt) / rouage base (opt)	M5 (A4) / Tr
0-100 / 80-120 / 100-0 km/h	9,8 s / 7,9 s / 43,7 m
Type ess. / ville / autoroute	Ordinaire / 9,5 / 7,2 l/100 km

FEU VERT

- Vaste espace de chargement
- Silhouette harmonieuse
- Facile à apprivoiser
- Excellent dégagement aux têtes/épaules

FEU ROUGE

- Insonorisation médiocre
- Motorisation peu raffinée
- Matériaux bas de gamme
- Amortisseurs qui cognent et qui résonnent
- Bonne position de conduite impossible à trouver

DU NOUVEAU EN 2012

Aucun changement majeur

http://www.scion.com/

Plus d'informations dans la section statistiques en dernière partie du Guide

BEAUCOUP DE BRUIT POUR RIEN

Il y a maintenant plus d'une année que la division Scion est présente dans certaines parties du pays et que ses véhicules sont vendus par quelques concessionnaires triés sur le volet. Cela s'explique en partie par le désir de créer une certaine aura autour de la marque, mais également par la volonté de limiter les dégâts en cas de malheur. Cette approche de marketing convient bien à la vocation de la marque qui est d'attirer une clientèle jeune à la recherche de véhicules de série qui s'apparentent en fait aux voitures modifiées. La xD, un dérivé de la Yaris, est le modèle le plus abordable de cette marque.

CONCURRENTS
Honda Fit,
Nissan Versa,
Toyota Yaris

IMPRESSIONS DE L'AUTEUR	
Agrément de conduite :	3.5/5
Fiabilité :	4/5
Sécurité :	4/5
Qualités hivernales :	4/5
Espace intérieur :	4/5
Confort :	3.5/5

Sa silhouette, qui détonne de l'ensemble des autres hatchback sur le marché — à l'exception de sa grande sœur la xB —, est de nature à plaire aux non-conformistes. Ce look particulier a des répercussions pratiques avec un bon dégagement pour la tête et un espace généreux pour les bagages une fois la banquette arrière repliée.

COOL!

En général, lorsqu'on vante les qualités d'une auto, on souligne ses performances et ses qualités routières. Dans le cas de la xD, l'emphase est surtout mise sur la présentation originale du tableau de bord et les performances du système audio. Il est ainsi possible de commander un système de marque Alpine à rendement élevé. D'ailleurs, la présentation des commandes audio fait penser à ce que l'on retrouve dans les boutiques spécialisées. Avec un amplificateur de 200 watts, six haut-parleurs et un caisson de grave, vous pourrez faire saigner vos oreilles ou presque. Des connexions USB, RCA et la possibilité de lire les dossiers MP3/WMA/AAC sont de la partie. Mieux encore, il est possible de s'abonner au réseau de radio par satellite XM pour ajouter davantage de variété.

L'originalité dans la présentation se retrouve également au niveau des cadrans indicateurs. La xD nous offre un cadran principal qui combine un indicateur de vitesse et un compte-tours jumelé. C'est original, mais pas tellement pratique : ça porte davantage à confusion qu'autre chose. Contrairement à la Yaris dont cette voiture est dérivée, le cadran indicateur n'est pas au centre de la planche de bord, mais bien face au conducteur. Encastré au fond d'une nacelle de forme trapézoïdale, ce cadran tombe sous les yeux, bien que sa consultation ne soit pas toujours aisée. Quant à la climatisation, elle est réglée par trois gros boutons. Il faut toutefois déplorer la piètre qualité des plastiques dont la texture n'impressionne pas.

Catégorie	Familiale
Échelle de prix	17 200 $ (2011)
Garanties	3 ans/60 000 km, 5 ans/100 000 km
Assemblage	n.d.
Cote d'assurance	n.d.

Toyota nous a pourtant habitués à une meilleure qualité de finition... Les sièges baquets avant offrent un bon support latéral et leur tissu est élégant. Mais leur confort est moyen et le coussin n'offre que peu de support pour les cuisses des personnes de grande taille. Détail à souligner, ces sièges s'inclinent totalement pour être à plat. La banquette arrière se déplace de l'avant vers l'arrière sur une distance de 15 cm sur des rails. Bien entendu, le dossier 60-40 se replie pour augmenter l'espace de chargement.

SUR LA ROUTE ?

Si on se fie aux publicités de la division Scion, cette sous-compacte est une petite bombe propulsée par un « puissant » moteur quatre cylindres de 1,8 litre. Mais il faut remettre les choses en perspective. Par rapport au moteur de 1,5 litre de 106 chevaux de la Yaris, il y a certainement un surplus de puissance, mais si on la compare à la xB, c'est moins impressionnant. Le moteur de ce dernier modèle produit 30 chevaux de plus, c'est digne de mention. Et c'est là que le bât blesse avec le xD. Il est plus petit, moins puissant et moins intéressant à conduire en plus de ne pas être vraiment moins cher à l'achat que le xB.

Si au moins sur la route ses qualités routières le démarquaient. Malheureusement, ses performances sont correctes, sans plus. En premier lieu, le modèle doté de la transmission automatique est affecté par un niveau sonore élevé en raison d'un moteur dont le régime est assez élevé. C'est en raison de la boîte automatique qui ne compte que quatre rapports et qui n'est pas en mesure de baisser le régime du moteur. La boîte manuelle est plus intéressante à ce chapitre, mais elle ne transforme par cette Scion en voiture de sport. Il est vrai que la tenue de route est honnête. Toutefois, la suspension absorbe mal les bosses et les roues sautillent. La suspension arrière à poutre déformante est souvent incapable de maîtriser les surfaces inégales tandis que la direction à assistance électrique gomme en grande partie le *feedback* de la route.

En plus, Scion offre moult accessoires de performances afin de personnaliser la voiture. Il n'est malheureusement pas conseillé de s'en prévaloir, car ils ont pour effet d'augmenter le prix de la voiture, sans nécessairement hausser l'agrément de conduite et la tenue de route. L'une des xD essayées était dotée d'un échappement sport dont le grognement devenait agaçant à la longue.

Somme toute, cette voiture pourrait être intéressante dans sa version de base. Mais si on choisit certaines options, le prix augmente et mieux vaut opter pour le xB qui est une auto plus agréable à conduire, plus pratique et plus confortable.

Denis Duquet

Photos: Marc Lachapelle

CHÂSSIS - BASE	
Emp/lon/lar/haut	2 460/3 930/1 725/1 510 mm
Coffre	297 litres
Réservoir	42 litres
Nombre coussins sécurité / ceintures	6 / 5
Suspension avant	indépendante, jambes de force
Suspension arrière	indépendante, barres de torsion
Freins avant / arrière	disque / tambour
Direction	à crémaillère, assistée
Diamètre de braquage	n.d.
Pneus avant / arrière	P195/60R16 / P195/60R16
Poids	1 190 kg
Capacité de remorquage	n.d.

COMPOSANTES MÉCANIQUES	
Base	
Cylindrée, soupapes, alim.	4L 1,8 litre 16 s atmos.
Puissance / Couple	128 chevaux / 125 lb-pi
Tr. base (opt) / rouage base (opt)	M5 (A4) / Tr
0-100 / 80-120 / 100-0 km/h	10,9 s / 9,0 s / 42,6 m
Type ess. / ville / autoroute	Ordinaire / 7,4 / 5,9 l/100 km

- Silhouette originale
- Système audio performant
- Polyvalence de l'habitacle
- Mécanique fiable
- Cadran inducteur principal au bon endroit

- Insonorisation perfectible
- Sensible aux vents latéraux
- Performances modestes
- Plastiques bon marché
- Finition sommaire

DU NOUVEAU EN 2012

Aucun changement majeur

http://www.scion.com/

Plus d'informations dans la section statistiques en dernière partie du Guide

TOUJOURS CRAQUANTE MALGRÉ SES DÉFAUTS

Même après sept ans sur le marché canadien, la smart fortwo continue de faire jaser. Avouez qu'on ne peut en dire autant de la grande majorité des véhicules. Si elle est encore populaire, c'est en raison de sa bouille décidément fort sympathique, de ses mini dimensions inégalées et de sa frugale consommation d'essence. Et elle a beau être affublée d'importants défauts — les vents latéraux la font tanguer, la suspension cogne et le tout est définitivement sous-motorisé —, il reste qu'on l'aime toujours autant.

Ceux qui ont fait le test le savent : dedans, c'est pas mal plus grand que dehors. Ça en est même surprenant : les deux occupants bénéficient d'un dégagement aux jambes et aux têtes fort généreux, plus encore que dans la plupart des sous-compactes et que dans plusieurs compactes. Et, oui, il y a lieu de placer armes et bagages derrière les deux sièges: avec jusqu'à 340 litres de cargo, c'est davantage que pour la Toyota Yaris lorsque sa banquette est relevée.

Un mot sur ces deux sièges: ils sont magiques, je vous le dis. À première vue, ils ne paient pas de mine, avec peu d'ajustements, aucun rembourrage et, surtout, pas de soutien lombaire. Pourtant, j'y ai tenu pendant trois semaines et 6 500 km le long de la Côte Pacifique et jamais mon dos n'a souffert. Un autre grand périple de plusieurs milliers de kilomètres, cette fois au Cercle Polaire, en pleine tempête hivernale, nous a prouvé que la smart n'aime pas les grosses bordées de neige, mais qu'elle s'en sort très bien dans le froid. Tout au plus ses portières rechignent-elles à se verrouiller.

Mine de rien, c'est une autre génération de smart qui nous est arrivée à l'automne dernier, mais ne perdez pas votre temps à chercher les grandes différences: elles consistent principalement en

CONCURRENTS
Fiat 500,
Scion IQ

IMPRESSIONS DE L'AUTEUR	
Agrément de conduite :	3.5/5
Fiabilité :	4/5
Sécurité :	4.5/5
Qualités hivernales :	2/5
Espace intérieur :	2.5/5
Confort :	3.5/5

l'apparition (enfin) du régulateur de vitesse, d'un ordinateur de bord et d'un système de navigation/divertissement. Visuellement, il ne fallait pas modifier grand-chose: même après toutes ces années, la petite deux places continue de se faire regarder, et ce, encore plus dans sa version décapotable. Cette dernière (notre préférée, il va sans dire) permet en moins de 15 secondes une bien plus agréable balade…

DE GROS DÉFAUTS

Cela dit, il y a nombre de points négatifs, comme cette transmission «chaise berçante»: le passage des cinq rapports, lorsqu'effectué de

Catégorie	Cabriolet, Hatchback
Échelle de prix	13 990 $ à 24 900 $ (2011)
Garanties	4 ans/80 000 km, 4 ans/80 000 km
Assemblage	Hambach, France
Cote d'assurance	excellente

façon automatique, fait balancer la voiture d'avant en arrière, en plus de réfréner les ardeurs d'un moteur qui n'en a pourtant pas de trop. Ce trois cylindres d'un litre, dissimulé derrière les fesses des occupants, est LE plus petit moteur offert sur notre continent. Et honnêtement, avec ses 70 chevaux et 68 lb-pi, on ne veut le voir nulle part ailleurs. Il n'y a que la smart pour faire accepter ce 0-100km/h en plus de 13 secondes, de même que ces manœuvres de dépassement qu'il faut stratégiquement penser avant d'exécuter.

Pour tirer le maximum de cette motorisation, il faut soi-même manier les rapports (idéalement, avec les palettes au volant) et ne pas craindre de faire révolutionner. La petite peut alors filer, en conditions gagnantes, à presque 145 km/h, dans une manœuvre relativement stable. Cependant, mieux vaut ne pas prendre de risque, non seulement par égard à la sécurité routière, mais aussi parce que plus ça roule vite, plus les bruits extérieurs envahissent l'habitacle.

Qui plus est, la haute silhouette courte sur patte souffre des bourrasques latérales et commande qu'on garde les mains fermement posées sur le volant. Aussi, la direction est floue en son centre. Par contre, elle permet de virer « sur un dix cents ». De plus, la suspension toute germanique (smart, c'est Mercedes, ne l'oublions pas) cogne sur les cahots et le nez plonge en freinage.

... MAIS ON LUI PARDONNE

Ailleurs, on ne pardonnerait pas, mais ici, tout ça ne réussit pas à détruire le plaisir de conduire celle qui se démène dans la circulation comme pas une. Une vraie extension de son propre corps, que cette smart. Le volant est gros en main, pour une impression d'assurance qui n'est pas à dénigrer. Les commandes sont simples à apprivoiser et on aime ces deux cadrans qui pivotent au sommet de la planche de bord. Ne cherchez pas les angles morts, vous n'en trouverez pas. Au contraire, la vision tout autour est exceptionnelle, d'autant que la garde au sol plus élevée que la moyenne nous place en contrôle de la route — en plus de faciliter les entrées et les sorties. Qui plus est, on aime la consommation de moins de 5 l/100km sur l'autoroute.

Et ça peut même être moins — pour ne pas dire rien du tout — si vous avez la chance de mettre la patte sur une smart électrique. La conduite se bonifie alors d'une passation plus immédiate de la puissance (41 chevaux pour ce moteur électrique de 30 kW...), sans le désagréable effet « chaise berçante » provoqué par la boîte séquentielle. Par contre, ne pensez pas faire Montréal-Québec en un seul temps : l'autonomie électrique de la smart « verte » n'est que de 135 kilomètres. Et une fois épuisée, elle nécessite une recharge de plusieurs heures à même la prise électrique résidentielle.

Nadine Filion

Photos: smart

CHÂSSIS - PASSION	
Emp/lon/lar/haut	1 867/2 695/1 559/1 542 mm
Coffre	340 litres
Réservoir	33 litres
Nombre coussins sécurité / ceintures	4 / 2
Suspension avant	indépendante, jambes de force
Suspension arrière	indépendante, multibras
Freins avant / arrière	disque / tambour
Direction	à crémaillère, ass. variable
Diamètre de braquage	8,7 m
Pneus avant / arrière	P155/60R15 / P175/55R15
Poids	820 kg
Capacité de remorquage	n. d.

COMPOSANTES MÉCANIQUES	
Fortwo	
Cylindrée, soupapes, alim.	3L 1,0 litre 12 s atmos.
Puissance / Couple	70 chevaux / 68 lb-pi
Tr. base (opt) / rouage base (opt)	A5 / Prop
0-100 / 80-120 / 100-0 km/h	13,3 s / 13,4 s / 42,0 m
Type ess. / ville / autoroute	Super / 5,9 / 4,8 l/100 km

- Variante décapotable
- On aime l'électrique
- Plus grande qu'il n'y paraît
- Bouille sympathique — même après sept ans
- Sièges très confos — plus qu'il n'y paraît
- Si peu gourmande

- Deux places seulement
- N'aime pas les grosses tempêtes de neige
- Puissance... quelle puissance ?
- Transmission « chaise berçante »
- Sensible aux vents latéraux

DU NOUVEAU EN 2012

Aucun changement majeur

http://www.thesmart.ca/

Plus d'informations dans la section statistiques en dernière partie du Guide

PLUS ÇA CHANGE, PLUS C'EST PAREIL

Si vous faites partie des consommateurs qui apprécient les changements radicaux et les modèles entièrement transformés après un court laps de temps sur le marché, vous n'êtes certainement pas un amateur de Subaru. Chez ce constructeur japonais, on se préoccupe de la mécanique d'abord, de la qualité de l'habitacle ensuite, pour se consacrer, en dernier lieu, à la silhouette extérieure.

Au niveau de l'esthétique de ses véhicules, il faut souligner les progrès considérables de ce constructeur. Le Forester en est un bel exemple. La silhouette du modèle de première génération était déséquilibrée visuellement, ce qui a fait déchanter bien des acheteurs potentiels. La compagnie nous répondait que cela permettait d'avoir une fenestration imposante et une meilleure visibilité. Pourtant, les modèles de la génération actuelle sont plus élégants, tout en respectant toutes les exigences en fait de visibilité, de rigidité de caisse et j'en passe.

UN MOTEUR INCONTOURNABLE

Depuis plusieurs années maintenant, le Forester est propulsé par un moteur quatre cylindres à plat de 2,5 litres. Mais il ne faut pas en conclure pour autant qu'on a toujours affaire au même moteur. Les ingénieurs ne cessent de l'améliorer, de le réviser et de modifier ses organes internes. Nous en avons eu une autre preuve au cours de l'année 2011, alors que Subaru nous a proposé une version revue et améliorée de ce 2,5 litres. Malgré plusieurs améliorations des éléments internes et l'arrivée d'un double arbre à cames en tête, sa puissance est demeurée la même, soit 170 chevaux. Pour sa part, le couple a progressé passant de 170 lb-pi à 174. Les autres modifications comprennent un allongement de la course des pistons et une réduction de l'alésage, ce qui permet de réduire les vibrations, d'obtenir une chambre de combustion plus compacte et d'optimiser la combustion du carburant. Comme sur la version précédente, ce moteur est associé de série avec une boîte manuelle à cinq rapports ou à une automatique à quatre rapports disponible en option. On déplore toutefois que Subaru ne nous propose pas une transmission automatique à cinq ou même six rapports, comme le fait la concurrence.

CONCURRENTS

Chevrolet Equinox, Ford Escape, Honda CR-V, Hyundai Tucson, Jeep Compass, Jeep Patriot, Kia Sportage, Mitsubishi Outlander, Nissan Rogue, Suzuki Grand Vitara, Toyota RAV4, Volkswagen Tiguan

IMPRESSIONS DE L'AUTEUR

Agrément de conduite :	3.5 / 5
Fiabilité :	3.5 / 5
Sécurité :	4 / 5
Qualités hivernales :	4.5 / 5
Espace intérieur :	4 / 5
Confort :	4 / 5

Il est également intéressant de souligner que le rouage intégral, de série sur toutes les Subaru, est différent selon qu'il s'agisse d'une transmission manuelle ou automatique. La boîte manuelle est associée à un différentiel central autobloquant à visco-coupleur qui répartit la puissance dans un mode 50/50. Dans le cas de la boîte automatique, le choix s'est porté sur une boîte de transfert électronique à disques multiples. Dans ce cas, la répartition de la puissance se fait dans une proportion 60/40.

Il ne faut pas oublier de mentionner qu'il est toujours possible de commander le Forester avec la version turbocompressée de ce 2,5 litres. Cette fois, la puissance est de 224 chevaux. Mais comme il est offert sur des versions plus équipées, son prix est élevé par rapport aux modèles dotés du moteur atmosphérique.

LES CHIFFRES NE DISENT PAS TOUT

De prime abord, il semble que ces modifications au moteur atmosphérique s'expliquent par le désir des ingénieurs d'en « ajouter une couche ». En effet, la puissance est identique, le couple un tantinet plus important, mais rien pour tout transformer. C'est vrai, mais en conduite, ce nouveau moteur m'a paru plus homogène en certaines circonstances. Avec le moteur précédent, qui était à simple arbre à cames en tête, il arrivait parfois de percevoir une certaine hésitation, un peu plus de rugosité à des régimes intermédiaires et lorsque la charge du moteur était plus importante. Cette version améliorée du 2,5 litres m'est apparue davantage en mesure de répondre à l'appel et ce, peu importe les circonstances. Mais il ne faut pas se bercer d'illusions : si vous désirez charger votre Forester plus que la moyenne ou circuler sur des sentiers secondaires dotés de pentes raides, il est préférable d'opter pour le moteur turbocompressé.

Sur la route, le rouage intégral accomplit toujours du bon travail, la direction est relativement précise et la tenue de route, sans histoire. J'ai eu l'opportunité, l'hiver dernier, de rouler sur des routes très glacées par un froid sibérien, et notre Forester à l'essai a dompté les éléments.

S'il est une chose qui n'a pas changé chez Subaru, c'est la qualité de l'assemblage et des matériaux. Il faut de plus souligner que la présentation du tableau de bord est beaucoup moins terne qu'auparavant. On n'a plus l'impression que le design chez Subaru est le résultat d'une boîte à suggestions placée à côté de la cafétéria de l'usine. Et bien que la fenestration nous semble moins importante que précédemment, la visibilité arrière convient parfaitement lors des manœuvres de recul.

À première vue, les modifications semblent peu importantes, mais il est certain que le véhicule a gagné en sophistication. D'autant plus que les groupes d'options ont été modifiés à l'avantage du client, que la fabrication est encore plus solide qu'auparavant, tandis que les prix sont demeurés relativement stables. Bref, année après année, ce constructeur ne cesse de peaufiner ses produits, même si ce n'est pas toujours assez spectaculaire au goût de certains.

Denis Duquet

Photos : Subaru

SUBARU FORESTER

Catégorie	VUS
Échelle de prix	25 995 $ à 35 495 $ (2011)
Garanties	3 ans/60 000 km, 5 ans/100 000 km
Assemblage	Gunma, Japon
Cote d'assurance	bonne

CHÂSSIS - 2.5XT LIMITED

Emp/lon/lar/haut	2 615/4 560/2 006/1 700 mm
Coffre	872 à 1 784 litres
Réservoir	64 litres
Nombre coussins sécurité / ceintures	6 / 5
Suspension avant	indépendante, jambes de force
Suspension arrière	indépendante, double triangulation
Freins avant / arrière	disque / disque
Direction	à crémaillère, ass. variable
Diamètre de braquage	10,5 m
Pneus avant / arrière	P225/55R17 / P225/55R17
Poids	1 570 kg
Capacité de remorquage	1 087 kg (2 396 lb)

COMPOSANTES MÉCANIQUES

2.5X, PZEV	
Cylindrée, soupapes, alim.	H4 2,5 litres 16 s atmos.
Puissance / Couple	170 chevaux / 174 lb-pi
Tr. base (opt) / rouage base (opt)	M5 (A4) / Int
0-100 / 80-120 / 100-0 km/h	10,7 s / 9,0 s / 41,5 m
Type ess. / ville / autoroute	Ordinaire / 9,9 / 7,5 l/100 km

2.5XT Limited	
Cylindrée, soupapes, alim.	H4 2,5 litres 16 s turbo
Puissance / Couple	224 chevaux / 226 lb-pi
Tr. base (opt) / rouage base (opt)	A4 / Int
0-100 / 80-120 / 100-0 km/h	8,9 s / 8,4 s / 41,5 m
Type ess. / ville / autoroute	Super / 11,9 / 8,2 l/100 km

- Mécanique fiable
- Rouage intégral efficace
- Assemblage soigné
- Habitacle confortable
- Adapté à nos hivers

- Moteur atmosphérique toujours un peu juste
- Boîte automatique quatre rapports
- Version turbo onéreuse
- Corrosion pas toujours éradiquée

DU NOUVEAU EN 2012

Siège passager avant réglable en hauteur, nouvelle couleur argent glacé métallisé remplace l'argent étincelant métallisé et autres détails.

http://www.subaru.ca/

Plus d'informations dans la section statistiques en dernière partie du Guide

UNE CHANGE, LES AUTRES NON

Au Salon de l'auto de New York, Subaru a procédé au lancement mondial de la nouvelle Impreza millésime 2012 dont les dimensions sont presque identiques au modèle précédent, exception faite de l'empattement qui a progressé d'environ un pouce. La nouvelle voiture a également subi une cure d'amaigrissement puisque son poids a été réduit de plus de 70 kilos, et le moteur de 2,5 litres cède maintenant sa place à un nouveau quatre cylindres de 2,0 litres dans le but d'améliorer la consommation en carburant.

Sur le plan de la puissance et du couple disponible, le nouveau modèle est en recul par rapport à sa devancière, puisque le 2,0 litres ne développe que 148 chevaux (contre 170) et ne livre que 145 livres-pied de couple (versus 170), même si le moteur adopte maintenant deux arbres à cames en tête. De plus, il sera jumelé à une boîte manuelle à cinq vitesses. C'est en quelque sorte une déception, puisqu'une boîte à six vitesses aurait permis de compenser pour la perte d'une partie de la cavalerie tout en permettant un gain supplémentaire en matière de consommation. On peut également opter pour une transmission à variation continue, dérivée de celle qui équipe les Legacy et Outback.

La conception du rouage intégral est différente selon le choix de la transmission. Ainsi, la boîte manuelle est jumelée à un rouage intégral comportant un différentiel central autobloquant à viscocoupleur, alors que c'est un embrayage à disques multiples à contrôle électronique qui équipe les voitures dotées de la boîte à variation continue.

OBJECTIF : CONSOMMATION BONIFIÉE

Selon Subaru, la nouvelle Impreza serait plus efficace de 30 % en consommation de carburant, des chiffres impressionnants. Avec des cotes de 5,5 l/100 kilomètres sur la route et de 7,5 l/100 km en ville, elle deviendrait la voiture à traction intégrale la plus écoénergétique en Amérique du Nord. Malheureusement, nous ne pouvons valider ces chiffres, la date de tombée de cet ouvrage précédant le lancement du modèle sur le marché canadien.

CONCURRENTS

Chevrolet Cruze, Dodge Caliber, Ford Focus, Honda Civic, Hyundai Elantra, Mazda3, Mitsubishi Lancer, Nissan Sentra, Suzuki SX-4, Toyota Corolla, Toyota Matrix, Volkswagen Jetta

IMPRESSIONS DE L'AUTEUR

Agrément de conduite :	4 / 5
Fiabilité :	4 / 5
Sécurité :	4 / 5
Qualités hivernales :	5 / 5
Espace intérieur :	3 / 5
Confort :	3 / 5

En ce qui à trait à la sécurité, outre l'avantage marqué des véhicules à traction intégrale, — toujours de série sur les véhicules de marque Subaru — ,la nouvelle Impreza ajoute un coussin gonflable supplémentaire pour protéger les genoux en cas d'impact ainsi qu'un système électronique de contrôle de la stabilité.

Au niveau de son apparence, on remarque que la base du pare-brise est nettement plus avancée que sur le modèle précédent et que l'angle plus prononcé du vitrage permettra sans doute d'améliorer l'aérodynamisme de la nouvelle voiture, tout en donnant l'impression que l'habitabilité est meilleure. Le volume du coffre est plus élevé sur tous les modèles, le coffre de la berline étant d'une capacité de 340 litres alors que celui du modèle cinq portes compte 569 litres avec tous les sièges en place et plus de 1400 litres avec les dossiers de la banquette arrière rabattus.

PAS DE CHANGEMENTS POUR LES BOMBES...

Alors que l'année 2012 marquera l'entrée en scène du nouveau modèle de l'Impreza, les modèles WRX et STI à vocation sportive poursuivront leur route en demeurant inchangés par rapport à l'année dernière. Elles continuent toutes deux de partager ce même look *boy racer*, plus marqué sur la berline STI en raison de son aileron arrière surélevé.

Même si le moteur de la WRX ne développe que 265 chevaux et 244 livres-pied de couple, comparativement aux 305 chevaux et 290 livres-pied de couple du moteur de la STI, la bombe «junior» de la gamme n'est pas à dédaigner pour autant. Naturellement, elle s'avère moins radicale en conduite de tous les jours que la plus extrême STI dont le comportement routier est beaucoup plus typé. En conduite normale, le moteur de la WRX possède cette sonorité typique des moteurs Boxer à cylindres opposés. Et comme l'insonorisation demeure perfectible, on doit composer avec une voiture qui est un peu plus bruyante que certaines compactes moins performantes, non seulement en raison du bruit du moteur, mais également en raison des bruits de roulement. Sous la barre des 2 500 tours/minute, la cavalerie ne répond pas avec autorité, mais c'est un peu comme si on sifflait tous les chevaux à l'appel en passant ce cap alors que la poussée devient plus intense et linéaire jusqu'à 6 500 tours/minute.

Avec son rouage intégral qui est beaucoup plus avancé sur le plan technique — il comporte un différentiel central réglable par le conducteur sur trois modes de conduite —, la STI a vraiment l'âme d'une voiture de rallye et se comporte davantage comme une authentique sportive par rapport à sa petite sœur. Même en mode normal, 59 % du couple est livré aux roues arrière, ce qui gomme cette tendance naturelle pour le sous-virage qui est souvent le propre des voitures à traction intégrale.

Même si la STI a été «assagie» lors de sa dernière refonte, il n'en demeure pas moins que son comportement routier plus radical exige que le conducteur accepte les défauts de ses qualités. Par exemple, le pédalier est parfaitement positionné pour le pointe-

talon et on sent bien l'engagement des rapports au moyen du levier de vitesses. C'est génial en conduite sportive, mais l'embrayage est plutôt ferme, et tout ça devient nettement moins agréable dans la circulation à l'heure de pointe. C'est un peu le même constat pour ce qui est des calibrations des suspensions. Elles sont très bien adaptées pour attaquer les bretelles d'accès à l'autoroute ou les routes sinueuses, mais elles nous font souffrir sur les routes dégradées.

Bref, la STI est une voiture pour un conducteur qui veut s'engager dans une relation qui sera parfois vraiment exaltante, mais aussi parfois plus pénible. En fait, cette notion « d'engagement » est au cœur de l'expérience de conduite de cette voiture hors normes qui continue d'enflammer les passionnés qui sont tombés sous son charme. En définitive, choisir une STI, c'est un peu comme sortir avec une top-modèle qui fume…

Par rapport aux autres voitures à vocation sportives, les WRX et STI présentent un avantage certain : il est possible d'exploiter leur potentiel de performance en toute saison, et le plaisir que l'on éprouve à conduire ces voitures sur des routes enneigées lorsqu'elles sont chaussées de bons pneus d'hiver est vraiment exceptionnel. Parmi les bémols, notons que la présentation intérieure des WRX et STI fait malheureusement bas de gamme avec un look aussi austère que celui d'une salle d'attente de dentiste. Au prix demandé, surtout dans le cas de la STI, on s'attend à beaucoup mieux.

De plus, dans le cas de la STI Sport-Tech, qui représente le nec plus ultra chez Subaru, les dirigeants de la marque ont cru bon

Catégorie	Berline, Hatchback
Échelle de prix	20 995 $ à 42 495 $ (2011)
Garanties	3 ans/60 000 km, 5 ans/100 000 km
Assemblage	Gunma et Yajiima, Japon
Cote d'assurance	passable

d'équiper ce modèle d'un système audio et de navigation Pioneer AVIC, qui est aussi déroutant qu'inutilement compliqué, au point où je l'aurais carrément arraché de la planche de bord. En plus, le Pioneer AVIC est sérieusement en retard sur le plan technique par rapport aux systèmes proposés par la concurrence directe. Pourquoi un choix aussi peu avisé ? Mystère…

L'AVENIR DES « BOMBES »

La refonte complète de l'Impreza laisse entrevoir que les WRX et STI seront également revues dans un avenir rapproché. Mais le développement des prochaines générations de ces voitures pourrait s'articuler autrement que par le passé. En effet, ces deux bombes japonaises seront éventuellement différenciées et deviendront une lignée entièrement autonome et non plus de simples « produits dérivés » de l'Impreza.

Le point de départ demeurera la plate-forme de l'Impreza, mais celle-ci sera considérablement modifiée, au point où les deux prochaines sportives seraient plus courtes, afin de leur donner des personnalités encore plus typées. De plus, il est possible qu'une nouvelle variante du moteur Boxer soit présentement en cours de développement. Ce moteur reprendrait le concept *twin charged* en adoptant à la fois la suralimentation par compresseur et la turbocompression. On a déjà hâte !

Gabriel Gélinas

Photos : Subaru

CHÂSSIS - 2.0 TOURING BERLINE	
Emp/lon/lar/haut	2 645/4 580/1 740/1 465 mm
Coffre	340 litres
Réservoir	55 litres
Nombre coussins sécurité / ceintures	7 / 5
Suspension avant	indépendante, jambes de force
Suspension arrière	indépendante, double triangulation
Freins avant / arrière	disque / disque
Direction	à crémaillère, ass. électrique
Diamètre de braquage	10,6 m
Pneus avant / arrière	P205/55R16 / P205/55R16
Poids	1 320 kg
Capacité de remorquage	906 kg (1 997 lb)

COMPOSANTES MÉCANIQUES	
Impreza 2,0	
Cylindrée, soupapes, alim.	H4 2,0 litres 16 s atmos.
Puissance / Couple	148 chevaux / 145 lb-pi
Tr. base (opt) / rouage base (opt)	M5 (CVT) / Int
0-100 / 80-120 / 100-0 km/h	n.d. / n.d. / n.d.
Type ess. / ville / autoroute	Ordinaire / 7,5 / 5,5 l/100 km
WRX	
Cylindrée, soupapes, alim.	H4 2,5 litres 16 s turbo
Puissance / Couple	265 chevaux / 244 lb-pi
Tr. base (opt) / rouage base (opt)	M5 / Int
0-100 / 80-120 / 100-0 km/h	6,1 s / 5,0 s / 39,8 m
Type ess. / ville / autoroute	Super / 11,1 / 8,0 l/100 km
WRX STI	
Cylindrée, soupapes, alim.	H4 2,5 litres 16 s turbo
Puissance / Couple	305 chevaux / 290 lb-pi
Tr. base (opt) / rouage base (opt)	M6 / Int
0-100 / 80-120 / 100-0 km/h	5,2 s / 4,6 s / 34,9 m
Type ess. / ville / autoroute	Super / 12,4 / 8,8 l/100 km

FEU VERT

- Gamme complète
- Sportives, même en hiver (WRX et STI)
- Tenue de route performante (WRX et STI)
- Finition soignée

FEU ROUGE

- Habitacle austère
- Système Pioneer AVIC inutilement compliqué (STI)
- Prix élevé (STI)
- Embrayage lourd (WRX)

DU NOUVEAU EN 2012

Nouvelle Impreza, versions WRX et WRX STI ne changent pas

http://www.subaru.ca/

Plus d'informations dans la section statistiques en dernière partie du Guide

DE TOUT POUR TOUS

Les véhicules produits par Subaru — sauf quelques notables exceptions comme la bizarre XT (1986-1990), la géniale SVT (1992-1996) et l'inénarrable Baja (2003-2004) — sont tous empreints de sagesse, de robustesse et de logique. La Legacy et l'Outback, entièrement renouvelés l'année passée, profitent encore de ces principes fondamentaux, mais les ingénieurs et les designers de la marque nipponne ont réussi à les rendre plus accessibles à un plus grand public. Sans renier le passé.

Lors de cette refonte, Subaru décidait de séparer davantage la Legacy et l'Outback. Auparavant, cette dernière n'était qu'une Legacy familiale affichant une meilleure garde au sol. Dorénavant, même si les deux voitures partagent le même design, le même châssis et les mêmes organes mécaniques, c'est le comportement routier propre à chacun de ces véhicules qui les distingue l'un de l'autre. Curieusement, malgré ce que nous venons tout juste d'affirmer, la berline de la famille, la Legacy, présente un empattement 10 mm plus long que celui de la familiale. Pourtant, sa longueur totale est 45 mm plus courte. La Legacy est aussi plus basse (65 mm) que sa consoeur. Au niveau de la garde au sol, la familiale conserve son titre de passe-partout avec ses 220 mm comparativement à 150 pour la berline.

ON NE PEUT PAS ÊTRE RAFFINÉ PARTOUT !

Peu importe le modèle, la mécanique demeure la même. Le moteur de base est un quatre cylindres de type boxer (cylindres à plat) de 2,5 litres développant 170 chevaux et autant de couples. Ce n'est pas le moteur le plus raffiné ni le plus excitant qui soit, mais il accomplit les besognes quotidiennes sans problème. Par contre, si vous pensez devoir remorquer ou transporter de lourdes charges, il pourrait en arracher. Lors d'un voyage de Montréal à

CONCURRENTS

Buick LaCrosse, Chevrolet Malibu, Dodge Avenger, Ford Fusion, Honda Accord, Hyundai Sonata, Kia Optima, Mazda6, Nissan Altima, Suzuki Kizashi, Toyota Camry / Venza, Volvo XC 70

IMPRESSIONS DE L'AUTEUR

Agrément de conduite : ■■■■	4 / 5
Fiabilité : ■■■■	4 / 5
Sécurité : ■■■■■	5 / 5
Qualités hivernales : ■■■■■	5 / 5
Espace intérieur : ■■■■	4 / 5
Confort : ■■■■	4 / 5

Niagara-on-the-Lake, en Ontario, une Outback 2,5i à boîte automatique a réussi 7,8 l/100 km. Pourtant, nous avons toujours roulé entre 115 et 125 km/h. Si l'environnement vous tient à cœur, l'option PZEV (Partially Zero Emission Vehicle) pourrait vous intéresser.

La puissance et la consommation demeurent les mêmes, mais les ingénieurs ont modifié plusieurs paramètres ou pièces du moteur et du système d'échappement pour que moins d'émanations toxiques soient rejetées. Une transmission manuelle à six rapports est livrée de série et son fonctionnement ne rebute plus autant qu'avant. Une CVT avec un mode manuel est aussi proposée et, bonheur suprême, elle sait se faire oublier, ce qui est très rare pour ce type de transmission.

Les versions GT reçoivent le même 2,5 litres, mais apprêté à la sauce turbo, ce qui fait grimper la puissance à 265 chevaux. C'est le moteur à privilégier si vous devez remorquer ou si vous aimez la conduite plus inspirée. Seule la manuelle est offerte avec ce moulin. Notez qu'il n'est pas offert dans l'Outback. Enfin, on retrouve un troisième moteur, un six cylindres de 3,6 litres développant, curieusement, moins de chevaux et de couple que le 2,5 turbo. Cependant, il est plus doux que le 2,5 litres et son couple maximal est atteint plus bas dans les tours, ce qui le rend plus agréable à vivre, surtout si vous devez tirer une remorque. Seule une automatique à cinq rapports lui est associée.

ROUAGE INTÉGRAL, BÉNI SOIS-TU

Sur la route, pas de grandes surprises, mais pas de mauvaises non plus. La tenue de route est assurée, le confort est notable, la direction est vive (pour une Subaru…), le roulis en virage est passablement bien maîtrisé, mais les freins n'ont pas le mordant désiré. Aussi, après un arrêt d'urgence, la transmission CVT met un certain temps avant de se réengager, ce qui peut être déroutant. Par contre, en rétrogradant à l'aide des palettes durant le freinage, on peut éviter ce problème. Remarquez que c'est plus facile à dire qu'à faire lors d'une véritable situation d'urgence… Comme de raison, le rouage intégral symétrique de Subaru a fait ses preuves depuis longtemps et quiconque a passé un hiver avec ce système ne veut plus jamais s'en départir !

L'habitacle de ce duo s'avère très accueillant. Les matériaux sont de bonne qualité, les commandes sont bien disposées et les sièges sont confortables. Les gens assis à l'arrière ne seront pas mal, même si certains pourraient se trouver un peu bas. Dans la berline comme dans la familiale, ces dossiers s'abaissent de façon 60/40 et forment un fond plat avec le coffre. Bien entendu, la familiale est la reine du transport avec son seuil de chargement bas et son cache-bagage bien pensé.

Même si elles s'adressent à un public plus large qu'auparavant, ces voitures ne font souvent pas partie de la liste des gens qui se magasinent une voiture. Chaque an, à notre kiosque du Salon de l'auto de Montréal, alors que nous jasons avec des visiteurs, nous répondons à la sempiternelle question : « Je veux un véhicule fiable, à rouage intégral, avec pas mal d'espace de chargement et qui ne consomme pas trop. Avez-vous une idée ?
– Avez-vous pensé à la Subaru Outback ?
– Euh… non. »
Et ceux qui nous ont écoutés nous remercient encore…

Alain Morin

Photos: Subaru

Catégorie	Berline, familiale
Échelle de prix	23 995 $ à 38 595 $ (2011)
Garanties	3 ans/60 000 km, 5 ans/100 000 km
Assemblage	Lafayette, Indiana, É-U
Cote d'assurance	moyenne

CHÂSSIS - LEGACY 2.5I SPORT	
Emp/lon/lar/haut	2 750/4 735/2 050/1 505 mm
Coffre	415 litres
Réservoir	70 litres
Nombre coussins sécurité / ceintures	6 / 5
Suspension avant	indépendante, jambes de force
Suspension arrière	indépendante, double triangulation
Freins avant / arrière	disque / disque
Direction	à crémaillère, ass. variable
Diamètre de braquage	11,2 m
Pneus avant / arrière	P215/50R17 / P215/50R17
Poids	1 485 kg
Capacité de remorquage	n.d.

COMPOSANTES MÉCANIQUES	
Outback, Legacy 2.5i	
Cylindrée, soupapes, alim.	H4 2,5 litres 16 s atmos.
Puissance / Couple	170 chevaux / 170 lb-pi
Tr. base (opt) / rouage base (opt)	M6 (CVT) / Int
0-100 / 80-120 / 100-0 km/h	10,0 s / 7,7 s / 45,5 m
Type ess. / ville / autoroute	Ordinaire / 9,1 / 6,4 l/100 km
Outback, Legacy 3.6R	
Cylindrée, soupapes, alim.	H6 3,6 litres 24 s atmos.
Puissance / Couple	256 chevaux / 247 lb-pi
Tr. base (opt) / rouage base (opt)	A5 / Int
0-100 / 80-120 / 100-0 km/h	9,0 s / n.d. / n.d.
Type ess. / ville / autoroute	Ordinaire / 11,9 / 8,2 l/100 km
Legacy 2,5 GT	
Cylindrée, soupapes, alim.	H4 2,5 litres 16 s turbo
Puissance / Couple	265 chevaux / 258 lb-pi
Tr. base (opt) / rouage base (opt)	M6 / Int
0-100 / 80-120 / 100-0 km/h	8,5 s / n.d. / n.d.
Type ess. / ville / autoroute	Super / 11,5 / 8,0 l/100 km

FEU VERT

- Familiale Outback des plus réussies
- Rouage intégral sécurisant
- Fiabilité au rendez-vous
- Bon comportement routier
- Consommation retenue

FEU ROUGE

- Moteur 2,5 atmosphérique trop juste
- Insonorisation très ordinaire
- Freins un peu mous
- Lignes ennuyantes (Legacy)

DU NOUVEAU EN 2012

Aucun changement majeur

http://www.subaru.ca/

Plus d'informations dans la section statistiques en dernière partie du Guide

SON CONCURRENT? SON PETIT FRÈRE!

Pour ce constructeur, le design ne fait pas partie des priorités. Bien entendu, cet aspect de la conception d'une automobile demeure importante pour la compagnie, mais puisque Fuji Heavy Industries, le propriétaire de Subaru, est dirigé par des ingénieurs, la mécanique a bien entendu préséance sur le style. Mais on nous a toujours proposé d'intéressantes exceptions et la dernière en lice est le Tribeca. Le plus gros multisegment jamais produit par ce constructeur s'est démarqué par une silhouette audacieuse lors de son lancement en 2006.

CONCURRENTS

Chevrolet Traverse, Ford Edge, Ford Flex, Honda Pilot, Hyundai Veracruz, Mazda CX-9, Nissan Murano, Toyota Highlander

IMPRESSIONS DE L'AUTEUR

Agrément de conduite :	3.5/5
Fiabilité :	4/5
Sécurité :	4/5
Qualités hivernales :	4.5/5
Espace intérieur :	4/5
Confort :	4/5

D'ailleurs, pour mousser le lancement de ce produit, le constructeur mettait en évidence la planche de bord qui s'était méritée des prix de design à quelques reprises. La partie arrière de la caisse était également fort réussie avec ses feux horizontaux, son hayon incliné vers l'avant et ses parois latérales dotées de surplomb en partie supérieure. L'ensemble était d'un bel effet.

Malheureusement, cette nouvelle venue était fortement handicapée par une calandre très controversée. Suite au départ d'Andreas Zapatinas, qui a abandonné son poste de directeur du design, le style de ce véhicule a été révisé et la calandre complètement transformée. Plusieurs critiques soulignaient à l'époque qu'on s'était inspiré de la Chrysler Pacifica pour cette nouvelle version. Heureusement, l'habitacle a été épargné et est toujours offert de nos jours.

LE POUR ET LE CONTRE

Dès son arrivée sur le marché, les avis étaient partagés quant au tableau de bord. C'est que la console centrale se prolonge vers la planche de bord et s'élargit afin de loger les boutons de réglage pour l'audio, les buses de ventilation et les contrôles de la climatisation. Ceci a pour avantage de faciliter l'accès à ces commandes. Par contre, cet élargissement et la conception enveloppante de l'ensemble donnent l'impression de manquer d'espace à l'avant. Cette disposition plaît toutefois à certains, qui apprécient d'être en contact avec les commandes de façon immédiate. Par contre, nombreux également sont ceux qui auraient préféré profiter de plus de dégagement. Par ailleurs, les deux cadrans principaux sont logés dans une nacelle relativement profonde et de consultation facile. Comme le veut la tendance actuelle, on retrouve diverses commandes sur les rayons horizontaux du volant, celles de l'audio entre autres. Un

détail intéressant: les boutons qui commandent individuellement la température de la climatisation ont un écran numérique en leur centre pour afficher le niveau de température choisi.

Les sièges avant sont confortables, mais la seconde rangée pourrait l'être davantage avec une banquette mieux rembourrée et offrant un meilleur dégagement pour les jambes. Il existe une troisième rangée de sièges, mais elle sera peu utilisée, en raison de son inconfort et de la difficulté à y accéder. Et si vous voulez beaucoup d'espace pour les bagages, mieux vaut ne pas déployer cette troisième rangée. Soulignons au passage que la qualité de la finition et des matériaux est de première qualité, comme c'est généralement le cas sur une Subaru.

BON MOTEUR, TRANSMISSION MOYENNE

L'arrivée sur le marché de ce modèle a intéressé un bon nombre d'individus qui y voyaient une alternative intéressante à la Lexus RX350. Cette dernière est plus luxueuse et également plus cher, mais pour plusieurs, la Subaru restait intéressante aussi bien en raison de son excellent rouage intégral que pour son moteur six cylindres à plat produisant 255 chevaux. Toutefois, cette motorisation était handicapée par une transmission automatique à cinq rapports dont les performances se révélaient fort décevantes. On a révisé la chose en 2008, mais pour plusieurs, il était trop tard. Malgré tout, cette transmission n'est pas encore aussi efficace que ce que la concurrence nous propose. Rien de dramatique, mais quand on dépense près de 50 000 $ pour une voiture, on s'attend à une certaine douceur lors des passages des rapports.

Le comportement routier de la plus luxueuse des Subaru se mérite de bonnes notes tant pour son habilité à avaler les virages, son roulis contrôlé et sa direction précise. Sur nos routes en mauvaises conditions, la suspension ni trop souple, ni trop ferme sait se faire apprécier. Et il faut souligner l'extrême rigidité de la plateforme. Il suffit de rouler à des vitesses relativement élevées sur une route défoncée — chose pas trop difficile à trouver au Québec — pour s'en convaincre. Ajoutons également que l'insonorisation est bonne. Bref, ce constructeur a voulu produire un modèle de haut de gamme et il a pris tous les moyens pour le faire.

Malheureusement, ce modèle commence à prendre de l'âge. Et comme si cela n'était pas assez, son principal concurrent est l'Outback, un frère dont la conception est plus moderne et qui propose le même moteur six cylindres dans sa version la plus luxueuse. Cela explique certainement pourquoi depuis deux ans, les ventes de la Tribeca ne sont plus ce qu'elles étaient. Il ne faudrait pas se surprendre si la carrière de ce modèle sept places se terminait d'ici quelques mois.

Denis Duquet

Photos: Subaru

SUBARU TRIBECA

Catégorie	VUS
Échelle de prix	40 995 $ à 49 195 $ (2011)
Garanties	3 ans/60 000 km, 5 ans/100 000 km
Assemblage	Lafayette, Indiana, E-U
Cote d'assurance	bonne

CHÂSSIS - LIMITED	
Emp/lon/lar/haut	2 749/4 865/1 878/1 720 mm
Coffre	235 à 2 106 litres
Réservoir	64 litres
Nombre coussins sécurité / ceintures	6 / 7
Suspension avant	indépendante, jambes de force
Suspension arrière	indépendante, double triangulation
Freins avant / arrière	disque / disque
Direction	à crémaillère, ass. variable
Diamètre de braquage	10,8 m
Pneus avant / arrière	P255/55R18 / P255/55R18
Poids	1 906 kg
Capacité de remorquage	906 kg (1 997 lb)

COMPOSANTES MÉCANIQUES	
Base, Limited, Optimum	
Cylindrée, soupapes, alim.	H6 3,6 litres 24 s atmos.
Puissance / Couple	256 chevaux / 247 lb-pi
Tr. base (opt) / rouage base (opt)	A5 / Int
0-100 / 80-120 / 100-0 km/h	8,5 s / 7,2 s / 42,0 m
Type ess. / ville / autoroute	Ordinaire / 13,2 / 9,4 l/100 km

FEU VERT

- Moteur six cylindres
- Rouage intégral efficace
- Finition très soignée
- Bonne tenue de route
- Direction précise

FEU ROUGE

- Prix peu compétitif
- Troisième rangée peu confortable
- Consommation élevée
- Modèle en sursis
- Tableau de bord intrusif

DU NOUVEAU EN 2012

Aucun changement majeur

http://www.subaru.ca/

Plus d'informations dans la section statistiques en dernière partie du Guide

CE SERAIT POURTANT SI SIMPLE

Bien des gens se demandent ce qui se passe avec Suzuki. Alors qu'on a fermé quelques concessionnaires au Québec, le nombre de modèles offerts au public se compte sur les doigts de la main. Et pendant que la catégorie des VUS compacts est en pleine explosion, ce constructeur semble mettre tous ses œufs dans le même panier: celui de la Kizashi. Cette berline n'est pas dénuée de qualités, mais certaines décisions de mise en marché semblent ralentir sa popularité. Quoi qu'il en soit, on a l'impression que le Grand Vitara est laissé de côté.

Le Grand Vitara est pourtant un véhicule qui mérite notre intérêt. Lorsqu'on le compare, par exemple, au très populaire Toyota Rav 4, force est d'admettre que les deux modèles se partagent plusieurs éléments et que le Suzuki n'est pas largué dans la comparaison, bien au contraire. Étrangement, la direction de ce constructeur ne semble pas en connaître tout le potentiel. Il ne faut pas en conclure qu'il est le meilleur de sa catégorie, mais il possède tout de même des qualités intéressantes pour se tailler une place nettement supérieure à celle qu'il occupe actuellement sur notre marché.

CONCURRENTS
Chevrolet Equinox, Dodge Nitro, Ford Escape, Honda CR-V, Hyundai Santa Fe, Jeep Liberty, Mitsubishi Outlander, Nissan Rogue, Subaru Forester, Toyota RAV4, Volkswagen Tiguan

IMPRESSIONS DE L'AUTEUR	
Agrément de conduite:	3.5/5
Fiabilité:	4/5
Sécurité:	3.5/5
Qualités hivernales:	4/5
Espace intérieur:	4/5
Confort:	3.5/5

ALLEZ DONC SAVOIR POURQUOI

À ses débuts, il était l'un des rares de la catégorie à proposer un moteur V6. Voilà de quoi intéresser plusieurs acheteurs. Mais la nouvelle s'est vite répandue: ce moteur n'était pas plus puissant que les quatre cylindres de la concurrence et sa consommation n'était pas exemplaire. Pour remédier à la chose, les ingénieurs se sont mis au travail et ont développé un moteur quatre cylindres de 2,4 litres produisant 166 chevaux. Chez Suzuki, on s'enorgueillissait de ce moteur puissant et dont la capacité de remorquage était de 3 000 livres. Par la même occasion, on avait amélioré le V6 de 3,2 litres et sa puissance était portée à 230 chevaux. En théorie, on avait réussi à améliorer la gamme et à consolider l'offre de ce modèle.

Mais comme ce constructeur ne fait rien comme les autres, on a rapidement découvert que le moteur quatre cylindres consommait pratiquement autant que le V6 tandis que ce dernier, dans sa nouvelle mouture, était plus rugueux que la moyenne et manquait nettement de linéarité. Tant et si bien qu'il a été éliminé dans le courant de l'année passée. Il ne reste donc qu'un seul moteur, un quatre cylindres qui offre un bon rendement, mais dont la

Catégorie	VUS
Échelle de prix	28 135 $ à 30 495 $ (2011)
Garanties	3 ans/60 000 km, 5 ans/100 000 km
Assemblage	Iwata, Japon
Cote d'assurance	passable

CHÂSSIS - JLX-L	
Emp/lon/lar/haut	2 640/4 500/1 810/1 695 mm
Coffre	680 à 1 930 litres
Réservoir	66 litres
Nombre coussins sécurité / ceintures	6 / 5
Suspension avant	indépendante, jambes de force
Suspension arrière	indépendante, multibras
Freins avant / arrière	disque / disque
Direction	à crémaillère, assistée
Diamètre de braquage	11,2 m
Pneus avant / arrière	P225/65R17 / P225/65R17
Poids	1 675 kg
Capacité de remorquage	1 360 kg (2 998 lb)

COMPOSANTES MÉCANIQUES	
JX, JLX, JLX-L	
Cylindrée, soupapes, alim.	4L 2,4 litres 16 s atmos.
Puissance / Couple	166 chevaux / 162 lb-pi
Tr. base (opt) / rouage base (opt)	A4 / Int
0-100 / 80-120 / 100-0 km/h	11,0 s (est) / n.d. / n.d.
Type ess. / ville / autoroute	Ordinaire / 11,2 / 8,6 l/100 km

consommation est élevée compte tenu de la cylindrée. En plus, au Canada, seule la transmission automatique à quatre rapports est offerte tandis que nos voisins du Sud peuvent quant à eux choisir une boîte manuelle à cinq rapports. Autre détail digne de mention : tous les modèles sont dotés du rouage intégral.

CAPABLE DE ROULER HORS ROUTE

Dans cette catégorie des VUS compacts, plusieurs exhibent la silhouette d'un utilitaire sport, alors qu'en réalité, il s'agit davantage de véhicules multisegments dotés d'une traction intégrale qui n'a pas été dessinée pour affronter des sentiers moins praticables. Dans cette catégorie, seules les Mitsubishi Outlander, Toyota Rav4 et Suzuki Grand Vitara proposent un rouage intégral digne de ce nom. Sur ce dernier modèle, il est possible de régler le rouage d'entraînement en quatre positions. Le mode 4H est pour la conduite de tous les jours, le 4H Lock pour rouler hors route, le 4L est une démultipliée pour les conditions extrêmement difficiles et enfin le N désactive le rouage d'entraînement pour faciliter le remorquage. Pour répondre aux besoins de la conduite hors route, les ingénieurs ont intégré à la plate-forme des longerons longitudinaux et transversaux afin d'offrir le meilleur des deux mondes, à savoir la robustesse d'un châssis autonome et le confort d'un monocoque. Soulignons également que les suspensions avant et arrière sont indépendantes, un élément qui devrait ajouter au confort.

Dans l'habitacle, on ne s'est pas lancé dans les excentricités. C'est simple, mais élégant et cette sobriété favorise l'ergonomie. De plus, l'instrumentation est facile à consulter avec ces chiffres noirs sur fond blanc. Et même si le volant fait un peu bon marché, il se prend bien en main et les commandes sur les rayons horizontaux tombent bien sous les pouces. L'habitacle est relativement confortable tandis que les matériaux qui le composent sont d'assez bonne qualité et que la finition est correcte. Détail à souligner, les sièges arrière s'inclinent, ce qui permet aux occupants de régler leur niveau de confort. Par contre, la porte arrière à battant est lourde en raison de la présence de la roue de secours qui y est accrochée.

Sur la route, le moteur est quelque peu rugueux, mais il livre la marchandise avec des accélérations correctes. Sa capacité de remorquage est impressionnante pour cette cylindrée, mais le prix à payer est une consommation assez corsée. Quant au rouage intégral, il est l'un des meilleurs de sa catégorie et permet de s'enfoncer dans la forêt avec d'assurance. Cependant, l'agrément de conduite est moyen, tout au plus. La suspension est ferme et le véhicule sautille sur les mauvaises routes tandis que la direction n'est pas tellement précise. Par contre, en virage, le Grand Vitara s'accroche. Bref, ce véhicule mérite un meilleur sort et Suzuki devrait lui offrir une mise en marché digne de ses qualités.

Denis Duquet

FEU VERT

- Plate-forme rigide
- Rouage intégral efficace
- Bon équipement de série
- Tenue de route saine
- Bonne habitabilité

FEU ROUGE

- Moteur gourmand
- Transmission automatique seulement
- Faible diffusion
- Porte arrière lourde

DU NOUVEAU EN 2012

Abandon du V6

http://www.suzuki.ca/

Plus d'informations dans la section statistiques en dernière partie du Guide

Photos : Suzuki

TRIBUTAIRE DE SA MARQUE

Mine de rien, la Kizashi est la première berline intermédiaire que nous offre Suzuki au Canada. Et pour une première, eh bien, ça en est une belle !

Pensez-y un moment : mise à part la Verona, cette Daewoo obtenue par alliance avec GM, Suzuki Canada ne nous a jamais proposé de concurrente pour batailler contre les Toyota Camry, Honda Accord, Ford Fusion et autres Chevrolet Malibu. Suzuki misait plutôt sur les utilitaires, mais voilà que la Kizashi est venue changer la donne.

Malheureusement, la fiabilité du constructeur reste un handicap. Si vous êtes au fait des sondages sur la qualité, vous savez qu'année après année, Suzuki se classe parmi les bons derniers. C'est que ce petit joueur, pris dans un monde de grands, peine à suivre les évolutions technologiques. Ainsi, pour la Kizashi, pas de Sync ou de OnStar, pas d'avertisseur d'angles morts, pas même de système de navigation. Et alors que la compétition propose généralement un choix de deux moteurs, de même qu'une multitude de versions, l'offre Kizashi demeure très sobre.

CONCURRENTS

Chevrolet Malibu, Chrysler 200, Ford Fusion, Honda Accord, Hyundai Sonata, Mazda6, Nissan Altima, Subaru Legacy, Toyota Camry

IMPRESSIONS DE L'AUTEUR

Agrément de conduite :	5 / 5
Fiabilité :	3 / 5
Sécurité :	3.5 / 5
Qualités hivernales :	4 / 5
Espace intérieur :	3.5 / 5
Confort :	4 / 5

UNE CHANCE MANQUÉE

Un seul moteur se trouve au catalogue : le quatre cylindres (2,4 litres) emprunté au Grand Vitara et révisé pour l'occasion. Les 180 chevaux et 170 lb-pi sont limites, surtout pour une berline aux propensions sportives. On accepterait avec joie un turbo et/ou l'injection directe, mais c'est plutôt à une variante hybride à laquelle Suzuki pense, question de faire comme les Camry, Altima et Fusion de ce monde. Et elle est pour quand, cette hybride ? Ça, c'est une autre histoire… À son arrivée sur le marché il y a deux ans, la Kizashi ne s'offrait qu'avec la traction intégrale et la transmission à variation continue. Vous le savez, qui dit CVT dit reprises plus bruyantes que dynamiques. Ici comme ailleurs, ça résonne, mais le paysage ne défile pas plus vite pour autant. Même qu'en démarrage, la boîte met un temps avant de s'ébranler. La bonne nouvelle ? On a droit à six rapports virtuels et c'est allègrement qu'on s'en sert, surtout lorsque les palettes montent au volant — leur passage présente alors une belle instantanéité.

C'est toutefois avec la manuelle six vitesses, dans la version Sport venue s'ajouter à la gamme, qu'on tire le mieux la petite puissance. Cette transmission est fort agréable à manier, grâce à son levier court et de bonne résistance. Le hic, c'est que la traction intégrale

Catégorie	Berline
Échelle de prix	25 995 $ à 30 495 $ (2011)
Garanties	3 ans/60 000 km, 5 ans/100 000 km
Assemblage	Sagara, Japon
Cote d'assurance	n.d.

n'est alors pas offerte. Dommage, parce qu'à ce niveau, la Kizashi dispose d'un net avantage dans une catégorie où l'on compte les berlines AWD sur les doigts d'une seule main. Pour bénéficier du dispositif qui a l'intelligence du « deux modes » (deux ou quatre roues motrices), il faut nécessairement opter pour la Kizashi avec boîte CVT. Hum.

ELLE AIME LES COURBES

Grâce à un châssis bien équilibré, la Kizashi est stable sur l'autoroute. Mais la limite de son moteur quatre cylindres se fait rapidement sentir : les 180 chevaux n'ont rien de démoniaque pour attaquer les longs droits. Surtout que la voiture n'est pas plus légère que la compétition, bien qu'elle soit un peu plus courte. Et ce sont les passagers qui en paient le prix à la banquette. Oh, le coffre est aussi 15 % moins généreux qu'ailleurs.

Là où la Kizashi gagne vraiment à être connue, c'est sur les petits chemins tortueux ou sur circuit, lorsqu'on peut la « brasser » un peu, voire pas mal. Ses grands atouts ? Une suspension qui absorbe les cahots dans un court débattement, sans pour autant démolir les colonnes vertébrales. Très bien connectés au bitume, les éléments suspenseurs travaillent diligemment et bronchent à peine — la plupart des berlines intermédiaires se dandinent pas mal plus que ça. Aussi, la direction est précise, à la limite du lourd. En situation sinueuse, cette direction (une crémaillère, pas une électrique — fiou !) transmet directement et fort plaisamment les sensations, permettant à la voiture de se placer avec aplomb. Et, transmis par une pédale franche et réactive, le freinage s'avère excellent. Bref, la Kizashi se montre à la fois solide, prévisible et d'une belle agilité.

QUI PRENDRA LE RISQUE ?

Avouez que sur le plan visuel, Suzuki a bien fait les choses. La silhouette ramassée et musclée est agréable au coup d'œil, le coffre se relève d'un aileron naturel et deux échappements triangulaires chromés soulignent le caractère sportif. Par contre, la calandre (en nid d'abeille — une antiquité, ce style !) est malencontreusement traversée du pare-chocs et plonge trop vers le sol. Dans l'habitacle, on note la qualité d'assemblage et des matériaux bien choisis. Le bloc central est noir et ennuyeux, mais les commandes sont faciles à apprivoiser. L'insonorisation est dans la bonne moyenne et les sièges permettent de rapidement trouver la bonne position.

Si on fait la somme des belles qualités de la Kizashi, on peut dire qu'on a entre les mains une belle berline intéressante à piloter et bien nantie, côté équipements/prix. Mais est-ce que les acheteurs voudront magasiner chez Suzuki ? Re-hum.

Nadine Filion

Photos : Alain Morin

CHÂSSIS - SX

Emp/lon/lar/haut	2 700/4 650/1 820/1 480 mm
Coffre	378 litres
Réservoir	63 litres
Nombre coussins sécurité / ceintures	8 / 5
Suspension avant	indépendante, jambes de force
Suspension arrière	indépendante, multibras
Freins avant / arrière	disque / disque
Direction	à crémaillère, assistée
Diamètre de braquage	11,0 m
Pneus avant / arrière	235/45R18 / 235/45R18
Poids	1 621 kg
Capacité de remorquage	n.d.

COMPOSANTES MÉCANIQUES

S	
Cylindrée, soupapes, alim.	4L 2,4 litres 16 s atmos.
Puissance / Couple	180 chevaux / 170 lb-pi
Tr. base (opt) / rouage base (opt)	CVT / Tr
0-100 / 80-120 / 100-0 km/h	10,5 (est) / 8,0 (est) / 40,9 m
Type ess. / ville / autoroute	Ordinaire / 9,3 / 6,8 l/100 km

SX	
Cylindrée, soupapes, alim.	4L 2,4 litres 16 s atmos.
Puissance / Couple	180 chevaux / 170 lb-pi
Tr. base (opt) / rouage base (opt)	CVT / Int
0-100 / 80-120 / 100-0 km/h	10,9 s / 8,2 s / 40,9 m
Type ess. / ville / autoroute	Ordinaire / 9,3 / 6,8 l/100 km

Sport	
Cylindrée, soupapes, alim.	4L 2,4 litres 16 s atmos.
Puissance / Couple	185 chevaux / 170 lb-pi
Tr. base (opt) / rouage base (opt)	M6 / Tr
0-100 / 80-120 / 100-0 km/h	n.d. / n.d. / n.d.
Type ess. / ville / autoroute	Ordinaire / 10,1 / 6,7 l/100 km

FEU VERT

- Comportement routier très intéressant
- Sièges chauffants de série
- Jolie silhouette — sauf pour la calandre
- Traction intégrale deux modes très efficace

FEU ROUGE

- Pas de manuelle possible avec la traction intégrale
- Puissance limite
- La marque est en queue des sondages sur la qualité
- Coffre restreint
- Pas de grandes technologies d'avenir

DU NOUVEAU EN 2012

Kizashi S et Sport dévoilés durant l'année 2011

http://www.suzuki.ca/

Plus d'informations dans la section statistiques en dernière partie du Guide

FIABLE, JOLIE ET... C'EST TOUT

Suzuki est une entreprise japonaise plus connue ici pour ses motos (et ses jolis micros véhicules qui ne sont pas importés) que pour ses voitures qui sont offertes dans les concessionnaires québécois ! Il faut dire que l'offre automobile de Suzuki en Amérique est assez disparate. Elle va de la compacte SX4 jusqu'à la camionnette Equator en passant par le VUS Grand Vitara et la berline Kizashi. Cette année, la Swift+ ne revient pas. Mais, comme bien des gens à la recherche d'une compacte, je m'éloigne du sujet principal, soit la SX4...

Offerte en configuration berline ou hatchback, la SX4 roule chez nous depuis 2007. Quand elle est débarquée sur notre continent, les espoirs les plus fous étaient permis. Après tout, cette compacte avait une sacrée belle gueule, surtout dans sa version hatchback.

DU STYLE, OÙ ÇA ?

On ne peut pas en dire autant de la berline, même si elle n'est pas, non plus, d'une laideur à en repousser un acarien. Il faut par contre avouer qu'avec l'arrivée des très stylisées Hyundai Elantra, Kia Optra et bientôt de la Subaru Impreza redessinée, la SX4 berline semble avoir pris dix ans en moins de deux. Même si elle est environ 37 cm plus longue que la hatchback, la berline est beaucoup moins conviviale à cause de son coffre forcément plus petit, mais qui reste tout de même très logeable malgré son seuil élevé. Il y a à peine quelques années, il était impossible d'abaisser le dossier de la banquette. Imaginez ! Heureusement, ce n'est plus le cas.

La plupart des gens préfèrent le modèle hatchback, nettement plus agréable à regarder et plus polyvalent. En effet, son coffre, une fois les dossiers de la banquette abaissés, est plus vaste que celui de la berline. Ce n'est cependant pas le coffre le plus logeable de la catégorie.

CONCURRENTS

Chevrolet Cruze, Dodge Caliber, Ford Focus, Honda Civic, Hyundai Elantra, Kia Forte, Mazda3, Mitsubishi Lancer, Nissan Sentra, Subaru Impreza, Toyota Corolla, Toyota Matrix

IMPRESSIONS DE L'AUTEUR

Agrément de conduite	3/5
Fiabilité	4.5/5
Sécurité	4/5
Qualités hivernales	4/5
Espace intérieur	3.5/5
Confort	3.5/5

L'habitacle des deux modèles propose beaucoup d'espace pour la catégorie. Le tableau de bord est de belle présentation malgré le noir intégral. Heureusement, quelques appliques d'aluminium (ou de simili alu...) le rendent un peu plus jojo. Tous les éléments sont bien disposés et faciles à consulter. La qualité des matériaux est agréablement surprenante, mais on peut — « on doit » serait plus juste ! — critiquer la piètre sonorité de la chaîne audio. Les sièges se sont montrés gentils envers mon corps, mais lors d'un match comparatif entre treize compactes (Guide de l'auto 2009, alors que la SX4 avait terminé douzième...), ils avaient été lourdement critiqués. Reste que la plupart de mes collègues avaient apprécié la

Catégorie	Berline, Hatchback
Échelle de prix	17 835$ à 24 695$ (2011)
Garanties	3 ans/60 000 km, 5 ans/100 000 km
Assemblage	Magyar, Esztergom, Hongrie
Cote d'assurance	moyenne

position de conduite élevée. Quant aux sièges arrière, je les ai toujours trouvés trop durs, mais, au moins, l'espace réservé aux jambes et à la tête est très correct.

MANUELLE OU CVT?

Côté motorisation, Suzuki fait appel à un quatre cylindres de 2,0 litres, dérivé de celui de l'Aerio, lui-même dérivé de... Bref, ce moteur fait 150 chevaux, une écurie suffisante pour imprimer à la SX4 des performances décentes, à défaut d'être renversantes. Ce moulin n'est pas très raffiné, mais la consommation d'essence est contenue sous les 10,0 l/100 km. De nos jours, toutefois, ce n'est plus exceptionnel et Suzuki devra mettre un peu plus d'efforts au niveau de ses moteurs.

La transmission de base est une manuelle à six rapports peu agréable à manipuler. D'aucuns lui préfèrent la CVT qui, il y a quelques années, est venue remplacer une boîte à quatre rapports dont même Henry Ford n'aurait pas voulu pour son modèle T. La CVT répond bien aux sollicitations de l'accélérateur, mais Suzuki aurait dû mettre davantage de matériel isolant. Même une Ford T est moins bruyante en accélération!

Si la berline n'est offerte qu'en version traction (roues avant motrices), le hatchback offre, en plus, la possibilité d'un rouage intégral fort ingénieux. Il faut savoir que Suzuki s'y connaît en matière de hors route et son savoir-faire s'est transporté dans la SX4 AWD. Le conducteur a le choix entre trois modes. La plupart du temps, il roulera en mode traction uniquement, ce qui permet d'économiser de l'essence. Si la situation l'exige, durant une bordée de neige par exemple, le conducteur n'a qu'à sélectionner le mode AWD pour améliorer l'adhérence. Enfin, le mode «Lock» permet de verrouiller le différentiel arrière. Une virée sur l'île de Montréal durant une tempête de neige (quelle excellente idée...) nous a convaincu de l'efficacité de ce rouage intégral en mode AWD. Beau travail, Suzuki!

Bien peu de gens associent SX4 et Formule 1 et c'est tout à fait normal. Les performances, on l'a déjà dit, n'ont rien pour décoiffer. Le châssis ne brille pas par sa rigidité (sur la berline, le hatchback m'ayant paru plus solide) et les suspensions qu'on y a accrochées sont fermes, mais pas sportives, un mélange subtil que seule Suzuki pouvait réussir... Associez le tout à un centre de gravité élevé et vous obtiendrez un bon roulis en courbes. Et il ne faut pas trop se fier sur la direction, invariablement trop assistée et qui retourne bien peu d'information.

La SX4 n'est pas une mauvaise voiture, mais dans la situation où se trouve Suzuki présentement, il ne lui faudrait pas trop tarder avant de revoir sérieusement sa compacte. Et son réseau de concessionnaires. C'est dommage puisque la SX4 s'avère très fiable.

Alain Morin

Photos: Suzuki

CHÂSSIS - GT COUPÉ

Emp/lon/lar/haut	2 500/4 135/1 755/1 605 mm
Coffre	203 à 1 218 litres
Réservoir	45 litres
Nombre coussins sécurité / ceintures	6 / 5
Suspension avant	indépendante, jambes de force
Suspension arrière	indépendante, barres de torsion
Freins avant / arrière	disque / disque
Direction	à crémaillère, assistée
Diamètre de braquage	10,6 m
Pneus avant / arrière	P205/60R16 / P205/60R16
Poids	1 357 kg
Capacité de remorquage	n.d.

COMPOSANTES MÉCANIQUES

SX4

Cylindrée, soupapes, alim.	4L 2,0 litres 16 s atmos.
Puissance / Couple	150 chevaux / 140 lb-pi
Tr. base (opt) / rouage base (opt)	M6 (CVT) / Tr (Int)
0-100 / 80-120 / 100-0 km/h	9,3 s / 7,2 s / 41,9 m
Type ess. / ville / autoroute	Ordinaire / 8,9 / 6,9 l/100 km

FEU VERT

- Jolie frimousse (hatchback)
- Rouage intégral sérieux
- Bon comportement routier (hatchback)
- Habitacle relativement spacieux
- Fiabilité très correcte

FEU ROUGE

- Agrément de conduite peu relevé
- Insonorisation ratée
- Sensible aux vents latéraux
- Réseau de concessionnaires ténu
- Triste valeur de revente

DU NOUVEAU EN 2012

Aucun changement majeur

http://www.suzuki.ca/

Plus d'informations dans la section statistiques en dernière partie du Guide

UNE S'EN VA ET L'AUTRE APPROCHE

La saga du premier constructeur américain de voitures électriques de l'ère moderne se poursuit. Après avoir développé et produit la première voiture électrique de série pleinement utilisable, la firme de Palo Alto en Californie, au cœur de Silicon Valley, a cessé d'accepter de nouvelles commandes pour sa sportive électrique, la Roadster 2.5. Tous les efforts de Tesla Motors se portent maintenant sur sa Model S, une berline électrique plus abordable. Entre-temps, le Guide de l'auto a réalisé un essai sur piste exclusif de ce classique assuré qu'est la Roadster, et ce, grâce à un propriétaire particulièrement allumé.

CONCURRENTS
Aucun concurrent

IMPRESSIONS DE L'AUTEUR	
Agrément de conduite :	4.5 / 5
Fiabilité :	4.5 / 5
Sécurité :	3.5 / 5
Qualités hivernales :	2 / 5
Espace intérieur :	2.5 / 5
Confort :	3 / 5

Tesla Motors aura donc produit quelque 2 500 copies de la voiture sport électrique qu'elle lançait en 2008. Le châssis en aluminium de la Roadster était fabriqué par le spécialiste britannique Lotus et expédié à l'usine californienne de Tesla pour la suite de l'assemblage. On y installait entre autres le moteur électrique et la batterie au lithium-ion, des composantes développées par Tesla. Or, la mutation actuelle de la gamme de Lotus Cars affecte la production de la série Elise et de ses dérivés. Tesla en aurait profité pour mettre un terme à la production de sa Roadster pour se concentrer sur sa deuxième création.

UNE BERLINE EN PRÉPARATION

Tous les efforts et toutes les ressources de Tesla Motors sont donc consacrés maintenant au parachèvement de la Model S, une berline intermédiaire qui doit être lancée en 2012. Elle ne sera ni la pionnière, ni la première de ce créneau où évoluent déjà la Nissan Leaf purement électrique et la Chevrolet Volt à propulsion électrique « allongée ». Face à ces rivales, Tesla compte jouer la carte du style, du design et de la performance, tout en promettant une meilleure autonomie.

La silhouette de la Model S est d'ailleurs magnifique. Elle porte la griffe de Franz von Holzhausen, embauché comme patron du design chez Tesla après avoir signé une série de prototypes impressionnants chez Mazda et les roadsters Solstice et Sky chez GM juste avant. La batterie de la Model S sera intégrée sous le plancher et Tesla en proposera des versions offrant une autonomie de 260, 370 ou 480 kilomètres. La « S » pourra être ravitaillée en électrons en aussi peu que 45 minutes, en recharge rapide, selon le constructeur. Elle pourra accueillir cinq adultes et deux enfants, selon ses concepteurs. Non, nous n'avons aucune idée de l'emplacement des sièges pour ces deux enfants si cinq adultes prennent déjà place à bord. Tesla Motors précise toutefois qu'il y a un coffre sous le capot avant.

Catégorie	Roadster
Échelle de prix	140 000 $ (2011)
Garanties	n.d.
Assemblage	n.d.
Cote d'assurance	n.d.

La Model S doit atteindre 100 km/h en moins de 6 secondes en départ arrêté et Tesla compte en produire 5 000 en 2012 et 20 000 l'année suivante. Le constructeur accepte déjà les « réservations » sur son site et en aurait déjà inscrit près de 4 000. On vise un prix de base de 49 900 $ US après déduction du crédit fédéral de 7 500 $ consenti là-bas. La Model S sera certainement admissible au crédit d'impôt offert chez nous.

EN PISTE AVEC LA ROADSTER

C'est grâce à l'enthousiasme du premier et possiblement unique propriétaire d'une Tesla Roadster au Québec que le Guide en a fait l'essai sur le circuit ICAR à Mirabel. Pierre Séguin est réalisateur pour la télévision et a signé entre autres la série La Petite Vie qui a connu un succès gigantesque. Il conduit sa Tesla depuis mai 2010 et affirme avoir effectué le trajet Montréal-Québec sans peine avec suffisamment de charge à destination pour encore 130 km, ce qui confirmerait l'autonomie de 390 km promise.

Loin de multiplier les mises en garde, ce mordu de technologie nous a encouragé à pousser à fond la Roadster version 2.0 qui lui a tout de même coûté 140 000 $. Première constatation : la Tesla est une pure sportive. Il faut quelques contorsions pour se glisser au volant et elle n'est pas spacieuse. Pour démarrer, on tourne la clé de deux crans, on appuie sur le frein et sur le bouton marqué D. Un *bip* et c'est parti. Sans bruit, à part le sifflement du moteur électrique.

Sur la piste, l'effort est d'abord moyen à travers le petit volant, mais la direction s'allège avec la vitesse. Première surprise : la poussée en pleine accélération. Comme si la Roadster était propulsée par un gros V8 turbocompressé parfaitement silencieux. Le freinage est puissant et facile à moduler. La Tesla sous-vire d'abord en amorce, mais en remettant les gaz (ou plutôt les électrons), elle s'équilibre et le survirage qui suit se rattrape en contrebraquant légèrement.

Antipatinage désactivé, la Tesla s'élance avec le minimum de patinage sur la piste d'accélération d'ICAR grâce au différentiel autobloquant. Elle atteint 100 km/h en 4,67 secondes et franchit le quart de mille en 13,33 secondes avec une pointe de 164,1 km/h. Des performances comparables à celles d'une Porsche Cayman S de 320 chevaux qui a exécuté les mêmes tests en 4,93 et 13,21 secondes à 172,6 km/h. La puissance du moteur électrique de la Tesla Roadster équivaut à 288 chevaux, mais elle est plus légère de 112 kilos.

Une fois nos essais complétés, Pierre Séguin a rechargé sa Tesla pendant un peu plus d'une heure sur une prise à 220 volts chez ICAR et a repris la route vers Montréal avec un large sourire.

Marc Lachapelle

Photos : Marc Lachapelle

CHÂSSIS - DONNÉES POUR BASE	
Emp/lon/lar/haut	2 337/3 937/1 829/1 117 mm
Coffre	n.d.
Réservoir	aucun
Nombre coussins sécurité	2
Antipatinage / contrôle stabilité	oui / non
Suspension avant	indépendante, bras inégaux
Suspension arrière	indépendante, bras inégaux
Freins avant / arrière	disque (ABS) / disque (ABS)
Direction	n.d.
Diamètre de braquage	n.d.
Pneus avant / arrière	P175/55R16 / P225/45R17
Poids	1 235 kg
Capacité de remorquage	n.d.

COMPOSANTES MÉCANIQUES	
Roadster	
Moteur électrique	375 volt (288 ch, 273 lb-pi)
Batterie	Lithium-ion
0-100 / 80-120 / 100-0 km/h	4,7 s (est) / n.d. / n.d.
Autonomie approximative	395 km
Roadster Sport	
Moteur électrique	375 volt (288 ch, 295 lb-pi)
Batterie	Lithium-ion
0-100 / 80-120 / 100-0 km/h	3,9 s (est) / n.d. / n.d.
Autonomie approximative	350 km (est)

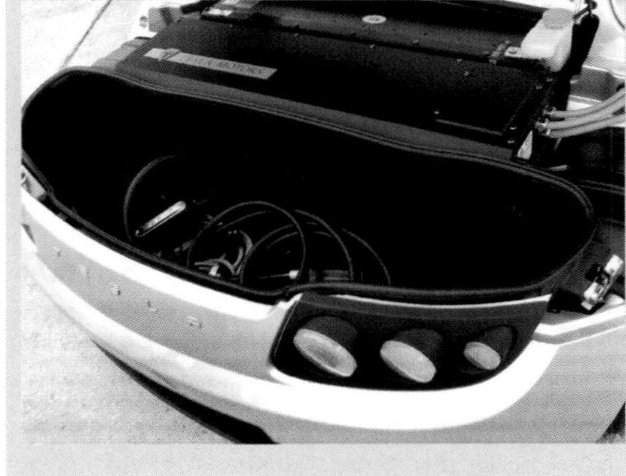

FEU VERT

- Performances… électrisantes !
- Tenue de route aiguisée
- Freinage puissant
- Entretien presque nul
- Classique en devenir

FEU ROUGE

- Contraintes de recharge
- Peu spacieuse
- Autonomie limitée
- Utilisation hivernale douteuse
- Prix corsé

DU NOUVEAU EN 2012

Abandon de la Roadster. Arrivée prochaine de la Model S.

http://www.teslamotors.com/

Plus d'informations dans la section statistiques en dernière partie du Guide

TROP PEU TROP TARD ?

Pendant des années, Toyota a négligé de renouveler son gros 4x4 traditionnel. La demande était assez bonne pour que l'on puisse continuer de produire ce modèle sans changement majeur. Tant et si bien qu'il était devenu totalement dépassé, ce qui a incité la direction de la compagnie à nous proposer une version revue et corrigée l'an dernier. Reste à savoir si les améliorations apportées sont suffisantes.

Il faut savoir que les goûts du public se sont grandement transformés au cours des cinq dernières années. Il n'y a pas si longtemps, les amateurs de conduite hors route levaient le nez sur tout véhicule qui n'était pas doté d'un châssis autonome et d'une transmission de type 4x4 que l'on enclenchait à l'aide de levier monté sur la console. Les temps ont grandement changé et de nos jours la majorité des véhicules tout-terrain propose un châssis autoporteur, un rouage intégral à commande électronique et une suspension davantage axée sur le confort. Il semble toutefois que Toyota ait préféré conserver son approche du bon vieux temps, tout en modernisant son véhicule autant que faire se peut.

CONCURRENTS
Ford Explorer, Jeep Grand Cherokee, Nissan Pathfinder

IMPRESSIONS DE L'AUTEUR	
Agrément de conduite :	3/5
Fiabilité :	5/5
Sécurité :	4/5
Qualités hivernales :	4.5/5
Espace intérieur :	4/5
Confort :	3.5/5

SILHOUETTE BISCORNUE

Parce que le 4 Runner possède toujours un châssis autonome — ce qui devrait intéresser les acheteurs plus conservateurs —, les stylistes ont tenté de ménager la chèvre et le chou. Ils ont conçu une silhouette plus moderne certes, mais sans aller trop loin dans le modernisme. D'ailleurs, vu de profil, on a l'impression que ce 4x4 est sur le marché depuis plus d'une décennie. On a modifié les blocs optiques avant et on les a placés en position haute comme c'est la tendance actuelle. Mais comme ce véhicule est plutôt élevé au départ, cela donne une allure quelque peu spéciale et pas nécessairement élégante. C'est identique pour la partie arrière qui, malgré le fait que le véhicule soit assez récent, nous laisse cette impression de déjà-vu. En plus, la fenestration n'est pas tellement haute, un autre élément catastrophique sur le plan visuel. Et cette configuration associée à un seuil assez élevé rend l'accès à bord assez difficile. Tout au long de ma semaine d'essai, je me suis heurté la tête à plusieurs reprises sur le rebord du toit. Je vous fais grâce des mots qui sont sortis de ma bouche.

Une fois en place, on constate rapidement que les sièges sont durs, mais offrent un support latéral correct. Par contre, l'assise du siège est vraiment trop courte pour les personnes de grande taille, de sorte qu'on a l'impression d'avoir les jambes suspendues dans le vide. Inutile de préciser que ce n'est pas particulièrement

Catégorie	VUS
Échelle de prix	36 820 $ à 48 015 $ (2011)
Garanties	3 ans/60 000 km, 5 ans/100 000 km
Assemblage	Hamura, Japon
Cote d'assurance	passable

confortable lors de longues randonnées. Pour ce qui est du tableau de bord, les stylistes ont réussi à bien agencer l'aluminium brossé au plastique noir de la planche de bord. Quant aux commandes, elles sont placées, selon le modèle, en partie sur le tableau de bord lui-même ou encore sur la partie avant du pavillon. On retrouve donc ces boutons de commandes placées sous le système audio. Les matériaux utilisés dans l'habitacle sont de piètre qualité, ce qui s'avère assez surprenant de la part de ce constructeur.

L'habitabilité est bonne et les places arrière sont correctes. La version Limited offre une troisième rangée de sièges. Malheureusement, celle-ci est plutôt symbolique, car elle est non seulement difficile d'accès, mais aussi peu confortable. En fait, sa plus grande qualité, c'est de pouvoir se rabattre afin d'offrir un plus grand espace de chargement. Soulignons que la version Trail ne propose pas de troisième siège, mais plutôt un plateau coulissant qui facilite le chargement d'objets lourds dans la soute à bagages.

PRUDENCE AU VOLANT

En ce qui a trait à la suspension et au comportement routier, encore une fois, on plonge dans le rétro. En effet, si vous avez l'audace — ou l'inconscience ! — de rouler à haute vitesse aux commandes de ce véhicule sur une route bosselée, vous éprouverez de fortes émotions. Non seulement le roulis en virage est fort prononcé, mais la suspension a beaucoup de difficultés à maîtriser les trous et les bosses. Les roues sautillent tandis que la direction est toujours imprécise. Il est d'ailleurs recommandé d'utiliser votre jugement lorsque vous conduisez un produit d'abord conçu pour le hors route et non pas pour participer à des gymkhanas. Il est vrai que plusieurs aides électroniques à la conduite sont de série, mais leur entrée en action est plutôt brutale. Le système de stabilité latérale, entre autres, est un exemple d'intervention trop tardive et beaucoup trop rude.

Le seul groupe propulseur au catalogue est un moteur V6 de 4,0 litres d'une puissance de 270 chevaux. Il est couplé à une transmission automatique à cinq rapports qui ne se prête à aucun commentaire négatif. Cet ensemble permet de remorquer une charge de 5000 livres (2268 kilos). Ce qui sera suffisant dans la majorité des cas. Quant au rouage intégral, il est efficace, mais pas tellement sophistiqué, surtout lorsqu'on le compare à celui d'un Jeep Grand Cherokee par exemple.

Bref, le 4Runner est un peu coincé entre le FJ Cruiser, un tout-terrain extraordinaire, et le Sequoia, un mastodonte plus puissant et plus polyvalent.

Denis Duquet

Photos : Toyota

CHÂSSIS - SR5 LIMITED V6

Emp/lon/lar/haut	2 790/4 820/1 925/1 780 mm
Coffre	255 à 2 540 litres
Réservoir	80 litres
Nombre coussins sécurité / ceintures	8 / 7
Suspension avant	indépendante, double triangulation
Suspension arrière	indépendante, multibras
Freins avant / arrière	disque / disque
Direction	à crémaillère, ass. variable
Diamètre de braquage	11,4 m
Pneus avant / arrière	P245/60R20 / P245/60R20
Poids	2 184 kg
Capacité de remorquage	2 268 kg (5 000 lb)

COMPOSANTES MÉCANIQUES

SR5

Cylindrée, soupapes, alim.	V6 4,0 litres 24 s atmos.
Puissance / Couple	270 chevaux / 278 lb-pi
Tr. base (opt) / rouage base (opt)	A5 / 4x4 (Int)
0-100 / 80-120 / 100-0 km/h	8,6 s / 6,6 s / 44,2
Type ess. / ville / autoroute	Ordinaire / 12,6 / 9,2 l/100 km

FEU VERT

- Moteur bien adapté
- Habitacle spacieux
- Châssis rigide
- Rouage intégral correct
- Rassurante fiabilité

FEU ROUGE

- Consommation élevée
- Comportement routier étriqué
- Certains matériaux bon marché
- Sensible aux vents latéraux
- Certaines commandes mal placées

DU NOUVEAU EN 2012

Aucun changement majeur

http://www.toyota.ca/

Plus d'informations dans la section statistiques en dernière partie du Guide

LEXUS SANS PRESTIGE OU TOYOTA DE LUXE ?

L'automobile contemporaine, on le dit partout en ces pages, devient de plus en plus raffinée et agréable à conduire. Les moteurs deviennent de moins en moins gros, la puissance augmente et la consommation diminue. Le grand public n'en a que pour les hybrides et les électriques, la connectivité à tout crin et le style le plus branché possible. Pourtant, il existe des gens pour qui une voiture doit rappeler, ne serait-ce qu'en philosophie, l'époque des grosses berlines qu'étaient les Chrysler New Yorker, Chevrolet Caprice ou Ford LTD.

C'est pour ces personnes que Buick offre encore la Lucerne, que Chevrolet propose toujours l'Impala, que Ford continue avec sa Taurus et que Hyundai conserve sa Genesis. Ce marché vieillit, de toute évidence, mais l'offre est toujours considérable. Pour plaire à ce public, Toyota propose l'Avalon, la voiture la plus dispendieuse de sa gamme. La plus imposante et la plus luxueuse aussi. Sinon, il faut aller du côté de Lexus. Et là, si ça vous tente de cracher un petit 120 000$, vous en aurez tout le loisir !

UNE OFFRE SOBRE

Depuis quelques années, l'Avalon ne se décline qu'en un seul modèle : la XLS. Aucune option, juste quelques accessoires installés par le concessionnaire. La principale source de réflexion se fait au niveau du choix des couleurs : six ! Heureusement, la liste de l'équipement standard pourrait faire rougir de honte une Mercedes bien équipée.

L'année dernière, les stylistes de Toyota ont discrètement revu la silhouette de l'Avalon. En fait, c'est surtout le tableau de bord qui a connu les changements les plus drastiques. Finie la longue planche qui s'étendait d'un bord à l'autre de l'habitacle comme dans les Caprice de la fin des années 60. Désormais, on a droit à une partie centrale plus massive regroupant toutes les commandes. Enfin, un peu de vie !

CONCURRENTS

Chevrolet Impala, Chrysler 300, Ford Taurus, Hyundai Genesis, Lexus ES, Lincoln MKZ, Nissan Maxima

IMPRESSIONS DE L'AUTEUR

Agrément de conduite :	2.5/5
Fiabilité :	4.5/5
Sécurité :	5/5
Qualités hivernales :	3.5/5
Espace intérieur :	4.5/5
Confort :	4.5/5

Les individus prenant place à bord ont toujours droit à un confort de première classe, chouchoutés par des sièges moelleux, onctueux même, de l'espace à en bâtir un Wal Mart et un silence martien. En plus, le système audio JBL possède une belle sonorité et les espaces de rangement sont nombreux. Les matériaux sont d'une qualité irréprochable et leur assemblage ne souffre d'aucun complexe. Les places arrière permettent aux jambes de s'étirer, un luxe qu'on retrouve dans trop peu de voitures. Et, bonheur entre tous, les dossiers s'inclinent, favorisant ainsi le roupillon

Catégorie	Berline
Échelle de prix	41 100$ (2011)
Garanties	3 ans/60 000 km, 5 ans/100 000 km
Assemblage	Georgetown, Kentucky, É-U
Cote d'assurance	moyenne

réparateur. Malheureusement, ces dossiers ne se rabattent pas pour agrandir le coffre. Mais à moins de devoir transporter un pilier du pont Champlain, je ne vois pas pourquoi quelqu'un pourrait avoir besoin de plus d'espace. On retrouve seulement une trappe à skis.

PARLONS BOULONS

Comme la compagnie Toyota ne s'est pas cassé le coco en offrant une seule version, on ne retrouve, de toute évidence, qu'un seul moteur. Sans doute pour ne pas porter ombrage à Lexus, au lieu d'y aller avec un V8, on a conservé le V6 de 3,5 litres, qui a déjà fait ses preuves dans plusieurs autres produits Toyota. Contrairement à la carrosserie et à l'habitacle, il n'a connu strictement aucun changement. Avec ses 268 chevaux, il est amplement suffisant, d'autant plus, comme nous le verrons plus loin, que le châssis ne pourrait guère accepter davantage de puissance. Ce V6 carbure à l'essence régulière et la consomme avec respect. Lors de notre dernière prise en mains, il n'a demandé que 9,0 litres tous les 100 kilomètres. Il faut toutefois avouer que notre parcours s'était effectué majoritairement sur autoroute et à une vitesse légale.

La transmission est une automatique à six rapports avec un mode manuel qui relaie le couple aux roues avant. Cette boîte fonctionne avec une grande douceur et en certaines occasions, elle prend bien son temps pour passer les rapports. Il est même un peu surprenant de constater qu'en passant au mode manuel à 100 km/h par exemple, elle tombe immédiatement sur le quatrième rapport faisant ainsi passer les révolutions du moteur de 1750 tours/minute à 2600. Comme sur une voiture sport ! Pourtant, s'il est une voiture qui n'est pas sportive, c'est bien l'Avalon. Les suspensions sont calibrées en vue d'offrir le plus grand confort possible aux dépens de la tenue de route qui, malgré tout, demeure suffisamment relevée. Les courbes prises avec trop d'entrain font toutefois ressortir un roulis considérable, et si on pousse vraiment la voiture, on se retrouve avec un sous-virage marqué. Cependant, je ne crois pas que l'acheteur type de l'Avalon conduise de façon aussi agressive. Aussi, la direction n'est pas très précise, ni très bavarde sur le travail des roues avant. En accélération vive, on ressent un certain effet de couple, ce qui est un peu normal compte tenu de la puissance élevée dirigée en même temps vers les seules roues avant.

Même si l'Avalon a connu des améliorations bénéfiques l'année dernière, surtout dans l'habitacle, je serais surpris qu'on en retrouve davantage sur nos routes. Cependant, de tous les modèles compétiteurs, cette voiture est de loin la plus fiable, malgré les quelques rappels dont elle a fait l'objet. Juste pour cela, elle mériterait un meilleur sort. Après tout, quand on a un certain âge, la dernière chose qu'on veut, c'est d'être pris au garage !

Alain Morin

Photos : Toyota

CHÂSSIS - XLS

Emp/lon/lar/haut	2 820/5 020/1 850/1 470 mm
Coffre	408 litres
Réservoir	70 litres
Nombre coussins sécurité / ceintures	7 / 5
Suspension avant	indépendante, jambes de force
Suspension arrière	indépendante, jambes de force
Freins avant / arrière	disque / disque
Direction	à crémaillère, ass. variable
Diamètre de braquage	11,3 m
Pneus avant / arrière	P215/55R17 / P215/55R17
Poids	1 620 kg
Capacité de remorquage	454 kg (1 000 lb)

COMPOSANTES MÉCANIQUES

XLS

Cylindrée, soupapes, alim.	V6 3,5 litres 24 s atmos.
Puissance / Couple	268 chevaux / 248 lb-pi
Tr. base (opt) / rouage base (opt)	A6 / Tr
0-100 / 80-120 / 100-0 km/h	7,2 s / 4,5 s / 42,5 m
Type ess. / ville / autoroute	Ordinaire / 10,6 / 6,8 l/100 km

FEU VERT

- Tableau de bord réussi
- Confort de première classe
- Finition extrême
- Fiabilité supérieure
- Silence de roulement monacal

FEU ROUGE

- Aussi excitante que le Sénat
- Direction déconnectée
- Roulis prononcé
- Effet de couple en accélération
- Valeur de revente très ordinaire

DU NOUVEAU EN 2012

Aucun changement majeur

http://www.toyota.ca/

Plus d'informations dans la section statistiques en dernière partie du Guide

« BOTUS ET MOUCHE COUSUE »

Voilà quelle serait la réponse des célèbres Dupont et Dupond dans Tintin face aux demandes d'embargo de la part de Toyota concernant quelques nouveaux modèles, dont la Camry. En effet, une date de tombée très hâtive de notre côté associée à une date d'embargo un peu trop lointaine du côté de Toyota nous empêche de vous parler de la nouvelle Camry 2012. Mais vous pouvez être certains d'une chose : les modifications sont assez importantes. Et c'est tant mieux, car la version 2011 commençait à afficher des signes de vieillesse.

Règle générale, dans ces situations, on se force un peu et avec un peu d'imagination, on réussit à vous donner quelques indices de la nouvelle venue. Mais Toyota n'entend pas à rire et malheur aux contrevenants, comme le stipule une section de la lettre de respect d'embargo que voici : « En cas de violation ou de menace de violation de la présente Entente, le Destinataire convient que les préjudices subis par TCI ne seraient pas réparables seulement par des dommages pécuniaires, et que, par conséquent, TCI, outre les autres recours équitables ou en justice à sa disposition (y compris les frais d'avocat et autres coûts engagés) pourrait demander une injonction immédiate contre ladite violation ou menace de violation de même que des dommages inhérents. »

TRANSGRESSERA, TRANSGRESSERA PAS ?

Vous comprendrez que je n'ai nullement envie de me retrouver devant les tribunaux. Je vous invite, par la même occasion, à consulter notre site internet www.guideautoweb.com où seront dévoilées, en temps opportun, toutes les informations concernant ces nouveaux modèles Camry qui conserveront la même gamme de modèles et de motorisation, incluant un véhicule hybride. Cela ne disqualifie pas pour autant les modèles actuels qui sont toujours très compétitifs. Et à quelques détails près, il se peut que

CONCURRENTS

Buick LaCrosse, Chevrolet Malibu, Chrysler 200, Dodge Avenger, Ford Fusion, Hyundai Sonata, Mazda6, Nissan Altima, Subaru Legacy, Suzuki Kizashi

IMPRESSIONS DE L'AUTEUR

Agrément de conduite :	3/5
Fiabilité :	3/5
Sécurité :	4.5/5
Qualités hivernales :	3.5/5
Espace intérieur :	4/5
Confort :	4/5

certains préfèrent l'ancien modèle au nouveau. Et soyez assurés qu'il y aura des aubaines intéressantes à réaliser, car la nouvelle génération sera plus moderne, plus efficace énergétiquement, mais la qualité d'assemblage et la fiabilité à long terme ne devraient pas être diminuées, et ce, à prix cassés.

DE LA PRESTANCE

Avec la Camry présentée en 2007, les stylistes de Toyota ont réussi un coup d'éclat. Ils ont su donner à la silhouette une allure de voiture de luxe et de prestige. Si vous doutez de cette affirmation, regardez autour de vous dans la circulation. Si jamais vous croisez une Camry noire, vous réaliserez rapidement que cette voiture ressemble à une auto qui pourrait se vendre presque deux fois plus cher tant sa présentation extérieure est impressionnante et qu'il s'agit d'un coup de maître en matière de style classique. Sa grille de calandre est une belle réussite. Et que dire des feux arrière qui débordent sur le côté et qui donnent l'impression que la voiture est plus longue qu'elle ne l'est en réalité. Du bien beau travail.

Dans l'habitacle, la présentation est sobre. En fait, terne serait peut-être un qualificatif plus approprié. Mais contrairement à ce que Honda a fait sur sa Accord, on n'a pas droit, dans le cas de la Camry 2011, à cette batterie de boutons et de touches, tous aussi énigmatiques les uns que les autres. Avec une rigueur qui est propre à cette marque, on retrouve les buses de ventilation dans la partie supérieure, le système audio en partie médiane, tandis que la section inférieure est réservée à la climatisation. De plus, soulignons au passage que la qualité de la finition est impeccable. Ce qui n'est pas surprenant quand on connait la réputation de la marque en la matière. Par contre, les plastiques de la planche de bord et du rebord des portières sont d'une texture peu impressionnante, sans compter qu'ils sont durs comme du granit. On devrait s'inspirer de ce que Ford a réalisé sur la Fusion : on nous a proposé un habitacle beaucoup plus convivial.

DES BONS MOTEURS

Il est certain que la Camry ne se vend pas en raison de son agrément de conduite et de sa tenue de route. Son comportement routier est correct et sans surprise, mais n'allez pas aborder un virage décroissant à très haute vitesse, car vous risquez de vous faire une de ces frousses ! La voiture va rapidement faire appel au système électronique de stabilité latérale, qui n'est malheureusement pas l'un des plus raffinés sur le marché.

À part cette caractéristique, cette berline est silencieuse, confortable et propose un moteur quatre cylindres de 2,5 litres qui se tire plutôt bien d'affaire. Quant au moteur V6 de 3,5 litres, il est d'une grande douceur et fait du très bon travail. En plus, ses 268 chevaux suffisent amplement à la tâche. Finalement, une version hybride permet de réaliser une consommation moyenne de carburant inférieur à 6,0 l/100 km.

Et même si nous ne pouvons absolument rien mentionner à cet égard, on peut être assuré que la prochaine version sera encore plus efficace et plus impressionnante à tous les points de vue.

Denis Duquet

Photos : Toyota

TOYOTA CAMRY

DONNÉES 2011

Catégorie	Berline
Échelle de prix	25 310 $ à 36 410 $ (2011)
Garanties	3 ans/60 000 km, 5 ans/100 000 km
Assemblage	Georgetown, Kentucky, É-U
Cote d'assurance	passable

CHÂSSIS - SE V6

Emp/lon/lar/haut	2 775/4 805/1 820/1 470 mm
Coffre	425 litres
Réservoir	70 litres
Nombre coussins sécurité / ceintures	7 / 5
Suspension avant	indépendante, jambes de force
Suspension arrière	indépendante, jambes de force
Freins avant / arrière	disque / disque
Direction	à crémaillère, ass. variable
Diamètre de braquage	11,0 m
Pneus avant / arrière	P215/55/R17 / P215/55/R17
Poids	1 580 kg
Capacité de remorquage	454 kg (1 000 lb)

COMPOSANTES MÉCANIQUES

Hybride	
Cylindrée, soupapes, alim.	4L 2,4 litres 16 s atmos.
Puissance / Couple	147 chevaux / 138 lb-pi
Tr. base (opt) / rouage base (opt)	CVT / Tr
0-100 / 80-120 / 100-0 km/h	8,6 s / 7,9 s / 42,1 m
Type ess. / ville / autoroute	Ordinaire / 5,7 / 5,7 l/100 km

LE, XLE	
Cylindrée, soupapes, alim.	4L 2,5 litres 16 s atmos.
Puissance / Couple	169 chevaux / 167 lb-pi
Tr. base (opt) / rouage base (opt)	A6 / Tr
0-100 / 80-120 / 100-0 km/h	9,1 s / 7,8 s / 42,7 m
Type ess. / ville / autoroute	Ordinaire / 9,0 / 6,0 l/100 km

SE	
Cylindrée, soupapes, alim.	4L 2,5 litres 16 s atmos.
Puissance / Couple	179 chevaux / 171 lb-pi
Tr. base (opt) / rouage base (opt)	A6 / Tr
0-100 / 80-120 / 100-0 km/h	n.d. / n.d. / n.d.
Type ess. / ville / autoroute	Ordinaire / 9,0 / 6,0 l/100 km

LE V6, SE V6, XLE V6

V6 3,5 l 268 chevaux / 248 lb-pi - 0-100 : 7,4s - 10,6 / 6,8 l/100 km

FEU VERT

- Choix de moteurs
- Excellente valeur de revente
- Consommation raisonnable
- Habitabilité supérieure
- Version hybride

FEU ROUGE

- Modèle en sursis
- Agrément de conduite mitigé
- Certaines versions onéreuses
- Tenue de route moyenne

DU NOUVEAU EN 2012

Nouveau modèle sur le point d'être dévoilé

http://www.toyota.ca/

Plus d'informations dans la section statistiques en dernière partie du Guide

ET SI C'ÉTAIT LA VOITURE PARFAITE ?

Entendons-nous tout de suite, la Toyota Corolla n'est pas la meilleure voiture au monde même si c'est l'une des plus vendues. Pourtant, en conduisant cette populaire Nippone, il faut se rendre à l'évidence : pour se rendre du point A au point B confortablement, sans crainte de tomber en panne, sans laisser ses économies chez les pétrolières et le faire dans une voiture qui affiche l'un des coûts au kilomètre les plus bas de l'industrie, la Corolla est difficile à battre. Et pour la grande majorité des conducteurs, ça suffit largement. D'où sa popularité !

Il faudrait aussi ajouter à cette équation le fait que la Corolla représente un investissement à long terme. Sur nos routes pourtant peu gentilles pour les voitures, bon nombre de Corolla des années '90 continuent de circuler, quelquefois en affichant un physique ingrat, mais une mécanique toujours en forme… pour peu que la pompe à eau ait été changée ! Cette fiabilité qu'on lui reconnaît inspire un sentiment de confiance qui n'est pas usurpé et qui rassure l'acheteur d'aujourd'hui.

COMME UNE AUDI R8 !

L'année dernière, Toyota a apporté des changements tardifs à sa Corolla. On a modifié un peu la partie avant, tandis que l'arrière a connu un peu plus de modifications. Dans l'habitacle, les altérations sont peu visibles, sauf peut-être pour le volant qui adopte maintenant une partie inférieure rectiligne comme celui de la… Audi R8 ! Ce qui, toutefois, ne rend pas la Corolla plus sportive. Le tableau de bord n'est pas des plus hop-la-vie et ceux qui aiment le gris souris et le noir seront bien servis. Il faut aussi souligner la pendule qu'on retrouve dans la partie centrale inférieure du tableau de bord et qui semble provenir d'un stock datant du début des années 90. Autrement, les quelques boutons et commandes sont faciles d'accès et placés de façon ergonomique. Les sièges font

CONCURRENTS
Chevrolet Cruze, Ford Focus, Honda Civic, Hyundai Elantra, Kia Forte, Mazda3, Mitsubishi Lancer, Nissan Sentra, Subaru Impreza, Suzuki SX-4, Volkswagen Jetta

IMPRESSIONS DE L'AUTEUR	
Agrément de conduite :	3 / 5
Fiabilité :	4.5 / 5
Sécurité :	4.5 / 5
Qualités hivernales :	4 / 5
Espace intérieur :	4 / 5
Confort :	4 / 5

preuve de confort, la visibilité tout le tour est très bonne et la qualité d'assemblage est généralement au-dessus de la moyenne même, si dans le cas certains plastiques, elle s'avère en dessous.

Si les stylistes de Toyota ont revu la carrosserie en cours d'année, leurs homologues de l'ingénierie auraient gagné à en faire autant avec la mécanique… Mais ce ne fut pas le cas. On retrouve donc le quatre cylindres 1,8 litre développant 132 chevaux. Cette écurie est suffisante pour la plupart des besoins même si, à l'occasion d'un dépassement par exemple, on aimerait avoir plus de pédale. La transmission de base est une manuelle à cinq rapports qui, ma foi, est presque agréable à manipuler. A-t-on revu l'embrayage ou

la course du levier depuis mon dernier essai d'une Corolla munie d'une manuelle en 2006 ? Cependant, comme le moteur n'est pas très puissant, qu'il livre sa puissance maximale à 6 000 tours/minute et que la transmission est étagée pour l'économie d'essence, il faut apprendre à jouer du levier pour obtenir des performances correctes. La plupart des gens optent plutôt pour la boîte automatique… à quatre rapports seulement. Dans la réalité actuelle, quatre rapports pour une transmission, c'est comme un octogone à sept côtés. Mais comme elle fait du bon boulot, on ne lui en tiendra pas rigueur. Malgré tout, un rapport supplémentaire aiderait à diminuer la consommation, déjà bien contenue, et le bruit dans l'habitacle, peu contenu pour sa part.

Curieusement, Toyota offre une Corolla plus sportive, comme si les amateurs de Corolla appréciaient les qualités dynamiques d'une voiture… La version XRS reçoit un quatre cylindres de 2,4 litres de 158 chevaux. Certes, les performances sont plus étincelantes (c'est un peu fort comme adjectif, remarquez…) mais le fait que le moteur doive être plus stimulé pour en extirper les chevaux supplémentaires ne rend pas cette Corolla plus agréable à conduire, surtout en ville. Une manuelle à cinq rapports est livrée d'office avec cette variante tandis que l'automatique possède — tenez-vous bien ! — cinq rapports.

TAGLIANI, PASSE TON TOUR

Il faudrait être un ministre en visite dans une région sinistrée pour tenter de faire croire que le comportement routier de la Corolla est sportif. Rien n'est plus faux. Certes, la voiture s'accroche avec ténacité dans les courbes, mais au prix d'un certain roulis. La direction, trop assistée et manquant cruellement de retour d'information, est tout de même assez précise, mais elle ne donne aucunement le goût de jouer les Tagliani. Les suspensions, indépendante à l'avant et à poutre de torsion à l'arrière, sont plutôt axées vers le confort même si une route en mauvais état (oui, oui, au Québec ça se trouve) a tôt fait de déstabiliser le train arrière. Au chapitre des suspensions, celles de la XRS sont (un peu) plus rigides. Comme c'est devenu la coutume chez Toyota/Lexus, dès que les systèmes de contrôle de la traction et de la stabilité latérale entrent en jeu — et Dieu sait qu'ils entrent en jeu au moindre prétexte — une série de bips plus stressants qu'informatifs se fait entendre.

La Toyota Corolla est loin d'être la meilleure voiture au monde. Ni, surtout, la plus agréable à conduire. Mais elle répond parfaitement aux besoins d'une majorité de conducteurs. N'est-ce pas cela le but premier d'une voiture ?

Alain Morin

Photos : Alain Morin

WWW.GUIDEAUTOWEB.COM/TOYOTA/COROLLA/

TOYOTA COROLLA

Catégorie	Berline
Échelle de prix	15 450 $ à 22 235 $ (2011)
Garanties	3 ans/60 000 km, 5 ans/100 000 km
Assemblage	Cambridge, Ontario, Canada
Cote d'assurance	passable

CHÂSSIS - LE

Emp/lon/lar/haut	2 600/4 540/1 760/1 465 mm
Coffre	348 litres
Réservoir	50 litres
Nombre coussins sécurité / ceintures	6 / 5
Suspension avant	indépendante, jambes de force
Suspension arrière	semi-indépendante, poutre de torsion
Freins avant / arrière	disque / tambour
Direction	à crémaillère, ass. variable électrique
Diamètre de braquage	11,3 m
Pneus avant / arrière	P205/55R16 / P205/55R16
Poids	1 270 kg
Capacité de remorquage	680 kg (1 499 lb)

COMPOSANTES MÉCANIQUES

CE, LE, S	
Cylindrée, soupapes, alim.	4L 1,8 litre 16 s atmos.
Puissance / Couple	132 chevaux / 128 lb-pi
Tr. base (opt) / rouage base (opt)	M5 (A4) / Tr
0-100 / 80-120 / 100-0 km/h	10,1 s / 8,6 s / 43,6 m
Type ess. / ville / autoroute	Ordinaire / 7,4 / 5,6 l/100 km
XRS	
Cylindrée, soupapes, alim.	4L 2,4 litres 16 s atmos.
Puissance / Couple	158 chevaux / 162 lb-pi
Tr. base (opt) / rouage base (opt)	M5 (A5) / Tr
0-100 / 80-120 / 100-0 km/h	9,5 s / 7,8 s / n.d.
Type ess. / ville / autoroute	Ordinaire / 9,5 / 6,7 l/100 km

FEU VERT
- Fiabilité confirmée
- Coûts d'entretien raisonnables
- Fabrication canadienne
- Consommation retenue
- Valeur de revente de type gratte-ciel

FEU ROUGE
- Version XRS trop pointue
- Insonorisation de tracteur
- Transmission auto désuète (1,8)
- Conduite peu inspirante
- Triste qualité de certains plastiques

DU NOUVEAU EN 2012

Aucun changement majeur

http://www.toyota.ca/

Plus d'informations dans la section statistiques en dernière partie du Guide

UN BRIN DE FOLIE

Il est assez ironique de constater que Toyota, qui commercialise l'extraverti FJ Cruiser, est aussi à l'origine de véhicules aussi ennuyants que les chutes Niagara une journée de pluie comme les Corolla, Camry et Highlander, pour ne nommer que ceux-là. Preuve que lorsqu'on laisse un peu de corde à des designers, ils peuvent faire des choses dynamiques. Remarquez que je n'ai pas écrit « pratiques », ce qui est bien différent…

Lorsque le FJ Cruiser est apparu, en 2006, la vague rétro battait son plein. La Thunderbird venait de nous quitter, mais le PT Cruiser, la Coccinelle et la Mini Cooper gardaient le fort de la nostalgie. Inutile de mentionner que le Jeep Wrangler fait partie de ce groupe sélect, même si on le considère davantage comme un véhicule moderne. C'est ce qui arrive quand un constructeur sait bien faire évoluer un modèle ! Pour en revenir au FJ Cruiser, les designers avaient repris la ligne générale du Toyota Land Cruiser J40, fabriqué de 1959 jusqu'au début des années 2000.

La version moderne, bien qu'infiniment plus agréable à vivre que l'ancienne, engendre, elle aussi, son lot de frustrations. Au chapitre de la visibilité, tout d'abord. Les vitres ne sont pas très hautes, les montants — surtout celui entre les portes arrière et le hayon — sont immenses et le pneu de secours accroché au hayon. Un sous-marin, au moins, possède un périscope ! Pour accéder à l'habitacle, il faut avoir la patte alerte — à ne pas confondre avec « avoir la cuisse légère », ce qui est autre chose. Bien qu'on puisse sans doute avoir les deux… Dans le même ordre d'idées (!), soulignons que les places arrière sont, au mieux, pénibles.

UN HABITACLE *FUNKY*

Les places avant, elles, sont étonnantes de confort… pourvu qu'on prenne le mot « confort » avec un grain de sel. Le tableau de bord

CONCURRENTS

Dodge Nitro,
Jeep Liberty,
Jeep Wrangler,
Nissan Xterra

IMPRESSIONS DE L'AUTEUR

Agrément de conduite :	3 / 5
Fiabilité :	4.5 / 5
Sécurité :	5 / 5
Qualités hivernales :	5 / 5
Espace intérieur :	4 / 5
Confort :	3 / 5

est aussi excentrique que la carrosserie avec son panneau central de la même couleur que cette dernière et ses jauges placées sur le dessus (boussole, température et inclinomètre). Les boutons sont gros et généralement bien placés pour une utilisation facile et intuitive. Certaines personnes ont de la difficulté à trouver une bonne position de conduite, mais ça ne m'est pas arrivé. Que voulez-vous, c'est ce qui arrive quand on possède un corps parfait… Le coffre, très grand, est recouvert d'un plastique très résistant qui peut être facilement lavé. Son seuil de chargement est assez élevé, mais puisque le véhicule est haut sur pattes, on ne peut espérer mieux. La vitre du hayon ouvre séparément, une délicatesse qu'on retrouve de moins en moins souvent.

Toyota propose un seul moteur pour son FJ. Il s'agit d'un V6 de 4,0 litres qui développe 260 chevaux et 271 livres-pied de couple. L'acheteur a le choix entre deux transmissions : une manuelle à six rapports et une automatique à cinq rapports. La version automatique a droit à un rouage 4x4 temporaire (il est possible de rouler en mode deux roues motrices — à l'arrière uniquement) tandis que la manuelle reçoit un système 4x4 à prise constante. Dans les deux cas, on retrouve un boîtier de transfert à deux rapports.

Même si le FJ Cruiser est un véhicule de près de 2000 kilos, ses performances sont loin d'être décevantes. La manuelle a un comportement très « camion », tandis qu'il y a peu à redire de l'automatique. Peu importe la transmission, il est très difficile de rouler sous les 14 l/100 km. Et ça, c'est si vous ne faites pas trop de ville ou si vous ne vous amusez pas en hors-route…

CHOUETTE, D'LA BOUETTE !

Or, avec un FJ Cruiser, il est très difficile de résister à l'attrait d'un beau champ bien boueux. Les capacités de ce véhicule dépassent de loin les besoins de la plupart des individus pour qui des angles d'attaque de 34 degrés et de sortie de 31 ne veulent pas dire grand-chose. Mais pour les amateurs de hors-route, ces chiffres sont assez impressionnants, même s'ils n'égalent pas ceux de son éternel rival, le Jeep Wrangler Unlimited. Sous le véhicule, on retrouve plusieurs plaques de protection, ce qui indique le sérieux qu'il met dans ses aventures hors route. En passant, il fait toujours confiance à un levier pour engager la gamme haute ou basse du boîtier de transfert, alors que plusieurs constructeurs sont passés au bouton rotatif commandant un moteur électrique. Le levier fait pas mal plus viril qu'un petit bouton !

Si le FJ excelle en dehors de la route, c'est toutefois loin d'être le cas dessus. Tout d'abord, le centre de gravité élevé est responsable d'un roulis prononcé. Les suspensions, indépendantes à l'avant et à essieu rigide à l'arrière, réagissent parfois brusquement au passage de trous et de bosses tout en imprimant au véhicule un tangage peu apprécié. La direction, très vague, ne permet pas de bien placer le véhicule dans les courbes. On a affaire à un camion, un vrai, ne l'oublions pas ! Les freins, curieusement, font un très bon boulot et stoppent le FJ dans des distances très raisonnables.

Le FJ Cruiser a de moins en moins sa place dans un monde où chaque goutte d'essence préservée est honorée et où la démesure a laissé sa place au politiquement correct. Dans ce contexte, le FJ est un anachronisme évident. Nous vivons dans le monde bienséant des Corolla, Camry et Highlander. Heureusement, le FJ nous rappelle que la folie existe encore !

Alain Morin

Photos : Toyota

WWW.GUIDEAUTOWEB.COM/TOYOTA/FJCRUISER/

Catégorie	VUS
Échelle de prix	33 725 $ à 37 300 $ (2011)
Garanties	3 ans/60 000 km, 5 ans/100 000 km
Assemblage	Hamura, Japon
Cote d'assurance	passable

TOYOTA FJ CRUISER

CHÂSSIS - BASE	
Emp/lon/lar/haut	2 690/4 670/1 905/1 830 mm
Coffre	790 à 1 890 litres
Réservoir	72 litres
Nombre coussins sécurité / ceintures	6 / 5
Suspension avant	indépendante, double triangulation
Suspension arrière	essieu rigide, multibras
Freins avant / arrière	disque / disque
Direction	à crémaillère, ass. variable
Diamètre de braquage	12,7 m
Pneus avant / arrière	P265/70R17 / P265/70R17
Poids	1 967 kg
Capacité de remorquage	2 268 kg (5 000 lb)

COMPOSANTES MÉCANIQUES	
Base, Off-road	
Cylindrée, soupapes, alim.	V6 4,0 litres 24 s atmos.
Puissance / Couple	260 chevaux / 271 lb-pi
Tr. base (opt) / rouage base (opt)	A5 (M6) / 4x4
0-100 / 80-120 / 100-0 km/h	10,1 s / 8,6 s / 44,0 m
Type ess. / ville / autoroute	Ordinaire / 13,6 / 10,2 l/100 km

FEU VERT

- Physique pour le moins olé olé
- Robustesse évidente
- Très sérieux en hors-route
- Prix intéressants
- Fiabilité reconnue

FEU ROUGE

- Confort de camion
- Visibilité de sous-marin
- Consommation inquiétante
- Places arrière pénibles
- Direction vague

DU NOUVEAU EN 2012

Aucun changement majeur

http://www.toyota.ca/

Plus d'informations dans la section statistiques en dernière partie du Guide

TYPIQUEMENT TOYOTA

Pour décrire à quelqu'un les qualités et les défauts des véhicules fabriqués par Toyota, on croit à tort que la Camry constitue l'exemple parfait. Pourtant, il manque à cette voiture ce petit quelque chose de plus que le Highlander semble proposer. On y retrouve toutes les qualités et toutes les caractéristiques propres à cette marque et il est même possible de commander une version à moteur hybride.

Comme la plupart des véhicules produits par ce constructeur, la silhouette du Highlander est juste ce qu'il faut pour être acceptable aux yeux de la majorité et suffisamment quelconque pour plaire à ceux qui craignent d'acheter un véhicule trop excentrique. Si vous faites partie de ce dernier groupe, rassurez-vous : pour donner l'exemple parfait d'un oxymoron, il suffit de mettre les mots « Highlander » et « excentrique » dans la même phrase. D'ailleurs, les stylistes de ce constructeur savent qu'ils doivent souvent tempérer leurs élans créatifs de crainte de se mettre à dos une clientèle qui aime la simplicité.

Mais il y a des limites à produire des véhicules dont la silhouette est anonyme. Ça explique pourquoi l'an dernier, on a refait le museau de ce Highlander et modifié le pare-chocs arrière. À en croire les explications des responsables des relations publiques de Toyota, il s'agit là d'une transformation majeure. Pourtant, ça demeure plutôt discret comme look. Mais force est d'admettre qu'il y a une nette amélioration en matière de dynamisme et que le pare-chocs en relief donne davantage de personnalité au véhicule.

DE BONNES NOTES POUR L'HABITACLE

Certes, les formes sont anonymes, mais cela signifie également que ce véhicule restera dans le ton pendant plusieurs années. Par ailleurs, les stylistes ont été plus créatifs — ou ont eu la permission de se montrer plus inventifs — au niveau de l'habitacle. Ce n'est certainement pas une révolution en fait de design, mais l'agencement des couleurs, l'utilisation d'appliqués en bois contrastants et l'arrivée d'un volant doté d'éléments de couleur aluminium viennent donner un peu plus de vie à l'ensemble.

CONCURRENTS

Buick Enclave, Chevrolet Traverse, Ford Flex, Honda Pilot, Hyundai Veracruz, Mazda CX-9, Nissan Murano, Subaru Tribeca

IMPRESSIONS DE L'AUTEUR

Agrément de conduite :	3 / 5
Fiabilité :	4 / 5
Sécurité :	4 / 5
Qualités hivernales :	4 / 5
Espace intérieur :	4 / 5
Confort :	4 / 5

L'ergonomie est bonne et il est facile de joindre les boutons et commandes. Toutefois, certaines d'entre elles ne sont pas évidentes à comprendre et il faut un certain temps pour s'y habituer. J'ai l'impression de radoter chaque fois que je le mentionne, mais une fois de plus, la qualité de la finition est excellente, tout comme les matériaux utilisés. Dans ce véhicule, le confort prime. Dans la version

la plus huppée, le Limited, on offre de série une gestion électronique de la climatisation et du chauffage. Les sièges avant sont confortables, mais manquent de support latéral. Quant au conducteur, il peut trouver une bonne position de conduite en raison d'un volant réglable en hauteur et en profondeur. L'an dernier, on a modifié l'inclinaison de la colonne de direction, ce qui permet un positionnement optimal de celle-ci.

Tous les Highlander sont livrés en tant que véhicule sept places. Pour être franc, à moins de vouloir faire souffrir la personne qui occupe la place centrale de la deuxième rangée, il s'agit d'un modèle six places. Les ingénieurs ont beau avoir concocté une espèce de siège temporaire et amovible au centre, leurs efforts sont vains. Quant à la troisième rangée, sachez que l'espace réservé aux jambes est assez mince et que lorsqu'on utilise celle-ci, l'espace réservé aux bagages en prend pour son rhume. Puisqu'il est question de bagage, notez que la lunette du hayon arrière s'ouvre indépendamment.

THERMIQUE OU HYBRIDE?

En fait, le Highlander est le véhicule du bon père de famille qui aime offrir à sa femme et ses enfants un véhicule confortable, bien insonorisé et éminemment pratique. La tenue de route et la précision de la direction ne sont cependant pas des critères qui doivent figurer en tête de liste lors de l'achat. Pour plusieurs, la version propulsée aux roues avant par le moteur quatre cylindres de 2,7 litres fait le travail. Ce moteur est associé à une boîte automatique à six rapports, ce qui rend la consommation moyenne de carburant très raisonnable. Si vous voulez tracter une remorque ou appréciez avoir un peu plus de réserve sous le pied, la version à moteur V6 est toute désignée. Curieusement, ce modèle est associé à une boîte automatique à cinq rapports seulement. Il est offert avec une transmission intégrale, en plus de posséder un système d'assistance au démarrage en pente et un dispositif d'assistance en descente.

Il est possible de commander une version avec un moteur hybride. C'est le même qu'on trouve sur le RX450h. Ce V6 de 3,5 litres, qui est associé à une transmission à rapports continuellement variables, fait appel à trois moteurs. On en retrouve un à l'avant et un autre à l'arrière, tandis que le troisième, placé dans la boîte de vitesses, s'occupe des opérations de redémarrage et de récupération d'énergie.

Peu importe le modèle choisi, les sensations de conduite sont très étouffées tandis que la direction pourrait être nettement plus précise. Bref, c'est une authentique Toyota avec une construction soignée, une mécanique sérieuse et une absence d'agrément de conduite. Il reste que pour plusieurs, c'est la meilleure des recettes.

Denis Duquet

Photos: Marc Lachapelle

Catégorie	VUS
Échelle de prix	31 500$ à 51 650$ (2011)
Garanties	3 ans/60 000 km, 5 ans/100 000 km
Assemblage	Princeton Indiana, États-Unis
Cote d'assurance	passable

CHÂSSIS - 4RM V6

Emp/lon/lar/haut	2 790/4 785/1 910/1 760 mm
Coffre	290 à 2 700 litres
Réservoir	73 litres
Nombre coussins sécurité / ceintures	7 / 7
Suspension avant	indépendante, jambes de force
Suspension arrière	indépendante, jambes de force
Freins avant / arrière	disque / disque
Direction	à crémaillère, ass. variable électrique
Diamètre de braquage	11,8 m
Pneus avant / arrière	P245/65R17 / P245/65R17
Poids	1 895 kg
Capacité de remorquage	2 268 kg (5 000 lb)

COMPOSANTES MÉCANIQUES

2RM	
Cylindrée, soupapes, alim.	4L 2,7 litres 16 s atmos.
Puissance / Couple	187 chevaux / 186 lb-pi
Tr. base (opt) / rouage base (opt)	A6 / Tr
0-100 / 80-120 / 100-0 km/h	10,0 (est) / 9,0 (est) / n.d.
Type ess. / ville / autoroute	Ordinaire / 10,4 / 7,3 l/100 km

Hybride, Hybride Limited	
Cylindrée, soupapes, alim.	V6 3,5 litres 24 s atmos.
Puissance / Couple	208 chevaux / n.d. lb-pi
Tr. base (opt) / rouage base (opt)	CVT / Int
0-100 / 80-120 / 100-0 km/h	8,0 s / 5,6 s / 42,3 m
Type ess. / ville / autoroute	Ordinaire / 6,6 / 7,3 l/100 km

4RM V6, 4RM V6 Limited	
Cylindrée, soupapes, alim.	V6 3,5 litres 24 s atmos.
Puissance / Couple	270 chevaux / 248 lb-pi
Tr. base (opt) / rouage base (opt)	M5 / Int
0-100 / 80-120 / 100-0 km/h	7,6 s / 7,2 s / 40,0 m
Type ess. / ville / autoroute	Ordinaire / 12,6 / 8,7 l/100 km

FEU VERT

- Confort assuré
- Finition impeccable
- Choix de moteurs
- Habitacle polyvalent
- Équipement complet

FEU ROUGE

- Direction engourdie
- Agrément de conduite très mitigé
- Silhouette furtive
- Troisième rangée inutile
- Options onéreuses

DU NOUVEAU EN 2012

Aucun changement majeur

http://www.toyota.ca/

Plus d'informations dans la section statistiques en dernière partie du Guide

UNE POSITION ENVIABLE

Les véhicules qui proposent un compromis entre une familiale traditionnelle et un modèle à hayon ne sont pas légions et la Matrix fait partie de ce groupe. Et elle était commercialisée en même temps que la Pontiac Vibe qui était pratiquement sa jumelle. Curieusement, lors de nombreux matchs et essais comparatifs, la Pontiac avait généralement le dessus sur la Matrix en raison de réglages de suspension un peu plus sportifs qui avaient pour effet d'améliorer l'agrément de conduite et la tenue de route.

Mais c'est chose du passé. La Toyota fait désormais cavalier seul et conserve la même silhouette pratique et sportive à la fois. Mais aussi bien vous aviser immédiatement : si cette silhouette est plus dynamique que la moyenne, les prestations de ce modèle sont nettement plus fonctionnelles que sportives. Soulignons au passage que de légères retouches à la carrosserie et à l'habitacle ont été apportées à ce modèle en 2011.

Ses dimensions sont dans la moyenne de la catégorie et même un peu plus petites que celles d'une Mazda3 Sport, mais son habitabilité reste impressionnante. Et s'il est vrai que les places arrière ne sont pas les plus spacieuses sur le marché, l'espace réservé aux bagages demeure important pour une voiture de cette taille.

CURIEUX MÉLANGE

Règle générale, lorsqu'on lit les textes et les essais routiers portant sur les véhicules fabriqués par le constructeur numéro un mondial, la plupart des critiques soulignent que le tableau de bord manque d'inspiration, mais que la qualité de fabrication est supérieure à la moyenne. Cette fois-ci, c'est un peu le contraire : la planche de bord est vraiment élégante et originale — surtout pour un modèle de cette marque —, mais nombreux sont les critiques qui soulignent que la qualité d'assemblage et de la finition laissent à désirer. Le plastique de couleur contrastante de la console centrale contribue cependant à donner un peu de punch à la présentation. Soulignons également que cette voiture utilise des bouches d'aération circulaires dotées de volets articulés. C'est simple, pratique et efficace. Toujours en ce qui a trait à la présentation, les cadrans indicateurs sont bien enfoncés dans une demi-lune qui les protège assez bien des rayons du soleil. Le cadran central est l'indicateur de vitesse et à sa gauche, on trouve le compte-tours. Pour faire différent, un combiné thermomètre-jauge d'essence est situé dans un réceptacle oblong à la droite de l'indicateur de vitesse. Ce n'est pas nécessairement plus facile à consulter, mais c'est nettement plus élégant et ça offre un joli contraste. Il reste que l'élément

CONCURRENTS

Dodge Caliber, Kia Soul, Mazda3, Mitsubishi Lancer, Nissan cube, Subaru Impreza, Suzuki SX-4, Volkswagen Golf

IMPRESSIONS DE L'AUTEUR

Agrément de conduite :	3.5/5
Fiabilité :	4/5
Sécurité :	4/5
Qualités hivernales :	3.5/5
Espace intérieur :	3.5/5
Confort :	3.5/5

le plus spectaculaire est la prolongation de la console centrale qui accueille le levier de vitesse. Sur le modèle doté de la boîte automatique, le levier doit serpenter à travers un parcours cranté, un peu à la manière des voitures Mercedes-Benz. L'intention est bonne, mais à l'usage, c'est plus agaçant qu'autre chose. Quant aux commandes de la climatisation, c'est encore une fois l'affaire de trois gros boutons placés entre le système audio et le levier des vitesses. Le volant, pour sa part, serait relativement peu inspirant si ce n'était des appliqués de couleur contrastante placée sur les deux rayons horizontaux. En plus, sa partie inférieure est légèrement aplatie.

Les sièges avant sont assez confortables, bien que leur assise soit un peu courte pour supporter les cuisses des personnes de grande taille. Les places arrière sont correctes, mais leur principale qualité est le fait que le dossier arrière de type 60/40 se replie afin d'augmenter la capacité de la soute à bagages. Notez que la surface de cette dernière est relativement glissante et qu'il est presque indispensable d'arrimer tous les bagages avant de prendre la route si on veut empêcher ceux-ci de se promener un peu partout de la voiture.

PLUSIEURS CHOIX, PLUSIEURS PRIX

Dans sa version la plus économique, la Matrix est propulsée par un moteur 1,8 litre produisant 132 chevaux associé à une boîte manuelle à cinq rapports. Cette puissance peut sembler adéquate de prime abord, mais compte tenu de la capacité de chargement de ce modèle, il est probable que cette cavalerie vous semblera un peu juste une fois la voiture chargée. De plus, la boîte automatique offerte avec ce moteur est une transmission à quatre rapports. Celle-ci est solide et fonctionne bien, mais l'absence de un ou deux rapports de plus se manifeste par un moteur bruyant, qui doit tourner à un régime plus élevé pour livrer la marchandise.

L'autre option, plus chère, est le moteur optionnel de 2,4 litres d'une puissance de 158 chevaux. Si la boîte manuelle est toujours à cinq rapports, la transmission automatique est cette fois à cinq vitesses. Mieux encore, il est possible de commander cette Matrix en version intégrale. Le prix de la facture risque de vous surprendre, mais cela ajoute beaucoup à la polyvalence de ce modèle. Si vos considérations d'achat impliquent une traction intégrale, la Matrix peut venir se joindre à la Subaru Impreza sur votre liste d'achat.

Sur une note moins positive, la direction offre peu de *feedback* et la suspension arrière a parfois de la difficulté à maîtriser les fabuleuses (!) routes du Québec. Par contre, la fiabilité est au rendez-vous.

Denis Duquet

Photos: Toyota

Catégorie	Hatchback
Échelle de prix	16 715 $ à 24 075 $ (2011)
Garanties	3 ans/60 000 km, 5 ans/100 000 km
Assemblage	Cambridge, Ontario, Canada
Cote d'assurance	bonne

CHÂSSIS - AWD	
Emp/lon/lar/haut	2 600/4 365/1 765/1 560 mm
Coffre	561 à 1 398 litres
Réservoir	50 litres
Nombre coussins sécurité / ceintures	6 / 5
Suspension avant	indépendante, jambes de force
Suspension arrière	indépendante, double triangulation
Freins avant / arrière	disque / disque
Direction	à crémaillère, ass. électrique
Diamètre de braquage	11,2 m
Pneus avant / arrière	P205/55R16 / P205/55R16
Poids	1 480 kg
Capacité de remorquage	680 kg (1 499 lb)

COMPOSANTES MÉCANIQUES	
Base	
Cylindrée, soupapes, alim.	4L 1,8 litre 16 s atmos.
Puissance / Couple	132 chevaux / 128 lb-pi
Tr. base (opt) / rouage base (opt)	M5 (A4) / Tr
0-100 / 80-120 / 100-0 km/h	9,4 s / 8,8 s / 42,6 m
Type ess. / ville / autoroute	Ordinaire / 7,8 / 6,1 l/100 km
AWD, XRS	
Cylindrée, soupapes, alim.	4L 2,4 litres 16 s atmos.
Puissance / Couple	158 chevaux / 162 lb-pi
Tr. base (opt) / rouage base (opt)	M5 (A5) / Int (Tr)
0-100 / 80-120 / 100-0 km/h	8,2 s / 8,9 s / 41,0 m
Type ess. / ville / autoroute	Ordinaire / 9,5 / 7,1 l/100 km

FEU VERT

- Silhouette élégante
- Véhicule polyvalent
- Consommation alléchante
- Mécanique fiable
- Rouage intégral optionnel

FEU ROUGE

- Finition sommaire
- Suspension arrière rétive
- Insonorisation perfectible
- Options onéreuses
- Direction à revoir

DU NOUVEAU EN 2012

Aucun changement majeur

http://www.toyota.ca/

Plus d'informations dans la section statistiques en dernière partie du Guide

DE LA FRATRIE POUR L'HYBRIDE!

Toyota n'a pas seulement été un pionnier en fait de véhicules hybrides. La compagnie a également réussi à s'établir comme la référence de cette catégorie. Un peu comme Apple avec son iPhone, lorsqu'il est question de voitures hybrides, on pense automatiquement à la Prius, même si cette dernière doit aujourd'hui affronter une concurrence de plus en plus nombreuse. Et Toyota ne s'assoit pas sur ses lauriers de précurseur. Le constructeur ne jure désormais que par des véhicules de ce genre et n'a nullement envie de faire marche arrière. Au contraire, on pourra commander la Prius en différentes variantes au cours des mois à venir.

Même s'il s'agit du véhicule le plus économique sur le marché, sa conduite est loin d'être une expérience excitante tant son comportement routier est ordinaire, tout au plus. Mieux encore, il faut prendre avec un gain de sel les résultats de consommation faramineuse obtenue par certains propriétaires ou essayeurs automobiles. Bien qu'il est effectivement possible d'atteindre de tels chiffres, arriver à ce genre de résultat se fait au prix d'une conduite parfois dangereuse.

LE REVERS DE LA MÉDAILLE

D'abord, pour plusieurs, l'achat de ce modèle se justifie par sa forme singulière. Son look particulier permet effectivement aux propriétaires d'exhiber haut et fort leur conscience écologique. Même s'il faut composer avec ces raisons qui tiennent plus du «m'as-tu-vu» que du véritable intérêt pour l'environnement, il reste que ce très frugal moteur quatre cylindres de 1,8 litre qui produit 98 chevaux, une fois combiné au moteur électrique de 60 kW qui assure une puissance totale de 134 chevaux, permet des économies de carburant bien réelles.

CONCURRENTS

Honda Insight

IMPRESSIONS DE L'AUTEUR

Agrément de conduite:	3/5
Fiabilité:	3.5/5
Sécurité:	4/5
Qualités hivernales:	3/5
Espace intérieur:	4.5/5
Confort:	4/5

Le manufacturier annonce une consommation moyenne de 3,8 l/100 km. Toutefois, ce sont là des chiffres beaucoup trop optimistes. En conduisant cette voiture comme la plupart des gens le feraient, notre consommation de carburant s'est établie à 5,5 l/100 km. Et cela, avec une seule personne dans la voiture. Un test effectué avec trois personnes à bord pendant une randonnée qui s'est étendue sur environ 100 km — tant en ville que sur l'autoroute et sur des routes secondaires parsemées de quelques montées assez raides — a permis d'obtenir une consommation moyenne de 8,2 l/100 km. C'est très loin des 3,8 l/100 km que laisse présager Toyota.

Si la consommation de carburant peut décevoir, le pilotage de cette voiture n'améliore en rien les choses, particulièrement pour ceux et celles qui apprécient une conduite avec un peu de nerfs. Même si on a amélioré la suspension et l'insonorisation par rapport aux années précédentes, cette voiture demeure une routière moyenne. En plus, beaucoup d'amélioration reste à faire en ce qui a trait à l'insonorisation et sur la grand-route, la stabilité longitudinale n'est certainement pas son point fort. Et pour allonger la liste des points négatifs, ajoutez à cela des pneus à faible coefficient de roulement dont l'adhérence est moyenne et de niveau sonore élevé. Comme si ce n'était pas assez, la qualité des plastiques dans l'habitacle fait bon marché tandis que les sièges avant ne sont pas tellement confortables, surtout pour les personnes de grande taille. Par ailleurs, si vous aimez les gadgets, le levier de vitesses ainsi que certaines commandes à effleurement sauront peut-être vous impressionner.

Malgré ces bémols, cette voiture permettra à ceux qui sauront la conduire avec doigté de ne pas trop consommer de carburant, mais avant tout, de réduire le niveau de pollution. C'est là le point le plus important et à ce chapitre, la Prius accomplit du bon travail.

L'AVENIR

Aucun constructeur n'est convaincu comme Toyota de l'avenir de la motorisation hybride. D'ici quelques mois, il sera possible de commander une Prius « branchable » qui permettra de rouler pendant des dizaines de kilomètres sans que le moteur thermique ait à intervenir. Enfin, le Concept C est une version plus petite de la Prius actuelle qui devrait être commercialisée au cours de 2012. On a également dévoilé une version « familiale » de ce modèle : la Prius V. L'espace réservé aux bagages est augmenté de 50 % par rapport à la Prius régulière puisque le dossier arrière se replie pour augmenter l'espace de chargement. Les occupants des places arrière peuvent également régler le siège coulissant et incliner le dossier.

Celle-ci ressemble quelque peu à une Mazda CX-7. Une grande nouveauté, c'est aussi sa planche de bord qui est nettement plus conviviale, sans compter que les décideurs ont abandonné le plastique trop rigide de la Prius. La V est également plus agréable à conduire et il est certain que sa polyvalence et sa faible consommation de carburant convaincront plusieurs acheteurs potentiels. Bien entendu, les ingénieurs de Toyota n'ont pu résister à l'envie d'ajouter quelque chose de spécial à la V : on l'a dotée d'un toit panoramique, non pas en verre, mais en résine, un matériau beaucoup plus léger. Il faut préciser que ce toit panoramique ne s'ouvre pas. Des caches mobiles permettent d'observer le soleil ou de se protéger de ses rayons. Faut-il en conclure que la Prius V est la plus intéressante de la famille ? Poser la question, c'est y répondre.

Denis Duquet

Photos: Denis Duquet

Catégorie	Hatchback
Échelle de prix	27 800 $ (2011)
Garanties	3 ans/60 000 km, 5 ans/100 000 km
Assemblage	Toyota City, Japon
Cote d'assurance	bonne

CHÂSSIS - HYBRIDE	
Emp/lon/lar/haut	2 700/4 460/1 745/1 480 mm
Coffre	445 litres
Réservoir	45 litres
Nombre coussins sécurité / ceintures	7 / 5
Suspension avant	indépendante, jambes de force
Suspension arrière	semi-indépendante, poutre de torsion
Freins avant / arrière	disque / disque
Direction	à crémaillère, ass. variable électrique
Diamètre de braquage	10,4 m
Pneus avant / arrière	P195/65R15 / P195/65R15
Poids	1 380 kg
Capacité de remorquage	non recommandé

COMPOSANTES MÉCANIQUES	
Hybride	
Cylindrée, soupapes, alim.	4L 1,8 litre 16 s atmos.
Puissance / Couple	98 chevaux / 105 lb-pi
Puissance totale	134 chevaux
Tr. base (opt) / rouage base (opt)	CVT / Tr
0-100 / 80-120 / 100-0 km/h	10,8 s / 8,5 s / 43,6 m
Type ess. / ville / autoroute	Ordinaire / 3,7 / 4,0 l/100 km

- Bonne habitabilité
- Potentiel de faible consommation
- Mécanique fiable
- Version V
- Freinage amélioré

- Tenue de route moyenne
- Insonorisation perfectible
- Consommation parfois décevante
- Plastiques durs dans l'habitacle
- Direction sans *feedback*

DU NOUVEAU EN 2012

Nouveau modèle Prius V, version Plug-in à venir

http://www.toyota.ca/

Plus d'informations dans la section statistiques en dernière partie du Guide

PLUS INTERMÉDIAIRE QUE COMPACT

La popularité du RAV4 s'explique de plusieurs façons. Un des principaux arguments qui fait pencher la balance en sa faveur est sans contredit son habitabilité supérieure et ses dimensions qui le placent entre la catégorie des utilitaires compacts et celle des intermédiaires. Son succès provient également du fait qu'il s'agit de l'un des deux véhicules de la catégorie – l'autre étant le Mitsubishi Outlander – qui est doté d'une troisième rangée de sièges.

En effet, si le RAV4 est le modèle le plus spacieux de la catégorie, c'est surtout parce qu'il est le plus long. Si cet aspect de sa conception a permis l'intégration d'une troisième rangée de sièges, il faut cependant préciser que ces places ne pourront accueillir que de jeunes enfants et pour de courts trajets seulement. Cela étant dit, le RAV4 propose également un très grand volume de chargement qui est aussi modulable parce que les sièges de la deuxième rangée coulissent sur des rails en plus de proposer des dossiers inclinables.

Avec ce type de configuration, il est possible de privilégier soit le dégagement pour les jambes pour les passagers de la deuxième rangée tout en comptant sur un volume de chargement de plus de 1 000 litres, ou d'augmenter au maximum le volume de chargement de la soute dont la capacité est supérieure à 2 000 litres. Bref, on peut partir avec armes et bagages au volant du RAV4, et la vie à bord au quotidien demeure agréable pour quatre personnes.

Un seul bémol toutefois, au sujet de la porte arrière qui est plutôt lourde, puisque le pneu de secours est monté sur sa face extérieure. De plus, cette porte pivote sur le côté droit du véhicule, ce qui fait qu'elle bloque ainsi l'accès au trottoir lorsque vient le temps de décharger le véhicule alors qu'il est stationné sur la rue en ville. La qualité de la finition intérieure est sans reproches, mais il faut

CONCURRENTS

Chevrolet Equinox, Dodge Nitro, Ford Escape, Honda CR-V, Hyundai Santa Fe, Jeep Liberty, Mitsubishi Outlander, Nissan Rogue, Subaru Forester, Volkswagen Tiguan

IMPRESSIONS DE L'AUTEUR

Agrément de conduite :	3 / 5
Fiabilité :	5 / 5
Sécurité :	5 / 5
Qualités hivernales :	4 / 5
Espace intérieur :	4 / 5
Confort :	4 / 5

déplorer le fait que certains plastiques utilisés pour la réalisation de la planche de bord sont toujours relativement durs, ce qui ne fait pas très haut de gamme. Aussi la présentation générale est sans véritable éclat, bien que toutes les commandes et tous indicateurs soient facilement repérables et accessibles.

UNE CONDUITE SÛRE, MAIS PEU INSPIRÉE

Sur la route, le RAV4 offre une conduite plutôt placide et les conducteurs qui préfèrent une conduite plus sportive ou, à tout le moins, plus inspirée se tourneront plutôt vers l'Outlander de Mitsubishi ou le Tiguan de Volkswagen. La tenue de route du RAV4 est toujours sûre et correcte, mais la direction à assistance

Catégorie	VUS
Échelle de prix	24 595 $ à 34 640 $ (2011)
Garanties	3 ans/60 000 km, 5 ans/100 000 km
Assemblage	Woodstock, Ontario, Canada
Cote d'assurance	pauvre

électrique manque de feedback, et la pédale de frein s'avère spongieuse lors de décélérations plus intenses. Cela dit, le niveau de confort est très bon à vitesse d'autoroute, et la transmission automatique fonctionne admirablement bien puisqu'elle passe les rapports sans que l'on s'en rende vraiment compte. Vous l'aurez compris, le RAV4 est tout à fait compétent et se conduit presque comme une voiture traditionnelle, bien qu'il manque un peu de caractère.

Côté motorisation, le moteur de base est un quatre cylindres de 2,5 litres dont la puissance est tout juste correcte puisqu'elle se chiffre à 179 chevaux, et on doit déplorer le fait que la transmission automatique qui est associée à ce moteur est presque archaïque, puisqu'elle ne compte que quatre rapports.

Pour obtenir une boîte à cinq rapports, il faut opter pour le V6 de 3,5 litres, qui équipe également les Camry et Highlander, et qui développe 269 chevaux ce qui a pour effet de donner un second souffle au RAV4 en relevant d'un cran le niveau de performances par rapport au quatre cylindres dont la puissance et le couple sont tout simplement adéquats. Côté consommation, il faut souligner que les RAV4s font preuve d'une belle frugalité, mais que les cotes de consommation seraient encore meilleures si le moteur quatre cylindres pouvait être jumelé à la boîte automatique à huit rapports.

UN MODÈLE ENTIÈREMENT ÉLECTRIQUE

Au Salon de l'auto de Los Angeles en novembre 2010, Toyota procédait au dévoilement d'un RAV4 à motorisation électrique, dont le lancement est programmé pour 2012 sur le seul marché des États-Unis. Ce modèle est le fruit d'une collaboration entre le géant japonais de l'automobile et le petit constructeur spécialisé Tesla, créateur d'une sportive tout électrique élaborée sur la plate-forme de la Lotus Elise. On croyait, à tort, que Toyota avait décidé de se concentrer sur la technologie hybride et de délaisser le tout-électrique, laissant ainsi ce champ d'action à son concurrent Nissan, créateur de la Leaf. Mais ce n'est pas le cas, comme en témoigne l'arrivée de cette nouvelle variante du RAV4. À l'heure actuelle, 35 véhicules prototypes sont mis à l'épreuve dans la première phase d'essais et de validation qui est en cours depuis le début de 2011.

En attendant l'arrivée de cette nouvelle variante et l'éventualité de sa possible commercialisation chez nous, le RAV4 poursuit sa route en faisant preuve d'une grande fiabilité, d'une habitabilité supérieure et d'un confort remarquable. Dommage cependant que sa conduite soit aussi aseptisée et dépourvue d'agrément.

Gabriel Gélinas

Photos: Toyota

CHÂSSIS - 4RM BASE

Emp/lon/lar/haut	2 660/4 620/1 815/1 745 mm
Coffre	1 015 à 2 074 litres
Réservoir	60 litres
Nombre coussins sécurité / ceintures	6 / 5
Suspension avant	indépendante, jambes de force
Suspension arrière	indépendante, double triangulation
Freins avant / arrière	disque / disque
Direction	à crémaillère, ass. électrique
Diamètre de braquage	11,4 m
Pneus avant / arrière	P225/65R17 / P225/65R17
Poids	1 579 kg
Capacité de remorquage	680 kg (1 499 lb)

COMPOSANTES MÉCANIQUES

Base, Sport, Limited	
Cylindrée, soupapes, alim.	4L 2,5 litres 16 s atmos.
Puissance / Couple	179 chevaux / 172 lb-pi
Tr. base (opt) / rouage base (opt)	A4 / Tr (Int)
0-100 / 80-120 / 100-0 km/h	9,6 s / n.d. / 41,0 m
Type ess. / ville / autoroute	Ordinaire / 9,7 / 7,2 l/100 km

V6	
Cylindrée, soupapes, alim.	V6 3,5 litres 24 s atmos.
Puissance / Couple	269 chevaux / 246 lb-pi
Tr. base (opt) / rouage base (opt)	A5 / Int
0-100 / 80-120 / 100-0 km/h	6,7 s / 5,7 s / 42,0 m
Type ess. / ville / autoroute	Ordinaire / 11,1 / 7,7 l/100 km

- Très bonne habitabilité
- Moteur V6 performant
- Faible consommation
- Très bonne fiabilité

- Absence de transmission manuelle
- Conduite peu inspirée
- Boîte automatique à 4 rapports (4 cylindres)
- Ouverture peu pratique du hayon arrière

DU NOUVEAU EN 2012

Aucun changement majeur

http://www.toyota.ca/

Plus d'informations dans la section statistiques en dernière partie du Guide

À CONTRE-COURANT

De nos jours, la tendance est aux plus petites dimensions et aux moteurs de cylindrée moindre qui produisent autant de chevaux que les grosses pointures. Les écolos incitent les conducteurs de gros 4x4 à avoir des remords jusqu'à ne plus être capables de dormir. Dans certains quartiers BCBG de Montréal, le mot VUS a des connotations sataniques. J'exagère, mais si peu…

Par les temps qui courent, aux yeux de plusieurs, posséder un gros 4x4, c'est vouloir la disparition de la planète par la pollution, c'est être vendu aux pétrolières, c'est croire que *bigger is better*. Libre à vous de penser ce que vous voulez, mais je crois personnellement que certains individus ont réellement besoin de ces véhicules, que ce soit pour des raisons familiales ou professionnelles. Il est évident qu'une personne seule vivant en milieu urbain et qui ne quitte jamais les limites de la ville ne devrait pas se procurer un tel mastodonte. Par contre, un propriétaire de pourvoirie qui doit voyager des clients sur des routes défoncées ou encore une équipe d'arpentage qui œuvre dans le Nord du Québec en tractant une remorque, constituent, selon moi, des clients légitimes.

CONCURRENTS
Chevrolet Tahoe,
Ford Expedition,
GMC Yukon,
Nissan Armada

IMPRESSIONS DE L'AUTEUR	
Agrément de conduite :	3/5
Fiabilité :	4/5
Sécurité :	3.5/5
Qualités hivernales :	4.5/5
Espace intérieur :	4.5/5
Confort :	4/5

LES GRANDS ESPACES

La vision romantique de l'explorateur qui part à la découverte des grands espaces au volant de son VUS fait toujours rêver. Mais pour la plupart des acheteurs de Sequoia, les grands espaces, c'est dans l'habitacle qu'ils les trouveront. En effet, de l'espace, il y en a plus que moins.

Avec un empattement de 3 100 millimètres, on s'assure que tous les occupants soient en mesure de prendre leurs aises. Les passagers de la seconde rangée ont tout le dégagement voulu pour se délier les jambes tandis que la troisième rangée — à déploiement électrique — est plus spacieuse que la moyenne. Par contre, ce siège réduit la capacité de la soute à bagages. D'ailleurs, le seuil de chargement de cette dernière est passablement haut. C'est le prix à payer pour obtenir une garde au sol de 242 millimètres.

Notre véhicule d'essai était pourvu de sièges en cuir, d'une caméra de recul avec écran logé dans le rétroviseur intérieur, d'un volant gainé de cuir réglable en profondeur et en hauteur. Il était également équipé de poignées de maintien à chaque portière qui facilitent la montée à bord et qui permettent aux passagers de s'agripper en cas de manœuvres un peu plus agressives de la part du pilote. Cette poignée n'est pas un luxe, car pour prendre place à bord du Sequoia, il faut lever la jambe assez

Catégorie	VUS
Échelle de prix	48 820 $ à 65 975 $ (2011)
Garanties	3 ans/60 000 km, 5 ans/100 000 km
Assemblage	Princeton, Indiana, É-U
Cote d'assurance	n.d.

haut. Une fois en place, on est confortable, mais le support latéral est assez faible pour les sièges avant.

Encore une fois, la finition est impeccable, même si la présentation générale est plutôt sobre. La planche de bord est divisée en deux: la section des cadrans indicateurs en plastique gris et la deuxième section, qui comprend la radio et l'espace devant le passager, est noire. Les cadrans semblent protégés des rayons du soleil par des rebords relativement hauts, mais ils sont presque indéchiffrables en plein jour. Ajoutons que les commandes de la climatisation sont constituées de trois gros boutons faciles à manipuler, même avec des gants.

VIVE LE PARTAGE

Le Sequoia ne fait pas que partager sa plate-forme avec le Tundra, il lui emprunte également ses moteurs. Comme sur ce dernier, le moteur de base est un V8 de 4,6 litres de 310 chevaux associé à une transmission automatique à six rapports. La consommation moyenne observée a été de 16,2 l/100 km. Par contre, tout au long de cet essai, j'ai remarqué une vibration du moteur lorsque le régime moteur était d'environ 1 600 tr/min. Les reprises sont dans la bonne moyenne tandis qu'il nous a fallu 8,9 secondes pour boucler le 0-100 km/h. Pour une plus grande capacité de remorquage — 7 000 livres vs 8 800 livres — et 71 chevaux de plus, le V8 de 5,6 litres est à considérer étant donné que sa consommation est pratiquement la même. Il est également plus doux et plus souple.

Sur la route, comme tous les mastodontes de son espèce, la tenue de route est correcte, sans plus. Et encore, il faut respecter les limites de vitesse affichées, car on pilote une masse de plus de deux tonnes dont le centre de gravité est élevé. Quant à la suspension, elle est assez confortable surtout en raison de la présence d'essieux arrière indépendants.

Comme sur les versions précédentes, le rouage intégral est à contrôle électronique et il est d'une grande efficacité. Toyota a été l'un des premiers constructeurs à se tourner vers le tout-électronique pour la gestion de la traction intégrale et sa compétence en la matière s'illustre sur le Sequoia. Il est impressionnant de dompter un sentier ou une pente presque impraticable et de constater que les systèmes électroniques se chargent de tout ou presque.

Malgré tout, le Sequoia a de la difficulté à s'affirmer sur le marché face aux véhicules de même catégorie proposés par les constructeurs nord-américains qui ont beaucoup d'expérience dans ce créneau et produisent des véhicules plus efficaces et plus agréables à conduire. Par contre, pour plusieurs, la réputation de fiabilité de Toyota sera l'argument déclencheur.

Denis Duquet

Photos: Toyota

CHÂSSIS - LIMITED V8 5.7L

Emp/lon/lar/haut	3 100/5 210/2 030/1 955 mm
Coffre	804 à 3 421 litres
Réservoir	100 litres
Nombre coussins sécurité / ceintures	8 / 8
Suspension avant	indépendante, double triangulation
Suspension arrière	indépendante, double triangulation
Freins avant / arrière	disque / disque
Direction	à crémaillère, ass. variable
Diamètre de braquage	12,5 m
Pneus avant / arrière	P275/55R20 / P275/55R20
Poids	2 714 kg
Capacité de remorquage	4 125 kg (9 094 lb)

COMPOSANTES MÉCANIQUES

SR5 4.6L	
Cylindrée, soupapes, alim.	V8 4,6 litres 32 s atmos.
Puissance / Couple	310 chevaux / 327 lb-pi
Tr. base (opt) / rouage base (opt)	A6 / 4x4
0-100 / 80-120 / 100-0 km/h	8,95 / n.d. / n.d.
Type ess. / ville / autoroute	Ordinaire / 15,6 / 10,8 l/100 km

Limited, Platinum	
Cylindrée, soupapes, alim.	V8 5,7 litres 32 s atmos.
Puissance / Couple	381 chevaux / 401 lb-pi
Tr. base (opt) / rouage base (opt)	A6 / 4x4
0-100 / 80-120 / 100-0 km/h	7,1 s / 6,1 s / 42,9 m
Type ess. / ville / autoroute	Ordinaire / 16,3 / 11,2 l/100 km

- Choix de moteurs
- Bonne habitabilité
- Excellent rouage intégral
- Fiabilité rassurante
- Fenêtre arrière à ouverture autonome

- Dimensions encombrantes
- Moteurs gourmands
- Direction engourdie
- Système de stabilité latérale brusque

DU NOUVEAU EN 2012

Aucun changement majeur

http://www.toyota.ca/

Plus d'informations dans la section statistiques en dernière partie du Guide

L'AVANTAGE AWD NE SUFFIT PAS

Il faut l'avouer, une « minivan », ça n'a rien de très exaltant. Pourtant, on ne leur demande pas d'être des championnes de la sportivité, à ces fourgonnettes. Mais quand même, les quelques constructeurs qui en proposent encore n'ont pas le choix d'offrir un petit quelque chose de plus pour susciter l'intérêt, voire compenser l'absence de tout plaisir de conduite. Quel est cet avantage, pour la Toyota Sienna? La traction intégrale. Est-ce que ça suffit?

La Toyota Sienna a été entièrement revue l'an dernier. Bon, « entièrement » est un grand mot. Certes, la robe extérieure de cette troisième génération s'est musclée un brin, notamment d'une grille qui en impose un peu plus. Sinon, tout le reste est d'un design… désespérément fade. À part la Kia Sedona, toutes les autres concurrentes ont indéniablement plus de gueule que la Sienna.

Sous le capot de la Sienna, pas grand nouveau, mais de ça, on ne se plaindra pas. Le bien connu V6 de 3,5 litres développe avec linéarité ses 266 chevaux, une puissance parmi les plus élevées du segment. Ça se fait par une boîte automatique six rapports qui travaille en toute transparence. Même si cette boîte a offre le mode manuel, on triture rarement le levier (monté en podium à la console), puisque la vigueur est facilement modulable sous le pied droit. Les accélérations sont douces et silencieuses, ce qui fait qu'on atteint des vitesses de pointe plus vite qu'escompté pour une minifourgonnette.

Avec ce V6, la capacité de remorquage touche les 3 500 livres, exactement ce que peut tracter la majorité de la compétition. Notez qu'un moteur de base est disponible pour moins de 28 000 $, soit un quatre cylindres de 2,7 litres produisant 187 chevaux.

CONCURRENTS

Chrysler Town & Country, Dodge Grand Caravan, Honda Odyssey, Kia Sedona, Quest Nissan, Volkswagen Routan

IMPRESSIONS DE L'AUTEUR

Agrément de conduite :	■■■□□	3/5
Fiabilité :	■■■■□	4/5
Sécurité :	■■■■□	4/5
Qualités hivernales :	■■■■▌	4.5/5
Espace intérieur :	■■■■□	4/5
Confort :	■■■■□	4/5

SEULE À PROPOSER LA TRACTION INTÉGRALE

Le plus grand avantage de la Sienna réside dans son option « traction intégrale ». À ce jour, elle est la seule fourgonnette de notre marché à offrir le dispositif, bien que ce soit pour les versions haut de gamme (lire: au minimum 35 000 $). Cet AWD rehausse une tenue de route au demeurant déjà assurée (même à 150 km/h… chut!) et ce, en dépit de la poutre de torsion à l'arrière. En comparaison, la Nissan Quest passe pour un bateau qui tangue sur une mer déchaînée — j'exagère, mais à peine. Autre avantage: la Sienna peut être livrée, comme la Honda Odyssey, en variante sept ou huit passagers. Bien sûr et tel qu'attendu, les rangements sont nombreux et l'espace intérieur est spacieux, tant

en dégagement pour les passagers que pour transporter sa dernière folie achetée chez Ikea.

Autre avantage de la Sienna? On cherche et... on ne trouve pas. D'abord, la conduite n'est pas aussi ferme et directe que pour le duo Grand Caravan/Town & Country. Pour tout dire, la direction électrique de la Sienna (l'une des rares de la catégorie) manque de substance et le freinage, lui, manque de mordant. Le comportement n'est pas trop mou, la puissance est au rendez-vous, mais dans l'ensemble, la conduite est insipide. Par ailleurs, les versions V6 ne sont pas aussi frugales en carburant que les Honda Odyssey (Touring). Ces dernières — merci à la désactivation des cylindres — consomment substantiellement moins sur l'autoroute. Ce qui nous fait demander: à quand une motorisation essence-électricité pour la fourgonnette du constructeur numéro un en ventes d'hybrides?

INSIPIDE DEDANS COMME DEHORS

Le design à l'intérieur de la Sienna est aussi fade que celui de l'extérieur: très générique, avec une tentative de boiseries dans les versions plus luxueuses, mais ça résulte en une macédoine manquée de textures et de couleurs. Les plastiques sont durs et très secs au toucher, quoique bien assemblés. Un bon mot cependant pour l'ergonomie: la console est dégagée, les commandes faciles à manipuler et le tout est instinctif à apprivoiser. On regrette toutefois que les commandes audio au volant ne soient pas de série. Et il est impardonnable que la caméra de recul ne soit pas de série elle non plus sur un si long véhicule qui se targue d'être familial.

Certes, la troisième rangée de la Sienna se rabat facilement dans le plancher, accordant un vaste espace cargo. Lorsque remontée, cette banquette accueille deux adultes dans un confort relatif, mais la troisième place est moins certaine. Malheureusement, la seconde rangée n'accepte que de coulisser, pas de s'abaisser. Conséquence: pour un plancher tout à fait plat, il faut retirer ces lourds fauteuils. On est loin du Stow'n Go de Chrysler... Un petit conseil: si vous faites l'acquisition d'une Sienna, optez pour les modèles avec hayon électrique. Sinon, vous vous échinerez sur un hayon lourd, tant à soulever qu'à refermer.

Sienna est la Camry des fourgonnettes: tout est ok, mais rien ne vient la démarque. Et si elle a remporté l'an dernier le titre décerné par l'AJAC de Meilleure nouvelle fourgonnette au Canada, c'est parce que sa plus proche concurrente, la Honda Odyssey, a eu le malheur de se présenter en version ultraéquipée à près de 50 000 $. La Sienna s'était, quant à elle, amenée en variante toute de base à plus ou moins 30 000 $ et c'est ce qui l'a fait gagner — avec cependant moins de 1 % d'écart. Reste qu'à étiquettes égales, notre faveur ne va pas à la « minivan » de Toyota, mais plutôt à l'Odyssey et aux fourgonnettes de Chrysler.

Nadine Filion

Photos: Marc Lachapelle

Catégorie	Fourgonnette
Échelle de prix	27 900 $ à 49 100 $ (2011)
Garanties	3 ans/60 000 km, 5 ans/100 000 km
Assemblage	Princeton, Indiana, États-Unis
Cote d'assurance	passable

CHÂSSIS - V6 7 PLACES	
Emp/lon/lar/haut	3 030/5 085/1 985/1 811 mm
Coffre	1 110 à 4 250 litres
Réservoir	79 litres
Nombre coussins sécurité / ceintures	7 / 7
Suspension avant	indépendante, jambes de force
Suspension arrière	semi-indépendante, poutre de torsion
Freins avant / arrière	disque / disque
Direction	à crémaillère, ass. variable électrique
Diamètre de braquage	11,2 m
Pneus avant / arrière	P235/60R17 / P235/60R17
Poids	1 970 kg
Capacité de remorquage	1 585 kg (3 494 lb)

COMPOSANTES MÉCANIQUES	
LE 7 Places	
Cylindrée, soupapes, alim.	4L 2,7 litres 16 s atmos.
Puissance / Couple	187 chevaux / 186 lb-pi
Tr. base (opt) / rouage base (opt)	A6 / Tr
0-100 / 80-120 / 100-0 km/h	11,5 (est) / 9,0 (est) / n.d.
Type ess. / ville / autoroute	Ordinaire / 10,4 / 7,5 l/100 km
V6	
Cylindrée, soupapes, alim.	V6 3,5 litres 24 s atmos.
Puissance / Couple	266 chevaux / 245 lb-pi
Tr. base (opt) / rouage base (opt)	A6 / Tr (Int)
0-100 / 80-120 / 100-0 km/h	8,8 s / 5,3 s / 42,6 m
Type ess. / ville / autoroute	Ordinaire / 12,8 / 9,0 l/100 km

FEU VERT
- Avantage AWD
- Bonne insonorisation
- Commandes ergonomiques
- V6 doux et de bonne puissance
- Intérieur spacieux, bons rangements

FEU ROUGE
- Conduite insipide
- Pas de commandes audio de série
- Pas de caméra de recul de série
- Habitacle fade, plastiques durs et secs
- À quand une motorisation hybride?
- Pas de Stow'n Go en deuxième rangée

DU NOUVEAU EN 2012

Aucun changement majeur

http://www.toyota.ca/

Plus d'informations dans la section statistiques en dernière partie du Guide

C'EST PAYANT D'ÊTRE PLUS PETIT

Le Tacoma domine outrageusement la catégorie des camionnettes intermédiaires. Depuis l'abandon par Ram de son modèle Dakota, cette camionnette Toyota est virtuellement seule dans sa catégorie. *In extenso*, on pourrait mentionner le Nissan Frontier, mais celui-ci possède des dimensions inférieures qui le disqualifient quelque peu.

Le Tacoma jouit d'une très grande popularité dans bien des marchés. Cela s'explique entre autres par la qualité intrinsèque de ce modèle. Il serait possible de pousser l'analyse plus loin en soulignant que plusieurs personnes aimeraient posséder une camionnette de marque Toyota, mais jugent le Tundra démesuré pour l'usage qu'ils veulent en faire. Avec ses dimensions quasiment correctes, c'est le Tacoma qui remporte la mise et qui gagne le cœur de ces gens.

PLUS MORDANTE

Comme le veut la tendance actuelle, les modèles à cabine simple n'existent plus. Dans la gamme de cette camionnette, deux cabines sont au catalogue. La première, appelée Accès, est en quelque sorte une cabine et demie, alors que les places arrière n'ont pas été conçues pour le confort et les longs trajets. En fait, l'arrière constitue tout au plus un espace de rangement pour les objets que l'on veut protéger des intempéries et des voleurs. Par contre, le modèle Double Cab est un authentique quatre portes/cinq places. Les sièges avant sont relativement confortables, mais manquent désespérément de support latéral. Quant aux places arrière, elles sont spacieuses, mais l'inclinaison du dossier n'est pas ce qu'il y a de mieux et après un certain temps on se sent incommodé. Bien entendu, comme toutes les autres camionnettes quatre portes, il est possible de remiser des objets dans le compartiment placé sous le siège.

CONCURRENTS

Chevrolet Colorado,
GMC Canyon,
Honda Ridgeline,
Nissan Frontier,
Suzuki Equator

IMPRESSIONS DE L'AUTEUR		
Agrément de conduite :	■■■□□	3/5
Fiabilité :	■■■■□	4/5
Sécurité :	■■■■□	4/5
Qualités hivernales :	■■■▌□	3.5/5
Espace intérieur :	■■■▌□	3.5/5
Confort :	■■■▌□	3.5/5

Les stylistes de Toyota ont tenté de donner un peu plus de mordant à la présentation esthétique de la planche de bord. Pour loger le système audio, la climatisation, les buses de ventilation et quelques autres commandes, on a donc droit à cette grosse console centrale dont le fini imite l'aluminiu. Cette configuration diffère des autres camionnettes, mais le résultat ne s'avère pas nécessairement plus raffiné, particulièrement en raison de l'utilisation de plastiques de qualité douteuse. Par contre, comme c'est de mise chez ce constructeur, la qualité de l'assemblage est impeccable. Le volant se règle en hauteur et en profondeur ce qui permet d'adopter une bonne position de conduite. L'indicateur de vitesse est en plein centre du réceptacle des instruments et il est flanqué de

chaque côté du compte-tours à gauche et d'un cadran multifonction à droite comprenant le thermomètre et la jauge d'essence. Sur le pourtour du moyeu du volant, on retrouve l'incontournable commande du régulateur de croisière. Le système audio AM/FM/CD est doté de 6 haut-parleurs avec capacité de lecture MP3/WMA et prise d'entrée audio auxiliaire. Soulignons au passage que ces prises audio ne sont pas tellement faciles d'accès.

CHOIX MULTIPLES

Il arrive parfois que les ingénieurs travaillant sur un véhicule soient emportés par leur désir de trop bien faire. Il semble que ce soit le cas avec le Tacoma qui propose deux moteurs – ce qui est normal – et plusieurs transmissions selon le modèle et le moteur choisi.

D'abord, des moteurs. L'acheteur peut choisir entre un moteur quatre cylindres de 2,7 litres produisant 159 chevaux et un couple de180 lb-pi et un V6 de 4,0 litres dont la puissance est de 236 chevaux et le couple de 266 lb-pi. Jusque-là, tout va bien. Évidemment, si vous devez remorquer des charges plus lourdes, vous opterez pour le moteur V6 en raison de sa puissance et de son couple supérieur.

C'est que le moteur 2,7 litres est livré de série avec une boîte manuelle à cinq rapports. Si vous optez pour l'automatique, il s'agit d'une transmission à quatre rapports. Ces deux transmissions équipent les versions 2x4 ou 4x4. Par ailleurs, la décision de choisir le moteur V6 vous permet de compter sur une boîte manuelle à six rapports ou encore sur une transmission automatique à cinq rapports en option. Dans tous les cas, le rouage 4x4 de type temporaire est associé à un dispositif de contrôle de la stabilité du véhicule (VSC) et à un différentiel arrière à glissement limité automatique. Le boîtier de transfert est à 2 rapports tandis que le différentiel est à désaccouplement automatique. Le rouage 4X4 est géré par un bouton-poussoir. Et comme on croit chez Toyota que les acheteurs de ce modèle effectueront vraiment des randonnées hors route, on a placé une plaque de protection sous le moteur.

La conduite de cette camionnette est sans surprise. La tenue de route est correcte et la suspension arrière effectue du bon travail sur les routes qui sont en bonne condition. Par contre, si vous osez rouler un tantinet plus vite sur des routes secondaires parsemées de planches à laver, l'arrière du camion se met à danser la sarabande et il s'avère plus sage de lever le pied.

Somme toute, le Tacoma est un modèle qui reflète les qualités intrinsèques de la compagnie alors que la construction est solide, la mécanique efficace et la finition de bonne qualité.

Denis Duquet

Photos: Toyota

Catégorie	Camionnette
Échelle de prix	21 895 $ à 32 645 $ (2011)
Garanties	3 ans/60 000 km, 5 ans/1 00 000 km
Assemblage	San Antonio, Texas, États-Unis
Cote d'assurance	passable

CHÂSSIS - 4X4 V6 CAB. DOUBLE	
Emp/lon/lar/haut	3 246/5 286/1 895/1 781 mm
Longueur de boîte	1 531 mm (60,3 pouces)
Réservoir	80 litres
Nombre coussins sécurité / ceintures	6 / 5
Suspension avant	indépendante, double triangulation
Suspension arrière	essieu rigide, ressorts à lames
Freins avant / arrière	disque / tambour
Direction	à crémaillère, assistée
Diamètre de braquage	13,2 m
Pneus avant / arrière	P245/75R16 / P245/75R16
Poids	1 873 kg
Capacité de remorquage	1 587 kg (3 498 lb)

COMPOSANTES MÉCANIQUES	
Cylindrée, soupapes, alim.	4L 2,7 litres 16 s atmos.
Puissance / Couple	159 chevaux / 180 lb-pi
Tr. base (opt) / rouage base (opt)	M5 (A4) / Prop (4x4)
0-100 / 80-120 / 100-0 km/h	n.d. / n.d. / n.d.
Type ess. / ville / autoroute	Ordinaire / 11,5 / 9,2 l/100 km
Cylindrée, soupapes, alim.	V6 4,0 litres 24 s atmos.
Puissance / Couple	236 chevaux / 266 lb-pi
Tr. base (opt) / rouage base (opt)	M6 (A5) / 4x4
0-100 / 80-120 / 100-0 km/h	7,3 s / 6,2 s / 40,3 m
Type ess. / ville / autoroute	Ordinaire / 14,7 / 10,8 l/100 km

- Construction solide
- Moteurs bien adaptés
- Habitacle confortable
- Dimensions songées
- Prise de courant dans la caisse

- Gare aux prix des options
- Moteur V6 gourmand
- Suspension arrière instable
- Cabine Accès un peu juste

DU NOUVEAU EN 2012

Changements de mi-génération

http://www.toyota.ca/

Plus d'informations dans la section statistiques en dernière partie du Guide

A-T-ELLE LES MOYENS DE SES AMBITIONS ?

Après avoir longtemps cartonné avec ses camionnettes compactes et s'être échaudée avec la T100, un peu plus grande, Toyota a lancé une première Tundra enfin dotée d'un V8 en 2000. Mais ce n'était pas assez. Porté par son ambition sans limites de l'époque, le premier constructeur japonais lança, en 2007, une Tundra plus grande, costaude et puissante, conçue aux États-Unis et fabriquée dans une usine texane neuve, qui lui a coûté un milliard et demi jusqu'à maintenant. De quoi percer enfin une brèche dans le dernier bastion des constructeurs américains chancelants, celui des grandes camionnettes. Ça ne devait pas rater, et pourtant...

CONCURRENTS
Chevrolet Silverado,
RAM 1500,
Ford F-150,
GMC Sierra,
Nissan Titan

IMPRESSIONS DE L'AUTEUR	
Agrément de conduite :	3 / 5
Fiabilité :	4.5 / 5
Sécurité :	4 / 5
Qualités hivernales :	4 / 5
Espace intérieur :	4 / 5
Confort :	4 / 5

Sur papier, la grande Tundra avait tout pour réussir. D'abord le physique de l'emploi, avec des dimensions proches de celles des best-sellers américains. La gueule aussi, avec un capot haut et massif, des ailes prononcées et cette grosse calandre en trapèze au cadre chromé qui porte le gros écusson Toyota aux trois ovales en plein centre. Puissante aussi, avec deux moteurs V8 disponibles. Pas de V6 cette fois, même si la concurrence en offre.

UN GROS HIC

Mais voilà, les acheteurs de grandes camionnettes sont très conservateurs, savent ce qu'ils aiment, savent ce qu'ils veulent et sont souvent des inconditionnels d'une des trois marques américaines. Le défi de Toyota est d'autant plus grand que ces dernières sont aguerries et leurs grandes camionnettes pleinement compétitives. Il s'agit du segment le plus populaire et lucratif du marché, après tout.

La crise financière a également frappé peu après le lancement de la Tundra et ce fut ensuite la tourmente des rappels pour Toyota. Avec le résultat que les rêves de percée, sinon de domination ont été mis en veilleuse. Les ventes ont représenté le cinquième de celles des Ford de série F aux États-Unis et ce fut plutôt du dix pour un au Québec. Il faut dire que Toyota ne s'est pas encore lancée sur le marché des camionnettes plus lourdes qui constituent une part intéressante des ventes. Et ce n'est pas demain la veille.

LE PUZZLE HABITUEL

Pour se mesurer sérieusement aux Américaines, il fallait aussi que la Tundra offre les configurations variées auxquelles s'attend l'acheteur type. On a donc le choix d'une cabine simple, d'une cabine allongée à portières d'accès pour la banquette arrière (Double Cab) ou d'une cabine à quatre portières (Crew Cab), cette dernière disponible seulement avec rouage à quatre roues motrices.

Ces trois types d'habitacle sont jumelés à des plates-formes de 5,5 pieds (1,68 m), 6,5 pieds (1,98 m) ou 8,1 pieds (2,47 m), selon le modèle. La plus courte est exclusive aux versions Crew Cab. La championne de la longueur totale est la version à cabine allongée et plate-forme longue qui s'allonge sur 6,29 mètres alors que les Crew Cab et les Double Cab à plate-forme de 6,5 pieds font 5,81 mètres.

Et il faut encore choisir entre les V8 de 4,6 ou 5,7 litres, jumelé ou pas au rouage à quatre roues motrices débrayable. Tout ça donne onze grandes combinaisons, auxquelles s'ajoutent des groupes d'options relativement chers, mais très complets, comme toujours chez Toyota. Le groupe TRD, par exemple, censément axé sur la conduite en tout-terrain, comprend des pneus plus grands (taille 275/65) montés sur des jantes d'alliage de 18 pouces et des amortisseurs Bilstein. Selon le modèle, le groupe TRD peut ajouter jusqu'à trente-cinq éléments qui vont de sièges baquet avant à la connectivité Bluetooth, en passant par les sonars avant et arrière, un volant réglable sur les deux axes et du chrome pour les pare-chocs et la calandre. Plus simple est le modèle au départ et plus le groupe TRD devient complet. Même jeu pour le groupe SR5, qui rehausse l'apparence des modèles les plus dépouillés.

TIÈDE OU MOINS TIÈDE

Le V8 de 5,7 litres et 381 chevaux est là depuis le lancement de la nouvelle Tundra, il y a cinq ans. C'est un moteur très en verve, qui permet à un Crewmax d'atteindre 100 km/h en 6,84 secondes et de boucler le quart de mile en 15,05 secondes, avec une pointe de 152,1 km/h. À titre de comparaison, un Ford F-150 Platinum 4x4 équipé du V6 3.5L EcoBoost turbo de 365 chevaux s'exécute en 7,79 et 15,71 secondes, atteignant 144,5 km/h. Par contre, les cotes de consommation ville/route du 5,7 litres Toyota sont de 16.7/12.1 l/100km tandis que celles du EcoBoost de 15,7/11,2 pour un couple maxi un peu plus élevé, livré à plus bas régime.

Le V8 de 4,6 litres du Tundra inscrit des chronos de 8,61 et 16,39 secondes dans les mêmes tests, avec une pointe de 140,2 km/h au bout du quart de mile. Il s'essouffle par contre étrangement à la moindre pente et ses cotes de consommation sont de 14,8/10,3 l/100 km. La version Double Cab SR5 équipée de ce moteur est confortable, pratique et très correcte en conduite normale, mais elle peine contre ses rivales lorsqu'il est question de tracter une remorque le moindrement lourde. La concurrence a marqué des points en soulignant les flexions du châssis des Tundra sur route bosselée ou en terrain inégal. La grande Toyota ne se reprend en fait qu'en décrochant les meilleures notes dans les sondages et classements de fiabilité. Il lui en faudra plus pour s'imposer devant les Américaines.

Marc Lachapelle

Photos: Marc Lachapelle

TOYOTA TUNDRA

Catégorie	Camionnette
Échelle de prix	26 195 $ à 51 400 $ (2011)
Garanties	3 ans/60 000 km, 5 ans/100 000 km
Assemblage	San Antonio, Texas, États-Unis
Cote d'assurance	passable

CHÂSSIS - 4X4 SR5 5.7L CREWMAX	
Emp/lon/lar/haut	3 700/5 810/2 030/1 940 mm
Longueur de boîte	1 695 mm (66,7 pouces)
Réservoir	100 litres
Nombre coussins sécurité / ceintures	8 / 5
Suspension avant	indépendante, double triangulation
Suspension arrière	essieu rigide, ressorts à lames
Freins avant / arrière	disque / disque
Direction	à crémaillère, assistée
Diamètre de braquage	13,4 m
Pneus avant / arrière	P275/65R18 / P275/65R18
Poids	2 551 kg
Capacité de remorquage	4 080 kg (8 994 lb)

COMPOSANTES MÉCANIQUES	
Cylindrée, soupapes, alim.	V8 4,6 litres 32 s atmos.
Puissance / Couple	310 chevaux / 327 lb-pi
Tr. base (opt) / rouage base (opt)	A6 / Prop (4x4)
0-100 / 80-120 / 100-0 km/h	8,6 / n.d. / n.d.
Type ess. / ville / autoroute	Ordinaire / 14,8 / 10,3 l/100 km
Cylindrée, soupapes, alim.	V8 5,7 litres 32 s atmos.
Puissance / Couple	381 chevaux / 401 lb-pi
Tr. base (opt) / rouage base (opt)	A6 / Prop (4x4)
0-100 / 80-120 / 100-0 km/h	6,9 s / 5,2 s / 45,9 m
Type ess. / ville / autoroute	Ordinaire / 16,7 / 12,1 l/100 km

FEU VERT

- Bonne position de conduite
- Sièges avant confortables
- Un vrai repose-pied
- Places arrière spacieuses (Crewmax)
- Banquette arrière pratique (Double Cab)

FEU ROUGE

- Certaines commandes trop éloignées
- Pas de mode intégral pour les 4RM
- Affichages peu lisibles phares allumés
- Moteur 4,6 litres vite surchargé
- Consommation plutôt élevée

DU NOUVEAU EN 2012

Aucun changement majeur

http://www.toyota.ca/

Plus d'informations dans la section statistiques en dernière partie du Guide

SURTOUT POUR LA FORME

On achète souvent un produit Toyota pour des raisons éminemment logiques, raisonnables et pragmatiques. On achète pour une réputation de qualité et de fiabilité qui fut longtemps sans faille ou presque. On achète pour des raisons pratiques aussi, pour la commodité, pour le confort. Or, dans le cas de la Venza, c'est presque le contraire. Cette cousine surélevée de la Camry, dont elle partage la structure et la plupart des composantes mécaniques, est populaire avant tout pour sa silhouette profilée. Pour son look, en somme. Ce qui ne signifie aucunement qu'elle soit dépourvue des qualités habituelles des Toyota. Elle en propose même quelques-unes qui ne leur sont pas toujours associées.

CONCURRENTS
Dodge Journey,
Ford Edge,
Hyundai Santa Fe,
Mazda CX-7,
Nissan Murano

IMPRESSIONS DE L'AUTEUR	
Agrément de conduite : ■■■■	4/5
Fiabilité : ■■■■▌	4.5/5
Sécurité : ■■■■	4/5
Qualités hivernales : ■■■■	4/5
Espace intérieur : ■■■■	4/5
Confort : ■■■■	4/5

La Venza est svelte et costaude à la fois, avec de grandes roues de 19 ou 20 pouces — selon le modèle — qui assurent l'équilibre des formes avec les flancs assez hauts de la carrosserie. C'est sans doute ce qui la rend si attrayante, parce qu'elle est effectivement très populaire depuis son lancement il y a trois ans. Tant pis pour les maux de tête et la facture lorsque vient novembre et l'obligation de chausser les pneus d'hiver.

SÉJOUR AGRÉABLE

L'habitacle paraît cossu au premier coup d'œil, surtout si on ajoute le groupe Tourisme, qui comprend la sellerie de cuir, des sièges avant chauffants, le démarrage sans clé, un hayon à commande électrique, une caméra de marche arrière, un toit ouvrant panoramique, un écran d'affichage paramétrable, des boiseries, des phares au xénon autonivelants et quelques autres babioles. Une option de quelques milliers de dollars, quand même, qui ne change toutefois rien à l'étrange grain strié des plastiques utilisés pour le tableau de bord. Le même motif que dans la fourgonnette Sienna. L'aspect franchement banal du seuil en métal des portières nous porte également à croire que Toyota n'utilise plus systématiquement les meilleurs matériaux disponibles, du moins par leur aspect.

Le sélecteur de vitesses monté au tableau de bord est accessible et précis malgré le tracé en zigzag inutile avec le mode manuel qu'on enclenche en poussant le levier vers la gauche. Le petit écran d'affichage est placé loin du conducteur sur le tableau de bord, ce qui rend l'image de la caméra de marche arrière pratiquement inutilisable. Il est également agaçant que les réglages de la climatisation y soient affichés plutôt que sur la console où se trouvent les boutons de réglage d'ailleurs implantés trop bas.

Catégorie	Multisegment
Échelle de prix	29 310 $ à 32 250 $ (2011)
Garanties	3 ans/60 000 km, 5 ans/100 000 km
Assemblage	Georgetown, Kentucky, É-U
Cote d'assurance	n.d.

L'accès aux places avant est particulièrement facile. On ne monte pas à bord d'une Venza autant qu'on s'y glisse, sans le moindre effort. Il s'agit là, sans contredit, d'un atout appréciable. La position de conduite est droite, juste et confortable, avec des réglages facilement accessibles et un repose-pied large et plat, une excellente habitude chez Toyota. Les sièges sont très bien taillés, avec une assise suffisamment longue pour assurer un excellent maintien des jambes. Les places arrière, spacieuses et confortables, offrent d'excellents dégagements pour les genoux et les pieds. La place centrale est même vraiment utilisable, toujours une rareté. Pour de courts trajets, mais quand même. Le dossier arrière est réglable en angle et l'assise solidaire s'ajuste du même coup. Le dossier se replie également en tirant une manette dans la soute. On se retrouve avec un plancher plat.

SILENCE ON ROULE

La Venza est silencieuse sur autoroute et tient son cap sans rechigner. Elle affiche un bel aplomb sur les routes bosselées grâce à un amortissement efficace. Le diamètre de braquage est assez court pour sa taille, ce qui la rend très maniable dans les coins plus serrés. La sonorité du quatre cylindres n'a rien d'agréable de l'extérieur, mais on ne l'entend pratiquement pas de l'intérieur. Si les performances sont correctes pour ses 182 chevaux, c'est grâce à un accélérateur nerveux et une boîte automatique à 6 rapports dont les premiers sont assez courts (démultipliés) pour mettre les 1 790 kilos de cette version en mouvement et lui permettre de filer à 100 km/h en 11,02 secondes.

Le contraste est quand même important avec les 1 540 kilos de la Outback, rivale dont le quatre cylindres de 2,5 litres et 170 chevaux permet un 0-100 km/h quasi identique de 11,2 secondes, mais dont les cotes de consommation ville/route de 9,5/6,9 sont meilleures que les 10,2/7,1 de la Venza. Les choses bougent évidemment beaucoup plus vite dans la Venza lorsqu'on l'équipe du V6 optionnel de 3,5 litres et 268 chevaux. Le 0-100 km/h est expédié en seulement 7,28 secondes et les cotes de consommation de 11,5/7,9 l/100 km sont malgré tout très raisonnables.

Chose certaine, la Venza pourrait faire une bonne diète. De plus, à encombrement équivalent, la Outback propose une capacité de remorquage et un volume cargo supérieurs. À vrai dire, la soute cargo de la Venza est assez peu profonde et spacieuse en comparaison directe. C'est le prix à payer pour cette ligne de toit fuyante qui fait son élégance. Le plancher est haut et on trouve une roue de rechange dessous plutôt que des rangements additionnels et un espace pour ranger l'écran à bagages lorsque ses services ne sont pas requis. Pour l'agrément et la facilité d'utilisation au jour le jour par contre, rien à redire. C'est une des grandes forces des Toyota qu'il faut certainement considérer. La Venza a certainement les formes, mais le fond y est également.

Marc Lachapelle

Photos: Marc Lachapelle

CHÂSSIS - BASE AWD

Emp/lon/lar/haut	2 775/4 800/1 905/1 610 mm
Coffre	870 à 1 990 litres
Réservoir	67 litres
Nombre coussins sécurité / ceintures	7 / 5
Suspension avant	indépendante, jambes de force
Suspension arrière	indépendante, jambes de force
Freins avant / arrière	disque / disque
Direction	à crémaillère, ass. électrique
Diamètre de braquage	11,9 m
Pneus avant / arrière	P245/55R19 / P245/55R19
Poids	1 790 kg
Capacité de remorquage	1 134 kg (2 500 lb)

COMPOSANTES MÉCANIQUES

Base	
Cylindrée, soupapes, alim.	4L 2,7 litres 16 s atmos.
Puissance / Couple	182 chevaux / 182 lb-pi
Tr. base (opt) / rouage base (opt)	A6 / Tr (Int)
0-100 / 80-120 / 100-0 km/h	11,0 s / 7,5 s / 42,1 m
Type ess. / ville / autoroute	Ordinaire / 10,2 / 7,1 l/100 km

V6	
Cylindrée, soupapes, alim.	V6 3,5 litres 24 s atmos.
Puissance / Couple	268 chevaux / 246 lb-pi
Tr. base (opt) / rouage base (opt)	A6 / Tr (Int)
0-100 / 80-120 / 100-0 km/h	7,3 s / 6,8 s / 43,0 m (est)
Type ess. / ville / autoroute	Ordinaire / 11,5 / 7,9 l/100 km

FEU VERT

- Tous les sièges confortables
- Silhouette réussie
- Grand silence sur la route
- Rangements multiples

FEU ROUGE

- Texture étrange du tableau de bord
- Soute cargo peu profonde
- Un surpoids certain
- Feux rouges

DU NOUVEAU EN 2012

Aucun changement majeur

http://www.toyota.ca/

Plus d'informations dans la section statistiques en dernière partie du Guide

IL ÉTAIT TEMPS!

L'an dernier, dans un match comparatif des voitures sous-compactes publié dans le Guide de l'auto, la Yaris a terminé loin derrière les autres voitures évaluées. Mais il ne s'agissait pas d'un modèle dépouillé, bien au contraire. Sa facture dépassait allègrement la barre des 21 000 $, soulignant ainsi un modèle bien équipé et doté de la transmission automatique. Connaît-elle cette année des changements susceptibles d'améliorer son rang?

Justement, c'est la bonne nouvelle. La Yaris sera revue en profondeur pour 2012. La version hatchback fait peau neuve et sera offerte en version trois portes et cinq portes. La carrosserie est complètement transformée, le tableau de bord est tout nouveau et la mécanique a été raffinée. Par contre, la berline demeura inchangée en 2012.

QUEL CONTRASTE!

L'arrivée d'une nouvelle version des modèles de trois et cinq portes fera paraître encore plus mal la pauvre berline. Elle était vieillotte lors de son entrée en scène et elle l'est encore plus aujourd'hui. S'il est vrai que son coffre est plus grand et que les places arrière sont quelque peu meilleures, le reste est triste à mourir. Et si le modèle hatchback dispose d'un tout nouveau tableau de bord, celui de la berline conserve l'instrumentation au centre. Sur la partie supérieure de la planche de bord, il y a le compte-tours et l'indicateur de vitesse qui sont regroupés dans un réceptacle en forme de demi-lune. Ce tandem surplombe deux buses de ventilation, le système audio et les commandes verticales composées de trois gros boutons de réglage.

Et c'est là que les choses se corsent. Plusieurs ont cette disposition en horreur et soulignent avec véhémence son manque d'élégance et les difficultés qu'ils éprouvent à consulter le tout

CONCURRENTS

Chevrolet Sonic, Ford Fiesta, Honda Fit, Hyundai Accent, Kia Rio/Rio5, Mazda2, Nissan Versa

IMPRESSIONS DE L'AUTEUR

Agrément de conduite :	3.5/5
Fiabilité :	5/5
Sécurité :	4/5
Qualités hivernales :	3/5
Espace intérieur :	3.5/5
Confort :	3/5

efficacement. Bref, l'opinion de la majorité veut qu'il eût été possible de faire mieux.

Par ailleurs, la nouvelle version propose un changement radical à ce niveau et les cadrans indicateurs sont placés immédiatement devant le conducteur. De plus, ils sont très faciles à lire avec leurs chiffres noirs sur fond blanc. Ces cadrans sont cerclés d'une bande en aluminium, une touche digne de mention. La radio est placée en plein centre dans un appliqué ovoïde qui donne davantage de relief à la présentation du tableau de bord. Soulignons au passage que le volant est nettement plus élégant qu'auparavant et sa partie inférieure est plane, comme le veut la tendance actuelle.

Catégorie	Berline, Hatchback
Échelle de prix	13 995 $ à 19 530 $ (2011)
Garanties	3 ans/60 000 km, 5 ans/100 000 km
Assemblage	Miyagi, Japon
Cote d'assurance	passable

Si la berline conserve la même silhouette, le nouveau hatchback est plus dynamique sur le plan visuel. Il a de surcroît été allongé, ce qui permet d'offrir plus d'espace à l'intérieur. Par contre, si la planche de bord a été modifiée, elle a conservé les mêmes plastiques trop durs de la version précédente. Certains lèveront le nez sur ce choix, mais d'autres s'en foutront éperdument. Mais une chose est certaine : c'est du solide.

ROBUSTE ET BRUYANT

Même si cette nouvelle mouture du Yaris trois et cinq portes est nettement plus élégante et plus pratique, les ingénieurs ont conservé les mêmes groupes propulseurs. La suspension a été révisée, mais on a toujours les jambes de force à l'avant et une poutre déformante à l'arrière. Comme cette voiture n'a aucune prétention sportive, cette configuration fait le travail. Par contre, lorsque la route devient bosselée, le train arrière sautille et il faut alors lever le pied. Il faut également faire preuve de retenue quant à la vitesse, puisque cette Toyota dispose de freins arrière à tambours.

Mais, il serait difficile de critiquer cette conception mécanique outre mesure, car c'est pratiquement la norme dans cette catégorie. Malheureusement, au fil des années, la Yaris est devenue la seconde voiture la moins puissante de son segment. Pour s'assurer des accélérations dignes de ce nom, il faut vraiment jouer du levier de vitesse de la boîte manuelle à cinq rapports. Par contre, en raison du profil de sa courbe de couple, c'est l'une des voitures qui se faufile le plus facilement dans la circulation. Il s'agit de maintenir le régime à environ 3 000 tours/minute et le tour est joué. Quant à la transmission automatique à quatre rapports — qui a pour effet d'augmenter le niveau sonore de l'habitacle —, il est surprenant qu'elle soit de retour sur un modèle sérieusement transformé.

Quoi qu'il en soit, même si les transformations ne sont pas spectaculaires, elles permettent à ce modèle d'être plus compétitif face à la concurrence. Et pour plusieurs, sa consommation moyenne de 6,0 l/100 km et la fiabilité de la mécanique sont des arguments suffisants pour se la procurer.

Bien entendu, il ne faut jamais perdre de vue que, pour bien des gens, une sous-compacte est davantage moyen de transport qu'un véhicule d'agrément.

Denis Duquet

Photos : Denis Duquet

CHÂSSIS - BERLINE

Emp/lon/lar/haut	2 550/4 300/1 690/1 460 mm
Coffre	388 litres
Réservoir	42 litres
Nombre coussins sécurité / ceintures	6 / 5
Suspension avant	indépendante, jambes de force
Suspension arrière	semi-indépendante, poutre de torsion
Freins avant / arrière	disque / tambour
Direction	à crémaillère, ass. électrique
Diamètre de braquage	10,4 m
Pneus avant / arrière	P185/60R15 / P185/60R15
Poids	1 045 kg
Capacité de remorquage	318 kg (701 lb)

COMPOSANTES MÉCANIQUES

Berline, hatchback

Cylindrée, soupapes, alim.	4L 1,5 litre 16 s atmos.
Puissance / Couple	106 chevaux / 103 lb-pi
Tr. base (opt) / rouage base (opt)	M5 (A4) / Tr
0-100 / 80-120 / 100-0 km/h	9,4 s / 7,7 s / 41,8 m
Type ess. / ville / autoroute	Ordinaire / 6,9 / 5,4 l/100 km

- Nouvelle version hatchback
- Consommation réduite
- Durable
- Habitabilité correcte
- Fiabilité impressionnante

- Direction engourdie
- Performances moyennes
- Plastiques bon marché
- Sièges moyennement confortables
- Tableau de bord controversé (berline)

DU NOUVEAU EN 2012

Carrosserie et habitacle de la hatchback renouvelés

http://www.toyota.ca/

Plus d'informations dans la section statistiques en dernière partie du Guide

À L'ASSAUT DE LA PLANÈTE

La Beetle entame sa troisième génération et les objectifs visés par le constructeur ont drôlement changé avec les refontes. La première mouture était un véhicule d'après-guerre. Les impératifs d'alors étaient d'offrir un moyen de transport simple et économique à la population. La seconde génération s'adressait aux Nord-Américains nostalgiques qui voulaient revivre les années 60. En fait, ce sont surtout les femmes qui l'ont adoptée. Si la troisième mouture reprend elle aussi la silhouette singulière de cette Allemande, on s'est cette fois appliqué à développer une voiture qui devrait se vendre non plus en raison de sa forme particulière, mais bien pour ses qualités routières.

En effet, la nouvelle génération se veut une authentique voiture et non pas une caricature nostalgique d'une légende. Cette fois, on a pris les choses au sérieux et on a décidé de faire une vraie automobile, tout en respectant la silhouette si typique de la coccinelle alias Beetle.

PLUS LONGUE, PLUS PRATIQUE

La plupart des designers vous diront que la forme doit suivre la fonction. Dans le cas de la New Beetle, on a eu droit à une exception alors que la fonction était entièrement dépendante de la forme. Silhouette historique oblige, on s'est retrouvé avec une voiture dont l'apparence extérieure, élégante et agréable, avait été mise en valeur, au détriment, toutefois, de l'aménagement intérieur. Pilote et passagers se retrouvaient assis presque au centre de la voiture, le pare-brise était à plus d'un mètre des occupants des places avant et le hayon donnant accès à la soute à bagages était petit et peu pratique. Par contre, on avait pris le soin de placer un pot à fleurs sur la planche de bord. Une réminiscence de l'époque du flower power… Un loustic avait d'ailleurs écrit que ce pot de fleurs ne devait pas servir à y placer des fleurs, mais plutôt à faire pousser du *pot*.

CONCURRENTS
Mini Cooper

IMPRESSIONS DE L'AUTEUR		
Agrément de conduite :	■■■■	4 / 5
Fiabilité :	NOUVEAU MODÈLE	
Sécurité :	■■■■	4 / 5
Qualités hivernales :	■■■▮	3.5 / 5
Espace intérieur :	■■■▮	3.5 / 5
Confort :	■■■■	4 / 5

Cette fois, le projet est plus sérieux et plus fonctionnel. On a allongé la voiture, on lui a également donné de la largeur afin d'offrir une meilleure habitabilité. En outre, l'un des changements les plus importants, c'est la modification de la ligne du toit. On a aplati la courbe afin d'offrir un meilleur dégagement pour la tête aux places arrière. Toujours au chapitre de l'aménagement intérieur, l'espace pour les bagages est maintenant de 436 litres et il grimpe à 850 litres une fois le dossier du siège arrière rabattu. Par contre, bien qu'il soit de type 50/50, il ne se replie pas à plat complètement.

Mais la plus grande transformation en matière de stylisme est au niveau du tableau de bord. Celui-ci a été complètement revu et il est maintenant beaucoup plus pratique et beaucoup plus élégant. On a également respecté plusieurs éléments de la Beetle originale, notamment ce coffre à gants sur la face supérieure. L'ensemble est simple et fonctionnel. On se doit aussi de souligner que les cadrans indicateurs sont très faciles à consulter, particulièrement le cadran indicateur central, qui affiche la vitesse et qui possède en sa partie inférieure un centre d'information compréhensible. Par contre, la présentation des modèles européens et américains diffère l'une de l'autre. Par exemple, sur les versions nord-américaines, la couleur de la planche de bord s'harmonise à celle de la carrosserie, ce qui n'est pas le cas pour la version européenne. Quant aux jantes chromées, elles ne seront pas offertes chez nous. Un bémol, cependant, quant à la qualité des plastiques utilisés : on aurait apprécié quelque chose de plus souple au toucher.

Les sièges sont de véritables réussites. Qu'il s'agisse du modèle de base réglable manuellement ou des modèles plus luxueux avec leurs multiples réglages par commandes électriques, le support latéral est bon et l'assise supporte bien cuisses. Il faut souligner au passage que la position de conduite est excellente grâce, entre autres, à la présence d'un large repose-pied, qui sera apprécié de tous.

Comme sur la Passat, il est possible de commander en option un système audio de marque Fender. Les ingénieurs de cette célèbre compagnie reconnue pour ses instruments musicaux ont concocté différents éléments qui s'harmonisent entre eux pour produire un son à la hauteur de l'image de la marque. Ce travail a été réalisé en collaboration avec Panasonic, qui fournit l'amplificateur de 400 watts, le syntoniseur et le disque dur. Les sorciers du son de chez Fender ont développé les haut-parleurs et procédé à leur emplacement stratégique. Soulignons au passage que la présence d'un caisson de graves dans le coffre grappille quelques centimètres à la largeur. Et après une écoute attentive, force est d'admettre que la sonorité est dynamique. Avis aux amateurs de musique rock : le système audio Fender est livré avec un système d'éclairage d'ambiance que l'on peut régler en trois couleurs (bleu, blanc et rouge). Les haut-parleurs des portières sont cerclés de lumière variant selon la couleur choisie. Finalement, il faut souligner la qualité de la finition et de l'assemblage. Ce véhicule est assemblé à l'usine de Puebla au Mexique, et on ne trouve rien à redire en fait de qualité.

LES VALEURS SÛRES

Pour ce qui est la mécanique, soulignons qu'il s'agit d'une version modifiée de la plate-forme utilisée sur la Golf. Quant à la configuration mécanique elle-même, il est important de préciser que

certains modèles sont dotés de suspensions arrière à poutres déformantes et de freins arrière à tambours. Sur les modèles plus élaborés et notamment ceux équipés du moteur 2,0 litres TFI de 200 chevaux, la suspension arrière est indépendante tandis que les freins à disques aux quatre roues sont de série. De plus, la boîte manuelle à six rapports est de base tandis que l'automatique, à six rapports également, est offerte en option. Il s'agit une transmission DSG à double embrayage.

En plus du moteur turbo, le cinq cylindres de 2,5 litres produisant 170 chevaux figure également au catalogue. Cette fois, la boîte manuelle est à cinq rapports, tandis que la boîte automatique à six rapports est un simple embrayage cette fois. L'an prochain, le turbo diésel de 2,0 litres d'une puissance de 140 chevaux sera disponible. Somme toute, on s'est assuré d'avoir recours à des groupes propulseurs bien adaptés, mais qui surtout, ont fait leurs preuves en matière de fiabilité et de durabilité.

Il est également important de souligner que, même si cette Beetle du 21e siècle est toujours construite au Mexique, la vocation de ce coupé ne sera pas limitée à notre continent comme ce fut le cas avec la génération précédente. En effet, cette fois-ci, la Beetle du 21e siècle, comme on l'appelle dans les communiqués de Volkswagen, sera vendue sur tous les continents où le constructeur est présent.

UNE BONNE ROUTIÈRE

Mais tous ces changements n'auraient servi à rien si la voiture

Catégorie	Coupé, Hatchback
Échelle de prix	n.d.
Garanties	4 ans/80 000 km, 5 ans/100 000 km
Assemblage	Puebla, Mexico
Cote d'assurance	passable

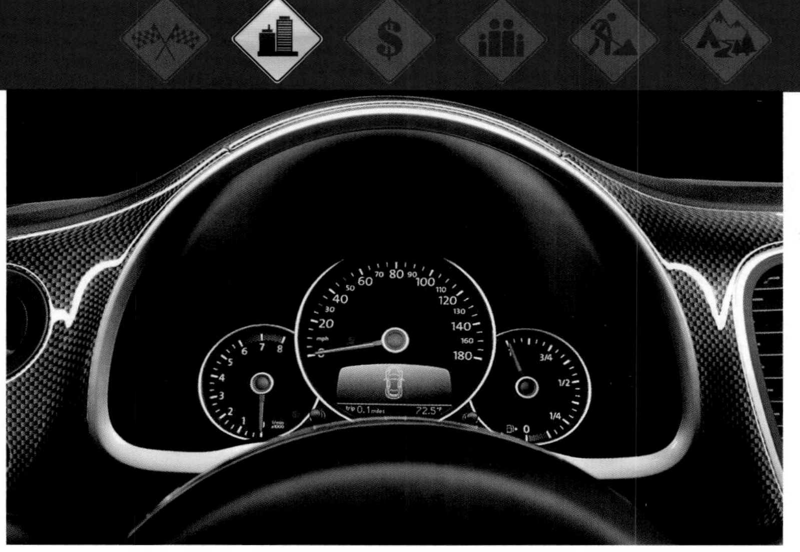

n'était pas agréable à conduire. En effet, il s'agit d'un coupé, un modèle qui intéresse surtout les gens qui apprécient une conduite plus relevée que la moyenne. Lors du lancement de ce modèle, nous avons seulement pu essayer la version turbocompressée dotée de la suspension sport. Cela signifie une suspension arrière indépendante, des freins à disques aux quatre roues et une transmission automatique à double embrayage.

Comme il s'agit une voiture relativement petite, la conduite de la Beetle s'est avérée agile, efficace et empreinte d'une bonne neutralité dans les virages. En dépit de la présence de la suspension sport, le confort était relativement bon. Dès que le turbo entre en scène, les accélérations sont très franches, voire sportives. La direction à assistance hydraulique est précise et son assistance fort bien dosée. Quant aux freins, ils se sont avérés un peu trop sensibles à froid. D'autre part, on pouvait sentir des vibrations du moteur en certaines occasions, un peu comme si la transmission n'était pas en totale harmonie avec le régime moteur.

À part quelques petites broutilles, la Beetle du 21e siècle possède tous les outils pour connaître beaucoup de succès partout dans le monde.

Denis Duquet

Photos: Denis Duquet

CHÂSSIS - 2.0 TSI

Emp/lon/lar/haut	2 537/4 278/1 808/1 486 mm
Coffre	436 à 850 litres
Réservoir	55 litres
Nombre coussins sécurité / ceintures	n.d. / 4
Suspension avant	indépendante, jambes de force
Suspension arrière	indépendante, multibras
Freins avant / arrière	disque / disque
Direction	à crémaillère, assistée
Diamètre de braquage	10,8 m
Pneus avant / arrière	P225/40R18 / P225/40R18
Poids	1 380 kg
Capacité de remorquage	n.d.

COMPOSANTES MÉCANIQUES

2.5

Cylindrée, soupapes, alim.	5L 2,5 litres 20 s atmos.
Puissance / Couple	170 chevaux / 177 lb-pi
Tr. base (opt) / rouage base (opt)	M5 (A6) / Tr
0-100 / 80-120 / 100-0 km/h	n.d. / n.d. / n.d.
Type ess. / ville / autoroute	Ordinaire / n.d.

2.0 TSI

Cylindrée, soupapes, alim.	4L 2,0 litres 16 s turbo
Puissance / Couple	200 chevaux / 207 lb-pi
Tr. base (opt) / rouage base (opt)	M6 (A6) / Tr
0-100 / 80-120 / 100-0 km/h	n.d. / n.d. / n.d.
Type ess. / ville / autoroute	Super / n.d.

FEU VERT

- Choix de moteurs
- Bonne tenue de route
- Habitacle plus homogène
- Équipement complet
- Places avant confortables

FEU ROUGE

- Places arrière restreintes
- Freins à tambour sur certains modèles
- Diesel dans un an seulement
- Fiabilité à déterminer

DU NOUVEAU EN 2012

Nouveau modèle

http://www.vw.ca/

Plus d'informations dans la section statistiques en dernière partie du Guide

DE MÈRE EN FILLE

Lorsque la jolie berline aux airs de coupé de Volkswagen est née en 2009, il s'agissait d'une Passat revampée. C'est d'ailleurs la raison pour laquelle elle s'appelait Passat CC (pour Comfort Coupe). Alors que la Passat berline possédait des lignes d'une grande sobriété, la nouvelle venue s'éclatait passablement plus. Elle ne partageait aucun panneau de carrosserie avec sa génitrice, était plus longue, plus large et plus basse, ce qui la rendait beaucoup plus attrayante.

CONCURRENTS
Acura TSX, Audi A4, BMW Série 3 Buick Legal, Lexus IS, Mercedes-Benz Classe C

IMPRESSIONS DE L'AUTEUR	
Agrément de conduite :	4/5
Fiabilité :	3/5
Sécurité :	5/5
Qualités hivernales :	3.5/5
Espace intérieur :	3.5/5
Confort :	3.5/5

Voilà qu'en 2012 nous arrive une nouvelle Passat. Volkswagen aurait pu, comme plusieurs constructeurs l'auraient sans doute fait, nous arriver avec une Passat CC basée sur la nouvelle génération ou tout simplement attendre un an avant de présenter cette nouvelle version. Eh non. Dans un geste qui n'est pas dénué de logique, Volkswagen a décidé de conserver la Passat CC en prenant toutefois bien soin d'enlever la mention Passat dans son nom. On se retrouve donc avec une CC tout court, ce qui n'est pas une mauvaise idée quand on mesure à quel point elle peut parfaitement tenir son bout, autant physiquement que mécaniquement. Et comme elle est beaucoup plus jolie que la nouvelle Passat (c'est mon humble avis), elle lui aurait sans aucun doute porté ombrage si elle avait porté le même nom.

ENCORE POUR QUELQUES ANNÉES

Toujours est-il que la CC revient en 2012 sans changement et devrait demeurer encore quelques années dans le paysage sans modifications majeures, ce qui n'est pas une mauvaise nouvelle. Si la carrosserie s'attire tous les compliments, l'habitacle est du même moule. Le tableau de bord est certes moins éclaté que la robe, mais il s'avère très esthétique et, surtout, ergonomique. Comme pour l'extérieur, la qualité de la finition est irréprochable. Le volant se prend bien en main et dès qu'on a trouvé une position de conduite parfaite, on n'a qu'une envie: partir à l'aventure. Au fil des kilomètres, les sièges demeurent confortables, même pour les très grandes personnes en raison de son recul suffisant (c'est peut-être la tête qui sera un peu juste...), le repose-pied est bien placé et le système audio livre des prestations tout à fait honorables. En plus, on retrouve suffisamment d'espaces de rangement.

Le seul bémol tient à la visibilité vers l'arrière, un élément qui ne devait figurer qu'au 488e rang du cahier de charges de la CC. Le coffre est profond, mais pas très haut, et son ouverture s'avère grande compte tenu de la ligne sportive de la voiture. Les dossiers des sièges arrière s'abaissent et, fait à noter, on retrouve, à droite

Catégorie	Berline
Échelle de prix	33 375 $ à 46 375 $
Garanties	4 ans/80 000 km, 5 ans/100 000 km
Assemblage	Emden, Allemagne
Cote d'assurance	n.d.

du coffre, un espace de rangement pour le bidon de lave-glace, une douceur qui ne coûte pratiquement rien à produire et qu'il me fait plaisir de relever.

Les gens désirant se démarquer davantage peuvent se procurer l'ensemble R-Line qui, sur la V6, donne à la CC des roues Mallory de 18 pouces, en plus de quelques changements cosmétiques et un volant sport. Est-ce que les 2 000 $ demandés en valent la peine ? À celui ou celle qui signe le chèque de le déterminer...

200 OU 280 CHEVAUX ?

Pour ce qui est de la mécanique, on retrouve deux moteurs. Il y a tout d'abord un quatre cylindres de 2,0 litres turbocompressé qui, malgré sa relativement maigre cylindrée, procure à la CC des performances tout à fait acceptables. Il est accoquiné d'office avec une boîte manuelle à six rapports. Toutefois, la plupart des gens lui préfèrent l'automatique DSG, à six rapports aussi, qui passe les rapports à la vitesse de l'éclair. Avec le 2,0 litres, seules les roues avant assurent la traction. Ceux qui sont prêts à débourser davantage se tournent vers le V6 de 3,6 litres obligatoirement associé à la transmission automatique DSG et au rouage intégral, ce qui est une bénédiction. Ce V6 s'avère plus performant que le quatre cylindres, mais pas au point de faire passer ce dernier pour un fainéant. Ce V6 offre beaucoup de couple, même à bas régime, ce qui est toujours apprécié, surtout lorsque vient le temps d'effectuer des manœuvres de dépassement. C'est surtout sa consommation, plus élevée, qui le caractérise.

Avec un châssis de Passat, des moteurs de Passat et des transmissions de Passat, il serait surprenant que la CC se comporte autrement qu'en Passat, de la génération précédente doit-on préciser. On retrouve donc le sentiment particulier de solidité à toute épreuve des produits Volkswagen. La direction est vive et précise, et malgré un poids quelque peu élevé, on sent que la voiture est agile. Les suspensions, à jambes de force à l'avant et multibras à l'arrière, sont plus dures que celles de l'ex-berline, sans toutefois devenir inconfortables. Elles assurent une tenue de route sans faille. Les freins à disques aux quatre roues sont corrects, mais, dans une voiture aux allures aussi sportives, on s'attendrait à un peu plus de mordant. Au chapitre de la sécurité passive, on compte huit coussins gonflables.

La CC, malgré sa beauté à faire changer l'eau en vin, demeure une voiture de niche, surtout à cause de son prix. Une CC de base demande tout de même plus de 30 000$ avant tous les frais et demeure un véhicule plus ou moins pratique. Une CC V6 équipée au max (mais sans les options) enlève près de 50 000 $ à un compte de banque. C'est quand même un pensez-y-bien...

Alain Morin

Photos : Volkswagen

CHÂSSIS - HIGHLINE V6

Emp/lon/lar/haut	2 710/4 796/1 856/1 422 mm
Coffre	400 litres
Réservoir	70 litres
Nombre coussins sécurité / ceintures	8 / 4
Suspension avant	indépendante, jambes de force
Suspension arrière	indépendante, multibras
Freins avant / arrière	disque / disque
Direction	à crémaillère, ass. variable
Diamètre de braquage	10,9 m
Pneus avant / arrière	P235/40R18 / P235/40R18
Poids	1 748 kg
Capacité de remorquage	n.d.

COMPOSANTES MÉCANIQUES

2.0 TSI	
Cylindrée, soupapes, alim.	4L 2,0 litres 16 s turbo
Puissance / Couple	200 chevaux / 207 lb-pi
Tr. base (opt) / rouage base (opt)	M6 (A6) / Tr
0-100 / 80-120 / 100-0 km/h	7,9 s / 5,9 s / 43,1 m
Type ess. / ville / autoroute	Super / 10,0 / 6,7 l/100 km

Highline V6	
Cylindrée, soupapes, alim.	V6 3,6 litres 24 s atmos.
Puissance / Couple	280 chevaux / 265 lb-pi
Tr. base (opt) / rouage base (opt)	A6 / Int
0-100 / 80-120 / 100-0 km/h	6,6 s / n.d. / n.d.
Type ess. / ville / autoroute	Super / 12,0 / 8,3 l/100 km

FEU VERT

- Lignes à redonner la vue à un aveugle
- Moteurs puissants
- Rouage intégral intéressant (V6)
- Finition réussie
- Comportement routier sain

FEU ROUGE

- Quatre places seulement
- Places arrière irritantes
- Prix assez corsé
- V6 plutôt goinfre (ville)
- Coûts d'entretien élevés

DU NOUVEAU EN 2012

Révisions esthétiques

http://www.vw.ca/

Plus d'informations dans la section statistiques en dernière partie du Guide

POUR L'AMOUR DU GRAND AIR

Depuis quelques années, plusieurs segments n'ont pas la vie facile dans le monde de l'automobile. Les coupés sport, surtout ceux abordables, ont pratiquement été rayés de la carte et chez les cabriolets, seuls les modèles haut de gamme semblent survivre un peu mieux. Il est facile, dans ce contexte, de comprendre pourquoi la Eos se vend au compte-goutte depuis des années, elle qui allie le style d'un coupé sport et qui permet en même temps de se promener les cheveux au vent grâce à son toit rigide rétractable.

Si vous être à la recherche d'un cabriolet sport, vous découvrirez également que la Eos n'est pas des plus abordable. Avec son prix de base supérieur à 35 000 $, elle est loin des 25 000 $ demandés pour une Ford Mustang décapotable par exemple. Elle se retrouve donc située à mi-chemin entre les modèles plus abordables et ceux plus haut de gamme. Elle est un peu assise entre deux chaises et c'est un autre élément qui ne joue pas en sa faveur.

UNE REFONTE POUR 2012

Après déjà six ans de production, Volkswagen a décidé de poursuivre l'aventure et d'injecter un peu de nouveau dans la Eos 2012 au lieu de simplement l'éliminer. On a effectué quelques changements esthétiques lui donnant des airs de famille plus marqués et davantage associés à la signature visuelle de Volkswagen. L'avant adopte la nouvelle calandre des modèles Golf, Jetta et Touareg, élément visuel que les puristes ont toujours de la difficulté à accepter. On a déjà vu mieux, mais on veut plaire à la masse et surtout, améliorer la rentabilité des produits. Pour le reste, la Eos 2012 demeure assez peu changée et elle n'a rien pour rendre la précédente génération trop obsolète, ce qui ne sera pas sans plaire aux anciens propriétaires.

CONCURRENTS

BMW Série 1,
Chrysler 200,
Ford Mustang,
MINI Cooper

IMPRESSIONS DE L'AUTEUR

Agrément de conduite :	4 / 5
Fiabilité :	3 / 5
Sécurité :	5 / 5
Qualités hivernales :	3.5 / 5
Espace intérieur :	3.5 / 5
Confort :	3.5 / 5

Ce qu'il y a d'intéressant avec la Eos, c'est qu'elle demande peu de compromis, principalement en raison de son toit rigide escamotable. Ce toit préserve les lignes et le style de la voiture, ce qui n'est pas vraiment le cas avec les modèles à toit souple en tissu. De plus, il assure une insonorisation supérieure et son entretien est également plus facile. En fait, la Eos peut être utilisée à l'année sans problème. Lorsque la température le permet, vous pourrez retirer le toit en quelque 25 secondes, alors que ce dernier, qui se compose de cinq panneaux, se loge discrètement dans la valise. Qui plus est, le toit escamotable intègre même un toit ouvrant, une première pour un cabriolet. Vous avez donc plusieurs choix de configurations. Toutefois, comme c'est le cas pour plusieurs

Catégorie	Cabriolet
Échelle de prix	39 075 $ à 45 775 $
Garanties	4 ans/80 000 km, 5 ans/100 000 km
Assemblage	Palmela, Portugal
Cote d'assurance	bonne

modèles cabriolets, il faut composer avec un espace de chargement fortement amputé une fois le toit rangé . De plus, le toit semble capricieux et refuse parfois de s'ouvrir ou de se refermer.

UN HABITACLE SOBRE, MAIS DE QUALITÉ

À bord, difficile de faire des reproches. On apprécie l'ergonomie, simple, mais efficace, tout comme la qualité des matériaux et de l'assemblage. Plusieurs éléments soulignent le dynamisme de la voiture, notamment le volant sport, le pédalier recouvert d'aluminium et les nombreuses garnitures argentées. On trouve rapidement une bonne position de conduite grâce au volant télescopique et aux nombreux ajustements des sièges. Ceux-ci sont d'ailleurs très confortables et procurent un excellent support, même latéral, élément qu'apprécient bien souvent les amateurs de conduites plus sportive. Quant aux places arrière, elles demeurent pratiques pour y mettre vos bagages et peuvent accommoder deux passagers supplémentaires, même si l'espace aux jambes manque cruellement.

Si vous décidez de jeter votre dévolu sur la Eos, les choix sont assez simples. Outre les déclinaisons qui font varier le niveau d'équipement, la Eos dispose d'une seule mécanique, soit un moteur quatre cylindres de 2,0 litres qui, grâce à la magie de la turbocompression, développe 200 chevaux pour un couple de 207 lb-pi. Il s'agit d'une mécanique très bien adaptée à cette voiture, puisqu'on obtient suffisamment de puissance, tout en profitant d'une bonne économie de carburant en conduite normale. Le couple du moteur est obtenu sans délai et les ingénieurs ont bien réussi à étalonner la courbe de puissance, rendant ce moteur turbo très agréable.

BOÎTE DSG TRÈS INTÉRESSANTE

L'excellente boîte séquentielle DSG combine les avantages de la boîte manuelle sans les désavantages et s'avère plus efficace en matière d'économie de carburant qu'une manuelle.

Au volant, on apprécie la tenue de route de la Eos qui se comporte comme un véritable petit bolide. Oubliez les cabriolets mous et peu rigides, la Eos rappelle davantage un coupé sport. La direction est précise à souhait alors que la suspension minimise bien tout transfert de poids en virage. Par une belle journée d'été, les cheveux au vent, la Eos transforme toute balade en véritable randonnée de plaisir.

La Volkswagen Eos demeure une voiture intéressante, mais sa position ambiguë ne lui rend pas la vie facile. Il faut être un amateur inconditionnel du modèle, parce qu'en abordant la question de façon rationnelle, on constate rapidement qu'on peut trouver mieux.

Sylvain Raymond

Photos : Sylvain Raymond

CHÂSSIS - 2.0 TSI HIGHLINE	
Emp/lon/lar/haut	2 578/4 410/1 791/1 443 mm
Coffre	187 à 297 litres
Réservoir	55 litres
Nombre coussins sécurité / ceintures	4 / 4
Suspension avant	indépendante, jambes de force
Suspension arrière	indépendante, multibras
Freins avant / arrière	disque / disque
Direction	à crémaillère, ass. variable
Diamètre de braquage	10,9 m
Pneus avant / arrière	P235/40R18 / P235/40R18
Poids	1 595 kg
Capacité de remorquage	n.d.

COMPOSANTES MÉCANIQUES	
2.0 TSI Comfortline, 2.0 TSI Highline	
Cylindrée, soupapes, alim.	4L 2,0 litres 16 s turbo
Puissance / Couple	200 chevaux / 207 lb-pi
Tr. base (opt) / rouage base (opt)	A6 / Tr
0-100 / 80-120 / 100-0 km/h	7,9 s / 5,8 s / 40,3 m
Type ess. / ville / autoroute	Super / 9,5 / 6,7 l/100 km

FEU VERT
- Bonne mécanique
- Boîtes DSG
- Cabriolet quatre saisons
- Finition sans reproche

FEU ROUGE
- Prix élevé
- Espace à l'arrière
- Niveau d'équipement moins concurrentiel

DU NOUVEAU EN 2012

Révisions esthétiques

http://www.vw.ca/

Plus d'informations dans la section statistiques en dernière partie du Guide

TELLEMENT NOUS !

Les Québécois aiment l'automobile et aiment surtout la conduire. La Volkswagen Golf, avec son tempérament enjoué et l'impression de solidité qu'elle dégage, convient donc parfaitement à notre peuple. De plus, puisqu'on ne parle pas d'une voiture vendue à prix de fous, elle est accessible à plusieurs bourses, ce qui tombe bien puisque les Québécois, pour diverses raisons, investissent souvent moins que d'autres nations dans l'automobile. La Golf est une hatchback, une catégorie de voitures plus prisée des Québécois que de tout autre Nord-Américain. Il y a sans doute plusieurs raisons à cela, mais laissons les sociologues « sociologuer » à leur guise !

CONCURRENTS
Chevrolet Cruze, Dodge Caliber, Ford Focus, Honda Civic, Kia Forte, Mazda3, Mitsubishi Lancer, Nissan Sentra, Subaru Impreza, Suzuki SX-4, Toyota Corolla, Toyota Matrix

IMPRESSIONS DE L'AUTEUR	
Agrément de conduite :	4.5/5
Fiabilité :	3.5/5
Sécurité :	4/5
Qualités hivernales :	4/5
Espace intérieur :	4/5
Confort :	4/5

Malgré le paragraphe précédent, la Golf se fait royalement malmener au chapitre des ventes par un membre de sa famille… En effet, depuis l'année dernière, Volkswagen a décidé de repositionner la Jetta et d'en faire sa voiture d'entrée de gamme. Pour y parvenir, la marque allemande a baissé son prix de plusieurs milliers de dollars. Résultat : la Jetta est dorénavant moins dispendieuse que la Golf. Alors, pourquoi opter pour cette dernière ?

Simplement parce que la Golf demeure toujours aussi agréable à conduire — plus que la Jetta (sauf la GLI) si vous voulez mon avis — et que ses configurations hatchback et familiale lui permettent de transporter beaucoup, beaucoup de matériel. Sa légendaire solidité, sa surprenante longévité, sa fiabilité qui ne cesse de s'améliorer (ce n'est pas encore parfait, toutefois) et sa valeur de revente élevée sont aussi des facteurs à ne pas négliger. Malheureusement, quand on parle au portefeuille, la Jetta possède des arguments-chocs !

FAMILLE ÉLARGIE

La Golf, qui ne connaît aucun changement majeur cette année, se décline en trois modèles : trois portes, cinq portes et familiale. Le moteur de base de ces trois modèles est le cinq cylindres 2,5 litres développant 170 chevaux, une puissance plus qu'adéquate pour les besoins quotidiens. Ce moteur est jumelé à une très agréable transmission manuelle à cinq rapports. Une automatique est aussi offerte. Cette boîte à double embrayage devrait servir d'exemple pour tous les constructeurs automobiles tant elle est bien étagée.

La cinq portes et la familiale ont droit à un moteur particulièrement prisé des Québécois, un quatre cylindres de 2,0 litres turbodiesel. Cet increvable moteur n'est pas très puissant, mais son couple très élevé compense joyeusement ! Si ce type de mécanique

Catégorie	Familiale, Hatchback
Échelle de prix	19 975 $ à 31 495 $
Garanties	4 ans/80 000 km, 5 ans/100 000 km
Assemblage	Wolfsburg, Allemagne
Cote d'assurance	passable

vous rebute encore, sachez qu'on est très loin des moteurs d'autrefois qui claquaient et qui puaient ! Sa consommation est très retenue et les performances ne sont pas hypothéquées. Qui plus est, la valeur de revente d'une Golf diésel demeure très élevée. Cette version a droit aux mêmes boîtes que le 2,5 et personne ne viendra s'en plaindre.

La sportivité, dans la famille Golf, a un nom : GTI. Ce modèle, proposé avec les trois et cinq portes, cache sous son capot, un quatre cylindres de 2,0 litres turbocompressé. La puissance ne fait jamais défaut, peu importe le régime du moteur. Les reprises et les accélérations sont très vives et il faut même faire attention pour ne pas faire trop monter les tours dans la zone rouge. Le réflexe de l'amateur de conduite inspirée serait de choisir la transmission manuelle à six rapports… et il ne sera pas déçu ! Cependant, l'automatique DSG promet des changements de rapports plus rapides. Sur une piste, un pilote professionnel réalise de meilleurs temps avec cette boîte qu'avec une manuelle. C'est tout dire.

Peu importe la mécanique, la tenue de route est très relevée, tandis que le confort est préservé. Bien entendu, la GTI offre une tenue de route encore plus incisive mais le confort en souffre un peu. En fait, pour tous les commentaires faits sur la conduite d'une Golf, on doit se dire que la GTI est toujours un peu meilleure. Prenez la direction. De précise et communicative dans les versions régulières, elle devient très précise et très communicative dans la GTI. Les freins sont toujours très puissants, mais, en regardant les données de l'AJAC (Association des journalistes automobile du Canada), on se rend compte qu'ils stoppent la GTI dans des distances correctes, tout simplement.

VIVE LA FAMILLE!

Les modèles à cinq portes sont les plus prisés à cause de leur polyvalence accrue. Curieusement, les dimensions extérieures de cette version et de la trois portes sont identiques ! Pour environ 1 000 $ supplémentaires, la cinq portes demeurent un excellent choix, plus conviviale et plus facile à revendre. Reste la familiale, dans une catégorie à part. Au Québec, cette voiture compte son lot d'admirateurs. Naviguant pratiquement seule, avec la Hyundai Elantra Touring, dans le créneau des familiales compactes, la Golf familiale possède un coffre extraordinairement grand (il peut engouffrer entre 930 et 1 890 litres, selon que les dossiers de la banquette arrière soient relevés ou abaissés).

La Golf, malgré la bataille déloyale de la Jetta, demeure toujours une référence dans la catégorie des voitures compactes. Mais il ne faut pas se faire d'histoires. Si ce n'était du Québec, la Golf ne serait peut-être même pas vendue en Amérique du Nord, tellement elle ne correspond pas aux goûts du reste de notre continent. La Jetta, elle, l'a compris !

Alain Morin

Photos : Volkswagen

CHÂSSIS - 2.5 COMFORTLINE FAMILIALE

Emp/lon/lar/haut	2 578/4 556/1 781/1 504 mm
Coffre	930 à 1 890 litres
Réservoir	55 litres
Nombre coussins sécurité / ceintures	6 / 5
Suspension avant	indépendante, jambes de force
Suspension arrière	indépendante, multibras
Freins avant / arrière	disque / disque
Direction	à crémaillère, ass. variable
Diamètre de braquage	10,9 m
Pneus avant / arrière	P205/55R16 / P205/55R16
Poids	1 464 kg
Capacité de remorquage	n.d.

COMPOSANTES MÉCANIQUES

2.0 TDI	
Cylindrée, soupapes, alim.	4L 2,0 litres 16 s turbo
Puissance / Couple	140 chevaux / 236 lb-pi
Tr. base (opt) / rouage base (opt)	M6 (A6) / Tr
0-100 / 80-120 / 100-0 km/h	10,2 s / 7,4 s / 43,0 m
Type ess. / ville / autoroute	Diesel / 6,7 / 4,6 l/100 km

2.5	
Cylindrée, soupapes, alim.	5L 2,5 litres 20 s atmos.
Puissance / Couple	170 chevaux / 177 lb-pi
Tr. base (opt) / rouage base (opt)	M5 (A6) / Tr
0-100 / 80-120 / 100-0 km/h	9,2 s / 7,0 s / 43,5 m
Type ess. / ville / autoroute	Ordinaire / 9,9 / 6,2 l/100 km

GTI	
Cylindrée, soupapes, alim.	4L 2,0 litres 16 s turbo
Puissance / Couple	200 chevaux / 207 lb-pi
Tr. base (opt) / rouage base (opt)	M6 (A6) / Tr
0-100 / 80-120 / 100-0 km/h	6,9 s / 4,6 s / 42,8 m
Type ess. / ville / autoroute	Super / 10,0 / 6,6 l/100 km

FEU VERT

- Conduite inspirée
- Version GTI très agréable
- Moteurs très bien adaptés
- Version familiale polyvalente
- Construction très solide

FEU ROUGE

- Certaines versions dispendieuses
- Réputation de la marque à rebâtir
- Présentation austère
- Suspensions un peu dures (GTI)
- Version trois portes moins intéressante

DU NOUVEAU EN 2012

Aucun changement majeur

http://www.vw.ca/

Plus d'informations dans la section statistiques en dernière partie du Guide

UN SUCCÈS PLANIFIÉ

Lancée en grande pompe l'an dernier, la nouvelle Jetta connaît un franc succès. Cette berline compacte, qui jouissait autrefois d'une popularité pratiquement marginale, est devenue un des meilleurs vendeurs de la catégorie. Ce n'est pas le fruit du hasard, puisque le constructeur allemand multiplie les campagnes pour joindre le plus grand nombre d'acheteurs possibles et les convaincre des qualités de sa voiture.

Auparavant, bien des gens se montraient intéressés à acheter ce modèle, mais son prix relativement élevé pour la catégorie en a découragé plusieurs. On appréciait sa silhouette classique, son habitacle spacieux et confortable, de même que sa tenue de route rassurante, mais souvent, c'est le portefeuille qui a le dernier mot, et les gens finissaient par se tourner vers des modèles plus économiques. C'est pourquoi, depuis l'an dernier, la Jetta figure parmi les compactes à petit prix.

LA RECETTE DU SUCCÈS

On a pris les grands moyens pour alléger la facture des acheteurs. Ce n'est pas le fait que cette voiture soit assemblée au Mexique qui la rend plus abordable, ce sont plutôt les ingénieurs qui ont effectué les coupures nécessaires. Par exemple, la suspension arrière indépendante a été remplacée par une suspension à essieu rigide, tandis que les freins à disques aux roues arrière ont été remplacés par des freins à tambours. En outre, les matériaux utilisés dans l'habitacle sont de bonne qualité, mais pas autant que ce à quoi le constructeur nous avait habitués. Enfin, le moteur de base, un 4 cylindres de 2,0 litres, est plus économique à produire que les autres dans cette gamme. Ajoutez à cela une foule de mesures pour faciliter l'acquisition — mesures pratiquement inégalées par la concurrence — et vous obtenez le résultat escompté : les gens se sont dirigés en grand nombre vers les salles de démonstration de Volkswagen.

CONCURRENTS

Chevrolet Cruze, Ford Focus, Honda Civic, Mazda3, Mitsubishi Lancer, Nissan Sentra, Subaru Impreza, Toyota Corolla

IMPRESSIONS DE L'AUTEUR		
Agrément de conduite :	■■■■	4 / 5
Fiabilité :	■■■■	4 / 5
Sécurité :	■■■■	4 / 5
Qualités hivernales :	■■■■	4 / 5
Espace intérieur :	■■■■■	5 / 5
Confort :	■■■■	4 / 5

Cette approche a été critiquée par les inconditionnels de la marque et même la populaire revue Consumers Report a baissé sa cote d'appréciation suite à ces mesures d'économies. Par contre, il est important de souligner que cette voiture demeure l'une des meilleures de sa catégorie, même si sa fiche technique a été passablement modifiée. Prenez l'habitacle, par exemple : il est l'un des plus spacieux de son segment, ses sièges demeurent très confortables et le coffre à bagages est capable d'accommoder des colis de très grandes dimensions. Il est vrai que certains plastiques utilisés sont très durs comparativement à ce qui était proposé auparavant. Cependant, toutes les surfaces qui sont touchées de façon fréquente par le conducteur et les passagers restent relativement souples et de bonne qualité.

J'ai eu l'opportunité de conduire toutes les variantes de ce modèle. Il est vrai que la version plus économique propulsée par le moteur 2,0 litres associé à la boîte automatique à six rapports offre des performances plutôt modestes. Par contre, sa consommation est économique et son comportement routier fort correct.

Toutefois, les conducteurs qui apprécient une voiture plus nerveuse et un agrément de conduite plus relevé préféreront certainement le modèle typé du moteur 5 cylindres de 2,5 litres d'une puissance de 170 chevaux. Qu'il soit associé à la transmission manuelle à cinq rapports ou à l'automatique à six vitesses, ce moteur performe très bien. Finalement, on retrouve l'incontournable moteur turbo diesel 2,0 litres qui, avec ses 140 chevaux, permet des accélérations franches et une consommation de carburant inférieure à 7,0 litres aux 100 km.

Peu importe le moteur choisi, cette Jetta de nouvelle génération assure une tenue de route fort intéressante, qui n'a à céder à ce chapitre aux autres modèles de la famille Volkswagen. Et ceux qui reprochent la présence de freins à tambour, des essais effectués aussi bien en hiver qu'en été ont permis de freiner sur une distance plus courte que certains modèles concurrents dotés de freins à disques à l'arrière.

LA GLI SAUVE LA MISE

Beaucoup de propriétaires de Jetta des générations précédentes n'ont pas apprécié de voir ce qu'il était advenu de leur voiture culte. Qu'ils se rassurent: pour 2012 Volkswagen propose la GLI, une version nettement plus raffinée et plus luxueuse. Au niveau de la mécanique, on retrouve sous le capot l'incontournable moteur 4 cylindres de 2 litres turbo et une puissance de 200 chevaux. Ce moteur a déjà fait ses preuves et son rendement est exceptionnel. En plus, dans l'habitacle, les matériaux sont de meilleure qualité et le tableau de bord est recouvert de plastiques souples au toucher. Ajoutons à cela des freins à disques aux quatre roues, une suspension indépendante à l'arrière, des amortisseurs sport et des pneus plus performants. Bref, il sera encore plus difficile de critiquer la Jetta. Il est vrai que son prix frôlera les 30 000 $ selon l'équipement optionnel commandé, mais cette voiture se veut un intéressant compromis à tous les points de vue.

Ce modèle est une preuve supplémentaire que ce constructeur est à l'écoute de ses acheteurs, non pas seulement ceux d'Europe ou d'Allemagne, mais également ceux qui se trouvent en Amérique. D'ailleurs, la nouvelle Passat fabriquée aux États-Unis suit exactement la même recette.

Denis Duquet

Photos: Volkswagen

Catégorie	Berline
Échelle de prix	15 875 $ à 27 175 $
Garanties	4 ans/80 000 km, 5 ans/100 000 km
Assemblage	Puebla, Mexique
Cote d'assurance	n.d.

CHÂSSIS - 2.0 TDI HIGHLINE	
Emp/lon/lar/haut	2 651/4 628/1 778/1 453 mm
Coffre	440 litres
Réservoir	55 litres
Nombre coussins sécurité / ceintures	6 / 5
Suspension avant	indépendante, jambes de force
Suspension arrière	indépendante, barres de torsion
Freins avant / arrière	disque / disque
Direction	à crémaillère, assistée
Diamètre de braquage	n.d.
Pneus avant / arrière	225/45R17 / 225/45R17
Poids	1 434 kg
Capacité de remorquage	n.d.

COMPOSANTES MÉCANIQUES	
2.0	
Cylindrée, soupapes, alim.	4L 2,0 litres 16 s atmos.
Puissance / Couple	115 chevaux / 125 lb-pi
Tr. base (opt) / rouage base (opt)	M5 (A6) / Tr
0-100 / 80-120 / 100-0 km/h	13,2 s / 6,7 s / 44,9 m
Type ess. / ville / autoroute	Ordinaire / 9,1 / 6 l/100 km
2.0 TDI	
Cylindrée, soupapes, alim.	4L 2,0 litres 16 s turbo
Puissance / Couple	140 chevaux / 236 lb-pi
Tr. base (opt) / rouage base (opt)	M6 (A6) / Tr
0-100 / 80-120 / 100-0 km/h	10,3 s / 7,3 s / 44,5 m
Type ess. / ville / autoroute	Diesel / 6,7 / 4,6 l/100 km
2.5	
Cylindrée, soupapes, alim.	5L 2,5 litres 20 s atmos.
Puissance / Couple	170 chevaux / 177 lb-pi
Tr. base (opt) / rouage base (opt)	M5 (A6) / Tr
0-100 / 80-120 / 100-0 km/h	8,5 s / n.d. / n.d.
Type ess. / ville / autoroute	Ordinaire / 9,9 / 6,2 l/100 km
GLI	
Cylindrée, soupapes, alim.	4L 2,0 litres 16 s turbo
Puissance / Couple	200 chevaux / 207 lb-pi
Tr. base (opt) / rouage base (opt)	M6 (A6) / Tr
0-100 / 80-120 / 100-0 km/h	6,9 (est) / 4,6 (est) / n.d.
Type ess. / ville / autoroute	Super / 9,8 / 6,2 l/100 km

FEU VERT

- Vaste choix de modèles
- Moteur turbo diesel
- Version GLI
- Modèle de base économique
- Excellente habitabilité
- Tenue de route saine

FEU ROUGE

- Silhouette anonyme
- Moteur 2,0 litres un peu juste
- Certains plastiques économiques
- Certains détails de finition à revoir

DU NOUVEAU EN 2012

Aucun changement majeur

http://www.vw.ca/

Plus d'informations dans la section statistiques en dernière partie du Guide

L'AMÉRICAINE

Après s'être contenté pendant des décennies de dominer le marché européen, Volkswagen a maintenant des visées beaucoup plus ambitieuses, notamment le titre de numéro un mondial, rien de moins. Pour ce faire, il est impératif pour le constructeur d'améliorer sa position sur le marché nord-américain. Et après des années d'ineptie, on a pris les moyens qui s'imposaient. La construction d'une usine ultramoderne à Chattanooga dans l'État du Tennessee nous donne l'idée du sérieux de l'entreprise.

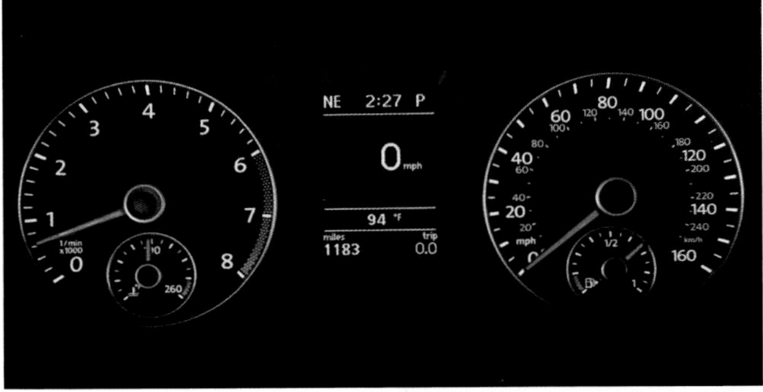

CONCURRENTS
Chevrolet Malibu, Ford Fusion, Honda Accord, Hyundai Sonata, Kia Optima, Mazda6, Nissan Altima, Subaru Legacy, Toyota Camry

IMPRESSIONS DE L'AUTEUR	
Agrément de conduite :	3.5/5
Fiabilité :	NOUVEAU MODÈLE
Sécurité :	4/5
Qualités hivernales :	4/5
Espace intérieur :	4.5/5
Confort :	4.5/5

Autrefois, la philosophie décisionnelle de l'entreprise était : « Si c'est bon pour Volkswagen, c'est bon pour le reste du monde. » Cette politique a été respectée avec entêtement pendant plusieurs décennies. Mais la direction a changé à Wolfsburg. Les objectifs ont été sérieusement modifiés et on a décidé de développer une voiture sur mesure pour notre marché. La Passat américaine diffère beaucoup de sa sœur européenne. Cette fois, c'est une automobile spécialement conçue pour les goûts et les besoins des automobilistes nord-américains qui nous est présentée.

PAS DE CLINQUANT

Les stylistes du numéro un allemand ne sont pas reconnus pour faire dans l'excentricité. Le design intemporel, la sobriété des lignes et l'équilibre des masses ont préséance sur les coups d'éclat visuels. Dans le cas qui nous occupe, cette politique a été appliquée et même accentuée. Lorsque la Passat a été dévoilée au Salon de l'auto de Detroit en janvier 2011, la plupart des commentaires soulignaient à quel point cette voiture était peu excitante. Certes, sa silhouette ne fait pas nécessairement tourner les têtes, mais il s'agit du type de voiture qui, selon nous, conservera son élégance au fil des années. De face, on remarque avant tout la grille de calandre avec ses bandes transversales chromées et l'écusson Volkswagen au centre. Des blocs optiques rectangulaires servent d'encadrement et débordent sur les ailes comme le veut la tendance actuelle. Tout cela surplombe un pare-chocs relativement gros sous lequel on trouve une importante prise d'air. La partie centrale du capot est surélevée.

L'arrière est tout en rondeurs et ce sont les feux horizontaux qui rompent la monotonie des lignes. Par ailleurs, sur les parois latérales, on note un relief sur la partie supérieure tandis qu'une bande en chrome placée en bas des portières ajoute un peu plus de piquant à l'ensemble. Il faut également souligner que les passages de roue sont légèrement bombés. Tout dans cette voiture est affaire d'harmonie et de raffinement.

Ce constructeur a toujours été reconnu pour ses planches de bord très sobres et celle de la Passat ne fait pas exception. La coordination des couleurs varie généralement entre le noir et l'aluminium. Les commandes, quant à elles, sont de manipulation simple. Les deux cadrans indicateurs principaux sont faciles à lire avec des chiffres blancs sur fond noir. L'indicateur de vitesse est à droite tandis que le compte-tours est à gauche. Entre les deux, on retrouve un centre d'information dont l'affichage est commandé par un bouton placé sur le volant. Les stylistes se sont payé une petite fantaisie avec cette pendulette installée sur la partie supérieure de la planche de bord et encadrée par les buses de ventilation. Comme sur les autres produits de marque Volkswagen, le système de navigation possède un écran d'affichage délimité, de chaque côté, par de multiples touches de commandes. Sous cet écran trônent les trois gros boutons servant à régler la climatisation.

Malgré un prix de base relativement bas, les matériaux de l'habitacle sont de première qualité. Le recouvrement de la planche de bord est fait de matériaux souples et leur assemblage est impeccable. Comme il se doit, les sièges sont confortables, bien qu'ils nous apparaissent un peu mous par rapport à ceux d'autres modèles Volkswagen. Mais le summum est la très large banquette arrière qui offre un dégagement pour les jambes qu'on croirait dignes des grosses limousines. Le dossier de type 60/40 se rabat pour augmenter l'espace de chargement déjà fort généreux. Le système audio est de marque Fender. Il aurait été difficile de choisir un symbole plus américain que cette compagnie connue de par le monde.

L'INCONTOURNABLE TRIO

Les ingénieurs ont développé une plate-forme exclusive à ce modèle. Toutefois, elle est dérivée de celle de la Golf dont l'excellence est reconnue de tous. Bien entendu, les suspensions avant et arrière sont indépendantes. L'essieu arrière est à liens multiples tandis qu'on remarque la présence de freins à disques à l'avant comme à l'arrière. Quant à la motorisation, trois engins sont au catalogue. Ceux-ci sont utilisés sur d'autres modèles et ont fait leur preuve.

C'est un moteur cinq cylindres de 2,5 litres et de 170 chevaux qui est monté dans le modèle de base. Il est jumelé à une boîte manuelle à cinq rapports alors que l'automatique en option en propose un de plus. Sur les modèles un peu plus luxueux, on

retrouve le quatre cylindres 2,0 litres TDI. Ce turbo diesel produit 140 chevaux et aussi bien la boîte manuelle que l'automatique sont à six vitesses. Par contre, contrairement à la transmission automatique utilisée avec le moteur 2,5 litres, il s'agit de la boîte DSG à double embrayage. Elle est également associée au troisième moteur, un V6 de 3,6 litres de 280 chevaux. Ce dernier ne peut être livré qu'avec l'automatique et propulse le modèle Highline, le plus luxueux de la gamme. La direction des modèles équipés du moteur 2,5 litres est à assistance hydraulique, tandis que celle des deux autres est électrohydraulique.

Malgré une augmentation de ses dimensions, la nouvelle Passat offerte avec le moteur 2,5 litres est plus légère de 67 kg. Quant à la version à moteur V6, elle a perdu 113 kg. Le modèle doté du moteur diesel a conservé son poids d'antan.

SILENCE, ON ROULE!

Dans le cadre du lancement de la nouvelle Passat, j'ai eu l'occasion de piloter deux modèles. Le premier était mu par le moteur cinq cylindres de 2,5 litres. On note immédiatement le grognement si caractéristique des cinq cylindres. Ses performances se sont avérées correctes. Par contre, il faudra jouer de la boîte de vitesse si l'on veut obtenir des performances qu'il serait possible de qualifier de sportives.

Le second véhicule que j'ai essayé possédait le moteur 2,0 litres TDI. J'ai été charmé par ce moulin dont le couple permet d'obtenir d'excellentes reprises et de bonnes accélérations, tout en

Catégorie	Berline
Échelle de prix	23 975 $ à 37 475 $
Garanties	4 ans/80 000 km, 5 ans/100 000 km
Assemblage	Chattanooga, Tennessee, É-U
Cote d'assurance	n.d.

conservant une réserve de puissance, et ce, peu importe le régime du moteur. Puisque le capot est encapsulé, son silence de roulement est exceptionnel pour un diésel.

La Passat impressionne par son équilibre général. L'insonorisation est presque parfaite, les sièges offrent un excellent support latéral, la position de conduite est facile à trouver en raison d'un volant réglable en hauteur et en profondeur et la visibilité est bonne.

Ajoutez à cela une direction relativement précise — bien qu'un peu engourdie —, une suspension qui semble avaler les imperfections de la chaussée et une stabilité linéaire qui nous donne l'impression que la voiture roule sur des rails. En virage, on tourne le volant et la Passat s'occupe du reste. Il est vrai que davantage de feedback serait apprécié de la part des puristes habitués à rouler en Volkswagen. Mais ce n'est pas non plus une Camry, endormante à mourir... On a trouvé un moyen de construire une automobile qui répond aux attentes et aux goûts des acheteurs nord-américains, sans que l'agrément de conduite soit diminué. Et l'habitabilité généreuse de ce modèle vient ajouter un autre élément de positif au tableau.

En plus, cette voiture propose un petit quelque chose de différent au niveau de la conduite. Pour cette raison, elle saura certainement se faire apprécier des personnes qui ont besoin d'une auto aux dimensions plus généreuses et qui veulent demeurer dans le giron de Volkswagen. Mais une chose est certaine, l'américanisation de cette marque est bel et bien amorcée.

Denis Duquet

Photos: Denis Duquet

CHÂSSIS - 3.6 COMFORTLINE

Emp/lon/lar/haut	2 803/4 868/1 835/1 487 mm
Coffre	430 litres
Réservoir	70 litres
Nombre coussins sécurité / ceintures	6 / 5
Suspension avant	indépendante, jambes de force
Suspension arrière	indépendante, multibras
Freins avant / arrière	disque / disque
Direction	à crémaillère, ass. électrique
Diamètre de braquage	11,1 m
Pneus avant / arrière	P215/55R17 / P215/55R17
Poids	1 563 kg
Capacité de remorquage	n.d.

COMPOSANTES MÉCANIQUES

TDI

Cylindrée, soupapes, alim.	4L 2,0 litres 16 s turbo
Puissance / Couple	140 chevaux / 236 lb-pi
Tr. base (opt) / rouage base (opt)	M6 (A6) / Tr
0-100 / 80-120 / 100-0 km/h	n.d. / n.d. / n.d.
Type ess. / ville / autoroute	Diesel / n.d.

2.5

Cylindrée, soupapes, alim.	5L 2,5 litres 20 s atmos.
Puissance / Couple	170 chevaux / 177 lb-pi
Tr. base (opt) / rouage base (opt)	M5 (A6) / Tr
0-100 / 80-120 / 100-0 km/h	n.d. / n.d. / n.d.
Type ess. / ville / autoroute	Ordinaire / 10,1 / 6,5 l/100 km

3.6

Cylindrée, soupapes, alim.	V6 3,6 litres 24 s atmos.
Puissance / Couple	280 chevaux / 258 lb-pi
Tr. base (opt) / rouage base (opt)	A6 / Tr
0-100 / 80-120 / 100-0 km/h	n.d. / n.d. / n.d.
Type ess. / ville / autoroute	Ordinaire / 10,9 / 7,4 l/100 km

- Moteurs bien adaptés
- Bonne tenue de route
- Silence de roulement
- Finition impeccable
- Habitabilité garantie

- Faible *feedback* de la route
- Style un peu terne
- Fiabilité inconnue
- Système audio énigmatique

DU NOUVEAU EN 2012

Nouveau modèle

http://www.vw.ca/

Plus d'informations dans la section statistiques en dernière partie du Guide

UN LIFTING POUR 2012

C'est un Volkswagen Tiguan redessiné qui est proposé en 2012. L'utilitaire sport compact adopte un nouveau look plus en phase avec la signature visuelle des autres modèles de la marque. À preuve, la partie avant avec sa calandre à double bandes horizontales et ses nouveaux phares plus acérés. De plus, le bouclier avant a été revu, histoire de marquer une ressemblance plus étroite avec le Touareg.

Avec ce lifting, Volkswagen entend donner une image plus haut de gamme au Tiguan, ce qui aidera à justifier son prix plus élevé par rapport à la concurrence japonaise et coréenne dans ce créneau. En effet, dans cette catégorie, le Tiguan est un peu «entre deux chaises», soit plus cher que le CR-V, le Rav4 ou le Sportage, mais moins cher que le GLK ou le Q5. Pour le constructeur, le défi est de convaincre les acheteurs que la conduite plus européenne du Tiguan est un facteur de différenciation important qui le démarque de la concurrence asiatique. On veut surtout les persuader que l'accès à cette expérience de conduite s'avère moins onéreux avec le Tiguan qu'avec la concurrence allemande.

Peu de changements à l'intérieur, alors que le Tiguan conserve essentiellement la même planche de bord qu'auparavant. Les modifications se limitent à de nouveaux contrôles pour le système de chauffage/climatisation ainsi qu'à l'ajout d'un nouveau volant multifonction et d'un levier de vitesse restylé. Le Tiguan fait encore et toujours preuve d'un beau souci d'ergonomie, tous les commandes et indicateurs étant facilement repérables. L'espace accordé à l'avant ainsi que le confort des sièges de la première rangée demeure très bon, mais la banquette arrière conviendra mieux à deux passagers seulement et non à trois. C'est que le dégagement pour les jambes à la place médiane est compromis par le volume de la console centrale. Quant à l'espace cargo, précisons qu'il est plus limité avec le Tiguan qu'avec certains modèles concurrents en

CONCURRENTS

Chevrolet Equinox, Ford Escape, Honda CR-V, Hyundai Tucson, Kia Sportage, Mazda CX-7, Mitsubishi Outlander, Nissan Rogue, Subaru Forester, Suzuki Grand Vitara, Toyota RAV4

IMPRESSIONS DE L'AUTEUR		
Agrément de conduite :	■■■■□	4 / 5
Fiabilité :	■■■□□	3 / 5
Sécurité :	■■■■■	5 / 5
Qualités hivernales :	■■■■□	4 / 5
Espace intérieur :	■■■□□	3 / 5
Confort :	■■■■□	4 / 5

raison du gabarit plus compact du véhicule, mais il reste que les compartiments de rangements sont nombreux et pratiques dans l'habitacle. Ainsi, le volume de chargement est chiffré à 674 litres avec les sièges arrière en place ou à 1 589 litres avec les dossiers rabattus. C'est inférieur au volume de chargement du Honda CR-V, du Toyota Rav4 ou du Subaru Forester, pour ne nommer que ceux-là.

LE CŒUR DE LA GTI

Le Tiguan partage son moteur avec la sportive GTI, en l'occurrence un quatre cylindres turbocompressé d'une cylindrée de deux litres carburant à injection directe. Il développe 200 chevaux et 207 lb-pi

Catégorie	VUS
Échelle de prix	27 875 $ à 37 775 $ (2011)
Garanties	4 ans/80 000 km, 5 ans/100 000 km
Assemblage	Wolfsburg, Allemagne
Cote d'assurance	n.d.

de couple, ce qui lui permet de faire jeu égal avec certains moteurs V6. Maintes fois primé par la presse spécialisée pour ses performances et sa fougue, ce moteur anime également des modèles Audi, mais se montre curieusement plus bruyant sous le capot du Tiguan que lorsqu'il équipe d'autres modèles du groupe Volkswagen. Pour 2012, les ingénieurs ont apporté des changements à la boîte automatique dont les deux rapports supérieurs sont maintenant plus longs, afin de favoriser une meilleure consommation à vitesse d'autoroute. De plus, la nouvelle calibration des paramètres du changement des rapports fait en sorte que la boîte passe plus rapidement aux rapports supérieurs, lorsque la conduite normale en mode « drive » est sélectionnée, toujours afin de bonifier la consommation.

Le Tiguan est livrable en simple traction ou encore en traction intégrale où la motricité est alors livrée aux quatre roues par le rouage Haldex. L'embrayage central multidisque de ce rouage répartit le couple entre les trains avant et arrière selon les conditions d'adhérence. Sur la route, le Tiguan s'avère maniable et offre une conduite sûre et prévisible en toutes circonstances. La direction est précise, mais elle est aussi surassistée et légère, ce qui gomme un peu la sensation de conduite. Toutefois, la puissance de freinage est très bonne et la pédale de frein se révèle facile à moduler.

UNE BÊTE NOIRE DE TAILLE

Par ailleurs, même si la marque fait des progrès, la fiabilité à long terme demeure l'une des bêtes noires de Volkswagen si l'on se fie à l'étude américaine J.D. Power mesurant la fiabilité des véhicules après trois années d'utilisation. En effet, le sondage de 2011, qui mesure la satisfaction de la clientèle par rapport à la fiabilité des modèles de l'année 2008 après trois années d'usage, nous apprend que la marque Volkswagen se classe au trentième rang sur 35 marques. Bref, il y a encore du chemin à parcourir.

En ce qui concerne l'avenir immédiat du modèle, il faudra attendre sa refonte et l'arrivée du Tiguan de la prochaine génération pour voir une évolution plus complète de ce véhicule. La prochaine génération sera probablement assemblée à l'usine Volkswagen de Chattanooga au Tennessee plutôt qu'à Wolfsburg en Allemagne. De plus, ce prochain Tiguan adoptera sans doute un gabarit plus important, et peut-être même une variante à empattement allongé, ce qui permettrait alors d'y ajouter une troisième rangée de sièges. Pour le moment, le Tiguan poursuit sa route en offrant une conduite plus inspirée que la concurrence asiatique et un nouveau look haut de gamme davantage au goût du jour.

Gabriel Gélinas

Photos: Volkswagen

CHÂSSIS - 4MOTION COMFORTLINE	
Emp/lon/lar/haut	2 604/4 427/1 809/1 683 mm
Coffre	674 à 1 589 litres
Réservoir	64 litres
Nombre coussins sécurité / ceintures	6 / 5
Suspension avant	indépendante, jambes de force
Suspension arrière	indépendante, multibras
Freins avant / arrière	disque / disque
Direction	à crémaillère, assistée
Diamètre de braquage	12,0 m
Pneus avant / arrière	P235/55R17 / P235/55R17
Poids	1 647 kg
Capacité de remorquage	998 kg (2 200 lb)

COMPOSANTES MÉCANIQUES	
Trendline	
Cylindrée, soupapes, alim.	4L 2,0 litres 16 s turbo
Puissance / Couple	200 chevaux / 207 lb-pi
Tr. base (opt) / rouage base (opt)	M6 (A6) / Tr (Int)
0-100 / 80-120 / 100-0 km/h	9,2 s / 7,2 s / 44,3 m
Type ess. / ville / autoroute	Super / 10,9 / 7,9 l/100 km

FEU VERT

- Conduite sûre et prévisible
- Très bonne ergonomie
- Confort des sièges
- Style plus à jour

FEU ROUGE

- Espace cargo limité
- Prix un peu élevés
- Console centrale encombrante
- Fiabilité à parfaire

DU NOUVEAU EN 2012

Révisions esthétiques

http://www.vw.ca/

Plus d'informations dans la section statistiques en dernière partie du Guide

REVU ET... BIEN CORRIGÉ!

La première génération de ce VUS n'était pas dépourvue de qualités. Son rouage intégral lui permettait d'affronter des terrains quasiment impraticables et sa motorisation était adaptée à ce genre de travail. Pourtant, les ventes de ce véhicule ont été décevantes. Son prix relativement élevé, une gamme de modèle un peu étriquée et l'absence d'un moteur diesel l'ont pénalisé. Forte de ces informations, la direction de la compagnie a concocté une seconde génération qui devrait rendre le Touareg plus compétitif.

L'équipe responsable du développement de cette nouvelle génération a tout d'abord décidé de conserver la silhouette discrète, mais fort élégante, de la première version. La Touareg 2012 ressemble donc à s'y méprendre à la version précédente et il faut y regarder de près pour trouver les éléments qui ont été modifiés. La silhouette s'est raffinée, la partie inférieure du pare-chocs avant est dorénavant dotée de barres transversales et les flancs latéraux, qui ont été retravaillés, donnent au véhicule une allure plus cintrée. À l'arrière, les feux ont été redessinés de même que le pare-chocs. Enfin, la carrosserie est plus longue, plus large et plus basse, mais également plus légère, afin d'obtenir une consommation de carburant réduite.

Parmi les changements significatifs apportés dans l'habitacle, soulignons que les buses de ventilations ne sont plus circulaires mais rectangulaires et que le tout nouveau volant est beaucoup plus réussi que l'ancien. L'écran à affichage par DEL, qui est de plus grandes dimensions que précédemment et qui transmet les informations de la navigation par satellite, est maintenant de série. Quant à la caméra de recul, elle est offerte sur la version Execline.

La qualité des matériaux est impressionnante tout comme la finition. Les sièges avant sont très confortables, tandis que la banquette arrière est passablement accueillante. Celle-ci est de type 60/40 et les deux sections glissent sur des rails.

CONCURRENTS

Acura MDX, Audi Q7, BMW X5, Cadillac SRX, Infiniti FX, Land Rover LR3, Lexus RX, Lincoln MKX, Mercedes-Benz Classe M, Porsche Cayenne, Volvo XC90

IMPRESSIONS DE L'AUTEUR		
Agrément de conduite :	■■■■□	4/5
Fiabilité :	■■■▌□	3.5/5
Sécurité :	■■■■□	4/5
Qualités hivernales :	■■■■■	5/5
Espace intérieur :	■■■▌□	3.5/5
Confort :	■■■■□	4/5

LA DANSE DES MOTEURS

Puisque le Porsche Cayenne est offert sur notre marché avec un moteur hybride, on s'attendait à ce que le Touareg en fasse de même, puisque ces deux modèles sont pratiquement similaires sur le plan mécanique. Toutefois, il faudra attendre que la Jetta Hybride arrive sur notre marché pour rouler en Touareg hybride. Par contre, le moteur diesel est absent de chez Porsche. Le Touareg 2012 est offert avec un moteur V6 de 3,6 litres produisant 280 chevaux ou bien avec un moteur V6 TDI 3,0 litres d'une puissance de

Catégorie	VUS
Échelle de prix	48 875 $ à 63 685 $ (2011)
Garanties	4 ans/80 000 km, 5 ans/100 000 km
Assemblage	Bratislava, Slovaquie
Cote d'assurance	n.d.

225 chevaux, mais dont le couple de 406 lb-pi compense largement pour ce déficit de 55 équidés. Dans les deux cas, la boîte automatique est une nouvelle transmission à huit rapports. Cette boîte automatique comprend un réglage sport et un mode basse gamme tandis que le rouage intégral 4Motion est de série. Celui-ci est doté d'un système Torsen qui assure une traction intégrale permanente en plus d'alléger le rouage d'entraînement.

DEUX ESSAIS CONCLUANTS

J'ai eu l'opportunité de mettre à l'essai ce nouveau VUS dans deux environnements totalement différents l'un de l'autre. Dans un premier temps, le lancement canadien du Touareg s'est effectué à Banff en Alberta, alors que le thermomètre affichait -32 degrés Celsius et que les routes étaient recouvertes d'une fine couche de glace, nous permettant de mettre à l'épreuve le rouage intégral de ces Touareg, en plus du système de chauffage et de désembuage.

Les deux véhicules essayés se méritent de bonnes notes à ce chapitre. Malgré un froid sibérien, l'habitacle était très confortable et nous n'avons eu aucune difficulté à nous tenir au chaud, sans compter qu'aucune buée ne s'est formée sur le pare-brise et les glaces latérales. Quant à la traction intégrale, elle s'est avérée à la hauteur de la tâche et elle nous a permis de rouler sans frayeur sur cette mince couche de glace qui recouvrait la chaussée. Il y avait bien un sous-virage qui se manifestait de temps à autre, mais le véhicule s'est révélé facile à contrôler. Quant aux freins, leur puissance était suffisante et leur modulation sans surprise. Nous avons piqué une traite sur un sentier très secondaire, histoire de mettre à l'essai le système de contrôle de descente et de montée. Le résultat fut assez impressionnant.

Mon deuxième essai m'a permis de découvrir les qualités du moteur diesel. En me rendant au Salon de l'auto de Toronto en février dernier, j'ai piloté une Touareg propulsée par ce moteur exceptionnel. Sur la grande route, les qualités dynamiques de ce Volkswagen à tout faire sont impressionnantes. La voiture est silencieuse et stable dans les virages alors que la tenue de route est sans défaut. Mais c'est surtout le moteur qui m'a impressionné. Grâce à son couple fort généreux, les dépassements tout au long du trajet sur l'autoroute 401 se sont effectués avec autorité. En plus, dans la circulation urbaine de Toronto, ses accélérations initiales ont été appréciées. Et en fin de compte, bien que le véhicule ait été particulièrement chargé, la consommation de carburant a été d'un peu plus de 8,0 l/ 100 km ce qui est satisfaisant.

Cette Touareg revue et améliorée de façon intelligente nous fait oublier la génération précédente, plus ou moins adaptée à notre marché.

Denis Duquet

Photos: Marc Lachapelle

CHÂSSIS - TDI HIGHLINE	
Emp/lon/lar/haut	2 893/4 795/1 940/1 732 mm
Coffre	900 à 1 600 litres
Réservoir	85 litres
Nombre coussins sécurité / ceintures	6 / 5
Suspension avant	indépendante, double triangulation
Suspension arrière	indépendante, multibras
Freins avant / arrière	disque / disque
Direction	à crémaillère, ass. variable électronique
Diamètre de braquage	11,9 m
Pneus avant / arrière	P255/55R18 / P255/55R18
Poids	2 256 kg
Capacité de remorquage	3 500 kg (7 716 lb)

COMPOSANTES MÉCANIQUES	
TDI	
Cylindrée, soupapes, alim.	V6 3,0 litres 24 s turbo
Puissance / Couple	225 chevaux / 406 lb-pi
Tr. base (opt) / rouage base (opt)	A8 / Int
0-100 / 80-120 / 100-0 km/h	9,1 s / 6,7 s / 40,8 m
Type ess. / ville / autoroute	Diesel / 11,1 / 7,0 l/100 km
V6 essence	
Cylindrée, soupapes, alim.	V6 3,6 litres 24 s atmos.
Puissance / Couple	280 chevaux / 265 lb-pi
Tr. base (opt) / rouage base (opt)	A8 / Int
0-100 / 80-120 / 100-0 km/h	9,0 s / 6,3 s / 42,9 m
Type ess. / ville / autoroute	Super / 12,3 / 8,8 l/100 km

- Moteur diesel impressionnant
- Rouage intégral efficace
- Sièges avant confortable
- Tableau de bord ergonomique
- Bonne routière

- Absence d'un moteur hybride
- Fiabilité à prouver
- Certains groupes d'options onéreux
- Coffre à bagages moyennes
- Certaines commandes énigmatiques

DU NOUVEAU EN 2012

Aucun changement majeur

http://www.vw.ca/

Plus d'informations dans la section statistiques en dernière partie du Guide

ÉLÉGANCE SCANDINAVE

Un vent de fraîcheur a soufflé sur sa gamme lorsque Volvo a lancé son coupé C30. Six ans plus tard, le vent souffle toujours, du moins dans le turbo du moteur T5, le seul offert depuis l'an dernier. Le constructeur suédois en avait également profité pour rafraîchir la silhouette unique du C30, dessinée à l'origine par le Québécois Simon Lamarre, tout en revoyant ses modèles pour le rendre plus accessible. Ce qu'il cède en performance brute, ce petit coupé au style original le reprend par son confort, son comportement solide et de très bonnes cotes de fiabilité. Sans compter une exclusivité certaine liée à sa diffusion modeste.

Le C30 a effectivement pris un coup de jeune l'an dernier, surtout avec une calandre quasi identique à celle de la nouvelle berline S60, flanquée de phares en forme de trapèze et de prises d'air plus grandes et stylisées. La partie arrière a été rafraîchie elle aussi en laissant intacts le grand hayon de verre et les blocs optiques allongés qui font l'originalité du C30. Volvo ajoute cette année des phares de jour à diodes électroluminescentes (DEL) qui remplacent les phares halogènes et phares d'appoint utilisés précédemment. On peut aussi doter le C30 de phares au xénon orientables.

VERSIONS MULTIPLES

En se concentrant sur les versions T5 à moteur turbo, Volvo en a multiplié les variantes. Il y en a quatre: Intro, T1, T2 et la R-Design au sommet. L'équipement est très complet sur les trois premières versions: antidérapage, antipatinage, régulateur de vitesse, chaîne audio de 160 watts, branchements pour lecteurs numériques et la série complète des systèmes de sécurité passive de Volvo. Cette année, la connexion Bluetooth pour téléphoner « mains libres » permet aussi la lecture de fichiers de musique en continu.

CONCURRENTS
Audi A3,
BMW Série 1,
MINI Cooper,
Volkswagen GTI

IMPRESSIONS DE L'AUTEUR	
Agrément de conduite:	4/5
Fiabilité:	4.5/5
Sécurité:	4.5/5
Qualités hivernales:	4/5
Espace intérieur:	4/5
Confort:	4/5

La R-Design est la plus chère et forcément la mieux équipée. La plus frappante aussi avec son becquet, ses bas de caisse et autres éléments de carrosserie plus accentués qu'auparavant rassemblés dans un groupe sport optionnel assez coûteux. Elle propose également des rétroviseurs extérieurs au fini mat, une sellerie de cuir plus fin, des cadrans de style horlogerie, un volant sport différent — tout comme son pédalier — et des logos R-Design sur toutes ces choses et sur la grille de calandre.

Tout cela est joli, mais nous sommes surtout intéressés par le « châssis sport » dont profite également d'office la R-Design. Il comprend des ressorts plus fermes de 30 %, des amortisseurs

Catégorie	Coupé
Échelle de prix	30 995 $ à 39 995 $ (2011)
Garanties	4 ans/80 000 km, 4 ans/80 000 km
Assemblage	Gand, Belgique
Cote d'assurance	n.d.

CHÂSSIS - T5 R-DESIGN	
Emp/lon/lar/haut	2 640/4 266/2 039/1 447 mm
Coffre	433 à 1 542 litres
Réservoir	62 litres
Nombre coussins sécurité / ceintures	6 / 5
Suspension avant	indépendante, jambes de force
Suspension arrière	indépendante, multibras
Freins avant / arrière	disque / disque
Direction	à crémaillère, ass. variable
Diamètre de braquage	10,6 m
Pneus avant / arrière	215/45R18 / 215/45R18
Poids	1 451 kg
Capacité de remorquage	700 kg (1 543 lb)

COMPOSANTES MÉCANIQUES	
T5	
Cylindrée, soupapes, alim.	5L 2,5 litres 20 s turbo
Puissance / Couple	227 chevaux / 236 lb-pi
Tr. base (opt) / rouage base (opt)	M6 (A5) / Tr
0-100 / 80-120 / 100-0 km/h	6,9 s / 5,4 s / 42,4 m
Type ess. / ville / autoroute	Super / 10,2 / 6,8 l/100 km

«monotubes» qu'on dit 20 % plus efficaces sur les inégalités à faible amplitude ainsi qu'une direction plus précise et plus rapide de 10 % grâce à des coussinets plus fermes. Voilà qui devrait permettre à la C30 de donner la réplique de manière plus convaincante à ses rivales directes: Audi A3, BMW de Série 1 et Mini Cooper S. Déjà que la R-Design est nettement plus compétitive pour le prix. La championne des C30 roule également sur des pneus de performance de taille 215/45R18 et des jantes d'alliage spéciales alors que les versions T1 et T2 sont chaussées de gommes de taille 205/50R17 et que le modèle Intro se contente de pneus de taille 205/55R16.

CONFORT, ERGONOMIE ET SÉCURITÉ

Chose certaine, la C30 était bien née, surtout qu'elle a toujours profité chez nous des mêmes tarages de suspension que les modèles européens alors qu'ils ont été assouplis pour nos voisins américains. Le svelte coupé suédois a toujours été agile, s'inscrivant facilement en virage, avec une direction assez fine. Il pivote davantage si on lève le pied droit en appui, mais toujours de manière sûre et prévisible. La direction de base est plutôt légère et offre assez peu de réactions tactiles. Espérons que Volvo dotera toutes les C30 de cette direction plus vive et nette que ses ingénieurs ont concoctée pour la R-Design.

Le coupé C30 est également assez spacieux et pratique pour sa taille et sa catégorie. Il offre seulement quatre places, mais elles sont toutes accessibles et confortables pour des adultes, même de plus grande taille. Il y a amplement d'espace à l'avant où ergonomie et finition sont impeccables. Le volant est bien taillé, son cuir mat agréable au toucher et les sièges bien sculptés se règlent facilement avec les boutons à la gauche du coussin. Le volume de la soute est modeste lorsque les dossiers arrière sont relevés, mais ses 433 litres sont plus que doublés quand on les replie. Et avec ce grand hayon vitré, découpé très bas, le stationnement en marche arrière est un charme.

La T5 est toujours dotée d'un cinq cylindres en ligne de 2,5 litres qui produit 227 chevaux avec cette sonorité rauque comme un solo de saxophone. On adore ou un peu moins. Question de goût. La boîte manuelle à six rapports est très correcte et l'automatique à cinq rapports optionnelle agréablement rapide, douce et précise. Et les quatre freins à disques sont d'une belle puissance et faciles à moduler.

Les versions plus sages du C30 ne font peut-être pas courir l'adrénaline dans les veines comme leurs rivales les plus hyperactives, mais on apprécie leur comportement relaxe de plus en plus au fil des kilomètres et des journées. C'est une petite voiture au style unique qui peut satisfaire les deux hémisphères de votre cerveau dans une égale mesure.

Marc Lachapelle

Photos: Volvo

FEU VERT
- Partie arrière originale et unique
- Quatre places confortables
- Ergonomie impeccable
- Comportement et performances
- Excellente visibilité

FEU ROUGE
- Habitacle sombre avec finition de base
- Diamètre de braquage un peu large
- Portières longues et lourdes
- Encore cher avec toutes les options
- Repose-pied un peu étroit

DU NOUVEAU EN 2012

Aucun changement majeur

http://www.volvocanada.com/

Plus d'informations dans la section statistiques en dernière partie du Guide

LE STYLE ET LE PRESTIGE

Lorsqu'elle est apparue en 2006, la Volvo C70 était l'un des rares coupés/cabriolet offerts sur le marché. À peine six ans plus tard, on la remarque beaucoup moins. Mais comme il n'y en a pas des tonnes sur le marché, c'est facile de ne pas la voir. Pourtant, pour plusieurs personnes, Volvo et décapotable représentent le summum du chic.

Tout d'abord, il faut savoir que cette Volvo avec ou sans toit rencontre de solides adversaires: BMW Série 3, Audi A5, Infiniti G et Lexus IS. Avouez qu'on a déjà vu concurrence moins féroce! Mais Volvo s'est bien gardée de se présenter en belligérant envers ces voitures. De toute façon, après deux tours de roue, on comprend pourquoi. Nous y reviendrons.

L'an dernier, dans le but de présenter un produit plus au goût du jour et de respecter le style corporatif de Volvo, la marque suédoise, désormais chinoise (Geely), a redessiné la partie avant pour qu'elle s'accorde davantage avec celles du multisegment XC60 ainsi qu'à la berline S60. On a aussi profité de l'occasion pour améliorer la qualité de certains matériaux. Bref, pas grand-chose, mais on ne peut nier que la C70 est une voiture d'une rare élégance, avec ou sans son toit.

DE QUOI SERA FAIT L'AVENIR?

Quand on prend en considération le retrait de la berline S40 et de sa contrepartie familiale, la V50 de notre marché, et qu'on sait que le coupé/cabriolet C70 est issu de la même plate-forme que ces dernières, on se compte chanceux d'y avoir encore accès! Volvo, on le sait, a été acheté en 2010 par Geely. Au début, on ne savait pas trop où s'en allait la marque chinoise avec Volvo, mais il semblerait qu'elle ait de sérieuses envies d'envahir le marché américain. Cependant, le nombre de modèles vendus par Volvo en Amérique pourrait diminuer pour mieux cibler les produits qui fonctionnent bien ici

CONCURRENTS
Audi A5,
BMW Série 3,
Infiniti G,
Lexus IS

IMPRESSIONS DE L'AUTEUR		
Agrément de conduite:	■■■■	3.5/5
Fiabilité:	■■■	3/5
Sécurité:	■■■■■	5/5
Qualités hivernales:	■■■■	3.5/5
Espace intérieur:	■■■■	3.5/5
Confort:	■■■■	3.5/5

(berline S60, multisegments XC60 et XC90, par exemple). Dans ce contexte, reverrons-nous une C70 l'an prochain?

Un seul moteur anime cette jolie sino-suédoise. Il s'agit du cinq cylindres turbocompressé de 2,5 litres, baptisé T5. Ce moteur n'est pas une bombe, mais il n'est pas, non plus, une limace. Il faut dire qu'il a pour mission de déplacer une masse de plus de 1 700 kilos, ce qui n'est pas rien. Ses accélérations seraient beaucoup plus convaincantes si la voiture suivait un petit régime. Seule une boîte automatique à cinq rapports (dans ce créneau de nos jours, présenter une transmission qui ne possède pas au moins six rapports tient du mépris, ou du manque de ressources financières, c'est

selon). Seules les roues avant sont motrices. La Volvo C70, on l'aura compris, n'est pas très sportive. Elle préfère, et de loin, les longues routes droites ou les boulevards de Miami ou de Los Angeles, même si elle affiche un bel aplomb dans les courbes prises un peu rapidement. Évidemment, les suspensions privilégient le confort. Le châssis de ce coupé/cabriolet est rigide lorsque le toit est en place, mais on sent plus de flexion quand il est baissé. Ce qui est un peu surprenant, quand on sait que les véhicules Volvo sont généralement parmi les plus solides de l'industrie.

DEUX PERSONNALITÉS... MAIS PAS BIPOLAIRE!

Comme c'est souvent le cas avec les coupés/cabriolets, la C70 possède deux personnalités, selon que le toit coiffe l'habitacle ou qu'il soit remisé dans le coffre. Dans le premier cas, on ne se croirait pas au volant d'une voiture décapotable. Le toit rigide isole des bruits environnants et, surtout, il assure une meilleure rigidité au châssis. Environ 30 secondes après avoir pressé sur un bouton qui déclenche un toujours impressionnant balai mécanique et hydraulique, le toit est remisé dans le coffre. La ligne générale est encore plus impressionnante et comme, pour plusieurs, rien ne peut surpasser le plaisir de rouler à ciel ouvert, on oublie rapidement les petits craquements dus à la plate-forme devenue un peu plus flexible.

Cependant, que le toit soit remisé ou non, personne ne peut nier que Volvo fabrique sans doute les meilleurs sièges de l'industrie. Ils sont confortables, retiennent bien dans les courbes, supportent toutes les parties de notre anatomie comme si un laser mesurait, à notre insu, notre corps et demandait au siège de s'y ajuster comme un gant chirurgical. Même après un trajet de plusieurs heures sans arrêts, je n'ai jamais senti poindre la moindre fatigue. Les gens prenant place à l'arrière sont aussi bien nantis au chapitre du confort, mais ils doivent être un peu moins difficiles en ce qui a trait à l'espace disponible! Petit conseil: si vous voyagez à trois ou à quatre, pensez-y à deux fois avant de faire descendre le toit dans son coffre. Quelques passagers pourraient devoir se promener avec des bagages sur les genoux, tellement l'espace est compté.

Puisque nous sommes chez Volvo, le niveau de sécurité est très relevé. Par exemple, comme il était impossible d'insérer des coussins pour la tête des gens assis à l'avant, les ingénieurs ont prévu qu'ils seraient placés dans les portières et qu'ils se déploieraient vers le haut. Bien pensé!

La Volvo C70 est encore parmi nous. Plus bourgeoise que sportive, cette voiture ne jouit cependant pas d'une fiabilité sans faille et les coûts d'entretien sont généralement très élevés.

Alain Morin

Photos: Volvo

Catégorie	Cabriolet
Échelle de prix	54 495 $ (2011)
Garanties	4 ans/80 000 km, 4 ans/80 000 km
Assemblage	Gothenburg, Suède
Cote d'assurance	n.d.

VOLVO C70

CHÂSSIS - T5	
Emp/lon/lar/haut	2 640/4 615/1 836/1 400 mm
Coffre	170 à 362 litres
Réservoir	62 litres
Nombre coussins sécurité / ceintures	6 / 5
Suspension avant	indépendante, jambes de force
Suspension arrière	indépendante, multibras
Freins avant / arrière	disque / disque
Direction	à crémaillère, assistée
Diamètre de braquage	12,7 m
Pneus avant / arrière	P235/45R17 / P235/45R17
Poids	1 745 kg
Capacité de remorquage	750 kg (1 653 lb)

COMPOSANTES MÉCANIQUES	
T5	
Cylindrée, soupapes, alim.	5L 2,5 litres 20 s turbo
Puissance / Couple	227 chevaux / 174 lb-pi
Tr. base (opt) / rouage base (opt)	A5 / Tr
0-100 / 80-120 / 100-0 km/h	8,6 s / 7,5 s / 39,3 m
Type ess. / ville / autoroute	Super / 11,2 / 7,1 l/100 km

FEU VERT

- Lignes classiques
- Belle qualité de matériaux
- Sièges très confortables
- Niveau de sécurité très relevé

FEU ROUGE

- Poids trop élevé
- Moteur un peu juste
- Transmission à cinq rapports seulement
- Certains bruits de caisse (toit baissé)
- Direction empotée

DU NOUVEAU EN 2012

Aucun changement majeur

http://www.volvocanada.com/

Plus d'informations dans la section statistiques en dernière partie du Guide

BEAUTÉS SUÉDOISES

Le constructeur suédois a mis une décennie à offrir une descendance à sa série la plus populaire. Il n'y a donc rien d'étonnant à ce que cette deuxième génération de la berline S60 soit une version soigneusement modernisée de la première, dont la silhouette profilée avait marqué une rupture nette avec le style anguleux des Volvo de l'époque. Les vertus traditionnelles de sécurité assurées, les ingénieurs suédois ont soigné son comportement et sa motorisation pour lui donner les griffes dont elle avait grand besoin pour se mesurer aux divas germaniques de cette catégorie.

CONCURRENTS
Acura TL, Audi A4,
BMW Série 3, Cadillac CTS,
Infiniti G, Lexus IS,
Mercedes-Benz Classe C

IMPRESSIONS DE L'AUTEUR		
Agrément de conduite :	■■■■	4/5
Fiabilité :	NOUVEAU MODÈLE	
Sécurité :	■■■■■	4.5/5
Qualités hivernales :	■■■■■	4.5/5
Espace intérieur :	■■■■	3.5/5
Confort :	■■■■	4/5

La nouvelle S60 nous est d'abord arrivée sous les traits de la T6, qui combine un six cylindres en ligne turbocompressé de 3,0 litres couplé à un rouage intégral. La T5 a suivi, dotée d'une version bonifiée du cinq cylindres turbo de 2,5 litres, qui entraîne seulement les roues avant. La première se reconnaît à certaines touches extérieures comme des moulures chromées autour de ses glaces latérales. S'ajoute à ces modèles une S60 R-Design plus sportive, dont la carrosserie a été retouchée et abaissée de 15 mm, la suspension raffermie et le moteur T6 gonflé de 25 chevaux, avec un gain de couple proportionnel. Les S60 sont élaborées sur la plate-forme qui sous-tend également les séries S80 et XC70, mais surtout l'utilitaire XC60. Elles sont plus longues que leur devancière de 25 mm et plus large de 26 mm, mais leur empattement a fait un gain plus substantiel : 61 mm.

LES COUDÉES FRANCHES

Cette plus grande empreinte profite grandement au volume de l'habitacle. L'espace est généreux à l'avant et la présentation relevée dans chacune des S60 essayées, y compris la T5, le modèle le plus accessible. Le cuir épais et granuleux des sièges et le contraste de couleurs chaudes avec les autres surfaces plus foncées formaient un contraste très élégant. Il faut toutefois payer un supplément pour ce cuir dans la T5.

Volvo produit les meilleurs sièges depuis des lunes et les baquets des S60 ne font pas exception. Ils offrent un amalgame de confort et de maintien sans faille et sont faciles à régler. Il est par contre ardu de mettre ces réglages en mémoire avec des boutons installés sur le côté du coussin, ce qui impose des contorsions. Les S60 ne sont toujours pas des limousines mais les places arrière profitent certainement des 53 mm gagnés en espace pour les jambes avec l'empattement plus long. Deux adultes de gabarit normal y sont confortables, mais l'espace pour les pieds est un peu juste sous les

Catégorie	Berline
Échelle de prix	38 300 $ à 45 450 $
Garanties	4 ans/80 000 km, 4 ans/80 000 km
Assemblage	Gand, Suède
Cote d'assurance	n.d.

sièges avant. La place centrale, comme dans toute berline de luxe de cette taille, est un vœu pieux.

Le coffre, quant à lui, a perdu une cinquantaine de litres de volume dans cette mutation, mais son ouverture est plus large de plus de 10 cm. On peut rabattre les dossiers des places arrière en deux pans pour transporter davantage de choses et il est possible de faire de même avec le dossier du siège du passager à l'avant si on veut déplacer des objets encore plus longs.

STYLE ET SÉCURITÉ SCANDINAVES

Le tableau de bord et la console de cette nouvelle S60 sont épurés à la suédoise, à tel point que les cadrans principaux ont l'air un peu perdus dans leur nacelle. Si la logique des contrôles est généralement correcte, les interfaces de contrôle séparées sont déroutantes. Par exemple, on trouve un bouton « menu » sur la console centrale, mais pas sur le volant où une telle commande serait pourtant très utile. Le volant lui-même est un pur plaisir avec sa jante charnue drapée d'un cuir dont la texture est juste assez lisse. Les S60 sont par ailleurs livrées avec un assortiment déjà complet d'éléments axés sur le confort et le divertissement. Aux dispositifs de sécurité auxquels on s'attend dans une Volvo, on peut ajouter un « groupe d'aide à la conduite », qui comprend des systèmes pour surveiller l'éveil et les angles morts, des sonars de stationnement et un régulateur de vitesse automatique avec détecteur de collision et freinage automatique. Option coûteuse, toutefois.

La S60 T6 est par contre la seule à disposer du nouvel antidérapage avec mode sport, ses freins à disque avant sont également de plus grand diamètre, ses disques arrière sont ventilés et elle est dotée d'un frein de stationnement électrique. Pour la T6 seulement, on compte aussi des phares au xénon orientables.

PLAISIRS INÉDITS ET SURPRISES

C'est toutefois en performance et en comportement routier que ces nouvelles S60 sont les plus étonnantes et réjouissantes. Nous avons d'abord apprécié les performances costaudes de la T6 AWD, son aplomb et sa stabilité, mais nous avons surtout aimé la finesse de sa direction et ses réactions sur route sinueuse. Sa suspension dynamique reprend avec bonheur les tarages des modèles européens.

Et pourtant, la surprise de cette nouvelle série est la T5, une traction propulsée par un cinq cylindres, qu'on apprécie pour sa vivacité et son caractère. Ironiquement, les cotes de consommation de la T6 à rouage intégral sont légèrement meilleures, même si elle est plus lourde de 172 kg. La T5 se reprend avec un diamètre de braquage plus court de 60 cm qu'on apprécie grandement. Chose certaine, la T5 est loin d'être un pis-aller. C'est tout dire, parce que la T6 AWD est une belle réussite.

Marc Lachapelle

Photos: Sylvain Raymond

CHÂSSIS - T6 AWD	
Emp/lon/lar/haut	2 776/4 628/1 564/1 484 mm
Coffre	340 litres
Réservoir	68 litres
Nombre coussins sécurité / ceintures	6 / 5
Suspension avant	indépendante, jambes de force
Suspension arrière	indépendante, multibras
Freins avant / arrière	disque / disque
Direction	à crémaillère, assistée
Diamètre de braquage	15,0 m
Pneus avant / arrière	235/40R18 / 235/40R18
Poids	1 769 kg
Capacité de remorquage	1 500 kg (3 306 lb)

COMPOSANTES MÉCANIQUES	
T5	
Cylindrée, soupapes, alim.	5L 2,5 litres 20 s turbo
Puissance / Couple	250 chevaux / 266 lb-pi
Tr. base (opt) / rouage base (opt)	A6 / Tr
0-100 / 80-120 / 100-0 km/h	8,0 s (est) / n.d. / 42,8 m
Type ess. / ville / autoroute	Super / 10,5 / 6,6 l/100 km
T6 AWD	
Cylindrée, soupapes, alim.	6L 3,0 litres 24 s turbo
Puissance / Couple	300 chevaux / 325 lb-pi
Tr. base (opt) / rouage base (opt)	A6 / Int
0-100 / 80-120 / 100-0 km/h	6,6 s / 4,0 s / 42,8 m
Type ess. / ville / autoroute	Super / 13,1 / 9 l/100 km

FEU VERT

- Tenue de route nettement meilleure
- Habitacle chic et bien fini
- Rouage intégral (T6)

FEU ROUGE

- Grand diamètre de braquage (T6)
- Certains réglages pénibles
- Places arrière justes
- Cadrans principaux austères

DU NOUVEAU EN 2012

Modèle T5. Modèle T6 R-Design sera dévoilé en cours d'année

http://www.volvocanada.com/

Plus d'informations dans la section statistiques en dernière partie du Guide

L'ÉTERNITÉ C'EST LONG, SURTOUT VERS LA FIN

C'est avec cette phrase tout à fait suave, attribuée au cinéaste américain Woody Allen, que débute notre compte-rendu de la Volvo S80. Maintenant complètement déclassée sur le plan technique par ses rivales immédiates qui sont en constante évolution, la grande berline suédoise fait du surplace depuis des années et se perd aujourd'hui dans un anonymat presque complet.

Les chiffres de vente en témoignent, la S80 est en chute libre, et rien ne laisse présager que les changements apportés à ce modèle pour 2012 suffiront à renverser la vapeur. En effet, ces modifications se limitent à des détails de présentation ou à l'intégration de systèmes de sécurité développés pour les plus récents modèles de Volvo. Ainsi, la S80 s'annonce en version Executive, avec l'ajout de cuir sur le tableau de bord ainsi que sur les panneaux intérieurs des portières, ce qui représente une première pour la marque. Des fonctions de ventilation et de massage ont été ajoutées aux sièges avant, les tapis sont plus épais et il est possible de commander en option un réfrigérateur localisé à l'arrière de l'habitacle de même que deux verres en cristal suédois. Vous l'aurez compris, on cible principalement le marché chinois avec ce modèle conçu pour séduire les hommes d'affaires qui préfèrent se faire conduire, standing oblige, et le fait que la marque Volvo ait été acquise par le constructeur automobile chinois Geely au coût de 1,8 milliard de dollars en 2010 n'est certes pas étranger à cette démarche. Par ailleurs, la S80 adopte le système d'infodivertissement Sensus, inauguré sur la plus récente S60, ainsi que les systèmes avancés de sécurité comme le City Safety, développé pour le sport-uilitaire XC60, et qui est décrit en détail dans l'article consacré à ce modèle à la page 622 de ce Guide.

Sur le plan de la dynamique, rien n'a donc évolué sur la S80 qui continue de proposer une conduite aseptisée à l'extrême en raison de l'intervention très autoritaire du système de contrôle de la stabilité. En effet, celui-ci entre en action dès que le conducteur se met en tête d'exploiter un tant soit peu le potentiel de performance de la voiture. De plus, le rouage intégral de la S80 T6 priorise la répartition de la motricité vers le train avant en conduite normale dans une proportion de 95 %, tout en permettant de varier cette répartition jusqu'à livrer une motricité égale aux trains avant et arrière en cas de besoin. Le résultat, c'est que la plupart du temps, on se retrouve par la force des choses au volant d'une simple traction, avec tout ce que cela entraîne pour ce qui est du comportement routier, comme une tendance au sous-virage en conduite sportive. Pourtant, ce modèle est équipé du châssis actif Four-C

CONCURRENTS

Acura RL, Audi A6, BMW Série 5, Cadillac STS, Infiniti M, Jaguar XF, Lexus GS, Mercedes-Benz Classe E

IMPRESSIONS DE L'AUTEUR

Agrément de conduite :	4 / 5
Fiabilité :	3 / 5
Sécurité :	5 / 5
Qualités hivernales :	4 / 5
Espace intérieur :	3 / 5
Confort :	4 / 5

Catégorie	Berline
Échelle de prix	49 995 $ à 59 995 $ (2011)
Garanties	4 ans/80 000 km, 4 ans/80 000 km
Assemblage	Torslanda, Suède
Cote d'assurance	n.d.

qui permet de raffermir le débattement des suspensions. Ajoutez à cela une direction qui offre une bonne tenue de cap en ligne droite, mais qui manque de sensibilité en virages, et vous avez le portrait d'une voiture de luxe dont la conduite est plutôt engourdie, voire aseptisée plutôt que joueuse. Comme la S80 pèse presque deux tonnes, cela explique aussi son relatif manque d'entrain ainsi que ses cotes de consommation élevées, peu importe qu'elle soit animée par le moteur de base qu'est l'anémique six cylindres de 3,2 litres développant 235 chevaux ou encore par le six cylindres en ligne de 3,0 litres turbocompressé qui en développe 300. C'est ce dernier qui est le mieux adapté au poids et au gabarit de la S80.

La vie à bord est agréable, dans la mesure où l'on se contente d'adopter une conduite sereine, et le confort des sièges avant est supérieur au point d'être souverain. Il faut également souligner la grande simplicité des commandes du système de chauffage/climatisation et la finition soignée de l'habitacle, de même que la qualité des matériaux pour sa réalisation.

ENVISAGE-T-ON LA SUITE ?

Au cours de ma visite du Salon de l'auto de Shanghai au printemps 2011, j'ai assisté, au stand de Volvo, au dévoilement du Concept Universe, une voiture-concept de plus de 5 mètres de longueur, qui semble avoir été créée soit pour annoncer l'arrivée éventuelle de la remplaçante de la S80, soit pour indiquer la nouvelle direction de la marque suédoise en matière de style.

À l'avant, le Concept Universe affiche une calandre inédite pour la marque avec une série de rectangles aux coins arrondis sur lesquels est disposée la traditionnelle bande diagonale ornée de l'écusson de la marque. La ligne de toit est très arquée, voire fuyante vers l'arrière, émulant ainsi les berlines aux allures de coupé que sont les Mercedes-Benz CLS et Volkswagen Passat CC. Selon Peter Horbury, qui est redevenu chef du département de design de la marque suédoise après plusieurs années passées chez Ford, le style du Concept Universe est de facture authentiquement scandinave, sans prétentions ou artifices.

La suite des choses se confond cependant dans un certain flou artistique, puisque très peu d'informations complémentaires ont été révélées au sujet de cette voiture-concept, ou encore sur les intentions de la marque d'aller de l'avant ou non avec une berline d'aussi grande taille. On attend donc la suite des choses en ce qui concerne l'éventuelle remplaçante de l'actuelle S80.

Gabriel Gélinas

Photos : Volvo

CHÂSSIS - T6 AWD

Emp/lon/lar/haut	2 835/4 851/1 861/1 493 mm
Coffre	480 litres
Réservoir	70 litres
Nombre coussins sécurité / ceintures	8 / 5
Suspension avant	indépendante, jambes de force
Suspension arrière	indépendante, multibras
Freins avant / arrière	disque / disque
Direction	à crémaillère, assistée
Diamètre de braquage	12,2 m
Pneus avant / arrière	P245/40R18 / P245/40R18
Poids	1 740 kg
Capacité de remorquage	750 kg (1 653 lb)

COMPOSANTES MÉCANIQUES

3.2	
Cylindrée, soupapes, alim.	6L 3,2 litres 24 s atmos.
Puissance / Couple	235 chevaux / 236 lb-pi
Tr. base (opt) / rouage base (opt)	A6 / Tr
0-100 / 80-120 / 100-0 km/h	8,2 s / n.d. / 39,5 m
Type ess. / ville / autoroute	Super / 11,4 / 7,4 l/100 km

T6 AWD	
Cylindrée, soupapes, alim.	6L 3,0 litres 24 s turbo
Puissance / Couple	300 chevaux / 325 lb-pi
Tr. base (opt) / rouage base (opt)	A6 / Int
0-100 / 80-120 / 100-0 km/h	6,9 s / n.d. / 39,5 m
Type ess. / ville / autoroute	Super / 13,3 / 8,6 l/100 km

FEU VERT

- Sièges confortables
- Systèmes de sécurité de pointe
- Modèle T6 AWD agréable
- Très bon niveau de confort

FEU ROUGE

- Consommation élevée
- Manque de personnalité
- Conduite aseptisée
- Moteur de base peu performant

DU NOUVEAU EN 2012

Système de divertissement Volvo Sensus

http://www.volvocanada.com/

Plus d'informations dans la section statistiques en dernière partie du Guide

ÉLÉGANT, SÉCURITAIRE ET GOURMAND

Avec son allure inspirée à la fois d'un sport-utilitaire et d'une familiale, le Volvo XC60 fait preuve d'une belle élégance avec des formes plus arrondies que celles du XC90. Cela ne lui empêche pas de conserver le style plutôt classique propre à la marque suédoise et de miser sur la sécurité, aspect qui a longtemps fait partie des priorités — et la renommée — de ce constructeur.

La partie avant du véhicule reprend le design classique et plutôt typé de Volvo, avec sa calandre traversée en diagonale par une bande sur laquelle est fixé l'écusson de la marque. Le XC60 affiche également la ligne d'épaule, qui trouve son origine aux phares avant pour se prolonger sur toute la longueur du véhicule, autre élément de style propre à toutes les Volvo. Au niveau des dimensions et du gabarit, précisons que la garde au sol du XC60 est plus élevée que celle des véhicules concurrents, ce qui lui donne un léger avantage pour la conduite hors route, bien que la plupart des acheteurs s'en tiendront plutôt à un usage sur routes balisées seulement. En ce qui a trait à l'habitacle, on retrouve un design classique pour la planche de bord et la console centrale et on prend place sur des sièges aussi stylisés que confortables. Ça se gâte un peu à l'arrière, où le dégagement pour les jambes est compté. En contrepartie, le XC60 offre cependant un peu plus d'espace cargo que la plupart des véhicules concurrents.

UN LASER À L'OEUVRE

Dans l'arsenal des dispositifs avancés de sécurité dont dispose le XC60, le système City Safety prend l'avant-scène, afin d'améliorer la sécurité active en intervenant afin d'éviter les collisions à basse vitesse. Selon les études menées par les ingénieurs de Volvo en Suède, 75 % des collisions surviennent à une vitesse inférieure à 30 km/h, et dans 50 % des cas, le conducteur était probablement distrait parce qu'il n'a jamais tourné le volant ou appuyé sur les freins. Pour pallier cette situation, le système City Safety utilise un laser qui est localisé sur la partie supérieure du pare-brise, ainsi qu'un radar monté derrière la calandre. Ces deux instruments mesurent continuellement la distance qui sépare le XC60 du véhicule qui roule devant ainsi que la rapidité de la variation de cet écart. Lorsque le système juge qu'une collision est imminente, les freins sont appliqués automatiquement pour immobiliser le véhicule avant l'impact. Précisons que le système ne fonctionne parfaitement que lorsque le XC60 roule à moins de 30 km/h. Si la vitesse est plus élevée, le risque d'une collision demeure toujours possible, mais l'impact sera probablement moins sévère à cause de l'entrée en action du système. Par ailleurs, le XC60 est également doté

CONCURRENTS
Acura RDX,
Audi Q5,
BMW X3,
Infiniti EX,
Land Rover LR2,
Mercedes-Benz Classe GLK

IMPRESSIONS DE L'AUTEUR	
Agrément de conduite :	4 / 5
Fiabilité :	3 / 5
Sécurité :	5 / 5
Qualités hivernales :	5 / 5
Espace intérieur :	4 / 5
Confort :	4 / 5

d'un régulateur de vitesse intelligent, d'un système qui permet de détecter la présence d'un autre véhicule dans l'angle mort et d'un autre alertant le conducteur que le véhicule est en train de franchir une ligne blanche sur la route si celui-ci est distrait.

UN COMPORTEMENT ROUTIER ÉQUILIBRÉ

Sur la route, le XC60 fait preuve d'une belle homogénéité et d'un comportement routier équilibré qui est cependant plus axé sur le confort que sur les performances. Comme son poids est très élevé, cela affecte inversement non seulement la dynamique, mais également la consommation de carburant, qui s'avère assez élevée. Le XC60 n'est pas aussi sportif que le BMW X3, le RDX d'Acura ou encore le Q5 de Audi, et l'intervention plutôt hâtive du système de contrôle électronique de la stabilité doit être interprétée comme un signal que le XC60 se demande si notre conduite est bien raisonnable… Bref, le XC60 préfère une conduite souple et relaxe plutôt que d'attaquer une bretelle d'autoroute en faisant crier les pneus. La direction est surassistée, ce qui gomme un peu la sensation au volant. Et le diamètre de braquage est très grand, ce qui complique un peu certaines manœuvres, comme le demi-tour.

Chiffré à environ 1 900 kilos, le poids du XC60 est élevé. Résultat: les accélérations sont correctes, mais pas spectaculaires, malgré le fait que les moteurs six cylindres en ligne développent respectivement 235 chevaux (dans le cas du moteur atmosphérique), et 281 chevaux (pour le moteur turbocompressé). Le poids a également une incidence directe sur la consommation, et les cotes du XC60 sont parmi les pires des véhicules de cette catégorie.

Malheureusement pour les adeptes, les véhicules Volvo souffrent actuellement d'une valeur de revente sérieusement à la baisse, puisque l'orientation future de la marque semble plutôt floue depuis qu'elle est passée aux mains du constructeur automobile chinois Geely. Les intentions de Geely à l'égard de Volvo ne semblent pas très claires, même si la direction actuelle prétend que c'est business as usual au siège social de Goteborg, et que le développement de nouveaux modèles se poursuit pour remplacer ceux qui ont été récemment retirés du catalogue.

À ce titre, la gamme des véhicules sport-utilitaires de la marque suédoise pourrait bientôt s'enrichir avec l'arrivée programmée pour 2013 du XC30, qui aura comme mission de concurrencer directement les nouveaux BMW X1 ainsi que le Audi Q3 dévoilé en première mondiale au Salon de l'auto de Shanghai en 2011.

Gabriel Gélinas

Photos: Volvo

WWW.GUIDEAUTOWEB.COM/VOLVO/XC60/

VOLVO XC60

Catégorie	VUS
Échelle de prix	39 995 $ à 53 495 $ (2011)
Garanties	4 ans/80 000 km, 4 ans/80 000 km
Assemblage	Gand, Belgique
Cote d'assurance	n.d.

CHÂSSIS - 3.2 AWD

Emp/lon/lar/haut	2 774/4 628/2 142/1 713 mm
Coffre	873 à 1 907 litres
Réservoir	70 litres
Nombre coussins sécurité / ceintures	6 / 5
Suspension avant	indépendante, jambes de force
Suspension arrière	indépendante, multibras
Freins avant / arrière	disque / disque
Direction	à crémaillère, ass. variable
Diamètre de braquage	11,9 m
Pneus avant / arrière	235/65R17 / 235/65R17
Poids	1 872 kg
Capacité de remorquage	500 kg (1 102 lb)

COMPOSANTES MÉCANIQUES

3.2, 3.2 AWD

Cylindrée, soupapes, alim.	6L 3,2 litres 24 s atmos.
Puissance / Couple	235 chevaux / 236 lb-pi
Tr. base (opt) / rouage base (opt)	A6 / Tr (Int)
0-100 / 80-120 / 100-0 km/h	9,7 s / 6,6 s / 41,9 m
Type ess. / ville / autoroute	Super / 13,0 / 9,0 l/100 km

T6 AWD

Cylindrée, soupapes, alim.	6L 3,0 litres 24 s turbo
Puissance / Couple	281 chevaux / 295 lb-pi
Tr. base (opt) / rouage base (opt)	A6 / Int
0-100 / 80-120 / 100-0 km/h	8,9 s / 6,8 s / 41,0 m
Type ess. / ville / autoroute	Super / 13,5 / 9,1 l/100 km

T6 AWD R-Design

Cylindrée, soupapes, alim.	6L 3,0 litres 24 s turbo
Puissance / Couple	325 chevaux / 354 lb-pi
Tr. base (opt) / rouage base (opt)	A6 / Int
0-100 / 80-120 / 100-0 km/h	n.d. / n.d. / n.d.
Type ess. / ville / autoroute	Super / n.d.

FEU VERT

- Lignes élégantes
- Comportement routier équilibré
- Systèmes de sécurité de pointe
- Sièges confortables
- Rouage intégral efficace

FEU ROUGE

- Consommation élevée
- Poids élevé
- Options coûteuses
- Valeur de revente en baisse

DU NOUVEAU EN 2012

Aucun changement majeur

http://www.volvocanada.com/

Plus d'informations dans la section statistiques en dernière partie du Guide

L'ART ET LA MANIÈRE

Volvo a eu l'heureuse idée de muscler la suspension, d'augmenter la garde au sol et de donner une allure plus costaude à une des grandes familiales qui faisait déjà sa réputation et son succès il y a une douzaine d'années. Cette version Cross Country de la V70 est devenue la XC70 et sa réussite ne s'est jamais démentie depuis. Plus raffinée que jamais depuis une refonte qui lui a valu, entre autres, de nouveaux moteurs à six cylindres doux et puissants, la XC70 a droit cette année à des attentions de ses créateurs qui veulent la rendre plus conviviale et plus sûre encore face à des concurrentes aguerries et douées, qui ne viennent pas toujours de l'extérieur.

CONCURRENTS

Subaru Outback

IMPRESSIONS DE L'AUTEUR

Agrément de conduite :	3.5/5
Fiabilité :	4/5
Sécurité :	4.5/5
Qualités hivernales :	5/5
Espace intérieur :	4/5
Confort :	4/5

Face à la horde actuelle de multisegments et semblables, la XC70 offre un des meilleurs amalgames de qualités pratiques, d'habitabilité et de comportement, avec un accent sur la maniabilité et l'équilibre que procure un centre de gravité plus bas. Ce qui n'empêche aucunement le XC60, un multisegment plutôt réussi, de lui porter ombrage au sein de la gamme Volvo, du moins au chapitre des ventes. Or, la XC70 devait déjà composer avec une rivale qui offre sensiblement les mêmes avantages : la Subaru Outback. Cette dernière a grandi et s'est améliorée nettement à sa dernière refonte. Sa version la mieux équipée est néanmoins encore plus accessible que la moins chère des XC70, malgré les retouches apportées à la structure des modèles l'an dernier. L'écart est cependant beaucoup moins grand qu'auparavant.

SOIGNER LES INTERFACES

Les mises à jour apportées cette année à la XC70 arrivent donc doublement à point. Elles visent essentiellement une intégration plus poussée des technologies les plus récentes, en mettant l'accent sur l'ergonomie. La partie supérieure du tableau de bord a été redessinée pour loger un écran de sept pouces, en couleur et haute définition, sur lequel s'affichent les menus des différents systèmes embarqués, mais également le système de navigation et les images produites par la caméra de marche arrière. Cet écran fixe remplace l'écran escamotable qui surgissait d'une fente comme une tranche d'un grille-pain.

Virtuellement, tous les dispositifs électroniques de la XC70 sont désormais regroupés sous le parapluie du système Sensus apparu d'abord dans la nouvelle S60 l'an dernier. Le but poursuivi est de réduire, sinon d'éliminer, les distractions que peut provoquer la manipulation des différents systèmes du véhicule alors qu'il est en mouvement. C'est pourquoi l'écran a été installé le plus haut possi-

Catégorie	Familiale, Multisegment
Échelle de prix	43 995 $ à 49 995 $ (2011)
Garanties	4 ans/80 000 km, 4 ans/80 000 km
Assemblage	Torslanda, Suède
Cote d'assurance	n.d.

CHÂSSIS - 3.2 AWD	
Emp/lon/lar/haut	2 815/4 838/2 119/1 604 mm
Coffre	944 à 2 042 litres
Réservoir	70 litres
Nombre coussins sécurité / ceintures	6 / 5
Suspension avant	indépendante, jambes de force
Suspension arrière	indépendante, multibras
Freins avant / arrière	disque / disque
Direction	à crémaillère, ass. variable
Diamètre de braquage	11,5 m
Pneus avant / arrière	P215/65R16 / P215/65R16
Poids	1 932 kg
Capacité de remorquage	1 500 kg (3 306 lb)

COMPOSANTES MÉCANIQUES	
3.2 AWD	
Cylindrée, soupapes, alim.	6L 3,2 litres 24 s atmos.
Puissance / Couple	235 chevaux / 236 lb-pi
Tr. base (opt) / rouage base (opt)	A6 / Int
0-100 / 80-120 / 100-0 km/h	9,3 s / 8,5 s / 39,7 m
Type ess. / ville / autoroute	Super / 11,7 / 8,1 l/100 km
T6 AWD	
Cylindrée, soupapes, alim.	6L 3,0 litres 24 s turbo
Puissance / Couple	300 chevaux / 325 lb-pi
Tr. base (opt) / rouage base (opt)	A6 / Int
0-100 / 80-120 / 100-0 km/h	7,4 s (est) / n.d. / 39,7 m
Type ess. / ville / autoroute	Super / 13,7 / 8,8 l/100 km

ble sur le tableau de bord pour qu'on puisse le voir facilement et en baissant également les yeux le moins longtemps possible.

Il suffit d'appuyer sur le bouton « My Car » sur la console centrale pour accéder aux menus de contrôle, de réglage ou de surveillance des multiples systèmes de sécurité de la XC70, mais également aux commandes du régulateur de vitesse automatique, de l'éclairage, des rétroviseurs, du climatiseur, du verrouillage central et de la chaîne audio. Le grand écran affiche aussi les données des téléphones jumelés, celles du système de navigation et les images de la caméra de marche arrière, de la caméra périphérique, de la télé numérique, du lecteur de DVD et tutti quanti. On a même bonifié la connexion Bluetooth afin qu'elle permette la reproduction en continu de fichiers de musique en plus d'assurer les conversations téléphoniques sur le mode « mains libres ».

On navigue à travers les multiples menus et tableaux du système Sensus à l'aide de quelques boutons, mais surtout d'une molette coiffée de touches « ok » et « exit » en demi-lune qui est placée à la droite de la portion verticale de la console centrale. On ne la trouve donc pas au bout des doigts sur la portion horizontale de la console comme sur les marques de luxe allemandes et la plupart des Japonaises et Coréennes du même créneau. Le système Sensus fonctionne correctement, mais exige certainement un apprentissage et une période de familiarisation, comme ceux de la concurrence.

ÉQUILIBRE ET CONFORT

La XC70 a également hérité d'un volant sport à trois rayons identique à celui de la S60. Une belle pièce dont la jante est taillée impeccablement et gainée d'un cuir mat et lisse, avec des renflements judicieusement placés à « 10 h » et « 14 h » pour faciliter les braquages prononcés. Le volant porte également des contrôles pour le régulateur de vitesse, la chaîne audio et les commandes vocales. La console centrale a elle aussi été redessinée et elle est maintenant bordée de moulures métalliques au fini satiné. Tous ces changements ont rajeuni l'habitacle de la XC70 de belle manière, une prime qui s'ajoute aux gains fonctionnels.

Pour le reste, cette alternative éminemment logique aux multisegments trop hauts, trop gros et trop lourds demeure agréable à conduire, sûre et stable, à défaut d'être le moindrement sportive. Le 3,2 litres atmosphérique n'arrache pas le bitume avec un 0-100 km/h en 9,3 secondes, mais il est doux et souple. Le moteur T6 optionnel est plus stimulant avec ses 300 chevaux, mais plus gourmand aussi. Chose certaine, quel que soit le moteur choisi, la XC70 est une valeur sûre et le restera pendant encore un bail.

Marc Lachapelle

FEU VERT

- Excellents sièges
- Tableau de bord mis à jour
- Comportement très sûr
- Éminemment pratique

FEU ROUGE

- Mémoire pour sièges peu accessible
- Diamètre de braquage un peu long
- Encombrement et poids importants
- Le prix grimpe avec des options chères

DU NOUVEAU EN 2012

Nouveau système de divertissement Volvo Sensus

Photos: Volvo

http://www.volvocanada.com/

Plus d'informations dans la section statistiques en dernière partie du Guide

LE VÉTÉRAN

Chez Volvo, on conserve ses modèles longtemps sans y apporter de modifications majeures. Nous en avons eu l'exemple avec la S60, qui l'an dernier, après une carrière d'environ une décennie, a eu droit à une refonte totale. Pour ce qui est du XC90, ce gros multisegment, il est toujours en piste sans avoir connu de transformation importante depuis 2002. Pas un véhicule pour les personnes avides de changement…

CONCURRENTS
Acura MDX, Audi Q7, BMW X5, Cadillac SRX, Infiniti FX, Lexus RX, Lincoln MKX, Mercedes-Benz Classe M, Porsche Cayenne, Volkswagen Touareg

IMPRESSIONS DE L'AUTEUR	
Agrément de conduite :	4 / 5
Fiabilité :	3 / 5
Sécurité :	4 / 5
Qualités hivernales :	4.5 / 5
Espace intérieur :	4 / 5
Confort :	4.5 / 5

Malgré tout, ce modèle demeure l'un des plus vendus de la marque. Pour plusieurs, sa polyvalence, la sécurité qu'il offre et sa motorisation fort intéressante compensent amplement l'absence de changement à la carrosserie ou au tableau de bord. Cette approche est typique de la marque, qui a toujours été reconnue pour la longévité de ses modèles.

CHOIX SIMPLIFIÉ

Lors de son apparition sur le marché, cette Suédoise proposait deux moteurs à cylindres en ligne. Curieusement, la version T5, moins puissante, était plus performante et plus équilibrée que le modèle T6, propulsé par un moteur six cylindres. C'est que ce dernier était relié à une transmission automatique déficiente. Quoi qu'il en soit, au fil des améliorations, on a renouvelé les groupes propulseurs avec succès.

Jusqu'à tout récemment, l'acheteur avait le choix entre un six cylindres en ligne de 3,2 litres produisant 235 chevaux et un moteur V8 de 4,4 litres spécialement développé par Yamaha pour le XC 90. La puissance de celui-ci était de 311 chevaux et il était mieux adapté à ce véhicule que le moteur six cylindres qui s'avère un peu juste, une fois la voiture lourdement chargée. Dans les deux cas, la boîte automatique était à six rapports, tandis que le rouage intégral Haldex était de série. Mieux encore, ce V8 était fait sur mesure pour le XC90. Son bloc-moteur avait été spécialement dessiné afin de s'insérer sans problème sous le capot de ce modèle, pour lequel on avait initialement prévu des moteurs en ligne. Mais savez-vous ce que Volvo a décidé? La direction a choisi d'abandonner ce moteur pour limiter sa production au 3,2 litres six cylindres. Si le choix est simplifié, il devient nettement moins intéressant. Le V6 était presque aussi gourmand que le moteur abandonné, et pourtant, il se veut un peu juste lorsqu'on roule avec une pleine charge ou en tractant une remorque. Sur une note plus positive, le rouage intégral a été essentiellement conçu et développé pour une utilisation sur des chaussées à faible coefficient d'adhérence et pas nécessairement pour affronter

Catégorie	VUS
Échelle de prix	51 995 $ à 59 995 $ (2011)
Garanties	4 ans/80 000 km, 4 ans/80 000 km
Assemblage	Torslanda, Suède
Cote d'assurance	moyenne

VOLVO XC90

des sentiers difficilement praticables. Ce système développé par la firme suédoise Haldex se prête fort bien au remorquage.

Compte tenu du centre de gravité assez élevé de cette Volvo, de ses dimensions encombrantes et de son poids élevé, ce n'est pas nécessairement la voiture la plus agile, ni la plus dynamique. Par contre, sur la grande route, c'est un véhicule stable et silencieux dont la direction est passablement précise. Il faut toutefois déplorer un diamètre de braquage vraiment trop important, ce qui rend les manœuvres de stationnement particulièrement ardues.

SÉCURITÉ ET POLYVALENCE

Au niveau de la conduite, cette grosse Volvo se comporte de façon honnête et son rouage intégral permet d'affronter la plupart des conditions. Mais les points les plus intéressants de ce véhicule sont sa grande polyvalence et la sécurité traditionnelle de la marque. En ce qui a trait à la sécurité, les ingénieurs de la compagnie ont fait la grimace lorsque la direction leur a demandé de dessiner un véhicule utilitaire avec trois rangées de sièges. Pour les spécialistes de la sécurité de Goteborg, la présence d'une troisième rangée représentait un danger pour ses occupants en cas d'impact arrière. Ils ont donc développé une plate-forme excessivement sophistiquée, afin de protéger les passagers en cas d'impact. De plus, la section avant est spécialement développée pour empêcher le chevauchement lors de collisions entre des véhicules de différentes hauteurs. Et il a été l'un des premiers, sinon le premier, à être doté d'un dispositif anticapotage. Des capteurs permettent de détecter si le véhicule est en voie de capoter et entraînent alors une série d'interventions : ralentissement de la vitesse, freinage lorsque la situation devient encore plus corsée, multiples coussins gonflables qui se déploient afin de protéger les occupants, etc.

Mais on n'achète pas un véhicule dans le seul but de se protéger en cas de collision, on veut également l'utiliser dans la vie de tous les jours. À ce chapitre, le XC90 impressionne autant en raison de son confort que de sa polyvalence. Comme il se doit sur une Volvo, les sièges avant sont non seulement très confortables, ils offrent également un excellent support latéral. La banquette est suffisamment longue pour supporter les cuisses, un élément important lors de longs trajets. Les places de la seconde rangée sont confortables, tandis que celles de la troisième banquette sont surtout réservées à des personnes de petite taille ou à des enfants. Justement, ces sièges arrière peuvent être déployés et agencés de différentes façons, ce qui permet de transporter personnes et bagages de façon optimale.

Le XC90 n'est pas un mauvais choix, il possède encore des atouts et des qualités qui seront appréciées de bien des consommateurs. Comme ce fut longtemps le cas chez Volvo, les changements ne se font qu'après plusieurs années, mais malgré cette longévité, sa fiabilité n'est pas des plus exemplaires.

Denis Duquet

Photos: Volvo

CHÂSSIS - 3.2 AWD LUXURY	
Emp/lon/lar/haut	2 857/4 807/1 898/1 784 mm
Coffre	249 à 2 410 litres
Réservoir	80 litres
Nombre coussins sécurité / ceintures	8 / 7
Suspension avant	indépendante, jambes de force
Suspension arrière	indépendante, multibras
Freins avant / arrière	disque / disque
Direction	à crémaillère, ass. variable
Diamètre de braquage	12,5 m
Pneus avant / arrière	P255/60R18 / P235/60R18
Poids	2 132 kg
Capacité de remorquage	2 250 kg (4 960 lb)

COMPOSANTES MÉCANIQUES	
3.2 AWD	
Cylindrée, soupapes, alim.	6L 3,2 litres 24 s atmos.
Puissance / Couple	240 chevaux / 236 lb-pi
Tr. base (opt) / rouage base (opt)	A6 / Int
0-100 / 80-120 / 100-0 km/h	9,7 s / 7,8 s / 42,2 m
Type ess. / ville / autoroute	Super / 15,0 / 10,0 l/100 km

FEU VERT

- Polyvalence de l'habitacle
- Finition soignée
- Sièges confortables
- Sécurité active et passive

FEU ROUGE

- Rayon de braquage hors normes
- Fiabilité incertaine
- Consommation élevée
- Certaines commandes à revoir
- Centre de gravité élevé
- Abandon du V8

DU NOUVEAU EN 2012

Abandon du V8

http://www.volvocanada.com/

Plus d'informations dans la section statistiques en dernière partie du Guide

tableaux de consommation

La modération a bien meilleur goût…

Chaque année, le Guide de l'auto vous informe des voitures les plus économiques offertes sur le marché. Et, pour faire bonne mesure, de celles qui consomment sans vergogne. Ces données ne sont pas inventées, mais issues de la brochure Énerguide publiée par Ressources naturelles du Canada. Afin de présenter des chiffres qui collent davantage à la réalité, nous tenons uniquement compte de la consommation en ville, qui est moins optimiste, et surtout plus réaliste, que la consommation sur route. En plus, les chiffres sont ceux des modèles dotés de la boîte manuelle lorsqu'elle est disponible. Ainsi, vous serez en mesure de comparer les données de consommation de façon plus équitable.

Comme par les années passées, tout au long des pages dédiées aux essais des voitures, nous affichons le logo vert «Voiture économique» pour identifier tout véhicule qui consomme moins de 9,0 litres aux 100 kilomètres en ville.

TOUTES CATÉGORIES CONFONDUES

Toyota Prius 3,7 l/100 km

Marque	Modèle	Consommation
Honda	Civic Hybrid	4,4 l/100 km
Lexus	CT200h	4,5 l/100 km
Ford	Fusion Hybrid	4,6 l/100 km
Lincoln	MKZ Hybrid	4,6 l/100 km
Honda	Insight	4,8 l/100 km

SOUS-COMPACTES

Scion iQ 5,5 l/100 km

Marque	Modèle	Consommation
smart	fortwo	5,9 l/100 km
Hyundai	Accent	6,7 l/100 km
Mazda	2	6,8 l/100 km
Mini	Cooper	6,8 l/100 km
Toyota	Yaris	6,9 l/100 km

COMPACTES

Toyota Prius 3,7 l/100 km

Marque	Modèle	Consommation
Honda	Civic Hybrid	4,4 l/100 km
Lexus	CT200h	4,5 l/100 km
Honda	Insight	4,8 l/100 km
Honda	CR-Z	5,6 l/100 km

EX AEQUO

Lincoln MKZ Hybrid 4,6 l/100 km

Ford Fusion Hybrid 4,6 l/100 km

INTERMÉDIAIRES

Lexus	HS250h	5,6 l/100 km
Nissan	Altima Hybrid	5,6 l/100 km
Toyota	Camry Hybrid	5,7 l/100 km
Hyundai	Sonata Hybrid	6,5 l/100 km
Chevrolet	Volt*	6,7 l/100 km

* Seulement quand le moteur thermique fonctionne

VUS ET MULTISEGMENTS

Lexus	RX450h	6,3 l/100 km
Toyota	Highlander Hybrid	6,6 l/100 km
Mini	Countryman	7,3 l/100 km
Nissan	cube	7,5 l/100 km

Ford Escape Hybrid 5,8 l/100 km

smart fortwo Roadster 5,9 l/100 km

CABRIOLETS ET ROADSTERS

Mini	Cooper cabrio	7,3 l/100 km
Fiat	500C	8,7 l/100 km
Audi	TT Roadster	9,1 l/100 km
Mazda	MX-5	9,2 l/100 km

ET LES CANCRES DE LA CONSOMMATION…

Bentley	Mulsanne	25,3 l/100 km
Bentley	Continental GT et Flying Spur Speed	25,3 l/100 km
Maserati	Quatroporte GT S	24,0 l/100 km
Maserati	Gran Turismo	23,2 l/100 km

Lamborghini Aventador 27,3 l/100 km

ACURA

MDX	52,690$	x
MDX Technologie	57,990$	x
MDX Elite	62,690$	x
RDX	40,490$	x
RDX Technologie	42,490$	x
RL Elite	64,690$	x
TL	39,490$	
TL Technologie	42,990$	
TL SH-AWD	43,490$	
TL SH-AWD Technologie	46,990$	
TL SH-AWD Elite	48,990$	
TSX	31,890$	x
TSX Premium	33,690$	x
TSX Technologie	37,990$	x
TSX V6 Technologie	41,890$	x
ZDX Technologie	54,990$	x

ALLARD

J2X MK II	144,500$	

ASTON MARTIN

Cygnet	n.d.	
DB9 Coupe	206,765$	x
DB9 Volante	224,465$	x
DBS Coupe	326,397$	x
DBS Volante	323,195$	x
One-77	n.d.	
Rapide	223,100$	x
V8 Vantage Coupe	137,795$	x
V8 Vantage S Coupe	n.d.	
V8 Vantage Roadster	151,795$	x
V8 Vantage S Roadster	174,300$	x
V12 Vantage	186,600$	x
V12 Zagato	n.d.	
Virage Coupe	224,100$	
Virage Volante	244,350$	

AUDI

A3 2.0T man	32,300$	x
A3 2.0 TDI S-tronic	35,300$	x
A3 2.0T quattro S-tronic	36,900$	x
A4 Berline 2.0T FWD multitronic	37,800$	x
A4 Berline 2.0T quattro man	39,700$	x
A4 Berline 2.0T quattro Premium Plus tiptronic	47,400$	x
A4 Avant 2.0T quattro	42,800$	x
A5 Coupé 2.0T quattro Premium man	46,200$	x
Cabriolet 2.0T quattro Premium tiptronic	58,400$	x
A6 Berline 3.0T quattro	64,200$	x
A6 Berline 4.2 quattro	75,900$	x
A6 Avant 3.0T quattro	68,200$	x
A7 3.0T quattro Premium	68,600$	x
A7 3.0T quattro Premium Plus	74,300$	x
A8 4.2 quattro	99,200$	x
A8L 4.2 quattro	106,200$	x
Q5 2.0T Premium	41,200$	x
Q5 3.2 quattro	45,500$	x
Q5 Hybride	50 000$ est.	
Q7 3.0T quattro	53,900$	x
Q7 3.0T quattro Sport	69,200$	x
Q7 3.0 TDI quattro	58,900$	x
R8 4.2 quattro man	144,000$	x
R8 5.2 quattro man	173,000$	x
R8 Spyder 5.2 quattro man	187,000$	x
S4 3.0T quattro man	52,500$	x
S5 Coupé 4.2 quattro man	59,900$	x
S5 Cabriolet 3.0T quattro S-tronic	68,300$	x
S6 5.2 quattro	99,500$	x
TTS Coupé 2.0T quattro	57,900$	x
TTS Roadster 2.0T quattro	62,200$	x

BENTLEY

Continental GT	237,485$	
Continental Flying Spur	230,555$	
Continental GTC	262,585$	
Continental Supersports Coupe	327,260$	
Continental Supersports Convertible	343,430$	
Mulsanne	358,595$	

BMW

M3 Berline	70,300$	x
M3 Coupé	71,700$	x
M3 Cabriolet	82,300$	x
Série 1 Coupé 128i	36,000$	
Série 1 Coupé 135i	43,200$	
Série 1 Cabriolet 128i	41,400$	
Série 1 Cabriolet 135i	48,700$	
Série 1 M Coupe	53,600$	x
Série 3 Berline 323i	34,900$	x
Série 3 Berline 328i	41,500$	x
Série 3 Berline 328i xDrive	39,950$	x
Série 3 Berline 335i	51,400$	x
Série 3 Berline 335i xDrive	52,100$	x
Série 3 Berline 335d	49,900$	x
Série 3 Coupé 328i	44,300$	x
Série 3 Coupé 328i xDrive	46,800$	x
Série 3 Coupé 335i	53,400$	x
Série 3 Coupé 335i xDrive	54,100$	x
Série 3 Coupé 335is	58,800$	x
Série 3 Cabriolet 328i	57,300$	x
Serie 3 Cabriolet 335i	68,900$	x
Serie 3 Cabriolet 335is	74,300$	x
Série 3 Touring 328i xDrive	48,500$	x
Série 5 Berline 528i	53,900$	x
Série 5 Berline 535i	62,300$	x
Série 5 Berline 550i	73,300$	x
Série 5 Gran Turismo 535i xDrive	69,900$	x
Série 5 Gran Turismo 550i xDrive	79,900$	x
Série 6 Cabriolet 650i	106,800$	
Série 7 750i xDrive	110,300$	
Série 7 750Li xDrive	118,300$	
Série 7 ActiveHybrid	132,300$	x
Série 7 Alpina	152,000$	
Série 7 Alpina empattement long	160,000$	
Série 7 760Li	186,000$	x
X1 2.8i xDrive	38,500$	
X3 2.8i xDrive	41,900$	x
X3 3.5i xDrive	46,900$	x
X5 3.5d xDrive	62,800$	x
X5 3.5i xDrive	61,800$	
X5 5.0i xDrive	75,700$	
X5 M	98,300$	
X6 3.5i xDrive	66,650$	
X6 5.0i xDrive	82,050$	
X6 ActiveHybrid	99,900$	x
X6 M	100,900$	
Z4 Roadster 3.0i	54,300$	x
Z4 Roadster 3.5i	63,900$	x
Z4 Roadster 3.5is	77,900$	x

BUGATTI

Veyron	1,400,000$	

BUICK

Enclave CX	43,685$	x
Enclave CXL	48,655$	x
Enclave CX (TI)	46,685$	x
Enclave CXL (TI)	51,655$	x
LaCrosse CX	31,760$	x
LaCrosse CXL	34,910$	x
LaCrosse CXL (TI)	38,985$	x
LaCrosse CXS	41,985$	x
LaCrosse eAssist	35,415$	
Regal GS	n.d.	
Regal eAssist	n.d.	

CADILLAC

CTS 3.0L	40,610$	x
CTS 3.6L	48,940$	x
CTS 3.0L (TI)	44,935$	x
CTS 3.6L (TI)	51,565$	x
CTS-V	72,720$	x
CTS Coupe	42,240$	x
CTS Coupe 3.6 (TI)	50,255$	x
CTS-V Coupe	71,425$	x
CTS Familiale sport 3.0L	44,300$	x
CTS Familiale sport 3.6L	50,930$	x
CTS Familiale sport 3.0L (TI)	46,925$	x
CTS Familiale sport 3.6L (TI)	53,965$	x
CTS-V Familiale sport	74,820$	x
DTS	56,735$	x
DTS Platine	74,875$	x
Escalade EXT	79,910$	x
Escalade	84,935$	x
Escalade ESV	88,650$	x
Escalade Hybride	95,080$	x
SRX	41,950$	x
SRX Performance	48,065$	x
SRX (TI)	45,250$	x
SRX Performance (TI)	56,760$	x
SRX Haut de gamme (TI)	62,945$	x

CHEVROLET CAMIONS

Avalanche LS (2RM)	42,310$	x
Avalanche LT (2RM)	43,835$	x
Avalanche LS (4RM)	45,555$	x
Avalanche LT (4RM)	47,080$	x
Avalanche LTZ (4RM)	58,320$	x
Colorado LS à cabine classique (2RM)	23,875$	x
Colorado LT à cabine classique (2RM)	24,915$	x
Colorado LS à cabine classique (4RM)	27,680$	x
Colorado LT à cabine classique (4RM)	28,610$	x
Colorado LS à cabine allongée (2RM)	25,945$	x
Colorado LT à cabine allongée (2RM)	27,040$	x
Colorado LS à cabine allongée (4RM)	29,750$	x
Colorado LT à cabine allongée (4RM)	30,735$	x
Colorado LT à cabine multiplace (2RM)	31,490$	x
Colorado LT à cabine multiplace (4RM)	36,490$	x
Equinox	25,995$	x
Equinox LT	27,840$	x
Equinox LTZ	33,765$	x
Silverado 1500, à cabine classique		x
caisse régulière (2RM)	26,260$	x
Silverado 1500, à cabine multiplace		x
caisse longue (4RM)	35,695$	x
Silverado 1500 LTZ, à cabine allongée		x
caisse régulière (4RM)	46,800$	x
Silverado 1500, à cabine multiplace		x
caisse longue (4RM) Hybride	51,655$	x
Suburban LS	52,220$	x
Suburban LT	57,720$	x
Suburban LTZ	72,480$	x
Tahoe	49,555$	x
Tahoe LT	54,560$	x
Tahoe Hybride	68,815$	x
Tahoe LTZ	69,365$	x

CHEVROLET

Camaro LS	26,995$	x
Camaro LT	28,195$	x
Camaro SS	37,195$	x
Camaro ZL1	n.d.	
Camaro Convertible LT	33,995$	x
Camaro Convertible SS	43,255$	x
Corvette Coupé	67,430$	x
Corvette Cabriolet	77,335$	x
Corvette Coupé Grand Sport	75,255$	x
Corvette Cabriolet Grand Sport	84,035$	x
Corvette Z06	96,000$	x
Corvette ZR1	128,600$	x
Cruze LS	14,995$	x
Cruze Eco	19,495$	x
Cruze LT Turbo	19,495$	x
Cruze LTZ Turbo	24,780$	x
Impala	27,325$	x
Impala LT	28,305$	x
Impala LTZ	30,655$	x
Malibu	23,995$	x
Malibu LT	26,345$	x
Malibu LT Platinum	27,995$	x
Malibu LTZ	32,995$	x
Orlando LS	n.d.	
Orlando LT	n.d.	
Orlando LTZ	n.d.	
Sonic Berline	n.d.	
Sonic Berline turbo	n.d.	
Sonic 5 portes	n.d.	
Sonic 5 portes turbo	n.d.	
Volt	41,545$	

CHRYSLER

200 LX	19,995$	
200 Touring	23,995$	
200 Limited	27,995$	
200 S	28,995$	
200 Convertible LX	29,995$	
200 Convertible Touring	36,595$	
200 Convertible Limited	38,595$	
200 Convertible S	39,595$	
300 Touring	32,745$	
300 Limited	35,745$	
300 Limited AWD	37,745$	
300S V6	35,995$	
300S V6 AWD	37,995$	
300S V8	39,995$	
300S V8 AWD	41,995$	
300C	39,995$	
300C AWD	41,995$	
300C Executive	41,995$	
300C Executive AWD	43,995$	
300C SRT8	48,995$	
Town & Country Touring	39,995$	
Town & Country Touring-L	41,995$	
Town & Country Limited	45,995$	

DODGE

Avenger SE	19,995$	
Avenger SXT	23,995$	
Avenger R/T	28,995$	
Caliber	14,995$	
Caliber SXT	19,695$	
Challenger SE	26,995$	
Challenger R/T	36,695$	
Challenger SRT8	48,995$	
Charger SE V6	29,995$	
Charger SXT V6	32,745$	
Charger SXT V6 AWD	34,745$	
Charger R/T V8	37,995$	
Charger R/T V8 AWD	39,995$	
Charger SRT8 SuperBee	43,995$	
Charger SRT8	47,995$	
Durango Express	37,995$	
Durango Heat	37,995$	
Durango Crew	46,195$	
Durango R/T	47,195$	
Durango Citadel	50,195$	
Grand Caravan	27,995$	

Grand Caravan CREW	33,995$	
Grand Caravan R/T	38,795$	
Journey SE	20,995$	
Journey SXT	25,995$	
Journey R/T AWD	30,745$	
Nitro SXT	31,695$	x

FERRARI

599 GTB Fiorano F1	425,600$	x
612 Scaglietti F1	390,570$	x
California	262,000$	x
F458 Italia Coupe	n.d.	
F458 Italia Spyder	n.d.	
FF	n.d.	

FIAT

500 Pop	15,995$	
500 Sport	18,500$	
500 Lounge	19,500$	
500 Cabrio Pop	19,995$	
500 Cabrio Lounge	22,995$	

FORD

Edge SE	29,549$	x
Edge SEL	35,549$	x
Edge SEL (TI)	37,549$	x
Edge Limited	39,349$	x
Edge Limited (TI)	41,349$	x
Edge Sport (TI)	45,049$	x
Escape XLT 2.5L man.	21,549$	x
Escape XLT 3.0L	28,749$	x
Escape XLT 2.5L (4RM)	29,549$	x
Escape XLT 3.0L (4RM)	31,149$	x
Escape Limited 2.5L (4RM)	35,099$	x
Escape Limited 3.0L (4RM)	36,699$	x
Escape Hybride	39,949$	x
Escape Hybrid (4RM)	42,349$	x
Escape Hybrid Limited	44,949$	x
Escape Hybrid Limited (4RM)	47,349$	x
Expedition XLT	50,549$	x
Expedition Limited	62,049$	x
Expedition Max Limited	64,549$	x
Explorer V6	31,549$	x
Explorer V6 (TI)	34,549$	x
Explorer XLT V6	37,449$	x
Explorer XLT V6 (TI)	40,449$	x
Explorer Limited V6	42,749$	x
Explorer Limited V6 (4RM)	45,749$	x
F150 XL Cabine régulière 4X2 126 po	21,549$	x
F150 XLT Cabine régulière 4X2 126 po	30,849$	x
F150 XL SuperCab 4X4 145 po	37,249$	x
F150 XLT SuperCab 4X4 145 po	38,849$	x
F150 XLT SuperCrew 4X4 145 po	41,749$	x
F150 FX4 SuperCrew 4X4 145 po	47,349$	x
F150 King Ranch SuperCrew 4X4 157 po	59,349$	x
F150 Platinum SuperCrew 4X4 157 po	62,049$	x
Fiesta berline S	14,449$	x
Fiesta berline SE	17,649$	x
Fiesta berline SEL	19,749$	x
Fiesta hatchback SE	18,349$	x
Fiesta hatchback SES	20,449$	x
Flex SE	31,549$	
Flex SEL	38,049$	
Flex SEL (TI)	40,049$	
Flex Limited	42,749$	
Flex Limited (TI)	44,749$	
Focus 5 portes SE	18,899$	
Focus 5 portes SEL	22,399$	
Focus 5 portes Titane	25,099$	
Focus Berline S	15,999$	
Focus Berline SE	18,999$	
Focus Berline SEL	21,499$	
Focus Berline Titane	24,499$	
Fusion 2.5 S	19,999$	
Fusion 2.5 SE	23,499$	
Fusion 2.5 SEL	26,499$	
Fusion 2.5 Hybride	34,499$	
Fusion V6 3.0 SEL (TI)	31,499$	
Fusion V6 3.5 Sport (TI)	35,599$	
Mustang Coupé V6	24,549$	
Mustang Coupé V6 Premium	28,549$	
Mustang Coupé GT	40,249$	
Mustang Coupé Boss 302	49,749$	
Mustang Cabriolet V6	31,399$	
Mustang Cabriolet GT	42,999$	
Shelby GT500 Coupe	58,999$	
Shelby GT500 Convertible	63,699$	
Taurus SE	29,549$	x
Taurus SEL	34,049$	x
Taurus SEL (TI)	36,549$	x
Taurus Limited (TI)	42,549$	x
Taurus SHO (TI)	49,749$	x
Transit Connect Utilitaire XLT	28,349$	x
Transit Connect Tourisme XLT	30,049$	x

GMC

Acadia SLE	38,090$	x
Acadia SLT	46,345$	x
Acadia Denali	57,985$	x
Canyon SL à cabine classique (2RM)	23,875$	x
Canyon SLE à cabine classique (2RM)	24,915$	x
Canyon SLE à cabine classique (4RM)	27,680$	x
Canyon SLE à cabine allongée (2RM)	25,945$	x
Canyon SLE à cabine allongée (4RM)	30,735$	x
Canyon SLE à cabine multiplace (2RM)	31,490$	x
Canyon SLE à cabine multiplace (4RM)	36,490$	x
Sierra 1500 SLE, à cabine classique, caisse standard (2RM)	30,225$	x
Sierra 1500 SLE, à cabine classique, caisse longue (4RM)	34,675$	x
Sierra 1500 SLT, à cabine allongée, caisse longue (4RM)	46,800$	x
Sierra 1500 Denali, à cabine multiplace, caisse courte (4RM)	56,605$	x
Terrain	27,465$	x
Terrain SLT	31,565$	x
Yukon SLE	49,555$	x
Yukon SLT	54,560$	x
Yukon Denali	72,800$	x
Yukon XL SLE	52,220$	x
Yukon XL SLT	57,720$	x
Yukon XL Denali	76,500$	x
Yukon Hybrid SLT	68,815$	x
Yukon Hybrid Denali	80,490$	x

HONDA

Accord Coupé EX	26,790$	x
Accord Coupé EX-L	29,090$	x
Accord Coupé V6 EX-L	35,890$	x
Accord Coupé HFP	37,890$	x
Accord SE	24,790$	x
Accord EX	27,490$	x
Accord EX-L	29,790$	x
Accord V6 EX	30,190$	x
Accord V6 EX-L	33,390$	x
Accord Crosstour EX-L	34,900$	x
Accord Crosstour EX-L (4RM)	36,900$	x
Civic Berline DX	14,990$	
Civic Berline LX	17,490$	
Civic Berline EX	19,490$	
Civic Berline EX-L	24,390$	
Civic Berline Si	25,990$	
Civic Coupé LX	17,990$	
Civic Coupé EX	19,990$	
Civic Coupé EX-L	24,890$	
Civic Coupé Si	25,990$	
Civic Hybride	27,350$	
CR-V LX	26,290$	x
CR-V LX (4RM)	28,290$	x
CR-V EX	29,490$	x
CR-V EX (4RM)	31,490$	x
CR-V EX-L	33,490$	x
CR-Z	23,490$	x
Fit DX man	14,480$	x
Fit DX-A man	15,780$	x
Fit LX man	16,880$	x
Fit Sport man	18,780$	x
Insight LX	23,900$	x
Insight EX	27,500$	x
Odyssey LX	29,990$	x
Odyssey EX	33,990$	x
Odyssey EX-L	40,990$	x
Odyssey Touring	46,990$	x
Pilot LX	34,820$	x
Pilot LX (4RM)	37,820$	x
Pilot EX (4RM)	40,720$	x
Pilot EX-L (4RM)	43,020$	x
Pilot Touring (4RM)	48,420$	x
Ridgeline DX	34,990$	x
Ridgeline VP	36,690$	x
Ridgeline EX-L	41,490$	x

HYUNDAI

Accent 5 portes L man	13,599$	
Accent 5 portes GL man	15,399$	
Accent Berline L man	13,199$	
Accent Berline GL man	14,999$	
Accent Berline GLS	17,999$	
Elantra Berline L man	15,849$	
Elantra Berline GL man	18,099$	
Elantra Berline GLS man	19,799$	
Elantra Berline Limited	22,699$	
Elantra Touring L man	14,999$	x
Elantra Touring GL man	17,399$	x
Elantra Touring GLS man	19,799$	x
Elantra Touring GLS Sport man	22,049$	x
Equus Signature	62,999$	x
Equus Ultimate	69,999$	x
Genesis 3.8	39,999$	
Genesis 3.8 Premium	44,999$	
Genesis 3.8 Technologie	49,499$	
Genesis 5.0 R-Spec	53,499$	
Genesis Coupe 2.0T man	24,899$	x
Genesis Coupe 2.0T Premium man	27,899$	x
Genesis Coupe 2.0T GT man	31,149$	x
Genesis Coupe 3.8 man	32,999$	x
Genesis Coupe 3.8 GT man	36,499$	x
Santa Fe 2.4 GL FWD man	23,999$	x
Santa Fe 2.4 GL Premium AWD	29,699$	x
Santa Fe 3.5 GL V6 FWD	28,999$	x
Santa Fe 3.5 GL V6 AWD	30,999$	x
Santa Fe 3.5 GL Sport V6 FWD	31,299$	x
Santa Fe 3.5 GL Sport V6 AWD	33,299$	x
Santa Fe 3.5 Limited V6 AWD	35,799$	x
Sonata GL man	22,649$	x
Sonata GLS	26,249$	x
Sonata Limited	28,999$	x
Sonata 2.0T	28,999$	x
Sonata 2.0T Limited	31,749$	x
Sonata Hybrid	29,999$	x
Sonata Hybrid Premium	34,499$	x
Tucson L FWD man	19,999$	
Tucson GL FWD	24,599$	
Tucson GL AWD	26,599$	
Tucson GLS	26,899$	
Tucson GLS AWD	28,899$	
Tucson Limited AWD	32,349$	
Veracruz GL	32,499$	x
Veracruz GL Premium AWD	36,999$	x
Veloster	n.d.	
Veloster turbo	n.d.	
Veracruz GLS	39,999$	x
Veracruz Limited	44,999$	x

INFINITI

EX35	42,200$	x
FX35	53,250$	x
FX50	65,000$	x
G25	36,390$	x
G25x	40,450$	x
G25x Sport	45,540$	x
G37x	43,450$	x
G37x Sport	48,540$	x
G37 M6 Sport	46,540$	x
G37 Coupé	46,700$	x
G37 Coupé M6 Sport	49,200$	x
G37x Coupé	49,200$	x
G37x Coupé Sport	51,700$	x
G Coupé IPL	57,200$	x
G37 Cabriolet Sport	58,300$	x
G37 Cabriolet M6 Sport	58,300$	x
G37 Cabriolet Première édition	61,600$	x
M37	52,400$	
M37x	54,900$	
M37 Sport	63,400$	
M Hybride	67,300$	
M56	66,200$	
M56x	68,700$	
M56 Sport	73,400$	
QX56	73,000$	x

JAGUAR

XF Luxe	62,800$	
XF Premium	68,300$	
XF Portfolio	71,800$	
XFR	85,300$	
XJ	88,000$	
XJL	95,500$	
XJ Supercharged	104,000$	
XJL Supercharged	107,000$	
XJ Supersport	128,000$	
XJL Supersport	131,000$	
XK Coupé	96,500$	
XK Cabriolet	103,200$	
XKR Coupé	107,000$	
XKR Cabriolet	114,000$	
XKR-S Coupé	n.d.	

JEEP

Compass Sport	18,995$	
Compass Sport AWD	21,195$	
Compass Limited	24,695$	
Compass Limited AWD	26,895$	
Grand Cherokee Laredo	37,995$	
Grand Cherokee Limited	47,195$	
Grand Cherokee Overland	50,195$	
Grand Cherokee SRT8	54,995$	
Liberty Sport	30,295$	
Liberty Jet	32,995$	
Liberty Limited	34,295$	
Patriot Sport	17,995$	
Patriot Sport AWD	20,195$	
Patriot Limited	24,295$	
Patriot Limited AWD	26,495$	
Wrangler Sport	22,595$	
Wrangler Unlimited Sport	27,495$	
Wrangler Sahara	29,495$	
Wrangler Unlimited Sahara	31,495$	

Wrangler Rubicon	32,495$	
Wrangler Unlimited Rubicon	34,495$	

KIA

Forte LX man	15,995$	x
Forte EX man	18,495$	x
Forte SX man	21,795$	x
Forte5 LX man	16,695$	x
Forte5 EX man	19,195$	x
Forte5 SX man	22,495$	x
Forte Koup EX man	18,995$	x
Forte Koup SX man	22,295$	x
Optima LX	21,995$	x
Optima EX	26,695$	x
Optima SX	33,695$	x
Rio EX man	13,695$	x
Rio EX Commodité man	15,895$	x
Rio5 EX man	14,095$	x
Rio5 EX Commodité man	16,495$	x
Rio5 EX Sport man	18,795$	x
Rondo LX	19,995$	x
Rondo EX 5 places	22,795$	x
Rondo EX V6 5 places	23,895$	x
Rondo EX Premium	25,095$	x
Rondo EX V6 Luxe	27,195$	x
Sedona LX	27,995$	x
Sedona EX	34,195$	x
Sedona EX Luxe	39,995$	x
Sorento LX man	23,995$	x
Sorento LX V6	29,195$	x
Sorento EX	31,695$	x
Sorento EX V6	33,695$	x
Sorento SX	40,895$	x
Soul 1.6 L	15,995$	x
Soul 2.0 L 2u man	18,595$	x
Soul 2.0 L 4u man	20,595$	x
Soul 2.0 L 4u Retro	21,295$	x
Soul 2.0 L 4u Bolide	21,595$	x
Soul 4u SX man	22,395$	x
Soul 4u Luxe	23,995$	x
Sportage LX man	21,995$	x
Sportage EX	26,995$	x
Sportage SX	36,995$	x

LAMBORGHINI

Aventador LP700-4	400 000$ US	
Gallardo LP560-4	198,000$	x
Gallardo LP550-2 Valentino	219,800$	x
Gallardo LP560-4 Spyder	221,000$	x
Gallardo LP570-4 Superleggera	n.d.	

LAND ROVER

LR2	44,950$	
LR2 HSE	47,550$	
LR2 HSE LUX	48,750$	
LR4	59,990$	
LR4 HSE	63,740$	
LR4 HSE LUX	70,790$	
Range Rover Evoque	n.d.	
Range Rover Evoque Coupé	n.d.	
Range Rover HSE	94,290$	
Range Rover Supercharged	112,280$	
Range Rover Sport HSE	73,200$	
Range Rover Sport Supercharged	88,980$	

LEXUS

CT200h	30,950$	x
ES 350	42,150$	x
GS 350 AWD	54,650$	x
GS 450h	71,750$	x
GX 460	60,700$	x
GX 460 Ultra Premium	77,700$	x
HS 250h Premium	40,850$	x
HS 250h	44,900$	x
Premium Luxe		
IS 250 RWD man	32,900$	x
IS 250 AWD	38,000$	x
IS 250C man	49,100$	x
IS 350 RWD	51,250$	x
IS 350 AWD	44,950$	x
IS 350C	57,000$	x
IS-F	69,850$	x
LF-A	375 000$ US	
LS 460	83,100$	x
LS 460 (TI)	85,450$	x
LS 460 L (TI)	91,100$	x
LS 600h L	121,750$	x
LX 570	89,950$	x
RX 350	47,050$	x
RX 450h	59,550$	x

LINCOLN

MKS	49,050$	x
MKS (TI)	51,250$	x
MKS EcoBoost (TI)	54,650$	x
MKT (TI)	51,600$	
MKT EcoBoost (TI)	55,000$	
MKX (TI)	48,150$	x
MKZ	40,050$	
MKZ (TI)	42,550$	
MKZ Hybride	43,850$	
Navigator	76,750$	x
Navigator L	79,750$	x

LOTUS

Evora	74,000$	x
Evora S	88,000$	x

MASERATI

Quattroporte	125,150$	x
Quattroporte S	126,750$	x
Quattroporte	134,700$	x
Sport GT S		

MAYBACH

57	372 500$ US	x
57 S	412 000$ US	x
62	423 500$ US	x
62 S	463 000$ US	x
Landaulet	1 405 000$ US	x

MAZDA

CX-7 GX FWD	26,495$	x
CX-7 GS (4RM)	29,995$	x
CX-7 GT (4RM)	36,690$	x
CX-9 GS	36,395$	x
CX-9 GT (TI)	45,595$	x
Mazda2 GX man	13,995$	x
Mazda2 GS man	18,195$	x
Mazda3 berline GX man	16,295$	x
Mazda3 berline GS man	19,595$	x
Mazda3 berline GT man	24,425$	x
Mazda3 Sport GX man	17,495$	x
Mazda3 Sport GS man	20,965$	x
Mazda3 Sport GT man	25,425$	x
MazdaSpeed3	29,695$	x
Mazda5 GS	21,795$	
Mazda5 GT	24,395$	
Mazda6 GS-I4 man	23,995$	x
Mazda6 GS-L-I4 man	26,995$	x
Mazda6 GT-I4 man	29,395$	x
Mazda6 GS-V6	31,500$	x
Mazda6 GT-V6	37,440$	x
MX-5 GX man	28,995$	x
MX-5 GS man	33,495$	x
MX-5 GT man	39,995$	x

MERCEDES-BENZ

B200	29,900$	x
B200 Turbo	32,400$	x
C250	35,900$	x
C250 4MATIC	39,900$	x
C300	41,600$	x
C300 4MATIC	44,900$	x
C350	48,600$	x
C350 4MATIC	50,600$	x
C63 AMG	63,900$	x
CL550 4MATIC	135,900$	
CL600	195,200$	
CL63 AMG	162,000$	
CL65 AMG	243,000$	
CLS63 AMG	109,900$	
E350 Berline 4MATIC	62,900$	x
E350 Familiale 4MATIC	66,900$	x
E350 Berline BlueTEC	62,500$	x
E550 Berline 4MATIC	73,200$	x
E63 AMG	106,900$	x
E350 Coupe	60,900$	
E550 Coupe	72,200$	
E350 Cabriolet	68,900$	
E550 Cabriolet	79,800$	
G550	115,000$	x
G55 AMG	155,900$	x
GL350 BlueTEC	70,500$	x
GL450	79,900$	x
GL550	88,900$	x
GLK350	41,600$	
GLK350 4MATIC	43,800$	
ML350	57,400$	x
ML350 BlueTEC	58,900$	x
ML550	69,700$	x
ML63 AMG	97,500$	x
R350	55,200$	x
R350 BlueTEC	56,700$	x
S350 BlueTEC 4MATIC	109,900$	
S400 Hybrid	108,200$	
S550 4MATIC (LWB)	118,500$	
S600	196,000$	
S63 AMG	151,600$	
S65 AMG	236,100$	
SL550	126,000$	
SL63 AMG	152,600$	
SLK250	n.d.	
SLK350	66,500$	
SLS AMG	198,000$	x
Sprinter 2500 Cargo 144"	42,900$	
Sprinter 2500 Wagon 144"	48,400$	

MINI

Cooper Classique	21,950$	
Cooper	23,950$	
Cooper S	28,950$	
Cooper John Cooper Works	36,900$	
Cooper Cabriolet	29,200$	
Cooper Cabriolet S	33,950$	
Cooper John Cooper Works Cabriolet	42,900$	
Cooper Clubman Classique	23,250$	
Cooper Clubman	24,950$	
Cooper Clubman S	29,950$	
Cooper Clubman John Cooper Works	38,400$	
Cooper Countryman	27,850$	x
Cooper Countryman S	32,650$	x
Cooper Countryman S ALL4	34,400$	x

MITSUBISHI

Eclipse GS man	24,498$	x
Eclipse GT-P	32,998$	x
Eclipse Spyder GS man	30,498$	x
Eclipse Spyder GT-P	35,998$	x
i-MiEV	32,998$	x
Lancer DE man	15,998$	x
Lancer SE man	19,398$	x
Lancer GT man	23,898$	x
Lancer Ralliart	31,798$	x
Lancer Evolution GSR	41,998$	x
Lancer Evolution MR	51,798$	x
Lancer Sportback SE	19,998$	x
Lancer Sportback GT	24,098$	x
Outlander ES (2RM)	25,498$	x
Outlander ES (4RM)	27,998$	x
Outlander LS (4RM)	29,498$	x
Outlander XLS S-AWC	34,498$	x
RVR ES (2RM)	19,998$	x
RVR SE (2RM)	21,998$	x
RVR SE (4RM)	24,998$	x
RVR GT (4RM)	28,498$	x

NISSAN

370Z Coupé	40,898$	x
370Z Coupé Nismo	46,898$	x
370Z Roadster	47,398$	x
Altima Berline 2.5 S man	23,998$	x
Altima Berline 3.5 S	28,498$	x
Altima Berline 3.5 SR	32,098$	x
Altima Berline Hybrid	33,398$	x
Altima Coupé 2.5 S man	27,648$	x
Altima Coupé 3.5 SR man	35,298$	x
Armada Platine 7 places	55,898$	x
Armada Platine 8 places	59,098$	x
Cube 1.8 S	17,598$	x
Cube 1.8 SL	21,498$	x
Frontier King Cab S 4X2	24,398$	x
Frontier King Cab SV	28,348$	x
Frontier King Cab PRO-4X 4X4	33,298$	x
Frontier Cabine double SV	32,148$	x
Frontier Cabine double PRO-4X	38,798$	x
Frontier Cabine double SL 4X4	41,398$	x
GT-R	109,900$	
Juke SV	19,998$	x
Juke SV (TI)	23,098$	x
Juke SL	23,548$	x
Juke SL (TI)	26,648$	x
Leaf SV	38,395$	
Leaf SL	39,995$	
Maxima 3.5 SV	39,800$	x
Murano S	34,498$	x
Murano SV	37,548$	x
Murano SL	40,648$	x
Murano LE	44,048$	
NV 1500	30,998$	
Pathfinder S	37,948$	x
Pathfinder SV	42,348$	x
Pathfinder LE	47,748$	x
Quest S	29,998$	x
Quest SV	35,048$	x
Quest SL	38,798$	x
Quest LE	48,498$	x
Rogue S	23,648$	x
Rogue S (TI)	26,448$	x
Rogue SV	26,548$	x
Rogue SV (TI)	28,548$	x
Rogue SL (TI)	33,848$	x
Sentra 2.0 man	15,398$	x
Sentra 2.0 S man	18,798$	x
Sentra 2.0 SL	23,198$	x
Sentra SE-R	21,998$	x
Sentra SE-R Spec V	23,398$	x
Titan King Cab S 4X2	33,848$	x
Titan King Cab SV 4X2	37,448$	x
Titan King Cab PRO-4X 4X4	42,848$	x
Titan King Cab SL 4X4	46,848$	x
Titan Cabine double S 4X4	39,848$	x
Titan Cabine double SV 4X4	43,548$	x

Titan Cabine double PRO-4X 4X4	45,548$	x
Titan Cabine double SL 4X4	50,548$	x
Versa Berline 1.6 S man	12,898$	x
Versa Hatchback 1.8 S man	14,548$	x
Versa Hatchback 1.8 SL man	17,548$	x
Xterra S man	33,998$	x
Xterra PRO-4X	36,498$	x
Xterra SV	37,798$	x

PORSCHE

911 Carrera	90,100$
911 Carrera Cabriolet	102,800$
911 Carrera 4	97,400$
911 Carrera 4 Cabriolet	110,100$
911 Carrera S	104,900$
911 Carrera S Cabriolet	117,500$
911 Carrera GTS	117,600$
911 Carrera GTS Cabriolet	128,800$
911 Carrera 4S	112,200$
911 Carrera 4S Cabriolet	124,800$
911 Carrera 4GTS	125,700$
911 Carrera 4GTS Cabriolet	137,000$
911 Targa 4	106,700$
911 Targa 4S	121,400$
911 GT2 RS	279,500$
911 GT3 RS	211,100$
911 Speedster	232,800$
911 Turbo Coupe	159,400$
911 Turbo Cabriolet	172,500$
911 Turbo S Coupe	183,400$
911 Turbo S Cabriolet	196,400$
Boxster	54,900$
Boxster S	66,900$
Boxster Spyder	70,500$
Cayenne V6	55,900$
Cayenne S	73,400$
Cayenne S V6 Hybrid	78,200$
Cayenne Turbo	120,000$
Cayman	59,200$
Cayman S	70,900$
Cayman R	75,600$
Panamera	87,500$
Panamera 4	92,700$
Panamera S	103,500$
Panamera S Hybride	108,700$
Panamera 4S	109,200$
Panamera Turbo	156,600$
Panamera Turbo S	198,100$

RAM

1500 Cabine régulière ST 4x2	26,570$
1500 Cabine régulière SLT 4x2	29,695$
1500 Cabine Quad ST 4x2	30,870$
1500 Cabine régulière ST 4x4	31,045$
1500 Cabine régulière SLT 4x4	33,145$
1500 Cabine Crew ST 4x2	33,390$
1500 Cabine Crew ST 4x4	36,840$
1500 Cabine Crew LongHorn 4x2	48,665$
1500 Cabine Crew LongHorn 4x4	52,115$

ROLLS-ROYCE

Ghost	n.d.	
Phantom	380,000$	x
Phantom Coupé	408,000$	x
Phantom Drophead Coupé	443,000$	x

SAAB

9-3 SportSedan	34,400$	x
9-3 SportCombi	36,100$	x
9-3 Convertible	47,500$	x
9-3 X	n.d.	
9-4 X	n.d.	
9-5 Sedan	45,500$	x

SCION

iQ	n.d.	
tC	20,850$	x
xB	18,270$	x
xD	17,200$	x

SMART

Fortwo Coupé Pure	13,990$	x
Fortwo Coupé Passion	17,500$	x
Fortwo Coupé Brabus	20,900$	x
Fortwo Cabriolet Passion	20,500$	x
Fortwo Cabriolet Brabus	23,900$	x

SUBARU

Forester 2.5X	25,995$	x
Forester 2.5X Commodité	28,095$	x
Forester 2.5X Commodité PZEV	28,795$	x
Forester 2.5X Tourisme	28,695$	x
Forester 2.5X Limited	32,995$	x
Forester 2.5XT Limited	35,495$	x
Impreza 5 portes 2.5i	21,895$	x
Impreza 5 portes 2.5i Tourisme	23,395$	x
Impreza 5 portes 2.5i Limited	27,595$	x
Impreza berline 2.5i	20,995$	x
Impreza berline 2.5i Tourisme	22,495$	x
Impreza berline 2.5i Limited	26,695$	x
Legacy 2.5i	23,995$	x
Legacy 2.5i Commodité	26,395$	x
Legacy 2.5i Commodité PZEV	27,095$	x
Legacy 2.5i Sport	27,995$	x
Legacy 2.5i Limited	31,995$	x
Legacy 2.5GT	38,595$	x
Legacy 3.6R	31,895$	x
Legacy 3.6R Limited	34,695$	x
Outback 2.5i Commodité	28,995$	x
Outback 2.5i Commodité PZEV	30,895$	x
Outback 2.5i Sport	31,795$	x
Outback 2.5i Limited	35,795$	x
Outback 3.6R	35,695$	x
Outback 3.6R Limited	38,495$	x
Tribeca	40,995$	x
Tribeca Limited	46,495$	x
Tribeca Optimum	49,195$	x
WRX 5 portes	33,395$	x
WRX 5 portes Limited	36,395$	x
WRX berline	32,495$	x
WRX berline Limited	35,495$	x
WRX STI 5 portes	38,895$	x
WRX STI 5 portes Sport-Tech	42,495$	x
WRX STI berline	37,995$	x
WRX STI berline Sport-Tech	41,595$	x

SUZUKI

Grand Vitara JX	28,135$	x
Grand Vitara JLX	29,635$	x
Grand Vitara JLX-L	30,635$	x
Kizashi S	25,995$	x
Kizashi Sport	29,495$	x
Kizashi SX (TI)	30,495$	x
SX4 5 portes JA man	17,835$	x
SX4 5 portes JX CVT	20,435$	x
SX4 5 portes JX (TI) man	21,735$	x
SX4 5 portes JLX (TI) CVT	24,835$	x
SX4 Berline JA man	17,835$	x
SX4 Berline Sport man	19,835$	x

TESLA

Roadster	n.d.
Model S	US 57 000$

TOYOTA

4Runner SR5 V6	36,820$	x
4Runner SR5 V6 Limited	48,015$	x
Avalon XLS	41,100$	x
Camry LE	25,310$	x
Camry SE	27,755$	x
Camry XLE	31,235$	x
Camry LE V6	29,020$	x
Camry SE V6	34,255$	x
Camry XLE V6	36,410$	x
Camry Hybride	31,310$	x
Camry Hybride Premium avec navigation	36,535$	x
Corolla CE man	15,450$	x
Corolla S man	20,815$	x
Corolla XRS man	23,235$	x
FJ Cruiser	37,300$	x
Highlander	31,500$	x
Highlander V6 (4WD)	35,750$	x
Highlander V6 Limited (4WD)	44,900$	x
Highlander Hybrid	42,850$	x
Highlander Hybrid Limited	51,650$	x
Matrix man	16,715$	x
Matrix XRS man	24,075$	x
Prius	27,800$	x
Prius Touring	31,865$	x
Prius Technologie	37,395$	x
RAV4	24,595$	x
RAV4 Sport	28,345$	x
RAV4 Limited	30,185$	x
RAV4 (4RM)	27,230$	x
RAV4 Sport (4RM)	30,540$	x
RAV4 Limited (4RM)	32,385$	x
RAV4 V6 (4RM)	29,845$	x
RAV4 V6 Sport (4RM)	32,295$	x
RAV4 V6 Limited (4RM)	34,640$	x
Sequoia SR5 V8 4.6l	48,820$	x
Sequoia Limited V8 5.7l	57,735$	x
Sequoia Platinum V8 5.7l	65,975$	x
Sienna LE 7 places	27,900$	x
Sienna V6 7 places	28,900$	x
Sienna V6 LE 8 places	32,500$	x
Sienna V6 LE AWD 7 places	35,350$	x
Sienna V6 SE 8 places	36,600$	x
Sienna V6 XLE 7 places	38,700$	x
Sienna V6 Limited AWD 7 places	49,100$	x
Tacoma Access Cab 4X2 man	21,895$	x
Tacoma Access Cab 4X4 man	25,995$	x
Tacoma Access Cab V6 4X4 man	28,380$	x
Tacoma Double Cab V6 4X4	32,645$	x
Tundra Cab régulière 4X2 5,7 litres	26,195$	x
Tundra Cab régulière SR5 4X2 4,6 litres	32,055$	x
Tundra Cab régulière 4X4 5,7 litres	29,910$	x
Tundra Cab régulière SR5 4X4 4,6 litres	36,120$	x
Tundra Cab double SR5 4X4 5,7 litres	37,220$	x
Tundra CrewMax SR5 4X4 5,7 litres	42,310$	x
Tundra Cab double Limited 4X4 5,7 litres	48,290$	x
Tundra CrewMax Limited 4X4 5,7 litres	51,400$	x
Venza	29,310$	x
Venza (TI)	30,760$	x
Venza V6	30,800$	x
Venza V6 (TI)	32,250$	x
Yaris Hatchback 3 portes CE man	13,995$	x
Yaris Hatchback 5 portes LE man	15,350$	x
Yaris Hatchback 5 portes RS man	19,530$	x
Yaris Berline man	14,990$	x

VOLKSWAGEN

CC 2.0T Sportline	33,375$	
CC 2.0T Highline	39,275$	
CC 3.6 Highline 4Motion	46,375$	
Eos 2.0T Comfortline	39,075$	
Eos 2.0T Highline	43,775$	x
Golf 3 portes Trendline man	20,475$	x
Golf 3 portes Sportline man	23,900$	x
Golf 5 portes Trendline man	21,475$	x
Golf 5 portes Comfortline man	22,875$	x
Golf 5 portes Sportline man	24,900$	x
Golf 5 portes Highline man	26,475$	x
Golf 5 portes TDI Comfortline man	25,275$	x
Golf 5 portes Highline man	28,775$	x
Golf Familiale 2.5L man Trendline	22,975$	x
Golf Familiale 2.5L man Comfortline	24,075$	x
Golf Familiale 2.0 TDI man Comfortline	26,875$	x
Golf Familiale 2.0 TDI man Highline	30,775$	x
GTI 2.0T 3 portes man	28,875$	x
GTI 2.0T 5 portes man	29,875$	x
Jetta 2.0L Trendline	15,875$	x
Jetta 2.0L Comfortline	19,075$	x
Jetta 2.5L Comfortline	21,175$	x
Jetta 2.5L Sportline	23,300$	x
Jetta 2.5L Highline	23,980$	x
Jetta 2.0 TDI Comfortline	23,875$	x
Jetta 2.0 TDI Highline	26,655$	x
Jetta 2.0T GLI	27,475$	
New Beetle Comfortline	n.d.	
New Beetle Cabriolet Comfortline	n.d.	
Passat Berline Trendline	23,975$	
Routan Trendline	28,575$	x
Routan Comfortline	34,775$	x
Routan Highline	42,275$	x
Tiguan Trendline	27,875$	x
Tiguan Comfortline	31,275$	x
Tiguan Highline	37,775$	x
Touareg Comfortline	48,440$	x
Touareg Highline	53,190$	x
Touareg Execline	58,185$	x

VOLVO

C30 T5 man	30,995$
C30 T5 R-design man	38,800$
C70 T5	54,500$
S60 T5 Level I	38,300$
S60 T6 AWD	45,450$
S60 T6 R-Design (TI)	50,325$
S80 3.2	49,100$
S80 T6 (TI)	56,800$
XC60 3.2 (TA)	39,995$
XC60 T6 (TI)	47,395$
XC60 T6 R-Design (TI)	53,695$
XC70 3.2 (TI)	43,995$
XC70 T6 (TI)	47,995$
XC90 3.2 (TI)	48,900$
XC90 3.2 R-Design (TI)	56,225$

NOTE : Les prix identifiés avec un x sont les prix des modèles 2011.
Il ne s'agit pas d'une liste exhaustive.
Pour plus de renseignements, veuillez contacter le concessionnaire.

Afin de mieux comprendre les informations chiffrées qui accompagnent chaque essai, voici quelques explications supplémentaires.

En première partie, on retrouve des informations générales sur la voiture à l'essai. Parmi celles-ci notons les garanties. La première représente la garantie de base, dite « pare-chocs à pare-chocs » tandis que la seconde couvre le groupe motopropulseur, soit le moteur et les autres éléments des rouages d'entraînement.

Nous désirons aussi attirer votre attention sur la cote d'assurance. Puisque rien n'est plus aléatoire que le calcul d'une prime, nous avons préféré nous en tenir à une cote générale qui reflète le bilan du véhicule analysé et non celui d'un conducteur fictif. Cette cote est « pauvre », « passable », « moyenne », « bonne » ou « excellente ». En fait, nous avons utilisé les données du BAC (Bureau d'assurances du Canada) et établi une moyenne pour les quatre dernières années disponibles (2006-2007-2008-2009). Ainsi, meilleure est la cote, moins la voiture devrait coûter cher à assurer. Il faut cependant noter que ce n'est pas parce qu'une voiture s'est méritée une note « excellente » qu'elle efface un mauvais dossier de conduite. De la même façon, une note « pauvre » ne reflète pas nécessairement une prime très élevée... mais les chances sont plus grandes! Car en plus de la cote de la voiture, il y a celle de la région et, surtout, celle du conducteur... et à ce niveau, nous n'y pouvons rien! Pour plus d'informations, allez sur http://www.ibc.ca/fr/Car_Insurance/Buying_a_New_Car/HCMU.asp.

Dans cette première partie, nous retrouvons aussi l'échelle de prix pour la gamme complète. Il se peut toutefois que la gamme se résume à un seul modèle. À ce moment, on ne retrouve qu'un prix. Lorsque le constructeur ne nous a pas communiqué le prix 2012, nous inscrivons (2011). Aussi, nous indiquons le lieu de fabrication du véhicule.

La deuxième partie de nos fiches techniques fait état des données de base d'un des modèles de la gamme parmi les plus populaires. On y retrouve les dimensions extérieures du véhicule à l'essai, ses suspensions, ses freins, son poids et sa capacité de remorquage.

Pour ce qui est de cette capacité de remorquage, il est primordial de respecter les normes établies par le fabricant de la voiture. On ne doit jamais se fier uniquement à la donnée inscrite dans la fiche technique et il faut IMPÉRATIVEMENT vérifier avec son concessionnaire avant de faire installer un mécanisme de remorquage.

Les plus perspicaces remarqueront que nous ne retrouvons plus la mention (ABS) qui suivait la description des freins. Une autre absente, la ligne mentionnant si la voiture est équipée de l'antipatinage et/ou du contrôle de la stabilité latérale. Cette année, comme nous l'explique si bien notre collègue Nadine Filion en première partie du présent Guide, TOUS les véhicules 2012 vendus au Canada devront obligatoirement être munis de l'antipatinage et du contrôle de la stabilité. Et comme ces systèmes font appel aux freins ABS, ceux-ci deviennent, par le fait même, obligatoires. Donc, il n'est plus besoin d'en faire mention.

Cette année, on note un ajout à nos fiches techniques. À la suite du nombre de coussins gonflables dont est équipée une voiture, nous retrouvons le nombre de ceintures, c'est-à-dire le nombre de personnes que ladite voiture peut légalement accueillir. On est loin du temps où on entrait sept ou huit dans une Beetle 1965...

Moteur !

La quatrième partie est réservée aux différents moteurs qui se retrouvent sous le capot de la voiture analysée. On y dévoile, en gros :

La configuration du moteur (en V, en ligne (L), rotatif (R) et même en W !), sa cylindrée, le nombre total de soupapes et son alimentation (atmosphérique, turbocompressée ou surcompressée). La ligne suivante dévoile le nombre de chevaux développés par le moteur ainsi que le couple (en livres-pied). Règle générale, plus ces deux chiffres sont élevés, plus la voiture est performante... et plus elle engloutit d'essence!

Sous les chevaux et les livres-pied, on retrouve la transmission de base et, entre parenthèse, la ou les transmission(s) optionnelle(s) ainsi que le rouage de base et, entre parenthèse, le ou les rouage(s) optionnel(s). Pour les transmissions, elles sont « A » pour automatique, « M » pour manuelle, « CVT » quand elles sont à rapports continuellement variables ou « séq » pour séquentielle. Quant aux rouages, il s'agit : « Tr » pour traction (roues avant motrices), « Prop » pour propulsion (roues arrière motrices), « Int » pour intégrale (deux/quatre roues motrices sans l'action du conducteur) et, enfin, « 4x4 » (quatre roues motrices).

Les données de performance indiquent le temps qu'il faut à la voiture pour effectuer le 0 à 100 km/h et, plus important, pour passer de 80 à 120 km/h, lors d'un dépassement par exemple. La dernière donnée indique la distance requise au véhicule pour passer de 100 km/h à un arrêt complet. Dans quelques cas, nous avons estimé ces temps ou distance (est.). La plupart des données proviennent de l'AJAC (Association des journalistes automobile du Canada) dont font partie tous les journalistes du Guide de l'auto. Sinon, elles sont issues de nos essais ou des constructeurs.

Les données de consommation

Cette ligne d'informations débute par le type d'essence (Ordinaire – Indice d'octane 87, Super – indice d'octane 92 et diesel). À l'éternelle question de savoir si vous pouvez mettre de l'essence ordinaire dans une voiture réclamant du super, la réponse est... noui ! En fait, votre concessionnaire est le mieux placé pour répondre à cette épineuse question. La donnée suivante est celle de la consommation en ville puis sur la route. Pour d'évidentes raisons de constance, nous utilisons les données du Guide de consommation de carburant publié par Ressources naturelles Canada et disponible gratuitement chez les concessionnaires ou dans les Salons de l'auto.

À cause de ce satané manque d'espace qui caractérise le domaine de l'édition (sans doute depuis Gutenberg !), nous avons quelquefois dû couper un peu sur les informations de certains moteurs. Dans ces cas, nous avons simplement noté la configuration du moteur, sa cylindrée, le nombre de chevaux et de livres-pied, le 0-100 km/h et, enfin, la consommation. C'est quand même pas mal pour une seule ligne !

La vitesse maximale, la liste des capacités de remorquage, les données d'accélérations ou de freinage et bien d'autres informations se retrouvent à la fin du Guide, dans les pages réservées aux statistiques.

Dans la même catégorie

Ce paragraphe énumère tous les autres véhicules qui pourraient aussi intéresser le consommateur. Sont pris en considération, la configuration, les dimensions, la motorisation et le prix des autres véhicules. Vous magasinez une Nissan Altima ? Vous pourriez aussi être intéressé par une Ford Fusion, une Chevrolet Malibu, une Honda Accord ou une Hyundai Sonata!

Du nouveau en 2012

Même si beaucoup de modèles ne changent pratiquement pas d'une année à l'autre, certains connaissent des améliorations notables ou sont carrément redessinés. C'est dans ces quelques lignes que vous le saurez ! Notez que nous n'avons indiqué que les changements les plus importants connus au moment de la publication.

Dans la section « Impressions », nous utilisons désormais les données publiques de Consumer Reports pour déterminer la fiabilité et la sécurité. Pour bien utiliser les données de la catégorie « Impressions », il faut toujours comparer un véhicule avec un autre de la même catégorie.

À la fin de chaque essai, vous trouverez un code QR permettant d'accéder à notre site internet www.guideautoweb.com et qui vous mènera directement à la page de la voiture que vous convoitez. Vous y retrouverez plusieurs autres essais et diverses informations complémentaires. À la toute fin de la fiche, nous vous donnons le site internet du manufacturier où vous retrouverez plusieurs informations et des prix constamment mis à jour.

Cette année, nous retrouvons encore des icônes dans la bande supérieure. Chaque véhicule s'est vu octroyer entre un et trois icônes, selon ses « compétences ». On retrouve :

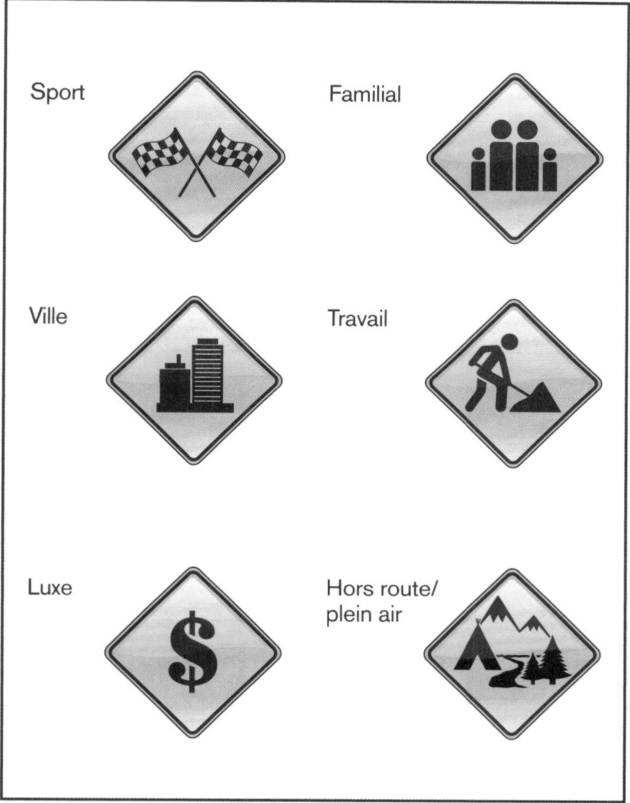

L'équipe du Guide de l'auto veut ainsi faciliter la tâche aux lecteurs qui recherchent un véhicule pour des besoins particuliers. Il faut toutefois noter que ce classement n'est pas exclusif. Ce n'est pas parce que l'essai d'un véhicule est coiffé des icônes « Sport » et qu'il ne peut pas emmener la famille et tout son équipement à la plage ou en camping !

Dans le but d'alléger les différents textes du Guide de l'auto, seul le masculin est utilisé et englobe le féminin.

CAPACITÉ DE REMORQUAGE

Plusieurs ne tiennent pas compte de la capacité de remorquage de leur véhicule et ils ont parfois de drôles de surprises... Afin d'éviter ces inconvénients, voici les capacités de remorquage des voitures, camions, VUS et multisegments offerts sur le marché. Plusieurs de ces données sont valables pour les versions équipées d'un ensemble de remorquage. Vérifiez auprès du concessionnaire.

Notez que cette liste n'est pas exhaustive et ce n'est pas parce qu'un véhicule n'y figure pas qu'il n'est pas nécessairement recommandé d'y attacher une remorque. Encore une fois, vérifiez auprès du concessionnaire.

	kg	lb
Toyota Yaris	318	701
Acura TSX	450	992
Chrysler 200	450	992
Acura RL	454	1001
Buick LaCrosse	454	1001
Cadillac CTS	454	1001
Cadillac DTS	454	1001
Chevrolet Cruze	454	1001
Chevrolet Impala	454	1001
Chevrolet Malibu	454	1001
Chrysler 300	454	1001
Dodge Avenger	454	1001
Dodge Caliber	454	1001
Dodge Challenger	454	1001
Dodge Charger	454	1001
Dodge Grand Caravan	454	1001
Dodge Journey	454	1001
Ford Focus	454	1001
Ford Mustang	454	1001
Honda Accord	454	1001
Honda Civic	454	1001
Hyundai Tucson	454	1001
Jeep Compass	454	1001
Jeep Patriot	454	1001
Jeep Wrangler	454	1001
Lincoln MKS	454	1001
Lincoln MKZ	454	1001
Mazda 6	454	1001
Mitsubishi Lancer	454	1001
Nissan Altima	454	1001
Nissan Maxima	454	1001
Nissan Sentra	454	1001
Saab 9-3	454	1001
Toyota Avalon	454	1001
Toyota Camry	454	1001
Volvo XC60	500	1103
Acura ZDX	680	1499
Chevrolet Equinox	680	1499
Ford Escape	680	1499
GMC Terrain	680	1499
Honda Accord Crosstour	680	1499
Honda CR-V	680	1499
Kia Rondo	680	1499
Mazda CX-7	680	1499
Mitsubishi Outlander	680	1499
Toyota Corolla	680	1499
Toyota RAV4	680	1499
Acura RDX	680	1499
Volvo C30	700	1544
Hyundai Veracruz	748	1649
Hyundai Santa Fe	749	1652
BMW X1	750	1654
BMW X3	750	1654
Chevrolet Orlando	750	1654
Jaguar XF	750	1654
Mercedes-Benz Classe G	750	1654
Volvo C70	750	1654
Volvo S80	750	1654
Chevrolet Colorado	862	1901
GMC Canyon	862	1901
Subaru Impreza	906	1998
Subaru Tribeca	906	1998

	kg	lb
Dodge Nitro	907	2000
Ford Edge	907	2000
Ford Escape	907	2000
Ford Explorer	907	2000
Ford Flex	907	2000
Infiniti FX	907	2000
Jeep Liberty	907	2000
Jeep Wrangler	907	2000
Kia Rondo	907	2000
Lincoln MKT	907	2000
Mazda CX-7	907	2000
Volkswagen Routan	907	2000
Kia Sportage	909	2004
Chevrolet Colorado	953	2101
GMC Canyon	953	2101
Chevrolet Colorado	998	2201
GMC Canyon	998	2201
Volkswagen Tiguan	998	2201
Subaru Forester	1087	2397
Chevrolet Colorado	1089	2401
GMC Canyon	1089	2401
Toyota Venza	1134	2500
Cadillac SRX	1136	2505
Subaru Outback	1227	2706
Suzuki Grand Vitara	1360	2999
Chevrolet Colorado	1361	3001
GMC Canyon	1361	3001
Subaru Outback	1363	3005
Volvo S60	1500	3308
Volvo XC70	1500	3308
RAM 1500	1565	3451
Land Rover LR2	1585	3495
Toyota Sienna	1585	3495
Lexus RX	1587	3499
Toyota Highlander	1587	3499
Toyota RAV4	1587	3499
Toyota Tacoma	1587	3499
Toyota Venza	1587	3499
Chevrolet Equinox	1588	3502
Honda Odyssey	1588	3502
Infiniti FX	1588	3502
Jeep Wrangler	1588	3502
Kia Sedona	1588	3502
Kia Sorento	1588	3502
Mazda CX-9	1588	3502
Mercedes-Benz Classe GLK	1588	3502
Mercedes-Benz Classe R	1588	3502
Mitsubishi Outlander	1588	3502
Nissan Frontier	1588	3502
Honda Pilot	1590	3506
Nissan Quest	1590	3506
Nissan Murano	1591	3508
Chrysler Town & Country	1633	3601
RAM 1500	1633	3601
RAM 1500	1701	3751
Audi Q5	2000	4410
Buick Enclave	2041	4500
Honda Pilot	2045	4509
Volvo XC90	2250	4961
Acura MDX	2268	5001
Ford Explorer	2268	5001
Honda Ridgeline	2268	5001

	kg	lb
Jeep Grand Cherokee	2268	5001
Nissan Xterra	2268	5001
RAM 1500	2268	5001
Toyota 4Runner	2268	5001
Toyota FJ Cruiser	2268	5001
Toyota Highlander	2268	5001
Chevrolet Traverse	2359	5202
GMC Acadia	2359	5202
Audi Q7	2495	5501
Chevrolet Colorado	2495	5501
Ford F-150	2495	5501
GMC Canyon	2495	5501
Ford F-150	2540	5601
Ford F-150	2585	5700
Ford F-150	2631	5801
Chevrolet Tahoe	2676	5901
GMC Sierra	2676	5901
Porsche Cayenne	2700	5954
BMW X6	2722	6002
Chevrolet Silverado	2722	6002
Ford F-150	2722	6002
Nissan Pathfinder	2722	6002
GMC Sierra	2767	6101
Nissan Frontier	2767	6101
Suzuki Equator	2767	6101
Chevrolet Silverado	2812	6200
Chevrolet Tahoe	2812	6200
Dodge Durango	2812	6200
GMC Yukon	2812	6200
Nissan Frontier	2858	6302
Lexus GX	2948	6500
Nissan Titan	2948	6500
Nissan Frontier	2949	6503
BMW X6	3000	6615
GMC Yukon	3039	6701
GMC Yukon	3175	7001
Lexus LX	3175	7001
Toyota Sequoia	3175	7001
RAM 1500	3198	7052
GMC Yukon	3221	7102
RAM 1500	3221	7102
RAM 1500	3243	7151
Land Rover LR4	3247	7160
Ford F-150	3266	7202
RAM 1500	3289	7252
RAM 1500	3311	7301
Cadillac Escalade	3357	7402
GMC Yukon	3357	7402
RAM 1500	3357	7402
RAM 1500	3379	7451
Cadillac Escalade	3402	7501
Ford F-150	3402	7501
Mercedes-Benz Classe GL	3402	7501
RAM 1500	3470	7651
Ford F-150	3493	7702
GMC Yukon	3493	7702
BMW X5	3500	7718
Land Rover Range Rover	3500	7718
Porsche Cayenne	3500	7718
Volkswagen Touareg	3500	7718
Cadillac Escalade	3538	7801
Ford F-150	3538	7801

	kg	lb
Toyota Tundra	3580	7894
Ford F-150	3583	7901
Chevrolet Suburban	3626	7995
Chevrolet Avalanche	3629	8002
Ford F-150	3629	8002
Chevrolet Avalanche	3674	8101
Chevrolet Suburban	3674	8101
Ford F-150	3674	8101
Toyota Tundra	3715	8192
Chevrolet Tahoe	3720	8203
RAM 1500	3742	8251
Cadillac Escalade	3765	8302
RAM 1500	3765	8302
RAM 1500	3787	8350
RAM 1500	3833	8452
Infiniti QX	3855	8500
Chevrolet Tahoe	3856	8502
Lincoln Navigator	3856	8502
RAM 1500	3856	8502
RAM 1500	3878	8551
RAM 1500	3924	8652
Ford Expedition	3946	8701
Lincoln Navigator	3946	8701
RAM 1500	3946	8701
Toyota Sequoia	3990	8798
RAM 1500	4014	8851
Chevrolet Silverado	4037	8902
Ford Expedition	4037	8902
GMC Sierra	4037	8902
Toyota Tundra	4080	8996
Nissan Armada	4082	9001
Nissan Titan	4082	9001
Toyota Sequoia	4125	9096
Chevrolet Silverado	4128	9102
Ford F-150	4128	9102
GMC Sierra	4128	9102
GMC Sierra	4173	9201
Nissan Titan	4173	9201
Chevrolet Silverado	4218	9301
Ford F-150	4218	9301
GMC Sierra	4218	9301
Nissan Titan	4218	9301
Ford F-150	4264	9402
Nissan Titan	4264	9402
Chevrolet Silverado	4309	9501
GMC Sierra	4309	9501
Nissan Titan	4309	9501
Ford F-150	4354	9601
Chevrolet Silverado	4355	9603
GMC Sierra	4355	9603
Toyota Tundra	4395	9691
Chevrolet Silverado	4400	9702
GMC Sierra	4400	9702
Chevrolet Silverado	4445	9801
GMC Sierra	4445	9801
Toyota Tundra	4535	10000
Chevrolet Silverado	4536	10002
GMC Sierra	4536	10002
Toyota Tundra	4580	10099
Toyota Tundra	4715	10397
Moyenne :	2233	4924

CONSOMMATION

Les fluctuations parfois sauvages du prix de l'essence ainsi que les intentions des dirigeants politiques de resserrer les normes antipollutions sensibilisent de plus en plus les consommateurs qui s'informent de la consommation de carburant de leur véhicule actuel et de celui qu'ils ont l'intention de se procurer. Dans les essais individuels du présent Guide, nous indiquons la consommation de carburant en ville et sur la route. Afin de dresser un tableau plus complet, voici les cotes de consommation en ordre de grandeur.

CONSOMMATION ROUTE	l/100 km
Mitsubishi i-MIEV	0.0
Nissan LEAF	0.0
Tesla Roadster	0.0
Toyota Prius	4.0
Honda Civic Hybrid	4.2
Honda Insight	4.5
Audi A3 TDI	4.6
Chevrolet Cruze Eco	4.6
Scion iQ	4.6
Volkswagen Golf TDI	4.6
Volkswagen Jetta TDI	4.6
Hyundai Accent	4.8
Lexus CT	4.8
smart fortwo	4.8
Honda Civic	5.0
Honda CR-Z CVT	5.0
Ford Focus	5.2
MINI Cooper	5.2
Ford Fiesta	5.3
Honda CR-Z	5.3
BMW Série 3 335d	5.4
Buick LaCrosse eAssist	5.4
Buick Regal eAssist	5.4
Chevrolet Cruze	5.4
Ford Fusion Hybrid	5.4
Lincoln MKZ Hybrid	5.4
Toyota Yaris	5.4
Chevrolet Cruze Turbo	5.5
Ford Focus	5.5
Subaru Impreza 2.0	5.5
Mazda 2	5.6
MINI Cooper S	5.6
Toyota Corolla	5.6
Honda Fit	5.7
Kia Forte	5.7
Kia Optima	5.7
Nissan Sentra	5.7
Toyota Camry Hybrid	5.7
Chevrolet Malibu	5.9
Chevrolet Volt	5.9*
Hyundai Sonata Hybrid	5.9
Kia Optima Hybrid	5.9
Lexus HS	5.9
Mazda 3	5.9
Mazda 3 SkyActive	5.9
Mitsubishi Lancer	5.9
Nissan Altima Hybrid	5.9
Scion xD	5.9
Ford Fusion 2.5	6.0
Suzuki SX-4	6.0
Toyota Camry	6.0
Volkswagen Jetta 2.0	6.0
Chevrolet Equinox TA	6.1
Dodge Caliber	6.1
GMC Terrain TA	6.1
Infiniti M Hybrid	6.1
Mercedes-Benz Classe E350 BlueTEC	6.1
Toyota Matrix	6.1
BMW Série 5 528i	6.2
Fiat 500	6.2
Honda Accord	6.2
Hyundai Tucson TA	6.2
Kia Forte SX	6.2
Nissan Altima 2.5	6.2
Nissan Versa 1.6	6.2
Volkswagen Golf 2.5	6.2
Volkswagen Jetta 2.5	6.2
Kia Sportage	6.3
MINI Countryman S All4	6.3
Nissan Versa 1.8	6.3
Scion tC	6.3
Honda Civic Si	6.4
Hyundai Elantra Touring	6.4
Mitsubishi RVR TA	6.4
Nissan Juke	6.4
Subaru Legacy PZEV	6.4
BMW Série 5 535i	6.5
BMW X1 28i	6.5
Buick Regal	6.5
Ford Escape Hybrid	6.5
Honda Accord V6	6.5
Nissan Sentra SE-R	6.5
Volkswagen Passat 2.5	6.5
Mitsubishi RVR TI	6.6
Audi A3 2.0T	6.7
Hyundai Sonata	6.7
Mercedes-Benz Classe B200	6.7
Nissan cube	6.7
Toyota Corolla	6.7
Volkswagen CC 2.0T	6.7
Volkswagen Eos	6.7
Volkswagen GTI	6.7
Acura TL	6.8
Chrysler 200	6.8
Dodge Avenger	6.8
Infiniti G25	6.8
Mazda 5	6.8
Porsche Panamera S Hybrid	6.8
Suzuki Kizashi SX	6.8
Toyota Avalon	6.8
Toyota Camry V6	6.8
Toyota Venza	6.8
Volvo C30 T5	6.8
BMW Série 3 328i	6.9
Chevrolet Camaro	6.9
Chevrolet Equinox TI	6.9
Fiat 500 Auto	6.9
Ford Fusion	6.9
Ford Mustang V6	6.9
Hyundai Sonata 2.0T	6.9
Kia Soul 1,6	6.9
Mazda 6	6.9
Mercedes-Benz Classe B200T	6.9
Porsche Panamera 2	6.9
Subaru Outback PZEV	6.9
Suzuki SX-4 AWD	6.9
Toyota RAV4 2RM	6.9
AcuraTSX	7.0
Audi TTS	7.0
Buick Regal Turbo	7.0
Jeep Compass 2RM	7.0
Jeep Patriot 2RM	7.0
Mitsubishi Outlander 4RM	7.0
Nissan Rogue TA	7.0
Nissan Sentra SE-R Spec V	7.0
Volkswagen Touareg TDI	7.0
Audi A6 2.0T	7.1
BMW Série 3 335i	7.1
Honda CR-V 2RM	7.1
Hyundai Tucson TI	7.1
Kia Soul 2.0	7.1
Kia Sportage TI	7.1
Lexus RX450h	7.1
Mazda MX-5	7.1
Porsche Cayman R	7.1
Toyota Matrix XRS	7.1
Toyota Venza AWD	7.1
Volvo C70	7.1
Ford Taurus TA	7.2
Honda Accord Crosstour	7.2
Honda Odyssey	7.2
Hyundai Santa Fe 2.4	7.2
Jeep Compass 4RM	7.2
Jeep Patriot	7.2
Lexus ES	7.2
Mazda CX-7 2RM	7.2
Mitsubishi Outlander 2RM	7.2
Scion xB	7.2
Toyota RAV4 4RM	7.2
Volkswagen Jetta GLI	7.2
Audi A4 2.0T	7.3
BMW Série 5 535i GT	7.3
Dodge Charger	7.3
Nissan Altima 3.5	7.3
Porsche Panamera 4	7.3
Toyota Highlander 2RM	7.3
Toyota Highlander	7.3
Acura TSX V6	7.4
Kia Sorento TI	7.4
Porsche Boxster	7.4
Porsche Cayman	7.4
Subaru Forester 2.5	7.4
Subaru Outback 2.5	7.4
Volkswagen Passat 3.6	7.4
Volvo S80 3.2	7.4
Audi A5 2.0T	7.5
BMW X5 35d	7.5
Dodge Journey	7.5
Honda CR-V 4RM	7.5
Jeep Patriot 4RM	7.5
Kia Rondo	7.5
Porsche Boxster S	7.5
Porsche Cayman S	7.5
Subaru Forester PZEV	7.5
Toyota Sienna	7.5
Acura TL SH AWD	7.6
BMW Série 3 335is	7.6
Ford Edge TA	7.6
Ford Escape 2.5	7.6
Ford Mustang Boss	7.6
Hyundai Santa Fe 3.5	7.6
Infiniti M37	7.6
Lexus IS250	7.6
Audi Q5 2.0T	7.7
BMW X3 35i	7.7
BMW Z4	7.7
Buick LaCrosse TI	7.7
Cadillac CTS 3.0	7.7
Chevrolet Corvette Gran Sport	7.7
Ford Transit Connect	7.7
Kia Rondo V6	7.7
Nissan Maxima	7.7
Nissan Rogue TI	7.7
Toyota Matrix AWD	7.7
Toyota RAV4 V6 4RM	7.7
Toyota Tacoma 4x2	7.7
BMW Série 6 650i	7.8
BMW X3 28i	7.8
Chevrolet Colorado 4x2	7.8
Ford Fusion 3.0 TI	7.8
Ford Taurus TI	7.8
GMC Canyon 4x2	7.8
Hyundai Genesis Coupe 2.0T	7.8
Lexus GS450h	7.8
Porsche 911 Carrera S	7.8
Audi S4	7.9
BMW Série 5 550i	7.9
Chrysler Town & Country	7.9
Dodge Grand Caravan	7.9
Kia Sorento V6 TI	7.9
Lexus IS350	7.9
Mercedes-Benz Classe C250 4Matic	7.9
Mercedes-Benz Classe C300 4Matic	7.9
Mercedes-Benz Classe S400 Hybrid	7.9
Porsche 911 Carrera	7.9
Porsche Cayenne S Hybrid	7.9
Toyota Venza V6 AWD	7.9
Volkswagen Routan	7.9
Volkswagen Tiguan	7.9
Volvo XC60 3.2	7.9
Chrysler 300 C	8.0
Dodge Challenger R/T	8.0
Ford Edge TI	8.0
Ford Escape 3.0	8.0
Ford Explorer TA	8.0
Infiniti M56	8.0
Kia Sedona	8.0
Lexus GS350	8.0
Lexus RX350	8.0
Mazda Speed3	8.0
Mazda 6 V6	8.0
Mitsubishi Lancer Ralliart	8.0
Porsche 911 Carrera 4S	8.0
Subaru Impreza WRX	8.0
Subaru Legacy 2.5 GT	8.0
BMW Série 7 ActiveHybrid	8.1
Buick Regal GS	8.1
Chevrolet Colorado 4x4	8.1
Chevrolet Equinox V6 TA	8.1
Ford Taurus SHO	8.1
GMC Canyon 4x4	8.1
Hyundai Genesis 3.8	8.1
Hyundai Genesis 5.0 R-Spec	8.1
Lincoln MKS TI Ecoboost	8.1
Nissan Quest	8.1
Nissan Z	8.1
Porsche 911 Turbo S	8.1
Volvo XC70 3.2	8.1
Acura RL	8.2
Jaguar XF	8.2
Jaguar XJ	8.2
Lexus LS 460	8.2

* Uniquement quand le moteur à essence fonctionne

	l/100 km
Mercedes-Benz Classe R350 BlueTEC	8.2
Subaru Forester 2.5 XT	8.2
Subaru Legacy 3.6R	8.2
Subaru Outback 3.6R	8.2
Audi Q7 TDI	8.3
BMW X5 35i	8.3
Ford Fusion Sport TI	8.3
Lincoln MKZ TI	8.3
Mercedes-Benz Classe E350 4Matic	8.3
Porsche 911 Turbo	8.3
Saab 9-3	8.3
Volkswagen CC V6	8.3
Audi A6 3.0T	8.4
BMW Série 1 128i	8.4
Buick Enclave TA	8.4
Chevrolet Silverado Hybrid	8.4
Chevrolet Tahoe Hybrid	8.4
Chevrolet Traverse	8.4
Dodge Journey R/t	8.4
Ford Flex TA	8.4
GMC Sierra Hybrid	8.4
GMC Yukon Hybrid	8.4
Infiniti G37 M6	8.4
Cadillac Escalade Hybrid	8.5
Chrysler 300 C AWD	8.5
Dodge Charger R/T AWD	8.5
Infiniti EX	8.5
Lexus IS F	8.5
Nissan Murano	8.5
Mercedes-Benz Classe CLS63 AMG	8.6
Nissan Frontier 4x2	8.6
Suzuki Grand Vitara	8.6
Volvo S80 T6	8.6
Acura RDX	8.7
Audi A8 4.2	8.7
Cadillac CTS 3.6	8.7
Ford Mustang Shelby GT500	8.7
Lotus Evora	8.7
Mazda CX-7 4RM	8.7
Mercedes-Benz Classe CL550 4Matic	8.7
Toyota Highlander 4RM	8.7
Acura ZDX	8.8
Ford Explorer 4WD	8.8
GMC Acadia Denali	8.8
Lincoln MKS TI	8.8
Mercedes-Benz Classe GL350 BlueTEC	8.8
Porsche Cayenne Turbo	8.8
Subaru Impreza WRX Sti	8.8
Volkswagen Touareg V6	8.8
Dodge Durango	8.9
Hyundai Veracruz	8.9
Jeep Grand Cherokee	8.9
Mitsubishi Lancer MR	8.9
Audi Q5 3.2	9.0
Buick Enclave TI	9.0
Ford Flex TI	9.0
Hyundai Genesis Coupe 3.8	9.0
Lotus Evora S	9.0
Mercedes-Benz Classe SLK55 AMG	9.0
Mitsubishi Lancer GSR	9.0
Toyota Sienna AWD	9.0
Volvo S60 T6	9.0
BMW Série 7 750i	9.1
Honda Pilot	9.1
Jaguar XK R	9.1
Land Rover LR2	9.1
Lexus LS	9.1
Mazda CX-9 TA	9.1
Volvo XC60 T6	9.1
Dodge Challenger SRT8	9.2
Lincoln MKT TI Ecoboost	9.2
Mercedes-Benz Classe ML350 BlueTEC	9.2
Toyota 4Runner	9.2
Toyota Tacoma 4x4	9.2

	l/100 km
Infiniti FX35	9.3
Jaguar XF R	9.3
Lincoln MKT TI	9.3
Mercedes-Benz Classe GLK350	9.3
Audi S5	9.4
Subaru Tribeca	9.4
Chevrolet Avalanche	9.5
Chevrolet Suburban 4x4	9.5
Chevrolet Tahoe 4x2	9.5
Toyota FJ Cruiser	9.5
Acura MDX	9.6
Mazda CX-9 TI	9.6
Rolls-Royce Ghost	9.6
BMW Série 3 M3	9.7
Dodge Nitro	9.7
Ford F-150 4x2	9.7
Jeep Liberty	9.7
Mercedes-Benz Classe SL550	9.7
Chevrolet Camaro SS	9.8
Honda Ridgeline	9.8
Lexus GX	9.8
Porsche Cayenne	9.8
Toyota Tundra 4.6	9.9
BMW X6 35i	10.0
Lamborghini Gallardo LP 570-4 Superleggara	10.0
Volvo XC90 3.2	10.0
Cadillac Escalade	10.1
Chevrolet Corvette ZR1	10.2
Hyundai Equus	10.2
Infiniti FX50	10.2
Nissan GT-R	10.2
Audi R8 4.2	10.3
BMW Série 7 760Li	10.3
Infiniti QX	10.3
Mercedes-Benz Classe C63 AMG	10.3
Mercedes-Benz SLS AMG	10.3
Nissan Pathfinder	10.3
Aston Martin Rapide	10.4
Aston Martin Vantage V8	10.4
Nissan Frontier 4x4	10.4
Suzuki Equator	10.4
Cadillac CTS-V	10.5
Chevrolet Silverado 4x2	10.5
Ford F-150 4x4	10.5
GMC Sierra 4x2	10.5
Mercedes-Benz Classe S65 AMG	10.5
Nissan Xterra	10.5
Jeep Wrangler	10.6
Maserati Gran Turismo	10.6
Mercedes-Benz Classe SL63 AMG	10.6
BMW X6M	10.8
Mercedes-Benz Classe S600	10.8
RAM 1500 4x2	10.8
Toyota Sequoia 4.6	10.8
Mercedes-Benz Classe CL65 AMG	10.9
Nissan Titan 4x2	10.9
Toyota Tundra 5.7	10.9
Maserati Quattroporte GT S	11.0
GMC Sierra Denali	11.1
Aston Martin DBS	11.2
Audi Q7 3.0T	11.2
Bentley Continental Supersports	11.2
Land Rover Range Rover Sport Supercharged	11.2
RAM 1500 4x4	11.2
Toyota Sequoia 5.7	11.2
Bentley Continental GTC	11.3
Lamborghini Aventador	11.3
GMC Sierra 4x4	11.4
GMC Yukon Denali	11.4
Lexus LX	11.4
Nissan Armada	11.4
Rolls-Royce Phantom Coupé	11.4
Ford Expedition	11.5
Lincoln Navigator	11.5

	l/100 km
Bentley Continental Flying Spur Speed	11.6
Land Rover LR4	11.6
Aston Martin DB9	11.7
Bentley Mulsanne	11.8
Nissan Titan 4x4	11.8
Bentley Continental Flying Spur	11.9
BMW X5M	11.9
Mercedes-Benz Classe GL550 4Matic	11.9
Audi R8 5.2	12.0
Aston Martin Vantage V12	12.1
Lamborghini Gallardo LP 560-4	12.2
Bentley Continental GT	12.4
Maybach 57 - 62	12.9
Ferrari 599	13.1
Ferrari California	13.1
Jeep Grand Cherokee SRT8	13.1
Ferrari F458 Italia	13.3
Mercedes-Benz Classe G550	13.8
Ford F-150 Raptor	14.2
Ferrari FF	15.4
Moyenne:	8.0l/100 km

CONSOMMATION VILLE

	l/100 km
Mitsubishi i-MIEV	0.0
Nissan LEAF	0.0
Tesla Roadster	0.0
Toyota Prius	3.7
Honda Civic Hybrid	4.4
Lexus CT	4.5
Ford Fusion Hybrid	4.6
Lincoln MKZ Hybrid	4.6
Honda Insight	4.8
Scion iQ	5.5
Honda CR-Z CVT	5.6
Lexus HS	5.6
Nissan Altima Hybrid	5.6
Toyota Camry Hybrid	5.7
Ford Escape Hybrid	5.8
smart Fortwo	5.9
Lexus RX450h	6.3
Honda CR-Z	6.5
Hyundai Sonata Hybrid	6.5
Toyota Highlander Hybrid	6.6
Audi A3 TDI	6.7
Chevrolet Volt	6.7*
Hyundai Accent	6.7
Kia Optima Hybrid	6.7
Volkswagen Golf TDI	6.7
Volkswagen Jetta TDI	6.7
Hyundai Elantra	6.8
Mazda 2	6.8
MINI Cooper	6.9
Toyota Yaris	6.9
Ford Fiesta	7.1
Honda Fit	7.1
Chevrolet Cruze Eco	7.2
Honda Civic	7.2
Scion xD	7.4
Toyota Corolla	7.4
Infiniti M Hybrid	7.5
Nissan Sentra	7.6
Porsche Panamera S Hybrid	7.6
MINI Cooper JCW	7.7
MINI Cooper S	7.7
Chevrolet Cruze	7.8
Ford Focus	7.8
Kia Rio/Rio5	7.8
MINI Countryman S	7.8
Nissan Versa 1.6	7.8
Toyota Matrix	7.8
Nissan Versa 1.8	7.9
Buick LaCrosse eAssist	8.0
Buick Regal eAssist	8.0
Mazda 3	8.1

	l/100 km
MINI Countryman S All4	8.1
Nissan cube	8.1
Kia Forte	8.2
Nissan Juke	8.3
Subaru Impreza	8.3
Kia Soul 1.6	8.4
Mazda 3 SkyActive	8.4
Mitsubishi Lancer	8.4
Mitsubishi RVR TI	8.4
Chevrolet Cruze Turbo	8.5
Dodge Caliber	8.5
Fiat 500 (auto)	8.7
Hyundai Elantra Touring	8.7
Kia Optima	8.7
Kia Soul 2.0	8.7
Lexus GS450h	8.7
Mitsubishi RVR TA	8.7
Nissan Sentra SE-R	8.7
Porsche Cayenne Hybrid	8.7
Suzuki Kizashi	8.7
Nissan Altima 2.5	8.8
Scion tC	8.9
BMW Série 3 335d	9.0
Dodge Caliber	9.0
Honda Accord EX	9.0
Jeep Compass 2RM	9.0
Jeep Patriot 2RM	9.0
Nissan Rogue TA	9.0
Suzuki SX-4	9.0
Toyota Camry	9.0
Ford Escape TA 2.5	9.1
Subaru Legacy PZEV	9.1
Volkswagen Jetta 2.0	9.1
Chevrolet Equinox TA	9.2
GMC Terrain TI	9.2
Kia Forte SX	9.2
Kia Optima SX	9.2
Mercedes-Benz Classe B200	9.2
Nissan Rogue TI	9.3
Audi A6 2.0T	9.4
Chevrolet Malibu	9.4
Hyundai Tucson TA	9.4
Audi TTS	9.5
Ford Fusion S	9.5
Mitsubishi Outlander 2RM	9.5
Scion xB	9.5
Subaru Outback PZEV	9.5
Toyota Corolla XRS	9.5
Toyota Matrix XRS	9.5
Toyota RAV4 2RM	9.5
Volkswagen Eos	9.5
BMW Série 5 528i	9.6
Mazda 5	9.7
Mazda MX-5	9.7
Mercedes-Benz Classe E350 BlueTEC	9.7
Toyota RAV4 4RM	9.7
Honda CR-V 2RM	9.8
Hyundai Sonata	9.8
Nissan Sentra SE-R Spec V	9.8
Volkswagen Jetta GLI	9.8
Kia Sorento	9.9
Subaru Forester 2.5	9.9
Volkswagen Golf 2.5	9.9
Honda Civic Si	10.0
Hyundai Tucson TI	10.0
Kia Sportage	10.0
Toyota Tacoma 4x2	10.0
Toyota Venza	10.0
Volkswagen CC 2.0T	10.0
Volkswagen GTI	10.0
Audi A4 2.0T	10.1
Audi A5 2.0T	10.1
BMW Série 5 535i	10.1
Chevrolet Equinox TI	10.1

* Uniquement quand le moteur à essence fonctionn

	l/100 km
Chevrolet Silverado Hybrid	10.1
Chevrolet Tahoe Hybrid	10.1
Ford Transit Connect	10.1
GMC Sierra Hybrid	10.1
GMC Yukon Hybrid	10.1
Honda CR-V 4RM	10.1
Volkswagen Passat 2.5	10.1
BMW X1 28i	10.2
Mercedes-Benz Classe B200T	10.2
Volvo C30 T5	10.2
Honda Accord EX V6	10.3
Infiniti G25	10.3
Kia Sorento V6	10.3
Toyota Matrix AWD	10.3
Acura TL	10.4
Audi A3 20T	10.4
Cadillac Escalade Hybrid	10.4
Hyundai Santa Fe 2.4 TA	10.4
Mazda 6	10.4
Mazda CX-7 2RM	10.4
Nissan Altima 3.5	10.4
Toyota Highlander 2RM	10.4
Toyota Sienna	10.4
Acura TSX	10.5
Audi Q5 2.0T	10.6
Hyundai Santa Fe 2.4 TI	10.6
Kia Rondo EX	10.6
Lexus LS600h L	10.6
Subaru Legacy 2.5i	10.6
Toyota Avalon	10.6
BMW X5 35d	10.7
Hyundai Sonata 2.0T	10.7
Nissan Frontier 4x2	10.7
BMW Z4 35is	10.8
Buick Regal CXL	10.8
Nissan Maxima	10.8
Subaru Outback 2.5i	10.8
Ford Escape TA 3,0	10.9
Honda Odyssey	10.9
Lexus ES	10.9
Volkswagen Passat 3.6	10.9
Volkswagen Tiguan	10.9
BMW Série 3 335i	11.0
BMW X3 28i	11.0
Chrysler 200	11.0
Dodge Avenger	11.0
Hyundai Genesis Coupe 2.0T	11.0
Mitsubishi Outlander 4RM	11.0
Toyota Venza V6	11.0
BMW Série 3 3231	11.1
BMW X3 35i	11.1
Mercedes-Benz Classe M350 BlueTEC	11.1
Nissan Quest	11.1
Porsche Boxster S	11.1
Subaru Impreza WRX	11.1
Toyota RAV4 4RM V6	11.1
Volkswagen Touareg TDI	11.1
Ford Edge TA	11.2
Ford Mustang V6	11.2
Mercedes-Benz Classe S400 Hybrid	11.2
Porsche Boxster	11.2
Porsche Cayman	11.2
Suzuki Grand Vitara	11.2
Volvo C70	11.2
Acura TSX V6	11.3
Chevrolet Colorado 4x2	11.3
GMC Canyon 4x2	11.3
Porsche 911 Carrera	11.3
Acura TL SH AWD	11.4
Porsche 911 Carrera 4	11.4
Volvo S80 3.2	11.4
Audi Q5 3.2	11.5
Kia Rondo EX V6	11.5
Lexus IS350	11.5

	l/100 km
Lexus RX350	11.5
Mazda Speed3	11.5
Toyota Venza V6 AWD	11.5
BMW Z4 35i	11.6
Ford Taurus TA	11.6
Lexus GS350 TI	11.6
Lexus IS250	11.6
Nissan Z	11.6
Acura RDX	11.7
Chevrolet 4x4	11.7
Dodge Charger	11.7
Lincoln MKZ TA	11.7
Nissan Murano	11.7
Volvo XC70 3.2	11.7
Honda Accord Crosstour	11.8
Mercedes-Benz Classe C300 4Matic	11.8
Porsche 911 Carrera 4 S	11.8
Cadillac CTS 3.0 TI	11.9
Ford Edge TI	11.9
Ford Explorer TA	11.9
Mercedes-Benz Classe C250 4Matic	11.9
Subaru Forester 2.5 XT	11.9
Subaru Legacy 3.6R	11.9
Subaru Outback 3.6R	11.9
BMW Série 7 Active Hybrid	12.0
Infiniti M37x	12.0
Volkswagen CC V6	12.0
Audi S4	12.1
Mazda 6 V6	12.1
Acura RL	12.2
Buick LaCrosse CXL	12.2
Chrysler Town & Country	12.2
Dodge Grand Caravan	12.2
Ford Edge Sport TI	12.2
Ford Mustang Boss	12.2
Lincoln MKX	12.2
Mazda CX-7 4RM	12.2
Mitsubishi Lancer Ralliart	12.2
Volkswagen Routan	12.2
Ford Taurus TI	12.3
Volkswagen Touareg V6	12.3
Audi A6 3.0T	12.4
BMW Série 1 135i	12.4
Buick Regal GS	12.4
Chevrolet Camaro	12.4
Chevrolet Equinox TA V6	12.4
Chevrolet Malibu LTZ	12.4
Hyundai Genesis 3.8	12.4
Infiniti EX	12.4
Mercedes-Benz Classe GL350 BlueTEC	12.4
Subaru Impreza WRX Sti	12.4
Ford Explorer 4WD	12.5
Ford Taurus SHO	12.5
Lincoln MKS TA	12.5
Dodge Journey	12.6
Ford Fusion Sport TI	12.6
Toyota 4Runner	12.6
Toyota Highlander V6 4RM	12.6
Acura ZDX	12.7
Buick Enclave TA	12.7
Chevrolet Traverse TA	12.7
GMC Acadia TA	12.7
Honda Pilot 2RM	12.7
Mercedes-Benz Classe E350 4Matic	12.7
Mercedes-Benz Classe ML350 4Matic	12.7
Mitsubishi Lancer MR	12.7
Porsche Panamera 2	12.7
Mercedes-Benz Classe S550 4Matic	12.8
Toyota Sienna AWD	12.8
Audi S5	12.9
Chevrolet Camaro SS	12.9
Chevrolet Corvette Gran Sport	12.9
Infiniti G37 M6	12.9
Lexus LS460	12.9

	l/100 km
Lincoln MKS TI	12.9
Mitsubishi Lancer GSR	12.9
Dodge Durango	13.0
Dodge Journey R/T	13.0
Jeep Grand Cherokee	13.0
Lexus IS F	13.0
Mercedes-Benz Classe GLK350	13.0
Volvo XC60 3.2	13.0
Audi A7 3.0T	13.1
Audi A8 4.2	13.1
BMW Série 1 128i	13.1
Cadillac CTS 3.6	13.1
Chevrolet Traverse TI	13.1
Ford Flex TI Ecoboost	13.1
GMC Acadia Denali	13.1
Honda Pilot 4RM	13.1
Hyundai Genesis 5.0 R-Spec	13.1
Lincoln MKT	13.1
Lotus Evora	13.1
Subaru Tribeca	13.1
Volvo S60 T6 AWD	13.1
Acura MDX	13.2
Audi Q7 TDI	13.2
Hyundai Veracruz	13.2
GMC Canyon 4x4	13.3
Infiniti FX35	13.3
Volvo S80 T6	13.3
BMW Série 5 550 xDrive	13.4
Buick Enclave TI	13.4
Ford Flex TI	13.4
Infiniti M56x	13.4
Mazda CX-9 TA	13.4
Chrysler 300 C	13.5
Dodge Challenger R/T	13.5
Dodge Nitro 4x4 (4,0)	13.5
Jaguar XK	13.5
Porsche Panamera 4	13.5
Volvo XC60 T6	13.5
Volvo XC90 3.2	13.5
Mercedes-Benz Classe CLS63 AMG	13.6
Toyota FJ Cruiser	13.6
Mercedes-Benz Classe CL550 4Matic	13.7
Nissan Xterra	13.7
Hyundai Genesis Coupe 3.8 GT	13.8
Lotus Evora S	13.8
Ford F-150 4x2	13.9
Jeep Wrangler	13.9
Saab 9-3	13.9
Dodge Nitro 4x4 (3.7)	14.0
Jeep Liberty	14.0
Mazda CX-9 TI	14.0
Mercedes-Benz Classe S63 AMG	14.0
Honda Ridgeline	14.1
Jaguar XF R	14.1
Jaguar XJ Supercharged	14.1
Jaguar XJ Supersport	14.1
Jaguar XK R	14.1
Land Rover LR2	14.1
Lexus GX460	14.1
Toyota Tundra 4.6	14.1
Porsche Cayman R	14.2
BMW Série 7 750i	14.4
BMW X6 35i	14.4
Chevrolet Avalanche	14.4
Chevrolet Suburban 4x4	14.4
Chevrolet Tahoe 4x2	14.4
Chrysler 300 C AWD	14.4
Dodge Charger R/T AWD	14.4
Ford Mustang Shelby GT500	14.4
GMC Yukon 4x4	14.4
Mercedes-Benz Classe R350 4Matic	14.4
Porsche Cayenne S	14.5
Suzuki Equator	14.6
Infiniti FX50	14.7

	l/100 km
Nissan GT-R	14.7
Toyota Tacoma 4x4 V6	14.7
Mercedes-Benz Classe SLK55 AMG	14.8
Nissan Frontier 4x4	14.8
Audi Q7 3.0	14.9
Cadillac CTS-V	14.9
Nissan Pathfinder	14.9
Ford F-150 4x4	15.0
Toyota Tundra 5.7	15.2
Cadillac Escalade	15.3
Chevrolet Silverado 4x2	15.3
BMW Série 6 650i	15.5
Chevrolet Corvette ZR1	15.5
Dodge Challenger SRT8	15.6
Mercedes-Benz Classe SL550	15.6
Mercedes-Benz SLS AMG	15.6
RAM 1500 4x2	15.6
Toyota Sequoia 4.6	15.6
BMW Série 3 M3	15.7
Hyundai Equus	15.7
Infiniti QX	15.7
RAM 1500 4x4	15.8
Chevrolet Silverado 4x4	15.9
Porsche Cayenne Turbo	16.2
Rolls-Royce Ghost	16.2
Toyota Sequoia 5.7	16.3
Porsche 911 Turbo S	16.5
BMW Série 7 760Li	16.7
Ford Expedition	16.7
Lincoln Navigator	16.7
Aston Martin Rapide	16.8
Land Rover Range Rover Sport	16.9
Mercedes-Benz Classe C63 AMG	16.9
BMW X5M	17.0
GMC Yukon Denali	17.0
Lexus LX	17.0
Audi R8 4.2	17.1
Land Rover LR4	17.1
Mercedes-Benz Classe GL550 4Matic	17.1
Nissan Armada	17.3
Porsche 911 Turbo	17.3
GMC Sierra Denali	17.4
Nissan Titan	17.4
BMW X5 50i	17.5
Land Rover Range Rover	17.5
Mercedes-Benz Classe CL65 AMG	17.5
Mercedes-Benz Classe CL600	17.8
Mercedes-Benz Classe SL63 AMG	17.9
Aston Martin DBS	18.1
Land Rover Range Rover Supercharged	18.1
Land Rover Range Rover Sport Supercharged	18.4
Lamborghini Gallardo LP 560-4	18.7
Mercedes-Benz Classe G550	18.7
Rolls-Royce Phantom Coupé	18.7
Bentley Continental Supersports	18.8
Aston Martin DB9	18.9
Aston Martin Vantage V12	19.1
Audi R8 5.2	19.1
Bentley Continental GTC	19.1
Ford F-150 Raptor	19.1
BMW X6M	19.3
Bentley Continental GT	19.6
Jeep Grand Cherokee SRT8	19.6
Ferrari 599	19.8
Maybach 57 - 62	20.7
Bentley Continental Flying Spur	20.9
Lamborghini Gallardo LP 570-4 Superleggara	22.2
Maserati Gran Turismo	23.2
Maserati Quattroporte GT S	24.0
Bentley Continental Flying Spur Speed	25.3
Bentley Mulsanne	25.3
Lamborghini Aventador	27.3
Moyenne:	11.9/100 km

Jusqu'à l'année dernière, on pouvait compter sur les doigts d'une main les véhicules hybrides, diesel ou tout électriques. Mais cette année, la donne commence à changer. On retrouve plus d'hybrides et de véhicules mus par un moteur diesel qu'avant. Quant au nombre de voitures électriques, on en dénombre sept, comme l'an passé. Mais cette fois, ils ne sont pas que promesses puisqu'ils sont, pour la plupart, bien là! Au fil des années, cette section des «statistiques» devrait s'étoffer. Qui sait, peut-être qu'un jour, elle fera uniquement mention des voitures dotées d'un moteur à essence, devenues exceptions!

HYBRIDES

Audi Q5
BMW Série 7
BMW X6
Buick LaCrosse eAssist
Buick Regal eAssist
Cadillac Escalade
Chevrolet Silverado
Chevrolet Tahoe
Ford Escape
Ford Fusion
GMC Sierra
GMC Yukon
Honda Civic
Honda Insight
Honda CRZ
Hyundai Sonata

HYBRIDES

Infiniti M35h
Kia Optima
Lexus CT200h
Lexus GS450h
Lexus HS250h
Lexus LS600h L
Lexus RX450h
Lincoln MKZ
Mercedes-Benz Classe S400
Nissan Altima
Porsche Cayenne S
Porsche Panamera S
Toyota Camry
Toyota Highlander
Toyota Prius

DIESEL

Audi A3 TDI
Audi Q7 TDI
BMW 335d
BMW X5 xDrive35d
Mercedes-Benz Classe GL350 BlueTEC
Mercedes-Benz Classe E350 BlueTEC
Mercedes-Benz Classe ML350 BlueTEC
Mercedes-Benz Classe R350 BlueTEC
Mercedes-Benz Classe S350 BlueTEC
Volkswagen Golf TDI
Volkswagen Jetta TDI
Volkswagen Passat TDI
Volkswagen Touareg TDI

ÉLECTRIQUES

Chevrolet Volt
Ford Fusion Elect (à venir)
Ford Transit Connect
Mitsubishi i-MiEV
Nissan Leaf
smart ED
Tesla
Toyota Prius Plug-In (à venir)

VITESSE MAXIMALE

Même si on s'entend pour dire que la vitesse maximale est la donnée la moins importante d'une voiture, n'empêche que tout le monde – même celui qui écrit ces quelques lignes – aime bien connaître le potentiel de sa voiture et celui des autres! Alors voici, en ordre alphabétique, puis en ordre croissant, la vitesse maximale de plusieurs véhicules vendus au Canada. Nous vous déconseillons fortement de tenter de rouler à la vitesse maximale de votre voiture. Les données présentées ici nous ont été fournies par les différents fabricants.

VITESSE MAXIMALE EN ORDRE ALPHABÉTIQUE

	km/h		km/h		km/h		km/h
Acura MDX	198	Audi A3 2.0T	209	Audi R8 5.2 Spyder	313	BMW Série 1 135i	240
Acura RDX	198	Audi S4	250	Audi R8 GT	320	BMW Série 3 335d	210
Acura RL	225	Audi A5 2.0T	210	Audi TTS	250	BMW Série 3 335i	240
Acura TL	225	Audi S5	250	Bentley Continental Flying Spur	312	BMW Série 3 335i x	210
Acura TSX	210	Audi A7	210	Bentley Continental Flying Spur Speed	322	BMW Série 3 335 is	240
Aston Martin DB9	306	Audi A8	250	Bentley Continental GT	318	BMW Série 3 M3	250
Aston Martin One-77	350	Audi Q5 3.2	210	Bentley Continental GTC	314	BMW Série 6	250
Aston Martin Rapide	290	Audi Q5 Hybrid	222	Bentley Continental GTC Speed	322	BMW X1	240
Aston Martin Vantage V12	305	Audi Q7	209	Bentley Continental Supersports	325	BMW X3 28i	210
Aston Martin Vantage V8	290	Audi R8 4.2	300	Bentley Mulsanne	296	BMW X3 35i	210
Audi A3 TDI	200	Audi R8 5.2	316	BMW Série 1 128i	210	BMW X5 35i	235

	km/h
BMW X5 50i	240
BMW X6 ActiveHybrid	240
BMW X6M	250
BMW X6 35i	210
BMW X6 50i	240
BMW Z4	250
Buick Enclave	200
Chevrolet Corvette Z06	318
Chevrolet Corvette ZR1	330
Chevrolet Volt	160
Chrysler 200	180
Dodge Avenger	210
Dodge Challenger R/T	250
Dodge Nitro	190
Ferrari 599	335
Ferrari California	310
Ferrari F458 Italia	325
Fiat 500	182
Ford Taurus	215
Honda Accord	225
Honda Civic	180
Honda Pilot	175
Hyundai Elantra Touring	190
Hyundai Genesis Coupe 2.0T	220
Hyundai Santa Fe 3.5	190
Hyundai Veracruz	195
Jaguar XF	195
Jaguar XFR	250
Jaguar XJ	195
Jaguar XJ Supersport	250
Jaguar XKR	250
Jeep Grand Cherokee	250
Kia Rondo	185
Kia Sedona	180
Lamborghini Aventador	350
Lamborghini Gallardo LP 560-4	325
Land Rover LR2	207
Land Rover LR4	195
Land Rover Range Rover	210
Land Rover Range Rover Supercharged	225
Land Rover Range Rover Evoque	217
Land Rover Range Rover Sport	209
Lexus CT	187
Lexus ES	220
Lexus IS	250
Lexus LFA	325
Lexus LS600h L	250
Lincoln MKZ	210
Lotus Evora	261
Lotus Evora S	277
Maserati Quattroporte	270
Maserati Quattroporte GT S	295
Maserati Quattroporte S	280
Maybach 57 - 62	250
Maybach 57S - 62S	278
Mazda CX-7	210
Mazda CX-9	225
Mazda 3	188
Mazda Speed3	250
Mazda 3 SkyActive	195
Mazda 6 V6	214
Mazda MX-5	206
Mercedes-Benz Classe B200	196
Mercedes-Benz Classe B200T	210
Mercedes-Benz Classe C	210
Mercedes-Benz Classe C63 AMG	250
Mercedes-Benz Classe CL	210
Mercedes-Benz Classe CL63 AMG	250
Mercedes-Benz Classe CL65AMG	250
Mercedes-Benz Classe CLS	210
Mercedes-Benz Classe CLS63 AMG	250
Mercedes-Benz Classe E	210
Mercedes-Benz Classe G	190
Mercedes-Benz Classe GL	210
Mercedes-Benz Classe GLK	210
Mercedes-Benz Classe M	210
Mercedes-Benz Classe S550	210
Mercedes-Benz Classe S600	250
Mercedes-Benz Classe S63 AMG	250
Mercedes-Benz Classe S65 AMG	250
Mercedes-Benz Classe SL	210
Mercedes-Benz Classe SL63AMG	250
Mercedes-Benz Classe SLK	250
Mercedes-Benz SLS AMG	317
MINI Cooper	198
MINI Cooper JCW	250
MINI Cooper S	223
Mitsubishi i-MIEV	130
Nissan Altima	225
Nissan GT-R	311
Nissan Murano	195
Nissan Pathfinder	195
Nissan Rogue	195
Nissan Sentra	185
Nissan Versa	175
Porsche 911 Carrera 4 GTS	302
Porsche Boxster	263
Porsche Boxster S	274
Porsche Boxster Spyder	267
Porsche Cayenne	227
Porsche Cayenne S Hybrid	250
Porsche Cayenne Turbo	278
Porsche Cayman	265
Porsche Cayman R	280
Porsche Cayman S	277
Porsche Panamera 2	261
Porsche Panamera 4S	283
Porsche Panamera S Hybrid	270
Porsche Panamera Turbo	303
Rolls-Royce Ghost	250
Rolls-Royce Phantom Drophead Coupe	240
Rolls-Royce Phantom	240
smart Fortwo	145
Toyota Camry V6	220
Toyota Prius	170
Volkswagen CC 2.0T	209
Volkswagen Eos 2.oT	232
Volkswagen Jetta GLI	201
Volkswagen Golf TDI	209
Volvo C30 T5	240
Volvo C70	235
Volvo S80 3.2	240
Volvo S80 T6	250
Moyenne:	239.7km/h

VITESSE MAXIMALE EN ORDRE CROISSANT

	km/h
Mitsubishi i-MIEV	130
smart fortwo	145
Chevrolet Volt	160
Toyota Prius	170
Honda Pilot	175
Nissan Versa	175
Chrysler 200	180
Honda Civic	180
Kia Sedona	180
Fiat 500	182
Kia Rondo	185
Nissan Sentra	185
Lexus CT	187
Mazda 3	188
Dodge Nitro	190
Hyundai Elantra Touring	190
Hyundai Santa Fe 3.5	190
Mercedes-Benz Classe G	190
Hyundai Veracruz	195
Jaguar XF	195
Jaguar XJ	195
Land Rover LR4	195
Mazda 3 SkyActive	195
Nissan Murano	195
Nissan Pathfinder	195
Nissan Rogue	195
Mercedes-Benz Classe B200	196
Acura MDX	198
Acura RDX	198
MINI Cooper	198
Audi A3 TDI	200
Buick Enclave	200
Volkswagen Jetta GLI	201
Mazda MX-5	206
Land Rover LR2	207
Audi A3 2.0T	209
Audi Q7	209
Land Rover Range Rover Sport	209
Volkswagen CC 2.0T	209
Volkswagen Golf TDI	209
Acura TSX	210
Audi A5 2.0T	210
Audi A7	210
Audi Q5 3.2	210
BMW Série 1 128i	210
BMW Série 3 335d	210
BMW Série 3 335i x	210
BMW X3 28i	210
BMW X3 35i	210
BMW X6 35i	210
Dodge Avenger	210
Land Rover Range Rover	210
Lincoln MKZ	210
Mazda CX-7	210
Mercedes-Benz Classe B200T	210
Mercedes-Benz Classe C	210
Mercedes-Benz Classe CL	210
Mercedes-Benz Classe CLS	210
Mercedes-Benz Classe E	210
Mercedes-Benz Classe GL	210
Mercedes-Benz Classe GLK	210
Mercedes-Benz Classe M	210
Mercedes-Benz Classe S550	210
Mercedes-Benz Classe SL	210
Mazda 6 V6	214
Ford Taurus	215
Land Rover Range Rover Evoque	217
Hyundai Genesis Coupe 2.0T	220
Lexus ES	220
Toyota Camry V6	220
Audi Q5 Hybrid	222
MINI Cooper S	223
Acura RL	225
Acura TL	225
Honda Accord	225
Land Rover Range Rover Supercharged	225
Mazda CX-9	225
Nissan Altima	225
Porsche Cayenne	227
Volkswagen Eos 2.oT	232
BMW X5 35i	235
Volvo C70	235
BMW Série 1 135i	240
BMW Série 3 335i	240
BMW Série 3 335 is	240
BMW X1	240
BMW X5 50i	240
BMW X6 ActiveHybrid	240
BMW X6 50i	240
Rolls-Royce Phantom Drophead Coupe	240
Rolls-Royce Phantom	240
Volvo C30 T5	240
Volvo S80 3.2	240
Audi S4	250
Audi S5	250
Audi A8	250
Audi TTS	250
BMW Série 3 M3	250
BMW Série 6	250
BMW X6M	250
BMW Z4	250
Dodge Challenger R/T	250
Jaguar XFR	250
Jaguar XJ Supersport	250
Jaguar XKR	250
Jeep Grand Cherokee	250
Lexus IS	250
Lexus LS600h L	250
Maybach 57 - 62	250
Mazda Speed3	250
Mercedes-Benz Classe C63 AMG	250
Mercedes-Benz Classe CL63 AMG	250
Mercedes-Benz Classe CL65AMG	250
Mercedes-Benz Classe CLS63 AMG	250
Mercedes-Benz Classe S600	250
Mercedes-Benz Classe S63 AMG	250
Mercedes-Benz Classe S65 AMG	250
Mercedes-Benz Classe SL63AMG	250
Mercedes-Benz Classe SLK	250
MINI Cooper JCW	250
Porsche Cayenne S Hybrid	250
Rolls-Royce Ghost	250
Volvo S80 T6	250
Lotus Evora	261
Porsche Panamera 2	261
Porsche Boxster	263
Porsche Cayman	265
Porsche Boxster Spyder	267
Maserati Quattroporte	270
Porsche Panamera S Hybrid	270
Porsche Boxster S	274
Lotus Evora S	277
Porsche Cayman S	277
Maybach 57S - 62S	278
Porsche Cayenne Turbo	278
Maserati Quattroporte S	280
Porsche Cayman R	280
Porsche Panamera 4S	283
Aston Martin Rapide	290
Aston Martin Vantage V8	290
Maserati Quattroporte GT S	295
Bentley Mulsanne	296
Audi R8 4.2	300
Porsche 911 Carrera 4 GTS	302
Porsche Panamera Turbo	303
Aston Martin Vantage V12	305
Aston Martin DB9	306
Ferrari California	310
Nissan GT-R	311
Bentley Continental Flying Spur	312
Audi R8 5.2 Spyder	313
Bentley Continental GTC	314
Audi R8 5.2	316
Mercedes-Benz SLS AMG	317
Bentley Continental GT	318
Chevrolet Corvette Z06	318
Audi R8 GT	320
Bentley Continental Flying Spur Speed	322
Bentley Continental GTC Speed	322
Bentley Continental Supersports	325
Ferrari F458 Italia	325
Lamborghini Gallardo LP 560-4	325
Lexus LFA	325
Chevrolet Corvette ZR1	330
Ferrari 599	335
Aston Martin One-77	350
Lamborghini Aventador	350
Moyenne:	239.7 km/h

MOTEURS

Pas de voiture sans moteur. Afin de vous permettre de comparer la puissance respective des véhicules ou tout simplement pour conclure une discussion entre amis, voici quel moteur tourne sous le capot de quelle voiture. On y retrouve sa configuration (4L, V6, V8, V10, H4, H6 et même W12 !), sa cylindrée ainsi que sa puissance (en chevaux) et son couple (en livres-pied). Et nous ne faisons pas de ségrégation : qu'ils soient à essence, diesel, hybride ou autres, nous les avons tous mis par ordre alphabétique et croissant. Rien de moins !

MOTEURS EN ORDRE ALPHABÉTIQUE

		Cyl	ch	lb-pi
Acura MDX	V6	3.7	300	270
Acura RDX	4L	2.3	240	260
Acura RL	V6	3.7	300	271
Acura TL	V6	3.5	280	254
Acura TL	V6	3.7	305	273
Acura TSX	V6	3.5	280	254
Acura ZDX	V6	3.7	300	270
Allard J2X	V8	5.7	350	400
Aston Martin DB9	V12	6.0	470	443
Aston Martin DBS	V12	6.0	510	420
Aston Martin One-77	V12	7.3	760	553
Aston Martin Rapide	V12	6.0	470	443
Aston Martin Vantage	V12	6.0	510	420
Aston Martin Vantage	V8	4.3	420	346
Audi A3	4L	2.0	140	236
Audi A3	4L	2.0	200	207
Audi A4	4L	2.0	211	258
Audi A4	V6	3.0	333	325
Audi A5	4L	2.0	211	258
Audi A5	V8	4.2	450	317
Audi A5	V8	4.2	354	325
Audi A5	V6	3.0	333	325
Audi A6	4L	2.0	211	258
Audi A6	V6	3.0	310	325
Audi A8	V8	4.2	372	325
Audi Q5	4L	2.0	211	258
Audi Q5	V6	3.2	270	243
Audi Q5	4L	2.0	211	258
Audi Q7	V6	3.0	272	266
Audi Q7	V6	3.0	333	325
Audi Q7	V6	3.0	225	406
Audi R8	V8	4.2	430	317
Audi R8	V10	5.2	525	490
Audi R8	V10	5.2	560	398
Audi TTS	4L	2.0	265	258
Bentley Continental	W12	6.0	552	479
Bentley Continental	W12	6.0	600	553
Bentley Continental	W12	6.0	567	516
Bentley Continental	W12	6.0	621	590
Bentley Mulsanne	V8	6.8	505	752
BMW Série 1	6L	3.0	230	200
BMW Série 1	6L	3.0	335	332
BMW Série 3	6L	2.5	200	180
BMW Série 3	6L	3.0	230	200
BMW Série 3	6L	3.0	265	425
BMW Série 3	6L	3.0	300	300
BMW Série 3	6L	3.0	320	332
BMW Série 3	V8	4.0	414	295
BMW Série 5	6L	3.0	240	221
BMW Série 5	6L	3.0	300	300
BMW Série 5	V8	4.4	400	450
BMW Série 6	V8	4.4	407	442
BMW Série 7	V8	4.4	400	450
BMW Série 7	V12	6.0	535	550
BMW Série 7	V8	4.4	440	480
BMW X1	4L	2.0	241	258
BMW X3	6L	3.0	240	221
BMW X3	6L	3.0	300	295
BMW X5	V8	4.4	555	500
BMW X5	6L	3.0	265	425
BMW X5	6L	3.0	300	300
BMW X5	V8	4.4	400	450
BMW X6	V8	4.4	555	500
BMW X6	6L	3.0	300	300
BMW X6	V8	4.4	400	450
BMW Z4	6L	3.0	255	220
BMW Z4	6L	3.0	300	300
BMW Z4	6L	3.0	335	332
Buick Enclave	V6	3.6	288	270
Buick LaCrosse	V6	3.6	280	259
Buick LaCrosse	4L	2.4	182	172
Buick Regal	4L	2.0	220	258
Buick Regal	4L	2.0	255	295
Cadillac CTS	V6	3.0	270	223
Cadillac CTS	V6	3.6	318	275
Cadillac CTS	V8	6.2	556	551
Cadillac DTS	V8	4.6	275	295
Cadillac DTS	V8	4.6	292	288
Cadillac Escalade	V8	6.2	403	417
Cadillac Escalade	V8	6.0	332	367
Cadillac SRX	V6	3.6	308	265
Chevrolet Avalanche	V8	5.3	320	335
Chevrolet Camaro	V6	3.6	312	278
Chevrolet Camaro	V8	6.2	426	420
Chevrolet Colorado	4L	2.9	185	190
Chevrolet Colorado	V8	5.3	300	320
Chevrolet Colorado	5L	3.7	242	242
Chevrolet Corvette	V8	6.2	430	424
Chevrolet Corvette	V8	7.0	505	470
Chevrolet Corvette	V8	6.2	638	604
Chevrolet Cruze	4L	1.8	138	125
Chevrolet Cruze	4L	1.4	138	148
Chevrolet Equinox	4L	2.4	182	172
Chevrolet Equinox	V6	3.0	264	222
Chevrolet Impala	V6	3.6	252	251
Chevrolet Malibu	4L	2.4	170	158
Chevrolet Malibu	V6	3.6	252	251
Chevrolet Orlando	4L	2.4	172	167
Chevrolet Silverado	V8	6.0	332	367
Chevrolet Silverado	V8	4.8	302	305
ChevroletSilverado	V8	5.3	326	348
Chevrolet Silverado	V6	4.3	195	260
Chevrolet Sonic	4L	1.8	138	125
Chevrolet Suburban	V8	5.3	320	335
Chevrolet Tahoe	V8	6.0	332	367
Chevrolet Traverse	V6	3.6	281	266
Chevrolet Traverse	V6	3.6	288	270
Chevrolet Volt	4L	1.4	84	n.d.
Chrysler 200	V6	3.6	283	260
Chrysler 200	4L	2.4	173	166
Chrysler 300	V8	5.7	363	394
Chrysler 300	V6	3.6	292	260
Chrysler Town & Country	V6	3.6	283	260
Dodge Avenger	4L	2.4	173	166
Dodge Avenger	V6	3.6	283	260
Dodge Caliber	4L	2.0	158	141
Dodge Caliber	4L	2.4	172	165
Dodge Challenger	V8	5.7	372	400
Dodge Challenger	V8	6.4	470	470
Dodge Challenger	V6	3.6	305	268
Dodge Charger	V8	5.7	370	395
Dodge Charger	V6	3.6	292	260
Dodge Durango	V6	3.6	290	260
Dodge Grand Caravan	V6	3.6	283	260
Dodge Journey	4L	2.4	173	166
Dodge Journey	V6	3.6	283	260
Dodge Nitro	V6	3.7	210	235
Dodge Nitro	V6	4.0	260	265
Ferrari 599	V12	6.0	620	448
Ferrari 599	V12	6.0	670	457
Ferrari California	V8	4.3	460	357
Ferrari F458 Italia	V8	4.5	570	398
Ferrari FF	V12	6.3	660	504
Fiat 500	4L	1.4	101	98
Ford Edge	V6	3.5	285	253
Ford Edge	V6	3.7	305	280
Ford Escape	4L	2.5	153	136
Ford Escape	4L	2.5	171	171
Ford Escape	V6	3.0	240	223
Ford Expedition	V8	5.4	310	365
Ford Explorer	V6	3.5	290	255
Ford Explorer	4L	2.0	237	250
Ford F-150	V8	5.0	360	380
Ford F-150	V8	6.2	411	434
Ford F-150	V6	3.7	302	278
Ford Fiesta	4L	1.6	120	112
Ford Flex	V6	3.5	262	248
Ford Flex	V6	3.5	355	350
Ford Focus	4L	2.0	160	146
Ford Fusion	4L	2.5	156	136
Ford Fusion	4L	2.5	175	172
Ford Fusion	V6	3.0	240	223
Ford Fusion	V6	3.5	263	249
Ford Mustang	V8	5.0	444	380
Ford Mustang	V8	5.0	412	390
Ford Mustang	V8	5.4	550	510
Ford Mustang	V6	3.7	305	280
Ford Taurus	V6	3.5	263	249
Ford Taurus	V6	3.5	365	350
Ford Transit Connect	4L	2.0	136	128
GMC Acadia	V6	3.6	288	270
GMC Canyon	4L	2.9	185	190
GMC Canyon	5L	3.7	242	242
GMC Sierra	V8	6.2	403	417
GMC Sierra	V8	6.0	332	367
GMC Sierra	V8	4.8	302	305
GMC Sierra	V8	5.3	326	348
GMC Sierra	V6	4.3	195	260
GMC Terrain	4L	2.4	182	172
GMC Yukon	V8	6.2	403	417
GMC Yukon	V8	6.0	332	367
GMC Yukon	V8	5.3	320	335
GMC Yukon	V8	6.2	403	417
Honda Accord	4L	2.4	190	162
Honda Accord	V6	3.5	271	254
Honda Accord	4L	2.4	177	161
Honda Accord Crosstour	V6	3.5	271	254
Honda Civic	4L	1.5	110	127
Honda Civic	4L	1.8	140	128
Honda Civic	4L	2.4	201	170
Honda CR-V	4L	2.4	180	161
Honda CR-Z	4L	1.5	122	128
Honda Fit	4L	1.5	117	106
Honda Insight	4L	1.3	98	123
Honda Odyssey	V6	3.5	248	250
Honda Pilot	V6	3.5	250	253
Honda Ridgeline	V6	3.5	250	247
Hyundai Accent	4L	1.6	138	123
Hyundai Elantra	4L	1.8	148	131
Hyundai Elantra	4L	2.0	138	136
Hyundai Equus	V8	5.0	429	376
Hyundai Genesis	V6	3.8	333	291
Hyundai Genesis	V8	4.6	385	333
Hyundai Genesis Coupe	V6	3.8	306	266
Hyundai Genesis Coupe	4L	2.0	210	223
Hyundai Santa Fe	4L	2.4	175	169
Hyundai Santa Fe	V6	3.5	276	248
Hyundai Sonata	4L	2.0	274	269
Hyundai Sonata	4L	2.4	198	184
Hyundai Sonata	4L	2.4	166	154
Hyundai Tucson	4L	2.4	176	168
Hyundai Tucson	4L	2.0	165	146
Hyundai Veloster	4L	1.6	138	123
Hyundai Veracruz	V6	3.8	260	257
Infiniti EX	V6	3.5	297	253
Infiniti FX	V6	3.5	303	262
Infiniti FX	V8	5.0	390	369
Infiniti G	V6	2.5	218	187
Infiniti G	V6	3.7	325	267
Infiniti G	V6	3.7	330	270
Infiniti G	V6	3.7	348	276
Infiniti G	V6	3.7	328	269
Infiniti M	V8	5.6	420	417
Infiniti M	V6	3.7	330	270
Infiniti M	V6	3.5	302	258
Infiniti QX	V8	5.6	400	413
Jaguar XF	V8	5.0	385	380
Jaguar XF	V8	5.0	510	461
Jaguar XJ	V8	5.0	385	380
Jaguar XJ	V8	5.0	470	424
Jaguar XJ	V8	5.0	510	461
Jaguar XK	V8	5.0	385	380
Jaguar XK	V8	5.0	510	461
Jeep Compass	4L	2.4	172	165
Jeep Compass	4L	2.0	158	141
Jeep Compass	4L	2.4	172	165
Jeep Grand Cherokee	V6	3.6	290	260
Jeep Grand Cherokee	V8	5.7	360	390
Jeep Grand Cherokee	V8	6.4	465	465
Jeep Liberty	V6	3.7	210	235
Jeep Patriot	4L	2.4	172	165
Jeep Patriot	4L	2.0	158	141
Jeep Wrangler	V6	3.6	283	260
Kia Forte	4L	2.0	156	144
Kia Forte	4L	2.4	173	168
Kia Optima	4L	2.4	200	186
Kia Optima	4L	2.4	166	154
Kia Optima	4L	2.0	274	269
Kia Rio/Rio5	4L	1.6	138	123
Kia Rondo	4L	2.4	175	169
Kia Rondo	V6	2.7	192	184
Kia Sedona	V6	3.5	271	248
Kia Sorento	4L	2.4	200	186
Kia Sorento	V6	3.5	276	248
Kia Sorento	4L	2.4	175	169
Kia Soul	4L	1.6	138	122
Kia Soul	4L	2.0	160	143
Kia Sportage	4L	2.4	176	168
Kia Sportage	4L	2.0	260	269
Lamborghini Aventador	V12	6.5	690	509
Lamborghini Gallardo	V10	5.2	552	398
Lamborghini Gallardo	V10	5.2	570	398

		Cyl	ch	lb-pi
Land Rover LR2	6L	3.2	230	234
Land Rover LR4	V8	5.0	375	375
Land Rover Range Rover	V8	5.0	510	461
Land Rover Range Rover Evoque	4L	2.0	240	251
Land Rover Range Rover Sport	V8	5.0	375	375
Land Rover Range Rover Sport	V8	5.0	510	461
Lexus CT	4L	1.8	98	105
Lexus ES	V6	3.5	268	248
Lexus GS	V6	3.5	303	274
Lexus GS	V6	3.5	340	267
Lexus GX	V8	4.6	301	329
Lexus HS	4L	2.4	187	138
Lexus IS	V6	2.5	204	185
Lexus IS	V6	3.5	306	277
Lexus IS	V8	5.0	416	371
Lexus LFA	V10	4.8	552	354
Lexus LS	V8	4.6	380	367
Lexus LS	V8	5.0	438	385
Lexus LX	V8	5.7	383	403
Lexus RX	V6	3.5	275	257
Lexus RX	V6	3.5	295	234
Lincoln MKS	V6	3.7	273	270
Lincoln MKS	V6	3.5	355	350
Lincoln MKT	V6	3.7	268	267
Lincoln MKX	V6	3.7	305	280
Lincoln MKZ	4L	2.5	156	136
Lincoln MKZ	V6	3.5	263	249
Lincoln MKZ	V6	3.5	263	249
Lincoln Navigator	V8	5.4	310	365
Lotus Evora	V6	3.5	276	258
Lotus Evora	V6	3.5	345	295
Maserati Gran Turismo	V8	4.2	405	339
Maserati Gran Turismo	V8	4.7	440	361
Maserati Quattroporte	V8	4.2	400	339
Maserati Quattroporte	V8	4.7	440	362
Maserati Quattroporte	V8	4.7	430	361
Maybac 57 - 62	V12	5.5	543	664
Maybach 57 - 62	V12	6.0	630	738
Mazda CX-7	4L	2.3	244	258
Mazda CX-7	4L	2.5	161	161
Mazda CX-9	V6	3.7	273	270
Mazda 2	4L	1.5	100	98
Mazda 3	4L	2.0	148	135
Mazda 3	4L	2.5	167	168
Mazda 3	4L	2.0	148	135
Mazda Speed3	4L	2.3	263	280
Mazda 3	4L	2.0	155	148
Mazda 5	4L	2.5	157	163
Mazda 6	4L	2.5	170	167
Mazda 6	V6	3.7	272	269
Mazda MX-5	4L	2.0	167	140
Mazda MX-5	4L	2.0	158	140
Mercedes-Benz Classe B	4L	2.0	134	136
Mercedes-Benz Classe B	4L	2.0	193	206
Mercedes-Benz Classe C	4L	1.8	201	229
Mercedes-Benz Classe C	V6	2.5	201	181
Mercedes-Benz Classe C	4L	1.8	201	229
Mercedes-Benz Classe C	V6	3.0	228	221
Mercedes-Benz Classe C	V6	3.5	302	273
Mercedes-Benz Classe C	V8	6.2	451	443
Mercedes-Benz Classe CL	V8	4.6	429	516
Mercedes-Benz Classe CL	V12	5.5	510	612
Mercedes-Benz Classe CL	V8	5.5	536	590
Mercedes-Benz Classe CL	V12	6.0	621	738
Mercedes-Benz Classe CLS	V8	4.6	402	443
Mercedes-Benz Classe CLS	V8	5.5	518	516
Mercedes-Benz Classe E	V6	3.5	268	258
Mercedes-Benz Classe E	V6	3.5	302	273
Mercedes-Benz Classe E	V6	3.0	210	400
Mercedes-Benz Classe E	V6	3.5	268	258
Mercedes-Benz Classe E	V8	4.6	402	443
Mercedes-Benz Classe E	V8	5.5	518	516
Mercedes-Benz Classe G	V8	5.5	382	391

		Cyl	ch	lb-pi
Mercedes-Benz Classe GL	V6	3.0	210	400
Mercedes-Benz Classe GL	V8	4.6	335	339
Mercedes-Benz Classe GL	V8	5.5	382	391
Mercedes-Benz Classe GLK	V6	3.5	268	258
Mercedes-Benz Classe M	V6	3.5	302	273
Mercedes-Benz Classe M	V6	3.0	240	455
Mercedes-Benz Classe R	V6	3.5	302	273
Mercedes-Benz Classe R	V6	3.0	210	400
Mercedes-Benz Classe S	V6	3.0	240	455
Mercedes-Benz Classe S	V6	3.5	295	284
Mercedes-Benz Classe S	V8	4.6	429	516
Mercedes-Benz Classe S	V12	5.5	510	612
Mercedes-Benz Classe S	V8	5.5	536	590
Mercedes-Benz Classe S	V12	6.0	621	738
Mercedes-Benz Classe SL	V8	5.5	382	391
Mercedes-Benz Classe SL	V8	6.2	518	465
Mercedes-Benz Classe SLK	4L	1.8	201	229
Mercedes-Benz Classe SLK	V6	3.5	302	273
Mercedes-Benz Classe SLK	V8	5.5	355	376
Mercedes-Benz SLS AMG	V8	6.2	563	479
MINI Cooper	4L	1.6	121	114
MINI Cooper	4L	1.6	208	192
MINI Cooper	4L	1.6	181	177
MINI Cooper	4L	1.6	121	114
MINI Countryman	4L	1.6	121	114
MINI Countryman	4L	1.6	181	177
Mitsubishi Lancer	4L	2.0	148	145
Mitsubishi Lancer	4L	2.0	291	300
Mitsubishi Lancer	4L	2.0	237	253
Mitsubishi Outlander	4L	2.4	168	167
Mitsubishi Outlander	V6	3.0	230	215
Mitsubishi RVR	4L	2.0	148	145
Nissan Altima	4L	2.5	175	180
Nissan Altima	4L	2.5	158	162
Nissan Altima	V6	3.5	270	258
Nissan Armada	V8	5.6	317	385
Nissan cube	4L	1.8	122	127
Nissan Frontier	V6	4.0	261	281
Nissan Frontier	4L	2.5	152	171
Nissan Frontier	V6	4.0	261	281
Nissan GT-R	V6	3.8	530	448
Nissan Juke	4L	1.6	188	177
Nissan Maxima	V6	3.5	290	261
Nissan Murano	V6	3.5	260	240
Nissan Pathfinder	V6	4.0	266	288
Nissan Quest	V6	3.5	260	240
Nissan Rogue	4L	2.5	170	175
Nissan Sentra	4L	2.0	140	147
Nissan Sentra	4L	2.5	177	172
Nissan Sentra	4L	2.5	200	180
Nissan Titan	V8	5.6	317	385
Nissan Versa	4L	1.6	109	107
Nissan Versa	4L	1.8	122	127
Nissan Xterra	V6	4.0	261	281
Nissan Z	V6	3.7	332	270
Porsche 911	H6	3.6	345	288
Porsche 911	H6	3.8	408	310
Porsche 911	H6	3.8	385	310
Porsche 911	H6	3.8	435	317
Porsche 911	H6	3.8	450	317
Porsche 911	H6	3.8	500	579
Porsche 911	H6	3.8	530	516
Porsche Boxster	H6	2.9	255	290
Porsche Boxster	H6	3.4	310	360
Porsche Boxster	H6	3.4	320	370
Porsche Cayenne	V6	3.6	300	295
Porsche Cayenne	V8	4.8	400	369
Porsche Cayenne	V6	3.0	333	325
Porsche Cayenne	V8	4.8	500	516
Porsche Cayman	H6	2.9	265	221
Porsche Cayman	H6	3.5	330	273
Porsche Cayman	H6	3.4	320	273
Porsche Panamera	V6	3.6	300	400

		Cyl	ch	lb-pi
Porsche Panamera	V8	4.8	400	370
Porsche Panamera	V6	3.0	333	325
Porsche Panamera	V8	4.8	500	568
RAM 1500	V8	5.7	390	407
RAM 1500	V8	4.7	310	330
RAM 1500	V8	5.7	390	407
RAM 1500	V6	3.7	215	235
Rolls-Royce Ghost	V12	6.6	563	575
Rolls-Royce Phantom	V12	6.7	453	531
Saab 9-3	V6	2.8	280	273
Scion iQ	4L	1.3	94	89
Scion tC	4L	2.5	180	173
Scion xB	4L	2.4	158	162
Scion xD	4L	1.8	128	125
smart Fortwo	3L	1.0	70	68
Subaru Forester	H4	2.5	170	174
Subaru Forester	H4	2.5	224	226
Subaru Impreza	H4	2.0	148	145
Subaru Impreza	H4	2.5	265	244
Subaru Impreza	H4	2.5	305	290
Subaru Legacy	H4	2.5	265	258
Subaru Legacy	H4	2.5	170	170
Subaru Legacy	H6	3.6	256	247
Subaru Legacy	H4	2.5	170	170
Subaru Outback	H6	3.6	256	247
Subaru Outback	H4	2.5	170	170
Subaru Tribeca	H6	3.6	256	247
Suzuki Equator	V6	4.0	261	281
Suzuki Grand Vitara	4L	2.4	166	162
Suzuki Kizashi	4L	2.4	180	170
Suzuki Kizashi	4L	2.4	185	170
Suzuki SX-4	4L	2.0	150	140
Toyota 4Runner	V6	4.0	270	278
Toyota Avalon	V6	3.5	268	248
Toyota Camry	4L	2.4	147	138
Toyota Camry	4L	2.5	169	167
Toyota Camry	V6	3.5	268	248
Toyota Camry	4L	2.5	179	171
Toyota Corolla	4L	1.8	132	128
Toyota Corolla	4L	2.4	158	162
Toyota FJ Cruiser	V6	4.0	260	271
Toyota Highlander	4L	2.7	187	186
Toyota Highlander	V6	3.5	270	248
Toyota Highlander	V6	3.5	208	n.d.
Toyota Matrix	4L	2.4	158	162
Toyota Matrix	4L	1.8	132	128
Toyota Prius	4L	1.8	98	105
Toyota RAV4	4L	2.5	179	172
Toyota RAV4	V6	3.5	269	246
Toyota Sequoia	V8	5.7	381	401
Toyota Sequoia	V8	4.6	310	327
Toyota Sienna	4L	2.7	187	186
Toyota Sienna	V6	3.5	266	245
Toyota Tacoma	4L	2.7	159	180
Toyota Tacoma	V6	4.0	236	266
Toyota Tundra	V8	5.7	381	401
Toyota Tundra	V8	4.6	310	327
Toyota Venza	4L	2.7	182	182
Toyota Venza	V6	3.5	268	246
Toyota Yaris	4L	1.5	106	103
Volkswagen Beetle	5L	2.5	170	177
Volkswagen Beetle	4L	2.0	200	207
Volkswagen CC	4L	2.0	200	207
Volkswagen CC	V6	3.6	280	265
Volkswagen Eos	4L	2.0	200	207
Volkswagen Jetta GLI	4L	2.0	200	207
Volkswagen Golf	4L	2.0	140	236
Volkswagen Golf	5L	2.5	170	177
Volkswagen GTI	4L	2.0	200	207
Volkswagen Jetta	4L	2.0	115	125
Volkswagen Jetta	4L	2.0	140	236
Volkswagen Jetta	5L	2.5	170	177
Volkswagen Passat	V6	3.6	280	258

		Cyl	ch	lb-pi
Volkswagen Passat	4L	2.0	140	236
Volkswagen Routan	V6	3.6	283	260
Volkswagen Tiguan	4L	2.0	200	207
Volkswagen Touareg	V6	3.0	225	406
Volkswagen Touareg	V6	3.6	280	265
Volvo C30	5L	2.5	227	236
Volvo C70	5L	2.5	227	174
Volvo S60	6L	3.0	300	325
Volvo S80	6L	3.2	235	236
Volvo S80	6L	3.0	300	325
Volvo XC60	6L	3.2	235	236
Volvo XC60	6L	3.0	281	295
Volvo XC60	6L	3.0	325	354
Volvo XC70	6L	3.2	235	236
Volvo XC70	6L	3.0	281	295
Volvo XC90	6L	3.2	235	236
Moyenne:		3.5	291	286

MOTEURS EN ORDRE CROISSANT

		Cyl	ch	lb-pi
smart Fortwo	3L	1.0	70	68
Chevrolet Volt	4L	1.4	84	n.d.
Scion iQ	4L	1.3	94	89
Honda Insight	4L	1.3	98	123
Lexus CT	4L	1.8	98	105
Toyota Prius	4L	1.8	98	105
Mazda 2	4L	1.5	100	98
Fiat 500	4L	1.4	101	98
Toyota Yaris	4L	1.5	106	103
Nissan Versa	4L	1.6	109	107
Honda Civic	4L	1.5	110	127
Volkswagen Jetta	4L	2.0	115	125
Honda Fit	4L	1.5	117	106
Ford Fiesta	4L	1.6	120	112
MINI Cooper	4L	1.6	121	114
MINI Cooper	4L	1.6	121	114
MINI Countryman	4L	1.6	121	114
Honda CR-Z	4L	1.5	122	128
Nissan cube	4L	1.8	122	127
Nissan Versa	4L	1.8	122	127
Scion xD	4L	1.8	128	125
Toyota Corolla	4L	1.8	132	128
Toyota Matrix	4L	1.8	132	128
Mercedes-Benz Classe B	4L	2.0	134	136
Ford Transit Connect	4L	2.0	136	128
Chevrolet Cruze	4L	1.8	138	125
Chevrolet Cruze	4L	1.4	138	148
Chevrolet Sonic	4L	1.8	138	125
Hyundai Accent	4L	1.6	138	123
Hyundai Elantra	4L	2.0	138	136
Hyundai Veloster	4L	1.6	138	123
Kia Rio/Rio5	4L	1.6	138	123
Kia Soul	4L	1.6	138	122
Audi A3	4L	2.0	140	236
Honda Civic	4L	1.8	140	128
Nissan Sentra	4L	2.0	140	147
Volkswagen Golf	4L	2.0	140	236
Volkswagen Jetta	4L	2.0	140	236
Volkswagen Passat	4L	2.0	140	236
Toyota Camry	4L	2.4	147	138
Hyundai Elantra	4L	1.8	148	131
Mazda 3	4L	2.0	148	135
Mazda 3	4L	2.0	148	135
Mitsubishi Lancer	4L	2.0	148	145
Mitsubishi RVR	4L	2.0	148	145
Subaru Impreza	H4	2.0	148	145
Suzuki SX-4	4L	2.0	150	140
Nissan Frontier	4L	2.5	152	171
Ford Escape	4L	2.5	153	136
Mazda 3	4L	2.0	155	148
Ford Fusion	4L	2.5	156	136
Kia Forte	4L	2.0	156	144
Lincoln MKZ	4L	2.5	156	136
Mazda 5	4L	2.5	157	163

		Cyl	ch	lb-pi
Dodge Caliber	4L	2.0	158	141
Jeep Compass	4L	2.0	158	141
Jeep Patriot	4L	2.0	158	141
Mazda MX-5	4L	2.0	158	140
Nissan Altima	4L	2.5	158	162
Scion xB	4L	2.4	158	162
Toyota Corolla	4L	2.4	158	162
Toyota Matrix	4L	2.4	158	162
Toyota Tacoma	4L	2.7	159	180
Ford Focus	4L	2.0	160	146
Kia Soul	4L	2.0	160	143
Mazda CX-7	4L	2.5	161	161
Hyundai Tucson	4L	2.0	165	146
Hyundai Sonata	4L	2.4	166	154
Kia Optima	4L	2.4	166	154
Suzuki Grand Vitara	4L	2.4	166	162
Mazda 3	4L	2.5	167	168
Mazda MX-5	4L	2.0	167	140
Mitsubishi Outlander	4L	2.4	168	167
Toyota Camry	4L	2.5	169	167
Chevrolet Malibu	4L	2.4	170	158
Mazda 6	4L	2.5	170	167
Nissan Rogue	4L	2.5	170	175
Subaru Forester	H4	2.5	170	174
Subaru Legacy	H4	2.5	170	170
Subaru Legacy	H4	2.5	170	170
Subaru Outback	H4	2.5	170	170
Volkswagen Beetle	5L	2.5	170	177
Volkswagen Golf	5L	2.5	170	177
Volkswagen Jetta	5L	2.5	170	177
Ford Escape	4L	2.5	171	171
Chevrolet Orlando	4L	2.4	172	167
Dodge Caliber	4L	2.4	172	165
Jeep Compass	4L	2.4	172	165
Jeep Compass	4L	2.4	172	165
Jeep Patriot	4L	2.4	172	165
Chrysler 200	4L	2.4	173	166
Dodge Avenger	4L	2.4	173	166
Dodge Journey	4L	2.4	173	166
Kia Forte	4L	2.4	173	168
Ford Fusion	4L	2.5	175	172
Hyundai Santa Fe	4L	2.4	175	169
Kia Rondo	4L	2.4	175	169
Kia Sorento	4L	2.4	175	169
Nissan Altima	4L	2.5	175	180
Hyundai Tucson	4L	2.4	176	168
Kia Sportage	4L	2.4	176	168
Honda Accord	4L	2.4	177	161
Nissan Sentra	4L	2.5	177	172
Toyota Camry	4L	2.5	179	171
Toyota RAV4	4L	2.5	179	172
Honda CR-V	4L	2.4	180	161
Scion tC	4L	2.5	180	173
Suzuki Kizashi	4L	2.4	180	170
MINI Cooper	4L	1.6	181	177
MINI Countryman	4L	1.6	181	177
Buick LaCrosse	4L	2.4	182	172
Chevrolet Equinox	4L	2.4	182	172
GMC Terrain	4L	2.4	182	172
Toyota Venza	4L	2.7	182	182
Chevrolet Colorado	4L	2.9	185	190
GMC Canyon	4L	2.9	185	190
Suzuki Kizashi	4L	2.4	185	170
Lexus HS	4L	2.4	187	138
Toyota Highlander	4L	2.7	187	186
Toyota Sienna	4L	2.7	187	186
Nissan Juke	4L	1.6	188	177
Honda Accord	4L	2.4	190	162
Kia Rondo	V6	2.7	192	184
Mercedes-Benz Classe B	4L	2.0	193	206
Chevrolet Silverado	V6	4.3	195	260
GMC Sierra	V6	4.3	195	260
Hyundai Sonata	4L	2.4	198	184

		Cyl	ch	lb-pi
Audi A3	4L	2.0	200	207
BMW Série 3	6L	2.5	200	180
Kia Optima	4L	2.4	200	186
Kia Sorento	4L	2.4	200	186
Nissan Sentra	4L	2.5	200	180
Volkswagen Beetle	4L	2.0	200	207
Volkswagen CC	4L	2.0	200	207
Volkswagen Eos	4L	2.0	200	207
Volkswagen GTI	4L	2.0	200	207
Volkswagen Jetta GLI	4L	2.0	200	207
Volkswagen Tiguan	4L	2.0	200	207
Honda Civic	4L	2.4	201	170
Mercedes-Benz Classe C	4L	1.8	201	229
Mercedes-Benz Classe C	4L	1.8	201	229
Mercedes-Benz Classe C	V6	2.5	201	181
Mercedes-Benz Classe SLK	4L	1.8	201	229
Lexus IS	V6	2.5	204	185
MINI Cooper	4L	1.6	208	192
Toyota Highlander	V6	3.5	208	n.d.
Dodge Nitro	V6	3.7	210	235
Hyundai Genesis Coupe	4L	2.0	210	223
Jeep Liberty	V6	3.7	210	235
Mercedes-Benz Classe E	V6	3.0	210	400
Mercedes-Benz Classe GL	V6	3.0	210	400
Mercedes-Benz Classe R	V6	3.0	210	400
Audi A4	4L	2.0	211	258
Audi A5	4L	2.0	211	258
Audi A6	4L	2.0	211	258
Audi Q5	4L	2.0	211	258
Audi Q5	4L	2.0	211	258
RAM 1500	V6	3.7	215	235
Infiniti G	V6	2.5	218	187
Buick Regal	4L	2.0	220	258
Subaru Forester	H4	2.5	224	226
Audi Q7	V6	3.0	225	406
Volkswagen Touareg	V6	3.0	225	406
Volvo C30	5L	2.5	227	236
Volvo C70	5L	2.5	227	174
Mercedes-Benz Classe C	V6	3.0	228	221
BMW Série 1	6L	3.0	230	200
BMW Série 3	6L	3.0	230	200
Land Rover LR2	6L	3.2	230	234
Mitsubishi Outlander	V6	3.0	230	215
Volvo S80	6L	3.2	235	236
Volvo XC60	6L	3.2	235	236
Volvo XC70	6L	3.2	235	236
Volvo XC90	6L	3.2	235	236
Toyota Tacoma	V6	4.0	236	266
Ford Explorer	4L	2.0	237	250
Mitsubishi Lancer	4L	2.0	237	253
Acura RDX	4L	2.3	240	260
BMW Série 5	6L	3.0	240	221
BMW X3	6L	3.0	240	221
Ford Escape	V6	3.0	240	223
Ford Fusion	V6	3.0	240	223
Land Rover Range Rover Evoque	4L	2.0	240	251
Mercedes-Benz Classe M	V6	3.0	240	455
Mercedes-Benz Classe S	V6	3.0	240	455
BMW X1	4L	2.0	241	258
Chevrolet Colorado	5L	3.7	242	242
GMC Canyon	5L	3.7	242	242
Mazda CX-7	4L	2.3	244	258
Honda Odyssey	V6	3.5	248	250
Honda Pilot	V6	3.5	250	253
Honda Ridgeline	V6	3.5	250	247
Chevrolet Impala	V6	3.6	252	251
Chevrolet Malibu	V6	3.6	252	251
BMW Z4	6L	3.0	255	220
Buick Regal	4L	2.0	255	295
Porsche Boxster	H6	2.9	255	290
Subaru Legacy	H6	3.6	256	247
Subaru Outback	H6	3.6	256	247
Subaru Tribeca	H6	3.6	256	247

		Cyl	ch	lb-pi
Dodge Nitro	V6	4.0	260	265
Hyundai Veracruz	V6	3.8	260	257
Kia Sportage	4L	2.0	260	269
Nissan Murano	V6	3.5	260	240
Nissan Quest	V6	3.5	260	240
Toyota FJ Cruiser	V6	4.0	260	271
Nissan Frontier	V6	4.0	261	281
Nissan Frontier	V6	4.0	261	281
Nissan Xterra	V6	4.0	261	281
Suzuki Equator	V6	4.0	261	281
Ford Flex	V6	3.5	262	248
Ford Fusion	V6	3.5	263	249
Ford Taurus	V6	3.5	263	249
Lincoln MKZ	V6	3.5	263	249
Lincoln MKZ	V6	3.5	263	249
Mazda Speed3	4L	2.3	263	280
Chevrolet Equinox	V6	3.0	264	222
Audi TTS	4L	2.0	265	258
BMW Série 3	6L	3.0	265	425
BMW X5	6L	3.0	265	425
Porsche Cayman	H6	2.9	265	221
Subaru Impreza	H4	2.5	265	244
Subaru Legacy	H4	2.5	265	258
Nissan Pathfinder	V6	4.0	266	288
Toyota Sienna	V6	3.5	266	245
Lexus ES	V6	3.5	268	248
Lincoln MKT	V6	3.7	268	267
Mercedes-Benz Classe E	V6	3.5	268	258
Mercedes-Benz Classe E	V6	3.5	268	258
Mercedes-Benz Classe GLK	V6	3.5	268	258
Toyota Avalon	V6	3.5	268	248
Toyota Camry	V6	3.5	268	248
Toyota Venza	V6	3.5	268	246
Toyota RAV4	V6	3.5	269	246
Audi Q5	V6	3.2	270	243
Cadillac CTS	V6	3.0	270	223
Nissan Altima	V6	3.5	270	258
Toyota 4Runner	V6	4.0	270	278
Toyota Highlander	V6	3.5	270	248
Honda Accord	V6	3.5	271	254
Honda Accord Crosstour	V6	3.5	271	254
Kia Sedona	V6	3.5	271	248
Audi Q7	V6	3.0	272	266
Mazda 6	V6	3.7	272	269
Lincoln MKS	V6	3.7	273	270
Mazda CX-9	V6	3.7	273	270
Hyundai Sonata	4L	2.0	274	269
Kia Optima	4L	2.0	274	269
Cadillac DTS	V8	4.6	275	295
Lexus RX	V6	3.5	275	257
Hyundai Santa Fe	V6	3.5	276	248
Kia Sorento	V6	3.5	276	248
Lotus Evora	V6	3.5	276	258
Acura TL	V6	3.5	280	254
Acura TSX	V6	3.5	280	254
Buick LaCrosse	V6	3.6	280	259
Saab 9-3	V6	2.8	280	273
Volkswagen CC	V6	3.6	280	265
Volkswagen Passat	V6	3.6	280	258
Volkswagen Touareg	V6	3.6	280	265
Chevrolet Traverse	V6	3.6	281	266
Volvo XC60	6L	3.0	281	295
Volvo XC70	6L	3.0	281	295
Chrysler 200	V6	3.6	283	260
Chrysler Town & Country	V6	3.6	283	260
Dodge Avenger	V6	3.6	283	260
Dodge Grand Caravan	V6	3.6	283	260
Dodge Journey	V6	3.6	283	260
Jeep Wrangler	V6	3.6	283	260
Volkswagen Routan	V6	3.6	283	260
Ford Edge	V6	3.5	285	253
Buick Enclave	V6	3.6	288	270
Chevrolet Traverse	V6	3.6	288	270

		Cyl	ch	lb-pi
GMC Acadia	V6	3.6	288	270
Dodge Durango	V6	3.6	290	260
Ford Explorer	V6	3.5	290	255
Jeep Grand Cherokee	V6	3.6	290	260
Nissan Maxima	V6	3.5	290	261
Mitsubishi Lancer	4L	2.0	291	300
Cadillac DTS	V8	4.6	292	288
Chrysler 300	V6	3.6	292	260
Dodge Charger	V6	3.6	292	260
Lexus RX	V6	3.5	295	234
Mercedes-Benz Classe S	V6	3.5	295	284
Infiniti EX	V6	3.5	297	253
Acura MDX	V6	3.7	300	270
Acura RL	V6	3.7	300	271
Acura ZDX	V6	3.7	300	270
BMW Série 3	6L	3.0	300	300
BMW Série 5	6L	3.0	300	300
BMW X3	6L	3.0	300	295
BMW X5	6L	3.0	300	300
BMW X6	6L	3.0	300	300
BMW Z4	6L	3.0	300	300
Chevrolet Colorado	V8	5.3	300	320
Porsche Cayenne	V6	3.6	300	295
Porsche Panamera	V6	3.6	300	400
Volvo S60	6L	3.0	300	325
Volvo S80	6L	3.0	300	325
Lexus GX	V8	4.6	301	329
Chevrolet Silverado	V8	4.8	302	305
Ford F-150	V6	3.7	302	278
GMC Sierra	V8	4.8	302	305
Infiniti M	V6	3.5	302	258
Mercedes-Benz Classe C	V6	3.5	302	273
Mercedes-Benz Classe E	V6	3.5	302	273
Mercedes-Benz Classe M	V6	3.5	302	273
Mercedes-Benz Classe R	V6	3.5	302	273
Mercedes-Benz Classe SLK	V6	3.5	302	273
Infiniti FX	V6	3.5	303	262
Lexus GS	V6	3.5	303	274
Acura TL	V6	3.7	305	273
Dodge Challenger	V6	3.6	305	268
Ford Edge	V6	3.7	305	280
Ford Mustang	V6	3.7	305	280
Lincoln MKX	V6	3.7	305	280
Subaru Impreza	H4	2.5	305	290
Hyundai Genesis Coupe	V6	3.8	306	266
Lexus IS	V6	3.5	306	277
Cadillac SRX	V6	3.6	308	265
Audi A6	V6	3.0	310	325
Ford Expedition	V8	5.4	310	365
Lincoln Navigator	V8	5.4	310	365
Porsche Boxster	H6	3.4	310	360
RAM 1500	V8	4.7	310	330
Toyota Sequoia	V8	4.6	310	327
Toyota Tundra	V8	4.6	310	327
Chevrolet Camaro	V6	3.6	312	278
Nissan Armada	V8	5.6	317	385
Nissan Titan	V8	5.6	317	385
Cadillac CTS	V6	3.6	318	275
BMW Série 3	6L	3.0	320	332
Chevrolet Avalanche	V8	5.3	320	335
Chevrolet Suburban	V8	5.3	320	335
GMC Yukon	V8	5.3	320	335
Porsche Boxster	H6	3.4	320	370
Porsche Cayman	H6	3.4	320	273
Infiniti G	V6	3.7	325	267
Volvo XC60	6L	3.0	325	354
Chevrolet Silverado	V8	5.3	326	348
GMC Sierra	V8	5.3	326	348
Infiniti G	V6	3.7	328	269
Infiniti G	V6	3.7	330	270
Infiniti M	V6	3.7	330	270
Porsche Cayman	H6	3.5	330	273
Cadillac Escalade	V8	6.0	332	367

		Cyl	ch	lb-pi
Chevrolet Silverado	V8	6.0	332	367
Chevrolet Tahoe	V8	6.0	332	367
GMC Sierra	V8	6.0	332	367
GMC Yukon	V8	6.0	332	367
Nissan Z	V6	3.7	332	270
Audi A4	V6	3.0	333	325
Audi A5	V6	3.0	333	325
Audi Q7	V6	3.0	333	325
Hyundai Genesis	V6	3.8	333	291
Porsche Cayenne	V6	3.0	333	325
Porsche Panamera	V6	3.0	333	325
BMW Série 1	6L	3.0	335	332
BMW Z4	6L	3.0	335	332
Mercedes-Benz Classe GL	V8	4.6	335	339
Lexus GS	V6	3.5	340	267
Lotus Evora	V6	3.5	345	295
Porsche 911	H6	3.6	345	288
Infiniti G	V6	3.7	348	276
Allard J2X	V8	5.7	350	400
Audi A5	V8	4.2	354	325
Ford Flex	V6	3.5	355	350
Lincoln MKS	V6	3.5	355	350
Mercedes-Benz Classe SLK	V8	5.5	355	376
Ford F-150	V8	5.0	360	380
Jeep Grand Cherokee	V8	5.7	360	390
Chrysler 300	V8	5.7	363	394
Ford Taurus	V6	3.5	365	350
Dodge Charger	V8	5.7	370	395
Audi A8	V8	4.2	372	325
Dodge Challenger	V8	5.7	372	400
Land Rover LR4	V8	5.0	375	375
Land Rover Range Rover Sport	V8	5.0	375	375
Lexus LS	V8	4.6	380	367
Toyota Sequoia	V8	5.7	381	401
Toyota Tundra	V8	5.7	381	401
Mercedes-Benz Classe G	V8	5.5	382	391
Mercedes-Benz Classe GL	V8	5.5	382	391
Mercedes-Benz Classe SL	V8	5.5	382	391
Lexus LX	V8	5.7	383	403
Hyundai Genesis	V8	4.6	385	333
Jaguar XF	V8	5.0	385	380
Jaguar XJ	V8	5.0	385	380
Jaguar XK	V8	5.0	385	380
Porsche 911	H6	3.8	385	310
Infiniti FX	V8	5.0	390	369
RAM 1500	V8	5.7	390	407
RAM 1500	V8	5.7	390	407
BMW Série 5	V8	4.4	400	450
BMW Série 7	V8	4.4	400	450
BMW X5	V8	4.4	400	450
BMW X6	V8	4.4	400	450
Infiniti QX	V8	5.6	400	413
Maserati Quattroporte	V8	4.2	400	339
Porsche Cayenne	V8	4.8	400	369
Porsche Panamera	V8	4.8	400	370
Mercedes-Benz Classe CLS	V8	4.6	402	443
Mercedes-Benz Classe E	V8	4.6	402	443
Cadillac Escalade	V8	6.2	403	417
GMC Sierra	V8	6.2	403	417
GMC Yukon	V8	6.2	403	417
GMC Yukon	V8	6.2	403	417
Maserati Gran Turismo	V8	4.2	405	339
BMW Série 6	V8	4.4	407	442
Porsche 911	H6	3.8	408	310
Ford F-150	V8	6.2	411	434
Ford Mustang	V8	5.0	412	390
BMW Série 3	V8	4.0	414	295
Lexus IS	V8	5.0	416	371
Aston Martin Vantage	V8	4.3	420	346
Infiniti M	V8	5.6	420	417
Chevrolet Camaro	V8	6.2	426	420
Hyundai Equus	V8	5.0	429	376
Mercedes-Benz Classe CL	V8	4.6	429	516
Mercedes-Benz Classe S	V8	4.6	429	516
Audi R8	V8	4.2	430	317
Chevrolet Corvette	V8	6.2	430	424
Maserati Quattroporte	V8	4.7	430	361
Porsche 911	H6	3.8	435	317
Lexus LS	V8	5.0	438	385
BMW Série 7	V8	4.4	440	480
Maserati Gran Turismo	V8	4.7	440	361
Maserati Quattroporte	V8	4.7	440	362
Ford Mustang	V8	5.0	444	380
Audi A5	V8	4.2	450	317
Porsche 911	H6	3.8	450	317
Mercedes-Benz Classe C	V8	6.2	451	443
Rolls-Royce Phantom	V12	6.7	453	531
Ferrari California	V8	4.3	460	357
Jeep Grand Cherokee	V8	6.4	465	465
Aston Martin DB9	V12	6.0	470	443
Aston Martin Rapide	V12	6.0	470	443
Dodge Challenger	V8	6.4	470	470
Jaguar XJ	V8	5.0	470	424
Porsche 911	H6	3.8	500	579
Porsche Cayenne	V8	4.8	500	516
Porsche Panamera	V8	4.8	500	568
Bentley Mulsanne	V8	6.8	505	752
Chevrolet Corvette	V8	7.0	505	470
Aston Martin DBS	V12	6.0	510	420
Aston Martin Vantage	V12	6.0	510	420
Jaguar XF	V8	5.0	510	461
Jaguar XJ	V8	5.0	510	461
Jaguar XK	V8	5.0	510	461
Land Rover Range Rover	V8	5.0	510	461
Land Rover Range Rover Sport	V8	5.0	510	461
Mercedes-Benz Classe CL	V12	5.5	510	612
Mercedes-Benz Classe S	V12	5.5	510	612
Mercedes-Benz Classe CLS	V8	5.5	518	516
Mercedes-Benz Classe E	V8	5.5	518	516
Mercedes-Benz Classe SL	V8	6.2	518	465
Audi R8	V10	5.2	525	490
Nissan GT-R	V6	3.8	530	448
Porsche 911	H6	3.8	530	516
BMW Série 7	V12	6.0	535	550
Mercedes-Benz Classe CL	V8	5.5	536	590
Mercedes-Benz Classe S	V8	5.5	536	590
Maybach 57 - 62	V12	5.5	543	664
Ford Mustang	V8	5.4	550	510
Bentley Continental	W12	6.0	552	479
Lamborghini Gallardo	V10	5.2	552	398
Lexus LFA	V10	4.8	552	354
BMW X5	V8	4.4	555	500
BMW X6	V8	4.4	555	500
Cadillac CTS	V8	6.2	556	551
Audi R8	V10	5.2	560	398
Mercedes-Benz SLS AMG	V8	6.2	563	479
Rolls-Royce Ghost	V12	6.6	563	575
Bentley Continental	W12	6.0	567	516
Ferrari F458 Italia	V8	4.5	570	398
Lamborghini Gallardo	V10	5.2	570	398
Bentley Continental	W12	6.0	600	553
Ferrari 599	V12	6.0	620	448
Bentley Continental	W12	6.0	621	590
Mercedes-Benz Classe CL	V12	6.0	621	738
Mercedes-Benz Classe S	V12	6.0	621	738
Maybach 57 - 62	V12	6.0	630	738
Chevrolet Corvette	V8	6.2	638	604
Ferrari FF	V12	6.3	660	504
Ferrari 599	V12	6.0	670	457
Lamborghini Aventador	V12	6.5	690	509
Aston Martin One-77	V12	7.3	760	553
Moyenne:		3.5	291	286

VOIE AVANT, VOIE ARRIÈRE

Voie avant, voie arrière ? En fait, il s'agit de la distance, sur un même essieu, entre les pneus qu'ils soient avant ou arrière. Plus la voie est large, meilleure est la tenue de route. Il arrive souvent que les voies avant et arrière diffèrent. Une voie plus large à l'avant qu'à l'arrière rend le véhicule plus facile à manier en virages. Par contre, une voie arrière élargie par rapport à l'avant amène une plus grande stabilité du train arrière.

	av. (mm)	ar. (mm)
Acura MDX	1720	1715
Acura RDX	1572	1590
Acura RL	1576	1585
Acura TL	1605	1620
Acura TSX	1581	1582
Acura ZDX	1720	1719
Allard J2X	1470	1470
Aston Martin DB9	1570	1560
Aston Martin Rapide	1589	1613
Aston Martin Vantage	1570	1560
Audi A3	1534	1507
Audi A4	1564	1551
Audi A5	1590	1577
Audi A6	1627	1618
Audi A7	1644	1635
Audi A8	1644	1635
Audi Q5	1617	1613
Audi Q7	1651	1676
Audi R8	1638	1595
Audi TTS	1554	1560
Bentley Continental Flying Spur	1623	1607
Bentley Continental GT	1623	1607
Bentley Continental GTC	1623	1607
Bentley Mulsanne	1615	1652
BMW Série 1	1484	1517
BMW Série 3	1500	1513
BMW M3	1540	1539
BMW Série 5	1600	1627
BMW Série 5 GT	1611	1654
BMW Série 7	1611	1650
BMW X1	1500	1529
BMW X5M	1660	1672
BMW X5	1644	1650
BMW X6	1644	1706
BMW Z4	1511	1559
Buick Enclave	1709	1709
Buick LaCrosse	1567	1576
Buick Regal	1585	1588
Cadillac CTS	1570	1575
Cadillac Escalade	1732	1702
Cadillac SRX	1622	1617
Chevrolet Avalanche	1732	1702
Chevrolet Camaro	1618	1628
Chevrolet Colorado	1515	1520
Chevrolet Corvette	1577	1542
Chevrolet Corvette Gran Sport	1613	1588
Chevrolet Corvette Z06	1613	1588
Chevrolet Cruze	1544	1558
Chevrolet Equinox	1587	1570
Chevrolet Impala	1585	1562
Chevrolet Malibu	1514	1524
Chevrolet Orlando	1584	1588
Chevrolet Silverado	1732	1702
Chevrolet Sonic	1509	1509
Chevrolet Suburban	1732	1702
Chevrolet Tahoe	1732	1702
Chevrolet Traverse	1722	1712
Chevrolet Volt	1554	1577
Chrysler 200	1567	1593
Chrysler 300	1611	1620
Chrysler Town & Country	1665	1647
Dodge Avenger	1567	1594
Dodge Caliber	1520	1520
Dodge Challenger	1600	1604
Dodge Charger	1600	1603
Dodge Durango	1623	1627
Dodge Grand Caravan	1665	1647
Dodge Journey	1571	1582
Dodge Nitro	1549	1549
Ferrari 599	1676	1600
Ferrari California	1631	1605
Ferrari F458 Italia	1672	1606
Ferrari FF	1676	1660
Fiat 500	1407	1397
Ford Edge	1661	1656
Ford Escape	1542	1529
Ford Expedition	1702	1707
Ford Explorer	1702	1702
Ford F-150 Raptor	1869	1869
Ford F-150	1702	1702
Ford Fiesta	1466	1466
Ford Flex	1662	1662
Ford Focus	1555	1534
Ford Fusion	1567	1557

	av. (mm)	ar. (mm)
Ford Mustang Shelby	1572	1588
Ford Mustang V6	1585	1600
Ford Taurus	1658	1664
Ford Transit Connect	1506	1552
GMC Acadia	1704	1704
GMC Canyon	1460	1460
GMC Sierra	1732	1702
GMC Terrain	1598	1578
GMC Yukon	1732	1702
Honda Accord	1580	1580
Honda Accord Crosstour	1648	1648
Honda Civic	1499	1522
Honda CR-V	1565	1565
Honda Fit	1476	1459
Honda Insight	1492	1475
Honda Odyssey	1730	1732
Honda Pilot	1720	1715
Honda Ridgeline	1705	1700
Hyundai Accent	1506	1511
Hyundai Elantra	1549	1562
HyundaiElantra Touring	1546	1544
Hyundai Equus	1620	1628
Hyundai Genesis Coupe	1603	1619
Hyundai Santa Fe	1615	1620
Hyundai Sonata	1588	1588
Hyundai Tucson	1591	1592
Hyundai Veloster	1562	1575
Hyundai Veracruz	1670	1670
Infiniti EX	1593	1641
Infiniti FX	1635	1640
Infiniti G25	1519	1529
Infiniti G37	1544	1560
Infiniti M	1575	1565
Infiniti QX	1715	1725
Jaguar XF	1559	1605
Jaguar XJ	1626	1604
Jaguar XK	1504	1499
Jeep Compass	1519	1519
Jeep Grand Cherokee	1623	1628
Jeep Grand Cherokee SRT8	1618	1633
Jeep Liberty	1549	1549
Jeep Patriot	1519	1519
Jeep Wrangler	1572	1572
Kia Forte	1542	1546
Kia Optima	1595	1595
Kia Rio/Rio5	1470	1460
Kia Rondo	1575	1570
Kia Sedona	1685	1685
Kia Sorento	1618	1621
Kia Soul	1570	1575
Kia Sportage	1614	1615
Lamborghini Aventador	1720	1700
Lamborghini Gallardo	1632	1597
Land Rover LR2	1601	1614
Land Rover LR4	1605	1613
Land Rover Range Rover	1629	1625
Land Rover Range Rover Evoque	1625	0
Land Rover Range Rover Sport	1605	1612
Lexus ES	1575	1565
Lexus GS	1535	1540
Lexus GX	1585	1585
Lexus HS	1535	1530
Lexus IS350	1535	1535
Lexus IS F	1560	1515
Lexus LFA	1580	1570
Lexus LS	1610	1615
Lexus LX	1640	1635
Lexus RX	1630	1620
Lincoln MKS	1651	1661
Lincoln MKT	1661	1659
Lincoln MKX	1661	1656
Lincoln MKZ	1557	1557
Lincoln Navigator	1702	1707
Lotus Evora	1567	1575
Maserati Quattroporte	1582	1595
Maybach 57 - 62	1675	1695
Mazda CX-7	1617	1612
Mazda CX-9	1654	1644
Mazda Mazda2	1476	1466
Mazda Mazda3	1535	1530
Mazda Mazda5	1529	1519
Mazda Mazda6	1595	1595
Mazda MX-5	1490	1495
Mercedes-Benz Classe B	1552	1547
Mercedes-Benz Classe C300 4Matic	1541	1544
Mercedes-Benz Classe C350	1533	1536
Mercedes-Benz Classe C63 AMG	1569	1525
Mercedes-Benz Classe CL	1601	1607
Mercedes-Benz Classe E350 4Matic Berline	1580	1599
Mercedes-Benz Classe E550 Coupé	1538	1544
Mercedes-Benz Classe E63 AMG berline	1625	1594
Mercedes-Benz Classe G	1501	1501
Mercedes-Benz Classe GL	1645	1648
Mercedes-Benz Classe GLK	1567	1588
Mercedes-Benz Classe R	1661	1651
Mercedes-Benz Classe S600	1600	1606
Mercedes-Benz Classe S63 AMG	1604	1606
Mercedes-Benz Classe SL	1559	1537
Mercedes-Benz Classe SLK	1530	1549
Mercedes-Benz SLS AMG	1682	1653
MINI Cooper	1459	1467
MINI Countryman	1525	1551
Mitsubishi i-MIEV	1420	1380
Mitsubishi Lancer	1530	1530
Mitsubishi Lancer Evolution	1545	1545
Mitsubishi Outlander	1540	1540
Mitsubishi RVR	1525	1525
Nissan Altima	1550	1555
Nissan Armada	1715	1715
Nissan cube	1475	1480
Nissan Frontier	1570	1570
Nissan GT-R	1590	1600
Nissan Juke	1525	1525
Nissan LEAF	1539	1534
Nissan Maxima	1585	1585
Nissan Murano	1610	1610
Nissan Pathfinder	1570	1570
Nissan Quest	1720	1720
Nissan Rogue	1540	1550
Nissan Sentra	1519	1544
Nissan Titan	1725	1725
Nissan Versa	1480	1485
Nissan Xterra	1570	1570
Nissan Z	1550	1595
Porsche 911	1490	1547
Porsche Boxster	1490	1534
Porsche Cayman	1486	1528
Porsche Panamera	1659	1662
RAM 1500	1730	1715
Rolls-Royce Ghost	1622	1660
Rolls-Royce Phantom Coupé	1687	1671
Saab 9-3	1524	1506
Scion iQ	1475	1460
Scion tC	1540	1560
Scion xB	1525	1520
Scion xD	1485	1490
smart Fortwo	1283	1385
Subaru Forester	1530	1530
Subaru Impreza	1509	1514
Subaru Impreza WRX	1530	1540
Subaru Legacy	1550	1555
Subaru Outback	1550	1550
Subaru Tribeca	1580	1578
Suzuki Equator	1570	1570
Suzuki Grand Vitara	1540	1560
Suzuki Kizashi	1565	1565
Suzuki SX-4	1500	1495
Tesla Roadster	1448	1499
Toyota 4Runner	1605	1605
Toyota Avalon	1580	1565
Toyota Camry	1575	1565
Toyota Corolla	1518	1522
Toyota FJ Cruiser	1605	1605
Toyota Highlander	1625	1630
Toyota Matrix	1519	1522
Toyota Prius	1525	1520
Toyota RAV4	1560	1560
Toyota Sequoia	1725	1755
Toyota Sienna	1720	1720
Toyota Tacoma	1600	1610
Toyota Tundra	1725	1725
Toyota Venza	1640	1635
Toyota Yaris	1470	1460
Volkswagen Beetle	1570	1546
Volkswagen CC	1553	1557
Volkswagen Eos	1545	1553
Volkswagen Golf	1541	1514
Volkswagen GTI	1533	1514
Volkswagen Jetta	1541	1538
Volkswagen Passat	1577	1550
Volkswagen Routan	1651	1646
Volkswagen Tiguan	1570	1571
Volkswagen Touareg	1650	1670
Volvo C30	1535	1531
Volvo C70	1550	1560
Volvo S60	1583	1580
Volvo S80	1578	1575
Volvo XC60	1632	1586
Volvo XC70	1604	1570
Volvo XC90	1634	1624
Moyenne:	1589	1583

DIAMÈTRE DE BRAQUAGE

Une voiture tourne-t-elle sur un «dix cennes» ou sur un deux piastres? Pour plusieurs personnes qui doivent composer avec un stationnement dans un endroit restreint, le diamètre de braquage d'une voiture est un élément très important. C'est pourquoi le Guide de l'auto vous donne cette donnée pour plusieurs véhicules, en ordre croissant. Vous trouverez également cette information dans le fiche technique du véhicule que vous convoitez.

	(m)
Scion iQ	7.9
smart fortwo	8.7
Fiat 500c	9.3
Mazda MX-5	9.4
Mitsubishi i-MIEV	9.4
Toyota Yaris	9.4
Mazda 2	9.8
Mitsubishi Lancer	10.0
Nissan Z	10.0
Kia Rio/Rio5	10.1
Lotus Evora	10.1
Ford Mustang	10.2
Lexus IS	10.2
Nissan cube	10.2
Hyundai Elantra	10.3
Kia Forte	10.3
Ford Fiesta	10.4
Hyundai Accent	10.4
Hyundai Veloster	10.4
Mazda 3	10.4
Nissan LEAF	10.4
Nissan Versa	10.4
Toyota Prius	10.4
Chevrolet Sonic	10.5
Honda Fit	10.5
Kia Soul	10.5
Subaru Forester	10.5
Mercedes-Benz Classe SLK	10.5
Hyundai Tucson	10.6
Kia Sportage	10.6
Mitsubishi Outlander	10.6
Mitsubishi RVR	10.6
Nissan Altima	10.6
Subaru Impreza	10.6
Suzuki SX-4	10.6
Volvo C30	10.6
Audi A3	10.7
BMW Série 1	10.7
BMW Z4	10.7
MINI Cooper	10.7
Chevrolet Cruze	10.8
Dodge Caliber	10.8
Honda Civic	10.8
Jeep Liberty	10.8
Kia Rondo	10.8
Mazda 6	10.8
Nissan Sentra	10.8
Subaru Tribeca	10.8
Volkswagen Beetle	10.8
Hyundai Genesis	10.9
Hyundai Santa Fe	10.9
Hyundai Sonata	10.9
Jeep Patriot	10.9
Kia Optima	10.9
Kia Sorento	10.9
Volkswagen CC	10.9
Volkswagen Eos	10.9
Volkswagen Golf	10.9
Audi TTS	11.0
BMW Série 3	11.0
Cadillac CTS	11.0

	(m)
Ford Focus	11.0
Honda Insight	11.0
Infiniti EX	11.0
Jaguar XK	11.0
Lexus IS F	11.0
Mazda Speed3	11.0
Mercedes-Benz Classe C	11.0
Mercedes-Benz Classe E	11.0
Porsche Boxster	11.0
Scion tC	11.0
Suzuki Kizashi	11.0
Toyota Camry	11.0
Toyota Matrix	11.0
Mercedes-Benz Classe SL	11.0
Aston Martin Vantage	11.1
Audi A4	11.1
Chrysler 200	11.1
Dodge Avenger	11.1
Dodge Nitro	11.1
Nissan Juke	11.1
Porsche Cayman	11.1
Volkswagen Passat	11.1
Ford Escape	11.2
Honda Odyssey	11.2
Hyundai Veracruz	11.2
Infiniti FX	11.2
Infiniti G	11.2
Infiniti M	11.2
Lexus CT	11.2
Lexus ES	11.2
Lexus GS	11.2
Mazda 5	11.2
Mercedes-Benz Classe CLS	11.2
Nissan GT-R	11.2
Nissan Quest	11.2
Subaru Legacy	11.2
Subaru Outback	11.2
Suzuki Grand Vitara	11.2
Toyota Sienna	11.2
Bentley Continental	11.3
Bentley Mulsanne	11.3
Chevrolet Orlando	11.3
Dodge Durango	11.3
Honda Accord	11.3
Jeep Compass	11.3
Jeep Grand Cherokee	11.3
Land Rover LR2	11.3
Land Rover Range Rover Evoque	11.3
Toyota Avalon	11.3
Toyota Corolla	11.3
Acura MDX	11.4
Audi A5	11.4
BMW Série 5	11.4
Buick Regal	11.4
Dodge Challenger	11.4
Ford Mustang Shelby	11.4
Hyundai Genesis Coupe	11.4
Lexus HS	11.4
Lexus RX	11.4
Lincoln MKZ	11.4
Mazda CX-7	11.4

	(m)
Mazda CX-9	11.4
Nissan Maxima	11.4
Nissan Rogue	11.4
Nissan Xterra	11.4
Toyota 4Runner	11.4
Toyota RAV4	11.4
Aston Martin DB9	11.5
Aston Martin DBS	11.5
Audi R8	11.5
Chevrolet Camaro	11.5
Honda CR-V	11.5
Jaguar XF	11.5
Lamborghini Gallardo	11.5
Land Rover LR4	11.5
Mercedes-Benz Classe GLK	11.5
Volvo XC70	11.5
Audi Q5	11.6
Chevrolet Impala	11.6
Chrysler Town & Country	11.6
Ferrari 599	11.6
Land Rover Range Rover	11.6
Mercedes-Benz Classe CL	11.6
MINI Countryman	11.6
Nissan Murano	11.6
Volkswagen Routan	11.6
Acura ZDX	11.7
BMW M3	11.7
BMW Série 6	11.7
Dodge Journey	11.7
Buick LaCrosse	11.8
Acura RL	11.8
BMW X1	11.8
Ford Edge	11.8
Ford Transit Connect	11.8
Honda Pilot	11.8
Lexus RX	11.8
Mercedes-Benz Classe M	11.8
Mercedes-Benz Classe S	11.8
Toyota Highlander	11.8
Acura TL	11.9
Audi A6	11.9
Audi A7	11.9
BMW X3	11.9
Cadillac Escalade	11.9
Chevrolet Tahoe	11.9
Chrysler 300	11.9
Mercedes-Benz Classe B	11.9
Mercedes-Benz SLS AMG	11.9
Porsche Cayenne	11.9
Saab 9-3	11.9
Toyota Venza	11.9
Volkswagen Touareg	11.9
Volvo XC60	11.9
BMW Série 5	12.0
Acura RDX	12.0
Audi Q7	12.0
Chevrolet Colorado	12.0
Chevrolet Corvette	12.0
Chevrolet Malibu	12.0
Dodge Charger	12.0
Dodge Grand Caravan	12.0

	(m)
GMC Canyon	12.0
Lincoln MKX	12.0
Porsche Panamera	12.0
RAM RAM 1500	12.0
Toyota Tundra	12.0
Volkswagen Tiguan	12.0
Acura TSX	12.1
BMW Série 7	12.1
BMW X5	12.1
GMC Sierra	12.1
Hyundai Equus	12.1
Kia Sedona	12.1
Lexus LS	12.1
Mercedes-Benz Classe GL	12.1
Cadillac SRX	12.2
Chevrolet Equinox	12.2
Ford Fusion	12.2
GMC Terrain	12.2
Lexus LFA	12.2
Lincoln MKS	12.2
Volvo S80	12.2
Buick Enclave	12.3
Chevrolet Traverse	12.3
GMC Acadia	12.3
Honda Accord Crosstour	12.3
Maserati Gran Turismo	12.3
Maserati Quattroporte	12.3
Ford Expedition	12.4
Ford Flex	12.4
Nissan Armada	12.4
Audi A8	12.5
Lamborghini Aventador	12.5
Toyota Sequoia	12.5
Volvo XC90	12.5
Jeep Wrangler	12.6
Lincoln MKT	12.6
Mercedes-Benz Classe R	12.6
Infiniti QX	12.7
Jaguar XJ	12.7
Toyota FJ Cruiser	12.7
Cadillac DTS	12.8
Lexus LX	12.8
Honda Ridgeline	13.0
Chevrolet Avalanche	13.1
Chevrolet Suburban	13.1
GMC Yukon	13.1
Rolls-Royce Phantom	13.1
Nissan Frontier	13.2
Toyota Tacoma	13.2
Mercedes-Benz Classe G	13.3
Lincoln Navigator	13.4
Maybach 57 - 62	13.4
Rolls-Royce Ghost	13.4
Toyota Tundra	13.4
Ford F-150	13.6
Nissan Titan	13.8
Chevrolet Silverado	14.3
Chevrolet Volt	15.0
Moyenne:	11.5

dernière heure

ASTON MARTIN CYGNET (VERSION EUROPÉENNE)

Les Européens peuvent déjà se procurer cette réplique ultra luxueuse de la petite Toyota iQ, qui aura le plaisir de fouler le sol nord-américain dès l'an prochain. Une voiture qui porte fièrement la célèbre calandre de la prestigieuse marque britannique, en plus d'être assemblée à la main à l'usine de Gayton aux côtés des rutilantes Aston Martin DB9, DBS et autres. À l'intérieur, la richesse des matériaux utilisés n'a rien à envier à ce qui se fait de mieux en la matière par ce constructeur. Son moteur est un quatre cylindres de 1,3 litre VVT-i qui délivre une puissance de 101 chevaux.

AUDI Q3

Après le massif Audi Q7 et l'intermédiaire Q5, on constate que le constructeur aux anneaux sera le premier à offrir un véhicule utilitaire sport grand luxe de gabarit compact. Comme il se doit, il porte le nom de Q3. Très léger et ne pesant que 1500 kilos, ce véhicule possède des dimensions équivalentes à celles de son petit cousin, le Volkswagen Tiguan. Malgré son gabarit, il peut accueillir jusqu'à cinq passagers tandis que sa finition et sa présentation sont celles d'un véhicule griffé Audi. Pour l'Amérique, seule une version Quattro sera offerte, laquelle serait associée à un choix de deux moteurs, un quatre et un six cylindres.

BUICK VERANO

Enfin, la division Buick de General Motors offrira une berline de gabarit compact portant le nom de Verano. Non, il ne s'agit pas d'une Chevrolet Cruze portant les écussons Buick. On parle ici d'une berline luxueuse et des plus confortables, dont les passagers seront protégés par rien de moins que 10 sacs gonflables. Elle sera propulsée par un moteur quatre cylindres de 2,4 litres Ecotec compatible au mélange essence/éthanol (E85). Une boîte automatique à six rapports fera partie de ses nombreux équipements de série. Un moteur 2,0 litres turbo suivra plus tard. La Verano sera disponible à compter de l'automne prochain.

CHEVROLET MALIBU

Bien que la prochaine Chevrolet Malibu nous soit présentée comme une berline de l'année-modèle 2013, cette très jolie nouvelle mouture qui s'annonce sera en concession en 2012. De dimensions à peine supérieures au modèle actuel, elle compte offrir plus d'espace de dégagement aux places arrière. Outre son beau minois, elle héritera d'un tout nouveau moteur quatre cylindres de 2,5 litres Ecotec à injection directe d'une puissance de 190 chevaux, couplé à une toute nouvelle boîte automatique à six rapports. Une version turbocompressée viendrait s'y joindre. Elle sera offerte en versions LS, LT et LTZ.

FORD C-MAX HYBRIDE

Ford nous apprend que les versions de son multisegment compact qui seront commercialisées en Amérique du Nord disposeront soit d'une motorisation hybride, soit d'une version « branchable » appelée C-Max Energi. Ces versions hybrides seront associées à une toute nouvelle batterie au lithium-ion que l'on dit 50 % plus légère et, surtout, 25 % plus compacte que les batteries actuellement offertes. Selon les données du constructeur, ces deux versions ultra-propres de son modèle C-Max offriraient une consommation de carburant supérieure à 6,8 l/100 km ou 41 mi/gal. La déclinaison américaine du C-Max sera assemblée dès l'an prochain à l'usine Ford de Wayne au Michigan.

GMC GRANITE

L'an passé, dans l'édition 2011 du Guide de l'auto, nous avions placé ce véhicule dans la section des Concepts et voilà que cette année, il en est question dans le volet Dernière Heure. C'est tout simplement parce que ce véhicule passera dès l'an prochain du stade de concept à celui de modèle de série, qui épousera à s'y méprendre les traits du modèle conceptuel. Il deviendrait ainsi un sérieux rival aux véhicules cubiques actuellement offerts, dont le plus populaire d'entre eux, le Kia Soul. Mais contrairement à ce dernier, on compte également s'en servir en tant que véhicule commercial et de type panel pour les livraisons.

KIA CADENZA

Si Hyundai en offre une, Kia veut faire de même et c'est tout à fait normal. Voilà pourquoi Kia compte proposer éventuellement une somptueuse berline de grand luxe qui sera la vis-à-vis de la grande Hyundai Genesis. La Kia Cadenza, que notre confrère Denis Duquet a eu le plaisir de conduire l'année dernière en Corée du Sud, pourrait être l'élue. Cette voiture, qui est déjà offerte sur certains marchés, disposerait d'un moteur V6 de 3,5 litres dont la puissance est, comme par hasard, de 333 chevaux, soit la même que celle de la Genesis. Toutefois, la cylindrée de cette dernière est de 3,8 litres

MERCEDES-BENZ SLS AMG ROADSTER

Cette version découvrable du SLS AMG de Mercedes est tout aussi aguichante que le coupé, alors que tout se joue autour du type de toit choisi. Ici, on a opté pour un toit souple en tissu très épais et de qualité supérieure, qui se déploie en seulement 11 secondes. Afin de minimiser le surplus de poids qu'engendre l'utilisation d'une capote à déploiement électrique, les ingénieurs ont utilisé des matériaux comme le magnésium, l'acier et l'aluminium dans la conception de la structure de ce toit souple à trois couches, afin de maximiser son étanchéité. Le moteur V8 de 6,3 litres développe une puissance de 563 chevaux.

MINI ROADSTER ET COUPÉ

Nous devons vous avouer que nous avons un net penchant pour le Roadster, bien que le coupé ne manque pas d'originalité. Le Roadster dispose d'une capote souple à déploiement manuel qui pourra affronter la populaire Mazda MX-5. De son côté, le coupé, avec sa silhouette trapue, ne manquera pas d'attributs pour attirer l'attention sur son passage. Comme il se doit, ces deux nouvelles Mini, qui ne peuvent accueillir que deux passagers, hériteront de motorisations propres à la marque. Normalement, c'est le Coupé qui devrait être le premier modèle à se retrouver en concessions dès 2012, pour être suivi quelques mois plus tard par la version Roadster.

NEW-WEST

New-West VR est une entreprise établie à Saint-Nicolas qui fabrique des véhicules de plaisance utilisant les fourgonnettes Chevrolet Express 1500. Cette année, ce producteur a parachevé sa gamme de modèles qui se déclinent en trois versions : Migration, Expédition et Excursion. L'acheteur peut choisir entre un moteur V6 4,3 litres ou un V8 de 5,3 litres. Avec ce dernier modèle, il est possible de commander le rouage intégral. Les véhicules récréatifs New-West se caractérisent par leur intérieur très élégant fabriqué à partir de matériaux de première qualité. De plus, leur conception permet un usage quotidien de la part de son propriétaire et pas seulement pour les voyages et les vacances.

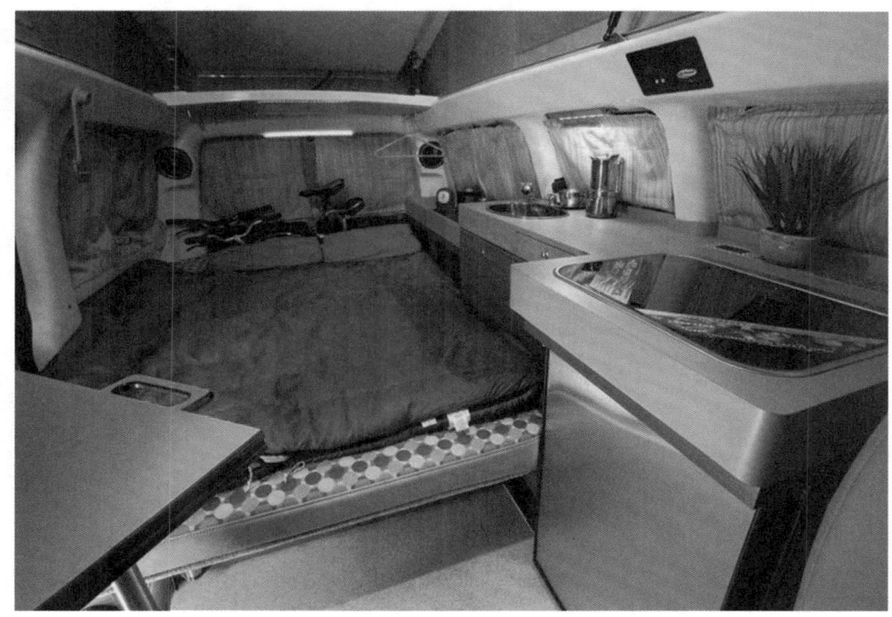

PORSCHE PANAMERA S HYBRIDE

Après la Porsche Cayenne S hybride, ce sera au tour de la grande Panamera S de se voir offrir une motorisation hybride, d'ailleurs très près de celle du gros VUS. Ainsi, sous le capot de la prestigieuse berline, on trouve un moteur V6 de 3,0 litres à compresseur qui délivre une puissance de 333 chevaux, auquel vient se greffer un moteur électrique venant y ajouter 47 chevaux, pour un total de 380. Selon les données du constructeur, cette superbe berline annonce une consommation de carburant à hauteur de 7,1 l/100 km avec les pneus d'origine. En mode tout électrique, son autonomie ne pourra dépasser les 85 kilomètres.

TESLA MODEL S

On connaît tous (ou presque) le Tesla Roadster entièrement propulsé à l'électricité qui actuellement est considéré comme la voiture à moteur électrique disposant de la plus grande autonomie, laquelle est estimée à 350 kilomètres. Après avoir assemblé plus de 1000 unités de son Roadster et s'être porté acquéreur de l'usine NUMMI qui appartenait à GM et Toyota, le petit constructeur américain est aujourd'hui fin prêt à assembler son « Model S ». Il s'agit d'une berline grand luxe à moteur électrique auquel peut être couplé jusqu'à trois batteries lui permettant ainsi de bénéficier d'une autonomie variant de 250 à 370 kilomètres. Certains parlent même de 480 kilomètres…

TOYOTA PRIUS C (CONCEPT)

Appelons-la pour le moment « Prius C », puisque le concept dévoilé en janvier dernier à Détroit, donnera finalement naissance, l'an prochain, à un modèle plus accessible à motorisation hybride. Toutefois, il serait étonnant que le modèle qui sera produit porte le nom de Prius C (C pour City). Comme il se doit, cette sous-compacte disposera de la technologie « Hybrid Synergy Drive » si chère aux ingénieurs de la marque. Ce ne sera pas une voiture hybride rechargeable, mais elle proposera tous les éléments essentiels pour faire face à la nouvelle Honda Fit hybride.

Achevé d'imprimer à Scott, Canada
sur les presses d'Imprimerie Solisco Inc. en août 2011

TOYOTA YARIS (VERSION EUROPÉENNE)

La prochaine mouture de la Toyota Yaris est à nos portes. Elle change totalement de silhouette en laissant de côté ses rondeurs habituelles pour les remplacer par un style très angulaire. Ses dimensions seront légèrement relevées, notamment au niveau de son empattement, afin de pouvoir offrir à la fois plus de dégagements aux passagers arrière et plus d'espaces de chargement. Toutefois, elle sera plus basse. Côté mécanique, on devrait voir apparaître un tout nouveau moteur de cylindrée moyenne qui offrira une économie rehaussée. Il est également fortement question que la prochaine génération de la petite Yaris s'offre une déclinaison à motorisation hybride.